令和6年11月改訂

問答式

法人税 事例選集

公認会計士・税理士 **森田 政夫**

公認会計士・税理士 **西尾 宇一郎** 共著

清文社

は し が き

最近の企業活動の多様化や国際化、取引形態の変化、新しい会計基準の公表等により、法人税に関する規定もますます膨大なものになり、その内容も複雑なものになってきています。

本書は、法人税実務での重要事項や疑問に思われる事項等を、幅広く問答式で解説しており、毎年、税法の改正や新たな取引・事象の発生等に対応して改訂を行ってきました。

令和6年度の法人税制の改正では、交際費等から除外される飲食費の金額基準の引上げ、給与等の支給額が増加した場合の法人税額の特別控除制度の見直し、中小企業事業再編投資損失準備金制度の拡充、事業税の外形標準課税の対象法人の拡大等の改正が行われました。令和6年度版では、こうした改正項目のうち主なものを織り込むとともに、通達の改正等にも対応し、また、新たな事例を追加し、補正加筆しています。なお、交際費等から除外される飲食費及び50％損金算入となる飲食費に関する事例については、整理し、新しい問答としてまとめました。

税務や経理の実務を進める上では、税法に関する知識のほか、会社法や企業会計の知識が必要です。本書では、税法とその関連の政令、省令、通達だけでなく、会社法の規定、企業会計審議会や企業会計基準委員会から公表されている会計基準及び適用指針等を織り込んで解説するようにしています。

筆者の考え方の不足しているところなどお気付きの点は、ぜひ御指摘賜りますようお願いいたします。

なお、本書の初版発行時（昭和46年）からの著者であり、現在の共著者である森田政夫は、令和5年10月に逝去いたしましたが、ご遺族の了解を得て著者表記は従前のままとしています。

令和6年11月

著　者

法人税事例選集 目次

第1章 総論、定義

第1節 法人の分類と公益法人等、協同組合等に対する課税制度

【問1-1】 法人税法における法人の分類 ……………………………………… 1
【問1-2】 公益法人等に対する法人税の課税制度と損益計算書等の提
出制度 …………………………………………………………… 3
【問1-3】 宗教法人が行う事業のうちの収益事業 ……………………… 6
【問1-4】 学校法人が行う事業のうちの収益事業 ……………………… 9
【問1-5】 労働組合に対する課税について ………………………………12
【問1-6】 労働組合が行う事業のうちの収益事業 ………………………13
【問1-7】 社団法人、財団法人に対する課税の概要 ……………………16
【問1-8】 一般社団法人又は一般財団法人のうちの非営利型法人 ……18
【問1-9】 公益法人等が地方公共団体等から交付を受ける補助金 ……22
【問1-10】 協同組合等に対する法人税の課税制度 ………………………23
【問1-11】 合同会社の概要とその所得に対する課税の方法 ……………24
【問1-12】 人格のない社団等に対する法人税の課税方法 ………………26

第2節 法人の設立をめぐる問題

【問1-13】 新設法人の税務届出書類 ………………………………………28
【問1-14】 法人成りに当たり個人事業の資産及び負債を会社へ引継
ぐ金額 ……………………………………………………………32
【問1-15】 法人成りに当たって現物出資があったときの資本金等の
額の計上額 ………………………………………………………34
【問1-16】 法人成りに当たって会社に個人所有の不動産を賃貸する
場合 ………………………………………………………………36
【問1-17】 法人成りに当たってのその他の注意事項 ……………………37

（目次-1）

【問1-18】 特例有限会社から株式会社へ移行する場合 ……………………40

【問1-19】 株式会社と持分会社の間で組織変更が行われる場合 ……………41

第3節 定義その他

【問1-20】 青色申告法人の備え付けるべき帳簿類 ………………………………42

【問1-21】 青色申告法人の帳簿書類の保存期間と保存場所 ……………………43

【問1-22】 事業年度の変更に伴う注意事項（事業年度の月数が12未
満となった場合）…………………………………………………………44

【問1-23】 申告期限が正月休みである場合の特例 ………………………………46

【問1-24】 「損金経理」の意味と「損金の額に算入する」との違い …………47

【問1-25】 中小企業者等の範囲と中小企業者等に対する特例の概略 ………48

【問1-26】 資本金が1億円以下の中小法人に対する特例の概略 ……………50

【問1-27】 中小企業向け特例措置の適用除外事業者 …………………………52

【問1-28】 親会社等がある場合の中小企業向け特例の適用の有無 ………54

【問1-29】 転換社債型新株予約権付社債以外の新株予約権付社債の
権利行使によりその発行者側で計上される資本準備金 ………56

【問1-30】 信託課税制度の概略 ………………………………………………………59

【問1-31】 法人税と地方税での「資本金等」の定義の相違 …………………60

【問1-32】 「確定した決算」と株主総会の承認 …………………………………62

第2章 収益、費用とその帰属時期等

第1節 収益及びその帰属時期

【問2-1】 収益認識時期及び収益の額の通則 ……………………………………64

【問2-2】 売上割戻しの計上時期 ……………………………………………………67

【問2-3】 売上割戻しを保証金等として預かった場合 ………………………70

【問2-4】 資産を贈与した場合の収益の額 ………………………………………71

【問2-5】 家庭用配置薬の売上計上の時期 ………………………………………73

【問2-6】 請負による収益の計上時期（Ⅰ）………………………………………74

【問2-7】 請負による収益の計上時期（Ⅱ）………………………………………75

【問2-8】 事業年度終了の日をまたがる請負業務の収益計上時期 ………76

(目次-2)

【問2-9】	建設業の部分完成基準について	77
【問2-10】	固定資産の譲渡による収益の帰属の時期	78
【問2-11】	譲渡担保の場合の譲渡損益	80
【問2-12】	延払基準の廃止と経過措置	81
【問2-13】	長期大規模工事の内容と工事進行基準を適用しなければならない理由	83
【問2-14】	工事進行基準による会計処理の事例	84
【問2-15】	長期大規模工事以外の工事に対する工事進行基準の適用	85
【問2-16】	工事進行割合を算定するに当たっての未成工事支出金勘定の金額	86
【問2-17】	仕入先からの仕入割戻しの算定期間中に決算日が到来する場合	88
【問2-18】	給付金や助成金等の収益計上時期	89
【問2-19】	債権の取得価額と債権金額との差額に係る調整差損益の計上方法	90
【問2-20】	顧客にポイント等を付与した場合の収益計上	92
【問2-21】	ポイント等相当額を負債計上した場合の消費税の取扱い	95
【問2-22】	有償支給取引の取扱い	96

第2節　費用及びその帰属時期

【問2-23】	事業年度終了の時に未払計上した見積費用はその損金算入が認められるか	99
【問2-24】	中途償還時に約定利息よりも低い利息を支払うこととしている組合債利息の未払計上額	100
【問2-25】	造成団地の分譲原価について	101
【問2-26】	金額的重要性のある短期前払費用	103
【問2-27】	1年を超える前払費用の取扱い	104
【問2-28】	事務用消耗品等の取得事業年度における損金算入	105
【問2-29】	短期の前払費用又は消耗品費等の一部にのみ法人税基本通達の取扱いを適用することの可否	106

（目次-3）

【問2-30】 社債の債務額とその発行価額の差額を償還期間中の各事
業年度に配分して損金算入する計算の事例 ……………… 108

第3節　リース取引の取扱い

【問2-31】 リース取引会計基準の定めるリース取引の意義と分類 ………… 110
【問2-32】 税法の定めるリース取引の意義と分類 ……………………… 111
【問2-33】 所有権移転外リース取引の意義——リース取引会計基準
と税法の対比 ……………………………………………… 113
【問2-34】 リース取引の会計処理——リース取引会計基準と税法の
対比 ………………………………………………………… 117
【問2-35】 所有権移転外リース取引契約をした賃借人の会計処理 ………… 120
【問2-36】 賃借人がリース取引を賃貸借取引として処理している場合 …… 123
【問2-37】 リース取引に係る一連の取引が実質的に金銭の貸借と認
められるものとその取引の処理方法 ……………………… 125
【問2-38】 資産のリース・バック取引が金銭の貸借取引とされたと
きの具体例 ………………………………………………… 126
【問2-39】 リース譲渡に係る収益及び費用の計上の特例 ……………… 129

第3章　受取配当等の益金不算入

第1節　受取配当等の範囲

【問3-1】 所有株式をその発行会社により自己株式として買い取ら
れた場合のみなし配当（Ⅰ）……………………………… 132
【問3-2】 所有株式をその発行会社により自己株式として買い取ら
れた場合のみなし配当（Ⅱ）……………………………… 136
【問3-3】 自己株式等の取得が予定されている株式等に係る受取配
当等益金不算入の規定の不適用 …………………………… 137
【問3-4】 名義書換え失念株に対して受領した配当金等についての
受取配当等益金不算入の規定の適用関係 ………………… 139
【問3-5】 従業員名義の自己株式に係る配当についての受取配当等
益金不算入の規定の適用の可否 …………………………… 141

（目次-4）

【問3-6】 信用取引又は株式の消費貸借取引により受け取る配当落
　　　　 調整額相当額等 ………………………………………………… 142

【問3-7】 中間配当を受け取った場合の税法での取扱い …………………… 144

【問3-8】 資本剰余金を原資とする配当を受け取った場合 ………………… 145

第2節　受取配当等の益金不算入額の計算等

【問3-9】 受取配当等益金不算入の概要 ……………………………………… 148

【問3-10】 完全子法人株式等の意味 …………………………………………… 149

【問3-11】 関連法人株式等の意味 ……………………………………………… 150

【問3-12】 非支配目的株式等の意味 …………………………………………… 152

【問3-13】 株式等の保有割合により益金不算入割合が異なる理由 ………… 153

【問3-14】 短期保有株式等についての受取配当等益金不算入の不適
　　　　　 用 ……………………………………………………………………… 154

【問3-15】 短期保有株式等の数の計算方法 …………………………………… 155

【問3-16】 負債利子の控除額の計算 …………………………………………… 157

【問3-17】 負債利子控除での支払利子等の範囲 ……………………………… 158

【問3-18】 外国子会社から受ける配当等の益金不算入制度 ………………… 159

第4章　棚 卸 資 産

第1節　棚卸資産の意義と範囲

【問4-1】 棚卸資産の範囲——税法と棚卸資産評価基準の対比 …………… 163

【問4-2】 棚卸資産と固定資産の区別 ………………………………………… 164

【問4-3】 建設業の仮設材料等のすくい出し方式 …………………………… 165

【問4-4】 リベート商品をメーカーから預かった場合の処理 …………… 167

【問4-5】 短期売買商品についての税法の規定 ……………………………… 168

第2節　棚卸資産の評価

【問4-6】 棚卸資産の評価と売上原価の関係についての税法の考え
　　　　　 方 ……………………………………………………………………… 171

【問4-7】 個別法を選定することができる棚卸資産 ………………………… 172

（目次-5）

【問4-8】 月別又は6か月ごとの移動平均法 ……………………… 173

【問4-9】 売価還元法の原価率について ……………………… 174

【問4-10】 差益の率の異なる商品に対する売価還元法の適用 ………… 176

【問4-11】 売価還元法による評価をするに当たっての売上値引額の
考慮 ……………………………………………………… 176

【問4-12】 事業年度中に値上げをした場合の売価還元率の計算 ………… 178

【問4-13】 低価法を適用する場合の棚卸資産の事業年度終了の時に
おける価額——正味売却価額 ……………………… 179

【問4-14】 低価法の適用に当たり取得価額と比較する価額を再調達
原価とすることができる場合 ……………………… 180

【問4-15】 低価法の適用等についての会社計算規則の規定と、税法
の規定及び棚卸資産評価基準の定めとの対比 ……… 182

【問4-16】 切放し低価法を適用した場合の申告調整 ……………… 183

【問4-17】 低価法を選定した棚卸資産のすべてについて原価と時価
の対比を要するか ……………………………………… 184

【問4-18】 原材料受入価額差異の調整計算を一括して行っている場
合の低価法の適用 ……………………………………… 186

【問4-19】 製造工程での進行度の見積りによる半製品及び仕掛品の
評価 ……………………………………………………… 187

第3節 棚卸資産の取得価額

【問4-20】 下請会社への出向者の人件費を元請会社が負担している
場合 ……………………………………………………… 188

【問4-21】 仕入数量の添付を受けた棚卸資産の取得価額 …………… 189

【問4-22】 製造原価に算入しなければならない棚卸資産の評価損 ……… 189

【問4-23】 税法上損金算入されない諸引当金の繰入額は製造原価に
算入しないことができるか ……………………… 190

【問4-24】 製造原価に算入しないことができる費用について …………… 191

【問4-25】 補償金を収受した経費の製造原価算入の要否 ……………… 192

【問4-26】 生産休止期間中の費用の原価外処理 ……………………… 193

（目次-6）

【問4-27】 事業場閉鎖によって整理する従業員に対する割増退職金
の原価外処理 ································· 194

【問4-28】 公害汚染負荷量賦課金、身体障害者雇用納付金等の原価
算入について ······························· 195

【問4-29】 適格組織再編成により引継ぎを受けた棚卸資産の取得価
額 ····································· 196

第4節　原価差額の調整

【問4-30】 原材料有償支給差益の取扱い ···················· 198

【問4-31】 前期末原材料棚卸高に配賦された原材料受入差額等の取
扱い ···································· 199

【問4-32】 原価差額についての税法の考え方（Ⅰ）············· 200

【問4-33】 原価差額についての税法の考え方（Ⅱ）············· 201

【問4-34】 原価差額調整の算式について ···················· 203

【問4-35】 事業年度が1年の法人が中間仮決算を行う場合の原価差
額の調整方法 ······························· 204

【問4-36】 申告調整できる貸方原価差額 ···················· 205

第5章　有価証券、自己株式

第1節　有価証券の意義と範囲

【問5-1】 売買目的有価証券の意義と範囲 ·················· 208

【問5-2】 償還有価証券の意義及び範囲 ···················· 210

【問5-3】 償還有価証券と満期保有目的有価証券の相違点 ········ 212

【問5-4】 企業支配株式等の意義とこれに適用される特別の規定、
取扱い ·································· 214

【問5-5】 企業支配に係る対価の額（Ⅰ）··················· 216

【問5-6】 企業支配に係る対価の額（Ⅱ）··················· 218

【問5-7】 有価証券の区分の変更 ························· 219

（目次-7）

第2節　有価証券の譲渡損益及び評価

【問5-8】　有価証券の譲渡損益の計算方法 ……………………………… 221

【問5-9】　有価証券の譲渡損益の計上時期 ……………………………… 222

【問5-10】　有価証券の1単位当たりの帳簿価額の算出の方法の選

　　　　　定・変更の手続等 ………………………………………………… 224

【問5-11】　有価証券の評価方法の税法と金融商品会計基準との相違 ……… 226

【問5-12】　金融商品会計基準によりその他有価証券の評価差額処理

　　　　　をしたときの申告調整方法 ……………………………………… 228

【問5-13】　売買目的有価証券の時価評価額 …………………………… 230

【問5-14】　合理的な方法での時価の計算 ……………………………… 233

【問5-15】　償却原価法による評価額の計算方法 ……………………… 234

【問5-16】　株式相場低落のもとでの上場株式の評価損 ……………… 237

【問5-17】　市場有価証券等の評価損で「近い将来その価額の回復が

　　　　　見込まれない」とは ……………………………………………… 238

【問5-18】　市場有価証券等以外の有価証券の発行法人の資産状態の

　　　　　著しい悪化（Ⅰ）………………………………………………… 240

【問5-19】　市場有価証券等以外の有価証券の発行法人の資産状態の

　　　　　著しい悪化（Ⅱ）………………………………………………… 241

【問5-20】　市場有価証券等以外の有価証券の発行法人が新株の発行

　　　　　時に債務超過状態であるときの諸問題 ……………………… 244

【問5-21】　有価証券の空売りに係る譲渡損益の額とその計上時期 ………… 245

【問5-22】　有価証券の信用取引又は発行日取引に係る譲渡損益の額

　　　　　とその計上時期 …………………………………………………… 247

【問5-23】　事業年度終了の時に未決済のデリバティブ取引の税務で

　　　　　の取扱い …………………………………………………………… 249

【問5-24】　繰延ヘッジ処理が適用されるヘッジ取引 ………………… 251

【問5-25】　繰延ヘッジ処理によりヘッジ手段に係る損益を繰り延べ

　　　　　るための要件 ……………………………………………………… 253

【問5-26】　繰延ヘッジ処理による損益の繰延べ方法 ………………… 255

（目次-8）

| 【問5-27】 | 金融商品会計基準に示されているヘッジ会計と税法のヘッジ取引の関係 ………………………………………………… | 258 |

【問5-27】 金融商品会計基準に示されているヘッジ会計と税法のヘッジ取引の関係 ………………………………………………… 258

【問5-28】 時価ヘッジ処理が適用されるヘッジ取引 ………………… 260

【問5-29】 時価ヘッジ処理による損益の計上方法 ………………… 261

【問5-30】 子会社からの配当と子会社株式譲渡を組み合わせた租税回避の防止 ………………………………………………… 265

【問5-31】 株式交付により所有株式を譲渡した場合の譲渡損益 …………… 268

第3節　有価証券の取得価額

【問5-32】 有価証券の取得価額 ……………………………………… 271

【問5-33】 剰余金の額を減少して資本金の増加が行われた場合の株式の取得価額 ……………………………………………… 276

【問5-34】 準備金の額を減少して資本金の額の増加が行われた場合の株式の取得価額 ……………………………………… 277

【問5-35】 株式の分割があった場合の株式の取得価額 ……………… 279

【問5-36】 時価よりも低い価額で引き受けた公募株の取得価額 …………… 280

【問5-37】 取引相場のない株式を通常要する価額に比して有利な金額で取得した場合の時価の算定 ……………………… 281

【問5-38】 法人が「中心的な同族株主」となる場合 ………………… 283

【問5-39】 議決権の割合による取引相場のない株式の評価方法の区分 ………………………………………………………… 286

【問5-40】 会社の所有する株式の発行会社が他から財産の贈与を受けた場合 ………………………………………………… 287

【問5-41】 会社の所有する株式の発行会社が有利な合併をした場合 ……… 288

【問5-42】 分割型分割によって交付を受けた分割承継法人の株式の取得価額 …………………………………………………… 290

【問5-43】 転換社債型新株予約権付社債の権利を行使して取得した株式の取得価額 ……………………………………… 292

【問5-44】 公社債をその利子計算期間の中途で購入した場合の経過利子の処理方法 …………………………………………… 293

（目次-9）

| 【問5-45】 | 転換社債型新株予約権付社債をその利子計算期間の中途 | |
| で購入し利払期到来前に新株予約権を行使した場合 …………… | 294 | |

【問5-46】 M&Aの際のデューデリジェンス費用や仲介手数料の取
扱い ……………………………………………………………………… 296

第4節　自己株式の取扱い

【問5-47】 株式会社による自己株式の取得についての会社法の規定 ……… 298

【問5-48】 取得した自己株式の会社法及び税法での取扱い ………… 300

【問5-49】 自己株式を取得したときの税法での処理 ……………… 301

【問5-50】 自己株式処分差損益の会計処理方法 …………………… 303

【問5-51】 自己株式処分差損益が生じたときの申告調整方法 ……………… 304

【問5-52】 自己株式処分差損の一部をその他利益剰余金から減額し
たときの申告調整方法 ………………………………………… 307

【問5-53】 自己株式を消却したときの会計処理と税法での処理 ………… 309

【問5-54】 自己株式を消却したときの申告調整方法 ……………… 310

【問5-55】 自己株式取得時の付随費用の取扱い …………………………… 312

第6章　固定資産及び減価償却

第1節　減価償却資産の範囲、償却費の意義

【問6-1】 非減価償却資産 ………………………………………………… 313

【問6-2】 美術品等の取扱い ……………………………………………… 316

【問6-3】 ソフトウエアについての研究開発費等会計基準の定めと
税法の規定の相違 ……………………………………………… 318

【問6-4】 機械装置を稼動させるに当たってのソフトウエア ………… 320

【問6-5】 少額の減価償却資産 ………………………………………… 321

【問6-6】 一括償却資産の損金算入制度の概要 ……………………… 322

【問6-7】 一括償却資産と会計処理の適正性 ………………………… 324

【問6-8】 中小企業者等の少額減価償却資産の取得価額の損金算入
の特例 ……………………………………………………………… 326

（目次-10）

【問6-9】 少額減価償却資産の特例での従業員が500人以下又は
300人以下の判定‥‥‥‥‥‥‥‥‥‥‥‥‥‥‥‥‥‥‥‥‥‥‥ 329

【問6-10】 中小企業者等の少額減価償却資産の取得価額の合計額が
300万円を超える場合の損金算入限度額‥‥‥‥‥‥‥‥‥‥‥‥ 330

【問6-11】 少額の減価償却資産等から除外される貸付用の資産とは ‥‥‥ 331

【問6-12】 圧縮記帳により取得価額が10万円未満となった減価償却
資産 ‥‥‥‥‥‥‥‥‥‥‥‥‥‥‥‥‥‥‥‥‥‥‥‥‥‥‥‥‥ 333

【問6-13】 少額の減価償却資産の取得価額基準の判定に当たっての
消費税等の額 ‥‥‥‥‥‥‥‥‥‥‥‥‥‥‥‥‥‥‥‥‥‥‥‥ 335

【問6-14】 減価償却資産の使用可能期間が1年未満かどうかの判定 ‥‥‥ 336

【問6-15】 事業の用に供した事業年度に減価償却資産に計上した少
額の減価償却資産等 ‥‥‥‥‥‥‥‥‥‥‥‥‥‥‥‥‥‥‥‥ 337

【問6-16】 償却費として損金経理をした金額の意義 ‥‥‥‥‥‥‥‥‥ 338

【問6-17】 申告調整により償却限度額を損金算入する場合の申告書
の記載方法 ‥‥‥‥‥‥‥‥‥‥‥‥‥‥‥‥‥‥‥‥‥‥‥‥ 340

第2節 固定資産の取得価額

【問6-18】 土地とともに取得した建物を取り壊した場合 ‥‥‥‥‥‥‥‥ 343

【問6-19】 固定資産の取得価額に算入すべき公害補償金 ‥‥‥‥‥‥‥ 344

【問6-20】 建物の建築許可に関連して徴収される開発負担金等 ‥‥‥‥ 345

【問6-21】 建設工事の工期短縮に伴って支払う値増金又は工期遅延
を理由に受領する違約金の取扱い ‥‥‥‥‥‥‥‥‥‥‥‥‥ 347

【問6-22】 減価償却資産について取得した事業年度後に値引きを受
けた場合 ‥‥‥‥‥‥‥‥‥‥‥‥‥‥‥‥‥‥‥‥‥‥‥‥‥ 348

【問6-23】 工場の建物の建設期間中の借入金の利子 ‥‥‥‥‥‥‥‥‥ 349

【問6-24】 割賦購入資産に係る割賦期間中の利息の取扱い ‥‥‥‥‥‥ 350

【問6-25】 賃借中の建物を買い取ったときの借家権利金の未償却残
額の処理 ‥‥‥‥‥‥‥‥‥‥‥‥‥‥‥‥‥‥‥‥‥‥‥‥‥ 351

【問6-26】 借地上の建物を取得した場合の当該建物の取得価額 ‥‥‥‥ 352

【問6-27】 賃貸建物の明渡しに当たって支払う立退料の処理方法 ‥‥‥ 353

【問6-28】 工事請負契約書に記載された諸経費の取扱い ‥‥‥‥‥‥‥ 354

（目次-11）

【問6-29】 下取車を時価よりも高く下取りしてもらったときの新車
の取得価額 ………………………………………………………… 355
【問6-30】 広告宣伝用資産の受贈益 ……………………………………… 356
【問6-31】 債務超過の事業を有償で譲り受けたときの営業権の取得
価額 ……………………………………………………………… 357
【問6-32】 購入した減価償却資産を事業の用に供するための費用 ……… 359
【問6-33】 自己製作のソフトウエアの取得価額 ………………………… 359

第3節　償却の方法、償却限度額の計算

【問6-34】 税法の規定する減価償却資産の償却の方法 ………………… 362
【問6-35】 旧定額法・定額法による償却限度額の計算 ………………… 364
【問6-36】 旧定率法・定率法による償却限度額の計算 ………………… 367
【問6-37】 増加償却制度の内容とその計算事例 ………………………… 371
【問6-38】 週5日制の場合の増加償却割合の計算 ……………………… 374
【問6-39】 常時使用される機械装置などの超過使用時間 ……………… 375
【問6-40】 償却方法を定率法・旧定率法から定額法・旧定額法へ変
更した場合の償却限度額 ……………………………………… 376
【問6-41】 定率法・旧定率法から定額法・旧定額法へ変更した場合
の経過年数の計算 ……………………………………………… 378
【問6-42】 償却方法を定額法・旧定額法から定率法・旧定率法へ変
更した場合の償却限度額 ……………………………………… 379
【問6-43】 転用資産の償却限度額 ………………………………………… 380
【問6-44】 償却不足額の繰越しについて ………………………………… 381
【問6-45】 確定申告書等に添付すべき償却額の計算に関する明細書 ……… 384

第4節　耐用年数

【問6-46】 機械及び装置と工具の区分 …………………………………… 386
【問6-47】 中古資産の耐用年数 …………………………………………… 386
【問6-48】 無形減価償却資産についての見積り中古耐用年数の適用 ……… 389
【問6-49】 機械及び装置の中古資産の耐用年数の見積り方法 ………… 390
【問6-50】 2以上の用途に供する建物の耐用年数 ……………………… 392

（目次-12）

【問6-51】 テナントが賃借建物に施設する内部造作の耐用年数 …………… 394

【問6-52】 廃棄予定の減価償却資産の耐用年数 ……………………………… 395

第5節　減価償却資産の減損損失、除却損失等

【問6-53】 減損損失が損金算入されるケースはないか ……………………… 397

【問6-54】 減損損失を計上した場合の申告調整 ………………………………… 400

【問6-55】 テナントが賃借建物に施工した内部造作の契約解除による廃棄損 ……………………………………………………………… 401

【問6-56】 グループ償却と当該償却をしている場合の除却価額 ………… 402

【問6-57】 種類等を同じくする減価償却資産の間での償却費の配賦 ……… 404

【問6-58】 総合償却資産の除却価額 …………………………………………… 406

【問6-59】 総合償却資産の除却価額の計算例 ………………………………… 408

【問6-60】 総合償却資産の償却費の額の個々の資産への合理的基準に基づく配賦 ………………………………………………………… 409

【問6-61】 有姿除却 …………………………………………………………… 410

【問6-62】 有姿除却に当たっての取壊し費用見積額等 …………………… 411

【問6-63】 有姿除却の処理に関する諸問題 ………………………………… 412

第6節　資本的支出と修繕費

【問6-64】 資本的支出と修繕費の区分についての法令及び通達のあらまし ……………………………………………………………… 413

【問6-65】 機械の部分品を品質の高いものに取り替えた場合の資本的支出の額 …………………………………………………………… 415

【問6-66】 集中生産を行う等のための機械装置の移設費の取扱い ………… 415

【問6-67】 資本的支出を行った場合の償却限度額の計算 ………………… 416

【問6-68】 帳簿価額1円の旧償却方法適用資産に資本的支出をした場合の償却限度額 ……………………………………………… 419

【問6-69】 資本的支出と修繕費の金額による判定方法 …………………… 421

【問6-70】 「20万円基準」と「60万円基準」の関係 ……………………… 424

【問6-71】 「10％基準」の判定に当たっての固定資産の前期末における取得価額 ……………………………………………………… 425

（目次-13）

【問6-72】 「60万円基準」「10％基準」「7・3区分基準」などの計算例 ……………………………………………………………………… 426

【問6-73】 ソフトウエアに係る資本的支出と修繕費の区分 ……………… 428

【問6-74】 商標権の更新登録のための費用 …………………………………… 429

第7節　特別償却

【問6-75】 中小企業者等が機械等を取得した場合の特別償却の計算方法 ………………………………………………………………………… 430

【問6-76】 割増償却の適用を受けなかった資産の事後の割増償却の適用 ………………………………………………………………………… 432

【問6-77】 特別償却準備金の取崩し方法 …………………………………… 434

【問6-78】 特別償却対象資産について取得後の事業年度に値引きを受けた場合 …………………………………………………………… 436

【問6-79】 特別償却準備金の積立額と戻入額の差額処理 ………………… 437

【問6-80】 特別償却準備金の積立不足額の積立順序（割増償却の場合) ………………………………………………………………………… 439

【問6-81】 特別償却準備金の積立不足額の積立順序（初年度特別償却の場合) ………………………………………………………………… 440

【問6-82】 特別償却不足額を特別償却準備金積立不足額に変更することの可否 ……………………………………………………………… 442

【問6-83】 同一資産の割増償却について直接簿価減額方式から特別償却準備金を積み立てる方式への変更 ……………………… 443

第7章　繰延資産とその償却

【問7-1】 繰延資産の範囲、償却方法についての会社法の定め及び企業会計での取扱いと税法の対比 ………………………………… 444

【問7-2】 税法独自の繰延資産と資産に計上する場合の科目 …………… 445

【問7-3】 繰延資産の償却限度額 …………………………………………… 448

【問7-4】 建設会社の特定件名工事受注のための費用 …………………… 449

【問7-5】 借家権利金の処理方法 …………………………………………… 450

【問7-6】 借家契約の更新料として1か月分の家賃を支払う場合 ……… 452

（目次-14）

【問7-7】	私鉄の高架下を店舗用に賃借する場合の権利金 ……………	453
【問7-8】	量販店等が新店舗の開設に当たって地元の商店等に支出する運動費 …………………………………………………………	454
【問7-9】	工場騒音に対する近隣からのクレームに対する補償費 …………	455
【問7-10】	市への道路用地の寄附とその舗装のための費用の負担金 ………	456
【問7-11】	公共的施設の用途変更があった場合における償却期間の変更の可否 ………………………………………………………	457
【問7-12】	ＪＲ会社に施設負担金を支出した場合の処理 …………………	457
【問7-13】	共同的施設の設置のために支出する負担金の税務での処理方法 ……………………………………………………………	458
【問7-14】	分割払いの繰延資産の税務での処理方法（Ⅰ）…………………	460
【問7-15】	分割払いの繰延資産の税務での処理方法（Ⅱ）…………………	462
【問7-16】	別表十六(六)に記載を要する一時償却が認められる繰延資産の償却額 …………………………………………………	463

第8章　資産の評価損益

【問8-1】	資産の評価益の任意計上について …………………………	464
【問8-2】	評価損益の対象にならない資産 ……………………………	465
【問8-3】	震災等で被災した資産の評価減 ……………………………	467
【問8-4】	季節遅れの商品を評価減する場合の時価 …………………	467
【問8-5】	消費者の感覚にあわないため大量返品を受けた製品の評価減 ……………………………………………………………	469
【問8-6】	需要を見込んで過剰生産した棚卸資産の評価減 …………	470
【問8-7】	仕損じ品の評価減 ……………………………………………	470
【問8-8】	採算われを承知のうえで生産した製品の評価減 …………	472
【問8-9】	棚卸資産の評価減をするに当たってのグルーピングのしかた ………………………………………………………………	473
【問8-10】	補修用部品在庫調整勘定について（Ⅰ）…………………	475
【問8-11】	補修用部品在庫調整勘定について（Ⅱ）…………………	477
【問8-12】	補修用部品在庫調整勘定の経理処理方法 …………………	478
【問8-13】	電話加入権の評価損 …………………………………………	479

（目次-15）

第9章 役員給与

第1節 税法での役員の定義とその範囲

【問9-1】 法人税法上の役員として掲げられている執行役 ……………… 481

【問9-2】 執行役員は税法上の役員に該当するのか ………………… 484

【問9-3】 会社法で役員とされ法人税法でも役員に含められている
会計参与の概略 …………………………………………… 485

【問9-4】 会計参与が法人税法上の役員であることにより生ずる問
題 ………………………………………………………… 488

【問9-5】 使用人兼務役員の意義とその税法上の効果 ……………… 489

【問9-6】 同族会社の使用人兼務役員の範囲についての具体的事例 …… 493

【問9-7】 取締役会設置会社でない会社での代表権を有しない取締
役 ………………………………………………………… 494

【問9-8】 専務取締役等の表見代表取締役について ………………… 496

【問9-9】 使用人兼務役員の職制上の地位について ………………… 497

【問9-10】 みなし役員の範囲 ………………………………………… 498

【問9-11】 「経営に従事している」とはどのようなことか ……………… 499

【問9-12】 職務執行停止期間中の取締役、職務代行者等は税法上の
役員に該当するのか ……………………………………… 501

【問9-13】 退任により欠員が生じた場合の退任取締役又は監査役、
登記されていない取締役、執行役又は監査役は税法上の
役員に該当するのか ……………………………………… 502

【問9-14】 補欠役員として選任された者は税法上の役員に該当する
のか ……………………………………………………… 504

第2節 役員給与が損金算入されるための要件

【問9-15】 役員給与に関する法人税法の規定の概略 ………………… 505

【問9-16】 定期同額給与の意義 ……………………………………… 506

【問9-17】 役員賞与を定期同額給与に含めることとして均等配分し
た場合 …………………………………………………… 509

（目次-16）

【問9-18】 役員に支給する諸手当と定期同額給与の関係 ……………… 510

【問9-19】 役員給与の増額を既往に遡って行った場合 ……………… 511

【問9-20】 不況のため役員給与を減額した場合等 ……………… 512

【問9-21】 臨時改定事由又は業績悪化改定事由に基づかない給与改

定があった場合の損金不算入額 ……………… 514

【問9-22】 役員給与の未払計上 ……………… 515

【問9-23】 事前確定届出給与の意義 ……………… 516

【問9-24】 特定譲渡制限付株式の意味と税法上の取扱い ……………… 520

【問9-25】 親会社株式を特定譲渡制限付株式として交付する場合 ………… 524

【問9-26】 特定譲渡制限付株式による給与の会計処理と申告調整 ………… 524

【問9-27】 事前確定届出額どおり支給しなかった場合(1) ……………… 526

【問9-28】 事前確定届出額どおり支給しなかった場合(2) ……………… 528

【問9-29】 役員に対する年俸、期間俸を損金算入するための要件 ………… 529

【問9-30】 役員給与の額が会計期間開始の日から3月経過する日ま

でに決まらない場合 ……………… 530

【問9-31】 親会社からの出向役員に対する給与を給与負担金として

親会社に支払う場合 ……………… 531

【問9-32】 出向役員に支払う給与と出向先から受け入れる給与負担

金の差額の取扱い ……………… 533

【問9-33】 親会社からの出向役員に対する賞与の月割額を毎月の給

与負担金に含めて支払う場合 ……………… 534

【問9-34】 子会社への出向者の賞与を全額負担した場合 ……………… 535

【問9-35】 親会社が負担した出向役員賞与の子会社での取扱い ………… 536

【問9-36】 損金算入の要件を満たす業績連動給与の意義 ……………… 537

【問9-37】 業績連動給与の算定の基礎となる指標 ……………… 543

【問9-38】 役員賞与引当金の性格と業績連動給与との関係 ……………… 545

第3節　役員に供与した経済的利益

【問9-39】 所得税法上課税されない役員に対する経済的利益 ……………… 547

【問9-40】 役員と使用人とで計算方法の異なる経済的利益 ……………… 550

【問9-41】 役員に供与した経済的利益の額が定期同額給与になるの
かどうかの区分 ……………………………………………………… 552

【問9-42】 役員に対する経済的利益の供与を期中に開始した場合 ………… 554

【問9-43】 役員に対する無利息貸付金の取扱い ……………………………… 555

【問9-44】 取締役が会社から与えられた新株予約権を行使した場合
の経済的利益に対する課税方法 ………………………………… 556

【問9-45】 役員に対する貸付金の返済を役員所有の会社にとって不
要の資産で受けた場合 …………………………………………… 559

【問9-46】 会社が役員から源泉徴収すべき所得税を負担した場合 ………… 560

第4節　過大な役員給与等の損金不算入

【問9-47】 損金不算入とされる役員給与の額のうちの不相当に高額
な部分の金額 ……………………………………………………… 562

【問9-48】 定款の規定等によって役員給与の限度額等を定めていな
い場合 ……………………………………………………………… 563

【問9-49】 役員給与の限度額等の規定のみなし役員に対する適用の
有無 ………………………………………………………………… 565

【問9-50】 会社の設立費用と発起人報酬の取扱い ………………………… 566

【問9-51】 役員給与の増額に関する株主総会等での決議の方法 ………… 567

【問9-52】 事業年度の途中で就任した役員の役員給与の支給限度額
等 …………………………………………………………………… 568

【問9-53】 特定の取締役に対する報酬支給額が取締役会で決定した
額を超える場合 …………………………………………………… 569

【問9-54】 特定の監査役に対する報酬支給額が監査役間で協議した
額を超える場合 …………………………………………………… 570

【問9-55】 仮装経理等により支給した役員給与の損金不算入 …………… 571

【問9-56】 役員に供与した経済的利益と仮装経理等により支給した
役員給与の関係 …………………………………………………… 572

（目次-18）

第5節　使用人兼務役員に対する使用人分の給与

【問9-57】使用人兼務役員に対する使用人分の給与として相当な金額 ……………………………………………………… 573

【問9-58】事前確定届出給与の届出をしている場合における使用人兼務役員に支給する賞与の取扱い ……………………… 574

【問9-59】比準使用人として適当な者がいない場合の使用人分給与の区分計算（Ⅰ） ………………………………………… 575

【問9-60】比準使用人として適当な者がいない場合の使用人分給与の区分計算（Ⅱ） ………………………………………… 576

【問9-61】比準使用人として適当な者がいない場合の使用人分給与の区分計算（Ⅲ） ………………………………………… 577

【問9-62】常務取締役に昇格した者に対する使用人兼務役員であった期間の賞与 ……………………………………………… 578

【問9-63】使用人の職務に従事している監査役に支給する給与 ………… 579

第6節　役員退職給与

【問9-64】退任する役員にだけ直前事業年度の業績に対する賞与を支給しない場合 ……………………………………………… 580

【問9-65】事業年度の途中に死亡された役員に係る退職弔慰金 ………… 581

【問9-66】決算期末直前に死亡した役員を被保険者とする生命保険金の益金算入時期と死亡退職金の損金算入時期の関係 ………… 583

【問9-67】死亡した役員の社葬費用と受領した香典等の取扱い ………… 584

【問9-68】常務取締役を退任して監査役に就任した役員に対する退職給与 ……………………………………………………… 585

【問9-69】指名委員会等設置会社において取締役と執行役との間を異動した者に対する打切退職給与 …………………………… 587

【問9-70】取締役を退任して執行役員になった者に対する退職給与 ……… 588

【問9-71】役員退職金制度の廃止に伴い打切り支給する役員退職給与 ……………………………………………………………… 589

【問9-72】分割払いとする役員退職給与の損金算入時期 …………………… 590

（目次-19）

【問9-73】 取締役に対する退職給与の支給額の決定が遅れる場合 ………… 591

【問9-74】 退任役員に生命保険に関する権利を与える場合の退職給
　　　　　 与 ……………………………………………………………………… 592

【問9-75】 子会社へ役員として出向していた親会社の使用人に対す
　　　　　 る役員退職給与 ……………………………………………………… 594

第10章　使用人給与、賞与、退職給与

第1節　使用人賞与の損金算入時期

【問10-1】 使用人賞与の損金算入時期のあらまし ……………………………… 596

【問10-2】 法人税法施行令第72条の3の第1号の賞与と第2号の
　　　　　 賞与の相違 ……………………………………………………………… 597

【問10-3】 法人税法施行令第72条の3の第1号の賞与として未払計
　　　　　 上ができるもの ………………………………………………………… 598

【問10-4】 定例払い賞与の支給予定日を変更することの可否 ……………… 599

【問10-5】 使用人に対する賞与支給額の通知の方法 ………………………… 600

【問10-6】 使用人に支給額の通知をした賞与の一部を支給カットし
　　　　　 た場合 …………………………………………………………………… 601

【問10-7】 法人税法施行令第72条の3の第2号の賞与の一部の支給
　　　　　 が遅延した場合 ………………………………………………………… 602

【問10-8】 定例払い賞与の支給方法を変更することの可否 ………………… 603

【問10-9】 簿外預金から支給した使用人賞与の損金算入は認められ
　　　　　 るのか …………………………………………………………………… 604

第2節　特殊関係使用人に対する過大給与

【問10-10】 特殊関係使用人に対する過大な給与の損金不算入の規定
　　　　　 の概略 …………………………………………………………………… 605

【問10-11】 特殊関係使用人の範囲と同族会社に該当しない法人での
　　　　　 取扱い …………………………………………………………………… 606

【問10-12】 特殊関係使用人に支給する給与の額のうち不相当に高額
　　　　　 な部分の金額 …………………………………………………………… 607

（目次-20）

【問10-13】 特殊関係使用人に対する過大な退職給与のうちの高額な
部分の金額 ……………………………………………………… 608

第11章　租　税　公　課

【問11- 1】 法人税、地方法人税及び住民税が損金の額に算入されな
い理由 …………………………………………………………… 609

【問11- 2】 未払法人税等に関する申告調整方法 ………………………… 611

【問11- 3】 事業税及び特別法人事業税が損金算入される事業年度 ……… 613

【問11- 4】 事業税の外形標準課税制度の概略 …………………………… 616

【問11- 5】 資本金を 1 億円以下に減資した場合の外形標準課税の適
用の有無 ………………………………………………………… 620

【問11- 6】 資本金と資本剰余金の合計が50億円超の会社の100％子会
社に対する外形標準課税 ……………………………………… 622

【問11- 7】 外形標準課税の課税標準を算定するに当たっての報酬給
与額 ……………………………………………………………… 623

【問11- 8】 外形標準課税の課税標準を算定するに当たっての純支払
利子、純支払賃借料及び単年度損益 ………………………… 626

【問11- 9】 特別法人事業税の概要 ………………………………………… 629

【問11-10】 地方法人税の概要 …………………………………………… 630

【問11-11】 法人の行う事業に課される事業所税の概要とその損金算
入時期 …………………………………………………………… 632

【問11-12】 固定資産税の損金算入時期 ……………………………… 634

【問11-13】 書式表示による申告及び納付の特例を受けている印紙税
の損金算入時期 ………………………………………………… 635

【問11-14】 消費税等の経理処理——税抜経理方式と税込経理方式の
内容と特色 ……………………………………………………… 636

【問11-15】 税務における税抜経理方式と税込経理方式の選択適用方
法 ………………………………………………………………… 638

【問11-16】 免税事業者、簡易課税制度選択事業者における税抜経理
方式選択の可否 ………………………………………………… 640

【問11-17】 適格請求書発行事業者以外の者との取引の経理処理（Ⅰ）……… 643

（目次-21）

| 【問11-18】 | 適格請求書発行事業者以外の者との取引の経理処理（Ⅱ）········ | 644 |

| 【問11-19】 | 税込経理方式・税抜経理方式で処理している場合それぞ |
| | れの消費税等の損金算入及び益金算入時期 ····························· | 646 |

| 【問11-20】 | 消費税等の修正申告による増差額の法人税での取扱いと |
| | 納付時の処理方法──税抜経理方式を適用している場合 ········ | 647 |

| 【問11-21】 | 消費税等の修正申告による増差額の法人税での取扱いと |
| | 納付時の処理方法──税込経理方式を適用している場合 ········ | 649 |

| 【問11-22】 | 税抜経理方式を適用しているときの控除対象外消費税額 |
| | 等 ·· | 650 |

| 【問11-23】 | 税抜経理方式を適用しているときの資産に係る控除対象 |
| | 外消費税額等の処理方法 ·· | 652 |

| 【問11-24】 | リバースチャージ方式による消費税の課税 ····················· | 655 |

| 【問11-25】 | リバースチャージ方式の課税がある場合の会計処理 ··········· | 658 |

第12章　寄　附　金

| 【問12-1】 | 寄附金の損金算入限度額（公益法人等でない法人の場合）········ | 660 |

| 【問12-2】 | 寄附金の支出額と損金算入限度額の関係の具体的事例 ········· | 662 |

| 【問12-3】 | 特定公益増進法人及び認定特定非営利活動法人の内容 ········· | 665 |

| 【問12-4】 | 経営不振の子会社に対する貸付金の利息免除又は切捨て ········ | 667 |

| 【問12-5】 | 子会社を再建するに当たっての貸付金の利息免除又は切 |
| | 捨て ··· | 668 |

| 【問12-6】 | 経営不振の子会社を解散した場合の貸付金等の貸倒損失 ········ | 669 |

| 【問12-7】 | 業務上の都合によって下請先に対する債権の一部を放棄 |
| | した場合 ··· | 671 |

| 【問12-8】 | 震災等で被災した取引先に対する復旧支援 ····················· | 672 |

| 【問12-9】 | 寄附金と福利厚生費、広告宣伝費等との区分 ·················· | 673 |

| 【問12-10】 | 社長の出身高等学校に対する寄附金 ····························· | 674 |

| 【問12-11】 | 市に対して公道用の土地を寄附した場合 ······················· | 675 |

| 【問12-12】 | 支出済みの寄附金を仮払処理した場合の取扱い ················ | 676 |

| 【問12-13】 | 手形で支払った寄附金の取扱い ··································· | 677 |

| 【問12-14】 | 政党主催のパーティーへの参加費 ································ | 678 |

（目次-22）

【問12-15】	寄附金の損金算入限度額（公益法人等の場合）及びみなし寄附金	679
【問12-16】	公益法人の「みなし寄附金」	681
【問12-17】	国外関連者に対する寄附金	682

第13章　交　際　費　等

【問13- 1】	交際費等の損金不算入制度の概略	685
【問13- 2】	交際費等から除外される飲食費、50％損金算入の対象となる接待飲食費	688
【問13- 3】	飲食費の範囲	689
【問13- 4】	社内飲食費か社外飲食費かの判定	691
【問13- 5】	１人当たりの飲食費が10,000円以下かどうかの判断	692
【問13- 6】	飲食費に係る消費税等の取扱い	693
【問13- 7】	インボイス発行事業者でない飲食店での飲食費の10,000円基準の判定	694
【問13- 8】	飲食費での帳簿書類の参加者の記載	695
【問13- 9】	入湯税、ゴルフ場利用税を租税公課とし、接待に要したタクシー代を交通費として交際費等から除外することができるか	696
【問13-10】	消費税及び地方消費税は交際費等から除外することができるか	697
【問13-11】	事業用資産、少額物品の交付	698
【問13-12】	広告宣伝費と交際費等の区分に当たっての一般消費者の範囲	699
【問13-13】	代理店に支払う販売奨励金	700
【問13-14】	建設業者が仕事の紹介者に対して支払う謝礼金	701
【問13-15】	専ら会社の製品の外交販売を行う特約店の従業員に対する慶弔見舞金	703
【問13-16】	法人の工場、工事現場等で業務を行う下請企業の従業員等に対して支出する慶弔見舞金等	704
【問13-17】	専属下請工場とするために支出する引抜き料	705

【問13-18】	工場新築のための起工式、落成式などの費用 ······················	706
【問13-19】	新社屋落成式に招待した取引先から受領したお祝い金 ··········	707
【問13-20】	社長の叙勲祝賀会を会費制で開催した場合 ························	707
【問13-21】	温泉旅館を会場にして行った代理店の研修会の費用 ············	708
【問13-22】	特約店、消費者などを旅行、観劇等に招待する費用 ············	709
【問13-23】	販売店の親睦会のために負担した会費の取扱い ···················	711
【問13-24】	取引先に対する災害見舞金等 ······································	712
【問13-25】	得意先から割当てを受けて購入した観劇入場券等の費用 ········	714
【問13-26】	得意先の海外招待旅行に同伴した役員、従業員の海外渡	
	航費 ···	715
【問13-27】	自社店舗の開店の景気づけのために花輪等を自ら購入す	
	る場合の費用 ··	716
【問13-28】	接待用のみに使用する固定資産の購入費用 ························	716
【問13-29】	ゴルフクラブ会員権の売却損は交際費等に該当するか ··········	717
【問13-30】	接待ゴルフの日程を変更した場合のキャンセル料 ···············	718
【問13-31】	自社の製品を贈答用に用いて販売価額で交際費に計上し	
	た場合 ···	719
【問13-32】	棚卸資産等の原価に算入された交際費等 ··························	720
【問13-33】	減価償却資産の原価に算入された交際費等の申告調整後	
	の処理 ···	722
【問13-34】	減価償却資産の取得価額に算入された交際費等がある場	
	合の当該資産の税法上の取得価額 ·································	724

第14章　使途秘匿金、費途不明の交際費等

【問14-1】	使途秘匿金と費途不明の交際費等の関係 ··························	725
【問14-2】	使途秘匿金、費途不明の交際費等の支出をして資産に計	
	上した場合 ··	726
【問14-3】	使途秘匿金の支出額に対する追加課税制度の概略と申告	
	書での記載の方法 ···	727
【問14-4】	他の者を通じて行った使途秘匿金の支出 ··························	729
【問14-5】	使途秘匿金の使途に対する税務調査での追究について ··········	729

（目次-24）

【問14-6】	追加課税の対象とならない使途秘匿金の支出 ………………… 730
【問14-7】	相手方の氏名等を記載すべき帳簿書類と記載の方法 ………… 731
【問14-8】	相手方の氏名等を仮装して会計帳簿に記載した場合の取扱い ………………………………………………………………… 732
【問14-9】	役員等に対する渡切交際費と使途秘匿金の関係 ……………… 732
【問14-10】	使途秘匿金の支出額に係る追加法人税と他の税法上の規定との関係 ……………………………………………………… 733
【問14-11】	費途不明の交際費等と租税特別措置法第61条の4の交際費等の相違 ……………………………………………………… 734
【問14-12】	費途不明の交際費等が損金不算入とされる理由 ……………… 735
【問14-13】	費途不明の交際費等は役員給与と認定されることがあるのか ……………………………………………………………… 736

第15章　貸倒損失

【問15-1】	金銭債権の一部の金額を貸倒処理することができるか ……… 737
【問15-2】	破産債権について貸倒処理ができる事実 ……………………… 739
【問15-3】	保証債務の履行により取得した求償債権の貸倒処理 ………… 741
【問15-4】	債務者から担保物の受入れ、担保物による代物弁済があった場合 ………………………………………………………… 742
【問15-5】	割賦売掛金について備忘価額を控除しての貸倒処理 ………… 743
【問15-6】	貸倒損失の損金経理について ……………………………………… 744
【問15-7】	売掛債権を貸倒処理するに当たっての消費税の処理 ………… 745
【問15-8】	貸倒損失の計上を遅らせて利益操作した場合 ………………… 747
【問15-9】	売掛債権の額から備忘価額を控除した残額を貸倒処理することができる事業年度 ……………………………………… 749
【問15-10】	破産手続開始の決定のあった取引先から売掛債権の一部を分配金として受けたとき ……………………………………… 750
【問15-11】	貸倒処理をした債権の一部の金額の弁済があった場合 ……… 751

第16章　その他の費用等

| 【問16-1】 | 不正行為等に係る費用等の損金不算入の規定の内容 ………… 752 |

（目次-25）

【問16-2】	罰金、科料、過料、諸課徴金などの損金不算入	754
【問16-3】	交通反則金の取扱い	756
【問16-4】	従業員が起こした交通事故の損害賠償金	757
【問16-5】	金品引換券付販売に要する費用の損金算入時期	759
【問16-6】	ゴルフクラブ及びレジャークラブの入会金、会費の取扱い	760
【問16-7】	ゴルフクラブの名義書換料	762
【問16-8】	社交団体、ロータリークラブ及びライオンズクラブの入会金、会費の取扱い	763
【問16-9】	業務と観光を併せて行った海外渡航費の取扱い（Ⅰ）	764
【問16-10】	業務と観光を併せて行った海外渡航費の取扱い（Ⅱ）	765
【問16-11】	同業団体等に対して支出した加入金及び会費の取扱い	767
【問16-12】	従業員の福利厚生団体のために負担した費用の処理方法	768
【問16-13】	匿名組合営業について生じた損益の帰属者とその計上の時期	770
【問16-14】	中小企業倒産防止共済掛金の損金算入制限	772
【問16-15】	社会保険料と企業年金掛金等の損金算入時期の違い	773
【問16-16】	労働保険料の処理方法	774
【問16-17】	養老保険の保険料を法人が負担した場合の取扱い	776
【問16-18】	定期保険や第三分野保険の保険料を法人が負担した場合の取扱い	777
【問16-19】	解約返戻金等が多額の定期保険や第三分野保険の保険料の取扱い	779
【問16-20】	定期付養老保険の保険料を法人が負担した場合の取扱い	781
【問16-21】	傷害特約等に係る保険料を法人が負担した場合の取扱い	782
【問16-22】	長期平準定期保険の保険料を法人が負担した場合の取扱い（令和元年7月7日以前の契約のもの)	782
【問16-23】	逓増定期保険の保険料を法人が負担した場合の取扱い（令和元年7月7日以前の契約のもの）	784
【問16-24】	生命保険の契約者配当の支払を受けたときの処理方法	786
【問16-25】	暗号資産（仮想通貨）に係る損益等	787

【問16-26】 ゴルフ会員権の評価損等 ……………………………… 791

第17章　外貨建取引の換算等

【問17- 1】 外貨建取引の換算に係る税法の規定と円換算に用いる外
国為替の売買相場 …………………………………… 794

【問17- 2】 先物外国為替契約等がある場合の外貨建取引の換算方法 ……… 796

【問17- 3】 外貨建資産等の期末換算方法 ……………………… 798

【問17- 4】 外貨建資産等の期末換算方法の選定と法定の換算方法 ………… 801

【問17- 5】 外貨建債権と外貨建債務の期末換算方法 ……………… 804

【問17- 6】 短期外貨建債権以外の外貨建債権を決算時の為替相場で
換算している場合の申告調整 ……………………… 805

【問17- 7】 外国為替の売買相場が著しく変動した場合の外貨建資産
等の期末換算（Ⅰ）………………………………… 806

【問17- 8】 外国為替の売買相場が著しく変動した場合の外貨建資産
等の期末換算（Ⅱ）………………………………… 807

【問17- 9】 メーカーズリスク特約が付されている外貨建債権債務の
換算 …………………………………………………… 809

【問17-10】 為替予約差額の配分方法 ……………………………… 811

【問17-11】 短期外貨建資産等に係る為替予約差額の一括計上 …………… 813

【問17-12】 外貨会計基準注7に示されている為替予約等の振当処理
と税法の関係 ……………………………………… 814

【問17-13】 短期外貨建債権の取得後に先物外国為替契約をした
ときの計算とその仕訳 …………………………… 815

第18章　圧縮記帳

第1節　圧縮記帳の経理方法

【問18- 1】 税法に規定された圧縮記帳の経理方法 ………………… 817

【問18- 2】 圧縮記帳の会計処理は積立金方式が原則とされている理
由 ……………………………………………………… 819

【問18- 3】 圧縮積立金の積立てに関係する会社法の規定 ……………… 820

（目次-27）

【問18-4】	圧縮積立金の初年度の積立て方法 ………………………………	821
【問18-5】	取崩額と積立額の差額で積み立てることの可否 ……………	823
【問18-6】	資産を譲渡するための経費について ……………………………	824
【問18-7】	租税特別措置法上の圧縮記帳の適用を受けた資産に対する特別償却の規定の適用の可否 ………………………	826
【問18-8】	法人税法上の圧縮記帳の適用を受けた資産に対する特別償却の規定の適用の可否 ………………………	827

第2節　法人税法の規定による圧縮記帳

【問18-9】	国庫補助金等の交付前に資産を取得した場合 ……………	828
【問18-10】	国庫補助金等で取得した固定資産の圧縮記帳の会計処理と消費税の取扱い ……………………………	829
【問18-11】	支出時期が翌事業年度となる損害賠償金の仮受経理 ……………	830
【問18-12】	交換により取得した資産の圧縮記帳の規定とその適用要件 ……………………………	832
【問18-13】	交換による圧縮記帳の計算例（Ⅰ）………………………	835
【問18-14】	交換による圧縮記帳の計算例（Ⅱ）………………………	838

第3節　租税特別措置法の規定による圧縮記帳

【問18-15】	特定の資産の買換えの場合の譲渡資産と取得資産 ……………	840
【問18-16】	特定の資産の買換えの場合の課税の特例の適用要件、圧縮限度額 ……………………………	842
【問18-17】	長期所有土地等からの買換えの場合の譲渡資産と買換資産の要件 ……………………………	845
【問18-18】	長期所有土地等からの買換えの場合の圧縮割合 ……………	847
【問18-19】	譲渡資産の譲渡時期と買換資産の取得時期の関係 ……………	849
【問18-20】	借地権の返還に当たって立退料を受けた場合の圧縮記帳 ……	853
【問18-21】	資本的支出の額を買換資産として圧縮記帳の適用が受けられるか ……………………………	854
【問18-22】	譲渡資産が2以上ある場合の差益割合の計算 ……………	855

（目次-28）

第19章　収用等の場合の課税の特例

【問19-1】　収用等の場合の圧縮記帳の適用と特別控除の適用との関係 ……………………………………………………… 857

【問19-2】　土地収用法等により収用又は使用される場合の特例の適用 …………………………………………………………… 860

【問19-3】　収用の場合の収益補償金について課税の特例が適用される場合 ……………………………………………………… 861

【問19-4】　収用によって借家人補償金の交付を受けた場合 ………………… 863

【問19-5】　家主が受け取った借家人補償金を借家人に支払わなかった場合 ……………………………………………………… 864

【問19-6】　収用等の場合の課税の特例が適用される経費補償金 ………… 865

【問19-7】　収用等の場合の課税の特例が適用される移転補償金 ………… 866

【問19-8】　収用を受けた建物の取壊しが遅れる場合の特別勘定の計算 ……………………………………………………… 868

【問19-9】　土地の一部が収用されたときの残地補償金 ………………………… 869

【問19-10】　土地の一部が収用されたときの残地の買収の対価 …………… 870

【問19-11】　土地の一部が収用されたときの残地保全経費の補償金 ……… 871

【問19-12】　特定の長期所有土地等の所得の特別控除制度の概略 ………… 871

【問19-13】　複数の特別控除の適用を受ける場合の損金算入額の制限 ……… 873

第20章　引当金、準備金

第1節　税法の引当金制度、準備金制度の概要

【問20-1】　税法の引当金制度と準備金制度の対比 ……………………………… 874

【問20-2】　税法上の引当金が貸倒引当金と返品調整引当金だけであることについて ……………………………………………… 875

【問20-3】　保有している上場株式を退職給付信託に拠出した場合 ………… 877

（目次-29）

第2節　貸倒引当金

第1款　貸倒引当金全般に係る事項

【問20-4】　貸倒引当金の財務諸表での表示方法 ……………………… 881

【問20-5】　貸倒引当金を繰入れできる法人 ………………………… 882

【問20-6】　適格組織再編成があった場合の貸倒引当金の引継ぎ ………… 884

第2款　個別評価金銭債権に係る貸倒引当金

【問20-7】　個別評価金銭債権に係る貸倒引当金のあらまし ……………… 886

【問20-8】　個別評価金銭債権に係る貸倒引当金の繰入れをするため

　　　　　　の手続 ……………………………………………………… 889

【問20-9】　過年度に繰入事由が発生している場合の個別評価金銭債

　　　　　　権に係る貸倒引当金など ………………………………… 890

【問20-10】　割引手形を個別評価金銭債権とする貸倒引当金の繰入れ

　　　　　　の可否 ……………………………………………………… 891

【問20-11】　年賦弁済の決定に伴う個別評価金銭債権に係る貸倒引当

　　　　　　金の繰入れ ………………………………………………… 892

【問20-12】　損失見込みの発生事由が2以上ある個別評価金銭債権に

　　　　　　係る貸倒引当金 …………………………………………… 894

【問20-13】　人的保証を受けている金銭債権に対する個別評価金銭債

　　　　　　権に係る貸倒引当金の繰入れ …………………………… 895

【問20-14】　法人税基本通達11-2-9の(2)の意味………………………… 897

【問20-15】　手形交換所での取引停止処分により個別評価金銭債権に

　　　　　　係る貸倒引当金の繰入れができる事業年度 ……………… 899

第3款　一括評価金銭債権に係る貸倒引当金

【問20-16】　一括評価金銭債権に係る貸倒引当金のあらまし …………… 900

【問20-17】　未収収益及び未収入金についての一括評価金銭債権に係

　　　　　　る貸倒引当金の繰入れ …………………………………… 901

【問20-18】　一括評価金銭債権に係る貸倒引当金の設定の対象になる

　　　　　　ものとならないもの ……………………………………… 903

【問20-19】　事業年度終了の日までに現金化されていない小切手に対

　　　　　　する一括評価金銭債権に係る貸倒引当金 ………………… 905

（目次-30）

【問20-20】	事業年度終了の日が休日の場合の同日を満期日とする受取手形に対する一括評価金銭債権に係る貸倒引当金の繰入れ …………………………………………………………… 906
【問20-21】	偶発債務に対する一括評価金銭債権に係る貸倒引当金の繰入れの可否 …………………………………………… 907
【問20-22】	融通手形に対する一括評価金銭債権に係る貸倒引当金の繰入れの可否 …………………………………………… 908
【問20-23】	中小法人等に特例として認められている法定繰入率による一括評価金銭債権に係る貸倒引当金の繰入れ ………… 909
【問20-24】	卸売業と製造業を併せて営む場合の主たる事業 ………… 911
【問20-25】	支払手形も実質的に債権とみられないものの計算に当たり控除しなければならないのか ………………………… 912
【問20-26】	基準年度の実績により実質的に債権とみられないものの額を計算する方法 …………………………………………… 913

第3節　返品調整引当金

| 【問20-27】 | 返品調整引当金の廃止と経過措置 ……………………… 915 |
| 【問20-28】 | 返品率の計算に当たっての不良返品及び転送返品の取扱い ………………………………………………………… 917 |

第4節　準備金

【問20-29】	中小企業事業再編投資損失準備金 ……………………… 920
【問20-30】	株主資本等変動計算書で行う準備金の積立てについての税法の規定 ……………………………………………… 922
【問20-31】	繰越利益剰余金からの振替えで準備金を積み立てたときの申告調整方法 …………………………………………… 924
【問20-32】	繰越利益剰余金からの振替えで積み立てた準備金を取り崩したときの申告調整方法 ……………………………… 925
【問20-33】	別途積立金を取り崩して準備金を積み立てることができるか …………………………………………………… 927

（目次-31）

第21章　借地権に関する取扱い

【問21-1】　借地権の対価の支払に代えて相当の地代を支払う場合 ………… 928

【問21-2】　土地の価額の上昇に応じての相当の地代の改訂 …………… 930

【問21-3】　相当の地代の改訂をしないときの立退料の計算と当事者
　　　　　　への課税 ……………………………………………………… 932

【問21-4】　路線価の引下げにより相当の地代の額を減額した場合 ……… 935

【問21-5】　相当の地代と一般地代の差額の性格 ………………………… 936

【問21-6】　借地権の設定により土地を使用させるに当たりその対価
　　　　　　も相当の地代も受け取らない場合 ………………………… 937

【問21-7】　相当の地代を改訂する届出をしながら地代の改訂をしな
　　　　　　かった場合 …………………………………………………… 939

【問21-8】　「無償返還届出書」と「相当地代改訂届出書」の関係 ………… 941

【問21-9】　借地権と借家権の相違 ……………………………………… 943

【問21-10】　遊休地を更地のままで駐車場として賃貸する場合 ………… 944

【問21-11】　借地権の設定により土地を賃貸するに当たっての対価と
　　　　　　される特別の経済的な利益の額の計算方法 ……………… 945

【問21-12】　敷金に係る特別の経済的な利益の額の益金算入方法 ……… 947

【問21-13】　申告加算した敷金に係る特別の経済的な利益の額の最終
　　　　　　処理方法 ……………………………………………………… 948

【問21-14】　借地権割合が50％未満の土地を他人に使用させた場合の
　　　　　　その帳簿価額の一部損金算入 ……………………………… 949

【問21-15】　相当の地代を収受することとした場合の土地の帳簿価額
　　　　　　の一部損金算入 ……………………………………………… 951

【問21-16】　社長所有の土地に会社が借地権を設定する場合 …………… 951

【問21-17】　社長の所有地を会社が賃借して「無償返還届出書」を提
　　　　　　出した場合の効果 …………………………………………… 953

【問21-18】　建物と借地権を一括して取得した場合の処理 ……………… 954

【問21-19】　借地期間満了により更新料を支払ったときの処理 ………… 956

【問21-20】　木造建物を取り壊して堅固の建物に建て替えるときの承
　　　　　　諾料 …………………………………………………………… 957

（目次-32）

| 【問21-21】 | 会社が所有地を定期借地権の設定によって賃貸する場合の税務問題 ·· 958 |
| 【問21-22】 | 会社が定期借地権者として土地を賃借する場合の税務問題 ·· 961 |

第22章　同族会社に関する取扱い

第1節　同族会社の判定

【問22-1】	同族会社の意義とその判定に当たっての特殊の関係のある個人及び法人 ··· 964
【問22-2】	同族会社の判定に当たっての上位3順位の同族関係者による会社の支配 ··· 966
【問22-3】	同一の内容の議決権を行使することに同意している者がある場合 ··· 968
【問22-4】	特定同族会社、同族会社、非同族会社の区分 ······················ 969
【問22-5】	特定同族会社でない同族会社における使用人兼務役員 ·········· 971
【問22-6】	同族会社に該当するかどうかの判定に当たっての自己の株式又は出資及び名義株 ································· 972
【問22-7】	同族会社に該当するかどうかの判定に当たっての従業員持株会 ··· 974

第2節　特定同族会社の特別税率制度等

【問22-8】	特定同族会社の課税留保金額に特別税率が適用される理由 ··· 975
【問22-9】	特別税率が適用される特定同族会社 ································· 975
【問22-10】	被支配会社でない法人の孫会社は特定同族会社でない同族会社か特定同族会社か ······························· 977
【問22-11】	株式を持ち合っている会社が特定同族会社に該当するのかどうかの判定 ··· 979
【問22-12】	会社法の規定に違反する配当をした場合の留保金額の計算 ··· 981

（目次-33）

【問22-13】 同族会社の行為又は計算の否認 ……………………………… 982

第23章　グループ法人税制、企業組織再編税制

第1節　グループ法人税制

【問23-1】 100%グループ法人税制が設けられている理由とその項目
　　　　　ごとの適用対象法人等 ………………………………………… 985

【問23-2】 支配関係、完全支配関係の意義とその相違 ………………… 988

【問23-3】 直接完全支配関係とみなし直接完全支配関係 ……………… 989

【問23-4】 完全支配関係の判定に当たって除外することができるも
　　　　　の ………………………………………………………………… 990

【問23-5】 完全支配関係を有することとなった日の意義 ……………… 992

【問23-6】 100%グループ内の法人間での譲渡損益調整資産の譲渡損
　　　　　益の繰延べ ……………………………………………………… 993

【問23-7】 譲渡損益調整資産の譲渡損益の申告調整方法と譲受法人
　　　　　での取得価額 …………………………………………………… 997

【問23-8】 減価償却資産である譲渡損益調整資産について譲受法人
　　　　　において償却費が計上された場合の譲渡法人での申告調
　　　　　整方法 ………………………………………………………… 999

【問23-9】 譲受法人が譲渡損益調整資産を100%グループ内の別の法
　　　　　人に譲渡した場合 …………………………………………… 1001

【問23-10】 100%グループ内の法人間で授受される寄附の損金不算入
　　　　　及び益金不算入 ………………………………………………… 1004

【問23-11】 寄附金の損金不算入、受贈益の益金不算入をするための
　　　　　申告調整の方法とその会計処理 ……………………………… 1006

【問23-12】 親法人が有する子法人の株式等に寄附修正事由が生じた
　　　　　場合 …………………………………………………………… 1008

【問23-13】 適格現物分配による資産の移転をした場合の税務での処
　　　　　理方法 ………………………………………………………… 1010

【問23-14】 100%グループ内の法人の株式をその発行法人へ譲渡した
　　　　　場合 …………………………………………………………… 1012

（目次-34）

【問23-15】 大法人による完全支配関係がある普通法人に対する中小
企業向け特例措置の不適用 ·················1013

第2節 企業組織再編税制

【問23-16】 合併又は分割により合併法人等へ資産及び負債を移転さ
せたときの被合併法人等の処理方法 ·················1016

【問23-17】 適格組織再編成(1)——移転する資産等の譲渡損益の繰
延べ ·················1017

【問23-18】 適格組織再編成(2)——適格合併の意義·················1020

【問23-19】 適格組織再編成(3)——適格分割の意義·················1024

【問23-20】 適格組織再編成(4)——適格現物出資の意義·················1033

【問23-21】 適格組織再編成(5)——適格現物分配の意義·················1039

【問23-22】 適格組織再編成(6)——適格株式分配の意義·················1040

【問23-23】 適格組織再編成(7)——適格株式交換と適格株式移転·················1042

【問23-24】 適格合併をした場合の税務処理の事例 ·················1045

【問23-25】 適格分割をした場合の税務処理の事例 ·················1049

【問23-26】 非適格分割をした場合の税務処理の事例 ·················1053

【問23-27】 完全子会社を分割会社としその親会社を分割承継会社と
する無対価分割の事例 ·················1055

【問23-28】 適格分社型分割により退職給付引当金を分割承継法人へ
引き継いだ場合 ·················1058

【問23-29】 適格分割型分割により退職給付引当金を分割承継法人へ
引き継いだ場合 ·················1061

第24章 欠損金の繰越しと繰戻し

【問24-1】 欠損金等の繰越損金算入制度 ·················1064

【問24-2】 中小法人等以外の法人での繰越控除額の削減 ·················1065

【問24-3】 新設法人の繰越欠損金の損金算入の特例 ·················1067

【問24-4】 繰越欠損金の損金算入の具体的方法 ·················1068

【問24-5】 被合併法人等から合併法人等への未処理欠損金額の引継
ぎ ·················1070

(目次-35)

【問24- 6】	被合併法人等から合併法人等への引継ぎが制限される未処理欠損金額等 …………………………………………1071
【問24- 7】	完全支配関係がある他の内国法人の残余財産が確定した場合の未処理欠損金額の引継ぎ ……………………1074
【問24- 8】	欠損金繰戻し還付の規定の適用の有無 …………………1076
【問24- 9】	法人税で欠損金の繰戻し還付を受けたときの事業税と住民税 ……………………………………………………………1078
【問24-10】	解散をした場合の欠損金繰戻し還付の特例 …………1079
【問24-11】	繰越欠損金の控除を受けるための決算操作は認められるか ………………………………………………………………1081
【問24-12】	特定同族会社の特別税率の制度等と欠損金の繰越し繰戻しの関係等 ……………………………………………………1082
【問24-13】	特定株主等によって支配された欠損等法人の欠損金の繰越しの不適用について ……………………………………1084
【問24-14】	特定株主等によって支配された欠損等法人の資産の譲渡等損失額の損金不算入について ………………………1087
【問24-15】	会社更生等により債権者から債務免除を受けた場合等の税法の規定 ……………………………………………………1088
【問24-16】	資産整理に伴い債務免除等を受けた場合の損金算入の事例 ……………………………………………………………1091

第25章　税 額 控 除

第1節　所得税額の控除

【問25- 1】	法人が所得税の納税義務者となる場合 …………………1095
【問25- 2】	所得税額控除計算における元本所有期間のあん分計算 …………1097
【問25- 3】	未収預金利息に対する所得税の税額控除 ………………1101
【問25- 4】	人格のない社団等の受け取る預金利息に係る所得税の税額控除 ……………………………………………………1102

（目次-36）

第2節　外国税額の控除

【問25-5】　外国で課せられた法人税の税額控除制度とその控除限度
額の計算 ……………………………………………………………1103

【問25-6】　外国税額控除の控除余裕額と控除限度超過額の繰越し ………1106

【問25-7】　外国税額控除の控除余裕額と控除限度超過額の繰越しの
計算例 ……………………………………………………………1107

【問25-8】　外国税額控除制度における地方税の取扱い ……………………1110

【問25-9】　みなし外国税額控除制度（タックス・スペアリング・ク
レジット制度）……………………………………………………1111

第3節　租税特別措置法の規定による税額控除制度

【問25-10】　試験研究を行った場合の法人税額の特別控除制度の構成
内容及びその特例と、1事業年度に2以上の特別控除制
度の適用を受ける場合の規定 …………………………………1112

【問25-11】　一般試験研究費に係る法人税額の特別控除制度の概要 ………1113

【問25-12】　中小企業者等が試験研究を行った場合の法人税額の特別
控除制度の概要 …………………………………………………1116

【問25-13】　特別試験研究費の額がある場合の法人税額の特別控除制
度の概要 …………………………………………………………1118

【問25-14】　中小企業者等以外の法人に対する特別控除の適用制限 ………1120

【問25-15】　税額控除の対象となる試験研究費の額 …………………………1123

【問25-16】　試験研究に該当しないもの ………………………………………1125

【問25-17】　試験研究費について国庫補助金を受けた場合の処理方法 ……1127

【問25-18】　試験研究費の税額控除での人件費、減価償却費、固定資
産除却損等の取扱い ……………………………………………1128

【問25-19】　中小企業者等が機械等を取得した場合の特別償却又は法
人税額の特別控除制度の概要 …………………………………1129

【問25-20】　事業年度の中途で中小企業者等や特定中小企業者等に該
当しなくなった場合 ……………………………………………1133

（目次-37）

【問25-21】 中小企業者等が特定経営力向上設備等を取得した場合の
特別償却又は法人税額の特別控除制度の概要 ……………………1134

【問25-22】 給与等の支給額が増加した場合の法人税額の特別控除制
度 ……………………………………………………………………1136

【問25-23】 給与等の支給額が増加した場合の法人税額の特別控除制
度（従業員が2,000人以下の法人の特例）……………………1142

【問25-24】 給与等の支給額が増加した場合の法人税額の特別控除制
度（中小企業者等の特例）……………………………………1145

【問25-25】 給与等の支給額が増加した場合の法人税額の特別控除制
度（一定規模の会社の適用要件の特例）……………………1148

【問25-26】 国際戦略総合特別区域において機械等を取得した場合の
特別償却又は法人税額の特別控除制度の概要 ……………………1150

【問25-27】 認定特定高度情報通信技術活用設備を取得した場合の特
別償却又は法人税額の特別控除制度の概要 ……………………1151

【問25-28】 情報技術事業適応設備を取得した場合等の特別償却又は
法人税額の特別控除制度の概要（DX投資促進税制）……………1153

【問25-29】 生産工程効率化等設備を取得した場合の特別償却又は法
人税額の特別控除制度の概要（カーボンニュートラルに
向けた投資促進税制）………………………………………………1155

【問25-30】 産業競争力基盤強化商品生産用資産を取得した場合の法
人税額の特別控除制度の概要 ……………………………………1158

第4節　仮装経理に対する減額更正に伴う税額控除

【問25-31】 仮装経理に対する減額更正及び法人税額の還付 …………1161
【問25-32】 仮装経理の更正に伴う税額控除の計算例 …………………1163

第26章　税額の計算

【問26-1】 各事業年度の所得の金額に対する法人税の税率 …………1165
【問26-2】 特定同族会社の特別税率及び使途秘匿金の支出額に対す
る法人税率 ……………………………………………………………1168

（目次-38）

【問26-3】 退職年金積立金に対する法人税と清算所得に対する法人
税の課税標準及び税率 ……………………………………1169

【問26-4】 確定申告書の提出期限の延長の承認を受けている場合の
利子税（Ⅰ）………………………………………………1170

【問26-5】 確定申告書の提出期限の延長の承認を受けている場合の
利子税（Ⅱ）………………………………………………1172

【問26-6】 国税・地方税の課税標準及びその確定金額の端数計算 …………1173

【問26-7】 延滞税の計算方法 ………………………………………………1174

【問26-8】 過少申告加算税が課税される場合とその税額 ……………………1177

【問26-9】 税務調査の通知後に修正申告した場合の過少申告加算税 ………1180

【問26-10】 無申告加算税の税額とこの加算税が課されない場合 ……………1181

【問26-11】 重加算税の税額とこの加算税が課されることとなる事実
の全部又は一部の隠蔽又は仮装 ……………………………1183

【問26-12】 事業年度中に事業所を新設した場合の地方税の分割方法 ………1186

第27章　申告書の作成等

【問27-1】 減価償却費や引当金繰入額等の申告減算調整が認められ
ない理由 ……………………………………………………1189

【問27-2】 申告書別表四と別表五(一)のⅠの突合せ検算方法 ………………1190

【問27-3】 別表五(一)のⅠとⅡに正負が逆の金額が記載される取引
（Ⅰ）——繰越利益剰余金のマイナスを消すために資本準
備金を取崩した場合 ………………………………………1193

【問27-4】 別表五(一)のⅠとⅡに正負が逆の金額が記載される取引
（Ⅱ）——利益準備金の資本組入れをした場合 ………………1195

【問27-5】 消費生活協同組合の組合事業に関する知識の向上のため
の費用等の積立て …………………………………………1198

【問27-6】 消費生活協同組合の「利用分量割戻金」…………………………1199

【問27-7】 中間配当とこれに伴う利益準備金積立額の申告書での記
載方法 ………………………………………………………1202

【問27-8】 還付される所得税額を未収入金に計上したときの申告調
整方法 ………………………………………………………1203

（目次-39）

【問27-9】 確定申告で還付される中間申告の税額を未収入金に計上
したときの申告調整方法 ……………………………………1204

【問27-10】 仮払税金として経理した中間申告の税金 ……………………1206

【問27-11】 法人税を手形で納付委託したときの申告書の書き方 …………1209

【問27-12】 法人税額の還付を受けたときの申告調整方法 …………………1210

【問27-13】 更正を受けた事業年度の翌事業年度の申告書の作成に当
たり注意すべき事項 ………………………………………………1211

【問27-14】 前事業年度の確定法人税額に基づく中間申告と仮決算を
した場合の中間申告 ………………………………………………1213

【問27-15】 地方税の中間申告税額の計算方法 …………………………………1215

【問27-16】 小会社の確定申告書提出期限の延長 ……………………………1216

【問27-17】 株主総会の開催日が決算日後3月を超える場合の確定申
告書提出期限の延長 ………………………………………………1217

【問27-18】 法令違反の嫌疑により帳簿書類を押収された場合の確定
申告期限の延長 ………………………………………………………1219

【問27-19】 税効果会計を適用したときの申告調整方法 ……………………1220

【問27-20】 繰延税金資産についての申告調整の事例（Ⅰ）…………………1222

【問27-21】 繰延税金資産についての申告調整の事例（Ⅱ）…………………1224

【問27-22】 租税特別措置法上の準備金等の繰延税金負債相当額を差
し引いての積立て ……………………………………………………1226

【問27-23】 繰延税金負債についての申告調整の事例 ………………………1228

【問27-24】 過年度遡及会計基準の概要 ……………………………………………1231

【問27-25】 会計方針の変更（棚卸資産の評価方法の変更）をした事
業年度の会計処理と税務申告書の作成方法 …………………1233

【問27-26】 税効果会計の適用初年度の処理と申告書の記載方法 …………1237

【問27-27】 租税特別措置の適用額明細書の作成と提出 ……………………1241

第28章　解散した法人に対する課税方法

第1節　株式会社が解散した後の会社法の手続

【問28-1】 解散した株式会社の解散の日の翌日以後の事業年度 …………1244

（目次-40）

【問28-2】 株式会社の解散事業年度の決算と株主総会の承認の要否 ………1246

【問28-3】 最後事業年度の確定申告書の提出と株主総会での清算事
務報告書承認との関係 ……………………………………………………1247

第2節 平成22年10月1日以後に解散した場合の課税

【問28-4】 清算所得課税の廃止に伴う財産課税から所得課税への移
行 ………………………………………………………………………………1249

【問28-5】 所得課税への移行に伴って行われる期限切れ欠損金の損
金算入制度 …………………………………………………………………1250

【問28-6】 期限切れ欠損金額の損金算入の要件である「残余財産が
ないと見込まれるとき」……………………………………………………1253

【問28-7】 残余財産確定事業年度の事業税等 ………………………………1254

【問28-8】 平成22年9月30日以前に解散した内国普通法人等に対す
る課税方法 …………………………………………………………………1255

凡　例

文中の法令、通達等については、次のとおりの略語を用いました。

法人税法第22条第3項第2号 ………………………………	法22③二
（第22条第3項第2号等の略し方は以下同じです。）	
法人税法施行令 ………………………………………………	法政令
法人税法施行規則 ……………………………………………	法規則
減価償却資産の耐用年数等に関する省令（耐用年数省令）…………	耐　令
租税特別措置法 ………………………………………………	措　法
租税特別措置法施行令 ………………………………………	措政令
租税特別措置法施行規則 ……………………………………	措規則
租税特別措置の適用状況の透明化等に関する法律 …………	租特透明化法
地方法人税法 …………………………………………………	地法法
所得税法 ………………………………………………………	所　法
所得税法施行令 ………………………………………………	所政令
消費税法 ………………………………………………………	消　法
消費税法施行令 ………………………………………………	消政令
消費税法施行規則 ……………………………………………	消規則
所得税法等の一部を改正する法律（令6法律8号）…………	令6改所法等
東日本大震災からの復興のための施策を実施するために必要な財源の確保に関する特別措置法（平23法律117号）…………………………………………………	復興財源確保法
電子計算機を使用して作成する国税関係帳簿書類の保存方法等の特例に関する法律 …………………………	電子帳簿保存法
国税通則法 ……………………………………………………	国通法
国税通則法施行令 ……………………………………………	国通令
国税通則法規則 ………………………………………………	国通規
地方税法 ………………………………………………………	地　法
地方税法施行令 ………………………………………………	地政令
地方税法施行規則 ……………………………………………	地規則
法人税基本通達 ………………………………………………	基　通
耐用年数の適用等に関する取扱通達（耐用年数通達）………	耐　通
租税特別措置法関係通達 ……………………………………	措　通
消費税法等の施行に伴う法人税の取扱いについて（平元直法2-1）……………………………………	消費税関連通達

（目次-42）

法人税の借地権課税における相当の地代の取扱いにつ
　いて（平元直法２-２）……………………………………… 相当の地代通達
所得税基本通達…………………………………………………… 所基通
消費税法基本通達………………………………………………… 消　通
地方税法の施行に関する取扱いについて（道府県税関係）………… 県　通
財産評価基本通達………………………………………………… 評基通
相当の地代を支払っている場合等の借地権等について
　の相続税及び贈与税の取扱いについて（昭60直資２
　-58、直評９）……………………………………… 昭60直資２-58通達
交際費等（飲食費）に関するＱ＆Ａ（平成18年５月）……… 飲食費Ｑ＆Ａ
接待飲食費に関するＦＡＱ（平成26年４月、７月）…… 接待飲食費ＦＡＱ
会社法の施行に伴う関係法律の整備等に関する法律
　……………………………………………… 会社法施行に伴う整備法
会社法施行規則…………………………………………………… 会社規則
会社計算規則……………………………………………………… 会社計規
財務諸表等の用語、様式及び作成方法に関する規則 ……………… 財表規則
財務諸表等の用語、様式及び作成方法に関する規則の
　取扱いに関する留意事項について ………………… 財表規則ガイドライン
企業会計原則と関係諸法令との調整に関する連続意見書……… 連続意見書
外貨建取引等会計処理基準……………………………………… 外貨会計基準
外貨建取引等の会計処理に関する実務指針 ……………… 外貨会計実務指針
リース取引に係る会計基準 ………………………………… リース取引会計基準
リース取引に関する会計基準の適用指針 ………… リース取引会計適用指針
退職給付に関する会計基準 ………………………………… 退職給付会計基準
退職給付に関する会計基準の適用指針 ……………… 退職給付会計適用指針
研究開発費等に係る会計基準 …………………………… 研究開発費等会計基準
研究開発費及びソフトウエアの会計処理に関する実務
　指針 ……………………………………………… 研究開発費等会計実務指針
研究開発費及びソフトウエアの会計処理に関するＱ＆Ａ
　……………………………………………………… 研究開発費等会計Ｑ＆Ａ
税効果会計に係る会計基準 ………………………………… 税効果会計基準
金融商品に係る会計基準 …………………………………… 金融商品会計基準
金融商品会計に関する実務指針 ………………………… 金融商品会計実務指針
棚卸資産の評価に関する会計基準 …………………………… 棚卸資産評価基準
役員賞与に関する会計基準 ………………………………… 役員賞与会計基準

（目次-43）

自己株式及び準備金の額の減少等に関する会計基準 … 自己株式等会計基準
収益認識に関する会計基準 ………………………………… 収益認識会計基準
収益認識に関する会計基準の適用指針 ……………………… 収益認識適用指針

本書は、令和6年8月末日現在適用されている法令通達によっています。

第1章　総論、定義

第1節　法人の分類と公益法人等、協同組合等に対する課税制度

法人税法における法人の分類

> 【問1-1】　法人税の課税関係からみた場合、法人はどのように分類されますか。

【答】　法人税の課税関係について法人を分類しますと、次のようになります。

Ⅰ　内国法人

① 公共法人（法人税法別表第一に掲げられている法人で《法2五》、地方公共団体のほか、国立大学法人、地方独立行政法人、独立行政法人（その資本金の額若しくは出資の金額の全部が国又は地方公共団体の所有に属しているもの又はこれに類するものとして、財務大臣が指定したものに限ります。）、日本中央競馬会、日本年金機構、日本放送協会のように、国又は地方公共団体がその事業として直接営むべきものを、それぞれの法律によって設立された法人が営んでいるものです。）……法人税を納める義務がありません。（法4②）

② 公益法人等（宗教法人、学校法人、社会福祉法人、社会医療法人、労働組合（法人であるものに限ります。）、健康保険組合、商工会議所、日本赤十字社、独立行政法人（公共法人以外のもので、国又は地方公共団体以外の者に対し、利益又は剰余金の分配その他これに類する金銭の分配を行わないものとして財務大臣が指定したものに限ります。）、公益社団法人、公益財団法人、非営利型法人である一般社団法人及び一般財団法人など、法人税法別表第二に掲げられている法人です。《法2六》……収益事業を行う場合、法人課税信託の引受けを行う場合又は退職年金業務等を行う場合に限り、法人税が課税されます。（法4①ただし書、6）ただし、上記のアンダーラインを付した法人を除いて普通法人の通常税率に比べて法人税率が低く、非営利型法人である一般社団法人及び

(1)

一般財団法人を除いて寄附金の損金算入限度額について特例があります。（詳細は【問1-2】～【問1-7】参照）

③　協同組合等（農業協同組合、漁業協同組合、消費生活協同組合、商店街振興組合、信用金庫、これらの組合の連合会など、法人税法別表第三に掲げられている法人です。《法2七》）……すべての所得に対して法人税が課税されますが、普通法人に比べて法人税率が低く、事業分量配当等の損金算入などの特例があります。（詳細は【問1-10】参照）

④　普通法人（株式会社、持分会社などの会社、医療法人（社会医療法人を除きます。）、企業組合、協業組合などがこれに該当します。）……すべての所得に対して課税されます。

（注1）　持分会社とは、合名会社、合資会社及び合同会社の総称です。（会社法575①）合同会社の概要は、【問1-11】に記載しています。

（注2）　会社法の施行により、有限会社法が廃止され、新たに有限会社を設立することはできなくなりましたが、施行前に設立された有限会社は特例有限会社として存続し（会社法施行に伴う整備法2）、旧有限会社法の規律が実質的に維持されています。

⑤　人格のない社団等（法人でない社団又は財団で、代表者又は管理人の定めがあるものをいいます。《法2八》）……法人とみなして法人税法の規定が適用されますが（法3）、法人税が課税されるのは②の公益法人等と同様に収益事業を営む場合又は退職年金業務等を行う場合だけです。（法4①ただし書、7）税率は、普通法人のうちの中小法人と同じです。（詳細は【問1-12】参照）

Ⅱ　外国法人

　国内源泉所得（法138）を有するとき、法人課税信託の引受けを行うとき又は退職年金業務等を行うときだけ、法人税が課税されます。ただし、人格のない社団等の場合は、当該国内源泉所得で収益事業から生ずるものを有するときに限り課税されます。（法4③）

（注）　内国法人とは国内に本店又は主たる事務所を有する法人をいい（法2三）、外国法人とは内国法人以外の法人をいいます。（法2四）

（2）

第1章 総論、定義

公益法人等に対する法人税の課税制度と損益計算書等の提出制度

> 【問1-2】 公益法人等が、収益事業を営んでいる場合の課税関係
> はどのようになりますか。また、収益事業を営んでいない場合で
> も、損益計算書等を所轄税務署長に提出しなければならないとい
> う規定があるそうですが、どのような規定ですか。

【答】 まず、御質問の前段ですが、公益法人等は、収益事業を営む場合、法
人課税信託の引受けを行う場合又は退職年金業務等を行う場合だけ、法人税
が課税されます。（法4①ただし書）その行う事業が収益事業に該当する場
合には、その行う事業が当該公益法人等の本来の目的たる事業であるときで
あっても、当該事業から生ずる所得に法人税が課されます。（基通15-1-1）
公益法人等の収益事業に対する課税の規定が、一般私企業との競争関係、課
税の公平に着目して設けられたものですので、法人税法施行令第5条第1項
に掲げられた34種類の事業を行う場合、その事業の公益性の有無に関係なく、
当該収益事業から生ずる所得に法人税が課税されます。

なお、次の点で他の法人と異なった取扱いがされています。

① 収益事業から生ずる所得に関する経理と、収益事業以外の事業から生ず
る所得に関する経理とを、区分して行わなければなりません。（法政令6）

この場合、単に収益及び費用に関する経理だけでなく、資産及び負債に
関する経理についても区分して行わなければなりません。一の資産が収益
事業の用と収益事業以外の事業の用とに共用されている場合（それぞれの
事業ごとに専用されている部分が明らかな場合を除きます。）には、当該
資産については、収益事業に属する資産としての区分経理をしないで、そ
の償却費その他当該資産について生ずる費用の額のうち収益事業に係る部
分の金額を当該収益事業に係る費用として経理します。（基通15-2-1）

収益事業を開始した日において、収益事業以外の事業に属する資産及び
外部負債を収益事業に属するものとして区分経理した場合、当該資産の額
の合計額から当該外部負債の額の合計額を減額した金額を元入金として経
理したとしても、当該金額は、資本金等の額及び利益積立金額のいずれに
も該当しません。その後において、収益事業以外の事業に属する金銭その
他の資産を収益事業に属するものとして区分経理した場合の当該金銭その

(3)

他の資産の価額についても、同じです。(基通15-2-3)

　収益事業と収益事業以外の事業の費用又は損失の区分経理の方法ですが、収益事業について直接要した費用の額又は収益事業について直接生じた損失の額は、収益事業に係る費用又は損失の額とし、収益事業と収益事業以外の事業とに共通する費用又は損失の額は、継続的に、資産の使用割合、従業員の従事割合、資産の帳簿価額の比、収入金額の比その他当該費用又は損失の性質に応ずる合理的な基準により、収益事業と収益事業以外の事業とに配賦して行います。(基通15-2-5) 収益事業から収益事業以外の事業へ賃借料、支払利息等を支払うこととしてその額を収益事業に係る費用又は損失として経理することはできませんが (同通達(注))、合理的な基準による配賦額は、収益事業の費用又は損失として認められるわけです。

(注1)　公益法人等の確定申告書には、費用又は損失の区分の適否を税務当局が検証するため、収益事業に係る貸借対照表、損益計算書だけでなく、収益事業以外の事業に係るこれらの書類も添付しなければなりません。(基通15-2-14) 人格のない社団等についても同じです。

(注2)　上記の法政令第6条の規定は、人格のない社団等にも適用されます。

② 収益事業に属する資産のうちから収益事業以外の事業のために支出した金額 (公益社団法人又は公益財団法人は、その収益事業に属する資産のうちからその収益事業以外の事業で自らが行う公益目的事業 (法政令77の3) のために支出した金額)(注)は、その収益事業に係る寄附金の額とみなされます。(法37⑤)

(注)　事実を隠蔽又は仮装して経理することにより支出した金額は除きます。(法37⑤ただし書)

　しかし、公益法人等が収益事業を営むのは、収益事業によって得た剰余を本来の事業に使用するためという場合が多いので、公益法人等の寄附金の損金算入限度額は、所得の金額の20%相当額 (公益社団法人又は公益財団法人は、所得の金額の50%相当額、学校法人《専修学校を設置しているものを含みます。》、社会福祉法人、更生保護法人又は社会医療法人は、所得の金額の50%相当額と年200万円のいずれか多い金額) とされています。(法政令73①三) なお、非営利型法人に該当する一般社団法人及び一般財団法人並びに法人税法施行規則第22条の4で定める法人 (【問12-1】①ロ

(4)

第1章　総論、定義

の**(注2)** に記載している法人）には、この規定は適用されません。（法37
④かっこ書、法政令73①三かっこ書）

③　各事業年度の所得の金額に対する法人税率は下表のとおりで、普通法人
に比べて低くなっています。（法66①〜③、措法42の3の2）ただし、公
益社団法人、公益財団法人、非営利型法人である一般社団法人及び一般財
団法人並びに法人税法施行規則第22条の4で定める法人（【問12-1】①ロ
の**(注2)** に記載している法人）の法人税率は、普通法人のうちの中小法人
と同じとされています。

法人の区分		所得の金額	法人税率
公益法人等		年800万円以下の部分	15%
		年800万円超の部分	19%
普通法人	中小法人	年800万円以下の部分	15%
		年800万円超の部分	23.2%
	その他の法人	所得の金額の全額	23.2%

④　収益事業を営む公益法人等には法人の道府県民税及び市町村民税が課さ
れますが、地方税法では法人税法施行令第5条に規定する収益事業のうち、
社会福祉法人、更生保護法人、学校法人又は私立学校法第64条第4項の法
人が行う事業で、その所得の金額の90％以上の金額を当該法人が行う社会
福祉事業、更生保護事業、私立学校、私立専修学校又は私立各種学校の経
営に充てているもの（その所得の金額がなく、当該経営に充てていないも
のを含みます。）は、収益事業に含まないものとされています。（地法25、
296、地政令7の4、47）したがって、これらの公益法人では、地方税で
の収益事業の範囲が法人税の場合よりも狭くなり、法人税は課税されるが
法人住民税は法人税割、均等割のいずれも課税されないことがおこり得ま
す。

　(注)　所得の金額の90％以上を当該法人の本来の事業の経営に充てたかどうかは、
　　　各事業年度ごとに、収益事業に係る収支計算書に基づいて判定します。

　次に、御質問の後段にある公益法人等の損益計算書等の提出制度ですが、
その内容は次のとおりです。（措法68の6、措政令39の37、措規則22の22）

（5）

イ　収益事業を営んでいることにより確定申告書を提出すべき場合を除き、当該事業年度の損益計算書又は収支計算書を当該事業年度終了の日の翌日から４月以内に、当該事業年度終了の日におけるその主たる事務所の所在地の所轄税務署長に提出しなければなりません。

ロ　ただし当該事業年度の収入金額（資産の売却による収入で臨時的なものを除きます。）の合計額が年8,000万円以下の公益法人等及び次の法人は提出を要しません。

(1)地方自治法第260条の２第７項に規定する認可地縁団体、(2)建物の区分所有等に関する法律第47条第２項に規定する管理組合法人及び同法第66条の規定により読み替えられた同項に規定する団地管理組合法人、(3)政党交付金の交付を受ける政党等に対する法人格の付与に関する法律第７条の２第１項に規定する法人である政党等、(4)密集市街地における防災街区の整備の促進に関する法律第133条第１項に規定する防災街区整備事業組合、(5)マンションの建替え等の円滑化に関する法律第５条第１項に規定するマンション建替組合、同法第116条に規定するマンション敷地売却組合及び同法第164条に規定する敷地分割組合

宗教法人が行う事業のうちの収益事業

> 【問１-３】　宗教法人が行っている事業について、収益事業として課税されるものにはどのようなものがありますか。

【答】　収益事業とは、法人税法施行令第５条第１項に掲げられた34項目の事業で、継続して事業場を設けて行われるものをいいます。（法２十三）そのなかから宗教法人に関係のあるものを掲げますと、次のとおりです。

①　物品販売業……お守、お札、おみくじ等の販売のように、その売価と仕入原価との関係からみてその差額が通常の物品販売業における売買利潤ではなく、実質は喜捨金と認められる場合のその販売は、物品販売業に該当しません。ただし、宗教法人以外の者が、一般の物品販売業として販売できる性質を有するもの（例えば、絵葉書、写真帳、暦、線香、ろうそく、供花等）を一般の物品販売業者とおおむね同様の価格で参詣人等に販売している場合のその販売は、物品販売業に該当します。（基通15-１-10(1)）

(6)

第1章　総論、定義

- **(注)** 宗教法人の名前入りの絵葉書、写真帳でも上記の取扱いは変わりありません。例えば、朱印入りの朱印帳の場合は、朱印は収益事業に該当しませんが、朱印帳の販売は物品販売業に該当します。なお、線香、ろうそく、供花などで、参詣に当たって神前、仏前に供えるためのものを参詣人に頒布する場合は、物品販売業に該当しないと解されます。

② 不動産貸付業……㋑墳墓地の貸付業、㋺国又は地方公共団体（以下「国等」といいます。）に対し直接貸し付けられる不動産の貸付業、㋩主として住宅の用に供される土地の貸付業で、当該事業年度の貸付期間に係る収入金額の合計額が、当該貸付けに係る土地に課される固定資産税額及び都市計画税額で当該貸付期間に係るものの合計額の3倍以下のものは、不動産貸付業に該当しません。（法政令5①五ニ、ホ、ヘ、法規則4）

- **(注1)** ㋑の墳墓地の貸付業には、いわゆる永代使用料を徴して行うものが含まれます。（基通15-1-18）墳墓地を利用者に所有権を移転する分譲形式をとる場合は、不動産販売業に該当します。

- **(注2)** ㋺の国等に対する不動産の貸付けは、国等によって直接使用されることを目的として当該国等に直接貸付けられるものに限られますので、国等に対して不動産の貸付けを行った場合でも、当該不動産が国等以外の者に転貸されているときは、㋺の国等に対する貸付けに該当せず、不動産貸付業に該当します。（基通15-1-19）

- **(注3)** ㋩の「主として住宅の用に供される土地」とは、その床面積の$\frac{1}{2}$以上が居住の用（貸家住宅の用を含み、別荘の用を除きます。）に供される家屋の敷地として使用されている土地のうち、その面積が当該家屋の床面積の10倍に相当する面積以下のものをいいます。（基通15-1-20）

- **(注4)** 当該事業年度の貸付期間に係る収入金額の合計額が㋩の要件に該当するかどうかの判定は、次の方法で行います。（基通15-1-21）

  - ⓐ 土地の個々の貸付けごとに判定します。
  - ⓑ 貸付期間に係る収入金額は、当該期間に経常的に収受する地代の額によるものとし、契約の締結、更新又は更改に伴って収受する権利金その他の一時金の額は、これに含めないものとします。
  - ⓒ 固定資産税及び都市計画税の額は、当該土地に係る固定資産税及び都市計画税が特別に減免されている場合であっても、その減免がされなかったとした場合の税額によります。

（7）

③ 通信業……公衆電話サービス業務及び共同聴取聴視業務に係る事業は、通信業に該当します。(基通15-1-24)

④ 旅館業……宗教法人が宿泊設備を有し、信者又は参詣人を宿泊させて宿泊料を受けるような行為は、低廉な宿泊施設に該当するものを除き、旅館業に該当します。(基通15-1-39)

   (注) 低廉な宿泊施設とは、例えば信者の参籠所などのように宗教法人の主たる目的とする事業の遂行に関連して利用されるもので、多人数で共用する構造及び設備を主とするものであり、かつ、その宿泊料の額がすべての利用者につき1泊1,000円（食事を提供するものについては、2食付きで1,500円）以下のものをいいます。(基通15-1-42)

⑤ 仲立業……仲立業とは、他の者のために商行為の媒介を行う事業をいいます。(基通15-1-46)例えば、仏具店に仏具を購入する信者を紹介したり、石材店に墓碑を建立する信者を紹介したりしてあっせん料を受領する行為は、仲立業に該当します。

⑥ 駐車場業

⑦ 神前結婚等の営業……神前結婚、仏前結婚等の挙式を行う行為で本来の宗教活動の一部と認められるものは収益事業に該当しませんが、挙式後の披露宴における飲食物の提供は料理店業その他の飲食店業、挙式のための衣装その他の物品の貸付けは物品貸付業、記念写真の撮影は写真業、これらの行為のあっせん等は仲立業、これらの用に供するための不動産の貸付けや席貸しは不動産貸付業又は席貸業として、それぞれ収益事業に該当します。(基通15-1-72)

なお、専ら不特定又は多数の者に庭園を遊歩し、景観等を観覧させる事業が遊覧所業に該当すること（基通15-1-55）から、宗教法人の拝観料のうち庭園見学料は遊覧所業の収入金額とすべき場合があるという意見がみられますが、神社や寺院の庭園は祭祀の一環として設置されているもので、遊覧所とはいえず、遊覧所業に該当しません。

第1章　総論、定義

学校法人が行う事業のうちの収益事業

【問1-4】　学校法人が行っている事業について、収益事業として課税されるものにはどのようなものがありますか。

【答】　学校法人は公益法人等に該当しますので、収益事業から生じた所得についてだけ課税されます。この場合、法人税法施行令第5条第1項に掲げられた34項目の事業に該当すれば、たとえ学校法人の本来の目的たる事業であるときであっても課税されます。（基通15-1-1）例えば、後記⑫に掲げる技芸の教授業を事業目的とする学校法人は、当該事業の公益性を不問にして課税されます。本来の事業の一環として行う場合でも同じですから、例えば学校の教職員、学生生徒だけを対象とする売店や食堂の事業でも、物品販売業や料理店業その他の飲食店業に該当するものは課税されます。

学校法人の場合、収益事業の範囲は次のように取り扱われています。

① 物品販売業（基通15-1-10(2)～(5)）

イ 教科書その他これに類する教材以外の出版物の販売は、物品販売業に該当します。

(注)　「教科書その他これに類する教材」とは、教科書、参考書、問題集等であって、学校の指定に基づいて授業において教材として用いるために当該学校の学生、生徒等を対象にして販売されるものをいい、幼稚園の絵本、ワークブックを含みます。

ロ ノート、筆記具等の文房具、布地、糸、編糸、食料品等の材料又はミシン、編物機械、ちゅう房用品等の用具の販売は、たとえこれらの物品が学校の指定に基づいて授業において用いられるものである場合であっても、物品販売業に該当します。

ハ 制服、制帽等の販売は、物品販売業に該当します。

ニ 年1、2回開催される程度のバザーは、技芸教授業（法政令5①三十）を行う学校法人が付随行為として開催するもの（基通15-1-6(2)）を除き、物品販売業に該当しません。

② 通信業……公衆電話サービス業務は、通信業に該当します。（基通15-1-24）

③ 運送業……幼稚園のスクールバスの運行は、教育事業に含まれますので、

（9）

運送業に該当しません。

④ 出版業……学校法人が、例えば学会誌を学会員だけに配布するような場合は、出版業に該当しません。（法政令5①十二かっこ書）

⑤ 席貸業……学校法人がその主たる目的とする業務に関連して行うものは、席貸業に該当しません。（法政令5①十四ロ(3)）幼稚園が、園児のうちの希望者を対象にして行う音楽教室のための教室等の席貸しがその例です。

⑥ 旅館業……学校法人が専らその学校に在学する者を宿泊させるために行う寄宿舎の経営は、学校教育事業の一環として行われるものですので、旅館業に該当しません。ただし、技芸教授業（法政令5①三十）を行う学校法人が、当該技芸教授業に付随して行う寄宿舎の経営は、旅館業に該当します。（基通15-1-41）

⑦ 料理店業その他の飲食店業……校内で営む食堂は、料理店業その他の飲食店業に該当します。ただし、学校法人がその設置する小学校、中学校、義務教育学校、特別支援学校等において学校給食法等の規定に基づいて行う学校給食の事業は、学校教育の一環として行われるものですので、料理店業その他の飲食店業に該当しません。（基通15-1-43(注)）幼稚園の給食も、同じ取扱いになります。

⑧ 仲立業……学生生徒のために、文房具、制服、制帽等のあっせん、模擬テストのあっせん等をして受け取る手数料は、仲立業に該当します。（基通15-1-46参照）ただし、教科書その他これに類する教材のあっせんに係る手数料収入は、その販売が物品販売業に該当しないため、仲立業に該当しません。

⑨ 理容業……理容学校を経営する公益法人等が理容所を設けて不特定又は多数の者に理容サービスの提供を行っている場合には、たとえ教育実習の一環として行われるものであり、かつ、その理容学校における技芸の教授が技芸教授業のうちの収益事業に該当しないもの（法政令5①三十二）とされるときであっても、理容業に該当します。（基通15-1-50）

⑩ 美容業……美容学校が美容所を設けて不特定又は多数の者に美容サービスの提供を行う場合も、⑨と同じ理由で美容業に該当します。（基通15-1-51(注)）

⑪ 医療保健業……学校法人が行う医療保健業は、医療保健業に該当しませ

第1章　総論、定義

ん。(法政令5①二十九ハ)したがって、私立医科大学の附属病院の事業は、医療保健業に該当しません。

⑫　洋裁、和裁、着物着付け、編物、手芸、料理、理容、美容、茶道、生花、演劇、演芸、舞踊、舞踏、音楽、絵画、書道、写真、工芸、デザイン（レタリングを含みます。）、自動車操縦若しくは小型船舶（船舶職員及び小型船舶操縦者法第2条第4項に規定する小型船舶をいいます。）の操縦（以下「技芸」といいます。）の教授業(法政令5①三十前段)……学校教育法に規定する学校（同法1）、専修学校（同法124）、各種学校（同法134①）において行われる技芸の教授で、修業期間が1年以上で1年間の授業時間数が一定時間以上であること等、所定の要件をすべて満たすものは、収益事業に該当しません。（法規則7）この場合の授業時間数には、正味の授業時間のほか、授業と授業の間の通常の休憩時間（昼食のための休息時間を除きます。）が含まれるものとされます。（基通15-1-67の2(1)）

⑬　入学試験又は学校教育の補習のための学力の教授業若しくは公開模擬学力試験を行う事業（法政令5①三十後段）……学力の教授業については、これを行う学校及び授業時間数（その教科又は課程の授業時間数が、大学入試に直接備える学力の教授の場合は30時間以上、その他は60時間以上）等について一定の要件を満たすものは、収益事業に該当しません。（法規則7の2）この場合の授業時間数は、休憩時間については⑫に記載したところにより、また、受講者の募集区分の異なるごと（一の科目ごとに選択して受講させ、当該科目ごとに定められた受講料を収受することとしている場合には、その科目ごと）に判定します。（基通15-1-67の2(2)）また、入学試験のうち大学の入学試験に直接備える学力の教授とは、高等学校卒業者及び高等学校の第3学年（定時制の高等学校の場合は第4学年）に在籍する者を主たる対象者として行う大学の入学試験に備えるための学力の教授をいいます。（基通15-1-67の3）

　公開模擬学力試験には、一般の外部応募者に対するもののほかに、その公開模擬学力試験を行う予備校等の生徒がその選択により受験料を負担して参加するものが含まれます。（基通15-1-67）当該生徒が選択の余地なく通常の授業のなかで受験する学力試験は収益事業に該当しませんので、授業料のなかから、受験料部分を区分する必要はありません。

（11）

なお、収益事業に該当しない技芸の教授を行う学校法人等が、その教育実習の一環として行う次のような行為であっても、継続して事業場を設けて行われるなど事業として認められる程度のものであるときは、その行為は収益事業に該当します。(基通15-1-71)

イ　洋裁学校が他の者の求めに応じて行う縫製加工（製造業）

ロ　タイピスト学校が行う印書の引受け（請負業又は印刷業）

ハ　音楽学校等が行う演奏会等で、慈善興行等（基通15-1-53）に該当しないもの（興行業）

ニ　写真学校が行う撮影等の引受け（写真業）

(注1)　本問のうち幼稚園に関する部分は、昭和58年6月3日付直法2-7「幼稚園が行う各種事業の収益事業の判定について」を参照してください。

(注2)　消費税法では、授業料、入学金及び入園料、施設設備費、入学又は入園のための試験に係る検定料並びに在学証明、成績証明等の手数料が非課税とされています。（消法6①、別表第一第11号、消政令14の5）したがって、本問に列挙した収益事業に係る収入は、原則として消費税の「課税資産の譲渡等の対価（いわゆる課税売上げ）」に該当します。

労働組合に対する課税について

【問1-5】　労働組合に対する法人税の課税について、お尋ねします。
①　法人格の有無によって、課税関係はどのように変わりますか。
②　法人格を有する労働組合において、本部と各支部がそれぞれ独立した決算と会計報告を行っている場合、支部の収益事業に対する課税はどのようになりますか。

【答】　①について……法人税法別表第二によれば、労働組合は法人であるものに限り公益法人等に該当することになりますので、法人格を持たない労働組合は、税法上は人格のない社団等になります。いずれも収益事業を営む場合、法人課税信託の引受けを行う場合又は退職年金業務等を行う場合だけ法人税が課税されますが、公益法人等に該当する労働組合には、税率、寄附金の損金算入限度額、収益事業に属する資産のうちから収益事業以外の事業のために支出した金銭の取扱いについて、有利な規定が定められています。

(12)

第1章　総論、定義

(注)　労働組合は、労働組合法の規定に適合する旨の労働委員会の証明を受け、その主たる事務所の所在地で登記をすることにより法人となります。（労働組合法11①）しかし、労働委員会に証拠を提出して労働組合法第2条及び第5条第2項の規定に適合することを立証すれば、法人登記をしなくても、労働組合法上の権利及び保護が与えられます。（同法5①）

　②について……各支部が本部と同一の法人格内にあるならば、収益事業から生じた所得等は全部を合算して本部で法人税の申告をすべきです。各支部が別個に申告をするときは、税務上各支部は人格のない社団等として取り扱われます。これは、1人格の法人の税務申告は1個しかあり得ないからです。

　仮に、本部で行う収益事業から生じた所得等だけを本部で申告し、支部で行う収益事業から生じた所得等の申告をしていないときは、後者について本部の公益法人等としての申告の更正又は修正申告の勧奨が行われ、直接支部に人格のない社団等としての決定又は期限後申告の提出が求められることはありません。ただし、支部が独立決算をしていてその所得を本部の所得に合算せず、自ら不利を承知で支部だけの申告をするときは、前記の理由で支部は人格のない社団等として取り扱われます。

労働組合が行う事業のうちの収益事業

> **【問1-6】**　労働組合が行う事業のうちの収益事業の判断に当たり、特に注意すべき事項を、それぞれの事業ごとに示してください。

【答】　法人税法施行令第5条第1項に掲げられた34項目の収益事業のうち、労働組合に関係のあるものについての注意事項は、次のとおりです。

①　物品販売業……例えば原価100円のバッジを1,000円で売る等、明らかに資金カンパ活動と認められるものは、法人税基本通達15-1-10(1)に示された宗教法人についてのお守、お札等の販売に関する取扱いの趣旨からみて、物品販売業に該当しません。

②　不動産販売業……土地（借地権を含みます。）を譲渡するに当たって当該土地に集合住宅等を建築し、又は当該土地の区画形質の変更を行った上でこれを分譲する行為は、原則として不動産販売業に該当します。ただし、当該土地が、労働組合が相当期間（おおむね10年以上）にわたり固定資産

（13）

として保有していたものであり、かつ、その建築又は変更から分譲に至る一連の行為が専ら当該土地の譲渡を容易にするために行われたものであると認められる場合には、その区画形質の変更により付加された価値の部分の譲渡は不動産販売業に該当しますが、土地の部分の譲渡は不動産販売業に該当しません。（基通15-1-12）公益法人等が相当期間保有していた固定資産の処分損益は、収益事業に係る所得の計算に含めないことができるからです。（基通15-2-10(1)）

③　金銭貸付業……収益事業となる金銭貸付業は、その貸付先が不特定又は多数の者である場合に限られませんので（基通15-1-14）、組合員に対する貸付けも収益事業に該当します。ただし、組合員が拠出した資金を主な原資にして組合員に貸付けを行ういわゆる共済貸付は、組合員相互の資金融通を単に組合があっせんしているにすぎないと考えられますので、貸付金の利率がすべて年7.3％（契約日の属する年の租税特別措置法第93条第2項に規定する利子税特例基準割合が年7.3％未満である場合には、当該利子税特例基準割合）以下であるときは、金銭貸付業に該当しないものとして取り扱われます。（基通15-1-15）利子税特例基準割合とは、平均貸付割合（各年の前々年の9月から前年の8月までの各月における短期貸付けの平均利率（当該各月において銀行が新たに行った貸付け（貸付期間が1年未満のものに限ります。）に係る利率の平均をいいます。）の合計を12で除して計算した割合として各年の前年の11月30日までに財務大臣が告示する割合をいいます。）に年0.5％の割合を加算した割合をいいます。令和6年の利子税特例基準割合は年0.9％ですので、貸付利率が年0.9％以下であれば、金銭貸付業になりません。

　(注)　金銭の貸付けには手形の割引が含まれますが、余裕資金の運用等として行う有価証券の現先取引に係る行為は、含まれません。（基通15-1-14(注)）

④　不動産貸付業……㋑国又は地方公共団体に対し直接貸し付けられる不動産の貸付業、㋺主として住宅の用に供される土地の貸付業で、当該事業年度の貸付期間に係る収入金額の合計額が固定資産税額及び都市計画税額で当該貸付期間に係るものの合計額の3倍以下のものは、不動産貸付業に該当しません。（法政令5①五ホ、ヘ、法規則4）労働組合の所有する会館の一部を他の労働組合に貸し付けたような場合は、不動産貸付業に該当し

（14）

ます。(【問1-3】の②「不動産貸付業」の(注2)～(注4)参照)

⑤　通信業……公衆電話サービス業務(例えば組合の売店にある公衆電話等)は、通信業に該当します。(基通15-1-24)

⑥　請負業……事務処理の委託を受ける業が含まれますので(法政令5①十)、労働金庫から受託する組合員の預金の集金業務、全労済から受託する協力団体業務及び組合員教育活動業務は、請負業に該当します。

⑦　出版業……会報その他これに準ずる出版物で主として組合員に配布するものは、収益事業に該当しません。(法政令5①十二かっこ書)「これに準ずる出版物」とは、会報に代え、又は会報に準じて出版される出版物で、主として会員だけに必要とされる特殊な記事を内容とする出版物をいいますので、労働組合の機関紙はこれに該当しますが、単行本、月刊誌のような書店等において通常商品として販売されるものと同様な内容のものはこれに該当せず(基通15-1-33)、その出版は出版業に該当します。また、「主として組合員に配布する」こととは、会報等を組合員に配布することを目的として刷成し、その部数の大部分(8割程度)を組合員に配布(組合員でない者で組合に特別の関係を有する者に対する無料配布を含めます。)していることをいいますので(基通15-1-34)、残りを組合員外に有料で配布したとしても、書店等に置くのでなければ出版業に該当しません。

⑧　席貸業……不特定多数の者の娯楽、遊興又は慰安の用に供するための席貸業と、その他の席貸業のうち次に掲げるもの以外のものは、席貸業に該当します。(法政令5①十四)

イ　国又は地方公共団体の用に供するための席貸業

ロ　社会福祉事業として行われる席貸業

ハ　学校法人、私立学校法第64条第4項の規定により設立された法人又は職業訓練法人がその主たる目的とする業務に関連して行う席貸業

ニ　法人がその主たる目的とする業務に関連して行う席貸業で、当該法人の会員その他これに準ずる者の用に供するためのもののうちその利用の対価の額が実費の範囲を超えないもの

　　このニの場合の「会員その他これに準ずる者」には、労働組合員のほか、組合の業務運営に参画し、その業務運営のための費用の一部を負担している者すなわちカンパの醸出者や、当該組合が上部団体の場合その下部組織

の組合員も含まれます。（基通15-1-38の2）また、「利用の対価の額が実費の範囲を超えないもの」に該当するかどうかは、既往の実績等に照らし、当該事業年度における組合員その他これに準ずる者に対する席貸しに係る収益の額と費用の額がおおむね均衡すると認められるような利用料金が設定されているかどうかにより判定します。（基通15-1-38の3）したがって、これらの条件を満たしておれば、時事問題や平和運動のための講演会、映画会、展示会等のための席貸しは、席貸業に該当しません。

⑨　興行業……慈善興行等が所轄税務署長の確認を受けることを条件に収益事業に該当しないこととされていますので（基通15-1-53）、組合員及びその家族のための慰安会は収益を目的としておらず、収益事業とする必要はありません。

社団法人、財団法人に対する課税の概要

> 【問1-7】　社団法人及び財団法人に対して法人税の課税はどのように行われるのか、その概要を説明してください。

【答】　法人税法上、社団法人及び財団法人は次の3つに区分されます。

①　公益社団法人及び公益財団法人……一般社団法人及び一般財団法人のうち、公益社団法人及び公益財団法人の認定等に関する法律の規定により認定された法人

②　非営利型法人……一般社団法人及び一般財団法人（①の法人を除きます。）のうち、非営利性が強いものとして一定の条件を満たす法人。非営利型法人の要件等は【問1-8】で説明しています。

③　①及び②以外の一般社団法人及び一般財団法人

　(注)　一般社団法人又は一般財団法人は、一定の条件を満たせば、設立に行政庁の認可は不要で、登記を行うことにより設立することができ、そのうち、行政庁から公益認定を受けた法人が公益社団法人又は公益財団法人となります。

　①及び②は公益法人等として（法2六、別表第二）、③は普通法人として、法人税法が適用されます。それぞれについての法人税法の規定の概略は次のとおりです。

（16）

第1章　総論、定義

イ　課税所得の範囲及び税率

	公益法人等		普通法人
	①公益社団法人 公益財団法人	②非営利型法人	③左記以外の一般社団法人又は一般財団法人
課税所得の範囲 （法5、7）	収益事業により生じた所得（注）	収益事業により生じた所得	すべての所得
法人税率 （法66①②、措法42の3の2）	所得の金額のうち年800万円以下の部分……15% 所得の金額のうち年800万円超の部分……23.2%		

（注） 公益目的事業に該当する事業は収益事業から除かれます。（法政令5②一）

ロ　みなし寄附金及び寄附金の損金算入限度額

	公益法人等		普通法人
	①公益社団法人 公益財団法人	②非営利型法人	③左記以外の一般社団法人又は一般財団法人
みなし寄附金	収益事業に属する資産のうちから収益事業以外の事業で自らが行う公益目的事業のために支出した金額（法37⑤、法政令77の3） **（注）** 事実を隠蔽又は仮装して経理することにより支出した金額は除かれます。（法37⑤ただし書）	みなし寄附金の規定の適用はありません。（法37④⑤）	――
寄附金の損金算入限度額	aとbのいずれか少ない金額 a　所得の金額×50%相当額 b　上記のみなし寄附金の額に相当する金額 （法37①、法政令73①三イ、73の2）	普通法人の寄附金の損金算入限度額 （内容は【問12-1】に記載）	

（17）

一般社団法人又は一般財団法人のうちの非営利型法人

> 【問1-8】 一般社団法人又は一般財団法人のうちの非営利型法人
> とは、どのような法人ですか。

【答】 一般社団法人及び一般財団法人は、行政庁から公益認定を受けた法人（公益社団法人及び公益財団法人）とその他の法人に分かれますが、法人税法はその間のものとして、御質問にある非営利型法人を設け、上記の認定を受けた公益社団法人及び公益財団法人と非営利型法人を別表第二の公益法人等とし、認定を受けていない一般社団法人及び一般財団法人は、普通法人とする区分をしています。

なお、非営利型法人に対する公益法人等に適用される法人税法の特例規定は、【問1-7】に記載した「イ 課税所得の範囲及び税率」の表と「ロ みなし寄附金及び寄附金の損金算入限度額」の表からわかるように、課税所得の範囲が収益事業により生じた所得とされることだけであり、その適用方法は、法人税法施行規則第22条の4に掲げられている法人（【問12-1】①ロの**(注2)**参照）と同じになります。

非営利型法人は、一般社団法人又は一般財団法人（公益社団法人及び公益財団法人を除きます。）のうち、次に掲げるものです。（法2九の二）

(1) その行う事業により利益を得ること又はその得た利益を分配することを目的としない法人であって、その事業を運営するための組織が適正であるものとして次に掲げる要件のすべてに該当するもの（法2九の二イ、法政令3①）

① その定款に剰余金の分配を行わない旨の定めがあること

② その定款に解散したときはその残余財産が国若しくは地方公共団体、公益社団法人若しくは公益財団法人又は公益認定法第5条第17号イからトまで（公益認定の基準）に掲げる法人に帰属する旨の定めがあること

③ ①又は②の定款の定めに反する行為（①、②及び④に掲げる要件のすべてに該当していた期間において、剰余金の分配又は残余財産の分配若しくは引渡し以外の方法により特別の個人又は団体に特別の利益を与えることを含みます。）を行うことを決定し、又は行ったことがないこと

④ 各理事（清算人を含みます。）について、当該理事及び当該理事の配

(18)

第1章　総論、定義

偶者又は３親等以内の親族その他の当該理事と財務省令（法規則２の２
①）で定める特殊の関係のある者である理事の合計数の理事の総数のう
ちに占める割合が、$\frac{1}{3}$以下であること

(注)　法規則２の２①で定める理事と特殊の関係のある者は、次のとおりです。

　　イ　当該理事の配偶者

　　ロ　当該理事の３親等以内の親族

　　ハ　当該理事と婚姻の届出をしていないが事実上婚姻関係と同様の事情に
　　　　ある者

　　ニ　当該理事の使用人

　　ホ　イ～ニに掲げる者以外の者で当該理事から受ける金銭その他の資産に
　　　　よって生計を維持しているもの

　　ヘ　ハ～ホに掲げる者と生計を一にするこれらの者の配偶者又は３親等以
　　　　内の親族

(2)　その会員から受け入れる会費により当該会員に共通する利益を図るた
めの事業を行う法人であって、その事業を運営するための組織が適正であ
るものとして次に掲げる要件のすべてに該当するもの（法２九の二ロ、法
政令３②）

①　その会員の相互の支援、交流、連絡その他の当該会員に共通する利益
を図る活動を行うことをその主たる目的としていること

②　その定款（定款に基づく約款その他これに準ずるものを含みます。）に、
その会員が会費として負担すべき金銭の額の定め又は当該金銭の額を社
員総会若しくは評議員会の決議により定める旨の定めがあること

③　その主たる事業として収益事業を行っていないこと

④　その定款に特定の個人又は団体に剰余金の分配を受ける権利を与える
旨の定めがないこと

⑤　その定款に解散したときはその残余財産が特定の個人又は団体（上記
(1)の②に掲げるもの又はその目的と類似の目的を有する他の一般社団
法人若しくは一般財団法人を除きます。）に帰属する旨の定めがないこ
と

⑥　①～⑤及び⑦に掲げる要件のすべてに該当していた期間において、特
定の個人又は団体に剰余金の分配により特定の利益を与えることを決定

（19）

し、又は与えたことがないこと

⑦ (1)の④に掲げた要件と同じ要件

(注1) (1)の③及び(2)の⑥に掲げる「特別の利益を与えること」とは、例えば、次に掲げるような経済的利益の供与又は金銭その他の資産の交付で、社会通念上不相当なものをいいます。(基通1-1-8)

イ 法人が、特定の個人又は団体に対し、その所有する土地、建物その他の資産を無償又は通常よりも低い賃貸料で貸し付けていること。

ロ 法人が、特定の個人又は団体に対し、無利息又は通常よりも低い利率で金銭を貸し付けていること。

ハ 法人が、特定の個人又は団体に対し、その所有する資産を無償又は通常よりも低い対価で譲渡していること。

ニ 法人が、特定の個人又は団体から通常よりも高い賃借料により土地、建物その他の資産を賃借していること又は通常よりも高い利率により金銭を借り受けていること。

ホ 法人が、特定の個人又は団体の所有する資産を通常よりも高い対価で譲り受けていること又は法人の事業の用に供すると認められない資産を取得していること。

ヘ 法人が、特定の個人に対し、過大な給与等を支給していること。

なお、「特別の利益を与えること」には、収益事業に限らず、収益事業以外の事業において行われる経済的利益の供与又は金銭その他の資産の交付が含まれます。

(注2) (1)の③に掲げる要件を欠くことにより普通法人に該当することとなった一般社団法人又は一般財団法人は、その該当することとなった日の属する事業年度以後の事業年度において、当該要件を満たすことはありませんので、再び非営利型法人に該当することはありません。(2)の⑥に掲げる要件を欠くことにより普通法人に該当することとなった一般社団法人又は一般財団法人についても、同じです。(基通1-1-9)

(注3) (2)の③に掲げる「主たる事業として収益事業を行っていない」場合に該当するかどうかは、原則として、その法人が主たる事業として収益事業を行うことが常態となっていないかどうかにより判定します。この場合において、主たる事業であるかどうかは、法人の事業の態様に応じて、例えば収入金額や費用の金額等の合理的と認められる指標（以下「合理的指標」といいます。）を総合的に勘案し、当該合理的指標による収益事業以外の

(20)

第1章　総論、定義

事業の割合がおおむね50％を超えるかどうかにより判定します。

　ただし、その法人の行う事業の内容に変更があるなど、収益事業の割合と収益事業以外の事業の割合の比に大きな変動を生ずる場合を除き、当該事業年度の前事業年度における合理的指標による収益事業以外の事業の割合がおおむね50％を超えるときには、当該事業年度の開始の日において「主たる事業として収益事業を行っていない」場合に該当しているものと判定して差し支えないとされています。

　上記の判定を行った結果、収益事業以外の事業の割合がおおむね50％を超えないとしても、そのことのみをもって「主たる事業として収益事業を行っていない」場合に該当しないことにはなりません。(基通1-1-10)

(注4)　(1)の④及び(2)の⑦に掲げる要件に該当するかどうかの判定は、原則として、判定される時の現況によります。

　ただし、例えば、非営利型法人が理事の退任に基因して当該要件に該当しなくなった場合において、当該該当しなくなった時から相当の期間内に理事の変更を行う等により、再度当該要件に該当していると認められるときには、継続して当該要件に該当しているものと取り扱って差し支えないとされています。(基通1-1-12)

(21)

公益法人等が地方公共団体等から交付を受ける補助金

> **【問1-9】** 非営利型法人である当一般財団法人は、市からの要請により宿泊施設を設け、低廉な料金で青少年のための宿泊、飲食事業を行っています。この事業は収益事業に該当するため、法人税の申告をしていますが、今般宿泊施設を建て替えることになり、市から建替代金の一部について補助金が交付されることになりました。この補助金について、国庫補助金等による圧縮記帳の規定の適用を受けようと考えていたところ、当該補助金の受入れは収益事業に係るものに該当しないのではないかとの意見がでています。税務上どのように取り扱われるのでしょうか。

【答】 御質問にある宿泊施設は、貴法人において収益事業の用に供されているものですが、その建替えのために国又は地方公共団体等から交付を受ける補助金等（資産の譲渡又は役務の提供の対価としての実質を有するものを除きます。）は、税務上収益事業に係る益金の額に算入されません。（基通15-2-12(1)）これは、公益法人等が他から贈与を受けた寄附金収入などは、原則として課税対象にしないという考えによるものです。したがって、国庫補助金等による圧縮記帳の規定（法42①）の適用を受けるまでもなく、当該補助金収入の額は、貴法人の法人税の課税対象から除外されます。

ところで、この補助金を原資にして建て替えた建物の取得価額ですが、当該補助金相当額を収益計上せずに取得価額の算定をしますと、今後の減価償却額の減少によって長期的に補助金相当額が課税されることになります。しかし、上記のように補助金収入額そのものが課税対象にならないのですから、建て替えた建物の取得価額は実際の取得価額とすることができます。（基通15-2-12(注)）補助金受入額は会計上収益に計上され、貴法人の収益事業に係る剰余金はこれを含めた金額が計上されますが、申告書別表四において「課税対象とならない補助金収入額」として減算調整（処分は「社外流出③」欄に※印記載します。）することができます。

なお、建替え前の建物の除却損失は、過年度の減価償却計上額の調整ですので、通常どおり損金の額に算入することができます。

一方、国又は地方公共団体等からの補助金でも、収益事業に係る収入又は

第1章　総論、定義

経費を補てんするために交付を受けるものは、益金の額に算入しなければなりません。（基通15-2-12(2)）

協同組合等に対する法人税の課税制度

> 【問1-10】　協同組合等に対する法人税の課税制度を説明してください。普通法人と比べて、どのような特例がありますか。

【答】　協同組合等は、普通法人と同様にすべての所得に課税されるいわゆる無制限納税義務者です。しかし普通法人に比べて次のような特例があります。

① 　税率……各事業年度の所得の金額に対する法人税率は下記のとおりで、普通法人（その法人税率は【問1-2】の③に記載しています。）に比べて低くなっています。（法66①〜③、措法42の3の2、68）

所得の金額	税率
年800万円以下の部分	15%
年800万円超の部分	19%
特定の協同組合等の年10億円超の部分	22%

　(注)　特定の協同組合等とは、特定の地区又は地域に係る協同組合等で、物品供給事業に係る収入金額の総収入金額に占める割合が50%を超え、事業年度終了の時における組合員その他の構成員の数が50万人以上であり、かつ、当該事業年度における物品供給事業のうち店舗で行われるものに係る収入金額が年1,000億円以上であるものをいいます。（措法68、措政令39の34）

② 　特別賦課金の繰延経理……組合員に対し教育事業又は指導事業の経費の支出に充てるために賦課金を課した場合において、その賦課の目的となった事業の全部又は一部が翌事業年度に繰り越されたため当該賦課金につき剰余が生じたときにおいても、その剰余の額の全部又は一部をその目的に従って翌事業年度に支出することが確実であるため、その支出をすることが確実であると認められる部分の金額を当該事業年度において仮受金等として経理したときは、これが認められます。（基通14-2-9）

③ 　事業分量配当、従事分量配当の損金算入……事業分量配当とは、協同組合等の剰余金のうち、協同組合等と組合員その他の構成員との当該事業年

（23）

度中の取引及びその取引を基礎として行われた取引により生じた剰余金について、各組合員等の取扱数量、価額その他協同組合等の事業を利用した分量に応じて分配する金額をいいます。従事分量配当とは、協同組合等の剰余金のうち、農業、漁業又は林業の経営により生じた剰余金について、各組合員その他の構成員が当該事業年度中に協同組合等の事業に従事した程度に応じて分配する金額をいいます。したがって、いずれの場合も固定資産の処分等によって生じた剰余金の分配は、これに該当しません。（法60の2、基通14-2-1、14-2-2）

　また、組合員以外の者の利用に係るものであっても、漁業協同組合等の組合員以外の利用者に対して支出する利用分量配当金が、当該者の利用の分量に応じ、かつ、組合員に対する分配金とおおむね同様の基準で計算されている等のため、事業の利用者に対する利用料等の割戻しと認められる場合のもの、及び農業協同組合が農業協同組合法第10条第1項第3号に掲げる事業に関し、同条第22項の規定により組合員とみなされる者に対し当該者の事業の利用量に応じて行う剰余金の分配については、いずれも事業分量配当として損金の額に算入されます。（基通14-2-3、14-2-3の2）

　消費生活協同組合及び同連合会については、消費生活協同組合法施行規則第207条第8項の規定により積み立てた利用分量割戻金は、各組合員別に計算されているか否かを問わず、その積み立てた事業年度において損金の額に算入されます。（法60の2、基通14-2-5、【問27-6】参照）

合同会社の概要とその所得に対する課税の方法

> 【問1-11】　合同会社とはどのような会社ですか。米国では、この種の会社の所得には構成員課税が行われ、わが国では法人税課税が行われていますが、この違いはどういうことなのでしょうか。

【答】　合同会社は、会社法において、持分会社の1つとして規定されている会社です。（会社法575①）　この会社は、1990年代に米国で急増した有限責任会社（LLC：Limited Liability Company）をモデルにした日本版LLCで、次のような特色を有しています。

① 社員全員が、有限責任社員（その出資の価額（既に当該会社に対して履

（24）

第1章　総論、定義

行した出資の価額を除きます。）を限度として、当該会社の債務を弁済する責任を負う社員（同法580②））であること……持分会社の定款には、社員が無限責任社員又は有限責任社員のいずれであるかの別を記載又は記録しなければなりませんが（同法576①五）、持分会社が合同会社の場合には、その社員の全部を有限責任社員とする旨を記載又は記録しなければなりません。（同法576④）

② 社員に業務執行権があること……持分会社の社員は、定款に別段の定めがある場合を除き、会社の業務を執行します。（同法590①）

③ 会社の業務は出資額に関係なく、社員の過半数で決定すること……社員が2人以上ある場合、持分会社の業務は、定款に別段の定めのある場合を除き、社員の過半数で決定します。（同法590②）

④ 利益の分配は出資額に関係なく、定款で自由に決めることができること……持分会社の社員は、会社に対し、利益の配当を請求することができますが、その請求の方法その他の利益の配当に関する事項を定款で定めることができます。（同法621①②）

　上記のうち、②～④は他の持分会社（合名会社及び合資会社）と共通の規定ですから、合同会社は社員全員が有限責任である持分会社（いわゆる人的会社）ということができます。

持分会社 ┌ 合名会社……社員全員が無限責任社員（同法576②）
　　　　 │ 合資会社……社員の一部が無限責任社員、その他の社員が有限責任社員（同法576③）
　　　　 └ 合同会社……社員全員が有限責任社員（同法576④）

　合同会社は、このような特色がありますので、専門的な知識、能力、ノーハウを有する人が、有限責任制の下で、出資額が少ないことによる不利な扱いを受けることなく、法人格が付与されたベンチャー企業を創設するのに応わしい組織ということができます。

　御質問の後段ですが、合同会社創設のモデルである米国のLLCに対しては、構成員課税が行われています。ベンチャー事業の初期が赤字の場合、構成員課税ですと構成員には当該事業に係る損失を他の所得と通算できるという節税効果が生じますが、法人税課税ですとこの効果が生じません。米国でLLCが急増したのは、LLCに対する課税が構成員課税となった後ですので、わが

（25）

国でも合同会社に対する課税は構成員課税とするよう求める声がありました。

しかし、法人格を有するものには法人税課税をするという原則はまげられず、合同会社とは別に、「投資事業責任組合法」を制定して、同法に基づく投資事業組合により、ベンチャー企業を創業することができるようにされました。投資事業組合はLLP（Limited Liability Partnership）で、法人でありませんので、事業を当該組合で行いますと、その所得に対しては、その構成員に直接課税されることになります。

人格のない社団等に対する法人税の課税方法

> **【問 1-12】** 人格のない社団等とはどのようなものですか。これに
> 対する法人税の課税方法は、どのように規定されていますか。

【答】 人格のない社団等とは、法人でない社団又は財団で代表者又は管理人の定めがあるものをいいます。（法２八）

「法人でない社団」とは、多数の者が一定の目的を達成するために結合した団体のうち法人格を有しないもので、単なる個人の集合体でなく、団体としての組織を有して統一された意志の下にその構成員の個性を超越して活動を行うものをいい、次のようなものはこれに含まれません。（基通１－１－１）

① 民法第667条（組合契約）の規定による組合
② 商法第535条（匿名組合契約）の規定による匿名組合（【問16-13】参照）

  (注) 昭和39年10月15日最高裁判決は、「人格のない社団」の成立要件を次のとおり判旨しています。

    ① 団体としての組織を備えていること
    ② 多数決の原則が行われていること
    ③ 構成員が変更しても団体が存在すること
    ④ その組織によって代表の方法、総会の運営、財産の管理その他団体としての主要な点が確定していること

「法人でない財団」とは、一定の目的を達成するために出えんされた財産の集合体で、特定の個人又は法人の所有に属さず、一定の組織による統一された意志の下にその出えん者の意図を実現すべく独立して活動を行うもののうち、法人格のないものをいいます。（基通１－１－２）

（26）

第1章　総論、定義

　「代表者又は管理人の定めがある」とは、当該社団又は財団の定款、寄附行為、規約等によって代表者又は管理人が定められている場合のほか、当該社団又は財団の業務に係る契約を締結し、その金銭、物品等を管理する等の業務を主宰する者が事実上あることをいいます。したがって、法人でない社団又は財団で収益事業を行うものには、代表者又は管理人を定めないものは通常あり得ないとされています。（基通1−1−3）

　人格のない団体は、同窓会、町内会など身近なところに数多くありますが、組織だけでなく統一した意志の下で活動を行うという上記の要件を満たすものは、○○協会等かなり限られると思います。

　人格のない社団等は法人とみなして法人税法の規定が適用されますが（法3）、課税されるのは、収益事業を行う場合、法人課税信託の引受けを行う場合又は退職年金業務等を行う場合だけであり（法4①ただし書）、税率は、普通法人のうちの中小法人と同じです。（法66①②、措法42の3の2）

　(注)　人格のない社団等は法人格がないため、法の規定に基づく剰余金の配当等をすることができませんので、法人が人格のない社団等から受け取る配当等は、受取配当等の益金不算入の対象になりません。（法23①かっこ書）

　なお、人格のない社団等が、収益事業に属する固定資産を譲渡、除却その他の処分をしたことにより生ずる損益は、原則として収益事業に係る損益となりますが、次に掲げる損益については、収益事業に係る損益に含めないことができます。（基通15-2-10）

①　相当期間にわたり固定資産として保有していた土地（借地権を含みます。）建物又は構築物を譲渡、（法人税法施行令第138条第1項の規定の適用がある借地権の設定（【問21-11】の①参照）を含みます。）除却その他の処分をした場合におけるその処分をしたことによる損益

②　収益事業の全部又は一部を廃止してその廃止に係る事業に属する固定資産を譲渡、除却その他の処分をした場合におけるその処分をしたことによる損益

　(注)　上記基通15-2-10の取扱いは、公益法人等についても同じです。

（27）

第2節　法人の設立をめぐる問題

新設法人の税務届出書類

> 【問1-13】　新たに会社を設立した場合、税務ではどのような手続を要しますか。税務署へ提出しなければならない届出書、申請書等と、それぞれの提出期限を説明してください。

【答】　内国法人である普通法人又は協同組合等を新たに設立した場合、納税地の所轄税務署長に提出しなければならない書類とその提出期限は、次のとおりです。

①　法人設立届出書……提出期限は、設立の日以後2月以内です。この届出書には、納税地、事業の目的、設立の日を記載し、定款等（定款、寄附行為、規則、規約その他これらに準ずるもの）の写しを添付しなければなりません。（法148①、法規則63）

　　(注)　会社は本店の所在地において設立の登記をすることによって成立しますので（会社法49（株式会社の場合）、579（持分会社の場合））、設立登記の日が設立の日となり、最初の事業年度の開始の日となります。（基通1-2-1）したがって、例えば3月31日を事業年度終了の日とする会社が3月26日に設立登記をしますと、設立第1期は6日間だけですが、決算を行って確定申告書を提出しなければなりません。

②　青色申告の承認申請書……内国法人である普通法人又は協同組合等が設立の日の属する事業年度から青色申告をする場合の提出期限は、同日以後3月を経過した日と当該事業年度終了の日とのうちいずれか早い日の前日です。（法122②一）

　　(注)　①の(注)に例として掲げた会社ですと、同年の3月31日が設立の日の属する事業年度終了の日ですので、その前日である3月30日が提出期限になります。

　　　　　別の例で説明しますと、3月31日を事業年度終了の日とする会社が、1月16日に設立登記をしますと、設立の日以後3月を経過した日は4月16日で、設立第1期事業年度終了の日である3月31日の方が早いため、その前日の3月30日が青色申告の承認申請書の提出期限になります。設立第2期の事業年度から青色申告をしようとするときは、承認申請書の提出期限は、一般にはその事業年度開始の日の前日ですが、設立の日から設立第1期事業年度終了

(28)

第 1 章　総論、定義

の日までの期間が 3 月未満の場合は、設立の日以後 3 月を経過した日と翌事
業年度終了の日とのうちいずれか早い日の前日になりますので（法122②四）、
青色申告の承認申請書の提出期限は、 4 月16日の前日である 4 月15日になり
ます。

③　定款の定め等による申告期限の延長の特例の申請書……提出期限は、特
　例の適用を受けようとする事業年度終了の日です。（法75の 2 ③）

　　(注)　この申請書は、定款等の定めにより、又はその法人に特別の事情があるこ
　　　とにより、事業年度終了の日の翌日から 2 月以内に定時株主総会が招集され
　　　ない常況にあると認められる場合に提出するものです。【問27-16】参照、
　　　法75の 2 ①）

④　棚卸資産の評価方法の届出書……提出期限は、設立の日の属する事業年
　度に係る確定申告書の提出期限です。（法政令29②一）

　　(注)　評価の方法を選定しなかった場合は、最終仕入原価法により算出した取得
　　　原価による原価法が評価方法となります。（法29①かっこ書、法政令31①）

⑤　減価償却資産の償却方法の届出書……提出期限は、④と同じです。（法
　政令51②一）

　　(注)　償却の方法を選定しなかった場合は、次に掲げる方法が償却方法となりま
　　　す。（法31①かっこ書、法政令53）
　　　・有形減価償却資産（建物、建物附属設備、構築物、鉱業用減価償却資産
　　　及びリース資産を除きます。）……定率法
　　　・鉱業用減価償却資産及び鉱業権……生産高比例法
　　　上記以外の減価償却資産は、償却方法の選定ができませんので、この届出
　　　をする必要はありません。

⑥　有価証券の 1 単位当たりの帳簿価額の算出の方法の届出書……提出期限
　は、有価証券を取得した日の属する事業年度に係る確定申告書の提出期限
　です。（法政令119の 5 ②）

　　(注)　設立の日の属する事業年度に有価証券を取得していないときは、設立の日
　　　の属する事業年度に係る確定申告書の提出期限までに届け出る必要はなく、
　　　その後、有価証券を取得した日の属する事業年度に係る確定申告書の提出期
　　　限までに届け出ればよいのです。算定の方法を選定しなかった場合は、移動
　　　平均法が算出の方法となります。（法61の 2 ①二かっこ書、法政令119の 7 ①）

⑦　外貨建資産等の期末換算の方法の届出書……提出期限は、外貨建資産等

（ 29 ）

の取得をした日の属する事業年度に係る確定申告書の提出期限です。（法
政令122の5）

> **（注1）** 外貨建資産等のうち期末換算の方法が発生時換算法又は期末時換算法と
> されている①外貨建債権及び外貨建債務、②外貨建有価証券のうちの売買
> 目的外有価証券（償還期限及び償還金額の定めのあるものに限ります。）、
> ③外貨預金について、届出が必要です。期末換算の方法は、その外国通貨
> の種類ごとに、かつ、①を短期外貨建債権及び短期外貨建債務とこれら以
> 外のもの、②を満期保有目的等有価証券とその他のもの、③を満期日が当
> 該事業年度終了の日の翌日から1年を経過した日の前日までに到来するも
> のとその他のものにそれぞれ区分して、選定しなければなりません。（法
> 政令122の4）

> **（注2）** 設立の日の属する事業年度に外貨建資産等の取得をしていないときは、
> その後その取得をした日の属する事業年度に係る確定申告書の提出期限ま
> でに届け出ればよいのです。期末換算の方法を選定しなかった場合は、短
> 期外貨建債権及び短期外貨建債務と満期日が期末日の翌日から1年を経過
> した日の前日までに到来する外貨預金は期末時換算法、その他は発生時換
> 算法が換算方法となります。（法61の9①、法政令122の7）

⑧ 為替予約差額の一括計上の方法の届出書……提出期限はその選定をしよ
うとする事業年度に係る確定申告書の提出期限です。（法政令122の10②）

> **（注）** 為替予約差額の一括計上は、短期外貨建債権等について、外国通貨の種類
> を異にするものごとに選定することができます。（法政令122の10①）

⑨ 事前確定届出給与に関する届出書……新たに設立した法人がその役員の
その設立の時に開始する職務についての役員給与を所定の時期に確定額支
給する旨の定めをした場合、標記の届出書の提出期限は、設立の日以後2
月を経過する日です。（法政令69④一）

⑩ 給与等の支払事務所の開設届出書……提出期限は、給与等の支払事務所
を開設した日から1月以内です。（所法230）なお、給与等の支給人員が常
時10人未満であるときは、「源泉所得税の納期の特例の承認に関する申請
書」を提出しますと、給与、退職手当等及び所得税法第204条第1項第2
号に掲げる報酬又は料金（弁護士、司法書士、税理士、社会保険労務士等
の報酬又は料金）に係る源泉所得税を1月から6月までの分は7月10日、
7月から12月までの分は翌年1月20日を納期限として納付することができ

ます。(所法216) この申請書は、申請期限はありません。(所法217)

> **(注)** 本店の場合は設立の日が通常給与等の支払事務所を開設した日となるでしょう。したがって、法人を1月16日に設立しますと、2月15日までに開設届出書を提出しなければなりません。給与等を支払う場合の所得税の源泉徴収事務は、本店のほか支店、営業所、工場などでも行うことができますが、その方法をとるときは、給与等の支払事務所を開設する都度1月以内に、その納税地の所轄税務署長に開設届出書を提出しなければなりません。

⑪ 消費税課税事業者届出書……課税期間の基準期間における課税売上高が1,000万円を超えることとなったとき（その事業年度の前事業年度の開始の日以後6月の期間の課税売上高が1,000万円を超えることとなったときを含みます。）、速やかに提出すべきこととされています。(消法57①一)基準期間は、法人の場合その事業年度の前々事業年度（前々事業年度が1年未満の場合は、その事業年度開始の日の2年前の日の前日から同日以後1年を経過した日までの間に開始した各事業年度を合わせた期間）をいいますので（消法2①十四)、1年決算の新設法人は、前々期の課税売上高の年間ベースの額又は前期の上半期の課税売上高が1,000万円を超えることとなるまで、この届出は不要です。ただし、事業年度開始の日における資本金の額又は出資の金額が1,000万円以上の法人は、基準期間がない法人の納税義務の免除の特例を適用しないこととされますので（消法12の2)、速やかに「消費税の新設法人に該当する旨の届出書」を提出しなければなりません。(消法57②) なお、前記①の「法人設立届出書」に消費税法施行規則第26条第5項各号（新設法人に該当する旨の届出書の記載事項）に規定する事項の記載がある場合は、納税者の事務負担等を考慮して、「消費税の新設法人に該当する旨の届出書」の提出があったものとして取り扱われます。(消通1-5-20)

⑫ 適格請求書発行事業者の登録申請書……新たに設立した法人が、事業を開始した日の属する課税期間の初日から登録を受けたい場合、その旨を記載した登録申請書を、事業を開始した日の属する課税期間の末日までに提出する必要があります。(消政令70の4、消規則26の4) なお、新たに設立した法人が免税事業者に該当する場合には、上記の課税期間の末日までに、「消費税課税事業者選択届出書」の提出も必要です。

(31)

なお、以上の書類の記載方法は、それぞれの書類に記載されています。

以上のとおり、申請書、届出書の提出期限はまちまちですが、提出もれを防ぐため、会社設立後早急に全書類を整備して、遅滞なく（通常、⑩に掲げた給与等の支払事務所の開設届出書の提出期限が最も早く到来しますので、そのときまでに）提出するのがよいと思います。

法人成りに当たり個人事業の資産及び負債を会社へ引継ぐ金額

> **【問1-14】** 個人事業を法人成りにより新設会社に移すに当たって、資産及び負債は個人事業での帳簿価額をそのまま引き継いでよろしいですか。引継額と引継時の時価との間に差額があった場合、どのような問題が起こりますか。資産の引継額が引継時の時価よりも低い場合、現物出資の場合と財産引受け又は事後設立の場合とで会社の受入額が変わるとのことですが、どうしてですか。

【答】 法人成りによる個人事業の資産及び負債の会社への引継ぎには、現物出資による方法（会社法28一）、財産引受けによる方法（会社法28二）、会社設立後に個人資産を買い取る方法（事後設立、会社法467①五）がありますが、いずれの場合においても、引き継ぐ資産及び負債の評価額の問題が生じます。

(注1) 会社法では、会社設立時の現物出資及び財産引受けは、原始定款の相対的記載事項として、第28条にそれぞれ次のとおり規定されています。

現物出資（同条第1号）……金銭以外の財産を出資する者の氏名又は名称、当該財産及びその価額並びにその者に対して割り当てる設立時発行株式の数

財産引受け（同条第2号）……株式会社の成立後に譲り受けることを約した財産及びその価額並びにその譲渡人の氏名又は名称

(注2) 事後設立は、株主総会の決議による事業譲渡の承認の1つとして、会社法第467条第1項第5号に次のとおり規定されています。

株式会社（発起人が設立時発行株式の全部又は一部を引受ける方法で設立したものに限る。）の成立後2年以内におけるその成立前から存在する財産であってその事業のために継続して使用するものの取得（ただし書は記載省略）

この場合、固定資産の評価が厄介で、例えば個人事業で使用していた固定資産を個人事業での帳簿価額で会社へ引き継ぎますと、地価の変動により、

第1章　総論、定義

通常、土地の帳簿価額は時価と異なりますし、減価償却資産は個人事業では定額法によって償却していることが多いために帳簿価額が引継時の時価よりも高い場合が多く、それぞれに問題が生じます。

　資産の引継額が時価よりも高い場合と低い場合とに分けて、会社と個人それぞれに生ずる問題点を記載しますと、次のとおりです。

① 　引継額が時価よりも高い場合……引継時における当該資産の取得のために通常要する価額（以下「時価」といいます。）を会社の取得価額としますので（減価償却資産について法政令54①六、棚卸資産について法政令32①三、有価証券について法政令119①二十七）、時価を超える部分の出資額は否認されます。

　　この出資額と時価との差額の取扱いは特に定めがなく、ケース・バイ・ケースで出資者に対する貸付金又は未払込出資金とされます。一方、出資者の譲渡所得等の収入金額は、出資額でなく法人の取得価額で計算します。

② 　引継額が時価よりも低い場合……現物出資の場合は、資本等取引ですので、会社に益金の額に算入される収益の額は生じません。（法22②⑤）例えば、時価1,000万円の資産を700万円で現物出資しても、差額の300万円について会社は低廉現物出資受入益を計上する必要はありません。会社法上も、現物出資資産の出資価額が時価を超えない場合会社の資本充実の原則に反しませんし、会社債権者に損害を与えませんので、問題ありません。

　　しかし、財産引受け又は事後設立の場合は、個人出資者からの資産の引継ぎという点は実質的に現物出資と同じですが、現金出資による会社成立後の財産の譲受けですので、税法上資本等取引に該当しません。このため、会社には、法人税法第22条第2項の規定により、当該資産の時価と譲受額の差額について低廉譲受益が認定されます。

　　一方、出資者は、時価の$\frac{1}{2}$未満の価額で法人に資産を引き渡しますと、現物出資、会社設立後の売渡しのいずれの場合においても、時価で譲渡したものとみなして譲渡所得の課税が行われます。（所法59①二、所政令169）これは、出資の対価として取得した株式等の価額が、引継資産の含み益を反映して高くなっているという考えによるものです。

　　(注)　出資者が時価の$\frac{1}{2}$以上の価額で資産を引き渡したときでも、同族会社等の行為又は計算の否認規定（所法157）が適用されるときは、時価で譲渡し

（33）

たものとみなされることがあります。（所基通59-3）したがって、個人事業の法人成りの場合は、引継額は引継時における時価相当額とすべきです。

この現物出資と現金出資後の資産の買取りについての課税方法の相違は、会社設立の時だけでなく、会社設立後における新株式の発行の時も同じです。

（注）　会社法は、新設法人の資産受入額が時価に比べて過大になるのを防止するため、原始定款に現物出資又は財産引受けの記載又は記録があるときは、当該定款に公証人の認証を受けた後遅滞なく、現物出資又は財産引受けに関する事項を調査させるため、裁判所に対し、検査役の選任の申立てをしなければならないと規定しています（会社法33①）、ただし、現物出資又は財産引受けをする財産（以下「現物出資財産等」といいます。）が下記の①〜③に該当するものである場合、それぞれに掲げる財産は、検査役の検査が免除されます。

① 現物出資財産等として定款に記載され、又は記録された価額の総額が、500万円を超えない場合……当該財産等（同法33⑩一）

② 現物出資財産等のうち、市場価格のある有価証券について定款に記載され、又は記録された価額が、④定款認証の日における当該有価証券を取引する市場での最終の価格と⓺同日において当該有価証券が公開買付け等の対象である場合の同日における公開買付け価格とのいずれか高い価格をもって算定されるものを超えない場合……当該有価証券（同法33⑩二、会社規則6）

③ 現物出資財産等について定款に記載され、又は記録された価額が相当であることについて、弁護士、弁護士法人、公認会計士、監査法人、税理士又は税理士法人の証明（現物出資財産等が不動産である場合は、不動産鑑定士の鑑定評価）を受けた場合……当該証明を受けた現物出資財産等（同法33⑩三）

法人成りに当たって現物出資があったときの資本金等の額の計上額

> **【問1-15】**　法人成りに当たって時価以下の価額で会社に資産を現物出資した場合、会社に低廉現物出資受入益の認定がされなくても、資産の受入額が低いために以後の減価償却費等が少なくなり、長期的には課税されることになると思います。このため、会社が時価で当該資産を受け入れ、時価と現物出資額の差額についても資本金等の額に計上したいと思いますが、可能でしょうか。

【答】　時価以下で現物出資の受入れをした資産を当該現物出資額で会社が資

（34）

第1章　総論、定義

産に計上しますと、その資産の減価償却費や固定資産除却損等の損金算入額は現物出資額を基にして算定しますので、時価で受入れをした場合よりも低い金額になり、長期的にみた場合、時価と現物出資受入額の差額について所得金額が増加します。一方、会社が時価で当該資産の受入れをしますと、減価償却費等は時価に基づく取得価額をベースにして算定しますので、この問題は生じません。

　ところが御質問にある「資本金等の額」は、法人が株主等から出資を受けた金額として政令で定める金額と規定され（法2十六）、この政令である法人税法施行令第8条では、下記のイ＋ロ－ハの金額と規定されています。

イ　当該法人の資本金の額又は出資金の額

ロ　当該事業年度前の各事業年度及び当該事業年度開始の日以後におけるイ以外の資本金等の額の増加額（法政令8①一～十二の額）の合計額

ハ　当該事業年度前の各事業年度及び当該事業年度開始の日以後におけるイ以外の資本金等の額の減少額（法政令8①十三～二十二の額）の合計額

　上記のロのなかに、「株式の発行をした場合に払い込まれた金銭の額及び給付を受けた金銭以外の資産の価額その他の対価の額に相当する金額から、その発行により増加した資本金の額又は出資金の額を減額した金額」が掲げられています。（法政令8①一）現物出資の場合、株式を発行した場合に給付を受けた金銭以外の資産の価額は、現物出資額ですから、当該額から資本金に計上した金額を減額した金額が、上記のロの金額となります。したがって、御質問のように現物出資資産の時価が現物出資額を超えていても、その差額を資本金等の額に計上することはできません。

　また、会社法では、資本金の額及び準備金の額について、第445条第1項～第3項に、次のとおり規定されています。

①　株式会社の資本金の額は、この法律に別段の定めがある場合を除き、設立又は株式の発行に際して株主となる者が当該株式会社に対して払込み又は給付をした財産の額とする。

②　前項の払込み又は給付に係る額の$\frac{1}{2}$を超えない額は、資本金として計上しないことができる。

③　前項の規定により資本金として計上しないこととした額は、資本準備金として計上しなければならない。

（35）

上記の①にあるように、会社法も、現物出資により株主が会社に給付した財産の額を資本金の額とし、そのうちの$\frac{1}{2}$を超えない額を資本準備金とすることができると規定しています。

したがって、御質問にある長期的にみた場合の課税を避けるためには、現物出資をする個人の現物出資資産の譲渡所得が増加しても、時価を現物出資額とするしかありません。

(注) 現物出資者に対する譲渡所得の課税は、現物出資額が時価の$\frac{1}{2}$以上の価額のときは現物出資額を譲渡による収入金額とし、$\frac{1}{2}$未満の価額のときは時価を譲渡による収入金額とみなして行われます。（所法59①二、所政令169）したがって、会社での課税が長期的にみて不利になっても、時価の$\frac{1}{2}$以上のときは一方で譲渡所得が軽減される効果がありますが、個人事業の法人成りの場合のように同族会社の行為又は計算の否認規定（所法157）に該当するときは、時価が譲渡による収入金額とみなされることがあります。（所基通59-3）したがって、現物出資額は時価相当額とすべきです。

法人成りに当たって会社に個人所有の不動産を賃貸する場合

> **【問1-16】** 法人成りに当たり、新設会社で使用する個人所有の不動産を会社へ引き継がないで、会社に賃貸することにしたいと思います。どのような注意が必要ですか。

【答】 【問1-14】及び【問1-15】で説明したように、法人成りに当たっての個人資産の新設会社への引継額は、時価とするのが問題がないのですが、その場合出資者の側では時価と取得価額（減価償却資産については取得価額から減価償却累計額を控除した金額）の差額が譲渡所得となります。この場合、土地については譲渡所得の金額が高額になることがあり、また、時価で引き継ぐにしても時価の鑑定が必要ですので、資産を個人所有のままにしておいて、会社に賃貸する事例が多いようです。

この場合、注意を要するのは借地権（定期借地権を除きます。）の問題で、土地を個人所有のままとし、その地上の建物を会社が受け入れたときは、権利金若しくは土地の価額に照らして相当の地代を支払わないと、原則として会社に借地権の受贈益が認定されます。（【問21-6】参照）また、借地権の受

（36）

第1章　総論、定義

贈益によって会社の株式の価額が増加しますので、当該土地を賃貸する者から他の同族株主に対する贈与問題も生じます。

　なお、将来会社が個人に土地を返還するに当たって個人から立退料をとらないこととするためには、相当の地代を支払うこととし、かつ、地価の上昇に応じておおむね3年以下の期間ごとに相当の地代を改訂する方法を選択してその旨を「相当地代改訂届出書」に記載して届け出るか（【問21-2】参照）、相当の地代を支払わない（当初相当の地代を支払うが地価の上昇に応じて相当の地代の改訂をしない場合を含みます。）こととして「無償返還届出書」を提出するか（【問21-17】参照）、いずれかの方法をとることが必要です。

　なお、新設会社が個人に支払う賃借料、権利金等は適正な価額とすべきで、適正な価額を超える場合、超過部分の金額は会社から貸主である個人に対する贈与（当該個人が新設会社の役員になっているときは役員給与）となります。会社が賃貸人である個人に差入れる敷金についても同じで、敷金のうち相当と認められる金額を超える部分の金額は、貸主である個人に対する貸付金になりますので、会社は当該個人から利息（利率は【問9-43】参照）をとらなければなりません。

法人成りに当たってのその他の注意事項

> **【問1-17】**　【問1-14】から【問1-16】までで御説明いただいた事項のほかに、法人成りに当たって注意すべき事項があれば教えてください。

【答】　個人事業の法人成りに当たって、【問1-14】から【問1-16】までに説明した事項の他に注意すべき事項を列記しますと、下記のとおりです。

① 回収不能のおそれのある債権を会社へ引き継がないこと。引き継いだ後回収不能となって会社で貸倒処理をしても、貸倒損失として損金の額に算入することができず、当該債権を会社に引き渡した個人に対する経済的利益の供与（引き渡した個人が役員のときは役員給与）になります。なお、個人事業者が、事業を廃止した後に当該事業に係る費用又は損失で、当該事業を廃止しなかったならばその者のその年分以後の各年分の事業所得の必要経費に算入される金額が生じた場合は、事業を廃止した日の属する年

（37）

分又はその前年分の事業所得の金額の計算上必要経費に算入するという特例が定められており（所法63）、当該費用又は損失が生じた日の翌日から2月以内に同法第152条の規定による更正の請求をすることができます。

② 法人成りによって設立した会社が、個人事業に関する経費を負担しないようにすること。使用人に対する給料、賞与、退職給与は、設立の日の前日までのものを個人が支払っておくか、未払金として法人に引き継ぐこと。ただし、個人事業当時から引続き在職する使用人にその退職による退職給与を支給した場合、その退職が会社設立後相当期間（個人の事業所得について更正の請求を行い得る期間と解されます。）経過後に行われたものであるときは、その支給した退職給与の額を会社で損金の額に算入することが認められています。（基通9-2-39）

③ 会社と個人の間に不動産賃貸借、金銭消費貸借が生ずるときは、それぞれ契約書を作成して、内容を明らかにしておくこと。特に個人からの引継資産よりも引継負債の方が多い場合（不動産について賃貸借の方法をとり会社に引継ぎがない場合には、この事例が起こります。）は、差額が会社から個人に対する貸付けになりますが、この貸付金については、利息（利率は【問9-43】参照）をとらなければなりません。

④ 引き継いだ減価償却資産は、法人成りにより会社が引き継いだ時の価額（時価）を法人の取得価額とし、中古資産の耐用年数（【問6-47】参照）を算定して当該耐用年数により償却をすること。

⑤ 営業権は、個人事業が超過収益力を有していて相応の価値が認められるものならば、会社が個人に対価を支払って引き継ぐことができます。この場合、無償にすると、個人にみなし譲渡所得の課税が行われ（所法59①二、所政令169）、法人に受贈益の認定が行われることもあり得ます。一方、営業権の譲受け対価がその価値に比べて高いときは、資産の高価買入れとして、その差額が個人に対する経済的利益の供与（譲渡者が役員のときは役員給与）とされます。要するに、営業権の評価が適正であるべきで、例えば個人からの引継資産に対する引継負債の超過額を漫然と営業権とするようなことは認められません。評価に当たっては、類似業種の売買取引事例、財産評価基本通達第7章第9節に定める方式等が参考になるでしょう。

　　(注)　営業権には、他の企業の稼得している平均収益よりも大きな収益を稼得で

第1章　総論、定義

きる無形の財産的価値がある場合に認められるという「超過収益力説」によるものと、許可漁業の出漁権やタクシー業のナンバー権のように行政官庁の許認可等により営業を行う機会を得るための権利に認められるという「営業機会取得説」によるものがあります。後者の営業権には、取引相場的なものがある場合が多いでしょうが、法人成りの場合に問題になるのは、通常前者の営業権でしょう。

⑥　法人の設立期間中に当該設立中の法人について生じた損益は、設立期間がその設立に通常要する期間を超えて長期にわたるものでない限り、設立後最初の事業年度の所得の金額に含めて申告することができるという取扱いがありますが、法人が個人事業を引き継いで設立されたものである場合における当該事業から生じた損益については、この取扱いは適用されません。（基通2-6-2）したがって、設立の日（会社の場合は設立登記の日《基通1-2-1》）の前日までは個人事業の損益、設立の日以後は法人の損益という区分けを、厳格にする必要があります。

　　なお、現物出資により設立した法人の当該現物出資の日から当該法人の設立の日の前日までの期間中に生じた損益は、個人事業を引き継いでの設立の場合を含めて、当該法人の設立後最初の事業年度の所得の金額に含めて申告することになります。（基通2-6-2（注）2）

⑦　消費税の納税義務の有無の判定は事業者単位で行いますので、個人事業者の法人成りによる新設法人でも、その法人の課税期間の基準期間又は特定期間における課税売上高には、当該個人事業者の課税売上高を含める必要はありません。（消通1-4-6（注））したがって、新設法人の資本金の額又は出資の金額が1,000万円未満のときは、設立後2事業年度はその基準期間における課税売上高が1,000万円以下（実際は0）のため、消費税の納税義務が免除されます。（消法9①）

（注）　下記の場合は、この消法第9条第1項の規定は適用されません。

　　1　新設法人の資本金の額又は出資の金額が事業年度開始の日において1,000万円以上のとき（消法12の2）

　　2　その前の事業年度の開始の日以後6月の期間の課税売上高が1,000万円を超えることとなったとき（消法9の2、【問11-16】参照）

（39）

特例有限会社から株式会社へ移行する場合

【問1-18】 会社法施行前の有限会社で、施行後特例有限会社として存続していますが、株式会社に移行しようと考えています。

① 移行の日の前日までを特例有限会社の事業年度、移行の日以後を株式会社の事業年度と区分して税務上の処理をしなければなりませんか。

② 移行に当たり資産の含み益について評価益の計上をした場合、税務ではどのように取り扱われますか。

【答】 会社法の施行により、有限会社法が廃止され新たに有限会社を設立することはできなくなりましたが、施行前からの有限会社は、会社法の規定による株式会社として存続することができることになり、このような有限会社を「特例有限会社」と称しています。(会社法施行に伴う整備法2、3)

特例有限会社が株式会社に移行する手続は、会社法の施行に伴う関係法律の整備等に関する法律第45条及び第46条に、次のとおり規定されています。

第45条 特例有限会社は、(中略)定款を変更してその商号中に株式会社という文字を用いる商号の変更をすることができる。

2 前項の規定による定款の変更は、次条の登記(本店の所在地におけるものに限る。)をすることによって、その効力を生ずる。

第46条 特例有限会社が前条第1項の規定による定款の変更をする株主総会の決議をしたときは、その本店の所在地においては2週間以内に、その支支所在地においては3週間以内に、当該特例有限会社については解散の登記をし、同項の商号の変更後の株式会社については設立の登記をしなければならない。(以下 略)

①について……特例有限会社から株式会社への移行は、実質的に商号の変更にすぎませんので、移行の日前後での事業年度の区分は不要です。上記の法律第46条の規定によって、特例有限会社の解散の登記と株式会社の設立の登記が行われますが、登記実務の要請による形式的なものであり、税務ではその解散及び設立はいずれもなく、人格が承継しているものとします。(基通1-2-2)

②について……特例有限会社から株式会社への移行は、単なる商号変更で

(40)

すので、この移行に当たって、資産の含み益について評価益を計上すること
はできません。

株式会社と持分会社の間で組織変更が行われる場合

> **【問1-19】** 持分会社が株式会社に、又は逆に株式会社が持分会社
> に組織変更をする場合、【問1-18】の①及び②でお尋ねした事項は、
> どのように取り扱われますか。

【答】 会社法は組織変更を次のとおり定義し、株式会社と持分会社の間での
会社形態の変更を、組織変更として行うことができることとしています。

　会社法第2条第26号　組織変更　次のイ又はロに掲げる会社がその組織を
変更することにより当該イ又はロに定める会社となることをいう。

イ　株式会社　　合名会社、合資会社又は合同会社

ロ　合名会社、合資会社又は合同会社　　株式会社

　(注) 合名会社、合資会社、合同会社の間での会社の種類の変更は、定款の変更に
　　　よって行うことができます。（会社法638）

　このような組織変更が行われた場合、【問1-18】の①及び②の事項は、次
のとおり取り扱われます。

　①について……法人が会社法その他の法令の規定によりその組織又は種類
の変更（以下「組織変更等」といいます。）をして他の組織又は種類の法人
となった場合には、組織変更等前の法人の解散の登記、組織変更等後の法人
の設立の登記にかかわらず、当該法人の事業年度は、その組織変更等によっ
て区分されず、継続します。（基通1-2-2）このため、【問1-18】の場合と
同様に、当該事業年度開始の日から組織変更した日までをみなし事業年度と
する法人税の申告は不要です。

　②について……会社計算規則第7条に「会社が組織変更をする場合には、
当該組織変更をすることを理由にその有する資産及び負債の帳簿価額を変更
することはできない。」と規定されていますので、【問1-18】の場合と同様に、
組織変更によって資産の含み益について評価益を計上することはできません。

第3節　定義その他

青色申告法人の備え付けるべき帳簿類

> 【問1-20】　青色申告書を提出する法人ですが、どのような帳簿を
> 備え付けなければなりませんか。

【答】　青色申告法人は、その資産、負債及び資本に影響を及ぼす一切の取引につき、複式簿記の原則に従い、整然と、かつ、明瞭に記録し、その記録に基づいて決算を行わなければなりません。(法規則53)

　青色申告法人の備え付けるべき帳簿にどのような事項を記載すべきかについては、法人税法施行規則第54条に「別表二十二に定めるところにより、取引に関する事項を記載しなければならない」と規定されており、別表二十二には次の14事項について、法人の帳簿の記載事項が掲げられています。

① 　現金の出納に関する事項

② 　当座預金の預入れ及び引出しに関する事項

③ 　手形（融通手形を除く。）上の債権債務に関する事項

④ 　売掛金（未成加工料その他売掛金と同様の性質を有するものを含む。）
　　に関する事項

⑤ 　買掛金（未払加工料その他買掛金と同様の性質を有するものを含む。）
　　に関する事項

⑥ 　②から⑤までに掲げるもの以外の債権債務に関する事項

⑦ 　有価証券（商品であるものを除く。）に関する事項

⑧ 　減価償却資産に関する事項

⑨ 　繰延資産に関する事項

⑩ 　①から④まで及び⑥から⑨までに掲げるもの以外の資産（商品、製品、
　　消耗品その他棚卸しにより整理するものを除く。）に関する事項

⑪ 　売上げ（加工その他の役務の給付等売上げと同様の性質を有するものを
　　含む。）に関する事項

⑫ 　⑪に掲げるもの以外の収入に関する事項

⑬ 　仕入れに関する事項

⑭ 　⑬に掲げるもの以外の経費に関する事項

（42）

第1章　総論、定義

　また、仕訳帳には、取引の発生順に、取引の年月日、内容、勘定科目及び
金額を記載し（法規則55①）、総勘定元帳には、その勘定ごとに記載の年月
日、相手方勘定科目及び金額を記載しなければなりません。（法規則55②）
　なお、棚卸資産については、各事業年度終了の日に棚卸表を作成しなけれ
ばなりませんが（法規則56①）、棚卸資産の受払いに関する事項を記載しな
ければならないという規定はありません。これは、【問4-6】で説明するよ
うに、実務的に棚卸資産の受払いを記録できない資産があるからですが、在
庫管理のために、極力受払いに関する事項を記録するのが望ましいことはい
うまでもありません。

青色申告法人の帳簿書類の保存期間と保存場所

> **【問1-21】**　青色申告法人は、作成した帳簿書類を何年間、どこに
> 保存しなければなりませんか。

【答】　青色申告法人は、次の①～③の帳簿書類を整理し、7年間、納税地（③
の書類は、当該納税地又は③の取引に係る国内の事務所、事業所その他これ
らに準ずるものの所在地）に保存しなければなりません。（法規則59①）
① 　法人税法施行規則第54条に規定する帳簿（【問1-20】に掲げた14の事項
　を記載した帳簿）並びに当該青色申告法人の資産、負債及び資本に影響を
　及ぼす一切の取引に関して作成されたその他の帳簿
② 　棚卸表、貸借対照表及び損益計算書並びに決算に関して作成されたその
　他の書類
③ 　取引に関して、相手方から受け取った注文書、契約書、送り状、領収証、
　見積書その他これらに準ずる書類及び自己の作成したこれらの書類でその
　写しのあるものはその写し
　上記の期間の7年間は、帳簿についてはその閉鎖の日の翌日から、書類に
ついてはその作成又は受領の日の属する事業年度終了の日の翌日からそれぞ
れ2月（法人税法第75条の2の規定により確定申告書の提出期限の延長の特
例の適用を受けている場合には、その延長に係る月数に2月を加えた期間と
し、清算中の法人について残余財産が確定した場合にはその確定の日から1
月とします。）を経過した日から、起算します。（法規則59②）

（43）

(注) 欠損金の繰越損金算入制度の適用を受けるためには、7年間を経過しても、その欠損金が生じた事業年度の帳簿書類を保存しておく必要があります。(【問24-1】参照)

一方、商法第19条第3項は、「商人は、帳簿閉鎖の時から10年間、その商業帳簿及びその営業に関する重要な資料を保存しなければならない。」と規定しています。会社法は、これとは別に、第432条第2項で株式会社について、第615条第2項で持分会社について、いずれも「会計帳簿の閉鎖の時から10年間、その会計帳簿及びその事業に関する重要な資料を保存しなければならない。」と規定していますので、会計帳簿と事業に関する重要な資料は、10年間保存するようにしてください。

事業年度の変更に伴う注意事項（事業年度の月数が12未満となった場合）

> 【問1-22】　事業年度終了の日を年1回3月31日から12月31日に変更したため、経過的に令和6年4月から令和6年12月までの9か月の事業年度が生ずることになりました。当該事業年度の決算及び税務申告の作成に当たり、注意すべき事項を教えてください。
> なお当社は、当該事業年度終了の日における資本金の額が1億円で、法人税法第66条第5項第2号の普通法人（資本金又は出資金が5億円以上である法人、相互会社、受託法人による完全支配関係のある普通法人）には該当しません。

【答】　事業年度の変更によって、経過的に月数が12未満となる事業年度が生じた場合、決算の作成、所得金額の計算及び税額の計算に当たっての月割方法に注意を要します。具体的には次のような事項についてです。

① 　減価償却額……減価償却資産の取得の時期及び償却方法によって、償却率の計算方法が次表のとおりになります。

取得の時期＼償却方法	平成19年3月31日以前 (耐令4②)		平成19年4月1日以後 (耐令5②)	
旧定額法又は定額法	旧定額法の償却率	× 当該事業年度の月数／12 (注2)	定額法の償却率	× 当該事業年度の月数／12 (注2)

（44）

第1章　総論、定義

| 旧定率法又は定率法 | 当該減価償却資産の耐用年数に対応する旧定率法の償却率 $\times \dfrac{12}{\text{当該事業年度の月数}}$ **(注3)** | 定率法の償却率 $\times \dfrac{\text{当該事業年度の月数}}{12}$ **(注2)** |

（注1）　上表の月数は、暦に従って計算し、1月未満の端数を生じたときは、これを1月とします。（耐令4③、5⑤）

（注2）　小数点以下3位未満の端数があるときは、その端数を切り上げます。（耐通5-1-1(1)）

（注3）　年数に1年未満の端数があるときは、その端数を切り捨て（耐通5-1-1(2)）、年数が100年を超えるときは、次の算式により償却限度額を計算します。（基通7-4-1）

$$\text{当該減価償却資産の法定耐用年数に応じる旧定率法の償却率で計算した償却限度額} \times \frac{\text{当該事業年度の月数}}{12}$$

② 交際費等……定額控除限度額が、800万円に御質問の場合は $\dfrac{9}{12}$ を乗じた額すなわち600万円になります。（措法61の4②一）

③ 寄附金……損金算入限度額を計算するに当たっての事業年度終了の時における資本金の額及び資本準備金の額の合計額又は出資金の額には、貴社の場合 $\dfrac{9}{12}$ を乗じます。（法政令73①一イ）

④ 試験研究を行った場合の法人税額の特別控除……下記の金額の計算に当たって、月割計算が必要です。

イ　比較試験研究費の額（措法42の4⑲五）

ロ　平均売上金額を計算するに当たっての売上調整年度の売上金額（措法42の4⑲十三、措政令27の4㉗）

⑤ 法人税の税率……800万円 $\times \dfrac{9}{12}$ ＝600万円相当額以下の所得金額について、税率が15％となります。（法66②④、措法42の3の2）

⑥ 事業税の標準税率……年400万円 $\times \dfrac{9}{12}$ ＝300万円以下の所得及び年300万円を超え年800万円 $\times \dfrac{9}{12}$ ＝600万円以下の所得について、軽減税率が適用されます。（地法72の24の7①⑤）

（注）　3以上の都道府県に事業所を有する資本金1,000万円以上の法人の場合、軽減税率の適用はありません。（地法72の24の7⑤）

（45）

⑦　住民税の均等割……月数あん分して$\frac{9}{12}$とします。（地法52①③、312①④）

　(注)　御質問の会社の事業年度終了の日の資本金の額が１億円超である場合、又は会社が法人税法第66条第５項の普通法人に該当する場合は、⑤の法人税の税率について年800万円以下の所得金額に対する軽減税率の適用はありません。さらに特定同族会社に該当するときは、特別税率による法人税額の計算に当たり、留保控除額のうちの定額基準の額を2,000万円×$\frac{9}{12}$＝1,500万円とし、課税留保金額についても、それぞれを$\frac{9}{12}$を乗じた金額とすることが必要になります。

申告期限が正月休みである場合の特例

> **【問1-23】**　10月末日決算法人ですが、確定申告書提出期限延長の特例の適用を受けていません。確定申告書の提出期限は翌年の１月４日となりますか。仮に、確定申告書提出期限延長の特例の適用を受けて翌年の１月31日を提出期限とした場合、延長期間に係る利子税は、いつから起算することになりますか。

【答】　国税に関する法律に定める申告、申請、請求、届出その他書類の提出、通知、納付又は徴収に関する期限が、日曜日、国民の祝日その他一般の休日、土曜日、12月29日、同月30日又は同月31日に当たるときは、これらの日の翌日をもってその期限とみなします。（国通法10②、国通令２②）

　御質問の場合、12月31日が申告納付期限となりますが、上記により同日、その翌日である１月１日（国民の祝日）、更にその翌日、翌々日である１月２日、１月３日（一般の休日）を超えて１月４日（同日が日曜日のときは１月５日。土曜日のときは１月６日。以下同じ）まで期限が延長されます。

　したがって、確定申告書の提出期限は１月４日となり、確定申告書提出期限の延長の特例の適用を受けられたときの延長期間に係る利子税の起算日も、１月４日となります。

（46）

第1章　総論、定義

「損金経理」の意味と「損金の額に算入する」との違い

> 【問1-24】　法人税法に「損金経理」という用語が出てきますが、
> どのような意味ですか。「損金の額に算入する」という用語と、
> どのように違いますか。

【答】　法人税法において「損金経理」は、「法人がその確定した決算において費用又は損失として経理することをいう」と規定されています。(法2二十五)

　法人税の確定申告書は、株主総会等の承認を得たいわゆる確定決算に基づいて算定した所得の金額、当該所得の金額に基づいて計算した法人税額等を記載して提出しなければなりません。(法74①)これが確定決算主義ですが、減価償却、引当金・準備金の繰入れ、圧縮記帳等の内部取引や、貸倒損失のうち債務者の状況等により回収不能と判断されたもの等の外部取引の一部は、損金経理を条件に損金の額に算入することとされており、確定決算作成に当たっての費用又は損失計上額によって損金算入額が決定されます。したがって、損金経理をしなかった金額は、たとえ損金算入限度額に余裕がある場合でも、申告減算調整によって損金の額に算入することはできません。

　一方、例えば圧縮記帳による代替資産を取得する前の事業年度における特別勘定の計上については、税法は「特別勘定を設ける方法により経理したとき」と規定しており、損金経理をした場合と規定していませんので、圧縮記帳の基因である譲渡益や保険差益を、そのまま特別勘定(会計上は預り金)として経理する方法も認められます。(基通10-1-1、【問18-1】参照)

　これに対して「損金の額に算入する」というのは、法人の所得の金額の計算に当たって減額することですので、申告減算調整する方法も含まれます。例えば、直前事業年度分の事業税及び特別法人事業税の額は、当事業年度終了の日までにその全部又は一部につき申告等がされていない場合であっても、当事業年度の損金の額に算入することができる(基通9-5-2)とされていますので(【問11-3】参照)、損金経理をして未払金に計上する方法だけでなく、申告減算調整することもできます。

　ところで、引当金及び準備金について、取崩額と繰入額の差額を損金経理によって繰り入れた場合、あるいは取崩額の方が多くて戻し入れた場合、損

(47)

益計算書には差額相当額しか計上されず、損金経理が一部についてしかされていないという問題が生じます。

　損金経理を杓子定規に解しますと、損益計算書に戻入れ、繰入れという会計上意味のない両建計上をしなければなりませんが、損金経理の本来の趣旨は、確定決算主義を明瞭にするということです。このため、法人税基本通達11-1-1に貸倒引当金に関する差額繰入れの特例が、租税特別措置法関係通達55〜57の8（共）-1に準備金に関する差額積立ての特例が設けられ、確定申告書に添付する明細書に相殺前の金額による繰入れ等であることを明らかにしておけばよいとされています。すなわち、申告書の当期繰入額又は当期積立額の欄に、相殺前の金額を記入しておけばよいわけです。

(注)　交換により取得した資産の圧縮記帳、換地処分等により取得した資産の圧縮記帳の経理についても、これと同様の取扱いが示されています。（基通10-6-10、措通64(3)-17）

中小企業者等の範囲と中小企業者等に対する特例の概略

> **【問1-25】**　租税特別措置法には中小企業者等についての特例が規定されていますが、中小企業者等の範囲と特例の概略を説明してください。

【答】　中小企業者等とは、中小企業者及び農業協同組合等をいい、その範囲は次のとおりです。

中小企業者……次のいずれかに該当する法人をいいます。（措法42の4⑲七、措政令27の4⑰）

イ　資本金の額若しくは出資金の額が1億円以下の法人で、その発行済株式又は出資の総数又は総額の$\frac{1}{2}$以上が同一の大規模法人の所有に属しておらず、かつ、その発行済株式又は出資の総額の$\frac{2}{3}$以上が2以上の大規模法人の所有に属していない法人

（注1）　上記の「発行済株式又は出資の総数又は総額」は、その法人の所有する自己の株式又は出資を除きます。

（注2）　大規模法人とは、資本金の額若しくは出資金の額が1億円を超える法人、資本若しくは出資を有しない法人のうち常時使用する従業員の数が1,000

(48)

第1章　総論、定義

人を超える法人又は次に掲げる法人をいい、中小企業投資育成株式会社を
除きます。

(1)　大法人（次の①～③の法人をいいます。）との間にその大法人による
　　完全支配関係がある普通法人

　　　①　資本金の額又は出資金の額が5億円以上である法人

　　　②　保険業法第2条第5項に規定する相互会社及び同条第10項に規定
　　　　する外国相互会社のうち、常時使用する従業員の数が1,000人を超
　　　　える法人

　　　③　法人税法第4条の3に規定する受託法人

(2)　普通法人との間に完全支配関係があるすべての大法人が有する株式
　　（投資信託及び投資法人に関する法律第2条第14項に規定する投資口
　　を含みます。）及び出資の全部をそのすべての大法人のうちいずれかひ
　　とつの法人が有するとみなした場合において、そのいずれかひとつの
　　法人とその普通法人との間にそのいずれかひとつの法人による完全支
　　配関係があることとなるときのその普通法人（(1)に該当する者を除き
　　ます。）

ロ　資本又は出資を有しない法人のうち常時使用する従業員の数が1,000
　人以下の法人

農業協同組合等……農業協同組合、農業協同組合連合会、中小企業等協同組
　合、出資組合である商工組合及び商工組合連合会、内航海運組合、内航海
　運組合連合会、出資組合である生活衛生同業組合、漁業協同組合、漁業協
　同組合連合会、水産加工業協同組合、水産加工業協同組合連合会、森林組
　合並びに森林組合連合会をいいます。（措法42の4⑲九）

　なお、一定の特例措置（下記2及び3）の適用対象となる中小企業者等に
は、商店街振興組合が含まれます。

　中小企業者等の租税負担能力が大企業に比べて相対的に低いこととその育
成強化の必要性に配慮して、租税特別措置法には次のような中小企業者等に
対する特例措置が規定されています。

1　中小企業者等が試験研究を行った場合の法人税額の特別控除（措法42の
　4④～⑥、【問25-12】参照）

2　中小企業者等が機械等を取得した場合の特別償却又は法人税額の特別控
　除（措法42の6①～③、【問6-75】、【問25-19】参照）

（49）

3　中小企業者等が特定経営力向上設備等を取得した場合の特別償却又は法
　人税額の特別控除（措法42の12の４①～③、【問25-21】参照）

4　給与等の支給額が増加した場合の法人税額の特別控除における中小企業
　者等の特例（措法42の12の５③、【問25-24】参照）

5　生産工程効率化等設備を取得した場合の法人税額の特別控除における中
　小企業者の税額控除割合の特例（措法42の12の７⑥、【問25-29】参照）

6　雇用者給与等支給額の増加又は一定額の国内設備投資がない場合の法人
　税額の特別控除の不適用措置（【問25-14】参照）の対象法人からの除外（措
　法42の13⑤）

7　中小企業者等の少額減価償却資産の取得価額の損金算入の特例（措法67
　の５①、【問６-８】参照）

　なお、その事業年度の開始の日前３年以内に終了した各事業年度の所得の
金額の年平均額（その各事業年度の所得の金額の合計額をその各事業年度の
月数の合計数で除し、これに12を乗じた金額）が15億円を超える法人（「適
用除外事業者」といいます。（措法42の４⑲八））については、中小企業者等
の特例措置は適用されません。これについては、【問１-27】を参照してくだ
さい。

資本金が１億円以下の中小法人に対する特例の概略

> 【問１-26】　当社は資本金が5,000万円の株式会社です。資本金が１
> 　　億円以下の中小法人に適用される特例の概略を説明してください。

【答】　普通法人のうち、事業年度終了の時における資本金の額又は出資金の
額が１億円以下の法人については、小規模のため、大企業に比べて経営基盤
が弱いと考えられるため、租税負担能力を考慮して、次のような中小法人の
特例措置が設けられています。ただし、資本金の額又は出資金の額が５億円
以上である法人との間に完全支配関係がある普通法人等、一定の法人につい
ては、下記１～８の特例の適用はありません。

1　普通法人のうち事業年度終了の時における資本金の額又は出資金の額が
　　１億円以下のもの又は資本若しくは出資を有しないものに対する年800万
　　円以下の所得に対する軽減税率の適用（法66②、【問26-１】参照）

（50）

第1章　総論、定義

2　1の軽減税率を軽減する特例（措法42の3の2①、【問26-1】参照）

3　事業年度終了の時における資本金の額又は出資金の額が1億円以下の会社は特定同族会社から除かれ、特定同族会社の特別税率の規定が適用されない特例（法67①⑧、【問22-9】参照）

4　事業年度終了の時における資本金の額又は出資金の額が1億円以下の法人は、貸倒引当金の繰入れが認められること（法52①一イ、【問20-5】参照）

5　事業年度終了の時における資本金の額又は出資金の額が1億円以下の普通法人に対する貸倒引当金の繰入限度額における法定繰入率の適用（措法57の9、【問20-23】参照）

6　事業年度終了の時における資本金の額若しくは出資金の額が1億円以下の法人に対する交際費等の損金算入限度額の特例（措法61の4②、【問13-1】参照）

7　事業年度終了の時における資本金の額若しくは出資金の額が1億円以下の法人に対する欠損金の繰越控除制度での控除限度額の不適用（法57①⑪、【問24-2】参照）

8　事業年度終了の時における資本金の額若しくは出資金の額が1億円以下の法人に対する欠損金の繰戻しによる還付の停止の不適用（措法66の12、【問24-8】参照）

9　事業年度終了の日の資本金の額又は出資金の額が1億円以下の法人の事業税は所得割額だけであり、いわゆる外形標準課税が行われないこと（地法72の2①一ロ、②、【問11-4】参照）

　　(注)　令和7年4月1日以後に開始する事業年度は、資本金の額又は出資金の額が1億円以下であっても、一定の要件を満たす法人は、外形標準課税の対象となります。（【問11-5】参照）

10　事業年度開始の時における資本金の額又は出資金の額が1億円以下の法人は、法人税、地方法人税、住民税、事業税及び消費税・地方消費税について、電子情報処理組織による申告（いわゆる電子申告）が強制されないこと（法75の4①②、地法法19の3①②、地法53⑥⑥⑥、72の32①②、321の8⑥⑥、消法46の2①②）

　　なお、その事業年度の開始の日前3年以内に終了した各事業年度の所得の金額の年平均額（その各事業年度の所得の金額の合計額をその各事業年度の

（51）

月数の合計数で除し、これに12を乗じた金額）が15億円を超える法人（「適用除外事業者」といいます。（措法42の4⑲八））については、租税特別措置法で規定する中小法人の特例措置は、一部を除き、適用されません。これについては、【問1-27】を参照してください。

中小企業向け特例措置の適用除外事業者

> 【問1-27】 中小企業者や資本金1億円以下の中小法人でも、一定額を超える所得金額がある法人については、中小企業向けの特例措置の適用ができないとのことですが、その内容を説明してください。

【答】 過去3年間の平均所得金額が年15億円を超える法人については、一部を除き、租税特別措置法で規定する中小企業向けの特例措置は適用されません。これは、多額の所得を計上し経営状況が脆弱でない企業まで特例措置を適用することは適当でないためです。特例措置の適用されない法人を適用除外事業者といい、詳細は以下のとおりです。

(1) 適用除外事業者に該当する法人

適用除外事業者となるのは、その事業年度の開始の日前3年以内に終了した各事業年度の所得の金額の年平均額（その各事業年度の所得の金額の合計額をその各事業年度の月数の合計数で除し、これに12を乗じた金額）が15億円を超える法人です。（措法42の4⑲八）ここでの所得の金額は課税所得の金額ですので、欠損金の繰越控除がある事業年度はその控除後の金額となり、欠損金が生じた年度は0円となります。

なお、適用除外事業者の判定については、以下の取扱いがあります。

① 適用除外事業者に該当するかどうかを判定する事業年度（判定対象年度）の開始日において、設立の日の翌日以後3年を経過していない法人は、適用除外事業者となりません。（措政令27の4⑱一、⑲一）

② 判定対象年度の開始の日前3年以内に終了した各事業年度に、欠損金の繰戻しによる法人税の還付（法80）の適用があった場合、各事業年度の所得の金額の合計額から、還付を受けるべき金額の計算の基礎となった欠損金額に相当する金額を控除します。（措政令27の4⑱三、⑲二）

（52）

第 1 章　総論、定義

③　適用除外事業者の判定の対象となる法人が特定合併等に係る合併法人等に該当する場合は、所得の金額の年平均額の計算で一定の調整等が必要となります。（措政令27の4⑱四、⑲三）なお、特定合併等とは、合併、分割、現物出資、事業の譲受け又は特別の法律に基づく承継で、一定の条件に該当するものをいい、合併法人等とは、合併法人、分割承継法人、被現物出資法人、事業の譲受け法人又は承継法人をいいます。（措政令27の4⑳一、二）

(2)　適用除外となる特例措置

適用除外事業者が適用できないこととされている中小企業向けの特例のうち、主なものは次のとおりです。

①　資本金の額又は出資金の額が1億円以下の普通法人等についての年800万円以下の所得に対する軽減税率を軽減する特例（措法42の3の2①、【問26-1】参照）

②　中小企業者等が試験研究を行った場合の法人税額の特別控除（措法42の4④～⑥、【問25-12】参照）

③　中小企業者等が機械等を取得した場合の特別償却又は法人税額の特別控除（措法42の6①～③、【問6-75】、【問25-19】参照）

④　中小企業者等が特定経営力向上設備等を取得した場合の特別償却又は法人税額の特別控除（措法42の12の4①～③、【問25-21】参照）

⑤　給与等の支給額が増加した場合の法人税額の特別控除における中小企業者等の特例（措法42の12の5③、【問25-24】参照）

⑥　生産工程効率化等設備を取得した場合の法人税額の特別控除における中小企業者の税額控除割合の特例（措法42の12の7⑥、【問25-29】参照）

⑦　雇用者給与等支給額の増加又は一定額の国内設備投資がない場合の法人税額の特別控除の不適用措置の対象法人からの除外（措法42の13⑤、【問25-14】参照）

⑧　中小企業者等の少額減価償却資産の取得価額の損金算入の特例（措法67の5①、【問6-8】参照）

⑨　資本金の額又は出資金の額が1億円以下の普通法人に対する貸倒引当金の繰入限度額における法定繰入率の適用（措法57の9①、【問20-23】参照）

（53）

(3) 適用除外とされない特例措置

　次の特例については、適用除外事業者の適用除外の規定はありません。

① 資本金の額又は出資金の額が1億円以下の法人に対する交際費等の損金算入限度額の特例（措法61の4②、【問13-1】参照）

② 資本金の額又は出資金の額が1億円以下の法人等に対する欠損金の繰戻しによる還付の停止の不適用（措法66の12、【問24-8】参照）

　これらの規定が適用除外されないのは、その目的が特定の政策を推進するためのインセンティブではなく、中小企業が安定的に企業経営を行えるように配慮した原則的な対応に近いものであるためと説明されています。

　なお、次の特例は、法人税法の規定によるものですので、適用除外はありません。

① 資本金の額又は出資金の額が1億円以下の普通法人等についての年800万円以下の所得に対する軽減税率の適用（法66②、【問26-1】参照）

② 資本金の額又は出資金の額が1億円以下の会社は特定同族会社から除かれ、特定同族会社の特別税率が適用されないこと（法67①、【問22-9】参照）

③ 資本金の額又は出資金の額が1億円以下の普通法人等は、貸倒引当金の繰入れが認められること（法52①一イ、【問20-5】参照）

④ 資本金の額又は出資金の額が1億円以下の普通法人等に対する欠損金の繰越控除制度での控除限度額の不適用（法57①⑪、【問24-2】参照）

親会社等がある場合の中小企業向け特例の適用の有無

> 【問1-28】　当社は、資本金が1億円の法人です。当社の株主は、A社（資本金10億円）とB社（A社の100%子会社。資本金1億円）であり、発行済株式数に対する所有割合は、A社が45%、B社が55%です。当社は中小企業向けの特例を受けることができるでしょうか。

【答】　中小企業向けの特例措置が適用されるのは、中小企業者等に該当する場合といわゆる中小法人に該当する場合です。結論から言いますと、貴社はそのいずれにも該当せず、中小企業向けの特例は受けられません。

（54）

第1章　総論、定義

　中小企業者は、資本金又は出資金（以下「資本金等」といいます。）が1億円以下で、次のイ及びロに該当しない法人です。（措法42の4⑲七、措政令27の4⑰）

　　イ　1つの大規模法人に発行済株式等の$\frac{1}{2}$以上が保有されている法人
　　ロ　2以上の大規模法人に発行済株式等の$\frac{2}{3}$以上が所有されている法人

　大規模法人には、資本金が1億円を超える法人のほか、大法人（資本金等が5億円以上の法人）による完全支配関係がある法人が含まれます。B社は、資本金が1億円ですが、資本金が10億円であるA社の100％子会社ですので、大規模法人に該当することになります。

　したがって、貴社の資本金は1億円以下ですが、大規模法人であるB社が発行済株式の$\frac{1}{2}$以上を保有していますので、貴社は中小企業者に該当しません。

　一方、中小企業向けの特例が受けられる中小法人は、資本金等が1億円以下の法人ですが、大法人（資本金等が5億円以上の法人）との間に、大法人による完全支配関係のある法人は除かれます。（法66⑤）完全支配関係とは、一の者が法人の発行済株式等の全部を直接若しくは間接に保有する一定の関係又は一の者との間に当事者間の完全支配の関係がある法人相互の関係とされています。（法2十二の七の六）貴社の場合、大法人であるA社が直接に45％を所有しており、その100％子会社であるB社を通じて間接に55％を所有していますから、大法人による完全支配関係がある法人ということになり、特例の受けられる中小法人に該当しないことになります。

　なお、事業税の外形標準課税の適用の有無は、期末の資本金等の額で判定しますから、大法人による完全支配関係があっても、資本金等が1億円以下であれば、外形標準課税の適用はありません。

（55）

転換社債型新株予約権付社債以外の新株予約権付社債の権利行使によりその発行者側で計上される資本準備金

> **【問1-29】** 金融商品に関する会計基準の第38項に、転換社債型新株予約権付社債以外の新株予約権付社債の発行者側の会計処理が掲げられていますが、その(2)の新株予約権の対価部分の処理方法は、税法でもそのとおり認められるのでしょうか。

【答】 金融商品会計基準のⅦ1(2)第38項は、御質問にある新株予約権付社債の発行者側の会計処理を、次のとおり定めています。

「転換社債型新株予約権付社債以外の新株予約権付社債の発行に伴う払込金額は、社債の対価部分と新株予約権の対価部分とに区分する。

(1) 社債の対価部分は、普通社債の発行に準じて処理する。

(2) 新株予約権の対価部分は、純資産の部に計上し、権利が行使され、新株を発行したときは資本金又は資本金及び資本準備金に振り替え、権利が行使されずに権利行使期間が満了したときは利益として処理する。」

> **(注)** 会社法では、新株予約権は、第2編、第3章（新株予約権）の規定のなかで、その内容（会社法236①）、募集新株予約権が新株予約権付社債に付されたものである場合に募集事項として定めるべき事項（同238①六）、申込者（同242⑥）、新株予約権についての社債の社債権者となる日（同245②）等個別項目ごとに規定されています。

金融商品会計基準が、上記のように社債の対価部分と新株予約権の対価部分を「区分法」で処理すべきこととしているのは、「一括法」で処理すると、特に分離型の新株予約権付社債の場合、次のような問題が生じるからです。

① 社債と新株予約権証券が別個の流通市場をもつ有価証券であるにもかかわらず、この認識が行われないこと。

② 分離募集の場合、社債と新株予約権が別個に募集され、別の募集価格が付されているにもかかわらず、この事実が会計処理に反映されず、実際には割引発行された社債が平価発行されたものとして処理されること。

③ 割引発行の処理をしないため、発行者側において債務額と発行額の差額の償却額が新株予約権付社債の資金調達コストに加わらず、普通社債に比べて著しく低い表面利率によって資金調達コストが計上されること。

（56）

第1章　総論、定義

④　エクスワラント(いわゆるポンカス債)の市場価格は通常券面額を相当下
　回るため、発行者がこれを買入消却すると多額の消却差益が生ずること。
　区分法の会計処理を簡単な事例で示しますと、次のとおりです。なお、償
却原価法の計算方法は定額法とし、利払い及び買入消却に関する処理は記載
を省略しています。

〔事例〕
　年１回６月30日を事業年度終了の日とする会社が、令和６年７月１日に、
転換社債型でない新株予約権付社債10億円を、社債部分９億円、新株予
約権部分１億円で発行しました。新株予約権の行使請求期限及び社債の
償還期限は令和11年６月30日ですが、令和７年６月30日に新株予約権の
60％が行使されただけで、残余の40％は未行使のまま行使請求期限を迎
えました。

---

①　発行時（令和６年７月１日）

現　預　金	1,000百万円	社　　　　債	900百万円
		新 株 予 約 権	100百万円

②　新株予約権行使時（令和７年６月30日）

現　預　金	600百万円	資　本　金	300百万円
		資 本 準 備 金	300百万円

　　(注)　新株予約権の行使により発行する株式の発行価額の２分の１は、会社法第
　　　　445条第２項及び第３項の規定により、資本金として計上しないこととします。

新 株 予 約 権	60百万円	資　本　金	30百万円
		資 本 準 備 金	30百万円

　　(注)　発行時の仕訳で貸借対照表の純資産の部に計上された新株予約権100百万
　　　　円のうち行使された部分（60％）の金額を、資本金及び資本準備金に振り替
　　　　える仕訳です。

③　発行後１年後から４年後までの各事業年度の末日（令和７年から10年ま
　での各年の６月30日）

社 債 利 息	20百万円	社　　　　債	20百万円

④　新株予約権の行使請求期限及び社債の償還期限（令和11年６月30日）

新 株 予 約 権	40百万円	新株予約権戻入益	40百万円

| 社 債 利 息 | 20百万円 | / | 社 | 債 | 20百万円 |

| 社 | 債 | 1,000百万円 | / | 現 預 金 | 1,000百万円 |

　御質問は、この処理をした場合、発行時に貸方に計上された新株予約権を㋑その権利行使により資本金及び資本準備金に振り替える処理、及び㋺権利行使期間の満了時に期間満了により失効した新株予約権を利益に振り替える処理は、税法でも認められるのかということと思います。

　まず、㋑の権利行使により資本金及び資本準備金に振り替える処理については、資本金等の額の構成項目を規定した法人税法施行令第8条第1項第2号に、次の金額が掲げられています。

　「新株予約権の行使によりその行使をした者に自己の株式を交付した場合のその行使に際して払い込まれた金銭の額及び給付を受けた金銭以外の資産の価額（法第61条の2第14項に規定する場合に該当する場合における当該新株予約権が付された新株予約権付社債についての社債にあっては、当該法人のその行使の直前の当該社債の帳簿価額）並びに当該法人の当該直前の当該新株予約権の帳簿価額に相当する金額の合計額からその行使に伴う株式の発行により増加した資本金の額を減算した金額」

　上記の事例では、新株予約権の行使により払い込まれた金銭の額600百万円と新株予約権の行使直前における帳簿価額60百万円の合計額のうち、資本金とした金額は330百万円、資本金として計上しなかった金額は330百万円となりますので、権利行使により新株予約権から資本準備金に振り替えられた30百万円も、資本金等の額に含まれることになります。

　(注)　上記の条文中のかっこ書は、「当該新株予約権付社債に付された新株予約権の行使によりその取得の対価として当該取得をする法人の株式が交付される場合」（法61の2⑭四）であり、新株予約権付社債についての新株予約権の行使方法が、代用払込みの場合のものです。

　次に、㋺の権利行使期間の満了時に期間満了により失効した新株予約権を利益に振り替える処理ですが、新株予約権は返済義務のある負債でないため、会社計算規則では貸借対照表の純資産の部に計上することとされています。（会社計規76①一ニ）しかし、新株予約権の失効は資本取引でなく損益取引ですから、純資産の部において新株予約権から株主資本へ直接振り替えず、利益に計上し、当期純利益を増加させたうえで、株主資本である利益剰余金

第1章　総論、定義

を増加させる処理をします。

　税法では、新株予約権は資本金等の額、利益積立金額のいずれでもなく、負債（預り金）とされていますので、権利行使期間の満了により新株予約権としての性格を失った段階で、収益として認識すべきことになり、金融商品会計基準に定められた利益として処理するという方法と合致します。

信託課税制度の概略

> 【問1-30】　信託財産に帰せられる収益及び費用の課税方法について、その概略を説明してください。

【答】　信託は、その課税方法によって、下記の(1)～(3)に区分されます。それぞれの課税方法は、下記のとおり異なります。

(1) 受益者等課税信託……次の(2)及び(3)のいずれにも該当しない信託は、信託の受益者（受益者としての権利を現に有するものに限ります。）が当該信託の信託財産に属する資産及び負債を有するものとみなし、かつ、当該信託財産に帰せられる収益及び費用は当該受益者の収益及び費用とみなして、法人税法の規定を適用します。（法12①）

(2) 法人が受託者となる集団投資信託、退職年金等信託又は公益信託等……これらの信託の信託財産に属する資産及び負債並びに当該信託財産に帰せられる収益及び費用は、当該法人の資産及び負債並びに収益及び費用でないものとみなして、法人税法の規定を適用します。（法12③）したがって、収益の発生段階では課税されず、受益者に収益が分配された段階で、受益者に課税されます。この規定が適用される信託の内容は、次のとおりです。

　　集団投資信託……合同運用信託、証券投資信託、外国投資信託及び公募による投資信託、特定受益証券発行信託（法2二十九）

　　退職年金等信託……確定給付年金資産管理運用契約、確定給付年金基金資産運用契約、確定拠出年金資産管理契約、勤労者財産形成給付契約若しくは勤労者財産形成基金給付契約、国民年金基金若しくは国民年金基金連合会の締結した国民年金法に規定する契約又は厚生年金基金契約等に係る信託（法12④一、法政令15⑤）

　　公益信託等……公益信託及び社債、株式等の振替に関する法律第2条第

（59）

11項に規定する加入者保護信託（法12④二）

(3) 法人課税信託……法人課税信託の受託者は、下記の④及び⑩ごとに、それぞれ別の者とみなして、法人税法の規定を適用します。（法4の2①）各法人課税信託の信託資産等及び固有資産等は、この規定によりみなされた各別の者にそれぞれ帰属するものとします。（法4の2②）

④　各法人課税信託の信託資産等（信託財産に属する資産及び負債並びに当該信託財産に課せられる収益及び費用をいいます。）

⑩　固有資産等（法人課税信託の信託資産等以外の資産及び負債並びに収益及び費用をいいます。）

法人課税信託の引受けを行う場合、法人だけでなく、個人にもこの規定が適用されて、法人税の納税義務が生じます。（法4④）また、公益法人等及び人格のない社団等並びに外国法人も、収益事業を営むかどうかに関係なく、この規定が適用されます。（法4①③）

法人課税信託とは、次に掲げる信託（上記(2)に該当するものを除きます。）をいいます。（法2二十九の二）

① 受益権を表示する証券を発行する旨の定めのある信託

② 信託の受益者（受益者とみなされる者を含みます。）が存しない信託……遺言による目的信託などがこれに該当します。

③ 法人が委託者となる信託で、一定の要件に該当するもの

④ 投資信託及び投資法人に関する法律第2条第3項に規定する投資信託

⑤ 資産の流動化に関する法律第2条第13項に規定する特定目的信託

法人税と地方税での「資本金等」の定義の相違

> 【問1-31】　法人税での資本金等の額と住民税や事業税での資本金等の額に、差異が生じる場合があるとのことですが、その内容を説明してください。

【答】　資本金等の額は、道府県民税や市町村民税では、均等割の税率区分の基準になり、事業税の外形標準課税では、資本割の課税標準となります。法人税でも地方税でも、資本金等の額は、株主等が出資した金額に基づいていることは同様ですが、その定義に少し相違があります。法人税での資本金等

第1章　総論、定義

の額は、資本金の額又は出資金の額に法人税法施行令第8条第1項第1号から第12号までの金額を加算し、同条第13号から第22号までの金額を減算することによって計算することとされており（法2十六、法政令8①）、実務的には、法人税申告書別表五(一)のⅡ資本金等の額の計算に関する明細書に金額が記載されています。

　利益剰余金の資本組入れによる無償増資があった場合、資本金の額は増加しますが、資本金等を計算する際には、資本金の額から準備金及び剰余金の資本組入額を減算しますので（法政令8①十三）、資本金等の額は変わりません。また、無償減資により欠損塡補を行った場合、資本金の額は減少しますが、資本金等の額を計算する際には、資本金の額に減資額を加算しますので（法政令8①十二）、資本金等の額は変わりません。このように、利益剰余金の資本組入れによる無償増資や無償減資により欠損塡補を行っても、法人税法上の資本金等の額は変化しないこととなります。

　一方、道府県民税及び市町村民税では、資本金等の額は、法人税法での資本金等の額に、次の①を加算し、②及び③を減算した額とされています。（地法23①四の二イ、292①四の二イ、地規則1の9の6、9の19）

①　平成22年4月1日以後に、利益剰余金の資本組入れにより増加した資本金の額

②　平成13年4月1日から平成18年4月30日までの間に、旧商法の規定に基づいて、無償減資を行い、欠損塡補を行った場合の欠損塡補額

③　平成18年5月1日以後に、会社法の規定に基づいて、無償減資を行い、減少した資本金又は資本準備金をその他資本剰余金に振り替えて、振替え後1年以内に欠損塡補（その他利益剰余金のマイナス部分の塡補）に充てた場合、その欠損塡補額

　したがって、上記①〜③に該当する増資や減資がある場合、住民税の資本金等の額は法人税と異なり、無償増資があれば増加し、無償減資があれば減少することになります。

　なお、事業税の外形標準課税の資本割の課税標準である資本金等の額についても、住民税と同様の規定となっています。（地法72の21①、地規則3の16）

　御質問の資本金等の額の定義の相違とは別件ですが、資本金等の額が資本

（61）

金と資本準備金の合計額を下回る場合、以下のとおり取り扱われます。（地法52④、72の21②、312⑥）

① 道府県民税及び市町村民税の均等割の税率区分の基準は、資本金と資本準備金の合計額によります。

② 事業税の外形標準課税の資本割の課税標準は、資本金と資本準備金の合計額とします。

自己株式を取得した場合、資本金等の額と利益積立金額を減額しますが（法政令8①二十、9十四、【問5-49】参照）、会社法上の資本金と資本準備金は変わりませんので、資本金等の額が資本金と資本準備金の合計額を下回ることとなります。これが、上記の規定が適用される典型的なケースと思われます。

> **(注)** 上場会社が市場取引で自己株式を取得した場合は、取得のために交付した金額等の全額を資本金等の額から減算します。（法政令8①二十一、【問5-49】参照）

「確定した決算」と株主総会の承認

> **【問1-32】** 法人税法第74条第1項では「…確定した決算に基づき…申告書を提出しなければならない。」と規定されていますが、「確定した決算」とは何を意味しますか。また、当社（株式会社）は、定時株主総会を開催していませんが、税法上、問題はありませんか。

【答】 御質問にある法人税法第74条は確定申告に関する規定で、「内国法人は、各事業年度終了の日の翌日から2月以内に、税務署長に対し、確定した決算に基づき次に掲げる事項を記載した申告書を提出しなければならない。（以下省略）」と定めています。ここでいう「確定した決算」とは、株主総会で承認の決議がされた決算をいい、その承認された決算を基礎として所得の金額や法人税額を計算することとされています。これは、所得の金額を計算する上で、確定した決算で示された会計処理等を法人の意思として尊重しようとするものです。

貴社のように定時株主総会を開催していない会社は、決算の承認がされて

（62）

いないわけですから、確定申告書を提出する前提が満たされていないことに
なります。しかし、中小企業では、株主総会での決算の承認を経ることなく、
確定申告が行われていることが実情であり、株主総会での決算の承認がない
からといって確定申告が無効であるとするのは、現実的ではありません。し
たがって、株主総会での承認を経ていない決算に基づいて行った確定申告も
有効と解釈されています。

　なお、会社法上、株式会社では、計算書類を定時株主総会に提出し（会社
法438①）、定時株主総会で承認を受けなければならない（会社法438②）も
のとされていますので、定時株主総会で決算の承認決議をしていない場合、
会社法違反となります。

第2章　収益、費用とその帰属時期等

第1節　収益及びその帰属時期

収益認識時期及び収益の額の通則

> **【問2-1】**　法人税では、資産の販売、資産の譲渡又は役務の提供
> による収益の益金算入時期及び収益の額についてどのように規定
> されていますか。

【答】　法人税法第22条第2項では、各事業年度の所得の金額の計算上その事業年度の益金の額に算入すべき金額は、別段の定めのあるものを除き、資産の販売、有償又は無償による資産の譲渡又は役務の提供、無償による資産の譲受けその他の取引で資本等取引以外のものに係るその事業年度の収益の額とされていますが、収益の額についての通則的な規定はありませんでした。平成30年3月に収益認識会計基準が公表されたことを機に、収益の額、及びそれにあわせて収益認識時期に関する通則的な規定が、法人税法第22条の2として設けられました。

　法人税法第22条の2は第1項から第3項までが収益認識時期（益金算入時期）に関する規定で、第4項と第5項が収益の額に関する規定です。以下、条文の順序に沿って、内容を説明します。

　(注)　法人税法第22条の2は、上記のほか、第6項で収益の額と資本等取引との関係、第7項で政令への委任が規定されています。

① 収益認識時期（益金算入時期）

(1)　資産の販売若しくは譲渡又は役務の提供（以下「資産の販売等」といいます。）に係る収益の額は、別段の定めのあるものを除き、目的物の引渡し又は役務の提供の日の属する事業年度の益金の額に算入します。

　　（法22の2①）これは、収益認識の一般的な基準である実現主義によることを示しています。なお、別段の定めには、具体的には下記の項目等が該当します。

（64）

第2章　収益、費用とその帰属時期等

(a)　短期売買商品等の譲渡損益及び時価評価損益（法61）……短期売買商品等及び暗号資産の譲渡による損益については、譲渡契約日に益金の額又は損金の額に算入します。

(b)　有価証券の譲渡益又は譲渡損の益金又は損金算入（法61の2）……有価証券の譲渡による損益については、譲渡契約日に益金の額又は損金の額に算入します。（【問5-9】参照）

(c)　現物分配による資産の譲渡（法62の5②）……残余財産の全部の分配等による譲渡損益ついては、残余財産の確定日に益金の額又は損金の額に算入します。

(d)　リース譲渡に係る収益及び費用の帰属事業年度（法63）……リース資産の引渡しによる譲渡収益については、延払基準の方法による計算が認められます。（【問2-39】参照）

(e)　工事の請負に係る収益及び費用の帰属事業年度（法64）……長期大規模工事の請負による収益は、工事進行基準の方法により計算します。（【問2-13】参照）

(2)　資産の販売等に係る収益の額について、一般に公正妥当と認められる会計処理の基準に従って、資産の販売等の契約の効力発生日等、(1)の日に近接する日の属する事業年度の確定決算で収益として経理した場合は、(1)にかかわらず、その収益の額は、別段の定めがあるものを除き、その事業年度の益金の額に算入することとされています。（法22の2②）この規定は、(1)の目的物の引渡し日や役務提供日以外の日に収益を認識する一般に公正妥当とされる会計処理の基準がある場合、その基準に従って(1)以外の時期に収益計上を行っても、それを認めるということです。この例が以下の法人税基本通達等で示されています。(a)では委託品の売上計算書到着日、(b)では検針日、(c)では契約効力発生日、(d)では譲渡について農地法上の許可があった日、(e)では契約効力発生日等、(f)では仲介あっせんの契約に係る取引完了日、(g)では乗車券等の発売日等を、それぞれ目的物の引渡し日又は役務提供日に近接する日として、その日に収益認識することを認めています。

(a)　委託販売に係る収益の帰属の時期（基通2-1-3）

(b)　検針日による収益の帰属の特例（基通2-1-4）

（65）

(c) 固定資産の譲渡に係る収益の帰属の特例（基通 2 - 1 -14、【問 2 -10】参照）

  (d) 農地の譲渡に係る収益の帰属の時期の特例（基通 2 - 1 -15）

  (e) 工業所有権等の譲渡に係る収益の帰属の時期の特例（基通 2 - 1 -16）

  (f) 不動産の仲介あっせん報酬の帰属の時期（基通 2 - 1 -21の 9 ）

  (g) 運送収入の帰属の時期（基通 2 - 1 -21の11）

(3) 資産の販売等を行い、(1)又は(2)に掲げる日に収益として経理処理していない場合に、申告調整により収益を(2)に掲げる日の属する事業年度の益金の額に算入したときは、確定決算で収益として経理したものとみなして、(2)の規定が適用されます。ただし、確定決算で(1)又は(2)に掲げる日に収益として経理している場合は除かれます。（法22の 2 ③）つまり、確定決算で(1)又は(2)に掲げる日に収益として経理していない場合に、申告調整により(2)に掲げる日に収益として経理したことにできるということです。なお、(2)により益金の額に算入されるためには、申告調整で益金算入するだけでなく、一般に公正妥当と認められる会計処理の基準に従ってその日が収益認識日として認められなければなりません。

  (注) (2)を適用しない場合は(1)が適用されますから、その場合に(1)に掲げる日の属する事業年度に収益として経理していない場合は、申告調整でその事業年度の益金の額に算入することが必要です。

  なお、収益認識会計基準は令和 3 年 4 月 1 日以後に開始する事業年度から、上場会社等、公認会計士又は監査法人の監査対象会社に強制適用されており、この基準に対応する取扱いが法人税基本通達に定められています。

② 収益の額

  各事業年度の資産の販売等に係る収益の額として所得の金額の計算上益金の額に算入する金額は、別段の定めがあるものを除き、販売若しくは譲渡をした資産の引渡しの時における価額又は提供した役務について通常得べき対価の額に相当する金額とされています。（法22の 2 ④）つまり、収益認識時点の時価（正常な条件で第三者間で取引した場合の取引価額）で収益計上することになります。なお、上記の別段の定めは、具体的には、①の(1)に示

第2章　収益、費用とその帰属時期等

した項目が該当します。

　そして、上記の「引渡しの時における価額又は通常得べき対価の額」は、客観的に見積もられた値引きや割戻しの額を控除した額ですが、次のイ、ロに掲げる事実が生じる可能性がある場合でも、その可能性がないものとした場合の価額によるものとされています。（法22の2⑤）

　イ　資産の販売等の対価の額に係る金銭債権の貸倒れ

　ロ　資産の販売又は譲渡に係る資産の買戻し

売上割戻しの計上時期

> 【問2-2】　当社は得意先との販売契約で売上割戻しの算定基準（売上金額に応じて売上割戻し額を算定します。）を定めています。当社は3月31日決算ですが、以下の場合、売上割戻し額を令和7年3月期の売上高から減額できるでしょうか。また、売上割戻しを行うことは社内で決定しているが、得意先との契約書には明示されていない場合はどうですか。
>
> ①　売上割戻しの算定期間は令和7年1月1日から同年3月31日までで、得意先への売上割戻し額の通知と支払は同年4月に行う場合
>
> ②　売上割戻しの算定期間は令和7年1月1日から同年4月30日までで、得意先への売上割戻し額の通知と支払は同年5月に行う場合

【答】　法人税では、売上割戻しの計上時期について、次の(1)～(3)のすべての条件を満たすときは、売上げのあった事業年度の収益の額を減額することとされています。（基通2-1-1の11）

(1)　売上割戻しの算定基準（客観的なものに限ります。）が契約、取引慣行又は公表した方針等により相手方に明らかにされていること、又は期末までに内部的に決定されていること

(2)　過去における実績を基礎とする等合理的な方法のうち、法人が継続して適用している方法により算定基準の基礎数値が見積られ、その見積りに基づき売上割戻し額が算定されていること

（67）

(3)　(1)を明らかにする書類及び(2)の算定の根拠となる書類が保存されていること

　なお、この法人税基本通達2-1-1の11は、変動対価に関する取扱いで、割戻しのほか、値引き、値増し等、収益の額を変動させる可能性がある場合全般の取扱いですが、売上割戻し以外の部分は割愛しています。

　また、上記の取扱いを適用しない場合は、売上割戻しの額を、相手先に通知又は支払をした日の属する事業年度の収益の額から減額することとされています。(基通2-1-1の12)

　御質問の場合の取扱いは以下のとおりとなります。

　①の場合……契約で売上割戻しの算定基準(売上金額に応じて売上割戻し額を算定)が定められているときは、基通2-1-1の11の条件の(1)は満たしていますし、決算日までに売上割戻しの計算基礎となる売上高は確定していますので、(2)も問題とならず、契約書と売上金額の証拠資料を保存しておけば(3)も満たしますので、販売のあった令和7年3月期の売上高から減額することになります。契約で売上割戻しの算定基準が定められていないときでも、期末までに社内で算定基準が決定されている等、上記の条件の(1)～(3)を満たしていれば、販売のあった令和7年3月期の売上高から減額することになります。なお、算定基準が内部的に決定されているだけの場合は、(3)の書類が特に重要になると思います。

　②の場合……考え方は①の場合と同じですが、②の場合は、売上割戻しの算定期間中に決算日が到来します。この場合、上記の(2)の見積り額が問題となりますが、見積り方法としては次の方法が考えられます。

(a)　決算日までの売上金額に基づいて売上割戻しの算定基準を適用して計算した金額とする方法。例えば、売上割戻し額の計算の基準が、売上割戻しの算定期間中の売上げが2,000万円以上なら2％、3,000万円以上なら4％である場合に、期末までの販売額が2,500万円であれば、2％のランクに達しているので、50万円(2,500万円×2％)を売上割戻し額とする方法です。

(b)　過去の実績等から売上割戻しの算定期間末までの販売額を予測して、そのランクでの割戻し率で金額を計算する方法。(a)の例で、売上割戻しの算定期間末までの販売額は3,000万円以上になると合理的に見積もら

(68)

第2章　収益、費用とその帰属時期等

れた場合、100万円（2,500万円×4％）を割戻し額として計上する方法
です。この方法を採用する場合、上記の条件の(2)と(3)が特に重要にな
ると思われます。

　なお、基通2-1-1の11の条件を満たしていない場合や基通2-1-1の11
を適用しない場合は、基通2-1-1の12により、売上割戻し額は支払又は通
知を行った事業年度の収益から減額しますので、令和8年3月期の売上高を
減額することになります。

(注)　消費税では、売上割戻しは対価の返還等に該当しますが、法人税と異なり、
　　変動対価の見積りを認めませんので、次に掲げる日に売上割戻しを行ったもの
　　とされます。（消通14-1-9）
　(イ)　算定基準が販売価額又は販売数量によっており、かつ、その基準が契約そ
　　　の他の方法により相手方に明示されている売上割戻しについては、課税資産
　　　の譲渡等をした日。ただし、継続して売上割戻しの金額の通知又は支払をし
　　　た日に売上割戻しを行ったこととしている場合は、これも認められます。
　(ロ)　(イ)に該当しない売上割戻しについては、売上割戻しの金額の通知又は支払
　　　をした日。ただし、各課税期間終了の日までに、売上割戻しを行うこと及び
　　　その算定基準が内部的に決定されている場合に、その基準により計算した金
　　　額をその課税期間に未払金として計上するとともに、確定申告書の提出期限
　　　までに相手方に通知したときは、継続適用を条件にその課税期間において行
　　　った売上割戻しとして認められます。
　　　御質問の①の場合は、売上割戻しの算定期間の末日が決算日ですので、売
　　上割戻しの算定基準が契約で定められているときは、(イ)により、令和7年3
　　月期に売上割戻しがあったものとなります。また、売上割戻しの算定基準が
　　契約に定められていないが、内部的に決定されているときは、(ロ)のただし書
　　の取扱いが受けられます。

売上割戻しを保証金等として預かった場合

> **【問2−3】** 当社は得意先との契約で、売上割戻し額のうち30％相当額を支払いますが、残りの70％相当額は得意先との取引契約が解約になるまで取引保証金として預かります。この取引について、売上割戻し額の得意先への支払時に、次の会計処理を行っています。（売上割戻しの総額を100万円とします。）
>
> 売上割戻し　100万円　／　現金預金　　30万円
> 　　　　　　　　　　　　　　預り保証金　70万円
>
> 税務上問題ありませんか。

【答】 売上割戻しの金額について、相手方との契約等により、特約店契約の解約、災害の発生等特別な事実が生ずるときまで又は5年を超える一定の期間が経過するまで相手方名義の保証金等として預かることとしているため、相手方がその利益の全部又は一部を実質的に享受することができないと認められる場合には、その売上割戻しの金額は、これを現実に支払った日（その日前に実質的に相手方にその利益を享受させることとした場合には、その享受させることとした日）の属する事業年度の売上割戻しとして取り扱うとされています。（基通2−1−1の13）

　上記の通達にある「相手方がその利益の全部又は一部を実質的に享受すること」とは、次のような事実があることをいいます。（基通2−1−1の14）

① 　相手方との契約等に基づいてその売上割戻しの金額に通常の金利を付けるとともに、その金利相当額については現実に支払っているか、又は相手方からの請求があれば支払うこととしていること。

② 　相手方との契約等に基づいて保証金等に代えて有価証券その他の財産を提供することができることとしていること。

③ 　保証金等として預かっている金額が売上割戻しの金額のおおむね50％以下であること。

④ 　相手方との契約等に基づいて売上割戻しの金額を相手方名義の預金又は有価証券として保管していること。

　(注) 　消費税においても、一定期間支払わない売上割戻しに係る売上割戻しを行った日について、基通2−1−1の13及び2−1−1の14と同様の取扱いが示されて

第2章　収益、費用とその帰属時期等

います。(消通14-1-10)この通達では、基通2-1-1の13の「現実に支払っ
た日」には「売掛金等へ充当した日」を含む旨が明記されていますが、法人税
についても同様に取り扱われます。

　御質問の場合は、売上割戻しの70％相当額を取引保証金として預かります
ので、上記の③に該当しません。したがって、未払割戻金の計上事業年度に
おける損金算入が認められるためには、その他のいずれかの事実に該当する
必要があること、例えば①によって、取引保証金の額に通常の金利をつけ、
かつ、当該金利相当額だけ支払うといった方法をとることが必要です。④の
方法をとったときは、相手方名義とした預金又は有価証券の果実は相手方に
帰属しますので、①の方法をとったときと同じ効果が生ずるわけです。

　なお、法人税基本通達2-1-1の11を適用している場合(一定の条件を満
たし、売上割戻し額を販売のあった事業年度の売上高から減額している場合。
【問2-2】参照)は、上記の法人税基本通達2-1-1の13の適用はありませ
んので(基通2-1-1の13)、保証金等として預かった売上割戻し額につい
ても、販売のあった事業年度の売上高から減額されます。

(注)　法人税基本通達2-1-1の13によって売上割戻し額の損金算入が認められな
　　　いときは、その相手方においても仕入割戻しを益金の額に算入する必要はあり
　　　ません。(基通2-5-2)

資産を贈与した場合の収益の額

> **【問2-4】**　法人が資産を贈与した場合、資産が減少したにもかか
> わらず、法人税法第22条第2項は「無償による資産の譲渡を当該
> 事業年度の収益として益金の額に算入する」と規定しています。
> どういうことなのですか。

【答】　法人が資産を贈与した場合、資産が減少するにもかかわらず税法上益
金の額が生ずることとされているのは、当該資産を贈与した時の時価相当額
について贈与をした法人から受贈者に経済的な利益を供与したことになるた
め、法人と受贈者との関係によって、当該経済的な利益の供与に係る課税関
係を生じさせなければならないことがあるからです。資産を時価よりも低い
価額で譲渡した場合における時価と譲渡対価の差額についても、同じです。

(71)

例えば、帳簿価額100万円、時価1,000万円の固定資産（土地）を贈与した
とき、税務での仕訳は次のとおりになります。

未収入金	1,000万円	/	資産	100万円
			固定資産（土地）譲渡益	900万円
費用（寄附金等）	1,000万円	/	未収入金	1,000万円

(注)　上記の取引について、法人税法第22条第2項及び同条第3項どおりの処理を
すると、上段の仕訳は、次のとおりとなります。

未収入金	1,000万円	/	資産譲渡収益	1,000万円
資産譲渡原価	100万円	/	資産	100万円

　　資産譲渡収益は無償による資産の譲渡による収益（法22②）で、資産譲渡原
価は収益に係る原価の額（法22③一）です。また、資産の譲渡による益金の額は、
無償での資産の譲渡の場合でも、資産の引渡しの時における価額とされていま
すので（法22の2④）、時価の1,000万円が益金の額となります。

　要するに、当該資産を時価で譲渡して得た債権相当額を相手方に贈与した
とするわけで、そうしないと、当該資産を他に譲渡して得た現金1,000万円
を贈与した場合との課税の公平が保たれません。このため、資産を無償又は
時価よりも低い価額で譲渡した場合でも、税務では時価で譲渡したものとみ
なして、みなし譲渡額による譲渡益の額を益金算入します。

　相手方に贈与した債権相当額は、相手方との関係で、役員給与、交際費等、
寄附金等になり、損金の額に算入されない場合や、所得税の源泉徴収を要す
る場合が生じます。

　なお、所得税法には、個人が資産を時価よりも低い価額で譲渡した場合、
「譲渡時の価額の$\frac{1}{2}$未満の金額で譲渡した場合、時価で譲渡したとみなす」
旨の規定がありますが（所法59①二、所政令169）、法人税法にはこのような
規定はありません。

(注)　企業会計の基準では、通常このような取引について、贈与又は低廉譲渡する
側の収益を認識しません。すなわち、前記の帳簿価額100万円、時価1,000万円
の資産を贈与した場合、会計処理は次のとおりになります。

費用（寄附金等）	100万円	/	資産	100万円

　　ただし、贈与する企業には時価1,000万円の資産を贈与するという意思がある
ため、総額主義の立場から寄附金等として1,000万円の認識をすべきであり、企
業会計の基準においても前記の税務での仕訳と同じ処理をするのが正しいとい
う意見もあります。

第２章　収益、費用とその帰属時期等

家庭用配置薬の売上計上の時期

> 【問2-5】　常備薬のセットを顧客の家庭に配置し、３か月に１回
> 程度訪問して薬の補充を行い、顧客が使用した薬の代金を受領し
> ています。顧客から転居等による解約の申入れがあったときは、
> 直ちに訪問して未使用の現品を引き取り、顧客が使用した薬の代
> 金を受領していますが、このような販売方法での配置薬の売上計
> 上の時期は、どのようになりますか。

【答】　資産の販売に係る収益の額は、目的物の引渡しの日の属する事業年度
の益金の額に算入するものとされていますが（法22の２①）、一般に公正妥
当と認められる会計処理の基準に従って引渡しの日に近接する日の属する事
業年度の益金の額に算入することが認められています。（法22の２②）

　御質問の場合は、常備薬のセットを顧客の家庭に配置しても、顧客が使用
したことを確認するまで代金の回収をせず、かつ、顧客から解約の申入れが
あった場合未使用分を引き取ることとしていることからみて、商品である常
備薬のセットを配置しただけでは顧客への引渡しがあったとはいえません。
厳密に言うと顧客が薬を使用した日が引渡しの日になりますが、その日に収
益計上することは現実的ではありません。このような取引については、顧客
が使用したことを確認した時期に売上計上し、各家庭に配置されて未使用の
常備薬は貴社の在庫品として処理するのが合理的であり、この方法が従来か
ら会計処理の基準として認められています。したがって、顧客訪問時に使用
した薬の代金を売上計上する方法は、引渡し日に近接する日に収益計上する
ものとして税務上認められます。

　(注)　消費税にも、これと同様の取扱いが示されています。(消通9-1-1、9-1-2)

（73）

請負による収益の計上時期（Ⅰ）

> 【問2-6】 某メーカーの下請業者で、材料はメーカーから無償支
> 給を受けて加工しています。加工による収益の計上の日は、メー
> カーの工場における検収合格の日としていますが、税務上問題あ
> りませんか。

【答】 材料をメーカーから無償支給を受けて加工する貴社の業務は、請負業
務です。

(注) 民法第632条(請負) 請負は、当事者の一方がある仕事を完成することを約し、
相手方がその仕事の結果に対してその報酬を支払うことを約することによ
って、その効果を生ずる。

　物の引渡しを要する請負契約での収益の帰属の時期は、その目的物の全部
を完成して相手方に引き渡した日の属する事業年度とされています。(基通
2-1-21の7、2-1-21の2かっこ書)

(注) 消費税にも、これと同様の取扱いが示されています。(消通9-1-5前段)

　御質問の場合、加工済みの材料を引き渡した日が目的物を完成して相手方
に引き渡した日ですが、税務では、貴社が出荷した日、相手方が検収した日、
相手方において使用収益ができることとなった日などのうち、合理的である
と認められる日を継続して引き渡した日とすることが、認められています。

(基通2-1-2) したがって、御質問のようにメーカーの工場における検収
合格の日に、収益の計上をすることができます。また、引き渡した日の判定
基準が、加工済み材料の種類及び性質、取引先との契約の内容等に応じて取
引先ごとに異なっていても、異なることについて合理的な理由があれば認め
られます。

(注) 消費税にも、引渡しの日の判定について、これと同様の取扱いが示されてい
ます。(消通9-1-2)

　なお、材料がメーカーから無償支給されますので、貴社には実物としての
棚卸資産はありませんが、発生済みの加工費のうち、その加工費に係る加工
料収入が計上されるまでの間のもの、例えば、メーカーの工場に搬入されて
検収されるまでの間の物品に係るものは、仕掛加工費等の科目で棚卸資産に
計上しなければなりません。

(74)

第2章　収益、費用とその帰属時期等

請負による収益の計上時期（Ⅱ）

【問2-7】　建築工事の設計及び監理をする会社です。設計と監理を一括して請け負ったところ、設計完了の段階で建築主の都合で工事着工が2年ほど延期されることになり、設計料だけを受け取りました。役務の全部が完了するのは，工事が完成したときですので、設計の完了によって受取った設計料は、工事が完成するまで収益に計上せず、前受金に計上しておくことができますか。

【答】　物の引渡しを要しない請負契約での収益の帰属の時期は、約した役務の全部を完了した日の属する事業年度とされています。（基通2-1-21の7、2-1-21の2かっこ書）

　(注)　消費税にも、これと同様の取扱いが示されています。（消通9-1-5後段）

　したがって、設計と監理とを一体の業務と考えますと、設計に係る収益の計上は、工事が完成して役務の提供がすべて完了した事業年度に行えればよいことになります。すなわち、設計と監理とが一括契約され、報酬の額も設計監理料として一括算定されており、かつ、実質的にも設計と監理が一個の業務といえるときは、監理業務完了の日がすべての業務についての収益を計上する日となります。

　ところが、基本設計、部分設計、実施設計、工事監理に関する報酬の額がそれぞれ区分されている場合のように、報酬の額が作業の段階ごとに区分され、かつ、それぞれの段階の作業が完了する都度その金額を確定させて支払を受けることとなっている場合には、その区分した単位ごとに収益計上する、つまり、その支払を受けるべき報酬の額が確定する都度その確定した金額をその確定した日の属する事業年度の益金の額に算入するものとされています。（基通2-1-1の5、2-1-21の10）これは、部分進行的に役務の提供が完了し、報酬の支払も部分完了ごとに行われるからで、このような場合、たとえ設計及び監理等をまとめて一個の契約としていても、既に完了して受領した部分の役務に係る報酬の額をすべての役務の提供が完了するまで前受経理をして収益計上しないのは、合理的でないからです。

　ただし、部分的に完了した役務について支払を受けることが確定した報酬の額のうち、役務の全部の提供が完了する日まで又は1年を超える相当の期

（75）

間が経過するまで支払を受けることができないこととされている部分の金額については、役務の全部の提供が完了する日とその支払を受ける日とのいずれか早い日まで、収益計上を見合わせることができます。（基通2−1−21の10ただし書）

御質問の場合は、すでに設計業務を完了してその報酬の額を受領されていますので、当該額を収益計上すべきであり、前受金とすることはできません。

(注) 消費税にも、技術役務の提供に係る資産の譲渡等の時期について、これと同様の取扱いが示されています。（消通9−1−11）

事業年度終了の日をまたがる請負業務の収益計上時期

> **【問2-8】** 当社（事業年度は4月1日から翌年3月31日までで、官公庁の会計期間と同じです。）は某官公庁の委託を受けて調査業務を行っていますが、当該官公庁の予算の関係とかで、翌会計年度に完了する業務の委託費を前受けすることがあります。ところが、請負契約書には調査業務の完了日を前受けした日の属する会計年度の末日と記載するように要求され、事実に反することを承知の上でこの契約書に捺印しています。このような場合、当該調査業務の収入額を当事業年度の決算で前受収益として処理することについて、税務上問題が生ずるでしょうか。

【答】 御質問の調査業務のような物の引渡しを要しない請負契約での収益の帰属の時期は、約した役務の全部を完了した日の属する事業年度とされています。（基通2−1−21の7、2−1−21の2かっこ書）したがって、役務提供の進行期間中に事業年度終了の日が到来したときは、同日までに受領した対価は前受収益に計上し、同日までに支出した当該業務に係る費用は、前払金として処理することになります。御質問の場合は、事業年度終了の日に受託業務が進行中で、翌事業年度に完了するとのことですので、当事業年度は、この処理をします。

請負契約書に、委託費を前受けした日の属する会計期間の末日（貴社の同じ期間の事業年度終了の日）が当該請負業務の完了日である旨の記載をしますと、相手先が官公庁だけに、税務調査では当該契約書の記載事項が事実で、

（76）

第2章　収益、費用とその帰属時期等

貴社の処理が事実に反するという疑義をもたれることがあるでしょう。

　しかし、収益の帰属時期の認定は事実に基づいて行われますので、貴社において受託業務の期間及び完了の日に関する状況証拠資料を揃えて事実関係を説明すれば、契約書の文言に関係なく、貴社の処理が認められます。したがって、当該受託業務に係る業務日誌、諸費用の発生日等の記録を整備し、税務当局に事実の説明をできるようにしておくべきです。

(注)　官公庁において事実を仮装した過大仕入代金や費用を出入業者等に支出して、後日返戻させるという裏金づくりが摘発されることがあります。このような取引でも、出入業者等の側では現実に物品の納入等をしていないのですから、預り金等として経理し、事実関係を説明すれば、税務でも認められます。

建設業の部分完成基準について

> **【問2-9】**　建設業では、収益の計上基準として、工事完成基準と工事進行基準のほかに部分完成基準が適用されることがあるそうですが、これについて説明してください。

【答】　税法における建設業の収益の計上基準は、長期大規模工事は工事進行基準、その他は工事完成基準となっています。

　御質問にある部分完成基準での収益の計上基準は、このうちの工事完成基準に係るものですが、その収益計上の方法は工事完成基準よりもより厳格です。

(注)　税法上工事進行基準が強制適用される長期大規模工事（法64①）及びその他の工事で法人が任意に工事進行基準による処理をする工事（法64②）には、部分完成基準は適用されません。（基通2-1-21の7）

　収益の計上基準を工事完成基準とする場合、完成の時期をすべて建設請負契約単位で判定しますと、契約単位のとりかた次第で実質的に完成引渡しの済んだ建設工事の収益の計上を先へ延ばすことができます。また、1個の建設工事であっても、その一部分の完成引渡しの都度その割合に応じて工事代金を受け取るようなものは、実質的にいくつかの部分工事が集合したものと考えるべきです。

　このため、法人が請け負った建設工事等について次に掲げるような事実が

（77）

ある場合には、その建設工事の全部が完成しないときにおいても、その事業年度において引き渡した建設工事の量又は完成した部分に対応する工事代金の額を、その事業年度の益金の額に算入するとされています。（基通2-1-1の4、2-1-21の7（注）2）

① 一の契約により同種の建設工事等を多量に請け負ったような場合で、その引渡量に従い工事代金を収入する旨の特約又は慣習がある場合

② 1個の建設工事等であっても、その建設工事等の一部が完成し、その完成した部分を引き渡した都度その割合に応じて工事代金を収入する旨の特約又は慣習がある場合

この取扱いによって工事収入に計上した量又は金額に対応する工事原価は、当該事業年度において費用に計上し、損金の額に算入します。

(注) 消費税にも、部分完成基準による資産の譲渡等の時期につき、これと同様の取扱いが示されています。（消通9-1-8）

固定資産の譲渡による収益の帰属の時期

> 【問2-10】 3月31日決算の会社ですが、固定資産として所有している土地（帳簿価額500万円）を令和7年1月31日に8,000万円で譲渡する契約をして手付金1,000万円を受領し、同年5月31日に残金7,000万円を受領するとともに、所有権移転登記を完了しました。令和7年3月31日決算において、この土地の譲渡による収益の額を、益金の額に算入すべきですか。

【答】 固定資産の譲渡による収益の額は、別に定めるものを除き、その引渡しがあった日の属する事業年度の益金の額に算入するとされていますが、その固定資産が土地、建物その他これらに類する資産である場合において、法人が当該固定資産の譲渡に関する契約の効力発生の日において収益計上を行っているときは、その日の属する事業年度の益金の額に算入されます。（基通2-1-14）

(注) 農地の譲渡に係る収益の帰属の時期については基通2-1-15に特例が、工業所有権等の譲渡に係る収益の帰属の時期については基通2-1-16に別の取扱いが示されています。

（78）

第2章　収益、費用とその帰属時期等

　御質問の場合、譲渡資産である土地の引渡しの日は、通常所有権移転登記の日である令和7年5月31日ですので、その日を含む事業年度において当該土地の譲渡対価8,000万円を益金の額に、土地の帳簿価額500万円を損金の額に算入して、譲渡益7,500万円を計上するのが原則です。この場合、1月31日に受領した手付金1,000万円は、令和7年3月31日決算では前受金とし、5月31日に収益に振り替えます。ただし、上記の通達（基通2-1-14）のただし書によって、売買契約の効力発生の日（同年1月31日）の属する事業年度に益金の額に算入することも認められていますので、令和7年3月31日決算において土地の譲渡対価8,000万円から手付金1,000万円を差し引いた7,000万円を未収金に計上し、譲渡益7,500万円を所得金額に加えることもできます。

（注）　上記のただし書の取扱いは、地価の下落によって固定資産として所有する土地の売却損が生ずるときにも適用されます。しかし、不動産業者が棚卸資産として所有する土地の売買損益は、引渡しの日の属する事業年度に計上しなければなりませんので（法22の2①）、上記のただし書の取扱いを適用して、棚卸資産として所有する土地の売却損を先行計上することはできません。

　なお、固定資産の譲渡に係る引渡しの日がいつであるかについては、法人税基本通達2-1-2の棚卸資産の引渡しの日の判定に関する取扱いの例によるとされています。（基通2-1-14(注)）法人税基本通達2-1-2は、その後段で、棚卸資産が土地又は土地の上に存する権利であり、その引渡しの日がいつであるかが明らかでないときは、代金の相当部分（おおむね50％以上）を収受するに至った日と、所有権移転登記の申請（その登記の申請に必要な書類の相手方への交付を含みます。）をした日とのいずれか早い日に、その引渡しがあったものとすることができるとしています。この取扱いは、山林、原野のような土地の販売で、引渡し日の判定が困難なものに適用され、御質問のような通常の不動産の販売には適用されませんので、仮に令和7年3月31日までに譲渡代金の50％以上である4,000万円以上を収受されていても、引渡しが未済ならば、譲渡益7,500万円を所得の金額に加える必要はありません。

（注）　消費税にも、固定資産の譲渡の時期について、これと同様の取扱いが示されています。（消通9-1-13）

（79）

譲渡担保の場合の譲渡損益

> **【問2-11】** 取引先からの長期借入金の担保として、借入金完済後に買い戻す条件で当社の工場の土地建物を当該取引先に譲渡しました。当該工場は引き続き当社が使用していますが、この土地建物の譲渡益に課税されますか。

【答】 債務者からの債務の弁済の担保の受入れとして、当該債務者の有する固定資産の抵当権者となるに当たり、同人が債務の弁済を履行しなかった場合担保物の換価に複雑な手続を要しますので、当該固定資産について所有権移転登記を行い、債務弁済後に所有権を元に戻すという譲渡担保の方法を採ることがあります。この方法は、実質的には債務者から債権者への固定資産の譲渡でなく、当該固定資産の担保差入れです。

譲渡担保には、目的物である固定資産の占有を債権者に移転する場合と、債務者が賃借契約によって引続き占有して使用する場合とがありますが、後者の場合税務ではその実質に着目し、契約書において次のすべての事項を明らかにし、債務者が所有権移転登記後も自己の固定資産として経理しているときは、その譲渡はなかったものとして取り扱われます。（基通2-1-18前段）

① 当該担保に係る固定資産を債務者が従来どおり使用収益すること。

② 通常支払うと認められる当該債務に係る利子又はこれに相当する使用料の支払に関する定めがあること。

形式上買戻し条件付譲渡又は再売買の予約とされているものであっても、上記のような条件を具備しているものは、譲渡担保に該当します。（同通達(注)）

要するに、譲渡担保ではその対象となった固定資産の引渡しがないのですから、債務者が従来どおり固定資産として経理し、減価償却資産の場合は減価償却も行っていくことになります。その後、上記の要件のいずれかを欠くに至ったとき又は債務不履行のためその弁済に充てられたときは、これらの事実の生じたときに譲渡があったものとして取り扱われます。（基通2-1-18後段）この場合の譲渡価額は、当初譲渡担保のために所有権移転登記をしたときの価額でなく、これらの事実が生じたときの価額によることになります。

（80）

第２章　収益、費用とその帰属時期等

延払基準の廃止と経過措置

> 【問２-12】　当社は事務機器等の割賦販売を行っている会社です。
> 従来、長期割賦販売等に該当する取引について延払基準を適用し
> てきました。平成30年度の税法改正で延払基準が廃止されたとの
> ことですが、今後は、まったく延払基準の適用はできないのでし
> ょうか。また、今まで延払基準を適用してきた取引について、支
> 払期日が未到来の代金に係る収益及び費用の計上はどのようにす
> ればよいのでしょうか。

【答】　従来、法人が長期割賦販売等（次の①〜③の要件に適合する条件を定
めた契約に基づいて行われる資産の販売等）をした場合、延払基準の方法に
よりその資産の販売等に係る収益及び費用の額を計上することが認められて
いました。（旧法63①⑥、旧法政令127）

①　月賦、年賦その他の賦払の方法により３回以上に分割して対価の支払を
　受けること

②　資産の販売等に係る目的物の引渡し又は役務の提供の期日の翌日から最
　後の賦払金の支払の期日までの期間が２年以上であること

③　契約において定められている資産の販売等の目的物の引渡しの期日まで
　に支払の期日の到来する賦払金の額の合計額が、資産の販売等の対価の額
　の$\frac{2}{3}$以下となっていること

　延払基準を適用しますと、賦払金の支払期日の到来に応じて収益を計上し、
それに対応する費用（売上原価等）を計上することになります。（旧法63①、
旧法政令124①一、②）

　割賦販売については、「企業会計原則」の注解６で、原則として商品等の
引渡し日を収益計上日とするものの、割賦金の回収期限の到来日又は入金の
日に収益計上することも認められています。法人税法の延払基準は、この企
業会計の収益認識の基準に対応するものです。平成30年に公表された収益認
識会計基準では、財又はサービスに対する支配を顧客に移転することにより、
顧客との契約における履行義務を充足した時点で収益を認識することとされ
ており（収益認識会計基準35）、割賦販売について代替的な取扱いは認めな
いものとされました。（収益認識適用指針182）したがって、商品の引渡し時

（81）

に収益計上することが必要で、割賦金の回収期限の到来日又は入金日に収益計上することは認められません。これに対応して、平成30年度の税法改正で、リース譲渡を除き、延払基準が廃止され、平成30年4月1日以後に終了する事業年度から、延払基準の適用はできなくなりました。(平30改所法等附則19) なお、平成30年3月31日以前に行った長期割賦販売等に該当する取引については、以下のとおり経過措置が設けられています。(平30改所法等附則28)

① 令和5年3月31日以前に開始する各事業年度では、改正前の規定による延払基準の方法により収益の額及び費用の額を経理した場合には、それが認められます。

② 経過措置の適用を受ける法人の長期割賦販売等に該当する資産の販売等に係る収益の額及び費用の額が次の(1)又は(2)に該当する場合は、未計上収益額及び未計上費用額を一括して、それぞれに掲げる事業年度の益金の額及び損金の額に算入することとされます。

(1) 経過措置事業年度(平成30年4月1日以後に終了し、令和5年3月31日以前に開始する事業年度)の確定した決算で延払基準の方法により経理しなかった場合……その経理しなかった決算に係る事業年度

(2) 令和5年3月31日以前に開始した各事業年度で、益金の額又は損金の額に算入されなかったものがある場合……同日後最初に開始する事業年度

ただし、(1)又は(2)に該当する場合、未計上収益額が未計上費用額を超えるときは、未計上収益額及び未計上費用額を10年均等で、(1)又は(2)の事業年度以後の各事業年度に、益金の額又は損金の額に算入することができます。

したがって、貴社の場合、新たな割賦販売について延払基準の適用はできませんが、平成30年3月31日までの割賦販売で延払基準を適用してきた取引については、上記の経過措置の適用により、令和5年3月31日以前に開始する事業年度までは支払期日未到来の代金について一括して収益計上(これに対応する売上原価等を一括して費用計上)する必要はありませんし、その後も、上記のただし書の適用を受けることができます。

第2章　収益、費用とその帰属時期等

長期大規模工事の内容と工事進行基準を適用しなければならない理由

> **【問2-13】**　建設会社は、長期大規模工事に係る収益及び費用を工事進行基準を適用して計上しなければならないとのことですが、長期大規模工事の内容、工事進行基準が強制適用される理由を説明してください。

【答】　請負に係る収益の額の計上は、物の引渡しを要する請負契約の場合、その目的物の全部を完成して相手方に引き渡した日の属する事業年度の益金の額に算入するという、いわゆる完成引渡基準によるのが原則です。（基通2-1-21の7）しかし、建設会社が請け負う長期大規模工事に係る収益の計上を役務完了引渡基準で行いますと、当該工事が完成して引き渡されるまで長期間にわたって工事利益が計上されないという問題があり、国際的にも工事進行基準が採用される動向にあることから、税法も工事進行基準を適用して、当該工事に係る収益及び費用の額を計上することとされています。（法64①）

　この規定が適用される長期大規模工事は、次の要件を満たす工事（製造及びソフトウエアの開発を含みます。以下同じ。）です。

①　その着手の日から当該工事に係る契約において定められている目的物の引渡しの期日までの期間が1年以上であること。（法64①）この場合、長期大規模工事に着手した日は、当該工事の種類及び性質、その工事に係る契約の内容、慣行等に応じその重要な部分の作業（工事の設計に関する作業がこれに該当するかどうかは、法人の選択によります。（法政令129⑦））を開始した日として合理的であると認められる日のうち、法人が継続して判定の基礎としている日によるものとされています。（基通2-4-17）

②　その請負の対価の額（その支払が外国通貨で行われるべきこととされている工事については、その工事に係る契約の時における外国為替の売買相場による円換算額）が10億円以上の工事であること（法政令129①）

③　当該工事に係る契約において、その請負の対価の額の$\frac{1}{2}$以上が当該工事の目的物の引渡しの期日から1年を経過する日後に支払われることが定められていないものであること（法政令129②）

　(注)　適格合併等（適格合併、適格分割又は適格現物出資）により被合併法人等（被

（83）

合併法人、分割法人又は現物出資法人）から長期大規模工事に係る契約の移転を受けたときは、当該被合併法人等が行った当該長期大規模工事の請負は、合併法人等が行ったものとみなして、工事進行基準を適用することとされています。（法政令131①）

工事進行基準による会計処理の事例

【問2-14】　長期大規模工事に係る収益及び費用について工事進行基準による会計処理を、事例で説明してください。

【答】　工事進行基準の適用によって各事業年度の収益及び費用に計上する金額は、次の算式により計算される金額です。（法政令129③）

収益に計上する金額 ＝ 工事の請負に係る収益の額 × 事業年度終了の時における工事進行割合 − 前事業年度までに収益の額とされた金額

費用に計上する金額 ＝ 事業年度終了の時の現況による工事原価の見積額 × 事業年度終了の時における工事進行割合 − 前事業年度までに費用の額とされた金額

この場合の工事進行割合は、（事業年度終了の時までに要した工事原価の合計額）÷（事業年度終了の時の現況による工事原価の見積額）その他工事の進行の度合いを示すものとして合理的と認められるものをいいます。

(注)　適格分割又は適格現物出資により分割承継法人又は被現物出資法人に長期大規模工事に係る契約を移転する場合は、分割法人又は現物出資法人では適格分割又は適格現物出資の直前の時の現況により見積もられる工事原価の額により、上記の計算をすることとされています。（法政令129③かっこ書）

　例えば、下記の表のような事例ですと、前事業年度までに収益の額が50億円（＝200億円 × $\frac{38億円}{152億円}$）、費用の額が38億円（＝152億円 × $\frac{38億円}{152億円}$）、工事利益が差引き12億円計上されています。

	前事業年度終了の時	当事業年度終了の時
請負金額	200億円	
工事原価の見積額	152億円	160億円
事業年度終了の時までの工事原価の支出額	38億円	120億円

（84）

第2章　収益、費用とその帰属時期等

　当事業年度において収益の額及び費用の額として計上すべき金額は、次の
とおりであり、差引18億円（100億円－82億円）の工事利益が計上されます。

　収益の額として計上すべき金額　　200億円×$\frac{120億円}{160億円}$－50億円＝100億円

　　(注)　工事進行割合によりますと、前事業年度までに$\frac{38}{152}=\frac{25}{100}$の工事が進行し
　　　ており、当事業年度終了の時には$\frac{120}{160}=\frac{75}{100}$の工事が進行していますので、
　　　当事業年度において計上する収益の額は、請負金額200億円の$\frac{50}{100}$（$\frac{75}{100}$－
　　　$\frac{25}{100}$）で、100億円という検算ができます。

　費用の額として計上すべき金額　　160億円×$\frac{120億円}{160億円}$－38億円＝82億円

　　(注)　当事業年度の工事原価の支出額は、120億円－38億円＝82億円です。

　なお、長期大規模工事であっても、事業年度終了の時において、その着手
の日から6月を経過していないもの又は工事進行割合が20％未満のものは、
工事原価の的確な見積りが困難な場合がありますので、当該事業年度の当該
長期大規模工事の請負に係る収益の額及び費用の額は、ないものとすること
ができるという特例があります。ただし、当該長期大規模工事の請負に係る
収益の額及び費用の額につき、その確定した決算において工事進行基準の方
法による経理をしますと、その事業年度以後の事業年度には、この特例は適
用されません。（法政令129⑥）

長期大規模工事以外の工事に対する工事進行基準の適用

> 【問2-15】　長期大規模工事以外の工事についても、工事完成基準
> でなく、工事進行基準によって収益及び費用の額を計上すること
> ができますか。

【答】　長期大規模工事以外の工事（製造及びソフトウエアの開発を含みます。
以下同じ）でも、その目的物の引渡しがその着工事業年度後の事業年度とな
るものについては、その工事の請負に係る収益の額及び費用の額について、
工事完成基準でなく、工事進行基準の方法を適用することが認められていま
す。（法64②）これは、工事期間が事業年度終了の日をまたがる工事について、
法人が工事進行基準の方法を適用しようとする場合、税務においてこれを拒
否する理由がないからで、工事期間が1年未満のものでも当該期間が事業年

（85）

度終了の日をまたがるならば、損失が生ずると見込まれる工事についても、適用することができます。この場合、当該工事について、長期大規模工事について【問2-14】の後段で説明した「工事進行基準の方法による経理」をすることが必要です。（法政令129③）

　法人が、当該事業年度終了の時において見込まれる工事損失の額のうち当該工事に関して既に計上した損益の額を控除した残額（以下「工事損失引当金相当額」といいます。）を、当該事業年度に係る工事原価の額として計上している場合であっても、そのことをもって、「工事進行基準の方法により経理したとき」に該当しないとはされません。この場合、当該工事損失引当金相当額は、税法に規定のない引当金ですからその繰入額が損金不算入となり、当該事業年度において損金算入されることとなる工事請負に係る費用の額には含まれません。（基通2-4-19）

　なお、長期大規模工事の場合と異なり、着工事業年度後のいずれかの事業年度の確定した決算において工事進行基準の方法による経理をしなかった場合には、その翌事業年度以後の事業年度において工事進行基準の方法を適用することはできません。（法64②ただし書）

（注）　適格合併等により被合併法人等から工事進行基準を適用している長期大規模工事以外の工事に係る契約の移転を受けたときは、被合併法人等が行った当該工事の請負は合併法人等が行ったものとみなして工事進行基準を適用することができます。（法政令131②）

工事進行割合を算定するに当たっての未成工事支出金勘定の金額

> 【問2-16】　工事進行基準により収益及び費用の額を計算するに当たっての工事進行割合について、その分子の額である「事業年度終了の時までに要した工事原価の合計額」は、その時における当該工事に係る未成工事支出金勘定の金額と考えてよろしいですか。

【答】　御質問にあるように「事業年度終了の時までに要した工事原価の合計額」は、その工事に係る未成工事支出金勘定の事業年度終了の時の残高と考えがちですが、建設業の未成工事支出金勘定の金額は複雑な性格をもっています。すなわち、当額金額のなかには、製造業において棚卸資産に計上する

（86）

第2章　収益、費用とその帰属時期等

仕掛品に相当するもののほかに、前払金、原材料、貯蔵品、建物、仮払金等に該当するものが含まれており、事業年度終了の時までにその工事のために既に要した原価と合致しないことがあります。

「事業年度終了の時までに要した工事原価の合計額」は、工事進行割合を算定するためのものですので、当該割合を正しく計算することができる金額、つまり事業年度終了の時までにその長期大規模工事等に実際に投入された原価とすべきです。

未成工事支出金勘定の金額と実際に投入された原価とが相違すると考えられる事項をまとめますと、次のとおりです。

① 未成工事支出金勘定の金額の方が大きくなる事項

イ 下請業者に対する出来高を超える超過支払金（前渡金です。）

ロ 工事現場に搬出された未使用の材料（材料です。）

ハ 将来他の工事現場に転用される仮設材料（当該工事が完成する事業年度終了の時までの仮設材料減耗損を超える部分の金額は、貯蔵品です。）

ニ 工事現場、労務者宿舎など（当該工事に係る事業年度終了の時までの減価償却費又は減耗損を超える部分の金額は、建物又は貯蔵品です。）

ホ 下請業者、労務者等に対する貸付金、立替金、仮払金など

② 未成工事支出金勘定の金額の方が小さくなる事項

下請業者に対する外注費に係る債務を、契約等によって出来高に1未満の一定割合を乗じた金額で請求を受けて未払外注費に計上している場合、あるいは債務に計上せず支払基準で計上している場合（事業年度終了の時の出来高に応ずる未成工事未払金を債務に計上し、同額だけ未成工事支出金を増額すべきものです。）

工事完成基準を採用している場合は、未成工事支出金勘定の金額について上記①及び②の事項についての修正をしてみても損益に関係がありませんので、未成工事支出金勘定の金額にこのような性格の異なるものが混合されていることがあります。しかし、工事進行基準を採用していて工事進行割合を算定するときは、未成工事支出金勘定の金額を適正に出来高を示す金額に修正することが必要です。

（87）

仕入先からの仕入割戻しの算定期間中に決算日が到来する場合

【問2-17】 当社は12月31日決算ですが、仕入先からの仕入割戻しの算定期間が10月1日から翌年3月31日までとなっており、契約による割戻し率は以下のとおりです。

・仕入割戻しの算定期間中に2,000万円以上の仕入れをした場合……3％

・仕入割戻しの算定期間中に1,000万円以上の仕入れをした場合……2％

当社は、10月1日から12月31日までに1,500万円の仕入れをしていますが、当事業年度で仕入割戻しを計上する必要がありますか。また、計上する場合、いくらの金額で計上すればよろしいですか。なお、仕入割戻しの算定期間末である翌年3月までの仕入れの予想金額は2,500万円です。

【答】 割戻しを支出する側では、その算定期間を事業年度に合わせることが一般的ですので、仕入先と自社で決算期が異なる場合には、御質問のように、仕入割戻しの算定期間の途中で、自社の決算日が到来することがあります。このような場合、仕入割戻し額は確定していませんので、未収入金計上する必要があるのかどうか、また、計上するにしても、金額はどうすればいいのかという疑問が生じます。

算定基準が購入金額又は購入数量によっており、かつ、その算定基準が契約その他の方法により明示されている仕入割戻しについては、購入した日の属する事業年度に計上することとされています。（基通2-5-1）これによりますと、12月31日までの仕入金額が1,500万円ですから、すでに割戻しが受けられる最低金額の1,000万円を超えていますので、仕入割戻しを未収入金計上する必要があり、計上額は12月31日までの仕入金額1,500万円に基づく30万円（1,500万円×2％）になります。御質問の場合、翌期の仕入金額も加算すれば、割戻し率が3％となることが予想されるということですが、税法上は、期末日までの仕入実績に基づく割戻し率である2％により計算すればよいこととなります。

なお、企業会計上は、最終的な仕入割戻し率が3％と合理的に見積もられ

（88）

第2章　収益、費用とその帰属時期等

る場合は、45万円（1,500万円×3％）の仕入割戻しを未収入金として計上することが妥当と考えられます。当事業年度に45万円の仕入割戻しを計上した場合、15万円は申告減算できるのではないかとも思われますが、収益の額は一般に公正妥当と認められる会計処理の基準にしたがって計算されたものとされ（法22④）、申告減算することはできません。

給付金や助成金等の収益計上時期

> **【問2-18】**　当社は雇用調整助成金の申請を行いました。決算期末日現在で、支給決定通知のないものや未入金となっているものは、当期の収益に計上しなくてもよろしいですか。また、給付金や助成金等の益金に算入すべき時期は、法人税ではどのように定められていますか。

【答】　雇用調整助成金は、雇用の維持のために、事業者が労働者に休業手当等を支払う場合、その一部を助成する制度です。

給付金や助成金等の益金算入時期について、法人の支出する休業手当、賃金、職業訓練費等の経費を補填するために雇用保険法、労働施策の総合的な推進並びに労働者の雇用の安定及び職業生活の充実等に関する法律、障害者の雇用の促進等に関する法律等の法令の規定等に基づき交付を受ける給付金等については、その給付の原因となった休業、就業、職業訓練等の事実があった日の属する事業年度終了の日においてその交付を受けるべき金額が具体的に確定していない場合であっても、その金額を見積り、その事業年度の益金の額に算入するものとされています。（基通2-1-42）つまり、経費を補填する給付金等については、収益と費用を対応させるため、期末までに支給決定通知や実際の入金がなくても、見積りで収益計上するということです。また、法人が定年の延長、高齢者及び身体障害者の雇用等の雇用の改善を図ったこと等により、これらの法令の規定等に基づき交付を受ける奨励金等の額については、その支給決定があった日の属する事業年度の益金の額に算入することとされています。（基通2-1-42(注)）つまり、具体的な経費の補填でない性格のものについては、支給決定があった時点で収益計上することになります。

（89）

上記の基通2-1-42本文の取扱いは、休業手当、賃金、職業訓練費等の経費の支出に当たり、給付金による補填を前提として必要な手続（休業等計画届の提出など）がなされ、その手続のもとで経費の支出が行われますので、収益と費用を対応させる必要があるというものです。御質問の雇用調整助成金はこれに該当しますので、未入金であっても、当期の収益に計上する必要があります。

　(注)　消費税では、これらの給付金や助成金は、資産の譲渡等の対価に該当しませんから、不課税です。（消法2①八、4①、消通5-2-15）

債権の取得価額と債権金額との差額に係る調整差損益の計上方法

> 【問2-19】　当社は3月31日決算です。令和6年4月1日に、債権120百万円を100百万円で取得しました。この債権は、令和11年3月31日に一括返済される約定になっています。債権金額と債権の取得価額の差額20百万円は全額金利調整額ですが、令和7年3月期から令和11年3月期までの各事業年度において、どのような方法で益金算入すればよろしいですか。

【答】　御質問にある債権金額と債権の取得価額の差額（実質的な贈与と認められる部分の金額を除きます。）に係る調整差損益の計上について、「金銭債権をその債権金額に満たない価額又は債権金額を超える価額で取得した場合、その債権金額と取得に要した金額の差額に相当する金額（以下「取得差額」といいます。）の全部又は一部が金利の調整により生じたものと認められるときは、当該金銭債権に係る支払期日までの期間の経過に応じ、利息法又は定額法に基づき当該取得差額の範囲内において金利の調整により生じた部分の金額（以下「調整差額」といいます。）を益金の額又は損金の額に算入する。」という取扱いが示されています。（基通2-1-34）

　要するに、調整差額を利息法又は定額法によりアキュムレート（調整差益の場合）又はアモータイズ（調整差損の場合）するのですが、利息法とは調整差額を元本額の残高に対する利回りが一定となるように支払期日までの各期間に配分する方法であり、定額法とは調整差額を支払期日までの各期間の日数等に応じて当該各期間に均等に配分する方法です。（同通達(注)4）

（90）

第２章　収益、費用とその帰属時期等

　なお、金融商品会計基準も、Ⅳ１第14項のただし書で、「債権を債権金額より低い価額又は高い価額で取得した場合において、取得価額と債権金額の差額の性格が金利の調整と認められるときは、償却原価法に基づいて算定された価額から貸倒見積高に基づいて算定された貸倒引当金を控除した金額を、当該債権の貸借対照表価額としなければならない。」とし、当該差額について償却原価法に基づく処理をすべきであると定めています。そして、金融商品会計実務指針105は、償却原価法の適用は利息法によることを原則とするが、契約上、元利の支払が弁済期限に一括して行われる場合又は規則的に行われることになっている場合には、定額法によることができるとしています。

　御質問の事例についての利息法による計算と定額法による計算は、次のとおりになります。

(1) 利息法による場合

　５年後の120百万円の現在価値が100百万円となる割引率 r を、次の算式で求めます。

$$\frac{120百万円}{(1+r)^5} = 100百万円$$

$$(1+r)^5 = \frac{120百万円}{100百万円} = 1.2$$

対数をとりますと、

$$5\log(1+r) = \log 1.2 = 0.079181$$

$$\log(1+r) = \frac{0.079181}{5} = 0.0158362$$

真数を求めますと、

$$1+r = 1.03714 \qquad r = 0.03714$$

この割引率に基づいて、取得差額20百万円を令和７年３月期から令和11年３月期までの各事業年度に配分した次表の利息配分額を、当該各事業年度において、「債権／受取利息」の仕訳により計上します。

（91）

（単位：千円）

事業年度	利息配分額	利息配分額の元金額
7年3月期	$100,000 \times 0.03714 = 3,714$	103,714
8年3月期	$103,714 \times 0.03714 = 3,852$	107,566
9年3月期	$107,566 \times 0.03714 = 3,995$	111,561
10年3月期	$111,561 \times 0.03714 = 4,143$	115,704
11年3月期	$115,704 \times 0.03714 = 4,296$	120,000

(2) 定額法による場合

　取得差額20百万円を令和7年3月期から令和11年3月期までの各事業年度に、20百万円÷5＝4百万円ずつ配分し、各事業年度において、「債権4,000千円／受取利息4,000千円」の仕訳により計上します。

　利息法、定額法いずれの処理も、税務、金融商品会計基準ともに認めていますが、取得差額の期間配分方法は利息法の方が合理的であり、かつ、この事例の場合では、収益の計上時期が遅くなって、税務上有利になります。

顧客にポイント等を付与した場合の収益計上

> 【問2-20】　当社は小売業を営んでいますが、店舗で商品を購入した顧客に対して、購入額の一定割合のポイントを付与し、顧客は、そのポイント数に応じて値引が受けられることとしています。この取引について、収益認識会計基準にしたがって、顧客からの受取り額のうちポイントに対応する額について収益計上しない方法を採用していますが、法人税でも同様の方法が認められるでしょうか。

【答】　収益認識会計基準では、一定の条件を満たすポイントや割引券の付与がある場合、商品の販売とポイント等の付与は別個の履行義務と識別し、販売時の受取り額を商品部分とポイント部分に配分し、商品部分については販売時に、ポイント部分については利用時（又は消滅時）に、それぞれ収益を認識することとされています。具体的には、次の会計処理を行うことになります。（収益認識適用指針〔設例22〕参照）

〔事例〕　当社は顧客が10円分購入するごとに1ポイントを顧客に付与してお

（92）

り、顧客は、当社での商品の購入時に1ポイントにつき1円の値引きが受けられます。商品の販売が10,000,000円あり、ポイントを1,000,000付与しました。なお、ポイントの予想利用率は100％と仮定します。そして、600,000ポイントが利用されました。

この例で、収益認識会計基準にしたがった会計処理は次のとおりとなります。

① 商品の販売時

現金預金	10,000,000円	売上	9,090,909円
		契約負債	909,091円

（注1） 売上計上される金額は、$10,000,000円 \times \dfrac{10,000,000円}{10,000,000円 + 1,000,000円} = 9,090,909円$ です。契約負債に計上される金額は、$10,000,000円 \times \dfrac{1,000,000円}{10,000,000円 + 1,000,000円} = 909,091円$ です。

（注2） 上記の仕訳で、消費税等は考慮していません。

② ポイントの利用時

契約負債	545,455円	売上	545,455円

（注1） 売上計上される金額は、$909,091円 \times \dfrac{600,000ポイント}{1,000,000ポイント} = 545,455円$ です。

（注2） 上記の仕訳で、消費税等は考慮していません。

法人税では、収益認識会計基準に対応して、次のとおり取り扱われます。資産の販売等にともない、ポイントやクーポンその他これらに類するもの（ポイント等）で、将来の資産の販売等に際して、相手方からの呈示があった場合には、その呈示があった単位数等と交換に、値引きして又は無償により資産の販売や役務の提供をするもの（その法人以外が運営するものを除きます。）を相手先に付与する場合、次の要件のすべてに該当するときは、継続適用を条件として、ポイント等について当初の資産の販売等とは別の取引に係る収入の一部又は全部の前受けとすることができます。(基通2-1-1の7)

(1) 付与したポイント等が当初の資産の販売等の契約をしなければ相手方が受け取れない重要な権利を与えるものであること

(2) 付与したポイント等が発行年度ごとに区分して管理されていること

(3) 法人が付与したポイント等に関する権利につき、有効期限を経過したこと、規約等で定める違反事項に相手方が抵触したこと等、その法

人の責に帰さないやむを得ない事情があること以外の理由により一方的に失わせることができないことが規約等において明らかにされていること

(4) 次のいずれかの要件を満たすこと

イ　付与したポイント等の呈示があった場合に値引き等をする金額が明らかにされており、かつ、将来の資産の販売等に際して、たとえ1ポイント又は1クーポンの呈示があっても値引き等をすることとされていること

ロ　付与したポイント等が、その法人以外の者が運営するポイント等又はその法人が運営する他のポイント等で、イに該当するものと所定の交換比率により交換できることとされていること

そして、これらの要件を満たすため、ポイント等の付与について、別の取引に係る収入の一部又は全部の前受けとする場合には、当初の資産の販売等に際して受取る対価の額を、当初の資産の販売等の収益とポイント等相当額に合理的に割り振ることとされています。（基通2-1-1の7（注））

上記のように、法人税では、詳細な適用要件を定めていますが、収益認識会計基準と同様の考え方であるといえます。

なお、契約負債に計上したポイント等相当額については、ポイント等の利用に応じて、失効すると見積もられるポイント等も勘案し、益金の額に算入していきますが、ポイント等の付与の日から10年が経過した日（同日前に次の(1)～(3)の事実が生じた場合はその生じた日）の属する事業年度終了の時において行使されていないポイント等に係る負債を、その事業年度の益金の額に算入することとされています。（基通2-1-39の3）

(1) ポイント等を付与した事業年度ごとに区分して管理しないこと又は管理しなくなったこと

(2) ポイント等の有効期限が到来すること

(3) 法人が継続して収益計上を行うとしている基準に達したこと

(注)　失効すると見積もられるポイント等の勘案を行う場合には、過去における失効の実績を基礎とする等合理的な方法により見積もられたこと及びその算定の根拠となる書類が保存されていることが必要です。

第2章　収益、費用とその帰属時期等

ポイント等相当額を負債計上した場合の消費税の取扱い

【問2-21】　【問2-20】で説明があったように、法人税でも、一定の
要件を満たせば、資産の販売の際に受取った金額のうち顧客に付
与したポイント等相当額を、当初の販売時に収益計上せずに、前
受けとして負債計上できますが、この場合、消費税での取扱いは
どうなるのでしょうか。また、消費税を含めた会計処理を説明し
てください。

【答】　消費税の課税標準は、課税資産の譲渡等の対価の額（対価として収受
し、又は収受すべき一切の金銭又は金銭以外の物若しくはその他経済的な利
益の額）ですので（消法28①）、商品の販売等で実際に受取った金額になり
ます。また、ポイントの利用時は、ポイントに対応する部分については、課
税標準と売上げに係る対価の返還等の額（税抜き額）が同額となり、消費税
は生じません。【問2-20】の例では消費税等を考慮していませんが、消費税
等を考慮した会計処理を示すと、次のとおりとなります。なお、消費税等の
税率は10％とします。

〔事例〕　当社は顧客が10円分購入するごとに1ポイントを顧客に付与してお
り、顧客は、当社での商品の購入時に1ポイントにつき1円の値引きが受
けられます。商品の販売が11,000,000円（うち消費税等1,000,000円）あり、
ポイントを1,100,000付与しました。なお、ポイントの予想利用率は100％
と仮定します。そして、660,000ポイントが利用されました。

① 商品の販売時

現金預金	11,000,000円	売　上	9,009,009円
		契約負債	990,991円
		仮受消費税等	1,000,000円

（注）　売上計上される金額は、$10,000,000円 \times \dfrac{10,000,000円}{10,000,000円 + 1,100,000円} = 9,009,009円$
です。契約負債に計上される金額は、$10,000,000円 \times \dfrac{1,100,000円}{10,000,000円 + 1,100,000円} =$
990,991円です。

② ポイントの利用時

契約負債　594,595円　／　売　上　594,595円

（95）

(注) 売上計上される金額は、990,991円 × $\dfrac{660,000ポイント}{1,100,000ポイント}$ = 594,595円です。

　このように、法人税での収益計上額と消費税での課税標準との間に差異が生じることとなり、実務上煩雑になります。

有償支給取引の取扱い

> **【問2-22】** 当社は電気製品のメーカーですが、外注先に部品を有償で支給し、その部品を使用して加工された製品をその外注先から購入しています。有償支給取引の会計処理について、「収益認識に関する会計基準」ではどのように規定されていますか。また、法人税での取扱いはどうなりますか。

【答】 有償支給取引とは、対価と交換に原材料等（以下「支給品」といいます。）を外部（以下「支給先」といいます。）に譲渡し、支給先における加工後、その支給先から支給品（加工された製品に組み込まれている場合を含みます。）を購入する取引をいいます。（収益認識適用指針177）

　有償支給取引については、一般的に次のような会計処理が行われています。この会計処理では、支給品の支給価格がその支給品の購入価格より高い場合、支給先への支給品の譲渡時にその差益を認識することになります（設例では、原材料費がマイナス200円となります）。

（設例） 当社の所有する部品（購入価格1,000円）をA社へ1,200円で有償支給し、A社で加工して製品にした後、A社の加工賃600円を上乗せした1,800円で、その製品をA社から仕入れます。

(1) 部品の有償支給時

　未収入金　1,200円　／　原材料　1,200円

(2) 支給先で加工された製品の購入時

　製品　1,800円　／　買掛金　1,800円

　(注) 購入価格に一定の利益を付加して有償支給するのは、次のような理由によります。

　　① 企業の信用度や購入量等により、支給元での購入価格が一般の市場での購入価格より低い場合、支給元での購入価格で支給すれば、支給先が他に

（96）

第２章　収益、費用とその帰属時期等

　　　売却することにより利益を得ることができるので、これを防止するため

　②　支給元での購入価格を支給先に知られないため

　「収益認識に関する会計基準」によった場合の有償支給取引の会計処理は次のとおりで、支給品を買い戻す義務を負っているかどうかにより異なります。(収益認識適用指針179、180、181)

①　支給品を買い戻す義務を負っていない場合……支給品の消滅を認識しますが、支給品の譲渡による収益は認識しません。

②　支給品を買い戻す義務を負っている場合……支給品の消滅も、その譲渡による収益も認識しません。ただし、個別財務諸表では、支給品の譲渡時に支給品の消滅を認識できることとされています。なお、この場合でも、支給品の譲渡による収益は認識しません。

(注１)　有償支給取引で、支給先によって加工された製品の全量を買い戻すことを支給品の譲渡時に約束している場合は、上記②に該当すると考えられますが、その他の場合は、取引の実態に応じて、上記①と②のいずれに該当するか判断することになります。(収益認識適用指針178)

(注２)　個別財務諸表で、支給品の譲渡時に支給品の消滅を認識できることとされているのは、支給先へ譲渡された支給品の在庫管理は支給先で行われるので、支給元での在庫管理には実務上困難さがあるため、支給品を支給先の在庫として取り扱うことを可能としたものです。(収益認識適用指針181)

　上記の(設例)により、上記①及び②の具体的な会計処理を示すと、以下のとおりです。

①　上記①の支給品を買い戻す義務を負っていない場合の会計処理

　(1)　部品の有償支給時

　　　未収入金　1,200円　／　原材料　　　　　　　　　1,000円

　　　　　　　　　　　　　／　有償支給取引に係る負債　200円

　(2)　支給先で加工された製品の購入時

　　　製品　　　　　　　　　1,600円　／　買掛金　1,800円

　　　有償支給取引に係る負債　200円　／

　(3)　支給品を買い戻さなかった場合(A社で支給品を消費又は他社に売却した場合等)

　　　有償支給取引に係る負債　200円　／　雑収入等　200円

（97）

② 上記②の支給品を買い戻す義務を負っている場合の会計処理

(1) 部品の有償支給時

未収入金　1,200円　／　有償支給取引に係る負債　1,200円

(2) 支給先で加工された製品の購入時

製品　　　　　　　　　　600円　／　買掛金　1,800円
有償支給取引に係る負債　1,200円　／

なお、上記②のただし書の会計処理を行う場合、個別財務諸表では、①の(1)及び(2)と同様の会計処理になります。

上記のように、収益認識会計基準に基づく会計処理では、原材料等の支給時に支給差益の認識をしないこととされています。これは、支給した原材料等が加工後に買い戻されるため、原材料等の支給の時点では収益が実現していないためです。

一方、法人税では、有償支給に関する直接の規定はありませんが、取引の実質から、当事者間で所有権移転の合意があり、所有権が移転している場合には、その時点で収益を認識すべきであるとの考え方から、原材料等の支給時に支給差益を認識すべきものとされています。したがって、収益認識会計基準にしたがって会計処理を行い、支給差益を認識していない場合、申告調整が必要となります。なお、私見ですが、支給品の全量を買い戻す義務を負っている場合は、実質的には所有権が移転していないものと考えられますから、法人税でも支給時に支給差益を認識する必要がないといえるのではないかと思います。

(注)　消費税では、事業者が外注先等に対して外注加工に係る原材料等を支給する場合において、その支給に係る対価を収受することとしているときは、その原材料等の支給は、対価を得て行う資産の譲渡に該当するものとされていますから（消通5-2-16前段）、会計上の収益を認識するかどうかに関わらず、支給品が課税資産の場合は、有償支給時に課税売上げとなります。ただし、有償支給の場合でも、事業者がその支給に係る原材料等を自己の資産として管理しているときは、その原材料等の支給は資産の譲渡に該当しないものとされています。（消通5-2-16後段）

第2章　収益、費用とその帰属時期等

第2節　費用及びその帰属時期

事業年度終了の時に未払計上した見積費用はその損金算入が認められるか

> 【問2-23】　当社は9月30日決算です。夏季（6月～8月）特別セール期間中に一定額以上の仕入れをされた得意先を翌事業年度に旅行に招待します。この旅行に招待する費用を見積って、当事業年度において未払計上をした場合、損金の額に算入することが認められますか。

【答】　当事業年度終了の時には貴社の夏季特別セールは完了しており、どの得意先が翌事業年度に旅行に招待されるだけの仕入れをされたのかが確定しています。また、旅行招待という条件をつけたことにより、夏季特別セールの売上高が増加したのでしょうから、企業会計の収益費用対応の原則からは、当事業年度において旅行招待費用を見積って、未払計上をすべきことになります。

　しかし、税法は、販売費、一般管理費その他の費用で償却費以外の費用は、原則として当該事業年度終了の日までに、次に掲げる要件のすべてに該当することを条件に損金算入を認めるという、債務確定主義をとっています。(法22③、基通2-2-12)

① 事業年度終了の日までに当該費用に係る債務が成立していること。

② 事業年度終了の日までに当該債務に基づいて具体的な給付をすべき原因となる事実が発生していること。

③ 事業年度終了の日までにその金額を合理的に算定することができるものであること。

　御質問の場合、旅行招待は翌事業年度に行われますので、当事業年度終了の時にはその招待費用についての債務は成立しておらず、かつ、その金額を合理的に算定することができない場合もあると思います。したがって、当事業年度において当該招待費用の見積額を未払金に計上しても、税務ではその損金算入は認められません。

(注1)　企業会計上は、債務が成立していなくても金額の合理的見積りができる場合、企業会計原則注解18に示されている引当金設定の要件を満たしますので販売費引当金を計上し、税務申告で加算調整すべきです。

（99）

（注2） 翌事業年度に得意先を旅行に招待したときの費用は、税務上交際費等に該当します。このため、貴社が大法人又は期末資本金の額が５億円以上の法人等による完全支配関係がある普通法人の場合、当事業年度において申告加算をした未払金は翌事業年度に申告減算をしても、交際費等として全額損金不算入になります。

中途償還時に約定利息よりも低い利息を支払うこととしている組合債利息の未払計上額

> **【問2-24】** 当協同組合では、組合員に組合債を発行して事業資金の調達をしています。当該組合債の償還期日は、発行日後２年を経過した日で、年利率２％の利息は、償還期日に２年間を一括払いしますが、組合員から中途解約の申出があったときは、利率を年0.6％として発行日から解約日までの期間の利息を支払うこととしています。事業年度終了の日における未払利息の額を計算するに当たって適用する利率は、年２％、年0.6％のいずれにすべきですか。

【答】 御質問の組合債の利息は後払い方式であり、その発行日から事業年度終了の日までの期間の利息は、約定によって債務確定していますので、その発行期間中に到来する事業年度終了の日には、期間経過分の利息を未払計上することができます。

この未払利息の計上に当たって適用する利率は、償還期日に２年間を一括払いされるときに適用される年２％とし、中途解約に当たって適用される年0.6％とする必要はありません。中途解約はアブノーマルな事象であり、組合債を引き受けた組合員の都合で中途解約があったときに、発行日から解約日までの期間の約定利率による利息支払債務の一部が免除されたと考えるべきです。いいかえれば、当該利息支払債務免除益は、貴組合が中途解約による期限の利益の喪失と引換えに、解約者から受ける違約補償益です。

未払利息として債務確定しているのは、将来最小限支払を必要とする中途解約利率0.6％で計算した金額であるという意見があるかもしれませんが、上記のとおりの中途解約の性格からみて、正しくありません。

（100）

第2章　収益、費用とその帰属時期等

造成団地の分譲原価について

> **【問2-25】**　造成団地の分譲会社です。宅地造成工事完了前に分譲した宅地の分譲原価は、どのように計算しますか。また、当該団地内の共同施設の取得に要した費用は、どのように取り扱われますか。

【答】　宅地造成工事が完了する前に分譲を行って、分譲額を売上計上しますと、その時期までの分譲原価が造成工事が未完了のために低く、分譲による利益が多く計上され、以後の事業年度において追加原価が発生します。したがって、造成団地内の宅地の分譲の場合の売上原価は、次のとおりの計算をすることが認められています。（基通2-2-2）

① 分譲が完了する事業年度の直前の事業年度までの各事業年度

$$\left(\begin{array}{l}\text{工事原価}\\\text{の見積額}\end{array} - \begin{array}{l}\text{当該事業年度前の各事}\\\text{業年度において損金の}\\\text{額に算入した工事原価}\\\text{の額の合計額}\end{array}\right) \times \dfrac{\text{当該事業年度において分譲した面積}}{\begin{array}{l}\text{分譲総予}\\\text{定面積}\end{array} - \begin{array}{l}\text{当該事業年度前の各事}\\\text{業年度において分譲し}\\\text{た面積の合計}\end{array}}$$

　工事原価の見積額：当該事業年度終了の時の現況によりその工事全体につき見積られる工事原価の額です。（基通2-2-2(1)(注)1）

　分譲総予定面積：分譲する法人の使用する土地の面積を含みます。（同通達(1)(注)2）がけなどで分譲できない土地の面積は、含めなくてもよいでしょう。

② 分譲が完了した事業年度

$$\begin{array}{l}\text{全体の工事}\\\text{原価の額}\end{array}\left(\begin{array}{l}\text{分譲する法人の使用する}\\\text{土地に係る工事原価の額}\\\text{を除きます。}\end{array}\right) - \begin{array}{l}\text{当該事業年度前の各事業年}\\\text{度において売上原価として}\\\text{損金の額に算入した工事原}\\\text{価の合計額}\end{array}$$

なお、上記①の算式は、分譲見積原価を面積割合で算出することとしていますが、分譲する場所によって単位面積当たりの分譲単価が異なることがあります。そのような場合は、分譲価額に応じて見積原価をあん分する等の方法をとっても、その方法が合理的であると認められるときは、継続適用を条件として認められます。（基通2-2-2ただし書）

(注)　適格組織再編成（適格合併、適格分割又は適格現物出資）によって造成団地が被合併法人等（被合併法人、分割法人又は現物出資法人）から合併法人等（合併法人、分割承継法人又は被現物出資法人）へ移転した場合、被合併法人等の上記の計算を合併法人等が引き継ぐものとされています。（基通2-2-2(注)）

（101）

次に、団地経営に必要な道路、公園、緑地、水道、排水路、街灯、汚水処理施設等の施設（その敷地に係る土地を含みます。）については、たとえ法人が将来にわたってこれらの施設を名目的に所有し、又はこれらの施設を公共団体等に帰属させることとしているときであっても、これらの施設の取得に要した費用の額（分譲する法人の所有名義とする施設については、これを処分した場合に得られるであろう価額に相当する金額を控除した金額）を、その工事原価の額に算入します。（基通2-2-3）工事着工当初からこのような施設を地方公共団体等に帰属させることが予定されている場合には、造成団地分譲のための必要経費と考えられるからで、税務上寄附金、公共施設負担金（繰延資産）のいずれにもなりません。

　このような施設を地方公共団体等に採納してもらおうとしても、採納後の維持、管理費用が必要という理由で採納してもらえない場合があり、やむを得ず分譲した法人が無収益資産として名目的に所有し続けることがあります。そのような場合でも、当該施設の建設等に要した費用は造成団地の工事原価に算入することができますが、名目的にでも分譲した法人の所有名義としているものは、将来これを他へ処分してその原価の一部を回収することもあり得ますので、その建設等に要した費用から処分可能見積額を控除した金額を工事原価に算入することとされています。（同通達かっこ書）しかし、この場合の処分可能見積額は、当該施設を現状のままで処分した場合に得られると見込まれる対価の額ですので、処分又は使用収益するについて制限の大きい施設ですから、名目的な価額にすぎないことが多いと思われます。

第2章　収益、費用とその帰属時期等

金額的重要性のある短期前払費用

> 【問2-26】　支払日後1年以内に役務の提供を受けるものを支払っ
> た場合、その前払費用の額を継続して支払日の属する事業年度の
> 損金の額に算入しているときは、これが認められることとされて
> おり、継続性が損金算入の要件となっていますが、金額的な重要
> 性については考慮しなくてもよいのでしょうか。

【答】　御質問にあるとおり、基通2-2-14では、法人が、前払費用の額でそ
の支払った日から1年以内に提供を受ける役務に係るものを支払った場合に
おいて、その支払った額に相当する金額を継続してその支払った日の属する
事業年度の損金の額に算入しているときは、これを認めるとされています。
この通達の文言では重要性に関する記載がありませんが、この通達は、企業
会計での重要性の乏しいものについては簡便な会計処理が認められるという
いわゆる重要性の原則に基づくものと考えられます。

　「企業会計原則」注解1では、重要性の原則の適用について以下のように
述べられています。企業会計は、定められた会計処理の方法に従って正確な
計算を行うべきものであるが、企業会計が目的とするところは、企業の財務
内容を明らかにし、企業の状況に関する利害関係者の判断を誤らせないよう
にすることにあるから、重要性の乏しいものについては、本来の厳密な会計
処理によらないで他の簡便な方法によることも、正規の簿記の原則に従った
処理として認められる。そして、重要性の原則の適用例のひとつとして、前
払費用、未収収益、未払費用及び前受収益のうち、重要性の乏しいものにつ
いては、経過勘定項目として処理しないことができるとしています。企業会
計と法人税法では、その目的は異なりますが、実務を考慮して、重要性の乏
しいものについては簡便な処理を認めるという趣旨は同様です。

　各事業年度の所得の金額の計算の通則で、益金の額及び損金の額は、別段
の定めのあるものを除き、一般に公正妥当と認められる会計処理の基準に従
って計算されるものとするとされていますので（法22④）、金額的重要性の
ある短期前払費用について、支払額の全額を支払日の属する事業年度の損金
の額に算入することは認められないと考えられます。

（103）

1年を超える前払費用の取扱い

> **【問2-27】** 広告用看板を某ビルの屋上に3年間掲示する契約を行い、3年間の掲示料360万円をその間の各月末日を支払期日とする額面10万円の手形36枚で支払いました。当事業年度末に同日後1年を超える期間に対応する部分に相当する金額だけを長期前払費用に計上し、残りをすべて当事業年度の費用に計上しようと思いますが、税務上このような処理は認められますか。

【答】 前払費用のうち支払った日の属する事業年度において損金の額に算入することができるのは、支払った日から1年以内に提供を受ける役務に係るものの支払をして、その支払った金額に相当する金額を継続して支払った日の属する事業年度の損金の額に算入しているものに限られます。(基通2-2-14後段)なお、支払には手形の振出しによる支払を含むものとされています。

(注1) 基通2-2-14の取扱いは、原則として前払費用(一定の契約に基づき継続的に役務の提供を受けるために支出した費用のうち事業年度終了の時にまだ提供を受けていない役務に対応するもの)に限って適用されます。ただし、一定の契約に基づき継続的に物品を購入することにより生ずる費用のうち、雑誌、新聞の購読料等その金額が少額なものは、これに準じて取り扱われます。

また、同通達の注書で、短期の前払費用のうち収益の計上と対応させる必要があるもの、例えば借入金により調達した資金を預金、有価証券等で運用する場合の当該借入金の支払利子については、上記の通達後段の取扱いの適用がないとされています。

(注2) 基通2-2-14の取扱いの適用を受けている場合、消費税においても、当該前払費用に係る課税仕入れは、支出日の属する課税期間に行ったものとして取り扱われます。(消通11-3-8)

御質問のように1年を超える期間の広告料の支払をした場合は、その支払の日から1年以内の期間に対応する部分の金額でも損金の額に算入することはできません。したがって、当事業年度末に翌事業年度開始の日から1年以内の期間に対応する部分の金額を損金の額に算入する処理をしても認められず、36か月分割の手形に対応する広告料の全額をその振出時に長期前払費用(1年以内に費用となるものは前払費用(企業会計原則第三、四(一)A参照))に計上し、広告掲示期間の経過に対応して当該期間に係る金額を広告

(104)

第2章　収益、費用とその帰属時期等

宣伝費に振り替えることになります。翌々事業年度末になって、広告掲示期間の最終日がその次の事業年度開始の日から1年以内となっても、支払った時の処理どおり前払費用に計上しなければなりません。

事務用消耗品等の取得事業年度における損金算入

> **【問2-28】** 未使用の事務用消耗品、作業用消耗品、包装材料、広告宣伝用印刷物、見本品その他これらに準ずる棚卸資産は、貯蔵品に計上せず、取得時に取得に要した費用を取得した日の属する事業年度の損金の額に算入することができるそうですが、どのようなものがこれに該当しますか。

【答】　御質問のような資産は、「消耗品で貯蔵中のもの」（法政令10六）に該当しますので、税法上棚卸資産として貯蔵品に計上し、消費した日の属する事業年度に損金の額に算入すべきものです。しかし、法人が事務用消耗品、作業用消耗品、包装材料、広告宣伝用印刷物、見本品その他これらに準ずる棚卸資産（各事業年度ごとにおおむね一定数量を取得し、かつ、経常的に消費するものに限ります。）の取得に要した費用の額を継続してその取得をした日の属する事業年度の損金の額（製造費用に該当するものは製造原価）に算入している場合は、これが認められます。（基通2-2-15）

　したがって、通常の範囲で購入しているときは、貯蔵品に計上する必要はありませんが、例えば事業年度終了直前に今後何年間にもわたって消費する資産を購入したようなときは、各事業年度ごとにおおむね一定数量を取得するという要件に適合しませんので、貯蔵品に計上しなければなりません。

　この通達の対象となるものを具体的に示しますと、次のとおりです。

作業用消耗品……手袋、安全靴、作業帽及び作業服等工場、倉庫等で短期間に消費され、毎期購入数量がおおむね一定しているもの、プライヤー、スパナ、ねじ回し等の「手作業工具」、釘、針金、塩ビ管、グリス、潤滑油等の「作業用材料」、ベアリング、ナット等の「補修用材料」のうち会社の経理規程等で作業用消耗品として取り扱う範囲を明確にしたもの

包装材料……包装紙、ひも、ダンボール箱、木箱（製品と一体とみなされる化粧箱、粉末薬等の包装紙、カプセル等を除きます。）

（105）

広告宣伝用印刷物……ポスター、ちらし、パンフレット、カタログ、カレンダー

見本品……サンプル品（医薬品メーカーが医師等に配布する添付薬品のように、サンプル品の枠を超えるものを除きます。）

その他これらに準ずる棚卸資産……予備株券、製品等の仕様書、保証書、取扱説明書（有償のもの及び商品の一部とみられるものを除きます。）、ボールペン、ライターなどの広告宣伝用物品、研究所におけるガラス器具、ビデオテープ

(注) 消費税では、「課税仕入れを行った日」及び「特定課税仕入れを行った日」は、課税仕入れに該当することとされる資産の譲受けをした日ですので（消通11-3-1）、貯蔵品に計上するかどうかによって、これらの消耗品等の仕入れに係る消費税等の仕入税額控除のできる時期が変わることはありません。

短期の前払費用又は消耗品費等の一部にのみ法人税基本通達の取扱いを適用することの可否

> **【問2-29】** 短期の前払費用についての法人税基本通達2-2-14のただし書と、消耗品費等についての法人税基本通達2-2-15の取扱いは、法人の短期の前払費用又は消耗品費等のうち、適用できるもののすべてに適用しなければなりませんか。例えば、短期の前払賃借料には適用するが、前払保険料は金額が大きいため適用せず前払費用に計上した場合、前払賃借料に対するこの取扱いの適用が否認されることになりますか。

【答】 【問2-26】、【問2-27】で説明した短期の前払費用についての法人税基本通達2-2-14後段の取扱い及び【問2-28】で説明した消耗品費等についての法人税基本通達2-2-15の取扱いの適用が、法人の有する短期の前払費用又は消耗品のうちの適用可能なもののすべてに適用することを条件に認められるのかどうかについては、これらの通達に明記されていません。

　これらの通達が、継続処理を適用のための条件にしているのは、事業年度間での利益操作による課税上の弊害を防止するためと考えられますので、一部の短期の前払費用又は消耗品について費用処理し、他のものは資産に計上

第2章　収益、費用とその帰属時期等

するのは、いわゆるつまみ食いによる同一事業年度での利益操作を可能にするものであり、税務では認められないという見解があるかもしれません。

　しかし、これらの通達は、短期の前払費用や消耗品費等についての重要性の原則の適用をその趣旨として発遣されたもので、企業会計原則の注解1「重要性の原則の適用について」には、次のとおり示されています。

(1)　消耗品、消耗性工具器具備品その他の貯蔵品等のうち、重要性の乏しいものについては、その買入時又は払出時に費用として処理する方法を採用することができる。

(2)　前払費用（中略）のうち、重要性の乏しいものについては、経過勘定項目として処理しないことができる。

　前記の法人税基本通達に短期の前払費用又は消耗品費等のすべてについて、資産計上又は支出時若しくは取得時費用処理につき同じ処理をすべきことが要件として明記されていないことと、上記のように重要性の原則の適用により設けられた取扱いであることにより、短期の前払費用及び消耗品のうち重要性のあるものは資産に計上し、その他のものは費用処理をしても、税務上問題になることはありません。

（107）

社債の債務額とその発行価額の差額を償還期間中の各事業年度に配分して 損金算入する計算の事例

【問2-30】 当社は3月31日決算です。社債10億円を令和6年4月 1日に下記の条件で発行しました。当該社債の債務額とその発行 価額との差額3,150万円について、償還期間中の各事業年度に配分 して損金算入することができる金額は、それぞれいくらですか。

〔発行する社債の債務額〕10億円／発行価額（発行による収入額） 9億6,850万円（したがってその差額は3,150万円）

〔利率〕年3％

〔償還方法〕発行後5年間据置き／5年後の令和11年3月31日か ら毎年3月31日に1億円ずつ償還し、10年後の令和16年3月31日 に残額の全部を償還する。

【答】 法人が社債の発行その他の事由により金銭債務の債務者となった場合 において、次のイ又はロに掲げる場合には、それぞれの算式により計算した 金額を、各事業年度の益金の額（イの場合）又は損金の額（ロの場合）に算 入します。（法政令136の2①）

イ 当該金銭債務に係る収入額がその債務額を超える場合

$$益金算入額 = （収入額 - 債務額）\times \frac{当該事業年度の月数}{当該金銭債務の償還期間の月数}$$

ロ 当該金銭債務に係る収入額がその債務額に満たない場合

$$損金算入額 = （債務額 - 収入額）\times \frac{当該事業年度の月数}{当該金銭債務の償還期間の月数}$$

イ、ロとも、「当該事業年度の月数」は、当該債務者となった日の属する 事業年度には、同日から当該事業年度終了の日までの期間の月数とします。

御質問のように社債の発行価額（発行による収入額）が債務額（社債の券 面金額）に満たない場合、その差額の償還期間中の各事業年度における損金 算入額は、上記のロに記載した算式により計算した金額となります。

御質問の場合、当該差額3,150万円の償還期間中の各事業年度における損 金算入額は、債務額10億円をその償還期限ごとに区分することにより、下記 の表のとおりになります。差額3,150万円を単純に社債の発行後その最終償

（108）

第2章　収益、費用とその帰属時期等

還期間の年数の10で除して、毎年315万円ずつという計算をするのは誤りですので、御注意ください。

償還期限ごとに 区分した債務額		債務額 －収入額 Ⓐ	発行後償還期限 までの期間 Ⓑ	1年間ごとの 損金算入額 Ⓐ/Ⓑ
		（円）		（円）
発行後5年後	1億円	3,150,000	5年	①　　630,000
〃　6年後	1億円	3,150,000	6年	②　　525,000
〃　7年後	1億円	3,150,000	7年	③　　450,000
〃　8年後	1億円	3,150,000	8年	④　　393,750
〃　9年後	1億円	3,150,000	9年	⑤　　350,000
〃　10年後	5億円	15,750,000	10年	⑥　1,575,000
計	10億円	31,500,000		

発行後1年目から5年目までの
各事業年度における損金算入額　　　①～⑥の計　3,923,750円

発行後6年目の損金算入額　　　　　②～⑥の計　3,293,750円

発行後7年目の損金算入額　　　　　③～⑥の計　2,768,750円

発行後8年目の損金算入額　　　　　④～⑥の計　2,318,750円

発行後9年目の損金算入額　　　　　⑤～⑥の計　1,925,000円

発行後10年目の損金算入額　　　　　　　⑥　　　1,575,000円

　以上の損金算入額を合計しますと、次のとおり3,150万円となります。

　3,923,750円×5 ＋3,293,750円＋2,768,750円＋2,318,750円＋1,925,000円

　　＋1,575,000円＝31,500,000円

（109）

第3節　リース取引の取扱い

リース取引会計基準の定めるリース取引の意義と分類

> 【問2-31】　リース取引とは、どのような取引ですか。リース取引
> 会計基準には、どのように定められていますか。

【答】　リース取引会計基準は、「リース取引とは、特定の物件の所有者たる
貸手（レッサー）が、当該物件の借手（レッシー）に対し、合意された期間
（リース期間）にわたりこれを使用収益する権利を与え、借手は、合意され
た使用料（リース料）を貸手に支払う取引をいう。」と定めています。（同基
準4）

リース会計基準は、リース取引を、次のとおり分類しています。

リース取引 ┤ファイナンス・リース取引 ┤所有権移転ファイナンス・リース取引
　　　　　　　　　　　　　　　　　　　　　所有権移転外ファイナンス・リース取引
　　　　　　オペレーティング・リース取引

それぞれの定義は、次のとおりです。（〔　　〕は筆者挿入）

ファイナンス・リース取引……リース契約に基づくリース期間の中途にお
いて当該契約を解除することができない〔解約不能の要件〕取引又はこれに準
ずるリース取引で、借手が、当該契約に基づき使用する物件（リース物件）
からもたらされる経済的利益を実質的に享受することができ、かつ、当該物
件の使用に伴って生じるコストを実質的に負担することとなる〔フルペイア
ウトの要件〕リース取引（同基準5）

所有権移転ファイナンス・リース取引……リース契約上の諸条件に照らし
てリース物件の所有権が借手に移転すると認められるファイナンス・リース
取引（同基準8、前段）

所有権移転外ファイナンス・リース取引……所有権移転ファイナンス・リ
ース取引以外のファイナンス・リース取引（同基準8、後段）

オペレーティング・リース取引……ファイナンス・リース取引以外のリー
ス取引（同基準6）

（110）

第2章　収益、費用とその帰属時期等

税法の定めるリース取引の意義と分類

> **【問2-32】**　税法はリース取引の意義と分類を、どのように定めていますか。リース取引会計基準の定めと同じと考えてよろしいですか。

【答】　税法は、「リース取引とは、資産の賃貸借（所有権が移転しない土地の賃貸借その他の政令（法政令131の2）で定めるものを除く。）で、次に掲げる要件に該当するものをいう。」と規定し（法64の2③）、その要件を次のとおりとしています。（〔　〕は筆者挿入）

① 当該賃貸借に係る契約が、賃貸借期間の中途においてその解除をすることができないもの又はこれに準ずるものであること。〔解約不能の要件〕

 (注)　「解約することができないものに準ずるもの」とは、例えば、次に掲げるものをいいます。（基通12の5-1-1）

  ㋑ 資産の賃貸借に係る契約に解約禁止条項がない場合であって、賃借人が契約違反をした場合又は解約をする場合において、賃借人が、当該賃貸借に係る賃貸借期間のうちの未経過期間に対応するリース料の額の合計額のおおむね全部（原則として90%以上）を支払うこととされているもの

  ㋺ 資産の賃貸借契約において、当該賃貸借期間中に解約をする場合の条項として、次のような条件が付されているもの

   ⓐ 賃貸借資産を更新するための解約で、その解約に伴いより性能の高い機種又はおおむね同一の機種を同一の賃貸人から賃貸を受ける場合は解約金の支払を要しないこと

   ⓑ ⓐ以外の場合には、未経過期間に対応するリース料の額の合計額（賃貸借資産を処分することができたときは、その処分価額の全部又は一部を控除した額）を解約金とすること

② 当該賃貸借に係る賃借人が当該賃貸借に係る資産からもたらされる経済的な利益を実質的に享受することができ、かつ、当該資産の使用に伴って生ずる費用を実質的に負担すべきこととされているものであること〔フルペイアウトの要件〕

 賃貸借期間中に賃借人が支払う賃借料の合計額がその資産の取得のために通常要する価額のおおむね90%相当額を超える場合には、当該資産の賃貸借

（111）

は、上記②の「資産の使用に伴って生ずる費用を実質的に負担すべきこととされているものであること」に該当するものとされます。（法政令131の2②）

(注) 上記の規定の「おおむね90%」の判定に当たって、次の点については、次のとおり取り扱われます。（基通12の5−1−2）

　　イ　資産の賃貸借に係る契約等において、賃借人が賃貸借資産を購入する権利を有し、当該権利の行使が確実であると認められる場合には、当該権利の行使により購入するときの購入価額をリース料の額に加算します。この場合、その契約書等に当該購入価額についての定めがないときは、残価（下記の額）に相当する金額を購入価額とします。

$$\text{残価} = \begin{pmatrix} \text{賃貸借資産の取得価額及びその取引} \\ \text{に係る付随費用（賃貸借資産の取得} \\ \text{に要する資金の利子、固定資産税、} \\ \text{保険料等その取引に関連して賃貸人} \\ \text{が支出する費用）の額の合計額} \end{pmatrix} - \begin{pmatrix} \text{リース料と} \\ \text{して回収す} \\ \text{ることとし} \\ \text{ている金額} \\ \text{の合計額} \end{pmatrix}$$

　　ロ　資産の賃貸借に係る契約等において、中途解約に伴い賃貸借資産を賃貸人が処分し、未経過期間に対応するリース料の額からその処分価額の全部又は一部を控除した額を賃借人が支払うこととしている場合には、当該全部又は一部に相当する金額を賃借人が支払うこととなる金額に加算します。

　　ハ　賃貸借資産の取得者である賃借人に対し交付された補助金等（当該補助金等の交付に当たり賃借料の減額が条件とされているものに限ります。）がある場合には、賃借人が支払う賃借料の合計額は、当該賃貸借に係る契約等に基づく賃借料の合計額に当該減額相当額を加算した金額によります。

　なお、本問の最初に記載した法人税法第64条の2第3項の規定のかっこ内にある政令で定めるものは、土地の賃貸借のうち、借地権の設定等により地価が著しく低下する場合の土地等の帳簿価額の一部の損金算入の規定（法政令138）の適用のあるもの及び次に掲げる要件（これらに準ずるものを含みます。）のいずれにも該当しないものとされています。（法政令131の2①）

①　当該土地の賃貸借に係る契約において定められている当該賃貸借の期間の終了の時又はその中途において、当該土地が無償又は名目的な対価の額で当該賃貸借に係る賃借人に譲渡されるものであること

②　当該土地の賃貸借に係る賃借人に対し、賃貸借期間終了の時又はその中途において、当該土地を著しく有利な価額で買い取る権利が与えられているものであること

（112）

第2章　収益、費用とその帰属時期等

　(注)　上記の規定のかっこ書にある「これらに準ずるもの」に該当する土地の賃貸
　　　借とは、例えば、次に掲げるものをいいます。(基通12の5-1-3)

　　　㋑　賃貸借期間の終了後、無償と変わらない名目的な賃料によって更新するこ
　　　　とが賃貸借契約において定められている賃貸借（契約書上そのことが明示さ
　　　　れていない賃貸借であって、事実上、当事者間においてそのことが予定され
　　　　ていると認められるものを含みます。）

　　　㋺　賃貸人に対してその賃貸借に係る土地の取得資金の全部又は一部を貸し付
　　　　けている金融機関等が、賃貸人から資金を受け入れ、当該資金をして当該賃
　　　　借人の賃借料等の債務のうち当該賃貸人の借入金の元利に対応する部分の引
　　　　受けをする構造になっている賃貸借

　上記からわかるように、税法の規定するリース取引は、リース取引会計基
準の定めるリース取引のうちのファイナンス・リース取引に該当するもので
す。税法は、オペレーティング・リース取引をリース取引に含めていません
ので、税務でも改正リース取引会計基準が定めるとおり、オペレーティン
グ・リース取引は通常の賃貸借取引に係る方法に準ずる会計処理（同基準
15）をすることになります。

所有権移転外リース取引の意義——リース取引会計基準と税法の対比

　【問2-33】　所有権移転外リース取引とは、どのようなリース取引
　　ですか。リース取引会計基準と税法を対比して説明してください。

【答】　Ⅰ　リース取引会計基準の定める所有権移転外リース取引

　リース取引会計基準は、【問2-31】に記載したように、所有権移転外ファ
イナンス・リース取引を、「所有権移転ファイナンス・リース取引（リース
契約上の諸条件に照らしてリース物件の所有権が借手に移転すると認められ
るファイナンス・リース取引）以外のファイナンス・リース取引」と定めて
います。(同基準8後段)

　(注)　リース取引会計適用指針は、次のイ～ハのいずれかに該当するファイナン
　　　ス・リース取引は、所有権移転ファイナンスリース取引に該当するものとする
　　　としています。(同適用指針10)

　　　イ　リース契約上、リース期間終了後又はリース期間の中途で、リース物件の
　　　　所有権が借手に移転することとされているリース取引

（113）

ロ　リース契約上、借手に対して、リース期間終了後又はリース期間の中途で、
　　　割安購入選択権（名目的価額又はその行使時点のリース物件の価額に比して
　　　著しく有利な価額で買い取る権利）が与えられており、その行使が確実に予
　　　想されるリース取引
　　ハ　リース物件が、借手の用途等に合わせて特別の仕様により製作又は建設さ
　　　れたものであって、当該リース物件の返還後、貸手が第三者に再びリース又
　　　は売却することが困難であるため、その使用可能期間を通じて借手によって
　　　のみ使用されることが明らかなリース取引

Ⅱ　税法の定める所有権移転外リース取引

　税法も、「所有権移転外リース取引とは、リース取引のうち、次の①～④
のいずれかに該当するもの（これらに準ずるものを含む。）以外のものをい
う。」と定めています。（法政令48の２⑤五）下記の①、②、及び③の前段の
リース取引は、それぞれにかっこ書しているようにⅠの**(注)**に記載したリー
ス取引会計適用指針10に所有権移転取引として掲げられたものであり、①～
④のいずれかに該当するものは、所有権移転ファイナンスリース取引です。

　　(注)　上記の規定のかっこ書にある「これらに準ずるもの」として所有権移転外リ
　　　ース取引に該当しないものとは、例えば、次に掲げるものをいいます。（基通
　　　７−６の２−１）その内容は、【問２-32】のなお書の**(注)**に記載した基通12の５−
　　　１−３の「賃貸借」、「賃料」、「更新」、「土地」を、それぞれ「リース取引」、「再
　　　リース料」、「再リース」、「リース資産」と書き換えたとおりのものです。
　　　㋑　リース期間の終了後、無償と変わらない名目的な再リース料によって再リ
　　　　ースをすることがリース契約において定められているリース取引（リース契
　　　　約書上そのことが明示されていないリース取引であって、事実上、当事者間
　　　　においてそのことが予定されていると認められるものを含みます。）
　　　㋺　賃貸人に対してそのリース取引に係るリース資産の取得資金の全部又は一
　　　　部を貸し付けている金融機関等が、賃借人から資金を受け入れ、当該資金を
　　　　して当該賃借人のリース料等の債務のうち当該賃貸人の借入金の元利に対応
　　　　する部分の引受けをする構造になっているリース取引

①　リース期間終了の時又はリース期間の中途において、当該リース取引に
　係る契約において定められている当該リース取引の目的とされている資産
　（以下「目的資産」といいます。）が無償又は名目的な対価の額で当該リ
　ース取引に係る賃借人に譲渡されるもの（Ⅰの**(注)**に記載したリース取引

（114）

第2章　収益、費用とその帰属時期等

会計適用指針10のイのリース取引です。）

②　当該リース取引に係る賃借人に対し、リース期間終了の時又はリース期間の中途において目的資産を著しく有利な価額で買い取る権利が与えられているもの（Ⅰの**(注)**に記載したリース取引会計適用指針10のロのリース取引です。）

(注)　リース期間終了の時又はリース期間の中途においてリース資産を買い取る権利が与えられているリース取引について、賃借人がそのリース資産を買い取る権利に基づき当該リース資産を購入する場合の対価の額が、賃貸人において当該リース資産につきその法定耐用年数を基礎として定率法により計算するものとした場合におけるその購入時の未償却残額に相当する金額（当該未償却残額が当該リース資産の取得価額の5％相当額を下回る場合には、当該5％相当額）以上の金額とされている場合は、当該対価の額が当該権利行使時の公正な市場価額に比し著しく下回るものでない限り、当該対価の額は「著しく有利な価額」に該当しないものとされます。（基通7-6の2-2）

③　目的資産の種類、用途、設備の状況等に照らし、当該目的資産がその使用可能期間中当該リース取引に係る賃借人によってのみ使用されると見込まれるもの（Ⅰの**(注)**に記載したリース取引会計適用指針10のハのリース取引です。）又は当該目的資産の識別が困難であると認められるもの

(注1)　③の「その使用可能期間中当該リース取引に係る賃借人によってのみ使用されると見込まれるもの」には、次に掲げるリース取引が該当します。（基通7-6の2-3）

　　イ　建物、建物附属設備又は構築物（建設工事等の用に供する簡易建物、広告用の構築物等で移設が比較的容易に行い得るもの又は賃借人におけるそのリース資産と同一種類のリース資産に係る既往のリース取引の状況、当該リース資産の性質その他の状況からみて、リース期間の終了後に当該リース資産が賃貸人に返還されることが明らかなものを除きます。）を対象とするリース取引

　　ロ　機械装置等で、その主要部分が賃借人における用途、その設置場所の状況等に合わせて特別な仕様により製作されたものであるため、当該賃貸人が当該リース資産の返還を受けて再び他に賃貸又は譲渡することが困難であって、その使用可能期間を通じて当該賃借人においてのみ使用されると認められるものを対象とするリース取引

（115）

(注2)　次に掲げる機械装置等を対象とするリース取引は、上記**(注1)**の㋺に定めるリース取引には該当しないものとされます。（基通7-6の2-4）

　　㋑　一般に配付されているカタログに示された仕様に基づき製作された機械装置等

　　㋺　その主要部分が一般に配付されているカタログに示された仕様に基づき製作された機械装置等で、その附属部分が特別の仕様を有するもの

　　㋩　㋑及び㋺に掲げる機械装置等以外の機械装置等で、改造を要しないで、又は一部改造の上、容易に同業者等において実際に使用することができると認められるもの

(注3)　下記のリース取引は、上記**(注1)**の㋺の「その使用可能期間中当該リース取引に係る賃借人によってのみ使用されると見込まれるもの」には該当しないものとして取り扱うことができます。（基通7-6の2-5）

　　機械装置等を対象とするリース取引が、当該リース取引に係るリース資産の耐用年数の80％に相当する年数（1年未満の端数がある場合には、その端数を切り捨てます。）以上の年数をリース期間とするもの

(注4)　③の「当該目的資産の識別が困難であると認められるもの」かどうかは、賃貸人及び賃借人において、そのリース資産の性質及び使用条件等に適合した合理的な管理方法によりリース資産が特定できるように管理されているかどうかにより判定するものとされています。（基通7-6の2-6）

④　リース期間が目的資産の法定耐用年数に比して相当短いもの（当該リース取引に係る賃借人の法人税の負担を著しく軽減することになると認められるものに限ります。）

(注1)　「相当短いもの」とは、リース期間がリース資産の耐用年数の70％（耐用年数が10年以上のリース資産については60％）に相当する年数（1年未満の端数がある場合には、その端数を切り捨てます。）を下回る期間であるものをいいます。（基通7-6の2-7）

　　これについて、一のリース取引において耐用年数の異なる数種の資産を取引の対象としている場合（当該数種の資産について、同一のリース期間を設定している場合に限ります。）において、それぞれの資産につき耐用年数を加重平均した年数（賃借人における取得価額をそれぞれの資産ごとに区分した上で、その金額ウェイトを計算の基礎として算定した年数）により判定を行っているときは、これを認めるものとされています。

　　また、再リースをすることが明らかな場合には、リース期間に再リースの

（116）

第2章　収益、費用とその帰属時期等

期間を含めて判定します。

(注2)　「賃借人の法人税の負担を著しく軽減することになると認められるもの」に該当しないものとして、下記のリース取引が示されています。（基通7-6の2-8）

　賃借人におけるそのリース資産と同一種類のリース資産に係る既往のリース取引の状況、当該リース資産の性質その他の状況からみて、リース期間の終了後に当該リース資産が賃貸人に返還されることが明らかなリース取引

リース取引の会計処理──リース取引会計基準と税法の対比

> **【問2-34】**　リース取引会計基準は、ファイナンス・リース取引の会計処理をどのように定めていますか。税法でのリース取引の処理方法は、リース取引会計基準の定める会計処理方法と同じと考えてよろしいですか。賃借人の処理方法について教えてください。

【答】　Ⅰ　リース取引会計基準の定めるリース取引の会計処理

　リース取引会計基準は、「ファイナンス・リース取引については、通常の売買取引に係る方法に準じて会計処理を行う。」（同基準9）とし、借手方の処理方法を次のとおり定めています。

①　リース取引開始日の処理……リース取引開始日に、下記の処理をします。（同基準10）

　　リース資産（リース物件）／リース債務（リース物件に係る債務）

　この処理での計上額は、原則として、下記の金額とします。（同基準11前段）

$$\binom{\text{リース契約締結時に合}}{\text{意されたリース料総額}} - \binom{\text{リース料総額に含まれている}}{\text{利息相当額の合理的な見積額}}$$

②　利息相当額……原則として、リース期間にわたり利息法により配分します。（同基準11後段）

③　リース資産の減価償却費……下記のとおりとします。（同基準12）

　イ　所有権移転ファイナンス・リース取引に係るリース資産……自己所有の固定資産に適用する減価償却方法と同一の方法により算定します。

　ロ　所有権移転外ファイナンス・リース取引に係るリース資産……原則として、リース期間を耐用年数とし、残存価額をゼロとして算定します。

（117）

Ⅱ　税法の定めるリース取引の会計処理

　税法は、法人がリース取引を行った場合には、リース取引の目的となる資産（リース資産）の賃貸人から賃借人への引渡しの時にリース資産の売買があったものとして、賃貸人又は賃借人である法人の各事業年度の所得の金額を計算するものとし（法64の2①）、売買取引に準じた処理をすることとしています。この処理方法は、リース取引会計基準と同じですから、リース取引開始日に上記Ⅰの①の処理をすることになります。

　次に、利息相当額の処理方法については、リース料の額の合計額のうち利息相当額から成る部分の金額を合理的に区分することができる場合には、リース料の額の合計額から利息相当額を控除した金額をリース資産の取得価額とすることができるものとし（基通7-6の2-9ただし書）、この場合、利息相当額は、リース期間の経過に応じて利息法又は定額法により損金の額に算入するものとされていますので（同通達(注)3）、上記のⅠの②にある利息法による配分も認められます。

　最後の③の減価償却費ですが、リース資産（所有権移転外リース取引により賃借人が取得したものとされる減価償却資産）の償却方法は、リース期間定額法とされ（法政令48の2①六、⑤四）、所有権移転リース取引により取得した資産は、その資産と区分が同じである他の資産について採用している償却方法によることになります。リース期間定額法の算式は次のとおりです。（法政令48の2①六）

$$償却限度額＝リース資産の取得価額\textbf{(注)} \times \frac{その事業年度でのリース期間の月数}{リース期間の月数}$$

　(注)　取得価額に残価保証額が含まれている場合は、取得価額から残価保証額を控除した金額とします。

　リース取引会計基準での所有権移転外ファイナンス・リース取引に係る資産の減価償却方法は、一般的に定額法が採用されますので、税法の償却方法と上記の③の減価償却方法は合致することになります。

　一方、リース取引会計基準と税法には、以下に述べる違いがあります。

①　税法には、【問2-37】で説明する「金銭の貸借として取り扱われるリース取引」の規定（法64の2②）がありますが、リース取引会計基準には、これに関する定めはありません。

第2章　収益、費用とその帰属時期等

② 　リース取引会計基準の適用の指針であるリース取引会計適用指針では、所有権移転外ファイナンス・リース取引について、個々のリース資産に重要性が乏しいと認められる場合には、オペレーティング・リース取引の会計処理に準じて、通常の賃貸借取引に係る方法に準じて会計処理を行うことができるものとし（同適用指針34）、重要性の乏しいと認められる例として、㋑リース期間が１年以内のリース取引、㋺企業の事業内容に照らして重要性の乏しいリース取引で、リース契約１件当たりのリース料総額が300万円以下のリース取引等を挙げています。（同適用指針35）税法には、この会計処理をそのまま認める規定はありませんが、所有権移転外リース取引について、賃借人が賃借料として損金経理した金額は、償却費として損金経理した金額に含まれるものとすると規定されていますので（法政令131の２③、【問２-36】参照）、所有権移転外リース取引について賃貸借処理をしても、税務上のデメリットは生じないことになります。

③ 　リース取引会計基準では、リース資産の取得価額は、原則として、リース料総額から利息相当額の合理的な見積額を控除するものとされていますが（同基準11前段）、税法では、リース資産の取得価額は、原則として、リース料の額の合計額としています。（基通７-６の２-９前段）ただし、リース料の額の合計額のうち利息相当額から成る部分の金額を合理的に区分することができる場合には、リース料の額の合計額から利息相当額を控除した金額をリース資産の取得価額とすることができますから（基通７-６の２-９ただし書）、この方法を採用した場合は、リース取引会計基準と合致します。

（119）

所有権移転外リース取引契約をした賃借人の会計処理

> **【問2-35】** 令和6年4月に、下記のとおりの所有権移転外リース取引契約を行いました。リース取引開始時及びリース期間中の会計処理は、どのようにすべきですか。
>
> リース資産／器具備品（法定耐用年数6年）
>
> リース期間／5年、リース料の総額300万円（月額5万円）
>
> リース料の内訳（リース契約書により区分されています。）
>
> 　リース資産の賃貸人の取得価額　270万円
>
> 　賃貸人の金利　30万円
>
> なお、当社は3月31日決算です。また、リース資産総額の重要性は、乏しいと認められます。

【答】 法人がリース取引を行った場合、そのリース取引の目的となる資産（リース資産）の賃貸人から賃借人への引渡しの時に当該リース資産の売買があったものとして、当該賃貸人又は賃借人である法人の各事業年度の所得の金額を計算します。（法64の2①）

　売買があったものとされることによって、賃借人は当該リース資産を取得したことになりますが、当該資産が御質問にある器具備品のような減価償却資産の場合、売買があったものとされる金額は、税法では購入した減価償却資産の取得価額として、次のイとロの合計額とします。（法政令54①一）

イ　当該資産の購入の代価（当該資産の購入のために要した費用がある場合には、その費用の額を加算した金額）

ロ　当該資産を事業の用に供するために直接要した費用の額

　売買があったものとされるリース資産の取得価額については、次のとおりの取扱いが示されています。（基通7-6の2-9）

　「賃借人におけるリース資産の取得価額は、原則としてそのリース期間中に支払うべきリース料の額の合計額による。ただし、リース料の額の合計額のうち利息相当額から成る部分の金額を合理的に区分することができる場合には、当該リース料の額の合計額から当該利息相当額を控除した金額を当該リース資産の取得価額とすることができる。」

（注1） 再リース料の額は、原則として、リース資産の取得価額に算入しません。

第2章　収益、費用とその帰属時期等

ただし、再リースをすることが明らかな場合には、当該再リース料の額は、リース資産の取得価額に含まれます。

(注2) リース資産を事業の用に供するために賃借人が支出する付随費用の額は、リース資産の取得価額に含まれます。

(注3) 本文のただし書の適用を受ける場合には、当該利息相当額はリース期間の経過に応じて利息法又は定額法により損金の額に算入します。

　リース取引をリース資産の売買として取り扱う場合、賃借人にとってその取引の実態が延払条件による資産の購入と似ていますので、上記の通達はそのただし書で、取得価額から利息相当額の部分を除外することを認めています。また、賃借人におけるリース資産の取得価額は、基本リース期間中におおむね全額が支弁されると考えられますので、再リース料の額は原則として取得価額に算入しませんが、再リースをすることが明らかな場合は、基本リース料の額と再リース料の額の合計額によって取得価額が支弁されますので、再リース料の額は取得価額に含めることになります。

(注) リース取引会計適用指針は、借手（賃借人）がリース取引開始日にリース資産及びリース債務に計上する場合の価額は、借手において当該リース物件の貸手（賃貸人）の購入価額等が明らかであるかどうかにより、次のイ又はロのとおりとするとしています。（同適用指針22）

　イ　明らかな場合……リース料総額（残価保証がある場合は、残価保証額を含みます。）を貸手の計算利子率（同適用指針17参照）で割引いた現在価値と、貸手の購入価額等のいずれか低い額

　ロ　明らかでない場合……イに掲げる現在価値と、見積購入価額とのいずれか低い額

　御質問の事例の会計処理は、次のとおりになります。

① 取引開始時（令和6年4月）の処理

リース資産（器具備品）　2,700,000円／リース債務　2,700,000円

(注1) リース資産は、原則として、有形固定資産、無形固定資産の別に、一括してリース資産として表示しますが、有形固定資産又は無形固定資産に属する各科目に含めることもできます。（リース取引会計基準16）

(注2) リース債務は、ワン・イヤー・ルールによって流動負債と固定負債に区分し、貸借対照表に表示します。（同基準17）

（121）

② リース期間中（令和７年３月期～令和11年３月期）の処理

イ　毎月のリース料の支払時の処理

リース債務　　45,000円　／　預　金　　50,000円
支 払 利 息　　 5,000円　／

支払利息は、原則としてリース期間中の各期に利息法により配分すべきですが（リース取引会計適用指針24）、リース資産総額に重要性が乏しいと認められる場合（未経過リース料の期末残高が当該期末残高、有形固定資産及び無形固定資産の期末残高の合計額に占める割合が10％未満の場合）は、定額法を採用できるとされていますので（同適用指針31⑵、32）、定額法により配分しています。

ロ　各事業年度における減価償却費の処理

減価償却費　　540,000円　／　リース資産（器具備品）　　540,000円

所有移転外リース取引に係るものですので、リース期間定額法により、各事業年度の減価償却費は、$2,700,000円 \times \dfrac{12}{60} = 540,000円$となります。

(注)　賃借人がリース期間終了の時に、そのリース取引の目的物であった資産を購入した場合（当該資産がリース期間終了の時に無償又は名目的な対価の額で賃借人に譲渡されるもの、若しくは賃借人に対し著しく有利な価額で買い取る権利が与えられているものを除きます。）の取得価額及び当該資産のその後の償却限度額は、次のとおりとされています。（基通７－６の２-10）

⑴　取得価額……その購入の直前における当該資産の取得価額にその購入の代価を加算した金額とします。

⑵　その後の償却限度額……次に掲げる区分に応じ、それぞれ次により計算します。

①　当該資産に係るリース取引が所有権移転リース取引であった場合　引き続き当該資産について採用している償却の方法により計算します。

②　当該資産に係るリース取引が所有権移転外リース取引であった場合　法人が当該資産と同じ資産の区分である他の減価償却資産（リース資産に該当するものを除きます。以下同じ。）について採用している償却の方法に応じ、それぞれ次により計算します。

イ　その採用している償却の方法が定率法である場合……当該資産と同じ資産の区分である他の減価償却資産に適用される耐用年数に応ずる償却率、改定償却率及び保証率により計算します。

第2章　収益、費用とその帰属時期等

　　ロ　その採用している償却の方法が定額法である場合……その購入の直前
　　における当該資産の帳簿価額にその購入代価の額を加算した金額を取得
　　価額とみなし、当該資産と同じ資産の区分である他の減価償却資産に適
　　用される耐用年数から当該資産に係るリース期間を控除した年数（その
　　年数に１年未満の端数がある場合には、その端数を切り捨て、その年数
　　が２年に満たない場合には、２年とします。）に応ずる償却率により計
　　算します。
　　なお、事業年度の中途にリース期間が終了する場合の当該事業年度の償却
　限度額は、リース期間終了の日以前の期間についてリース期間定額法により
　計算した金額と、リース期間終了の日後の期間について(2)により計算した
　金額との合計額とします。

賃借人がリース取引を賃貸借取引として処理している場合

> **【問2-36】**　賃借人が税法のリース取引に該当する取引を、通常の
> 　賃貸借取引として会計処理している場合、税法上どのように取り
> 　扱われますか。

【答】　税法のリース取引に該当する取引については、賃貸人から賃借人への
リース資産の引渡し時（リースの開始時）に売買があったものとして所得の
金額を計算するものとされていますが（法64の2①）、中小企業等では、リ
ース取引について、リース料の支払時に、賃借料として費用計上する会計処
理を採用していることが多いと思います。また、リース取引会計基準を適用
している場合でも、企業の事業内容に照らして重要性が乏しいリース取引で、
リース契約１件当たりのリース料総額が300万円以下の所有権移転外ファイ
ナンスリース取引については、通常の賃貸借取引として会計処理することが
認められています。（リース取引会計適用指針34、35）税法でもこうした事
情を考慮して、リース資産について賃借人が賃借料として損金経理した金額
は、償却費として損金経理した金額に含まれるものとする規定を置いていま
す。（法政令131の2③）
　この規定によりますと、具体的には次のとおりとなります。【問2-35】の
事例について賃貸借取引として会計処理をしますと、毎月、次の仕訳が行わ
れ、リース期間中の各事業年度の賃借料は60万円となり、この額が償却費と

（123）

して損金経理した額となります。

　　賃借料　50,000円　／　預　金　50,000円

　一方、リース期間定額法によりますと、各事業年度の減価償却限度額は次のとおり、60万円となり、減価償却過不足は発生しません。

$$3,000,000円 \times \frac{12月}{60月} = 600,000円$$

(注)　中小企業では、通常、利息部分も含めて賃借料として会計処理しますので、上記のとおりの仕訳となります。また、税法では、リース資産の取得価額は、原則として、リース料総額によりますので（基通7-6の2-9本文）、上記の減価償却限度額の計算も300万円を取得価額としています。なお、リース取引会計基準を適用している場合は、原則として、利息部分は区分する必要がありますが、税法でも、利息相当額を合理的に区分できる場合は、その額をリース資産の取得価額から控除してよいものとされています。（基通7-6の2-9ただし書）支払利息を区分した場合、毎月の仕訳は次のとおりで、リース期間中の各事業年度の賃借料は54万円となり、この額が償却費として損金経理した額となります。

　　　賃借料　45,000円　／　預　金　45,000円

　一方、リース期間定額法によりますと、各事業年度の減価償却限度額は次のとおり、54万円となり、減価償却過不足は発生しません。

$$2,700,000円 \times \frac{12月}{60月} = 540,000円$$

　償却費として損金経理した額に含まれるリース取引に係る賃借料については、申告書に減価償却に関する明細書を添付しなければならないという要件が除外されています。（法政令63①かっこ書）賃貸借取引の処理をするため、リース資産は会計上簿外資産になりますので、その償却費として損金経理した額に含まれるものとされた額についての別表十六(四)(旧国外リース期間定額法若しくは旧リース期間定額法又はリース期間定額法による償却額の計算に関する明細書）の記載とその確定申告書への添付は不要です。ただし、償却超過額が生じたときは、その額について別表四と別表五(一)のⅠを記載し、減価償却に関する明細書を用いるなどにより、その計算を明らかにする必要があります。

　なお、上記の事例は、所有権移転外リース取引ですので、リース期間定額法により償却限度額を計算することになりますから、結果的に損金経理した賃借料の額と償却限度額が同額になりますが、所有権移転リース取引の場合

（124）

第2章　収益、費用とその帰属時期等

の償却限度額は、自己所有の場合と同一の減価償却方法や耐用年数により計算しますので、通常、減価償却過不足が生じることになります。

(注)　税法のリース取引について、消費税での課税仕入れの時期は、リース物件の引渡し時とされています（消通11-3-2）が、国税庁の質疑応答事例では、所有権移転外リース取引については、賃貸借取引として会計処理している場合、そのリース料について支払うべき日の属する課税期間の課税仕入れとして消費税の申告をしても、差し支えないものとされています。

リース取引に係る一連の取引が実質的に金銭の貸借と認められるものとその取引の処理方法

> **【問2-37】**　会社が所有する機械をリース会社に売却して即時リース会社から賃借する場合、実質的にリース会社から金銭の貸付けを受けたのに等しいため、リース料のうち借入金の分割返済に該当する部分の金額は損金の額に算入されないそうですが、どのように処理するのですか。

【答】　御質問のように、会社の所有資産をいったんリース会社に売却し、即時リース会社から借り受けるいわゆるリース・バック取引は、当該資産を譲渡担保としてリース会社を貸主、会社を借主とする金銭の貸借取引の性格が強いといえます。このため税法は、「法人が譲受人から譲渡人に対する賃貸（リース取引に該当するものに限る。）を条件に資産の売買を行った場合において、当該資産の種類、当該売買及び賃貸に至るまでの事情その他の状況に照らし、これら一連の取引が実質的に金銭の貸借と認められるときは、当該資産の売買はなかったものとし、かつ、当該譲受人から当該譲渡人に対して金銭の貸付けがあったものとして、当該譲受人又は譲渡人である法人の所得の金額を計算する」と規定しています。（法64の2②）

(注)　「一連の取引が実質的に金銭の貸借と認められるとき」に該当するかどうかは、取引当事者の意図、その資産の内容等から、その資産を担保とする金融取引を行うことを目的とするものであるかどうかにより判定します。したがって、例えば、①や②はこれに該当しないものとされています。（基通12の5-2-1）

①　譲渡人が譲受人に代わって資産を購入することに次のイ～ハに掲げるような相当な理由があり、かつ、その購入価額を立替金、仮払金等の仮勘定で経

（125）

理し、譲渡人の購入価額により譲受人に譲渡するもの

　　イ　多種類の資産を導入する必要があるため、譲渡人において当該資産を購入した方が事務の効率化が図られること

　　ロ　輸入機器のように通関事務等に専門的知識が必要とされること

　　ハ　既往の取引状況に照らし、譲渡人が資産を購入した方が安く購入できること

　②　法人が事業の用に供している資産について、当該資産の管理事務の省力化等のために行われるもの

　金融取引とされた場合の譲渡人の処理は、次のとおり示されています。(基通12の5-2-2)

①　当該リース資産の譲受人への譲渡はなかったものとされますので、その資産の売買により譲渡人が譲受人から受け入れた金額は、借入金の額として取り扱います。

②　譲渡人がリース期間中に支払うべきリース料の合計額のうちその借入金の額に相当する金額については、当該借入金の返済をすべき金額（以下「元本返済額」といいます。）として取り扱います。この場合において、譲渡人が各事業年度において支払うリース料の額に係る元本返済額とそれ以外の金額との区分は、通常の金融取引における元本と利息の区分計算の方法に準じて合理的に行うのですが、譲渡人が当該リース料の額のうちに元本返済額が均等に含まれているものとして処理しているときは、これが認められます。

　また、譲渡人がその資産につき賃借料として損金経理した金額は、償却費として損金経理した金額に含まれます。(法政令131の2③)

資産のリース・バック取引が金銭の貸借取引とされたときの具体例

> 【問2-38】【問2-37】のリース・バック取引について、金銭の貸借取引とされた場合の処理方法を、具体例で説明してください。

【答】　下記の事例で説明します。

　〔事例〕3月31日決算の法人が、令和6年4月に下記のリース・バック取引を
　　　　行いました。税法では金銭の貸借取引とされますが、会計処理はリース

（126）

第2章　収益、費用とその帰属時期等

・バック取引として行っています。

①　リース・バック取引の対象とした資産　　取得価額3,000万円（耐用年数10年／償却方法…定額法／毎年の償却限度額　3,000万円×0.100＝300万円）

②　①の資産をリース会社に譲渡した金額　2,700万円（譲渡損失　3,000万円－2,700万円＝300万円）

③　リース・バックによるリース期間　5年
　　　リース料の合計額　3,600万円（月額60万円）

　Ⅰ資産をリース会社に譲渡したときと、Ⅱリース・バックによるリース期間中の会計処理及び申告調整方法は、次のとおりになります。

Ⅰ　資産をリース会社に譲渡したとき……リース・バック取引として下記(1)の仕訳をしていますが、税法の規定する金銭貸借取引の仕訳は、下記の(2)となります。

(1) リース・バック取引とする場合の仕訳

　　　　　　現　　　金　2,700万円　／　資　　　産　3,000万円
　　　　　　譲　渡　損　　300万円　／

(2) 金銭の貸借取引とする場合の仕訳

　　　　　　現　　　金　2,700万円　／　借　入　金　2,700万円

　このため、別表四で(1)の仕訳での譲渡損300万円を加算（処分は留保）し、別表五(一)Ⅰには、(1)の仕訳で簿外処理をした資産3,000万円をプラス、(2)の仕訳をしていないことにより簿外負債となった借入金2,700万円をマイナスで③欄に記載し、利益積立金額を300万円増加させます。

Ⅱ　リース期間中の各事業年度（令和7年3月期から令和11年3月期まで）……リース・バック取引の場合リース会社へ譲渡した資産をリース会社からリースしているとしますので、下記(1)のリース料の支払の仕訳をしますが、税法の規定する金銭貸借取引の仕訳では、リース会社へ毎年支払う720万円（60万円×12）はリース料でなく、借入金の返済額540万円（2,700万円×$\frac{12}{60}$）と支払利息等180万円（720万円－540万円）となります。

(1) リース・バック取引とする場合の仕訳

　　　　　　リ ー ス 料　720万円　／　現　　　金　720万円

（127）

(2)　金銭の貸借取引とする場合の仕訳

借　入　金　540万円　／　現　　　金　720万円
支払利息等　180万円
減価償却費　300万円　／　資　　　産　300万円

　このため、別表四で(1)の仕訳のリース料720万円を加算し、(2)の仕訳の支払利息等180万円と減価償却費300万円を減算（いずれも処分は留保）して所得の金額を240万円（720万円－（180万円＋300万円））増加させ、別表五(一)Ⅰではその②欄（当期の減の欄）に(2)の仕訳をしていないことによる簿外借入金の返済額540万円をマイナス、簿外資産の減価償却費300万円をプラスで記載し、利益積立金額を240万円増加させます。

(注)　賃借料（リース料）として損金経理した金額は、減価償却費として損金経理した金額に含まれます。（法政令131の2③後段）

　リース期間中の各事業年度における損金算入否認額と各事業年度末におけるその累計額及び別表五(一)Ⅰでの内訳は、次のとおりになります。

（単位：万円）

	令和7年3月期	8年3月期	9年3月期	10年3月期	11年3月期
(1)リース・バック取引とする場合					
中古資産の譲渡損失	300	—	—	—	—
リ　ー　ス　料	720	720	720	720	720
計　損金経理した金額　㋑	1,020	720	720	720	720
(2)金銭の貸借取引とする場合					
リース料のうちその他の額	180	180	180	180	180
減価償却費	300	300	300	300	300
計　損金算入できる額　㋺	480	480	480	480	480
差引損金算入否認額　㋩＝㋑－㋺	540	240	240	240	240
その累計額　㊁	540	780	1,020	1,260	1,500
(㊁の内訳)					
簿　外　資　産	2,700	2,400	2,100	1,800	1,500
簿　外　借　入　金	△2,160	△1,620	△1,080	△540	

　最終的に、リース期間の終わる令和11年3月期末には簿外資産が1,500万円残りますが、金銭の貸借とする場合の減価償却費300万円の認容はその翌

事業年度（令和12年３月期）以後の各事業年度も続きますので、簿外資産は
その耐用年数10年が到来する令和16年３月期に消滅することになります。

リース譲渡に係る収益及び費用の計上の特例

> **【問２-39】** 法人税法上のリース取引を行った場合、リース資産の
> 賃貸人は、どの時点で収益及びそれに対応する費用を計上すれば
> よろしいですか。

【答】 リース取引を行った場合、リース資産の引渡し時に売買があったもの
として所得の計算を行いますので（法64の２①）、引渡しのあった日の属す
る事業年度に、リース譲渡（法人税法上のリース取引に係るリース資産の引
渡しをいいます。）に係る対価の額及びその原価の額を収益及び費用に計上
することが原則です。ただし、リース譲渡に係る収益の額及び費用の額につ
いて、そのリース譲渡の日の属する事業年度以後の各事業年度の確定した決
算において延払基準の方法により経理したときは、その経理した収益の額及
び費用の額が、各事業年度の所得の金額の計算上、益金の額及び損金の額に
算入されます。（法63①）なお、延払基準での計算方法として、以下の①と
②の二つの方法が認められます。（法政令124①②）、また、延払基準以外に、
リース譲渡に係る収益及び費用の計上方法の特例（下記③）が認められてい
ます。（法63②、法政令124③④）したがって、リース譲渡に係る収益及び費
用の計上については、三つの特例があることになります。それぞれの方法に
ついて以下で説明します。

　(注) 収益認識会計基準の公表により、平成30年度の税法改正で長期割賦販売等に
　　　係る延払基準は廃止されましたが、収益認識会計基準はリース取引会計基準の
　　　範囲に含まれるリース取引には適用されないため、税法上も、リース譲渡につ
　　　いては延払基準が残されています。

① 通常の延払基準の方法（法63①、法政令124①一、②）……次の算式で、
　収益の額及び費用の額を計算する方法です。

　　その事業年度の収益の額＝リース譲渡に係る対価の額×賦払金割合

　　その事業年度の費用の額＝リース譲渡に係る原価の額**(注)** ×賦払金割合

　　(注) リース譲渡に係る原価の額には、リース譲渡に要した手数料の額を含み

ます。

賦払金割合は、次の算式で計算します。

$$賦払金割合 = \frac{その事業年度に支払期日が到来するものの合計額\textbf{(注)}}{リース譲渡に係る対価の額}$$

(注) この金額は、その事業年度に支払期日が到来する賦払金のうち前事業年度までに支払を受けている金額を差引き、翌事業年度以後に支払期日が到来する賦払金のうちその事業年度に支払を受けた金額を加算します。

② リース譲渡に係る延払基準の方法（法63①、法政令124①二）……次の(1)及び(2)の合計金額をその事業年度の収益の額とし、(3)の金額をその事業年度の費用の額とする方法です。

(1) （リース譲渡に係る対価の額 − 左記に含まれる利息相当額）

$$\times \frac{その事業年度におけるリース期間の月数}{リース期間の月数}$$

(2) リース譲渡の利息相当額が元本相当額（リース譲渡に係る対価の額から利息相当額を控除した額）のうち支払期日が到来していないものの金額に応じて生ずるものとした場合に、その事業年度におけるリース期間に帰せられる利息相当額（つまり、利息法によるその事業年度への配分額）

(3) リース譲渡に係る原価の額 $\times \dfrac{その事業年度におけるリース期間の月数}{リース期間の月数}$

(注) 上記の月数は暦に従って計算し、1か月に満たない端数は1か月とします。（法政令124⑤）

③ リース譲渡に係る収益及び費用の計上方法の特例（法63②、法政令124③④）……次の(1)及び(2)の金額の合計額をその事業年度の収益の額とし、(3)の金額をその事業年度の費用の額とする方法です。

(注) この特例を受けるには、確定申告書に別表十四(八)「リース譲渡に係る収益及び費用の益金及び損金算入に関する明細書」の添付が必要です。（法63⑥）

(1) （リース譲渡に係る対価の額 − 下記算式で計算した利息相当額）

$$\times \frac{その事業年度におけるリース期間の月数}{リース期間の月数}$$

第2章　収益、費用とその帰属時期等

　利息相当額

　　＝（リース譲渡に係る対価の額－リース譲渡に係る原価の額）×20％

(2)　リース譲渡に係る賦払金の支払を、支払期間をリース期間と、支払日をリース譲渡に係る対価の支払期日と、各支払日の支払額をリース譲渡に係る対価の各支払日の支払額と、利息の総額を利息相当額と、元本の総額を元本相当額（リース譲渡に係る対価から利息相当額を控除した金額）とし、利率を支払期間、支払日、各支払日の支払額、利息の総額及び元本の総額を基礎とした複利法により求められる一定の率として賦払の方法により行うとした場合に、その事業年度におけるリース期間に帰せられる利息の額に相当する金額

(3)　リース譲渡に係る原価の額 $\times \dfrac{\text{その事業年度におけるリース期間の月数}}{\text{リース期間の月数}}$

(注)　上記の月数は暦に従って計算し、1か月に満たない端数は1か月とします。

　（法政令124⑤）

（131）

第3章　受取配当等の益金不算入

第1節　受取配当等の範囲

所有株式をその発行会社により自己株式として買い取られた場合のみなし配当（Ⅰ）

【問3-1】　A社（発行済株式総数20万株、資本金等の額100百万円の非上場会社）は、当社が18万株、甲社が2万株を所有する当社の子会社で、経営成績がよく、1株当たりの純資産額は1万円（会社設立時に払い込んだ1株当たりの金額500円の20倍）になっています。甲社の所有株2万株は、A社の設立時に当社とのつき合いで所有してもらった株式ですが、今般1株当たり1万円で買い取り、A社を当社の完全子会社にしたいと甲社に申し入れたところ、当該株式の譲渡益190百万円（（10,000円－500円）×20,000株）に対する課税について有利な方法があれば考慮してもよいとの回答を得ました。甲社の所有する株式2万株をA社が自己株式として200百万円で買い取ることとしてはどうかという意見が出ていますが、その場合、甲社及びA社での税務の取扱いはそれぞれどのようになるのか、教えてください。

【答】　株式会社は所定の手続を採ることにより、特定の者から自己株式を買い受けることができます。御質問の場合は、A社が定時総会において、「次回の定時総会の時までに、甲社より自社の普通株式20,000株を200百万円で買い受ける」旨を決議することにより、甲社が所有するA社の株式20,000株を、自己株式として取得することができます。（会社法156①）

（注）　会社法第156条第1項は、株主との合意による自己株式の有償取得について、次のとおり規定しています。

「株式会社が株主との合意により当該株式会社の株式を有償で取得するには、あらかじめ、株主総会の決議によって、次に掲げる事項を定めなければならな

（132）

　　　　　　　　　　　　　　　　　　　第3章　受取配当等の益金不算入

い。ただし、第3号の期間は、1年を超えることができない。

　1　取得する株式の数（種類株式発行会社にあっては、株式の種類及び種類ご
　　との数）

　2　株式を取得するのと引換えに交付する金銭等（当該株式会社の株式等を除
　　く。）の内容及びその総額

　3　株式を取得することができる期間」

　御質問の場合、自己株式の買受先を甲社と特定されていますので、上記の
決議は特別決議（議決権を行使することができる株主の議決権の過半数を有
する株主が出席し、出席した株主の議決権の$\frac{2}{3}$以上に当たる多数をもって
行う決議）であることを要しますが（会社法309②二）、貴社が議決権の90％
を所有されていますので、当該決議を得るについての問題は生じません。

（注）　会社法は、特定の株主からの自己株式の取得について、「株式会社は、第156
　　条第1項各号に掲げる事項の決定に併せて、同項の株主総会の決議によって、
　　第158条第1項の規定による通知（自己株式の取得価額等の株主に対する通知）
　　を特定の株主に対して行う旨を定めることができる。」と規定し（会社法160①）、
　　この株主総会の決議は、特別決議でなければならないと規定しています。（同
　　法309②二）

　甲社は、当該株式をA社へ譲渡することによって、190百万円の株式譲渡
益を得ることになりますが、法人税法第24条第1項に、「法人（A社）の株
主等である内国法人（甲社）が、当該法人（A社）の自己の株式の取得（同
項第4号）により金銭の交付を受けた場合において、その金銭の額（200百
万円）が当該法人の資本金等の額のうちその交付の基因となった当該法人の
株式に対応する部分の金額を超えるときは、その超える部分の金額は、剰余
金の配当とみなす。」と規定されています。

（注）　㋑金融商品取引所の開設する市場における購入、㋺店頭売買登録銘柄として
　　登録された株式のその店頭売買による購入、㋩金融商品取引法第2条第8項に
　　規定する金融商品取引業のうち同項第10号に掲げる行為を行う者が同号の有価
　　証券の売買の媒介等として行うその売買、㋥事業の全部の譲受け、㋭合併又は
　　分割若しくは現物出資（適格分割若しくは適格現物出資又は事業を移転し、かつ、
　　当該事業に係る資産に当該分割若しくは現物出資に係る分割承継法人若しくは
　　被現物出資法人の株式が含まれている場合の当該分割又は現物出資に限りま
　　す。）による被合併法人又は分割法人若しくは現物出資法人からの移転、㋬適

（133）

格分社型分割による分割承継法人からの交付、ⓑ金銭等不交付株式交換による株式交換完全親法人からの交付、ⓒ合併に反対する被合併法人の株主等の買取請求に基づく買取り、ⓓ単元未満株式又は端株の買取請求権の行使による買取り等は、上記の「自己の株式の取得」から除かれますが（法24①五かっこ書、法政令23③）、御質問の場合は、このいずれにも該当しません。

　上記の「当該法人（A社）の資本金等の額のうちその交付の基因となった当該法人の株式に対応する部分の金額」は、次の算式で計算される金額です。（法政令23①六イ）

$$
\text{自己株式の取得等の直前の資本金等の額} \times \frac{\text{内国法人（甲社）が当該取得等の直前に有していた取得法人（A社）の当該自己株式の取得等に係る株式の数}}{\text{取得法人（A社）の当該取得等の直前の発行済株式の総数等}}
$$

　御質問の場合、この金額は、$100\text{百万円} \times \dfrac{20,000\text{株}}{200,000\text{株}} = 10\text{百万円}$ ですので、みなし配当の金額は、200百万円－10百万円＝190百万円となり、御質問の場合は、株式譲渡益の金額と同額になります。みなし配当は、法人税法及び所得税法の規定の適用については、剰余金の配当とみなされますので（法24①、所法25①）、受取配当等の益金不算入の規定が適用され、甲社が貴社に当該株式を譲渡することとした場合の株式譲渡益に比べて、課税上有利な取扱いを受けることができます。

　(注)　甲社のA社株式の所有割合は10％のため、A社株式はその他の株式等に該当し、受取配当等の益金不算入割合は50％となります。

　なお、上記のように、みなし配当は所得税法上も剰余金の配当とみなされますので、A社は配当に係る所得税190百万円×0.2＝38百万円と復興特別所得税38百万円×$\dfrac{2.1}{100}$＝798千円の源泉徴収（所法181①、182二、復興財源確保法28①②）を行い、甲社は源泉徴収された金額について、所得税額の控除の規定（法68）の適用を受けることになります。

　一方、A社が甲社から自己株式2万株を200,000千円で買い受けたときの仕訳は、次のとおりになります。

・会計上の仕訳　自己株式　200,000千円　／　預　金　161,202千円

　　　　　　　　　　　　　　　　　　　　　預り金　 38,798千円

・税務での仕訳　自己株式　　　 10,000千円　／　預　金　161,202千円

　　　　　　　　利益積立金額　190,000千円　／　預り金　 38,798千円

（134）

第3章　受取配当等の益金不算入

（注1） 預り金38,798千円は、みなし配当190,000千円に対する源泉所得税38,000千円と復興特別所得税798千円です。

（注2） 自己株式等の取得に当たり交付した金銭の合計額200百万円が自己株式の取得資本金額（その金額は、上記の「A社の資本金等の額のうちその交付の基因となった株式に対応する部分の金額」と同じです。）10百万円を超える部分の金額190百万円は、税法では利益積立金額の減額となります。（法政令9十四）

税務上の仕訳と会計上の仕訳の差異は、別表四と別表五(一)のⅠに次のとおりの記載をして、調整します。

所得の金額の計算に関する明細書

区　　　分		総　額	処　　分		別表四
			留　保	社外流出	
		①	②	③	
当期利益又は当期欠損の額	1	円	円	配　当 190,000,000 円	
				その他	

利益積立金額及び資本金等の額の計算に関する明細書　事業年度　：　：　法人名　A 社　別表五(一)

Ⅰ　利益積立金額の計算に関する明細書

区　　分		期首現在利益積立金額	当　期　の　増　減		差引翌期首現在利益積立金額 ①-②+③
		①	減 ②	増 ③	④
利　益　準　備　金	1	円	円	円	円
積　　立　　金	2				
資本金等の額	3			△190,000,000	△190,000,000
	4				

Ⅱ　資本金等の額の計算に関する明細書

区　　分		期首現在資本金等の額	当　期　の　増　減		差引翌期首現在資本金等の額 ①-②+③
		①	減 ②	増 ③	④
資本金又は出資金	32	円	円	円	円
資　本　準　備　金	33				
自　己　株　式	34			△200,000,000	△200,000,000
利益積立金額	35			190,000,000	190,000,000
差　引　合　計　額	36				

（説明） 自己株式の取得は資本等取引ですので所得の金額に影響しませんが、税法上みなし配当となる190百万円は社外流出となりますので、別表四

（135）

では190百万円を社外流出とする記載が必要になります。別表四の記載要領3に「①の社外流出③の配当の欄は、（中略）当該事業年度に生じた法人税法施行令第9条第12号から第14号（自己株式の取得等により生じたみなし配当の金額）までに掲げる金額の合計額を記載すること」とされていますので、社外流出となるみなし配当190百万円は、別表四に上記のとおりの記載をします。

　別表五（一）のⅡには、その③欄と④欄に純資産の部にマイナス表示される自己株式200百万円をマイナスで記載しますが、税務ではそのうちの190百万円は利益積立金額のマイナスになりますので、この金額を③欄と④欄にプラスで記載し、資本金等の額のマイナスとなる金額を差引10百万円とします。同表のⅠの③欄と④欄には、区分欄を「資本金等の額」として、税務で利益積立金額のマイナスとなる190百万円を記載します。これにより自己株式の取得に当たり交付した200百万円は、利益積立金額のマイナスとして190百万円、資本金等の額のマイナスとして10百万円が、別表五（一）のⅠとⅡにそれぞれに記載されることになります。

所有株式をその発行会社により自己株式として買い取られた場合のみなし配当（Ⅱ）

> 【問3-2】　【問3-1】の場合、甲社が所有するＡ社の株式2万株がＡ社の設立時に10百万円（500円×20,000株）で取得したものでなく、Ａ社の設立後に50百万円（2,500円×20,000株）で取得したものであった場合、甲社の株式譲渡益は、200百万円－50百万円＝150百万円となりますが、みなし配当の金額も190百万円でなく、150百万円になるのですか。

【答】　御質問の場合、甲社の株式譲渡益の額は150百万円になりますが、みなし配当の金額は、甲社が譲渡するＡ社株式の取得価額（帳簿価額）によって変わらず、【問3-1】に記載したとおり190百万円になります。これは、法人税法第24条第1項において、みなし配当の金額が、「交付を受けた金銭の額が当該法人の資本金等の額のうちその交付の基因となった当該法人の株式に対応する部分の金額を超える金額」と規定されているからです。

（136）

第3章 受取配当等の益金不算入

　これにより、甲社の株式譲渡益の額が150百万円であるにもかかわらず、当該額を超える190百万円がみなし配当の金額となり、その差額40百万円は、A社株式の譲渡損となります。これを図示しますと、次のとおりです。

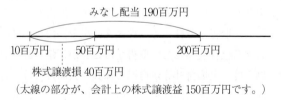

（太線の部分が、会計上の株式譲渡益150百万円です。）

　仮に、甲が所有するA社株式2万株の取得価額が8百万円（400円×20,000株）であった場合は、甲社の株式譲渡益192百万円（200百万円－8百万円）は、税務では190百万円がみなし配当の額、2百万円が株式の譲渡益となります。

自己株式等の取得が予定されている株式等に係る受取配当等益金不算入の規定の不適用

> 【問3-3】　法人が所有株式を自己株式として買い取られた場合のみなし配当等について、受取配当等の益金不算入の規定が適用されない場合があるとのことですが、その内容を説明してください。
> 　【問3-1】及び【問3-2】での甲社が所有するA社の株式がA社に自己株式として買い取られた場合は、どうなのでしょうか。

【答】　法人の有する株式がその発行法人に自己株式として取得された場合、【問3-2】の事例にあるように、当該株式の会計上の譲渡益の額の150百万円を超える金額190百万円がみなし配当となって受取配当等益金不算入の規定が適用され、その差額40百万円が譲渡損となることがあり得ます。

　税法の規定のこの適用方法は、理論として整合していますが、特定の場面ではこのような処理をすることが適切でないこともありますので、法人税法第23条第3項に「法人がその受ける配当等の額（法人税法第24条第1項第5号の規定により、その法人が受ける配当等の額とみなされる金額に限る。）の元本である株式又は出資で、みなし配当の額が生ずる基因となる自己株式の取得が生ずることが予定されているものの取得をした場合におけるその取

(137)

得をした株式又は出資に係るみなし配当の額については、受取配当等益金不算入の規定を適用しない。」という規定が設けられています。

　この規定によって、法人が受ける配当等の額について受取配当等の益金不算入の規定が適用されないこととなる「自己株式等の取得が予定されている株式等」とは、法人が取得する株式等（株式又は出資）について、その取得の時に、発行法人が自己株式等として取得することが予定されているものをいいますので、例えば、上場会社等が自己の株式の公開買付けを行う場合における公開買付期間中に、法人が取得した当該上場会社等の株式等がこれに該当します。（基通3-1-8）

　要するに、公開買付けを行っている上場会社等の株式を、その公開買付期間中に法人が取得した場合、公開買付けによって当該株式を当該上場会社に譲渡したことにより受けるみなし配当の額は、受取配当等の益金不算入の規定が適用されません。しかし、当該株式について当該公開買付期間における買取り株式が予定数に達したこと等のために、当該公開買付けによる買付けが行われなかったときは、その後例えば次の公開買付け等によって当該株式を自己株式として譲渡しみなし配当の額を受けたとしても、当該配当等については上記の法人税法第23条第3項の規定の適用はなく、受取配当等益金不算入の規定が適用されます。（同通達（注））

　【問3-1】及び【問3-2】でのA社株式は、甲社の取得時に自己株式として買い取られることが予定されていませんので、法人税法第23条第3項の規定の適用はなく、受取配当等益金不算入の規定が適用されます。

（138）

第3章 受取配当等の益金不算入

名義書換え失念株に対して受領した配当金等についての受取配当等益金不算入の規定の適用関係

> 【問3-4】 次のような配当金を収益に計上した場合、税務上受取
> 配当等益金不算入の規定を適用することができますか。
> ① 譲渡ずみの株式について譲受人が名義書換えをしていなかっ
> たことにより受け取った配当金
> ② 定款に定めた配当金の支払期間（支払開始の日から3年間と
> 定めています。）の経過により、会社に帰属することとなった
> 未払配当金

【答】 ①について……法人の受取配当金が益金不算入の対象となるためには、当該配当金の元本である株式等を法人が所有していて、株主等の地位に基づいて受け取ったものであることを要します。貴社は、御質問にある株式を配当受給権者が確定するその支払に係る基準日までに譲渡していますので、当該株式の配当金は、その譲受人が株主として受け取る権利のあるものです。

(注) 会社法第457条第1項は、「配当財産は、株主名簿に記載し、又は記録した株主の住所又は株主が株式会社に通知した場所において、これを交付しなければならない。」と規定しています。これは、名義書換えが会社に対する対抗要件にすぎないことを意味するもので、法的に配当金を受け取る権利があるのは、当該株式を譲り受けたにもかかわらず、名義書換えを失念している株主です。

したがって、貴社の受取配当金でありませんので、受取配当等の益金不算入の規定の適用を受けることはできません。（基通3-1-2本文）

ただし、配当権利落後その支払に係る基準日までの間に譲渡した株式について、剰余金の配当の額を受けたときは、譲受人が剰余金の配当を受取ることができないという前提で配当権利落ちしており、譲渡人に配当権利落ちに対する見返りとして配当金を受領する権利がありますので、受取配当等の益金不算入の規定の適用を受けることができます。（基通3-1-2ただし書）

なお、譲受人が名義書替えを失念した株式に対する配当は、「預り金」に計上し、譲受人から申出があった場合、譲受人との話合いで貴社に帰属することが決まった金額を雑収入に計上すべきです。譲受人から何も申出がないときは、時効完成時まで「預り金」に計上することになりますが、金額が僅

（139）

少の場合は、受取時に雑収入、返済時に雑損失という処理をすることが多い
でしょう。

(注) 当該配当金について源泉徴収された所得税には、所得税額の控除の規定（法
68）も適用されませんので（基通16-2-1参照）、雑収入に計上する金額は税
引後の手取額となります。

②について……御質問の未払配当金の会社への帰属は、外部の株主に対し
て支払われるべき未払配当金が定款に定める期間の経過によって会社に帰属
したものであり、受取配当でなく債務免除益です。剰余金の配当は、課税済
み所得の分配ですので、その支払債務の免除益に課税すると二重課税になる
のでないかともいえますが、受取配当でなく債務免除益ですから益金不算入
とする理由がなく、そのまま益金の額に算入されます。

(注) この場合の債務免除となる額も源泉所得税納付後の金額ですが、当該所得税
についても税額控除の規定（法68）は適用されません。配当については、その
支払の確定した日から１年を経過した日までにその支払がされない場合、１年
を経過した日にその支払があったものとみなして所得税を源泉徴収して納付し
なければなりませんので（所法181②）、債務免除を受ける配当金に対する源泉
所得税は納付済みですが、配当金を受領しなかった株主に係る所得税であり、貴
社が過誤納金として還付を受けることはできません。(所基通181〜223共-2(注))

第3章　受取配当等の益金不算入

従業員名義の自己株式に係る配当についての受取配当等益金不算入の規定の適用の可否

> 【問3-5】　当社には、自己株式であるにもかかわらず、株主の名義を従業員とし、当該従業員に対する無利息の貸付金として資産に計上しているものがあります。配当は名義上の株主である当該従業員に支出しますが、そのまま当社に返還させています。この返還受入れ額を、会社が保有する株式に係る受取配当として、益金不算入の規定を適用することができますか。

【答】　御質問の処理は、①自己株式には配当をすることができない（会社法453かっこ書）及び②自己株式の取得は資産の取得でなく株主に対する資本の払戻しであり、貸借対照表において資産の部に計上せず、純資産の部の株主資本に自己株式の科目を設けて控除項目として記載しなければならない（会社計規76②五）という会社法の規定に反するものです。

　実態は従業員貸付金でなく自己株式ですので、当該自己株式に対する配当はあり得ず、名義株主である従業員に支払われた配当は仮払金であり、当該仮払金がそのまま返還されたと考えるべきです。自己株式に対する配当が支払われ、当該配当の受取りがあったとして会社の保有する株式に係る受取配当等の益金不算入の規定を適用することができるという見解は、採ることができません。会社法に違反する処理について、税法上有利な取扱いがされるようなことは、法秩序の維持の点からも許されないものです。

　なお、御質問の場合、従業員に対する貸付金はありませんので、無利息であることに伴う認定給与の問題は生じません。早急に、会社計算規則第76条第2項第5号の規定どおりの処理に訂正してください。

　また、従業員株主に対する配当として支払ったときに源泉徴収して納付した所得税は、税務署に過誤納付であった旨を説明して還付請求してください。

（141）

信用取引又は株式の消費貸借取引により受け取る配当落調整額相当額等

> **【問3-6】** 下記の受取金には、受取配当等益金不算入の規定が適用されますか。
> ① 信用取引で株式の買付けをしている間に証券会社から受け取った配当落調整額に相当する金額。
> ② 株式の消費貸借取引で株式の貸出しをしている間に受け取った配当金相当額。

【答】 ①について……信用取引で株式の信用買いをした場合、取得した株式は証券会社等に担保として預けますが、当該株式が信用売りをする者によって売却されますと実株がなくなりますので、配当を受けることができません。また、信用売りされていない株式についても、証券会社等が担保として自己の名義で株券を預っていますので、証券会社等に配当金が支払われ、信用買いをした者は配当を受けることができません。

この場合、配当権利付きで株式の信用買いをした者が、配当権利落後に当該株式を売却して決済しますと、相場変動による売買損益以外に配当金相当額の損失が生じますので、信用売りをした者から徴収する配当金相当額又は証券会社等が受け取った配当に相当する金額を、信用買いをした者に支払うこととされています。これが配当落調整額です。(基通2-3-2(注))

このように配当落調整額は、㋑信用売りをした者から徴収した配当金相当額又は㋺証券会社等に預けてある株式に対する配当金で構成されていますが、㋑は信用売りした者から信用買いした者に支払う調整金であり、当該株式の発行会社が支払った配当ではありませんので、受取配当等益金不算入の規定の適用対象となるものではありません。一方、㋺については、名義株に対する配当として受取配当等益金不算入の規定を適用すべきである(基通3-1-1)ともいえますが、実務上信用買いをした者が受け取る配当落調整額を㋑と㋺とに区分することが不可能であること、配当落調整額は売買価格の調整金とみられることから、全額受取配当等益金不算入の規定の適用対象としないこととされています。(基通3-1-6)

なお、信用買いを行った者が証券業者等から支払を受ける配当落調整額は、原則として買付けに係る対価の額から控除するものとされていますが(基通

(142)

第3章　受取配当等の益金不算入

2-3-2(5))、継続適用を条件として、その発生に応じ、収益として益金の
額に算入することが認められています。（基通2-3-2ただし書）

　　(注)　配当落調整額に関する上記の取扱いとは関係なく、法人の行った信用取引の
　　　うち事業年度終了の時において決済されていないものは、その時に決済したも
　　　のとみなして算出した利益の額又は損失の額相当額を、洗替え方式により益金
　　　の額又は損金の額に算入しなければなりません。（法61の4①④、法政令119の
　　　16、【問5-22】参照）

　②について……株式の消費貸借取引での株式の貸出しとは、銀行、生命保
険会社等の機関投資家や一般業種の大企業が、証券会社等に信用取引で売り
付けるための株式を貸し付けて、貸株料を受け取る取引です。

　この場合、貸し付けた株式はいったん貸付けを受ける証券会社等の名義に
なりますので、消費貸借取引期間中の配当金は、当該証券会社等に支払われ
ます。一方、当該貸し付けた株式が信用売りされたときは、実株がなくなり
ますので、証券会社等は信用売りをした者から配当落調整額を徴収します。
したがって、株式を貸し付けた者に証券会社等が支払う配当金相当額は、上
記①での株式の信用買いをした者の受け取る配当落調整額と同性格のもので
あり、受取配当等益金不算入の規定の適用対象にならないと考えられます。

　なお、株式を貸し付けた者は、貸出期間中においても実質的に当該株式の
保有者ですので、当該配当金相当額を収益に計上しないで貸し付けた株式の
帳簿価額から控除する処理はすべきでありません。税務上も上記①の配当落
調整額と異なり、貸し付けた株式の帳簿価額から控除する処理は認められな
いと解されます。

（143）

中間配当を受け取った場合の税法での取扱い

> **【問3-7】** 中間配当の受取額についても、受取配当等の益金不算
> 入の規定は適用されますか。また、中間配当はいつ収益計上すれ
> ばよいでしょうか。

【答】 株式会社は、株主総会の決議によって、その株主に対し、いつでも剰余金の配当をすることができますが（会社法453、454①）、取締役会設置会社は、1事業年度の途中において1回に限り、取締役会の決議によって剰余金の配当（配当財源が金銭であるものに限ります。）をすることができる旨を定款で定めることができます。（同法454⑤）後段の取締役会設置会社が行う剰余金の配当が中間配当ですが、上記の規定からも明らかなように、剰余金の配当そのものですので、支払法人においては資本等取引であり、損金不算入となります。（法22③三、⑤）

　一方、株主である法人が受取った中間配当は、受取配当等の益金不算入の対象になります。（法23①一）また、中間配当の収益計上の時期は、剰余金の配当全般についての収益計上の日である当該配当の効力を生ずる日とされていますので（基通2-1-27(1)イ）、中間配当の支払を決議する取締役会で定める「中間配当の効力発生日」（会社法454①三、⑤）となります。

> **(注)** 金融商品会計実務指針94(1)は、「市場価格のある株式については、配当落ち日に前回の配当実績又は公表されている1株当たり予想配当額に基づいて未収配当金を見積計上する。」としています。しかし、配当の効力を生ずる日に当該配当についての支払請求権が債権として確定しますので、税務では、株主総会、取締役会の決議等により支払請求権の効力が生ずる日の属する事業年度の収益に計上すればよく、配当落ちの日と当該配当についての支払請求権の効力が生ずる日との間に事業年度終了の日が到来する場合には、未収配当金の額の申告減算調整ができることになります。（基通2-1-27(1)(注)）

　中間配当の場合、例えば3月末日決算会社の発行株式は、中間配当基準日（通常9月30日）の数日前に中間配当に係る配当落ちをしますが、当該中間配当に対する支払請求権の効力発生日（通常12月10日頃）の属する事業年度において中間配当の額を収益計上すればよいわけです。

（144）

第3章　受取配当等の益金不算入

資本剰余金を原資とする配当を受け取った場合

> 【問3-8】　当社が株式を保有しているA社がその他資本剰余金を原資とする配当を行い、その配当金を受け取りました。この配当金の会計上の処理と税務上の取扱いを教えてください。

【答】　一般的に、配当金と言えば、利益剰余金の処分による配当を考えると思いますが、会社法では資本剰余金を原資とする配当も認められています。なお、資本剰余金は資本準備金とその他資本剰余金から構成されますが、資本準備金は配当原資になりませんから、資本剰余金を原資とする配当は、その他資本剰余金の処分によるものになります。

　その他資本剰余金は、資本金や資本準備金の減少によって生じた剰余金、自己株式処分差益等から構成され、その内容は基本的に株主からの払込資本ですから、その他資本剰余金の処分による配当は、出資の払戻しの性格を有するものです。したがって、その他資本剰余金の処分による配当を受け取った場合、受取配当金として収益計上するのではなく、配当の対象となった有価証券の帳簿価額を減額することとされています。（企業会計基準適用指針第3号「その他資本剰余金の処分による配当を受けた株主の会計処理」3）ただし、配当の対象となる有価証券が売買目的有価証券であるときは、配当金受取額を受取配当金（売買目的有価証券運用損益）として計上するものとされています。（同指針4）

　　(注)　売買目的有価証券に係る配当以外でも、特定のケースでは、受取配当金として収益計上できるものとされています。（同指針5）

　税務上は、資本剰余金を原資とする配当は、資本の払戻しによるみなし配当が生じるものとされ、みなし配当の額は、次のとおり計算するものとされています。（法24①四、法政令23①四）

　みなし配当の額＝受取配当金の額－Ⓐ

　Ⓐ＝配当を行った法人の配当直前の資本金等の額×

$$\underset{(\text{払戻等割合})}{\frac{\text{配当を行った法人の配当により減少した資本剰余金の額}}{\text{配当を行った法人の前事業年度末の資産の帳簿価額から}\atop\text{負債の帳簿価額}\textbf{(注1)}\text{を差し引いた額}}}$$

$$\times\ \frac{\text{配当を受け取った法人の所有株式数}}{\text{配当を行った法人の発行済株式数}}$$

（145）

(**注1**) 新株予約権及び新株引受権は負債に含めます。

(**注2**) 払戻等割合の小数点以下3位未満の端数は切り上げます。

　みなし配当は所得税及び復興特別所得税の源泉徴収の対象となり、配当を行った法人は、配当の支払を受ける者に対して、みなし配当額、源泉徴収税額等を通知することとされていますので（所法225②二、所規則92①）、配当を受け取った法人では、その通知に基づいて税務処理を行うことになります。

　次に、受取配当金の額から上記で計算したみなし配当の額を差し引いた額は、株式の譲渡対価の額となりますが、譲渡原価の額は次の算式で計算することとされています。（法61の2①⑱、法政令119の9①）

　資本剰余金の配当の直前の株式の帳簿価額×払戻等割合

　なお、資本剰余金の配当を行った法人は、支払を受ける法人に対して払戻等割合を通知しなければなりませんから（法政令119の9②）、配当を受け取った法人は、その通知に基づいて税務処理をすればよいことになります。

　以下で、簡単な計算例で説明しましょう。

（設例）

〈A社（資本剰余金の配当を行った法人）〉

① 　前期末の純資産額　　　　　　10,000,000円

② 　配当直前の資本金等の額　　2,500,000円

② 　資本剰余金の配当金額　　　　500,000円

③ 　発行済株式数　　1,000株

④ 　会計処理

　その他資本剰余金　　500,000円／現金預金　　500,000円

　（**注**） 源泉所得税等は考慮していません。

〈B社（資本剰余金の配当を受け取った法人）〉

① 　所有するA社株式の数　　100株

② 　資本剰余金の配当直前のA社株式の帳簿価額　　300,000円

③ 　受け取った配当金額　　50,000円

④ 　会計処理

　現金預金　　50,000円／A社株式　　50,000円

　（**注**） 源泉所得税等は考慮していません。

（みなし配当の額）

払戻等割合＝500,000円÷10,000,000円＝0.05

（146）

第3章 受取配当等の益金不算入

上記の算式の⑭＝2,500,000円×0.05×$\frac{100株}{1,000株}$＝12,500円

みなし配当の額＝50,000円－12,500円＝37,500円

（B社株式の譲渡損益）

譲渡収入金額 50,000円－37,500円＝12,500円

譲渡原価 300,000円×0.05＝15,000円

譲渡損益 12,500円－15,000円＝△2,500円（損失）

（B社の申告調整）

A社株式（加算・留保） 35,000円

受取配当等益金不算入（減算・社外流出） 18,750円**(注)**

(注) A社株式の保有割合が10％のため、受取配当金37,500円の50％が益金不算入
となります。

この設例で、A社での税務上の取扱いは以下のとおりです。配当を行った
法人の会計処理にかかわらず、資本剰余金を原資とする配当は、次のとおり、
配当額を資本金等の額の減少額と利益積立金額の減少額に区分します。（法
政令8①十八、9十二）

資本金等の額の減少額＝配当直前の資本金等の額×払戻等割合

利益積立金額の減少額＝配当の支払額－資本金等の額の減少額

この算式でわかりますように、資本剰余金を原資とする配当であっても、
その配当額を資本金等の額と利益積立金額の割合に応じてあん分して、それ
ぞれの額を減少させることになります。

上記の設例では、次のとおり計算されます。

（A社の資本金等の減少額）

2,500,000円×0.05＝125,000円

（A社の利益積立金額の減少額）

500,000円－125,000円＝375,000円

（A社の税務調整）

所得金額には影響しませんが、別表五(一)で、次の調整を行います。

・Ⅰ利益積立金額の計算に関する明細書に、「資本金等の額」として、当期の
　増減の増③及び差引翌期首現在利益積立金額④に△375,000円を記載します。

・Ⅱ資本金等の額の計算に関する明細書に、「利益積立金額」として、当期
　の増減の増③及び差引翌期首現在資本金等の額④に375,000円を記載します。

（147）

第2節　受取配当等の益金不算入額の計算等

受取配当等益金不算入の概要

【問3-9】　受取配当等の益金不算入に関する規定の概要を説明してください。

【答】　受取配当等の益金不算入の対象及び益金不算入割合は、下表のとおりです。（法23①④⑤⑥）

区　分	株式等の保有割合	益金不算入割合
完全子法人株式等の配当等	100%	100% （負債利子控除なし）
関連法人株式等の配当等	$\frac{1}{3}$超　100%未満	100% （負債利子控除あり）
その他の株式等の配当等	5％超　$\frac{1}{3}$以下	50% （負債利子控除なし）
非支配目的株式等の配当等	5％以下	20% （負債利子控除なし）

（注1）　外国株価指数連動型特定株式投資信託以外の特定株式投資信託の収益の分配は、非支配目的株式等の配当等として取り扱われます。（措法67の6①）
なお、特定株式投資信託とは、信託財産を株式のみに対して投資することを目的とする証券投資信託のうち、その受益権が金融商品取引法第2条第16項に規定する金融商品取引所に上場されていること、特定の株価指数に連動していること等、一定の条件を満たすものをいいます。（措法3の2、措令2）
株価指数連動型のETFは、これに該当します。

（注2）　保険会社の場合、非支配目的株式等の配当等の益金不算入割合は40%とされます。

　上表の完全子法人株式等、関連法人株式等、非支配目的株式等の意味については、【問3-10】以下を参照してください。

（148）

第3章　受取配当等の益金不算入

完全子法人株式等の意味

【問3-10】　受取配当等の額の全額が益金不算入とされる完全子法
　　人株式等とは、どのような株式等ですか。

【答】「完全子法人株式等」とは、配当等の額の計算期間を通じて、内国法
人との間に完全支配関係がある他の内国法人（公益法人等及び人格のない社
団等を除きます。）の株式又は出資です。（法23⑤）この規定での「配当等の
額の計算期間」とは、前回の配当等の基準日等の翌日（下記⑦〜⑧の場合は、
それぞれに掲げる日）から、今回の配当等の基準日等までの期間をいいます。
（法政令22の2②）

⑦　前回の配当等の基準日等の翌日が今回の配当等の基準日等から起算して
　　1年前の日以前の日である場合又は今回の配当等がその1年前の日以前に
　　設立された他の内国法人からその設立の日以後最初に支払われる配当等で
　　ある場合（⑧の場合を除きます。）……当該1年前の日の翌日

⑧　今回の配当等がその配当等の基準日等以前1年以内に設立された他の内
　　国法人からその設立の日以後最初に支払われる配当等である場合（⑧の場
　　合を除きます。）……当該設立の日

⑧　今回の配当等がその配当等の元本である株式又は出資を発行した他の
　　内国法人からその配当等の基準日等以前1年以内に取得した株式又は出
　　資につきその取得の日以後最初に支払われる配当等である場合……当該
　　取得の日

(注1)　「基準日等」とは、次の日をいいます。（法政令22②二）

　　イ　株式会社の行う剰余金の配当で、その剰余金の配当を受ける者を定めるた
　　　　めの会社法第124条第1項（基準日）に規定する基準日の定めのあるもの
　　　　……その基準日

　　ロ　株式会社以外の法人が行う剰余金の配当等で、その剰余金の配当等を受け
　　　　る者を定めるための基準日に準ずる日の定めのあるもの……その基準日に準
　　　　ずる日

　　ハ　剰余金の配当等で、その剰余金の配当等を受ける者を定めるための基準日
　　　　又は基準日に準ずる日の定めがないもの……その剰余金の配当等の効力が生
　　　　ずる日（効力が生ずる日の定めがない場合は、その剰余金の配当等が行われ
　　　　る日）

（149）

ニ　法人税法第24条第1項各号に掲げる事由が生じたことに基因する金銭その
　　　他の資産の交付（みなし配当）……同条同項各号に掲げる事由が生じた日
　(注2)　法人税法第24条第1項の規定により剰余金の配当等とみなされる金額については、その金額に係る効力発生日の前日において完全支配関係がある場合、完全子法人株式等となります。（法政令22の2①）

　なお、法人が、株式又は出資の全部を直接又は間接に保有していない他の法人（内国法人に限ります。）から配当等の額を受けた場合において、当該配当等の額の計算期間を通じて、当該法人と当該他の法人とが同一の完全支配関係がある株主グループに属しているときは、当該他の法人の株式又は出資の保有割合にかかわらず、当該配当等の額は法人税法第23条第5項に規定する完全子法人株式等に係る配当の額に該当し、その全額が益金不算入となります。（基通3-1-9）例えば、
右図のようなグループ法人間で、B社はC社の株式を60％しか所有していませんが、B社とC社は同一の完全支配関係がある株主グループ法人に属していますので、B社がC社から受け取る配当は完全

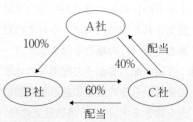

子法人株式等に係る配当の額となり、全額益金不算入となります。なお、A社がC社から受け取る配当も完全子法人株式等に係る配当の額ですから、全額益金不算入です。
　(注)　令和5年10月1日以後に支払を受ける完全子法人株式等に係る配当等については、一般社団法人等一定の法人が受け取るものを除き、所得税及び復興特別所得税の源泉徴収は行われません。（所法177①、令4改所法等附則1五イ）

関連法人株式等の意味

> 【問3-11】　受取配当等の額について負債利子を控除した額の全額が益金不算入とされる関連法人株式等とは、どのような株式等ですか。

【答】　「関連法人株式等」とは、内国法人（その内国法人との間に完全支配関係がある他の法人を含みます。**(注)**）が、他の内国法人（公益法人等及び

第3章　受取配当等の益金不算入

人格のない社団等を除きます。）の発行済株式又は出資（その他の内国法人
が有する自己株式等を除きます。）の総数又は総額の3分の1を超える数又
は金額のその他の内国法人の株式等を、その他の内国法人から受ける配当等
の額の計算期間の初日から末日まで引き続き保有している場合におけるその
他の内国法人の株式等で、完全子法人株式等以外のものをいいます。（法23④、
法政令22①）

> **(注)**　このかっこ書にありますように、関連法人株式等に該当するかどうかは、そ
> の法人との間に完全支配関係のある法人の保有する株式等も含めた保有割合で
> 判定します。

　なお、配当等の額の計算期間とは、前回の配当等の基準日等の翌日（下記
㋑～㋩の場合は、それぞれに掲げる日）から、今回の配当等の基準日等（法
人税法第24条第1項の規定により剰余金の配当等とみなされる金額について
は、一定のものを除き、その配当等の効力発生日の前日）までの期間をいい
ます。（法政令22①）

㋑　前回の配当等の基準日等の翌日が今回の配当等の基準日等の6月前の日
　　以前である場合又は今回の配当等がその6月前の日以前に設立された他の
　　内国法人からその設立の日以後最初に支払われる配当等である場合（㋩の
　　場合を除きます。）……その6月前の日の翌日

㋺　今回の配当等がその配当等の基準日等以前6月以内に設立された他の内
　　国法人からその設立の日以後最初に支払われる配当等である場合（㋩の場
　　合を除きます。）……その設立の日

㋩　今回の配当等がその配当等の元本である株式又は出資を発行した他の内
　　国法人からその配当等の基準日等以前6月以内に取得した株式又は出資に
　　つき、その取得の日以後最初に支払われる配当等である場合……その取得
　　の日

> **(注1)**　「基準日等」の意味は【問3-10】を参照してください。
>
> **(注2)**　令和5年10月1日以後に支払を受ける配当等で、配当等の額に係る基準日
> 等において、内国法人が直接に他の内国法人（一般社団法人等を除きます。）
> の株式等をその発行済株式等の総数の3分の1を超えて所有している場合、
> その他の内国法人の株式等（完全子法人株式等を除きます。）に係る配当等
> については、所得税及び復興特別所得税の源泉徴収は行われません。（所法

(151)

177②、所政令301②、令4改所法等附則1五イ）

非支配目的株式等の意味

> **【問3-12】** 受取配当等の額の20％（保険会社は40％）だけが益金
> 不算入とされる非支配目的株式等とは、どのような株式等ですか。

【答】「非支配目的株式等」とは、内国法人（その内国法人との間に完全支
配関係がある他の法人を含みます。**(注1)**）が、他の内国法人（公益法人等
及び人格のない社団等を除きます。）の発行済株式又は出資（その他の内国
法人が有する自己株式等を除きます。）の総数又は総額の５％以下に相当す
る数又は金額のその他の内国法人の株式等を、その他の内国法人から受ける
配当等の基準日等において保有する場合におけるその他の内国法人の株式等
で、完全子法人株式等以外のものをいいます。なお、支払を受ける配当等の
額が、資本の払戻し以外の事由によるみなし配当である場合は、その効力発
生日の前日において発行済株式又は出資の総数又は総額の５％以下に相当す
る数又は金額の株式等を保有する場合のその株式等をいいます。（法23⑥、
法政令22の3①）

- **(注1)** このかっこ書にありますように、非支配目的株式等に該当するかどうかは、
  その法人との間に完全支配関係がある法人の保有する株式等も含めた保有割
  合で判定します。
- **(注2)** 「基準日等」の意味は【問3-10】を参照してください。
- **(注3)** 非支配目的株式等は、完全子法人株式等及び関連法人株式等とは異なり、
  配当の額の支払の基準日等の保有割合で判定します。これは、非支配目的株
  式等のように小さな保有割合の場合、株式等の発行会社に対する影響力が小
  さく、保有割合を管理することに限界があることから、基準日等の保有割合
  のみにより判定することが適当と考えられたからです。

　上記のように、非支配目的株式に該当するかどうかは、配当等の額の支払
の基準日等のみでの保有割合で判定しますので、その時点での保有割合が５
％を超えていれば、その他の株式等に区分され、益金不算入割合が増加する
ことになります。そのため、株式等を基準日等の直前に取得し、基準日等の
直後に譲渡することにより、基準日等での保有割合を一時的に引き上げ、税

（152）

第3章　受取配当等の益金不算入

負担の軽減を図ることが可能になります。このような行為を制限するため、短期保有株式等がある場合には、その短期保有株式等を保有しないものとして、基準日等における保有割合を判定することとされています。（法政令22の3②）短期保有株式等については【問3-14】を参照してください。

　なお、特定株式投資信託の受益権についても、この非支配目的株式等に含まれます。（措法67の6①）

株式等の保有割合により益金不算入割合が異なる理由

> 【問3-13】　受取配当等の益金不算入割合が株式等の保有割合によって異なりますが、その理由を教えてください。また、関連法人株式等の受取配当等からのみ負債利子を控除することとされていますが、なぜでしょうか。

【答】　受取配当等の益金不算入の制度は、法人株主の受取配当が、支払う法人の側で課税ずみの所得からのものであることによる二重課税を回避するためのものです。

　この点からいえば、法人の受取配当等の益金不算入割合を50％や20％とする理由はないのですが、法人の株式所有が資金運用活動の一環として行われるときは、他の物件への投資によって生ずる利益がフル課税されることとの対比から、受取配当が益金不算入として課税上優遇されるのは不合理だという見方もあり得ます。一方、法人の株式所有が親会社による子会社株式の所有のように、同一企業グループ内での分社経営又はこれに準ずるようなものの場合は、受取配当等の益金不算入制度がないと上記の二重課税問題が生じ、分社経営をするよりも同一グループ内の企業を合併して経営した方が有利になり、税制の中立性が損なわれることになります。

　このため、完全子法人株式等と関連法人株式等に係る配当等の益金不算入割合は100％としますが、それ以外の株式等に係る配当等については、益金不算入割合を引き下げています。特に、非支配目的株式等については、資金運用活動の一環としての性格が強いですので、他の金融商品との整合性から、益金不算入割合を低くしています。

　(注)　関連法人株式等の条件として保有割合が3分の1超とされているのは、支配

（153）

目的を判定する基準として、株主総会での特別決議の成立を単独で阻止できる
3分の1超という基準を参考にしたものです。

　次に、負債利子の控除についてですが、この規定は、受取配当等を益金不
算入にするのであれば、その収益を得るために要した費用が損金算入される
ことが不合理であるところから設けられているものです。完全子法人株式等
に係る配当等については、平成22年度のグループ法人税制の創設により、負
債利子控除が廃止されていますが、その他の配当等については、従来、負債
利子を控除することとされていました。しかし、平成27年度の税法改正で、
関連法人株式等に係る配当等を除き、負債利子の控除が不要とされました。
その理由は、この改正で、受取配当等の益金不算入割合が見直され、益金不
算入額が減額されることとなったため、負債利子が損金算入される影響が低
減したこと、また、計算の簡素化の必要性があることによるものです。なお、
グループ通算制度の創設にともない、令和2年度の税法改正で、負債利子相
当額を概算方式により計算することとされ、令和4年4月1日以後に開始す
る事業年度から適用されています。

短期保有株式等についての受取配当等益金不算入の不適用

> **【問3-14】**　短期保有株式等（配当等の額の支払に係る基準日以前
> 1月以内に取得し、同日後2月以内に譲渡した株式）に係る受取
> 配当金には、受取配当等の益金不算入の規定が適用されませんが、
> どうしてですか。

【答】　短期保有株式等に係る受取配当金を益金不算入の対象外としているの
は、昭和63年度以前、個人の有価証券の譲渡所得に対しては原則として所得
税を非課税としていたことから、法人・個人を通して可能であった租税回避
行為を防止するためです。

　個人が株式を配当の計算期間の末日近くに配当含みの価額で法人に譲渡し、
配当の計算期間経過後に配当落ち後の価額でその株式を法人から買い戻した
とすれば、個人は配当金相当額を株式譲渡益として得ることになりますが、
これに対して所得税は課されません。一方、個人から株式を取得した法人は、
配当含みの価額で株式を取得し、配当落ち後の価額で譲渡することになりま

（154）

第3章 受取配当等の益金不算入

すから、譲渡損が発生しますが、その譲渡損相当額は配当金として得ることになり、譲渡損は損金算入、受取配当金は益金不算入として、税負担の軽減が行われることとなります。そこで、短期保有株式等の配当については、受取配当等の益金不算入の規定を適用しないで、益金の額に算入することとしたのです。

　現行の税法では、株式等の譲渡所得は課税対象ですが、軽減された税率での申告分離課税とされており、また、益金不算入制度を利用して上記のとおり法人税の負担を軽減することが可能であるため、短期保有株式等に係る受取配当金の益金不算入からの除外規定が設けられているわけです。

短期保有株式等の数の計算方法

> **【問3-15】** 同一銘柄の株式を頻繁に売買している場合、受取配当等の益金不算入の規定が適用されない短期保有株式等は、どのように計算するのですか。具体的な計算例で説明してください。

【答】 短期保有株式等は、法人が受取配当等の額の元本である株式等をその配当等の額に係る基準日等（以下「基準日等」といいます。）以前1月以内に取得し、かつ、当該株式等又は当該株式等と同一銘柄の株式等を当該基準日等後2月以内に譲渡した場合におけるその譲渡した株式等です。（法23②）

　(注)　「基準日等」とは、次の日をいいます。（法23②）

　　イ　株式会社の行う剰余金の配当で、その剰余金の配当を受ける者を定めるための会社法第124条第1項（基準日）に規定する基準日の定めのあるもの……その基準日

　　ロ　株式会社以外の法人が行う配当等で、その配当等を受ける者を定めるための基準日に準ずる日の定めのあるもの……その基準日に準ずる日

　　ハ　配当等で、その配当等を受ける者を定めるための基準日又は基準日に準ずる日の定めがないもの……その配当等の効力が生ずる日（効力を生ずる日の定めがない場合は、その配当等が行われる日）

　御質問のように同一銘柄の株式を頻繁に売買している場合、基準日等後2月以内に譲渡した株式のうち、基準日等以前1月以内に取得した株式はどれかが問題になります。有価証券については、評価についてと同様に個別法を

（155）

採り得ませんので、ひもつきで区分することはできません。

　このため、基準日等以前1月前から所有していた株式等（その数は下記の算式の⒜）と基準日等以前1月以内に取得した株式等（その数は下記の算式の⒝）とが基準日等における所有株式等（その数は下記の算式の⒞）のなかに平均的に所有されているものとしてそのうちの基準日等以前1月以内に取得した株式等の数（下記の算式の乗数の分子の数）を算出し、次いで基準日等における所有株式等⒞と基準日等後2月以内に取得した株式等（その数は下記の算式の⒟）とがその間に平均的に譲渡されたものとして、下記の算式によって短期保有株式等の数を計算します。（法政令20①）

$$\text{基準日等後2月以内に譲渡した株式等の数⒠} \times \cfrac{⒞ \times \dfrac{\text{基準日等以前1月前の日における保有株式等の数⒜} + \text{基準日等以前1月以内に取得した株式等の数⒝}}{\text{基準日等における保有株式等の数⒞} + \text{基準日等後2月以内に取得した株式等の数⒟}}}{}$$

　仮に3月31日を事業年度終了の日とする会社の株式を、次のように売買したとします。

（単位：株）

月	取得株数	譲渡株数	残　高
2月末日			10,000⒜
3月	5,000⒝	3,000	12,000⒞
4、5月	4,000⒟	2,000⒠	14,000

$$2,000⒠ \times \cfrac{12,000⒞ \times \dfrac{5,000⒝}{10,000⒜ + 5,000⒝}}{12,000⒞ + 4,000⒟} = 2,000 \times \cfrac{12,000 \times \dfrac{1}{3}}{16,000} = 2,000 \times \dfrac{4,000}{16,000} = 500$$

　上記の計算式のうち、$⒞ \times \dfrac{⒝}{⒜+⒝}$ すなわち4,000株が、基準日等に所有している株式12,000株のうち、基準日等以前1月以内に取得した株式です。そのうち、500株が基準日等後2月以内に譲渡した株式で、短期保有株式等となります。この事例での株式の取得時期と譲渡時期等との関係を表示しますと、次のとおりになります。（※が短期保有株式等です。）

（156）

第3章　受取配当等の益金不算入

取得時期等＼譲渡時期等	基準日等以前1月以内に譲渡	基準日等後2月以内に譲渡	基準日等後2月後において保有	計
基準日等以前1月前から保有	2,000	㋐ 1,000	7,000	Ⓐ 10,000
基準日等以前1月以内に取得	1,000	※ 500	3,500	Ⓑ 5,000
基準日等後2月以内に取得	—	㋑ 500	3,500	Ⓓ 4,000
計	3,000	Ⓔ 2,000	14,000	19,000

基準日等後2月以内に譲渡した株式2,000株Ⓔは、次のとおり区分します。

短期保有株式等となるもの………………………………500株※

基準日等以前1月前から所有していた株式………1,000株㋐

$$Ⓔ \times \frac{Ⓒ \times \dfrac{Ⓐ}{Ⓐ+Ⓑ}}{Ⓒ+Ⓓ} = 2,000 \times \frac{12,000 \times \dfrac{10,000}{15,000}}{16,000} = 2,000 \times \frac{8,000}{16,000} = 1,000$$

基準日等後2月以内に取得した株式…………………500株㋑

$$Ⓔ \times \frac{Ⓓ}{Ⓒ+Ⓓ} = 2,000 \times \frac{4,000}{16,000} = 500$$

負債利子の控除額の計算

【問3-16】　受取配当等の益金不算入額の計算で、関連法人株式等の配当等の額から控除する負債利子の額はどのように計算するのですか。

【答】　関連法人株式等に係る配当等については、配当等の額から負債利子の額を控除した額が益金不算入となりますが、配当等の額から控除する負債利子の額は次のとおりとされています。（法23①、法政令19①②）

① 関連法人株式等に係る配当等から控除する負債利子の額は、関連法人株式等に係る配当等の額の4％相当額とします。

② その事業年度の支払利子等の額の合計額の10％相当額が、その事業年度の関連法人株式等に係る配当等の額の合計額の4％相当額以下の場合、関

（157）

連法人株式等に係る配当等から控除する負債利子の額は、次の算式で計算した額とします。

$$\text{その事業年度の支払利子等} \atop \text{の額の合計額の10\%相当額} \times \frac{\text{その関連法人株式等に係る配当等の額}}{\text{その事業年度の関連法人株式等に係る}\atop\text{配当等の額の合計額}}$$

つまり、関連法人株式等に係る配当等から控除する負債利子の額は、配当等の額の4％相当額とするが、その負債利子の額の合計額がその事業年度の支払利子等の額の10％相当額を超える場合は、支払利子等の額の10％相当額とするというものです。

なお、②の適用を受けるためには、適用を受ける事業年度の確定申告書、修正申告書又は更正請求書に適用を受ける旨及び支払利子等の額の合計額を記載した書類の添付が必要です。（法政令19⑨）

負債利子控除での支払利子等の範囲

> 【問3-17】 関連法人株式等に係る配当等から控除する負債の利子の額は、その事業年度の支払利子等の額の10％が限度とされていますが、ここでの支払利子等には、支払利息や社債利息が該当すると考えてよろしいでしょうか。

【答】 【問3-16】で御説明したように、受取配当等の益金不算入額の計算に当たり、関連法人株式等に係る配当等からは、負債利子の額として配当等の4％を控除しますが、その事業年度の支払利子等の額の10％が控除する負債利子の額の上限とされています。（法23①、法政令19①②） ここでの支払利子等の額とは、法政令19②かっこ書きで、法人が支払う負債の利子又は手形の割引料、法政令136の2①（金銭債務の償還差損益）に規定する満たない部分の金額その他経済的な性質が利子に準ずるものの額と規定されています。

上記の「法政令136の2①（金銭債務の償還差損益）に規定する満たない部分の金額」とは、社債の割引発行等により、収入金額が債務額（償還金額等）に満たない部分の金額をいいます。（【問2-30】参照）

また、次の額は支払利子等の額に含めるものとされています。（基通3-1-3）
① 受取手形の手形金額とその手形の割引による受領金額との差額を手形売却損として処理している場合のその差額（手形に含まれる金利相当額を会

第3章　受取配当等の益金不算入

計上別処理する方式を採用している場合には、手形売却損として帳簿上計
上していない部分の金額を含みます）。これは、金融商品会計基準にした
がって手形の割引料を手形売却損として会計処理している場合でも、その
割引料の額は支払利子等の額に含まれるということです。

②　買掛金を手形で支払った場合に、相手方に対してその手形の割引料を負
担したときのその負担した割引料の額

③　従業員預り金、営業保証金、敷金その他これらに準ずる預り金の利子の額

(注)　基通3-1-3では、上記のほかに4項目が支払利子等の額として示されてい
ます。

なお、利子税の額又は地方税の延滞金の額は、支払利子等の額に含めない
ことが認められますし（基通3-1-3の2）、売掛金又はこれに準ずる債権
について支払期日前に支払を受けたことにより支払う売上割引料の額は、支
払利子等の額に該当しないものとされています。（基通3-1-3の4）

(注1)　固定資産その他の資産の取得価額に算入した負債の利子の額又は繰延資産
として経理した負債の利子の額についても、その事業年度に支払ったものは、
支払利子等の額に含まれます。（基通3-1-3の6）

(注2)　割賦販売契約又は延払条件付譲渡契約（これらに類する契約を含みます。）
によって購入した資産に係る割賦期間分の利息に相当する金額については、
資産の取得価額に含めないこととした場合に限り、支払利子等の額に含めま
す。また、リース資産について、賃借人がリース料の額のうち利息相当額を
取得価額に含めないこととしている場合、その利息相当額は支払利子等の額
に含めます。（基通3-1-3の3）

外国子会社から受ける配当等の益金不算入制度

【問3-18】　外国子会社から受ける配当等の益金不算入制度の内容
を説明してください。

【答】　外国法人からの配当等については受取配当等の益金不算入の規定は適
用されません。（法23①）ただし、外国子会社から受ける配当等については、
以下のとおり益金不算入制度が設けられています。

(1) 制度の概要……「内国法人が外国子会社から受ける剰余金の配当等の額

（159）

（剰余金の配当若しくは利益の配当又は剰余金の分配の額）がある場合には、「当該剰余金の配当等の額－当該剰余金の配当等の額×５％」の金額は、その内国法人の各事業年度の所得の金額の計算上、益金の額に算入しない。」（法23の２①）というものです。益金不算入額の計算に当たり控除することとされている「当該剰余金の配当等の額×５％」は、当該剰余金の配当等の額に係る費用の額に相当するものとして、政令（法政令22の４②）に定められているものです。

　　ただし、自己株式等の取得が予定されている外国子会社の株式等（株式又は出資）を取得し、当該株式等が自己株式として取得されたことによって生ずるみなし配当の額については、この規定は適用されません。（法23の２②二）これは、【問３-３】に記載した法人税法第23条第３項の規定を、外国子会社から受ける配当等について規定したもので、法人税基本通達３-３-４で、同３-１-８（自己株式等の取得が予定されている株式等）の取扱いがそのまま準用されています。

(2) この制度における外国子会社……次の①及び②の要件を満たす外国法人です。（法政令22の４①）

① 　次の㋑の割合又は㋺の割合のいずれかが25％以上であること。なお、租税条約の二重課税排除条項において、25％未満の割合が定められている場合は、二重課税排除条項に定める割合以上とします。（法政令22の４⑦）

　　㋑　当該外国法人の発行済株式等（発行済株式又は出資（その有する自己の株式又は出資を除きます。）の総数又は総額）のうちに、当該内国法人が保有しているその株式又は出資の数又は金額の占める割合。

　　㋺　当該外国法人の発行済株式等のうちの議決権のある株式又は出資の数又は金額のうちに当該内国法人が保有している株式又は出資の数又は金額の占める割合

(注)　国税庁「グループ通算制度に関するQ＆A」（令和２年６月・令和４年７月改訂）問68によれば、租税条約の二重課税排除条項により株式等の保有割合が25％未満とされているのは次のとおりです。

アメリカ……10％（日米租税条約23①(b)）

フランス……15％（日仏租税条約23②(b)）

第3章　受取配当等の益金不算入

　　　ブラジル……10%（日伯租税条約22(2)(a)(ⅱ)）

　　　オーストラリア……10%（日豪租税条約25①(b)）

　　　オランダ……10%（日蘭租税条約22②）

　　　カザフスタン……10%（日カザフスタン租税条約22②(b)）

　②　①の状態が、内国法人が外国法人から受ける剰余金の配当等の額の支
　　払義務が確定する日（剰余金の配当等の額がみなし配当である場合には、
　　剰余金の配当等の額の確定する日の前日）以前6月以上（当該外国法人
　　が当該確定する日以前6月以内に設立された法人である場合には、その
　　設立の日から当該確定する日まで）継続していること。

(3) この制度の適用のための要件……確定申告書に益金の額に算入されない
　剰余金の配当等の額及び「外国子会社から受ける配当等の益金不算入等に
　関する明細書（別表八（二））」の記載があり、かつ、財務省令（法規則8
　の5）で定める下記の書類を保有していることが必要です。（法23の2⑤）

　ａ．剰余金の配当等の額を支払う外国法人が、上記の外国子会社に該当す
　　ることを証する書類

　ｂ．外国子会社の剰余金の配当等の額に係る事業年度の貸借対照表、損益
　　計算書及び株主資本等変動計算書、損益金の処分に関する計算書その他
　　これらに類する書類

　ｃ．外国子会社から受ける剰余金の配当等の額に係る外国源泉税等の額が
　　ある場合には、当該外国源泉税等の額を課されたことを証する当該外国
　　源泉税等の額に係る申告書の写し又はこれに代わるべき当該外国源泉税
　　等の額に係る書類及び当該外国源泉税等の額が既に納付されている場合
　　にはその納付を証する書類

(4) 配当等に係る外国源泉税等について……益金不算入となる外国子会社か
　ら受ける配当等に係る外国源泉税等は、外国税額控除の対象とならず（法
　69①、法政令142の2⑦三）、また、損金不算入とされます。（法39の2）

(5) この制度の対象外となる配当……外国子会社の所得の金額の計算上損金
　の額に算入される配当については、この益金不算入の対象から除外されま
　す。その概要は以下①及び②のとおりです。（法23の2②一、③）

　①　外国子会社から受ける剰余金の配当等の額で、その剰余金の配当等の
　　額の全部又は一部がその外国子会社の本店又は主たる事務所の所在する

（161）

国又は地域の法令においてその外国子会社の所得の金額の計算上損金の
額に算入することとされている剰余金の配当等の額に該当する場合、そ
の剰余金の配当等の額は、益金不算入の対象となりません。

② 外国子会社から受ける剰余金の配当等の額で、その剰余金の配当等の
額の一部がその外国子会社の所得の金額の計算上損金の額に算入された
ものである場合には、①にかかわらず、その受ける剰余金の配当等の額
のうち損金の額に算入された部分の金額（政令で定める一定の算式で計
算します。）を、益金不算入の対象外とすることができます。

上記の取扱いで益金不算入の対象外とされる剰余金の配当等に係る部分
の外国源泉税等は、損金算入とされます。（法39の２）また、その外国源
泉税等は外国税額控除の対象とされ（法69①、法政令142の２⑦三）、外国
税額控除の適用を受けた場合は、その外国源泉税等は損金不算入とされま
す。（法41）

（162）

第4章　棚卸資産

第1節　棚卸資産の意義と範囲

棚卸資産の範囲——税法と棚卸資産評価基準の対比

> 【問4-1】　法人税法では棚卸資産の範囲は、どのように規定され
> ていますか。棚卸資産の評価に関する会計基準と比べた場合、ど
> のような点が違いますか。

【答】　法人税法では、棚卸資産は「商品、製品、半製品、仕掛品、原材料その他の資産で棚卸しをすべきものとして政令で定めるもの（有価証券及び短期売買商品等を除く。）」（法2二十）と規定され、政令（法政令10）で、「1. 商品又は製品（副製品及び作業くずを含む。）、2. 半製品、3. 仕掛品（半成工事を含む。）、4. 主要原材料、5. 補助原材料、6. 消耗品で貯蔵中のもの、7. 1～6に掲げる資産に準ずるもの」と規定されています。

　上記の規定のかっこ書にある短期売買商品等とは、短期売買商品（短期的な価格の変動を利用して利益を得る目的で取得した資産として政令で定めるもの）及び暗号資産をいいます。短期売買商品の内容は、【問4-5】で説明しています。

　一方、御質問にある棚卸資産の評価に関する会計基準（企業会計基準第9号）は、棚卸資産の範囲を、次のとおり定めています。（同基準3）

　「棚卸資産は、商品、製品、半製品、原材料、仕掛品等の資産であり、企業がその営業目的を達成するために所有し、かつ、売却を予定する資産のほか、売却を予定しない資産であっても、販売活動及び一般管理活動において短期間に消費される事務用消耗品等も含まれる。

　なお、売却には、通常の販売のほか、活発な市場が存在することを前提として、棚卸資産の保有者が単に市場価格の変動により利益を得ることを目的とするトレーディングを含む。」

　同基準は、上記の結論の背景を、「これまで、棚卸資産の範囲は、原則と

（163）

して、連続意見書第四に定める次の４項目のいずれかに該当する財貨又は用役であるとされており（同基準28）、その④のような財貨も棚卸資産に含まれるとしている点で、国際的な会計基準と必ずしも同じでないといわれているが、製造用以外のものであっても、短期的に消費される点や実務上の便宜が考慮され、棚卸資産に含められている。（同基準29）このため本会計基準では、連続意見書第四の考え方及びこれまでの取扱いを踏襲し、④の財貨である事務消耗品等も棚卸資産に含めている。（同基準30）」としています。

① 通常の営業過程において販売するために保有する財貨又は用役
② 販売を目的として現に製造中の財貨又は用役
③ 販売目的の財貨又は用役を生産するために短期間に消費されるべき財貨
④ 販売活動及び一般管理活動において短期間に消費されるべき財貨

　法人税法の規定と棚卸資産評価基準の定めを対比しますと、上記の①は商品又は製品、②は半製品、仕掛品、③は主要原材料、補助原材料、④は消耗品で貯蔵中のものですので、両者は基本的には合致します。

　しかし、法人税法は、短期売買商品を棚卸資産から除外していますが、棚卸資産評価基準は、上記の同基準３のなお書にあるように、棚卸資産の範囲を定めるに当たっての当該資産の売却にトレーディングを含めており、短期売買商品を除外していません。また、【問４-２】に掲げる資産のように、棚卸資産評価基準では棚卸資産となりますが、税法では減価償却資産に該当するものもあり、両者には相違する箇所があります。

棚卸資産と固定資産の区別

> **【問４-２】** 建設会社の足場、型枠、山留用材、ロープ、シート、危険防止用金網などの仮設材料は、棚卸資産（貯蔵品）ですか、固定資産ですか。

【答】 棚卸資産の範囲について、棚卸資産評価基準が踏襲している連続意見書第四には、「販売目的の財貨又は用役を生産するために短期間に消費されるべき財貨」が掲げられています。

　この財貨の主なものは、製造工程で使用する主要原材料、補助原材料ですが、「使用資産に類する物品であっても、その実体が徐々に製品に化体して

（164）

第4章　棚卸資産

いくもの、耐用期間が極めて短いもの（消耗工具、器具、備品等）、又は取得原価が微細なもの（単位当たり取得価額が一定金額未満の工具、器具、備品等）は物的性状又は会計的条件からみて明らかに棚卸資産である」とされています。御質問にある足場、型枠、シートなどの仮設材料は、耐用期間が極めて短いもの又は取得価額が微細なものとして、棚卸資産に該当します。更に同意見書の注解12では、これらの資産を棚卸資産とするのは、「その供用前の保有高を棚卸資産とする趣旨であるが、供用中のものであっても払出額を棚卸しの方法又は月割計算の方法によって徐々に費用化していく場合には、いまだ費用化されない残高も棚卸資産を構成すると解すべきである」としていますので、仮設材料は未使用のものだけでなく、使用中のものも棚卸資産に該当します。

　一方、税法では、仮設材料は反復使用することができることから、減価償却資産に該当します。このため、使用可能期間が1年未満のもの又は1品当たりの取得価額が10万円未満のものは「少額の減価償却資産」として、また一定の中小企業者等が平成18年4月1日から令和8年3月31日までの間に取得等する取得価額30万円未満のものは「少額減価償却資産」として、それぞれ事業の用に供した日の属する事業年度に損金経理することにより、損金の額に算入することができます。

(注)　「少額の減価償却資産」は法政令133、【問6-5】、「少額減価償却資産」は措法67の5、【問6-8】を参照してください。少額減価償却資産は、その事業年度におけるその取得価額の合計額300万円（事業年度が1年未満の場合は、$300万円 \times \dfrac{事業年度の月数}{12}$）以下が損金算入限度額となります。

しかし、実務では、前記の意見書の注解にあるように、使用中の仮設材料を棚卸資産として経理することがありますので、税務においても、【問4-3】で説明するような処理方法を認めています。

建設業の仮設材料等のすくい出し方式

> **【問4-3】**　建設業の仮設材料について「すくい出し方式」という方法が認められているそうですが、どのような方法ですか。

【答】　建設業の仮設材料は、工事現場へ搬出された場合、通常当該建設工事

(165)

に係る未成工事支出金勘定に含める経理が行われます。未成工事支出金は、基本的には建設工事の仕掛品ですので、仮設材料は工事現場へ搬出されても直ちに消耗品費等に計上されず、棚卸資産として経理されるわけです。

　ところが、当該建設工事が完成した時に、当該仮設材料のなかに他の建設工事で使用するため転送され、当該建設工事の工事原価に振替えられないものがあります。このため、未成工事支出金勘定の金額から、次に掲げるいずれかの金額を他の建設工事等の用に供するために転送する仮設材料の価額として控除しているときは、その転送した仮設材料のすべてについて適用することを条件として、その計算が継続している限り、これを認めるとされています。（基通2-2-6）

① 　当該仮設材料の取得価額から損耗等による減価の見積額を控除した金額
② 　当該仮設材料の損耗等による減価の見積りが困難な場合には、工事の完了又は他の工事現場等への転送の時における当該仮設材料の価額に相当する金額
③ 　当該仮設材料の再取得価額に適正に見積もった残存率を乗じて計算した金額

　上記①の損耗等による減価の見積額の算定方法には、仮設材料の取得価額に、当該仮設材料の見積り使用可能月数に対するその現場での実際使用月数の割合を乗ずるといった方法があるでしょう。

　この方法が「すくい出し方式」で、建設工事等の用に供した現場事務所、労務者用宿舎、倉庫等の仮設建物で木造のものの処理にも認められています。その場合の未成工事支出金勘定からの控除額は、次のとおりとされていますが、未成工事支出金勘定の金額から控除するのに代えて、雑収入等として経理することも認められています。（基通2-2-7）

① 　当該建設工事等の完成による引渡しの日以前に当該仮設建物を他に譲渡し、又は他の用途に転用した場合……その譲渡価額に相当する金額又はその転用の時における価額に相当する金額
② 　当該建設工事等が完成して引き渡された際に当該仮設建物が存する場合……その引渡しの時における価額に相当する金額（当該仮設建物が取り壊されるものである場合には、その取壊しによる発生資材の価額として見積られる金額）

（166）

第4章 棚卸資産

リベート商品をメーカーから預かった場合の処理

> 【問4-4】 販売業者ですが、メーカーから小売業者に対するリベート用として商品を受領し、個々の小売業者への配付方法は当社に委されています。事業年度終了の日現在小売業者へ未配布の商品は、預り品と考えて、棚卸資産に計上しなくても問題ありませんか。

【答】 御質問によりますと、リベート用商品の配付方法についてはメーカーからの指示がなく、貴社に委されているとのことです。したがって、貴社がその商品を受領された段階では、個々の小売業者ごとに配付する数量が確定しておらず、小売業者にいくら配付するという通知も発送されていないと思われます。メーカーから具体的に配付先の指示がある場合は、配付の委託を受けた商品であり、貴社にとっては預り品ですが、御質問の商品は、メーカーから貴社に無償支給されその処分方法が委されたものです。資産の無償譲受益は益金の額に算入されますので（法22②）、貴社において在庫に計上しなければなりません。

　見方を変えますと、御質問にある商品はメーカーから貴社に対してリベートとして支給され、貴社で販売促進用に小売業者へ配付するものであり、リベートの受入れに該当するものともいえます。

　貴社は、この商品の配付方法を翌事業年度以後の小売業者に対する売上実績等に応じてきめることができ、その配付に伴う費用に対応する収益は翌事業年度以後に計上されますので、収益費用対応の原則からも、当事業年度末には貴社の在庫に計上するのが正しいことになります。

　要するに、このようなリベート用商品がメーカー → 販売業者 → 小売業者と移転していく場合、各時点で常にそのいずれかに所有権があり、在庫に計上されるべきものです。御質問の場合、貴社の事業年度末には、小売業者に対する配付方法が未確定であり、一方、メーカーは既に商品を占有しておらず、かつ、処分権も有していません。この点からも、貴社に所有権があるメーカーからの受贈商品として、時価（受贈の時におけるその商品の取得のために通常要する価額）によって評価して、在庫に計上することが必要です。

（167）

短期売買商品についての税法の規定

> **【問4-5】** 税法では、短期売買商品は棚卸資産から除外され、その譲渡損益及び時価評価損益の規定が別に設けられていますが、その内容を説明してください。

【答】 短期売買商品は棚卸資産から除外され（法2二十かっこ書）、その譲渡損益及び時価評価損益の益金又は損金算入の規定が、法人税法第61条に設けられています。これは、棚卸資産評価基準において、「トレーディング目的で保有する棚卸資産については、時価をもって貸借対照表価額とし、帳簿価額との差額（評価差額）は、当期の損益として処理する。」（同基準15）とされていることによるものです。

法人税法第61条の規定の概要は、次のとおりです。

(1) 短期売買商品……法人が短期的な価格の変動を利用して利益を得る目的で取得した商品（有価証券を除きます。）で（法61①）、法人税法施行令第118条の4に次のとおり規定されています。

　イ　専担者売買商品＝短期売買目的（法人が取得した金、銀、白金その他の資産のうち、市場における短期的な価格の変動又は市場間の価格差を利用して利益を得る目的）で行う取引に専ら従事する者が短期売買目的でその取得の取引を行ったもの（法政令118の4一前段）……いわゆるトレーディング目的で取得した商品であり、トレーディング業務を日常的に遂行し得る人材によって設置した独立の専門部署（関係会社を含みます。）により売買されている商品です。（基通2-3-66）

　ロ　帳簿記載短期売買商品＝その取得の日に、短期売買目的で取得したものである旨の勘定科目をその目的以外の目的で取得した資産の勘定科目と区分して、資産の取得に関する帳簿書類に記載したもの（専担者売買資産を除きます。）（法政令118の4一後段、法規則26の7）……法人がその取得の日において、短期売買目的で取得した旨を短期売買商品に係る勘定科目により区分している商品をいいますので、仮にその保有する商品が短期的に売買し、又は大量に売買を行っていると認められる商品であっても、帳簿書類でこの区分をしていないものは、帳簿記載短期売買商品に該当しません。また、短期売買商品の区分はその商品の取得の

(168)

第4章　棚卸資産

日に行う必要がありますので（基通2-3-67）、取得時に短期売買目的
以外の目的で取得した商品としていたものを取得後に短期売買目的で取
得した商品に振り替えることはできません。

ハ　適格合併等により被合併法人等から移転を受けた資産のうち、その移
転の直前に当該被合併法人等においてイ又はロの資産とされていたもの
（法政令118の4二）

(2) 短期売買商品の譲渡損益の額の計算等

イ　短期売買商品の譲渡損益の益金又は損金算入の時期等……譲渡利益額
又は譲渡損失額は、その譲渡に係る契約をした日の属する事業年度の益
金の額又は損金の額に算入します。（法61①）

ロ　短期売買商品の取得価額……次の①及び②に掲げる短期売買商品の区
分に応じ、それぞれに掲げる金額とします。（法政令118の5）

区　　分	取得価額
①　購入した短期売買商品（デリバティブ取引に係る利益相当額又は損失相当額の益金又は損金算入等の規定（法61の5③）の適用があるものを除きます。）	その購入の代価（引取運賃、荷役費、運送保険料、購入手数料、関税（附帯税を除きます。）その他当該短期売買商品の購入のために要した費用の額を加算した金額）
②　①以外の短期売買商品（適格分社型分割、適格現物出資又は適格現物分配により分割法人、現物出資法人又は現物分配法人から取得したものを除きます。）	その取得の時におけるその短期売買商品の取得のために通常要する価額

ハ　譲渡原価の額を算出する場合の一単位当たりの帳簿価額の算出の方法
……移動平均法又は総平均法とし（法政令118の6①）、法人が算出の方
法を選定しなかった場合又は選定した方法により算出しなかった場合の
法定の算出の方法は、移動平均法とされています。（法政令118の6⑧）

(3) 短期売買商品の時価評価損益

法人が事業年度終了の時に有する短期売買商品は、時価法により評価した
金額をもってその時の評価額とし（法61②）、当該短期売買商品に係る評価

（169）

益又は評価損は、資産の評価益の益金不算入（法25①）又は資産の評価損の損金不算入（法33①）の規定にかかわらず、当該事業年度の益金の額又は損金の額に算入します。（法61③）

　時価法とは、事業年度終了の時に有する短期売買商品をその種類等（種類又は銘柄）の異なるごとに区別し、その種類等の同じものについて、下記㋑又は㋺のいずれかの価格にその短期売買商品の数量を乗じた金額をもって、当該短期売買商品のその時における評価額とする方法です。（法政令118の8①一、二）

　㋑　価格公表者によって公表された当該事業年度終了の日における短期売買商品の最終の売買の価格（公表された同日における最終の売買の価格がない場合には、公表された同日における最終の気配相場の価格とし、そのいずれもない場合には、同日における売買の価格に相当する金額として同日前の最終の売買の価格又は最終の気配相場の価格が公表された日で当該事業年度終了の日に最も近い日におけるその最終の売買の価格又は最終の気配相場の価格を基礎とした合理的な方法により計算した金額とします。これらの場合の最終の気配相場の価格は、その日における最終の売り気配と買い気配の仲値としますが、売り気配又は買い気配のいずれか一方のみが公表されている場合には、当該公表されている最終の売り気配又は買い気配とします。（基通2-3-68））

　㋺　価格公表者によってその価格を公表される短期売買商品又はこれに類似する商品の最終価格に、これらの品質、所在地その他の価格に影響を及ぼす条件の差異により生じた価格差につき、必要な調整を加えて得た価格

　なお、価格公表者とは、商品（商品先物取引法第2条第1項に規定する商品）の売買の価格又は気配相場の価格を継続的に公表し、かつ、その公表する価格がその商品の売買の価格の決定に重要な影響を与えている場合におけるその公表する者をいいます。

　これにより益金の額又は損金の額に算入した評価益又は評価損に相当する金額は、翌事業年度の損金の額又は益金の額に算入するとともに、翌事業年度開始の時におけるその短期売買商品の帳簿価額は、当該損金の額に算入される金額に相当する金額を減算し、益金の額に算入される金額に相当する金額を加算した金額とする、各事業年度ごとの洗替え計算をすることとされています。（法政令118の10①④）

第4章　棚卸資産

第2節　棚卸資産の評価

棚卸資産の評価と売上原価の関係についての税法の考え方

> 【問4-6】　税法上棚卸資産の評価方法は原価配分法でなく、期末
> 残高法であるといわれています。原価配分法とか期末残高法とは
> どのようなことなのか、説明してください。

【答】　棚卸資産の受払いは、現預金、受取手形、売掛金等他の資産と同様に
取引の都度その記帳をして事業年度終了の日の残高を算出し、これと実地棚
卸しによる残高との突合せをするのが理想的な方法です。これによって、棚
卸差損益の計算もできるのですが、実務的にこのような処理を行い得ない資
産（例えば小売業の店頭商品）があり、この処理ができる資産を保有してい
ても管理レベルがこの処理をできる段階に達していない法人も多いと思われ
ます。税法は規模、業種に関係なく、すべての法人を対象にしなければなり
ませんので、理想的な方法だけを想定した規定を設けることはできません。

　棚卸資産の受払いを継続記録によって記帳する理想的な方法では、前事業
年度末から繰り越された棚卸資産と当事業年度中に受け入れた棚卸資産が、
どのような評価額で当事業年度の払出高と在庫高に配分されるのかが問題に
なりますので、「前事業年度繰越し棚卸資産及び当事業年度中受入れ棚卸資
産の評価額」と、「当事業年度中払出し棚卸資産及び当事業年度末棚卸資産
の評価額」との間に一定のルールに則った関係があるべきことになります。
すなわち、前事業年度からの繰越原価と当事業年度中の受入原価が一定のルー
ルによって当事業年度中の払出高と当事業年度末在庫高に配分されていく
ことが必要で、このような方法を「原価配分法」といいます。個別法、先入
先出法、平均法などは原価配分法による評価方法ですが、最終仕入原価法は
事業年度末の棚卸資産を評価し、差引計算によって事業年度中の払出高を算
出する方法ですので、原価配分法による評価方法でありません。

　税法は、前記のように、理想的な方法である原価配分法しか認めないとい
う規定ができませんので、事業年度末の棚卸資産の評価額を計算し、売上原
価は差引計算によって求める方法をとっています。このような方法を「期末
残高法」といい、法人税法第29条第1項はこの方法による棚卸資産の評価額

（171）

を、「各事業年度の所得の金額の計算上当該事業年度の損金の額に算入する金額（売上原価等）を算定する場合におけるその算定の基礎となる当該事業年度終了の時において有する棚卸資産（期末棚卸資産）の価額」と表現しています。この方法は、事業年度終了の時に有する棚卸資産の評価額をきめればよいのですから、税法は最終仕入原価法も評価方法として認めています。

以上により、税法では事業年度末の実地棚卸しによって棚卸資産の種類等ごとの数量を確定してその評価額を計算すればよいことになり、棚卸資産の受払数量記録はなくても差し支えないことになります。

個別法を選定することができる棚卸資産

> 【問4-7】 棚卸資産の評価方法として個別法を選定できるのは、どのような資産ですか。

【答】 個別法は、期末棚卸資産（事業年度終了の時に有する棚卸資産）の全部について、その個々の取得価額をその取得価額とする評価方法です。（法政令28①一イ）この評価方法は、即物的な評価方法ですが、税法は、棚卸資産のうち通常一の取引によって大量に取得され、かつ、規格に応じて価額が定められているものについては、選定することができないと規定しています。（法政令28②）

これは、同一種類の棚卸資産が頻繁に受払いされる場合、個々の棚卸資産の取得価額を把握しつづけることは不可能に近いと思われますし、仮に可能だとしても、企業の恣意によって取得価額の高いものから払い出していくというような利益操作ができるのは、適当でないと考えられるからです。したがって、いわゆるマスプロ生産を行う会社では、原材料、仕掛品、製品ともにその評価の方法として、個別法を選定することはできません。

個別法を選定することができる棚卸資産には、次のようなものがあります。（基通5-2-1）

① 商品……取得から販売に至るまでの過程を通じて具体的に個品管理が行われ、かつ、その個品管理を行うことに合理性があると認められるもの（例：宝石、書画こっとう品、中古自動車、一品ごとに柄の異なる高級呉服）

② 製品、半製品、仕掛品……取得から販売若しくは消費までの過程を通じ

（172）

第4章　棚卸資産

て具体的に個品管理が行われ、かつ、個別原価計算が実施されていて、その個品管理を行うこと又は個別原価計算を実施することに合理性があると認められるもの（例：造船、ビル、橋梁などの建築、個別受注により製作中の設備）

③　原材料……その性質上専ら②に掲げる製品又は半製品の製造等の用に供されるものとして保有されている原材料

月別又は6か月ごとの移動平均法

> 【問4-8】　原材料の評価方法を移動平均法としていますが、原材料の仕入れの都度評価単価の計算をせず、月ごとに計算する方法をとってもよろしいですか。6か月ごとに計算する方法は、いかがでしょうか。

【答】　税法に規定されている移動平均法は、いわゆる「その都度移動平均法」であり（法政令28①一ニ）、棚卸資産の種類等の異なるごとに、次の算式で計算した金額をその1単位当たりの取得価額とする方法です。

x_1 ＝事業年度開始の時に有していたものの1単位当たりの取得価額

x_2 ＝（x_1×当該事業年度における第1回目の取得の直前における数量＋第1回目の取得単価×その取得数量）÷（分子の数量の合計）

x_2 は、第2回目の仕入れがあるまで払出し及び残高に使われる単価で、以後仕入れの都度この計算を繰り返し、事業年度終了の時に最も近い x_n をその時の1単位当たりの取得価額とします。

したがって、仕入れの都度 x の計算をしなければなりませんが、経理事務の簡便化のため1月ごとに区切って、

x ＝（月初に有していたものの取得価額＋月中に取得したものの取得価額の合計額）÷（分子の数量の合計）

として計算することも認められています。（基通5-2-3）この方法は、月別移動平均法です。

一方、総平均法は「期別総平均法」が本則ですが、1月ごとに区切っての「月別総平均法」も認められています。上記の月別移動平均法は、この月別総平均法と同じになります。

（173）

次に、6か月ごとに区切っての「6か月ごと移動平均法」ですが、これも「6か月ごと総平均法」と同じになります。しかし、移動平均法という以上、その区切りを6か月まで拡大するのはラフすぎますので、「6か月ごと移動平均法」は移動平均法に該当しないとされています。（基通5−2−3の2（注））したがって、棚卸資産の評価方法として移動平均法を選定しているときは、その区切り期間は1月までとし、6か月ごとに区切る場合は、評価方法を総平均法に変更しなければなりません。

(注) 棚卸資産評価基準は、「取得した棚卸資産の平均原価を算出し、この平均原価によって期末棚卸資産の価額を算定する方法」を平均原価法とし、平均原価は総平均法又は移動平均法によって算出するとしており（同基準6−2(3)）、税法のように、総平均法と移動平均法を別個の評価の方法としていません。

売価還元法の原価率について

> **【問4-9】** 売価還元法によって商品を評価する場合、その種類等又は差益の率の異なるものごとに、事業年度終了の時における通常の販売価額の総額に次の算式によって計算される原価率を乗じた金額を、その時の取得価額とすることはできませんか。
>
> $$\frac{\text{当該事業年度開始の時における商品の取得価額の総額} + \text{当該事業年度中に取得をした商品の取得価額の総額}}{\text{当該事業年度開始の時における商品の通常の販売価額の総額} + \text{当該事業年度中に取得をした商品の通常の販売価額の総額}}$$

【答】 売価還元法は、期末棚卸資産をその種類等又は通常の差益の率の異なるごとに区別し、その種類等又は通常の差益の率の同じものについて、当該事業年度終了の時における種類等又は通常の差益の率を同じくする棚卸資産の通常の販売価額の総額に下記の算式によって計算される原価の率を乗じて計算した金額を、その取得価額とする方法です。（法政令28①一ヘ）

$$\frac{\text{当該事業年度開始の時における棚卸資産の取得価額の総額} + \text{当該事業年度において取得をした棚卸資産の取得価額の総額}}{\text{当該事業年度終了の時における棚卸資産の通常の販売価額の総額} + \text{当該事業年度において販売した棚卸資産の対価の総額}}$$

この算式ですと、分子と分母の四つの項の金額について特別の調査をすることなく、原価の率を算出することができます。

（174）

第4章　棚卸資産

　一方、連続意見書第四「棚卸資産の評価について」には、売価還元平均原価法の原価率の算式が次のとおり示されており、御質問にある原価率の算式は、これに準じた算式ということができます。

$$\frac{（期首繰越商品原価）＋（当期受入原価総額）}{\left[\begin{array}{c}期首繰越商\\品小売価額\end{array}\right]＋\left[\begin{array}{c}当期受入\\原価総額\end{array}\right]＋\left[\begin{array}{c}原　始\\値入額\end{array}\right]＋（値上額）－\left[\begin{array}{c}値　上\\取消額\end{array}\right]＋（値下額）＋\left[\begin{array}{c}値　下\\取消額\end{array}\right]}$$

　原価率をこの算式で計算する場合、事業年度中に仕入れた商品の売価（当期受入原価総額＋原始値入額）の計算に特別の手数を要します。一方、税法の規定している原価率では、分子と分母での棚卸資産の数量の対応が完全でなく、例えば小売商店で万引等の被害にあった商品は、分母にその売価が加わらないのに分子にはその原価が加わり、原価率が実際以上に高くなるという不合理が生じます。したがって、売価還元法の原価率の算式は、計算に手数を要しますが、御質問にある算式の方が合理的であるといえます。

　また、小売業では、商品についてその売区分ごとに次のような計算をして、事業年度終了の時の商品の計算上の販売価額の総額と実在するものの販売価額の総額を比較し、商品の管理をすることがありますが、その場合は、日常の業務のなかで、事業年度中に仕入れた商品の売価の計算が行われています。

$$\begin{array}{c}事業年度開始の時の\\商品の売価の合計額\end{array}＋\begin{array}{c}事業年度中に仕入れた\\商品の売価の合計額\end{array}－\begin{array}{c}当該事業年\\度の売上高\end{array}＝\begin{array}{c}事業年度終了の時\\の商品の計算上の\\売価の合計額\end{array}$$

　しかし、税務では、売価還元法で評価する場合の原価率の算式が前記のとおり政令で定められていますので、御質問にある算式を用いることはできません。このため、御質問にある算式で売価還元法による商品の評価をしたときは、税法の算式で計算した評価額との差額の申告調整が必要になります。

（注）　御質問にある算式での評価は、税法上棚卸資産の特別な評価の方法（法政令28の2①）に該当します。したがって、御質問にある算式で商品を評価するためには、納税地の所轄税務署長に申請書を提出して、その承認を受けなければなりません。（法政令28の2②、法規則9）

（175）

差益の率の異なる商品に対する売価還元法の適用

> **【問4-10】** 売価還元法の原価率を、事業年度中に販売したすべての商品の加重平均によって計算しますと、利益率が低くて回転の早いおとり商品の影響度が大きく、原価率が相対的に高くなります。利益率が高くて原価率の低い商品は、回転が遅くて在庫割合が高いのですが、どのようにすればよろしいですか。

【答】 売価還元法の原価率は、御質問にあるように、事業年度中に販売したすべての商品について加重平均計算したものを一律に適用するのではありません。期末棚卸資産をその種類等又は通常の差益の率の異なるごとに区分して計算することとされており（法政令28①一へ）、その種類の著しく異なるものを除き、通常の差益の率がおおむね同じ棚卸資産は、これをその計算上の一区分とすることができるとされています。（基通5-2-5）

御質問にあるように、おとり商品とその他の商品とでは、明らかに通常の差益の率が異なります。したがって、事業年度中に取得したものの取得価額、事業年度中に販売したものの対価の総額ともに通常の差益の率の異なるものごとに区別して、それぞれの原価率を求めて評価をすることになります。

小売店の場合、商品の種類等又は通常の差益の率が異なるもの別に売上高及び仕入高を区分計算する手数を要しますが、御質問のように原価率の低い商品の評価に当たり、相対的に高い原価率が適用されることはおこりません。

売価還元法による評価をするに当たっての売上値引額の考慮

> **【問4-11】** 売価還元法の原価率を計算するに当たって、「事業年度中に販売した棚卸資産の対価の総額」は売上値引後の金額によるのですか。また、「事業年度終了の時における棚卸資産の通常の販売価額の総額」は、将来における売上値引見込額を控除した金額としてもよろしいですか。

【答】 税法の売価還元法による棚卸資産の評価額は、次の算式によって計算します。（法政令28①一へ）

（176）

$$\text{事業年度終了の時における棚卸資産の通常の販売価額の総額} \times \frac{\text{事業年度開始の時における棚卸資産の取得価額の総額} + \text{事業年度中に取得をした棚卸資産の取得価額の総額}}{\text{事業年度終了の時における棚卸資産の通常の販売価額の総額} + \text{事業年度中に販売した棚卸資産の対価の総額}}$$

この算式の被乗数である「事業年度終了の時における棚卸資産の通常の販売価額の総額」は、事業年度中に販売した棚卸資産について値引き、割戻し等を行い、それを売上金額から控除しているような場合であっても、値引き、割戻し等を考慮しないところの販売価額の総額によります。(基通5-2-7)

一方、乗数である原価率の分母の金額ですが、「事業年度終了の時における棚卸資産の通常の販売価額の総額」は、上記の被乗数と同様に、値引き、割戻し等を考慮しない金額です。これに対して、「事業年度中に販売した棚卸資産の対価の総額」は、実際の販売価額の合計額によりますが、事業年度中に使用人、株主、特定の顧客等特定の者に対する販売について値引きを行っている場合において、その者に対する販売状況が個別に管理されており、その値引きの額が明らかにされているときは、その値引きの額をその販売価額に加算して計算することができるものとされています。(基通5-2-6)

これは、被乗数である「事業年度終了の時における棚卸資産の通常の販売価額の総額」には値引額が織り込まれていないにもかかわらず、これに乗ずる原価率の分母の「事業年度中に販売した棚卸資産の対価の総額」に値引額を加算せず、原価率を高いままとするのは、不合理だからです。

この分母に加算する値引額には、例えば大量に販売した得意先に対する値引額とか、ディスカウント・セールでの値引額などがあるでしょうが、販売状況が個別に管理され、その値引きの額が明らかにされていなければなりません。したがって、ディスカウント・セールを行う場合には、通常の販売価額とディスカウント後の価額との差額の資料、つまり価格付替えの資料を作成して、保存しておくことが必要です。

事業年度中に値上げをした場合の売価還元率の計算

> **【問4-12】** 売価還元法によって、製品の評価をしています。当事業年度中に、製品の販売価額を平均10%値上げしました。「事業年度終了の時における棚卸資産の通常の販売価額の総額」は、当然値上げ後の価額で計算しますが、「事業年度中に販売した棚卸資産の対価の総額」についてもそのうちの値上げ前の部分の金額を10%増額し、その全額を値上げ後の販売価額に修正して、売価還元法の原価率を算定することができますか。

【答】 御質問の趣旨は、売価還元法による棚卸資産の評価額の算式で、被乗数である「事業年度終了の時における棚卸資産の通常の販売価額の総額」が値上げ後の金額となっているにもかかわらず、これに乗ずる原価率の分母の「事業年度中に販売した棚卸資産の対価の総額」のなかに値上げ前の販売価額によるものが入ったままなのは、不合理ではないかということと思います。

　しかし、税法の売価還元法の原価率は、法人税法施行令第28条第1項第1号ヘに規定されており（【問4-9】参照）、原価率を御質問のように算定することはできません。原価率を御質問のように算定することが合理的なのかどうかですが、事業年度中に製品の売価を平均10%値上げされたのは、原材料費、工賃等製造費用が事業年度中に上昇したためと思われます。とすれば、値上げをされる前の製造原価は低かったわけで、値上げ前後を通じて原価率は、大きな変動がなかったともいえます。つまり、値上げ前の低い原価は値上げ前の低い販売価額による売上額で除して原価率が算定されているわけで、不合理でないわけです。

　なお、製品の値上げ後において、特定の得意先等に対してただちに値上げすることができないため、値上げ前の販売価額までの値引きを行っている場合には、この値引額を分母の「事業年度中に販売した棚卸資産の対価の総額」に加算することができます。（基通5-2-6、【問4-11】参照）

（178）

第4章　棚卸資産

低価法を適用する場合の棚卸資産の事業年度終了の時における価額——正味売却価額

> **【問4-13】**　税法は、棚卸資産の評価に低価法を適用する場合にその取得価額と比較する価額を「当該事業年度終了の時における価額」と規定していますが、具体的にどのようなものをいうのですか。
>
> 棚卸資産評価基準に定められている「正味売却価額」と同じと考えてよろしいですか。

【答】　御質問にあるように、税法は棚卸資産の評価に低価法を適用する場合にその取得価額と比較する価額を、「当該事業年度終了の時における価額」と定めています。（法政令28①二）

この「当該事業年度終了の時における価額」は、法人税基本通達5-2-11において「当該事業年度終了の時においてその棚卸資産を売却するものとした場合に通常付される価額（「棚卸資産の期末時価」という。）による。」とされ、その(注)で「通常、商品又は製品として売却するものとした場合の売却可能価額から見積追加製造原価（未完成品に限る。）及び見積販売直接経費を控除した正味売却価額によることに留意する。」とされています。

この正味売却価額は、棚卸資産評価基準において「売価（購買市場と売却市場とが区別されている場合における売却市場の時価）から見積追加製造原価及び見積販売直接経費を控除したものをいう。」（同基準5）と定められているものと同じです。その算定方法を事例で示しますと、次のとおりです。

〔事例〕

競合品の出現によって製品甲の売価が30％下落し、当事業年度末に在庫となっている製品甲の売価の合計額1,000万円が700万円に、その仕掛品の完成品としての売価の合計額200万円が140万円に下落しました。当該製品甲の取得価額（製造原価）は750万円（材料費500万円、加工費250万円）で、見積販売直接経費は20万円（下落前の売価1,000万円×$\frac{2}{100}$）と算定され、当該仕掛品の取得価額（製造原価）は115万円（〔**表1**〕の㋑のとおり）で、見積販売直接経費は4万円（完成品としての下落前の売価200万円×$\frac{2}{100}$）、見積追加製造原価は35万円（〔**表1**〕の㋺のとおり）と算定されます。

（179）

〔表1〕 仕掛品の取得価額（製造原価）と見積追加製造原価 （単位：万円）

	完成した場合の見積製造原価 Ⓐ	事業年度終了の時の製造原価		見積追加製造原価	
		進行度 Ⓑ	金額 Ⓒ＝Ⓐ×Ⓑ	残りの工程割合 Ⓓ(100%－Ⓑ)	金額 Ⓔ＝Ⓐ×Ⓓ ＝Ⓐ－Ⓒ
材料費	100	90%	90	10%	10
加工費	50	50%	25	50%	25
計	150		㋑ 115		㋺ 35

　当事業年度末に在庫となっている製品甲及びその仕掛品の正味売却価額と、低価法の適用によって当事業年度に費用として処理する金額は、〔表2〕のとおりです。

〔表2〕　　　　　　　　　　　　　　　　　　　　　　　　　　（単位：万円）

	取得価額 ㋑	正味売却価額				当事業年度に費用として処理する金額 ㋬＝㋑－㋭
		事業年度終了の時の売価 ㋺	見積追加製造原価 ㋬(〔表1〕の㋺)	見積販売直接経費 ㋥	差引正味売却価額 ㋭＝㋺－㋬－㋥	
製　品	750	700	―	20	680	70
仕掛品	115 (〔表1〕の㋑)	140	35	4	101	14
計	865	840	35	24	781	84

低価法の適用に当たり取得価額と比較する価額を再調達原価とすることができる場合

> 【問4-14】　低価法を適用する場合、事業年度終了の時に有する棚卸資産の取得価額と比較する価額が正味売却価額であるとしますと、事業年度終了の時にはまだどの製品の生産に使用するのかわからない原材料の価額は、どのように計算するのですか。

【答】　【問4-13】で説明したように税法（法政令28①二）及び通達（基通5-2-11）は、低価法を適用するに当たって事業年度終了の時に有する棚卸資産の取得価額と比較する価額を、正味売却価額としています。

　しかし、御質問にあるように、原材料には事業年度終了の時にはまだどの

（180）

製品の生産に使用するのかわからないものがあり、わかっていても見積追加製造原価の算定に手数を要するものもあります。このため、「原材料等のように未加工品である棚卸資産の期末時価は、通常、その再調達原価と一致すると考えられるので、このような棚卸資産については再調達原価によって算出した金額を期末時価として差し支えない」（平成19年12月7日付改正法人税基本通達5-2-11の概要の注）とされています。

　商品の時価も、売却可能価額から見積販売直接経費を控除するという手数を要する正味売却価額よりも、再調達原価（仕入価額）によって算定する方が容易ですが、商品は正味売却価額の算定が可能ですので、再調達原価を時価とすることはできません。再調達原価を時価とすることが認められるのは、原材料のように、どの製品の生産に使用されるのかわからず、また、購買市場はあるが売却市場がないため売却可能価額が明らかでない棚卸資産です。

　低価法を適用する場合の時価を、正味売却価額によるべきであるとされる棚卸資産と、再調達原価によることができる棚卸資産とに区分しますと、次のとおりになります。

　　イ　正味売却価額（原則）によるべき棚卸資産……商品又は製品（副産物
　　　　及び作業くずを含みます。）、半製品、仕掛品（半成工事を含みます。）
　　　　及びこれらに準ずるもの

　　ロ　再調達原価（例外）によることができる棚卸資産……主要原材料、補
　　　　助原材料、消耗品で貯蔵中のもの及びこれらに準ずるもの

　なお、棚卸資産評価基準も、正味売却価額に代えて再調達原価を採ることができる場合及び再調達原価の意義を、次のとおり定めています。

　「製造業における原材料等のように再調達原価の方が把握しやすく、正味売却価額が当該再調達原価に歩調を合わせて動くと想定される場合には、継続して適用することを条件として、再調達原価（最終仕入原価を含む。）によることができる。」（同基準10）

　「再調達原価とは、購買市場と売却市場とが区分されている場合における購買市場の時価に、購入に付随する費用を加算したものをいう。」（同基準6）

低価法の適用等についての会社計算規則の規定と、税法の規定及び棚卸資産評価基準の定めとの対比

> 【問4-15】 低価法の適用について、会社計算規則はどのように規定していますか。税法の規定及び棚卸資産評価基準の定めとの相違についても、説明してください。

【答】 棚卸資産の評価についての会社計算規則の規定は、次のとおりです。

(1) 強制評価減の規定……事業年度の末日における時価がその時の取得原価より著しく低い資産（当該資産の時価がその時の取得原価まで回復すると認められるものを除く。）は、事業年度の末日における時価を付さなければならない。（会社計規5③一）

(2) 任意評価減の規定……事業年度の末日における時価がその時の取得原価より低い資産は、事業年度の末日においてその時の時価を付すことができる。（会社計規5⑥一）

このように、会社計算規則は、棚卸資産の時価が著しく低下した場合は評価減を強制し、低下したがその程度が著しくない場合の評価減すなわち低価法の適用は、任意としています。

まず、会社計算規則の規定と税法の規定との対比ですが、(1)の強制評価減の規定に係るものについて、税法は「災害による著しい損傷、著しい陳腐化等によりその価額がその帳簿価額を下回ることとなった場合、法人が評価換えをして損金経理によりその帳簿価額を減額したときは、その減額した部分の金額のうち、その評価換えの直前の当該資産の帳簿価額とその評価換えをした日の属する事業年度の終了の時における当該資産の価額との差額に達するまでの金額は、損金の額に算入する。」と規定しています。（法33②、法政令68①一）法人が損金経理することを条件に損金の額に算入することを認めるのですから、税法の規定は強制評価減ではありません。

一方、(2)の低価法の規定に係るものについては、税法も原価法と低価法の選択適用を認めており（法政令28①）、会社計算規則と同様に、任意適用となっています。

次に、会計計算規則の規定と棚卸資産評価基準との対比ですが、棚卸資産評価基準は(1)の強制評価減の規定が適用されるものと(2)の低価法の規定が

（182）

第4章 棚卸資産

適用されるものの区別をせず、「通常の販売目的（販売するための製造目的を含む。）で保有する棚卸資産は、取得価額をもって貸借対照表価額とし、期末における正味売却価額が取得原価よりも下落している場合には、当該正味売却価額をもって貸借対照表価額とする。」とし（同基準7前段）、評価減を強制適用としています。

　同基準には、結論の背景として、その理由が次のとおり述べられています。

　「この基準が定められるまで、わが国では棚卸資産の評価基準は原価法が原則的な方法とされ、低価法は例外的な方法と位置付けられてきたが、今日では、例えば、金融商品会計基準や減損会計基準において、収益性が低下した場合には、回収可能な額まで帳簿価額を切り下げる会計処理が広く行われている。

　そのため、棚卸資産についても収益性の低下により投資額の回収が見込めなくなった場合には、品質低下や陳腐化が生じた場合に限らず、帳簿価額を切り下げることが考えられる。収益性が低下した場合における簿価切下げは、取得原価基準の下で回収可能性を反映させるように、過大な帳簿価額を減額し、将来に損失を繰り延べないために行われる会計処理である。棚卸資産の収益性が当初の予想よりも低下した場合において、回収可能な額まで帳簿価額を切り下げることにより、財務諸表利用者に的確な情報を提供することができるものと考えられる。」（同基準35、36）

　会社計算規則において前記の(1)は強制、(2)は任意適用とされている棚卸資産の評価減について、棚卸資産評価基準は、一括して期末時の正味売却価額までの評価減を強制適用としているわけです。

切放し低価法を適用した場合の申告調整

> **【問4-16】** 棚卸資産評価基準は低価法の適用について洗替え法と切放し法の選択適用を認めていますが、税法の低価法は洗替え法のみとなっています。切放し低価法を適用した場合、洗替え低価法により算定した評価額との差額について、申告調整が必要ですか。

【答】 棚卸資産の評価の方法として低価法を適用している場合、例えば原価1,000円の商品が値下りして事業年度終了の時の時価（正味売却価額）が800

（183）

円になりますと、800円で評価します。翌事業年度終了の時にこの商品の時価が900円に値上りしますと、原価が1,000円、時価が900円のため900円で評価するというのが洗替え低価法です。

一方、切放し低価法によるときは、翌事業年度以後は当該事業年度終了の時に低価法を適用して評価した800円を原価とみなしますので、原価800円と時価900円を対比し、そのうちの低い価額である800円で評価します。したがって当該商品の評価額は、洗替え低価法の場合に比べて100円低くなります。

棚卸資産評価基準は、下記のとおり、低価法について洗替え法と切放し法の選択適用を認めています。

「前期に計上した簿価切下額の戻入れに関しては、洗替え法と切放し法のいずれかの方法を棚卸資産の種類ごとに選択適用できる。また、売価の下落要因を区分把握できる場合には、物理的劣化や経済的劣化若しくは市場の需給変化の要因ごとに選択適用できる。この場合、いったん採用した方法は、原則として、継続適用しなければならない。(同基準14)」

税法は、低価法を「期末棚卸資産をその種類等の異なるごとに区別し、その種類等の同じものについて、原価と時価(当該事業年度終了の時における価額)のうちいずれか低い価額をその評価額とする方法」(法政令28①二)と規定し、切放し低価法を認めていません。したがって、棚卸資産評価基準により切放し低価法により評価したときは、洗替え法により評価した金額との差額について、申告調整をしなければなりません。

低価法を選定した棚卸資産のすべてについて原価と時価の対比を要するか

> 【問4-17】 棚卸資産の評価の方法として低価法を選定している場合、棚卸資産の全部について原価と時価の対比をしなければなりませんか。価格変動の著しい原材料等だけを抽出して、原価と時価の対比をする方法をとってもよろしいですか。

【答】 低価法を選定した棚卸資産の全部についてもれなく原価と時価とを比較するとしますと、相当の手数を要することがありますので、価格変動が著しいものとか、期末現在時価が明らかに低落しているものだけについて、原価と時価の対比をすることが多いと思います。

(184)

第4章　棚卸資産

　この点について税法は、特に規定を設けていませんので、棚卸資産についてもれなく原価と時価の対比をしていなくても、低価法の適用が否認されることはありません。決算確定後に評価減の計上もれをしている棚卸資産を発見した場合、税法上低価法の適用は損金経理をすることを条件とされていませんので、評価減相当額の申告減算による損金算入はできると解されますが、税務調査の結果として減額更正するようなことは行われません。

　一方、会社法では、一部の棚卸資産だけにつまみ食い的に低価法を適用するのは妥当ではありませんし、また、棚卸資産評価基準では、期末の正味売却価額が取得価額より下落している資産の一部についてのみ評価減を行うことは利益操作であり、許されないと解されます。しかし、重要性の原則によって、価格変動が著しい資産とか金額的に重要な資産を一定の基準で抽出して低価法を適用し、他の資産について時価の調査を省略することは認められると思います。要するに、恣意的に一部の棚卸資産だけについて低価法を適用することは認められませんが、手数の煩雑さを避けるために金額の重要性等を判断して、合理的に低価法を適用する棚卸資産を抽出することは認められます。

　連続意見書第四「棚卸資産の評価について」は、「第一の三／低価基準」のなかで、この点を「低価基準を採用する限り、棚卸資産の全品目にわたって低価評価を実施することを建前とするが、重要な品目を選択し、これについてのみ低価評価を行い、また時価低落の著しい品目に限って評価切下げを行うことも、実務の便宜として許される」と示しています。

　(注)　実務的には、最終取得原価を時価とみなして原価と比較し、いずれか低い価額を評価額とする「最終取得原価低価法」が行われているようです。この方法は、連続意見書の上記の箇所にも「低価基準を適用する場合における時価として、（中略）再調達原価をとることも認められる。再調達原価の代替として、最終取得原価（決算日に最も近い実際取得原価）（中略）をとることもある。」と示されており、棚卸資産評価基準でも、再調達原価には最終仕入原価を含むとされています。（同基準10かっこ書）この方法によれば、期末現在の時価の調査は不要ですし、最終取得原価を棚卸資産の種類等ごとに入力しておけば、全棚卸資産についての原価と時価の電算機による対比が可能になりますが、【問4-14】で説明したように、低価法を適用する場合の時価を再調達原価とすることができる棚卸資産は、原材料等に限られることに注意してください。

（185）

原材料受入価額差異の調整計算を一括して行っている場合の低価法の適用

> **【問4-18】** 法人税基本通達5-3-8によって原材料受入価額差異の調整計算を一括して行っている場合、低価法の適用に当たって時価（事業年度終了の時における価額）と対比する個々の原材料の原価は、どのように計算するのですか。

【答】 原材料の評価を低価法で行う場合、個々の原材料について原価と時価（事業年度終了の時における価額）を比較しますが、原材料の期中の受払いを標準単価で行い、事業年度終了の時に受入差額を一括調整計算している場合、個々の原材料の原価をどのようにして計算するのかという問題があります。例えば、原材料受入価額差益の一括調整計算によって、事業年度終了の時の原材料の評価額が標準原価の2％減となった場合、標準単価1,000円の原材料の原価を、単純に調整後の単価980円としてよいのかという問題です。

低価法の適用に当たって、事業年度終了の時の時価と比較する原価は、個々の原材料の実際仕入原価によって計算された金額でなければなりませんので、標準単価のとり方次第で実際原価との間に種々の差異が生ずる一括調整計算後の原価は、実際仕入原価に該当しません。したがって、上記の事例の場合、当該原材料の事業年度終了の時の時価が980円未満であっても、ただちに低価法の適用をすることはできません。この場合低価の事実の判定は、原材料受入価格差異の調整を行った区分に含まれる原材料の時価の合計額と、原材料受入差異調整後の評価額の合計額に基づいて行います。（基通5-2-10）したがって、原材料全部の事業年度終了の時の時価の調査及び集計に手数を要する場合は、低価法の適用ができないことになります。

原価差額の調整計算を一括して行っている場合の製品、半製品及び仕掛品の低価法の適用についても、同じです。

第4章　棚卸資産

製造工程での進行度の見積りによる半製品及び仕掛品の評価

> 【問4-19】　半製品及び仕掛品の評価のために製造工程での進行度を用いるのは、どのような場合ですか。また、どのようにして進行度や評価額の計算をするのか、具体的に説明してください。

【答】　半製品及び仕掛品の評価に用いる製造工程での進行度とは、当該半製品及び仕掛品を製品として完成させるに当たっての総製造原価に対する事業年度終了の時に投入ずみの原価の割合です。例えば、総製造原価の内訳が材料費70％、加工費30％で、事業年度終了の時の半製品及び仕掛品について、材料費は90％、加工費は50％が投入ずみという場合、当該半製品及び仕掛品の進行度は、次に計算するように78％となります。

区分	Ⓐ総原価に対する割合	Ⓑ期末時における 投入割合	進行度 Ⓐ×Ⓑ
材料費	70％	90％	63％
加工費	30	50	15
計	100	—	78

　(注)　例えば組立工業の場合、材料はほとんど工程の初めに投入されますので、材料費の支出割合は加工費の進行度よりも高くなります。

　このような進行度は、製造業を営む法人が原価計算を行わないため製造工程に応じて製品売価の何割として半製品及び仕掛品を評価する場合（基通5-2-4）、並びに当該棚卸資産について低価法を適用する場合の時価（当該事業年度終了の時における価額で、正味売却価額です。（【問4-13】参照））を計算する場合に用いられます。

　売価還元法によって評価する場合及び正味売却価額を計算する場合、半製品には売価（売却市場の時価）がないことがあり、仕掛品には売価がありませんので、その売価は、当該半製品又は仕掛品が製品として完成した場合のその売価に、上記の進行度を乗じて求めることになります。上記の事例での半製品及び仕掛品の完成品が完成した場合の正味売却価額が100千円であるとしますと、事業年度終了の時における当該半製品及び仕掛品の正味売却価額は、100千円×0.78＝78千円となります。

（187）

第3節　棚卸資産の取得価額

下請会社への出向者の人件費を元請会社が負担している場合

> 【問4-20】　下請会社に当社の社員が出向して生産、技術等の監督
> 指導をしていますが、当該出向者に係る人件費は全額当社が負担
> しています。当該下請会社から仕入れた部品の評価に当たって、
> この出向者に係る人件費はどのように考えるべきですか。

【答】　御質問の場合、下請会社への出向者に係る人件費（給料、賞与、退職
給付費用、法定福利費等）を全額貴社が負担されていますが、当該出向者の
行っている業務を下請会社の従業員が行いますと、その人件費によって下請
会社の製造原価がアップし、貴社の部品仕入単価が高くなると考えられます。
したがって、下請会社への出向者の人件費を貴社が全額負担される場合、下
請会社からの部品仕入単価の引下げ等が行われるはずで、そのような反対給
付（部品仕入単価の引下げ等）のない人件費の負担は、下請会社に対する寄
附金になります。

　いいかえれば、貴社が負担されている出向者の人件費相当額は、下請会社
からの部品仕入れに付随した費用ですので、部品仕入額に加算して当該下請
会社からの仕入部品の取得価額の計算をしなければなりません。下請会社に
機械や金型などを無償で貸与している場合における、これらの資産に係る減
価償却費や償却資産税等についても同じです。

　なお、上記により部品仕入額に加算する金額は、原材料受入差額として法
人税基本通達5-3-8に示された方法で調整計算するのが実務的です。その
算式は次のとおりですが、この調整計算は当該下請会社から購入した部品に
ついてだけでなく、原材料に係る受入差額の全部を対象にして、一括調整を
することもできるでしょう。

$$
\begin{array}{l}
\text{当該下請会社から購} \\
\text{入した部品の期末棚} \\
\text{卸高に加算する額}
\end{array}
=
\begin{array}{l}
\text{部品仕入} \\
\text{金額に加} \\
\text{算する額}
\end{array}
\times
\frac{\text{期末における当該部品の在庫高}}{\text{期中における当} + \text{期末における当}\atop \text{該部品の払出高} \quad \text{該部品の在庫高}}
$$

(注)　御質問のケースでは、出向者の人件費を下請会社に負担させ、それを加味し
た金額で部品の購入金額を決定した方が、寄附金の問題が生じにくいと思われ
ます。

（188）

第4章　棚卸資産

仕入数量の添付を受けた棚卸資産の取得価額

> **【問4-21】**　商品の仕入れに当たって、仕入先から仕入数量の10％
> 程度の商品の添付を受けることがあります。添付を受けた商品は、
> 当該仕入先からの受贈品として、受贈益を計上しなければなりま
> せんか。

【答】　御質問の場合問題になるのは、受贈益の有無でなく、数量添付のあっ
た仕入商品の取得価額です。つまり、仕入商品について10％の添付を受けた
場合は、例えば100個の仕入代金で110個の商品を仕入れたのであり、仕入単
価の値引きを受けたのと変わりません。したがって、数量の添付のあった仕
入商品は、（仕入金額）÷（添付商品を含めた仕入数量）によって、単位当た
りの取得価額を算定することになります。

　なお、仕入先では、この数量添付に要した費用は、交付する物品が得意先
である事業者で棚卸資産として販売することが明らかな物品であり、かつ、
売上割戻し等と同一の算定基準で交付していると考えられますので、交際費
等に該当しません。（措通61の4(1)-3(注)2）

製造原価に算入しなければならない棚卸資産の評価損

> **【問4-22】**　原材料、仕掛品などの棚卸資産の評価損の額は、製造
> 原価に算入しなければなりませんか。低価法の適用による評価損
> と、特定の事実が生じたことによる評価損とで異なりますか。

【答】　棚卸資産評価基準は、その17「通常の販売目的で保有する棚卸資産の
収益性の低下による損益の表示」の前段で、「通常の販売目的で保有する棚
卸資産について、収益性の低下による簿価切下額は売上原価とするが、棚卸
資産の製造に関連し不可避的に発生すると認められるときには製造原価とし
て処理する。」と示しています。具体的に、どのような棚卸資産についての
どのような簿価切下額が、棚卸資産の製造に関連して不可避的に発生するも
のとして製造原価に算入すべきことになるのかですが、棚卸資産の種類とそ
の簿価切下額の発生事由によって、製造原価に算入することが必要なものと
不要なものを区別しますと、次のとおりになります。

（189）

① 製造原価に算入することが必要なもの……原材料、半製品、仕掛品等製造に関連のある棚卸資産の簿価切下額のうち、下記のもの

　イ　低価法の適用による簿価切下額

　ロ　製造工程で通常発生する仕損品の簿価切下額

　ハ　原材料、半製品、貯蔵品等に通常発生する品質低下、陳腐化による簿価切下額

② 製造原価に算入することを要しないもの

　イ　商品等製造に関係のない棚卸資産の簿価切下額

　ロ　製品のような製造工程を終えた棚卸資産について、製造工程終了後に生ずる低価法の適用、著しい陳腐化を基因とする簿価切下額

　ハ　製造に関係のある棚卸資産の簿価切下額のうち、①に掲げたもの以外のもの

　上記②のハについてですが、特定の事実が生じた場合の棚卸資産の評価損のうち、物損等の事実として災害により著しく損傷したことによるもの及び法的整理の事実（更生手続における評定が行われることに準ずる特別の事実）によるもの（法政令68①一）がこれに該当します。棚卸資産評価基準17もその後段で、「また、収益性の低下に基づく簿価切下額が、臨時の事象に起因し、かつ、多額であるときには、特別損失に計上する。」とし、臨時の事象の例として、(1)重要な事業部門の廃止と、(2)災害損失の発生を掲げています。

税法上損金算入されない諸引当金の繰入額は製造原価に算入しないことができるか

【問4-23】　賞与引当金繰入額や退職給付費用（退職給付引当金繰入額）は、税法上全額損金不算入となりますが、そのうちの工場従業員に係る金額は、製造原価に算入しなければなりませんか。

【答】　償却超過額その他税務計算上の否認金の額は、製造原価に算入しないことができます。（基通5-1-4(10)）

　減価償却費について、例えば自主耐用年数を採用することによって生じた償却限度超過額を申告加算調整をしている場合とか、御質問のように税法上

（190）

第4章　棚卸資産

損金算入されない賞与引当金繰入額や退職給付費用を申告加算調整している
場合、法人の計算どおりの金額を製造原価としますと、申告加算された金額
の一部が期末棚卸資産の取得価額に加わり、一時的にせよ二重課税が生じま
す。このため、申告加算した償却超過額や引当金繰入額を製造原価の部分の
金額と販売費及び一般管理費の部分の金額とに区分し、製造原価の部分の金
額を原価計算に当たって製造費用から除外することを認めるというのが、上
記の通達です。

　しかし、企業会計の基準からみた場合、製造の用に供する減価償却資産の
償却費のうちの償却超過額、工場従業員に係る賞与引当金等繰入額や退職給
付費用は、税法上損金不算入であっても製造原価であり、これらの金額を除
外して原価計算をするのは適正でありません。このため、企業会計では、こ
れらの費用も製造原価に算入して原価計算を行い、税務では、法人税基本通
達5-3-9に示された貸方原価差額についての申告調整を行うのが適正な方
法です。(【問4-36】参照)

製造原価に算入しないことができる費用について

> 【問4-24】　次に掲げる費用は、製造原価に算入しないことができ
> ますか。
> ①　初年度特別償却の金額
> ②　機械の耐用年数の短縮の承認に伴う減価償却費の増加額
> ③　法人税法施行令第60条の規定による増加償却の金額

【答】　①について……租税特別措置法に定める特別償却は、経済政策の立場
から企業の特定の設備に対する投資を促進させることを目的にした早期償却
による課税繰延べの措置であり、減価償却資産の損耗とは関係がありません。
このため、特別償却の規定の適用を受ける資産の減価償却費のうち、特別償
却限度額に係る部分の金額は、製造原価に算入しないことができます。初年
度特別償却でも割増償却でも同じです。(基通5-1-4(3))

　(注)　特別償却費は、会社計算規則及び企業会計の基準でいう相当の償却に該当し
　　　ませんので、損金経理で計上することの可否の問題があります。すなわち、節
　　　税のためだけのものならば、繰越利益剰余金からの振替えで特別償却準備金を

(191)

積み立てるという剰余金の処分の方法を採るべきです。

②、③について……②の耐用年数の短縮の承認に伴う減価償却費の増加額、③の通常の使用時間を超えて使用される機械及び装置の増加償却の金額は、いずれも減価償却資産の使用に伴う損耗に対応して生ずる減価償却費ですので、製造原価に算入しなければなりません。

補償金を収受した経費の製造原価算入の要否

> 【問4-25】 工場内のグランドの維持管理費用を、工場従業員の福利厚生に係る費用として、製造原価に算入しています。当該グランドの一部が、これに面した公道の拡幅工事によって収用され、収用部分の対価補償金とあわせて、バックネット、立木等の移転補償金の支払を受けました。この移転補償金によって支出するバックネット等の移設費用のうち、当該補償金の額に達するまでの金額は、それに見合う収入がありますので、製造原価に算入しないことができると考えますが、いかがでしょうか。

【答】 収用に伴い起業者から交付を受ける移転補償金は、原則として収用の場合の課税の特例が適用されません。（特例が適用される事例は、【問19-7】を参照してください。）したがって、御質問の場合、移転補償金は全額益金の額に算入されますが、これに伴う移設費用は、機能復旧のための支出金（基通7-8-7）に準ずるものと考えられますので、資本的支出とせず、全額修繕費等として損金の額に算入することができます。

ところで、当該移設費用を製造原価に算入すべきかどうかですが、一般に認められた原価計算の基準では、異常な事象に基づいて発生する費用は、製造原価に算入しないこととされています。（原価計算基準第1章の5「非原価項目」参照）御質問の収用に伴う移転は、会社の自発的意思によるものでなく、異常な事象による取引といえます。したがって、当該移設費用は、製造原価に算入しないことができます。この場合、移転補償金の額との関係は特に考慮する必要はなく、移転補償金の額が少ない場合でも、移転に伴い不可避的に発生した費用で、かつ、機能復旧のための支出金の範囲内のものであれば、移設費用はその全額を製造原価に算入する必要はありません。

第4章　棚卸資産

生産休止期間中の費用の原価外処理

> 【問4-26】　在庫調整のために操業短縮をすることになり、工場の
> 機械の約半分の稼働を休止しました。このために生じた余剰人員
> の大部分は、一時帰休として有給で自宅待機させており、約3か
> 月間この状態が続く見込みです。休止期間中の自宅待機者に対す
> る給料、休止機械の減価償却費などは、その期間中に稼働してい
> る部分の製造原価に加えなければなりませんか。

【答】　生産を相当期間にわたり休止した場合のその休止期間に対応する費用
の額は、製造原価に算入しないことができます。（基通5-1-4(9)）したが
って、休止期間中の一時帰休者の給料等や休止機械の減価償却費は、原価外
処理をすることができ、その期間中に稼働している部分の製造原価に加える
必要はありません。この場合の相当期間については、通達で明示されていま
せんが、1週間程度では相当期間といえないが、1月以上であれば、相当期
間にわたる休止に該当するとされているようです。

　なお、御質問にはありませんが、税法は事業の用に供していない固定資産
を減価償却資産から除外しており（法政令13かっこ書）、当該資産について
の減価償却を認めていません。しかし、稼働を休止している資産であっても、
その休止期間中必要な維持補修が行われており、いつでも稼働し得る状態に
あるものは、減価償却資産に該当するものとされています。（基通7-1-3）
御質問の休止機械は、約3月後の操業再開に備えて維持補修がなされておれ
ば、休止期間中のものも減価償却資産に該当し、減価償却をすることができ
ます。

（193）

事業場閉鎖によって整理する従業員に対する割増退職金の原価外処理

> **【問4-27】** 不況のためにＡ工場を閉鎖し、同工場の従業員は、他の事業場に配置換えの可能な者を除いて、整理することになりました。整理の対象となる従業員には、割増退職金を支払いますが、割増し部分の金額を、製造原価に算入しないことができますか。

【答】 事業場を閉鎖して人員整理をするときは、通常割増退職金が支払われますが、事業の閉鎖、事業規模の縮小等のため大量に整理した使用人に対して支給する退職給与の額は、製造原価に算入しないことができます。（基通5-1-4(8)）原価計算基準においても、臨時多額の退職給与は、事業場閉鎖による不要在庫や設備の除却損と同様に、異常な状態を原因とする価値の減少として、非原価項目とされています。（原価計算基準第1章の5(2)7）

　人員整理の対象となった従業員に支給する退職給与のうちの割増部分の金額は、退職給付引当金の算定基礎である退職給付債務に含まれていませんので、退職給付引当金を取り崩さず、特別損失に計上します。この場合の特別損失計上額は、企業会計上製造原価に算入しません。

　上記の法人税基本通達5-1-4(8)によれば、事業の閉鎖等により大量に整理した使用人に対する退職給与の金額を製造原価外とすることができることになりますが、当該退職給与のうち、通常の退職給与の額までは退職給付引当金を取り崩し、特別損失に計上しません。一方、退職給付費用（退職給付引当金繰入額）のうちの工場従業員に係る部分の金額はその全額を製造費用に算入していますので、税務上製造原価外とすることができる通常の退職給与までの金額について、貸方原価差額の申告調整（基通5-3-9、【問4-36】参照）をすることができます。

　要するに、割増退職金支給時に退職給付引当金の取崩しをしない通常の退職給付を超える部分の金額だけを特別損失に計上して、製造原価に算入しないのが、適正な会計処理です。

第4章　棚卸資産

公害汚染負荷量賦課金、身体障害者雇用納付金等の原価算入について

【問4-28】　次の賦課金、納付金のうち工場に係るものは、製造原価に算入する必要がありますか。
① 公害健康被害の補償等に関する法律第52条第1項に規定する汚染負荷量賦課金
② 同法第62条第1項に規定する特定賦課金
③ 障害者の雇用の促進等に関する法律第53条第1項に規定する障害者雇用納付金

【答】　①の汚染負荷量賦課金は、気管支ぜんそく等に係る健康被害者の救済資金等に充てるため、大気汚染の原因となる物質の排出量が一定量以上の施設を設置している工場又は事業場（以下「ばい煙発生施設等設置者」といいます。）に賦課されます。その金額は、過去分と前年1月1日から12月31日までの汚染物質排出量に各汚染物質ごとの単位排出量当たりの賦課金額を乗じて計算した金額の合計額で、年度の初日から45日以内に、ばい煙発生施設等設置者が独立行政法人環境再生保全機構（以下「保全機構」といいます。）に申告書を提出して納付します。当該物質の排出は、工場の操業上不可欠のものですので、この賦課金は製造原価に算入しなければなりません。

(注)　この賦課金の損金算入時期は、汚染負荷量賦課金申告書が提出された日（決定に係る金額については、当該決定の通知があった日）の属する事業年度とされています。（基通9-5-7(1)）例えば、3月31日を事業年度終了の日とする法人が、当該事業年度の排出量によって計算した賦課金を未払金に計上しても、その事業年度には損金算入することができず申告加算を要しますが、当該賦課金を製造原価に算入して原価計算を行っているときは、基通5-3-9（申告調整できる貸方原価差額）の取扱いを適用することができます。（【問4-36】参照）

②の特定賦課金は、水俣病やイタイ・イタイ病など特異的疾病に係る健康被害者の救済資金に充てるため、水質汚濁等の原因物質を排出する特定施設等の設置事業者（過去の設置者を含みます。以下「特定施設等設置者」といいます。）に対して賦課されます。その金額は、毎年保全機構が決定して、特定施設等設置者に通知します。この賦課金は、現に特定施設等設置者である法人は①の賦課金と同様に製造原価に算入しなければなりませんが、過去

（195）

の設置者である法人にとっては、過去の工場操業を原因とする一種の公害補償金ですので、製造原価に算入する必要はないと考えます。

> **(注)** この特定賦課金の損金算入時期は、当該特定賦課金の額につき、決定の通知があった日の属する事業年度とされています。(基通9-5-7(2))

③の障害者雇用納付金は、常時雇用労働者数が100人を超える一般事業者に対して、障害者の雇用数が常時雇用労働者等の2.5％相当数に満たない場合、その雇用不足数1人につき1月当たり5万円を独立行政法人高齢・障害・求職者雇用支援機構に納付することとされているものです。この納付金は前年4月1日から本年3月31日までの分を、4月1日から45日以内に申告書を提出して納付します。

この納付金も、工場の従業員数を基礎にして算定した金額相当額は原価性を有するといえますが、各事業場の営む事業の種類ごとに除外率が設けられていること、最終的には法人の全事業場を通算して障害者の過不足数を算定すること、従業員が一定数未満の事業者には適用がないこと等により、製造原価算入を強制するのは実情に合いませんので、製造原価に算入しないことが認められています。(基通5-1-4(11))

> **(注)** この納付金の損金算入時期は、障害者雇用納付金申告書が提出された日(告知に係る金額は、当該告知があった日)の属する事業年度とされています。(基通9-5-7(3))

適格組織再編成により引継ぎを受けた棚卸資産の取得価額

> **【問4-29】** 適格組織再編成によって移転を受けた棚卸資産の取得価額は、被合併法人や分割法人の取得価額を引き継ぐことになると考えてよろしいですか。

【答】 適格組織再編成により移転を受けた棚卸資産の取得価額は、当該適格組織再編成の態様によって、次のとおり区分して規定されています。

① 適格合併又は適格分割型分割により被合併法人又は分割法人(以下「被合併法人等」といいます。)から引継ぎを受けた棚卸資産……当該被合併法人等の最後事業年度終了の時又は当該適格分割型分割の直前における当該棚卸資産の評価額の計算の基礎となった取得価額に当該棚卸資産を消費

(196)

し又は販売の用に供するために直接要した費用の額を加算した額とします。（法62の2①②、法政令28③、123の3）

(注) 適格合併又は適格分割型分割により合併法人又は分割承継法人が被合併法人等から引き継いだ資産は、被合併法人等の最後事業年度終了の時又は適格分割型分割の直前の帳簿価額により引継ぎを受けたものとするという一般規定がありますが（法62の2①②、法政令123の3）、棚卸資産の場合は上記の法政令28③の規定が適用され、当該棚卸資産を消費し又は販売の用に供するために直接要した費用を加算すべきことになります。下記の②、③、④についても、同じです。

② 適格分社型分割により分割法人から引継ぎを受けた棚卸資産……分割法人の分割直前の帳簿価額に、その取得のために要した費用及び当該資産を消費し又は販売の用に供するために直接要した費用の額を加算した額とします。（法62の3、法政令123の4、32④）

③ 適格現物出資により現物出資法人から引継ぎを受けた棚卸資産……現物出資法人の現物出資直前の帳簿価額に、その取得のために要した費用及び当該資産を消費し又は販売の用に供するために直接要した費用の額を加算した額とします。（法62の4、法政令123の5、32④）

④ 適格現物分配により現物分配法人から取得した棚卸資産……現物分配法人の現物分配直前の帳簿価額に、その取得のために要した費用及び当該資産を消費し又は販売の用に供するために直接要した費用の額を加算した額とします。（法62の5③、法政令123の6①、32④）　なお、残余財産の全部の分配に係る適格現物分配は、当該残余財産の確定の日の翌日に行われたものとします。（法政令123の6②）

第4節　原価差額の調整

原材料有償支給差益の取扱い

> **【問4-30】**　下請会社に原材料を有償支給するときに計上される原材料有償支給差益は、原材料受入差益として、法人税基本通達5-3-8に定める原材料受入差額の簡便計算方式による処理をすることができますか。

【答】　法人税基本通達5-3-8で簡便計算方式による処理が認められている原材料受入差額は、原材料の受入れに当たり見積単価等を採用している場合に生ずるものです。例えば、実際仕入単価95円の原材料を100個仕入れたとき、当該原材料の見積単価を100円としますと、次のような仕訳になります。

原　材　料	10,000円	買　掛　金	9,500円
		原材料受入差益	500円

　原材料受入時につけた見積単価によって、当該原材料の受払い及び材料費の計算を行い、法人税基本通達5-3-8に示された簡便計算方式によって原材料受入差額の一括調整計算をしますと、原材料評価計算の手数が簡略になるとともに、製造原価差額に価格差異（管理不能差異）が含まれず、材料費差額は数量差異（管理可能差異）だけになるという、原価管理でのメリットが生じます。

　ところで、御質問の有償支給は、下請会社で加工中の原材料について発注会社が数量管理の手数を省くために行う方法で、有償支給された原材料は、下請会社で加工された後、「材料費＋下請会社の加工賃＋下請会社の利益」によって算定された単価により発注会社に納入されます。したがって、実質的には発注会社の材料が下請会社に預けられているのと変わりませんが、下請会社に差益をとって有償支給する処理をしたため、税務では下請会社に対する原材料の支給取引があったとして有償支給差益を認識し、当該差益を益金の額に算入することになります。（【問2-22】参照）

　したがって、有償支給差益の額を、将来納入される加工品の取得価額から差し引くことはできませんし、御質問にある原材料受入差益にも該当しませんので、原材料受入差額の簡便計算方式による処理の対象にすることはでき

（198）

第4章　棚卸資産

ません。

前期末原材料棚卸高に配賦された原材料受入差額等の取扱い

【問4-31】　法人税基本通達5-3-8に定める方法で原材料受入差額の調整をする場合、次のような差額はどうすればよろしいか。
① 前期末原材料棚卸高に配賦された原材料受入差額
② 期首に原材料の標準単価を改訂したことによって生じた差額

【答】　法人税基本通達5-3-8に定める原材料受入差額の簡便計算方式を算式で示しますと、次のとおりです。

(イ)　$\dfrac{\text{期末原材料棚卸高}}{\text{に対する配賦額}} = \dfrac{\text{原 材 料}}{\text{受入差額}} \times \dfrac{\text{期末原材料棚卸高}}{\text{当期原材料払出高} + \text{期末原材料棚卸高}}$

(ロ)　$\dfrac{\text{当期原材料払出高}}{\text{に対する配賦額}} = \dfrac{\text{原 材 料}}{\text{受入差額}} \times \dfrac{\text{当期原材料払出高}}{\text{当期原材料払出高} + \text{期末原材料棚卸高}}$

(イ)によって期末原材料棚卸高に配賦された差額は、翌期の製造原価に、(ロ)によって当期原材料払出高に配賦された差額は、当期の製造原価差額すなわち法人税基本通達5-3-5に示された算式のなかの原価差額に、それぞれ含めることとされています。(基通5-3-8(注)) したがって、御質問の①の前期末原材料棚卸高に配賦された原材料受入差額は、当期へ繰り越されてきますが、その全額を当期の製造原価に含めますので、当期の原材料受入差額に加える必要はありません。

　当期中の原材料の動きを算式にしますと、

　前期繰越原材料＋当期中仕入原材料＝期中払出原材料＋期末在庫原材料

となります。上記の(イ)及び(ロ)の乗数の分母の額は、この算式の右側の金額ですから、被乗数である「原材料受入差額」は、当期の仕入れに係るものだけでなく、前期繰越原材料に係るものも加えるのが正しいといえます。したがって、「原材料受入差額」のなかに御質問にある①の差額を加えても誤りでありませんし、①の差額を加えるときは、御質問にある②の差額も期首の原材料についての受入差額の追加として、「原材料受入差額」に加えることになります。

　この点法人税基本通達5-3-8の簡便計算方式は、税務上認められる一つの方法を示しているのにすぎませんが、①の差額を加えなくてもよいとして

（199）

いる以上、御質問の②の差額を加える必要もないということになるでしょう。

理屈をつければ、御質問の①の差額と②の差額を原材料受入差額に加える方法は、原材料についての総平均法的な調整方法であり、法人税基本通達5-3-8の簡便計算方式は、先入先出法的な調整方法、つまり期末原材料の評価に当たって前期繰越原材料は期中に全部払出済みと考える調整方法です。

ただし、繰越原材料が先入先出法的に払出済みとなるのは、この期間が1年又は6か月の場合のことで、1月ごとにこの簡便計算方式を適用することはできません。法人税基本通達5-3-8の算式は、分母が「当期原材料払出高」となっていますので、1月ごとに計算するときは総平均法的に算式を訂正し、①の差額、②の差額とも、原材料受入差額に加えなければなりません。

(注) 1年決算法人が、上半期と下半期に区分して原材料受入価額の調整をするときは、上半期末の原材料棚卸高に配賦された原材料受入差額は、下半期に生じた原材料受入差額調整額に加算すべきであると考えます。【問4-35】参照)

原価差額についての税法の考え方(Ⅰ)

> **【問4-32】** 企業会計原則の注解21の(2)は、「製品等の製造原価については、適正な原価計算基準に従って、予定価格又は標準原価を適用して算定した原価によることができる」としています。税務でも、この方法によって製品の評価をすることができますか。

【答】 製品等の製造原価を御質問にある企業会計原則の注解21の(2)に示された方法で評価した場合、実際原価との間に差額が生じます。

原価差異について原価計算基準は、実際原価計算制度におけるものは材料受入価格差異を除いて原則として当年度の売上原価に賦課し、予定価格等が不適当なため比較的多額の原価差異が生ずる場合、売上原価と期末棚卸資産に賦課することとしています。(原価計算基準第5章の47「原価差異の会計処理」の(1)1、3)また、標準原価計算制度における原価差異は、数量差異、作業時間差異、能率差異等であって異常な状態に基づくと認められるものは非原価項目とし、その他のものはすべて実際原価計算制度における処理の方法に準じて処理するとしていますので(原価計算基準第5章の47(2))、原則的には売上原価に賦課し、標準原価が不適当なため多額の原価差額が生ずる

(200)

第4章　棚卸資産

場合、売上原価と期末棚卸資産に賦課することになります。

　企業会計原則も、原価差額は売上原価に賦課することを前提にしていますので、その注解21の(2)にいう「適正な原価計算に従って、予定価格又は標準原価を適用して算定した原価」とは、多額の原価差額が生じないものです。

　税法にも同様の規定があり、法人が棚卸資産につき算定した製造等の原価の額が適正な原価計算に基づいて算定されているときは、税法上の取得価額と異なるときでも、その原価の額に相当する金額を取得価額とみなすとしています。（法政令32②）この場合の原価計算には、実際原価計算だけでなく標準原価計算も含まれますので、それが適正であるならば、原価差益はそのまま益金の額に算入され、原価差損はそのまま損金の額に算入されます。

原価差額についての税法の考え方（Ⅱ）

【問4-33】　標準原価が適正であれば、原価差益はそのまま益金算入され、原価差損はそのまま損金算入されるとのことですが、法人税基本通達は原価差額の調整を原価差損についてだけ強制していると思います。その理由を説明してください。

【答】　法人税基本通達の第5章「棚卸資産の評価」の第3節「原価差額の調整」は、その冒頭の5-3-1において、原価差損（法人が各事業年度において製造等をした棚卸資産につき算定した取得価額が税法の規定により算出される取得価額に満たない場合のその差額）を「原価差額」というとし、そのうちの期末棚卸資産に対応する部分の金額を、当該期末棚卸資産の評価額に加算するとしています。これにより、同5-3-2から5-3-8に示されている原価差額の調整に関する取扱いは、原価差損だけに適用されますので、原価差損のうちの期末棚卸資産に対応する部分の金額を決算修正をしていない場合は、申告加算調整を要することになります。

　一方、法人税基本通達では、原価差益を「貸方原価差額」とし、そのうちの期末棚卸資産に対応する部分の金額は、同5-3-9「申告調整できる貸方原価差額」（【問4-36】参照）が適用されるものを除いて申告減算調整することを認めず、そのまま益金の額に算入することとしています。

　このように、通達が原価差額の調整を原価差損についてだけ強制している

（201）

のは、原価差損の損金算入を全面的に認めると、課税上の弊害が生ずるからです。一方、原価差益は、その調整計算をしなければ法人が不利になりますので、通達で強制しなくても法人自らが調整計算をするでしょうし、法人がそれを怠っても課税上の弊害が生じませんので、税務での取扱いを特に定める必要がないということと考えられます。したがって、原価差益のうちの期末棚卸資産に対応する部分の金額は、法人税基本通達5-3-9が適用される場合を除いて申告減算調整が認められず、原則として決算修正が必要です。

この場合、原価差益の調整方法について、「原価差額」を「貸方原価差額」と読み替えて原価差額の調整に関する通達をそのまま適用することができるのかどうかですが、下記**(注)**に記載する同5-3-3と5-3-4を除いて、すべて適用することができると考えてよいと思います。例えば、同5-3-5に原価差額の簡便調整方法の算式が示されていますが、原価差損と原価差益について別の算式を用いて調整するのは不合理ですし、実務的でもありません。

(注) 税務では、原価差額すなわち原価差損が少額かどうかのボーダーラインを、総製造費用のおおむね1％相当額以内の金額かどうかにおいています。（基通5-3-3かっこ書）この判定は、事業の種類ごと（法人が製品の種類別に原価計算を行っている場合には、継続して製品の種類の異なるごと）に行いますが（同通達(注)）、原価差額の調整単位を工場ごとに細分しているときは、工場ごとに判定することができます。（基通5-3-4）原価差額がこれらの範囲内であれば、その原価差額の調整は不要です。

（202）

第4章　棚卸資産

原価差額調整の算式について

> 【問4-34】　法人税基本通達5-3-5に示されている原価差額調整
> の算式（下記）の分母の額を、「期首製品、半製品、仕掛品の合
> 計額＋当期製造費用」と置き換えることはできませんか。
>
> $$原価差額 \times \frac{期末製品、半製品、仕掛品の合計額}{売上原価＋期末製品、半製品、仕掛品の合計額}$$

【答】　法人税基本通達5-3-5に示されている原価差額調整の算式は、仕掛品、半製品、製品の順に調整するいわゆるころがし計算でなく一括調整計算であり、かつ、棚卸資産の評価方法に関係なく、総平均法的に調整する方法です。そのうえ、期末棚卸資産に配賦された原価差額を個々の棚卸資産に配賦しないで一括して処理している場合には、その金額は翌事業年度に売上原価として損金の額に算入することができることとしています。（基通5-3-7）

　ところで、この算式の乗数は在庫率ですので、その分母と分子は、同一のベースつまり見積原価によって計算されていることを要します。実際の売上原価や実際の期末棚卸資産の評価額は、原価差額調整によって計算されるものですから、この在庫率の分母にある期中の「売上原価」は期中に販売した製品の見積原価の合計額とし、「期末の製品、半製品、仕掛品」の金額は、分子、分母ともに見積原価によって計算した金額とすべきです。

　御質問で置き換えることができないかといわれる金額「期首製品、半製品、仕掛品の合計額＋当期製造費用」は、実際原価で算定されるものですから、見積原価で計算する分子の額と対応せず、法人税基本通達5-3-5に示されている算式の分母の額をこれに置き換えることはできません。いいかえれば、御質問にある金額と通達の分母の金額の差額が原価差額であり、それを売上原価と期末棚卸資産の在高とにあん分するのが、原価差額調整です。

（203）

事業年度が1年の法人が中間仮決算を行う場合の原価差額の調整方法

> **【問4-35】** 事業年度が1年の法人が中間仮決算を行う場合、法人税基本通達5-3-5に示されている原価差額の簡便調整方法と同5-3-8に示されている原材料受入差額の処理の簡便計算方式は、上期と下期とに分けて、それぞれ適用することができますか。

【答】 税法の棚卸資産の評価方法のうち総平均法と売価還元法は、1事業年度を単位として行うことを原則としていますが、事業年度が1年である法人は、上半期の業績の評価や中間申告のための仮決算のために、6月ごとの期間を単位として計算することも認められています。（基通5-2-3の2）

また、継続適用を条件に、上期と下期とに区分して原価差額の調整を行うことができますので（基通5-3-2の2）、法人税基本通達5-3-5に示されている原価差額の簡便調整方法を、上期と下期とに分けて適用することができます。この方法は、原価差額の調整を総平均法的に行うものですが、下期の原価差額調整の算式は次のとおりとされ、上期の原価差額調整により上期末の棚卸資産に一括配賦された原価差額は、下期に生じた原価差額に加えて、下期の原価差額調整の対象にすることとされています。（基通5-3-5の2）

$$\left[\begin{array}{l}\text{下期に生}\\ \text{じた原価}\\ \text{差額}\end{array} + \begin{array}{l}\text{上期末の棚卸資}\\ \text{産に一括配賦し}\\ \text{た原価差額}\end{array}\right] \times \frac{\left(\text{期末の製品、半製品、仕掛品の合計額}\right)}{\left[\begin{array}{l}\text{下期に係る}\\ \text{売上原価}\end{array}\right] + \left[\begin{array}{l}\text{期末の製品、半製品、}\\ \text{仕掛品の合計額}\end{array}\right]}$$

次に、法人税基本通達5-3-8に示されている原材料受入差額の処理の簡便計算方式を上期と下期に分けて適用することができるかどうかについては、通達に特に明示されていません。しかし、この方式は、原材料の評価を一括して総平均法的に行うものですので、前記した法人税基本通達5-2-3の2の趣旨からも、6月ごとにこの方式を適用することは認められると考えます。その場合、下期の調整計算をするに当たり、上期の調整計算で上期末の原材料棚卸高に一括配賦した原材料受入差額は、原価差額の調整に準じて、下期に生じた原材料受入差額に加算すべきことになります。

第4章　棚卸資産

申告調整できる貸方原価差額

> 【問4-36】　法人税基本通達5-3-9の申告調整できる貸方原価差
> 額について、
> ①　申告減算調整が認められている理由を説明してください。
> ②　貸方原価差額となる償却超過額や賞与引当金等の繰入額は、
> 　その事業年度における損金不算入額ですか。当該額から過年度
> 　損金不算入額の当期損金認容額を差し引いた金額ですか。
> ③　マイナスの利益積立金額となった申告減算調整額は、毎事業
> 　年度末に洗替えを要しますか。
> ④　売価還元法によって、製品、半製品及び仕掛品を評価する場
> 　合の原価率の分子の1項目である当期製造費用のうちの自己否
> 　認額についても、この通達の取扱いを適用して、申告減算調整
> 　をすることができますか。
> ⑤　確定申告書提出後に償却超過額の申告加算もれがあることに
> 　気付いて修正申告する場合、当該償却超過額に係る貸方原価差
> 　額について、修正申告で減算調整をすることができますか。

【答】　①について……貸方原価差額とは原価差益のことですが、予定原価又
は標準原価が税務上の取得価額（適正な方法で原価差益の調整をした後の金
額）よりも高いというだけでは、予定原価又は標準原価によって評価した期
末棚卸資産の金額のうちの当該高い部分の金額を申告減算調整することはで
きません。御質問にある法人税基本通達5-3-9において申告減算調整する
ことを認めているのは、償却超過額、交際費等又は寄附金のうちの損金不算
入額、役員給与のうち定期同額給与、事前確定届出給与等に該当しないもの
等のように、法人税法又は租税特別措置法の規定によって損金不算入となり、
又は賞与引当金繰入額や退職給付費用のように税法に規定がないことによっ
て損金不算入となり、申告加算調整をすることによって生じる税務上の原価
差益の額です。

　このような申告加算調整額でも、企業会計上は製造原価に算入すべき費用
ですので、製品、仕掛品等の棚卸資産の企業会計での製造原価は、税務上の
製造原価よりも高くなりますが、その金額には法人税申告書を作成しないと

（205）

計算することができないものもあり、法人の決算に織り込めないことがあります。このため、会計帳簿上の棚卸資産の帳簿価額を、申告減算調整によって税務上の帳簿価額まで引き下げ、所得の金額の計算をすることを認めているわけです。

> **(注)** 企業会計上は、税法上損金不算入となる費用でも製造原価ですから、この貸方原価差額の調整による棚卸資産の修正は一時的な二重課税防止のためのものであり、会計帳簿でなく、申告減算調整で行うべきものです。

②について……償却超過額や賞与引当金等の繰入額は、当該事業年度における金額だけを貸方原価差額とすればよく、過年度の損金不算入額の当期損金認容額は考慮する必要はありません。当事業年度の決算の作成に当たり、製造原価に算入されているのは減価償却費や引当金繰入額であり、過年度損金不算入額の当期損金認容額は、製造原価に算入されていないからです。仮に、当事業年度の損金不算入額から損金認容額を差し引いた金額が貸方原価差額であるとしますと、損金認容額の方が大きい場合は借方原価差額となり、法人税基本通達5-3-9の趣旨に合いません。

例えば償却超過額をその計上時に税務上製造原価から除外しますと、認容時に製造原価に加算しなければ通算したところで製造原価が過少に計上されることになりますが、税務上の原価差額は、次の③で説明するように、発生した事業年度限りのものとされています。

③について……法人税基本通達5-3-5は、原価差額について簡便な調整算式を示しており、かつ、この算式によって期末棚卸資産に一括して処理された金額は、翌事業年度に売上原価等として損金の額に算入することができるとされています。（基通5-3-7）すなわち、通達では、原価差額は発生した事業年度限りのものとし、翌事業年度以後の原価調整計算に影響させないこととしていますので、マイナスの利益積立金額となった貸方申告調整額は、毎事業年度末に洗替えとなり、翌事業年度に申告加算することを要します。棚卸資産が通常1事業年度に1回に以上回転するという点からみても、この点は理解できるでしょう。

> **(注1)** 措通61の4(2)-7の(注)の取扱いからもわかるように、税務にはマイナスの利益積立金額が長期にわたって残るのは好ましくないという考えがあるようです。（【問13-33】参照）

（206）

第4章　棚卸資産

（**注2**）　貸方原価差額の調整を基通5-3-5の算式でなく、前事業年度末の申告減
算調整額を当事業年度の貸方原価差額に加える方法で行いますと、結果的に
前事業年度の申告調整減算額の一部が翌事業年度に残りますが、適用した方
法が不合理でなければ、この方法で計算した調整額をそのまま申告減算額と
して洗い替えることができるでしょう。

④について……申告調整できる貸方原価差額は、棚卸資産の取得価額の全
般について生ずるものを対象にしていますので、製品、半製品、仕掛品を売
価還元法によって評価する場合の原価率の分子の1項目である「当事業年度
の製造原価」にも適用されます。原価差額の調整を行うに当たっての原価差
額の算定にのみ適用されるものではありません。

⑤について……貸方原価差額について申告減算調整ができるのは、確定申
告の段階に限られています。したがって、御質問のように修正申告の段階で、
新たな貸方原価差額についての減算調整をすることはできません。

（207）

第5章　有価証券、自己株式

第1節　有価証券の意義と範囲

売買目的有価証券の意義と範囲

> **【問5-1】**　税法では、事業年度終了の時に保有する有価証券の評価方法を売買目的有価証券は時価法、売買目的外有価証券は原価法と定められていますが、売買目的有価証券とはどのような有価証券をいうのですか。

【答】　売買目的有価証券とは、短期的な価格の変動を利用して利益を得る目的（以下「短期売買目的」といいます。）で取得した有価証券で、次の(1)～(4)に掲げるものをいいますが、企業支配株式等（【問5-4】参照）に該当するものは、これに含まれません。（法61の3①一）

(1) 内国法人が取得した有価証券（(2)～(4)に掲げるものを除きます。）のうち、下記のもの

① 短期売買目的で行う取引に専ら従事する者が、短期売買目的でその取得の取引を行った有価証券（「専担者売買有価証券」といいます。）（法政令119の12一前段）

　いわゆるトレーディング目的で取得した有価証券をいいますので、基本的には、法人が、特定の取引勘定を設けて当該有価証券の売買を行い、かつ、トレーディング業務を日常的に遂行し得る人材から構成された独立の専門部署（関係会社を含みます。）により運用がされている場合の有価証券がこれに該当します。（基通2-3-26）

② その取得の日において短期売買目的で取得したものである旨を帳簿書類に記載したもの（①の専担者売買有価証券を除きます。）（法政令119の12一後段）

(注)　この帳簿書類の記載は、有価証券の取得に関する帳簿書類において、短期売買目的で取得した有価証券の勘定科目をその目的以外の目的で取得した有価証

（208）

第5章　有価証券、自己株式

券の勘定科目と区分することにより行うものとされています。（法規則27の5
①）したがって、短期的に売買し、又は大量に売買を行っていると認められる
場合の有価証券であっても、この区分記載をしていないものは、短期売買有価
証券に該当しません。（基通2-3-27(注)）

(2) 金銭の信託（集団投資信託、退職年金等信託、特定公益信託等及び法人
課税信託を除きます。）のうち、その契約を締結したことに伴いその信託
財産となる金銭を支出した日において、その信託財産として短期売買目的
の有価証券を取得する旨を帳簿書類に記載したもののその信託財産に属す
る有価証券（「信託財産に属する有価証券」といいます。）（法政令119の12二）
　　この帳簿書類への記載は、信託に係る契約を単位として行わなければな
りません。（基通2-3-28）

(注)　この帳簿書類への記載は、金銭の信託に関する帳簿書類において、その信託
財産として短期売買目的で有価証券を取得する金銭の信託の信託財産に属する
有価証券の勘定科目をその金銭の信託以外の金銭の信託の信託財産に属する有
価証券の勘定科目と区分することにより行うものとされています。（法規則27
の5②）したがって、その信託財産に属する有価証券を短期的に売買し、又は
大量に売買していると認められる金銭の信託の信託財産に属する当該有価証券
であっても、この帳簿書類への区分記載をしていない金銭の信託の信託財産に
属する有価証券は、売買目的有価証券に該当しません。（基通2-3-28(注)）

(3) 適格合併、適格分割、適格現物出資又は適格現物分配により被合併法人
等（被合併法人、現物出資法人又は現物分配法人）から移転を受けた有価
証券のうち、その移転の直前に当該被合併法人等において(1)、(2)又は(4)に
掲げる有価証券とされていたもの（法政令119の12三）

(4) 合併等（合併、分割型分割、株式分配、株式交換又は株式移転）により
交付を受けた当該合併等に係る合併法人、分割承継法人、完全子法人、株
式交換完全親法人又は株式移転完全親法人の株式（出資を含みます。以下
同じ。）で、その交付の基因となった当該合併等に係る被合併法人、分割
法人、現物分配法人、株式交換完全子法人又は株式移転完全子法人の株式
が(1)～(3)に掲げる有価証券とされていたもの（法政令119の12四）

(注)　金融商品会計基準は、売買目的有価証券を「時価の変動により利益を得るこ
とを目的として保有する有価証券」（同基準15）とし、金融商品会計実務指針
では、「有価証券の売買を業としていることが定款の上から明らかであり、かつ、

（209）

トレーディング業務を日常的に遂行し得る人材から構成された独立の専門部署（関係会社や信託を含む。）によって売買目的有価証券が保管・運用されていることが望ましい。その典型的な例としては、金融機関の特定取引勘定に属する有価証券、運用を目的とする金銭の信託財産構成物である有価証券が挙げられる。しかしながら、定款上の記載や明確な独立部署をもたなくても、有価証券の売買を頻繁に繰り返している場合には、当該有価証券は売買目的有価証券に該当する。」と示しています。（金融商品会計実務指針65）この後段の部分が、税法では前記(1)の②に該当するものであり、一般の法人が売買目的有価証券とすることができるのは、この部分の有価証券です。

償還有価証券の意義及び範囲

> **【問5-2】** 税法では、売買目的外有価証券のうち償還有価証券の評価方法は償却原価法と定められていますが、償還有価証券とはどのような有価証券をいうのですか。

【答】 償還有価証券は、法人が事業年度終了の時において有する償還期限及び償還金額の定めのある売買目的外有価証券（償還期限に償還されないと見込まれる新株予約権付社債その他これに準ずるものを除きます。）です。（法政令119の14）売買目的外有価証券の評価方法は原価法とされていますが、そのうちの償還有価証券だけは、評価方法が償却原価法とされています。（法61の3①二かっこ書）

(注) 償却原価法による評価額の計算方法は、【問5-15】を参照してください。

　償還有価証券は、その有価証券を保有する法人にとって当該有価証券の償還期限が確定しており、かつ、その償還期限における償還金額が確定しているものですので、当該有価証券が償還有価証券に該当するか否かについて、次に掲げるものは、それぞれに記載するところにより判定します。（基通2-1-33）

① 抽選償還条項付債券等のように期限前償還の可能性のあるものでも、そのような期限前償還は考慮しないで、償還有価証券か否かを判定します。

② コマーシャル・ペーパー、譲渡性預金証書並びに取得期限及び取得金額の定めのある取得条項付株式又は全部取得条項付種類株式は、償還有価証

第5章　有価証券、自己株式

券に該当します。

③　複合有価証券等である有価証券（有価証券でデリバティブ取引の組み込まれたもの）であっても、組込デリバティブ取引と区分された部分（償還期限及び償還金額があるものに限ります。また、当該区分することとした組込デリバティブ取引に係る利益相当額又は損失相当額を算出することが困難な場合に、複合有価証券等に係る評価益又は評価損の額を当該組込デリバティブ取引に係る利益相当額又は損失相当額とすることを継続適用しているものを除きます。）は、償還有価証券に該当します。

④　確定した償還期限の定めのないいわゆる永久債（償還権を発行者が有し、契約条項等からみて償還の実行の可能性が極めて高いもので、かつ、償還時期及び償還金額が合理的に予測可能なものを除きます。）は、償還有価証券に該当しません。

⑤　償還金額が変動する株価リンク債、他社株償還条項付社債等は、償還有価証券に該当しません。

⑥　㋑発行者が債務超過状態に陥り最近発生利子の支払いが全くないか極めて僅少であること、発行者に更生手続が開始されたことなど発行者の経営状態・資産状態の悪化に伴い、償還金額の一部の償還が明らかに見込まれないものとなっている有価証券、㋺その償還の全部又は一部が6か月以上延滞している定時償還条項付債券（債券発行後一定期間据え置いた後、一定期間ごとに一定額以上の償還を規則的に行い、償還期限に未償還残高を償還することが定められている債券）は、償還有価証券に該当しないものとして取り扱うことができます。

⑦　転換社債型新株予約権付社債は、原則として償還有価証券に該当しません。ただし、転換価額がその新株予約権の行使の対象となる株式の相場を大きく上回り、将来的にも全くその行使の可能性がないと認められる場合には、償還有価証券に該当します。

(注)　転換社債型新株予約権付社債とは、募集要項において、社債と新株予約権がそれぞれ単独で存在し得ないこと及び新株予約権が付された社債を当該新株予約権の行使時における出資の目的とすることをあらかじめ明確にしている新株予約権付社債をいいます。

一方、有価証券の評価方法でなく、譲渡原価の額を算出するに当たっての

（211）

「有価証券の1単位当たりの帳簿価額の算出の方法」に関連して、税法では有価証券を(1)売買目的有価証券、(2)満期保有目的等有価証券、イ満期保有目的有価証券、ロ企業支配株式等、(3)その他有価証券に区分しています。(法政令119の2②) このうち(2)のイ満期保有目的有価証券とは、「償還期限の定めのある有価証券（売買目的有価証券に該当するものを除きます。）のうち、その償還期限まで保有する目的で取得し、かつ、その取得の日にその旨を帳簿書類に記載したもの（適格合併、適格分割、適格現物出資又は適格現物分配により被合併法人、分割法人、現物出資法人又は現物分配法人から移転を受けた有価証券で、これらの法人において満期保有目的有価証券とされていたものを含みます。）」です。

(注) この規定での帳簿書類での記載は、有価証券に関する帳簿書類において、償還期限の定めのある有価証券のうちその償還期限まで保有する目的で取得したものの勘定科目と、その他の目的で取得したものの勘定科目を区分することにより行うものとされています。(法規則26の14①)

償還有価証券と満期保有目的有価証券の相違点

【問5-3】 償還有価証券と満期保有目的有価証券は、どのような点で異なりますか。税法、金融商品会計基準それぞれについて説明してください。

【答】 償還有価証券と満期保有目的有価証券を比べますと、税法では次のような異同点があります。

	償還有価証券 (法政令119の14)	満期保有目的有価証券 (法政令119の2②一)
償還期限の定め	あり	あり
償還金額の定め	あり	なし
償還期限までの保有目的	なし	あり

したがって、償還期限と償還金額の定めのある有価証券は、償還期限まで保有し続けることとしていなくても、償還有価証券として償却原価法で評価しなければなりません。逆に、償還期限まで保有し続けることとしている有

(212)

第5章　有価証券、自己株式

価証券は、株価リンク債や為替リンク債のように償還金額が定まらないものでも、税法上満期保有目的有価証券に該当します。

　一方、金融商品会計基準では、満期まで所有する意図をもって保有する社債その他の債券を「満期保有目的の債券」とし、取得価額をもって貸借対照表価額とするが、債券を債券金額より低い価額又は高い価額で取得した場合において、取得価額と債券金額との差額の性格が金利の調整と認められるときは、償却原価法に基づいて算定された価額をもって貸借対照表価額としなければならないと規定しています。（金融商品会計基準Ⅳ2(2)第16項）金融商品会計実務指針では、この「満期保有目的の債券」の範囲を次のとおり示しており（金融商品会計実務指針68、69）、償却原価法で評価すべきこととされている点は税法の償還有価証券と同じですが、満期まで所有する意図があるという条件が加わっていますので、償還有価証券の範囲についての法人税基本通達2-1-33とは、若干の違いがみうけられます。

イ　満期保有目的というためには、あらかじめ償還日が定められており、かつ、額面金額による償還が予定されていることを要する。例えば、転換社債型新株予約権付社債は、債券の一種であるが、その性質上、満期まで保有するメリットが少なく、満期前に株式に転換することが期待されているため、基本的には満期保有目的になじまない。

ロ　満期の定めのない永久債は、属性としては満期保有目的の条件を満たさない。ただし、償還する権利を発行者がコール・オプションとして有しているものは、その契約条項等からみて、償還が実行される可能性が極めて高いと認められれば、満期保有目的の条件を満たすものといえる。

ハ　抽選償還が特約として付されている債券又は期前償還する権利を発行者がコール・オプションとして有しているいわゆるコーラブル債は、満期到来前に償還される可能性があっても、満期保有目的の条件を損なうものでない。

ニ　債券が属性として有する元本リスク（信用リスク、為替リスク等）は、満期保有目的の条件を否定するものでないが、株価リンク債（償還時の平均株価等によって償還元本が増減することが約定されているもの）、為替リンク債（償還時の為替相場によって償還元本が増減するもの）等の仕組債は、そのスキーム上リスクが元本に及ぶものであるため、複合金融商品

として組込デリバティブ部分を区分経理するとしても、満期保有目的の条件を満たさない。

ホ　保有期間が漠然と長期であると想定し保有期間をあらかじめ定めていない場合、又は市場金利や為替相場の変動等の将来の不確定要因の発生いかんによっては売却が予測される場合には、満期まで所有する意思があるとは認められない。また、満期までの資金繰計画等からみて、又は法律等の障害により継続的な保有が困難と判断される場合には、満期まで所有する能力があるとは認められない。

ヘ　満期まで所有する意図は、取得時点において判断すべきものであり、いったん、他の保有目的で所有した債券について、その後保有目的を変更して満期保有目的の債券に振り替えることは認められない。

企業支配株式等の意義とこれに適用される特別の規定、取扱い

> 【問5-4】　企業支配株式等とはどのようなものですか。また、企業支配株式等は、税務上特別な規定、取扱いが適用されるとのことですが、その内容を説明してください。

【答】　企業支配株式等とは、法人の特殊関係株主等が、その法人の発行済株式又は出資（その法人が有する自己の株式又は出資を除きます。）の総数又は総額の20％以上に相当する数又は金額の株式又は出資を有する場合におけるその特殊関係株主等の有するその法人の株式又は出資をいいます。（法政令119の2②二）

税法では、この企業支配株式等は、「有価証券の1単位当たりの帳簿価額の算出の方法」についての有価証券の区分のなかで、規定されています。

この場合の特殊関係株主等とは、【問22-1】で説明する同じ株主グループに属する株主その他これに準ずる関係のある者をいいます。同族会社に該当するかどうかを判定する場合には、同族会社が法人のうち会社だけについてのものであるため、株主等と特殊の関係のある法人は、会社に限られますが（法政令4②）、企業支配株式等かどうかを判定する場合は、「その他これに準ずる関係のある者」には株主等と特殊の関係のある会社以外の法人も含まれます。したがって、例えば、株主の1人及びこれと特殊の関係のある個人

第5章　有価証券、自己株式

又は法人が有する会社以外の法人の出資の金額が当該法人の出資の総額の50％を超える金額に相当する場合における当該会社以外の法人は、この場合の特殊関係株主等に該当します。（基通2-3-20）

　企業支配株式等には、経営権支配に当たって取得されるものがあり、通常の有価証券を取得する場合に比べて相対的に高い価額で取得されるものがあります。しかし、経営権の支配を目的にした買集めの時期がすぎますと、株価が下がることが多く、その場合、当該企業支配株式等を売買目的有価証券として時価までの評価減をするとか、価格が著しく低下したことによる評価損の損金算入を認めるのは税務上問題がありますので、税務では企業支配株式等について、次のような点で特別の取扱いをしています。

① 売買目的有価証券の評価方法が時価法である（法61の3①一）ため、企業支配株式等は売買目的有価証券から除かれています。（法政令119の12かっこ書）

　(注)　金融商品会計基準は、「子会社株式及び関連会社株式は、取得価額をもって貸借対照表価額とする。」と規定しています。（金融商品会計基準Ⅳ2(3)第17項）「関連会社株式」は、影響力基準により拡大されているものを除けば、議決権の所有割合が20％以上である子会社株式以外の会社の株式ですので（財表規則8⑤⑥）、この金融商品会計基準の規定は、基本的に税法の企業支配株式等の評価に関する規定と合致します。

　　　また、会計計算規則も、時価又は適正な価格を付すことができる市場価格のある資産から子会社株式及び関連会社株式並びに満期保有目的の債券を除いており（会社計規5⑥二）、当該規則での関連会社は、「会社が他の会社等の財務及び事業の方針の決定に対して重要な影響を与えることができる場合における当該他の会社等（子会社を除く。）」と規定されていますので（会社計規2③二十一）、企業支配株式等の評価について、基本的に税法の規定と合致します。

② 取引所売買有価証券、店頭売買有価証券及びその他価格公表有価証券等は、価額が著しく低下したときには評価減をすることができますが、企業支配株式等はこれらの有価証券に該当する株式でも、単に価額が著しく低下しただけでは評価減をすることができず（法政令68①二イかっこ書）、評価減をするためにはその株式を発行する会社の資産状態が著しく悪化したため、その価額が著しく低下したという事実が必要です。（同二ロ、基通9-1-8(注)）

（215）

③　企業支配株式等を評価減するに当たっての時価は、その取得がその企業支配株式等の発行法人の企業支配をするためにされたと認められるときは、その株式等の通常の価額に企業支配に係る対価の額を加算した金額としなければなりません。(基通9-1-15)

④　期末換算方法を発生時換算法とする外貨建有価証券は、外国為替の売買相場が著しく変動した場合、期末時の為替相場で換算しなおすことができますが(法政令122の3①、【問17-7】参照)、企業支配株式等である外貨建有価証券には、この規定は適用されません。(同かっこ書)

企業支配に係る対価の額 (I)

> **【問5-5】**　企業支配株式等を取得するに当たって支出した企業支配に係る対価の額は、法人税基本通達9-1-15の趣旨からみて当該企業支配株式等の取得価額に算入しなければならないと思いますが、次の事例での債務引受額は、企業支配に係る対価の額に該当するのでしょうか。
>
> ①　債務超過会社である甲社の技術力を評価して同社を子会社とするに当たり、その発行済株式の70％を同社の株主Aから取得したが、子会社に債務超過会社があるのは不都合なので、その直後に甲社の債務引受けをした場合の債務引受額相当額
>
> ②　①においてAからの株式の取得に代えて甲社が新株式を発行し、その発行する新株式の全部を当社が引き受けて取得した後、甲社の債務引受けをした場合の債務引受額相当額

【答】　法人税基本通達9-1-15は、企業支配株式等について評価減をする場合の時価は、その株式の通常の価額に企業支配に係る対価の額を加算した金額とすることとしています。この場合の企業支配に係る対価の額の内容を具体的に示した通達はありませんが、企業支配を目的に株式を通常の価額を超えて取得する場合の通常の価額を超える部分の金額がこれに該当します。

　すなわち、企業支配株式等の取得に当たりその取得費用の一環として支出するものですから、その支出の相手方は、既発行株式を買入れて取得するときはその譲渡者である株主、新発行株式を引受けて取得するときはその発行

第5章　有価証券、自己株式

者である企業支配株式等の発行会社です。

　この場合、当該対価の額には、他の名目で支出されたものでも、実質的に当該株式の取得に要した費用と考えられるものはその実質によって判断し、対価の額に含めることになります。したがって、御質問にある債務引受額も、実質判断によって当該対価の額に含めるべき場合があり得ます。

　まず、①の場合は、貴社が企業支配株式等を取得されたのはその株主Aからですが、債務引受けによる経済的利益を与えたのは甲社ですから、債務引受額相当額が企業支配に係る対価の額になることはありません。株主Aからの株式の買取価額が買取時の甲社の株式の時価を超える場合、当該超過額は企業支配に係る対価の額になりますが、債務引受額相当額は、御質問にある状況からみる限り、甲社に対する寄附金になると考えれます。(法37⑦)

　(注)　甲社から甲社が保有する自己株式を取得したときは、当該債務引受額相当額は企業支配に係る対価の額になります。

　一方、②の場合は、甲社の新発行株式の引受けによる取得ですので、債務引受けの目的、内容によって甲社に供与する経済的利益の実質を判断しなければなりません。例えば、甲社の債務超過の解消策として新株式の引受額を高額にし、その$\frac{1}{2}$を資本準備金として、これを欠損塡補に充てさせる方法も考えられますので、貴社の債務引受けが実質的にこのようなスキームに代えて行われたと判断されるときは、企業支配に係る対価の額に該当することになります。債務引受けをされた時期等からみて、このような判断が困難なときは、①と同様に甲社に対する寄附金になるでしょう。

（217）

企業支配に係る対価の額（Ⅱ）

【問5-6】 ① 乙社（当社の持株はありません。）は資本金1,000万円（発行済株式数200株）ですが、200万円の債務超過となっています。乙社に新株3,000万円（株式数600株）を発行させ、その全部を当社が引き受けた場合、これによって取得する子会社株式の取得価額のうちの企業支配に係る対価の額は、下記④、⑩のいずれの金額になりますか。

④　3,000万円 −（3,000万円 − 200万円）× 75%　＝900万円

　（乙社株式の　　）（新株発行直後におけ）（新株発行直後におけ）
　（取得価額　　　）（る乙社の純資産額　）（る当社の持株割合　）

（新株発行直後における当社所有乙社株式の通常の価額）

⑩　乙社株式の取得価額3,000万円の全額

② 乙社の発行する新株の引受けを1,000万円と2,000万円の2回に分けて行った場合、乙社の株式が企業支配株式等となるのは初めの1,000万円の引受け時ですので、後の2,000万円の引受け額には、企業支配に係る対価の額はないと考えてよろしいか。

【答】 ①について……企業支配に係る対価の額は、当該株式の取得時における取得価額とその時価の差額と解されます。御質問のように新株の引受けをするときは、引受額とその引受け直前時における時価（御質問のように債務超過会社のときはゼロと考えられます。）との差額ですので、④の額900万円でなく、⑩の額3,000万円となります。いいかえれば、企業支配の目的がなければ、通常債務超過会社の新株の引受けに応じないはずですから、引受額の全額3,000万円が企業支配に係る対価の額となります。

②について……企業支配株式等は、法人の特殊関係株主等が発行済株式又は出資の20％以上を有する場合におけるその特殊関係株主等の有するその法人の株式又は出資ですが、企業支配に係る対価の額は、当該株式又は出資の所有割合が20％以上となるときの取得株式又は出資についてだけ生ずるのではありません。企業支配株式等となった後に新株の引受け、買増し等によって取得する株式又は出資についても、企業支配に係る対価の額が生じます。御質問のように所有割合が増えるときは、企業支配の度合が高くなるからです。

（218）

第5章　有価証券、自己株式

有価証券の区分の変更

> **【問5-7】** 税法は1単位当たりの帳簿価額の算出の方法について
> 有価証券を売買目的有価証券、満期保有目的有価証券、企業支配
> 株式等、その他有価証券に区分していますが、有価証券の保有期
> 間中にこの区分を変更することは認められますか。

【答】　御質問にあるように、税法は1単位当たり帳簿価額の算出の方法につ
いて、有価証券を所有目的により次のとおり区分しています。(法政令119の
2②)

(1)　売買目的有価証券（【問5-1】参照）

(2)　満期保有目的等有価証券……満期保有目的有価証券（【問5-3】参照）
　　及び企業支配株式等（【問5-4】参照）

(3)　その他有価証券

　有価証券の保有期間中におけるこの区分の変更は、次表のⅠ欄の「区分変
更前」の有価証券についてⅡ欄の「変更する事実」が生じた場合に限り行う
ことができますが、その場合、Ⅰ欄の「区分変更前」の有価証券をⅢ欄の「譲
渡時の価額」で譲渡し、かつ、Ⅳ欄の「区分変更後」の有価証券をⅢ欄の「譲
渡時の価額」で取得したものとみなして、所得金額の計算をすることとされ
ています。(法61の2㉒、法政令119の11)

（219）

Ⅰ　区分変更前	Ⅱ　変更する事実	Ⅲ　譲渡等の価額	Ⅳ　区分変更後
(1) 売買目的有価証券	企業支配株式等に該当することとなったこと（法政令119の11②一）	その事実が生じた時における価額	(2)満期保有目的等有価証券のうちの企業支配株式等
	短期売買業務の全部を廃止したこと（同②二）　　**(注)**	同　上	(2)満期保有目的等有価証券又は(3)その他有価証券
(2) 満期保有目的等有価証券のうちの企業支配株式等	企業支配株式等に該当しなくなったこと（同②三）	その事実が生じた時の直前における帳簿価額	(1)売買目的有価証券又は(3)その他有価証券
(3) その他有価証券	企業支配株式等に該当することとなったこと（同②四）	同　上	(2)満期保有目的等有価証券のうちの企業支配株式等
	法令の規定に従って新たに短期売買業務を行うことになったことに伴い、当該その他有価証券を短期売買業務に使用することとなったこと（同②五）	その事実が生じた時における価額	(1)売買目的有価証券

(注)　短期売買業務の全部を廃止したことという事実は、反復継続して行う有価証券の売買を主たる業務として又は従たる業務として営んでいる法人が、その業務を行っている事業所、部署等の撤収、廃止等をし、当該法人が当該業務そのものを行わないこととしたことをいいますので、単に、保有する売買目的有価証券の売却を行わないこととしただけでは、当該事実に該当しません。上記の事実は、事業所ごと、かつ、専担者売買有価証券、短期売買有価証券又は信託財産に属する有価証券の区分（【問5-1】参照）ごとに判定します。（基通2-1-23の2）

（220）

第5章　有価証券、自己株式

第2節　有価証券の譲渡損益及び評価

有価証券の譲渡損益の計算方法

【問5-8】　有価証券の譲渡損益の計算方法は、税法ではどのよう
　　に規定されていますか。

【答】　有価証券について法人税法は、譲渡損益に関する規定（法61の2）と
評価損益に関する規定（法61の3）を区別して定めています。これは、有価
証券の譲渡損益の計算に当たっての譲渡原価の額は、事業年度終了の時の有
価証券の評価額を算定して「事業年度開始の時の評価額＋事業年度中の取得
額－事業年度終了の時の評価額」という期末残高法で計算せず、譲渡取引の
都度計算するからです。いいかえれば、有価証券の譲渡原価の額は、原価配
分法による計算で行い、事業年度終了の時の有価証券の評価額は、有価証券
の譲渡損益の計算に関係させないこととしているわけです。

　(注)　棚卸資産については、法人税法は「各事業年度の所得の金額の計算上当該事
　　　業年度の損金の額に算入する金額を算定する場合におけるその算定の基礎とな
　　　る当該事業年度終了の時において有する棚卸資産の価額」（法29①）として、
　　　期末残高法を規定しています。【問4-6】参照）

　これにより、法人の所得金額に対する有価証券の影響額は、その譲渡損益
の額と評価損益の額の合計額ということになります。

　まず、有価証券の譲渡に係る譲渡利益額又は譲渡損失額は、次のとおり規
定されています。（法61の2①かっこ書）

　譲渡利益額＝譲渡の時における有償によるその有価証券の譲渡により通常
　　　　　　　得べき対価の額－譲渡に係る原価の額

　譲渡損失額＝譲渡に係る原価の額－譲渡の時における有償によるその有
　　　　　　　価証券の譲渡により通常得べき対価の額

　譲渡に係る対価の額は、法人税法第24条第1項の規定により配当等の額と
みなされる金額がある場合には、そのみなされる金額に相当する金額を控除
した金額とします。（法61の2①一かっこ書）

　譲渡に係る原価の額は、その有価証券について法人が選定した1単位当た
りの帳簿価額（【問5-10】参照）に譲渡をした有価証券の数を乗じて計算し

（221）

た金額とします。（法61の2①二かっこ書）この有価証券についての1単位当たりの帳簿価額は、一般法人の場合は有価証券を次のとおりに区分したうえで、銘柄ごとに移動平均法又は総平均法により算出した金額とされています。（法61の2㉔、法政令119の2①②）

(1) 売買目的有価証券【問5-1】参照）

(2) 満期保有目的等有価証券……満期保有目的有価証券（【問5-3】参照）及び企業支配株式等【問5-4】参照）

(3) その他有価証券

(注) 企業会計原則でいう「評価基準及び評価方法」のうち、「評価方法」は原価の配分方法ですが、上記の1単位当たりの帳簿価額の算定方法はこの「評価方法」で、その方法として移動平均法と総平均法を規定しています。一方、「評価基準」は事業年度末残高の評価についてのものですが、税法は売買目的有価証券は時価法、売買目的外有価証券は原価法（償還期限及び償還金額の定めのあるものは償却原価法）と規定しています。（法61の3、【問5-10】参照）

有価証券については、税法にも評価方法として最終仕入原価法のようなものがありませんので、評価方法は譲渡損益算定のためのもの、評価基準は期末残高評価のためのものという区分けができますし、時価法には低価法と違ってその算定基礎に原価が介入しませんので、評価基準と評価方法を一体として考える必要がないわけです。

有価証券の譲渡損益の計上時期

> 【問5-9】 有価証券の譲渡損益の計上時期は、税法ではどのように規定されていますか。

【答】 法人が有価証券の譲渡をした場合、その譲渡利益額の益金算入時期又は譲渡損失額の損金算入時期は、その譲渡に係る契約をした日（その譲渡が剰余金の配当その他法人税法施行規則第27条の3で定める事由に該当するものである場合には、当該規則で定める日）の属する事業年度とされています。（法61の2①）ただし、組織再編成に係る所得の金額の計算についての下記の規定の適用がある場合の有価証券の譲渡を除きます。（同かっこ書）

④ 合併及び分割による有価証券の時価による譲渡（法62）

（222）

第5章　有価証券、自己株式

㋺　適格合併及び適格分割型分割による有価証券の帳簿価額による引継ぎ
（法62の2）

㋩　適格分社型分割による有価証券の帳簿価額による譲渡（法62の3）

㋥　適格現物出資による有価証券の帳簿価額による譲渡（法62の4）

㋭　現物分配による有価証券の譲渡（法62の5）

　(注)　法人税法施行規則第27条の3には、有価証券の譲渡が剰余金の配当若しくは
　　利益の配当又は剰余金の分配（分割型分割によるものを除きます。）を事由と
　　するもののときは、これらの効力が発生する日等、17の事由とそれぞれについ
　　ての有価証券の譲渡損益の発生する日が定められています。

　この場合の譲渡に係る契約をした日とは、具体的には次の日をいいます。
（基通2-1-22）

①　証券業者等に売却の媒介、取次ぎ若しくは代理の委託又は売出しの取扱
　いの委託をしている場合……当該委託をした有価証券の売却に関する取引
　が成立した日

②　相対取引により有価証券を売却している場合……金融商品取引法第37条
　の4に規定する書面に記載される約定日、売買契約書の締結日などの当該
　相対取引の約定が成立した日

③　その有価証券の譲渡が法人税法施行規則第27条の3第6号から第8号ま
　で及び第10号から第15号までに掲げる事由による場合（合併や分割等の組
　織再編成による場合です。）……当該各号に定める日に応じた法人税基本
　通達1-4-1で定める組織再編成の日

　また、継続適用を条件として、売買目的有価証券、満期保有目的等有価証
券、その他有価証券の区分ごとに、事業年度中は有価証券の譲渡損益を引渡
しのあった日に計上し、事業年度終了の時に未引渡しとなっている有価証券
のみ契約の成立した日に計上することも認められます。有価証券の取得につ
いても、原則として取得に係る契約の成立した日に取得したものとしなけれ
ばなりませんが、継続適用を条件として、事業年度中は引渡しのあった日に
取得したものとして経理し、事業年度終了の時に未引渡しとなっている有価
証券だけを契約をした日に取得したものとして経理することも認められます。
（基通2-1-23）

（223）

有価証券の１単位当たりの帳簿価額の算出の方法の選定・変更の手続等

> **【問5-10】** 有価証券の１単位当たりの帳簿価額の算出の方法の選
> 定と、その変更手続を説明してください。

【答】 有価証券の譲渡損益の額を算定するに当たっての譲渡に係る原価の額
は、譲渡した有価証券の１単位当たりの帳簿価額にその数を乗じて計算した
金額とします。（【問5-8】参照）この場合の有価証券の１単位当たりの帳簿
価額の算出の方法は、移動平均法又は総平均法のいずれかとされており（法
政令119の２①）、一般法人の場合は、有価証券についての次の区分（同②）
ごとに、かつ、その種類ごとに、そのいずれによるかを選定しなければなら
ないとされています。（法政令119の５）

(1) 売買目的有価証券（【問5-1】参照）

(2) 満期保有目的等有価証券……満期保有目的有価証券（【問5-3】参照）
 及び企業支配株式等（【問5-4】参照）

(3) その他有価証券

  (注) 有価証券の種類は、おおむね金融商品取引法第２条第１項第１号から第21号
   まで（第17号を除きます。）の各号の区分によって区分し、外国又は外国法人
   の発行するもので同条第１項第１号から第９号まで及び第12号から第16号まで
   の性質を有するものは、これに準じて区分します。

    ただし、新株予約権付社債は、同項第５号の社債とはそれぞれ種類の異なる
   有価証券として区分することとし、外貨建ての有価証券と円貨建ての有価証券
   又は外国若しくは外国法人の発行する有価証券と国若しくは内国法人の発行す
   る有価証券は、それぞれ種類の異なる有価証券として区分することができます。

    法人が、新株予約権付社債に係る取得価額につき社債と新株予約権とに合理
   的に区分して経理しているときは、当該社債及び新株予約権は、それぞれ同項
   第５号の社債及び同項第９号の新株予約権に含まれます。（基通2-3-15）

1　1単位当たりの帳簿価額の算出の方法の選定手続

　法人は、有価証券の取得（適格合併又は適格分割型分割による被合併法人
又は分割法人からの引継ぎを含みます。）をした場合（その取得をした日の
属する事業年度前の事業年度においてその有価証券と同じ区分及び種類の有
価証券につきこの届出をすべき場合を除きます。）には、その取得をした日

の属する事業年度に係る確定申告書（仮決算による中間申告書を提出する場合はその中間申告書）の提出期限までに、その有価証券と区分及び種類を同じくする有価証券についての１単位当たりの帳簿価額の算出の方法を、書面により納税地の所轄税務署長に届けなければなりません。(法政令119の５②)

(注１) 他の法人が２以上の種類の株式を発行していて、法人が当該株式について種類の異なるものを有するときは、それぞれ異なる銘柄の株式として算出の方法を選定しますが、それらの権利内容等からみて同一の価額で取引が行われていると認められるときには、同一の銘柄の株式として算出の方法を選定します。(基通２-３-17)

(注２) 売買目的有価証券については、法人の事業所別に算出の方法を選定することができます。(基通２-３-21前段)

2　１単位当たりの帳簿価額の算出の方法の変更手続

　有価証券につき選定した１単位当たりの帳簿価額の算出の方法を変更しようとするときは、新たな算出の方法を採用しようとする事業年度開始の日の前日までに、その旨、変更しようとする理由等を記載した申請書を、納税地の所轄税務署長に提出して、その承認を受けなければなりません。(法政令119の６①②) この申請書の提出があった場合、税務署長は承認又は却下の処分をしますが、事業年度終了の日（中間申告書を提出すべき場合は事業年度開始の日から６月経過した日の前日）までにその申請に対して承認又は却下の処分がなかったときは、その日においてその承認があったものとみなされます。(同③～⑤)

(注) 有価証券の１単位当たりの帳簿価額の算出の方法は、特別の事情のない限り継続適用すべきものですので、現によっている評価方法を採用してから３年経過していないときは、合併や分割に伴うものである等その変更をすることについて特別な理由があるときを除いて却下されます。(基通２-３-21後段)

3　１単位当たりの帳簿価額の法定の算出方法

　算出の方法を選定しなかった場合又は選定した方法により算出しなかった場合の算出の方法は、移動平均法とされています。(法61の２①二かっこ書、法政令119の７①)

有価証券の評価方法の税法と金融商品会計基準との相違

> **【問5-11】** 税法では、事業年度終了の時に有する有価証券の評価方法はどのように規定されていますか。金融商品会計基準での評価方法と、どのような点が異なりますか。

【答】 法人税法では、事業年度終了の時に有する有価証券の評価方法は、下記の表の左欄のように定められています。（法61の3、法政令119の13、119の14）

一方、金融商品会計基準では、有価証券の貸借対照表価額が同表の右欄のとおりとされています。

税法と金融商品会計基準との相違は、次の2点です。

(1) 償却原価法の適用対象有価証券の相違……税法は、売買目的外有価証券（償還期限に償還されないと見込まれる新株予約権付社債その他これに準ずるものを除きます。）のうち、償還期限及び償還金額の定めのあるものは、すべて償却原価法により帳簿価額を調整すべきこととしていますが（法政令119の14）、金融商品会計基準は、償却原価法の適用対象有価証券を満期保有目的の債券に限定しています。

　また、当該有価証券の償還金額とその取得価額の差額の調整差損益の計上方法について、税法は当該差額が金利調整額でないものについても償却原価法を適用しますが、金融商品会計基準は金利調整額であるものについてのみ償却原価法を適用するという相違があります。

税　　　　　法				金融商品会計基準	
売買目的有価証券			時価法	売買目的有価証券	時　価
売買目的外有価証券	満期保有目的等有価証券	満期保有目的有価証券	原価法（償還期限及び償還金額の定めのあるもの（下記(注1)のものを除きます。）は償却原価法）	満期保有目的の債券	取得価額（償却原価法による算定額）
		企業支配株式等		子会社株式及び関連会社株式	取得価額
	その他有価証券			その他有価証券	時　　価

（226）

第5章　有価証券、自己株式

（注1）　「償還期限に償還されないと見込まれる新株予約権付社債その他これに準
ずるもの」です。

（注2）　金融商品会計基準では、市場価格のない有価証券の貸借対照表価額は、次
のとおりとされています。（金融商品会計基準Ⅳ2(5)第19項）

①　社債その他の債券……債権の貸借対照表価額に準ずるとされています。
したがって、取得価額（償却原価法の適用対象となるものは償却原価法に
よる算定額）から貸倒見積高に基づいて算定された貸倒引当金を控除した
金額となります。

②　①以外の有価証券……取得価額とします。

(2)　その他有価証券の評価方法の相違……税法は原価法としていますが、金
融商品会計基準は「時価をもって貸借対照表価額とし、評価差額は洗替え
方式に基づき、次のいずれかの方法により処理する。」としたうえで、①評価
差額（評価差益及び評価差損）の合計額を純資産の部に計上する方法（全
部純資産直入法）、②時価が取得価額を上回る銘柄に係る評価差額（評価
差益）は純資産の部に計上し、時価が取得価額を下回る銘柄に係る評価差
額（評価差損）は当期の損失として処理する方法（部分純資産直入法）を
示しています。なお、純資産の部に計上されるその他有価証券の評価差額
は、税効果会計を適用しなければなりません。（金融商品会計基準Ⅳ2(4)
第18項）

（注1）　金融商品会計実務指針は、原則として①の全部純資産直入法を適用する
こととし、継続適用を条件として、②の部分純資産直入法を適用すること
もできるとしています。また、株式、債券等の有価証券の種類ごとに両方
法を区分して適用することも認めています。（金融商品実務指針73）部分
純資産直入法は、金融商品会計基準適用前にあった低価基準の考えを残し
たもので、時価会計への移行という点からみて古い方法ですので、実務指
針では、上記のように全部純資産直入法を原則的方法としています。

（注2）　会社計算規則は、株式会社の貸借対照表の純資産の部を株主資本、評価・
換算差額等及び新株予約権に区分しなければならないとし（会社計規76①
一）、評価・換算差額等に係る項目として掲げるもののなかに、その他有
価証券評価差額金を規定しています。（同76⑦一）

なお、その他有価証券評価差損金は、分配可能額の算定に当たり、剰余
金の額から減額すると規定されています。（会社法461②六、会社計規158

（227）

二）また、分配可能額は、剰余金の額から自己株式の帳簿価額等を減じて得た金額と規定されていますので（会社法461②三〜六）、その他有価証券評価差益金を分配可能額に含めることはできません。

金融商品会計基準では、その他有価証券を時価で評価しますが、原則的方法である全部純資産直入法を適用する場合は評価差益、評価差損とも、部分純資産直入法を適用する場合でも評価差益が純資産の部に計上され、損益に計上されません。このように、金融商品会計基準では時価を貸借対照表価額としますが、評価損益が原則として損益に計上されないことを勘案して、税法はその他有価証券の評価方法を原価法にしたと考えられます。

ただし、金融商品会計基準による処理をした場合には、当然有価証券の評価額等について申告調整が必要になります。その方法は、【問5-12】を参照してください。

金融商品会計基準によりその他有価証券の評価差額処理をしたときの申告調整方法

> 【問5-12】 金融商品会計基準によってその他有価証券の評価差額の処理をした場合、税法との相違について、どのように申告調整すればよいのでしょうか。

【答】 金融商品会計基準では、その他有価証券の評価差額は、全部純資産直入法を適用するときは評価差益、評価差損とも、部分純資産直入法を適用するときは評価差益を直接純資産の部に計上します。直接純資産の部に計上するため、評価差額は当期純損益に影響せず、課税所得の計算にも影響しませんので、税効果会計基準での「財務諸表上の一時差異」として（税効果会計基準第二、一、2(1)②）税効果会計の適用が必要になります。（金融商品会計基準Ⅳ2(4)第18項なお書）そして、評価差額から税効果額（評価差益に係るものは繰延税金負債に、評価差損に係るものは繰延税金資産に計上します。）を控除した後の金額（全部純資産直入法を適用している場合には、評価差益部分と評価差損部分の純額）は、その他有価証券評価差額金として記載します。（金融商品会計実務指針73）

（注） 会社計算規則は、第5条第6項第2号に、事業年度の末日においてその時の

第5章　有価証券、自己株式

時価を付すことができる資産として、「市場価格のある資産（子会社株式及び関連会社の株式並びに満期保有目的の債券を除く。）」を掲げています。金融商品会計基準でのこれに該当する資産は、売買目的有価証券とその他有価証券ですが、その他有価証券についてこの規定により時価評価するときは、同基準により上記の処理を行うことになります。

〔事例〕

事業年度の末日に保有するその他有価証券の時価、帳簿価額及び評価差額が下記の表の左欄のとおりで、法定実効税率が30％の場合、評価差額を純資産の部に計上する場合の仕訳は、下記の表の右欄のとおりになります。

	その他有価証券			（全部純資産直入法の場合）
	時価	帳簿価額	評価差額	繰延税金資産　　　　　60 ／ 投資有価証券　200 有価証券評価差額金 140 ／
A社株式	5,000	4,000	1,000	（部分純資産直入法の場合） 投資有価証券 1,000 ／ 繰延税金負債　　300
B社株式	2,300	3,500	△1,200	／ 有価証券評価 　差額金　　　　700 投資有価証券評価損 1,200 ／ 投資有価証券 1,200
計	7,300	7,500	△200	繰延税金資産　360 ／ 法人税等調整額　360 繰延税金負債　300 ／ 繰延税金資産　　300

まず、全部純資産直入法の場合の仕訳では、損益に影響するものがありませんので、別表四での申告調整は不要です。また、有価証券評価差額金は、毎期洗替えになりますので（金融商品会計基準Ⅳ2（4）第18項）、別表五（一）のⅠでの調整をしなくても特に不都合は生じませんが、税法はその他有価証券の評価方法を原価法と規定していますので（法61の3①二）、税務では上記の処理はなかったことになります。（基通2-3-19）

一方、部分純資産直入法の場合の仕訳で計上される投資有価証券評価損（B社株式の評価損）1,200は、税法ではその他有価証券の評価方法を原価法と規定しているため損金不算入となりますので別表四で加算調整し、これに対して税効果会計の適用により計上される法人税等調整額360を減算調整します。

別表五（一）のⅠの③欄と④欄には、それぞれ次のとおり記載します。

（229）

・全部純資産直入法の場合……投資有価証券　200、繰延税金資産　△60、
　　　　　　　　　　　　　　有価証券評価差額金　△140
・部分純資産直入法の場合……投資有価証券　200、繰延税金資産　△60、
　　　　　　　　　　　　　　有価証券評価差額金　700

　純資産の部に計上した評価損益相当額は、資本金等の額及び利益積立金額
のいずれにも該当しませんので（同通達(注)(1)）、上記のように別表五(一)
のⅠでの記載をしても、利益積立金額の合計額には影響しません。

売買目的有価証券の時価評価額

> **【問5-13】**　税法では、売買目的有価証券の評価方法は時価法とさ
> れていますが、この場合の時価の算定方法を説明してください。

【答】　税法では、事業年度終了の時に有する売買目的有価証券の評価方法は
時価法とされ（法61の3①一）、時価評価によって計上される評価益又は評
価損は、資産の評価益の益金不算入（法25①）又は資産の評価損の損金不算
入（法33①）の規定にかかわらず、益金の額又は損金の額に算入すること
とされています。（法61の3②）　この規定により当該事業年度の益金の額又は
損金の額に算入した評価益又は評価損に相当する金額は、毎事業年度洗替え
となります。（法政令119の15①）

(注1)　適格分割等（適格分割、適格現物出資又は適格現物分配（残余財産全部の
　　分配を除きます。））により分割承継法人、被現物出資法人又は被現物分配法
　　人に売買目的有価証券を移転する場合には、当該適格分割等の日の前日を事
　　業年度終了の日とした場合に上記の規定により計算される当該売買目的有価
　　証券に係る評価益又は評価損に相当する金額は、当該適格分割等の日の属す
　　る事業年度において、益金の額又は損金の額に算入します。（法61の3③）
　　この規定の適用を受ける場合、適格分割等により移転する売買目的有価証券
　　の当該適格分割等の直前の帳簿価額は、当該売買目的有価証券について評価
　　益又は評価損に相当する金額を計算する場合の時価評価額とします。（法政
　　令119の15②）

(注2)　適格合併等若しくは適格現物分配（残余財産全部の分配に限ります。）又
　　は適格分割等により売買目的有価証券の移転を受けたときは、被合併法人の

（230）

第5章　有価証券、自己株式

最後事業年度若しくは現物分配法人の残余財産確定の日の属する事業年度又は分割法人等の適格分割等の日の属する事業年度において当該移転を受けた売買目的有価証券につき益金の額又は損金の額に算入された金額に相当する金額は、当該適格合併の日若しくは残余財産の確定の日の翌日又は適格分割等の日の属する事業年度において戻入れの処理をします。（法政令119の15③）

（注3）　金融商品会計基準においても、売買目的有価証券の貸借対照表価額は時価とし、その評価差額は当期の損益として処理することとされています。（金融商品会計基準Ⅳ2(1)第15項）なお、次期に売却されたものの売却原価は、洗替え、切放しのいずれの処理によって算定していても売却の損益の多寡に影響しませんが、次期期末に保有する売買目的有価証券は当該期末での時価で評価しなければなりませんので、当然洗替えとなります。

　売買目的有価証券を時価法で評価する場合の時価は、当該有価証券の銘柄ごとに、税法では次のとおりと規定されています。（法政令119の13①）

(1) 取引所売買有価証券（その売買が主として金融商品取引所（これに類するもので外国の法令に基づき設立されたものを含みます。以下同じ）の開設する市場において行われている有価証券）……金融商品取引所において公表された事業年度終了の日における最終の売買の価格（公表された同日における最終の売買の価格がない場合には、公表された同日における最終の気配相場の価格とし、その最終の売買の価格及びその最終の気配相場の価格のいずれもない場合には、その取引所売買有価証券の同日における売買の価格に相当する金額として同日前の最終の売買の価格又は最終の気配相場の価格が公表された日で当該事業年度終了の日に最も近い日におけるその最終の売買の価格又はその最終の気配相場の価格を基礎とした合理的な方法により計算した金額）

　　（注1）　「その売買が主として金融商品取引所で行われている有価証券」であるかどうかは、その有価証券の売買取引が金融商品取引所の開設する市場において最も活発に行われているかどうかにより判定します。この場合、当該市場において最も活発に行われているかどうかが明らかでないものは、原則として、わが国における売買取引の状況により判定するものとしますが、その有価証券が金融商品取引所に類するもので外国の法令に基づき設立されたものの開設する市場において実際に取得されたものであるときは、取引所売買有価証券として取り扱って差し支えないとされています。（基

（231）

通2-3-29(1))

(注2) 「最終の気配相場の価格」は、その日における最終の売り気配と買い気配の仲値とします。ただし、当該売り気配又は買い気配のいずれか一方のみが公表されている場合には、当該公表されている最終の売り気配又は買い気配とします。また、転換社債型新株予約権付社債（【問5-2】⑦の**(注)**参照）に係る最終の気配相場の価格として、取引所の定める基準値段（当該転換社債型新株予約権付社債について事業年度終了の日の翌日の呼値の制限値幅となる価格）を使用しているときは、これが認められます。（基通2-3-30）

(2) 店頭売買有価証券（金融商品取引法第2条第8項第10号ハに規定する店頭売買有価証券）及び取扱有価証券（同法第67条の18第4号に規定する取扱有価証券）……同法第67条の19の規定により公表された事業年度終了の日における最終の売買の価格（公表された同日における最終の売買の価格がない場合には、公表された同日における最終の気配相場の価格とし、その最終の売買の価格及びその最終の気配相場の価格のいずれもない場合には、その店頭売買有価証券又は取扱有価証券の同日における売買の価格に相当する金額として同日前の最終の売買の価格又は最終の気配相場の価格が公表された日で当該事業年度終了の日に最も近い日におけるその最終の売買の価格又はその最終の気配相場の価格を基礎とした合理的な方法により計算した金額）

(3) その他価格公表有価証券（(1)及び(2)以外の有価証券のうち、価格公表者によって公表された売買の価格又は気配相場の価格があるもの）……価格公表者によって公表された事業年度終了の日における最終の売買の価格（公表された同日における最終の売買の価格がない場合には、公表された同日における最終の気配相場の価格とし、その最終の売買の価格及びその最終の気配相場の価格のいずれもない場合には、当該その他価格公表有価証券の同日における売買の価格に相当する金額として同日前の最終の売買の価格又は最終の気配相場の価格が公表された日で当該事業年度終了の日に最も近い日におけるその最終の売買の価格又はその最終の気配相場の価格を基礎とした合理的な方法により計算した金額）

(注) 価格公表者とは、有価証券の売買の価格又は気配相場の価格を継続的に公表し、かつ、その公表する価格がその有価証券の売買の価格の決定に重要な

（232）

第5章　有価証券、自己株式

影響を与えている場合におけるその公表する者をいいます。(法政令119の13
三かっこ書)ここでの「その公表する価格がその有価証券の売買の価格の決
定に重要な影響を与えている場合」とは、基本的には、ブローカーの公表す
る価格又は取引システムその他の市場において成立した価格がその時におけ
る価額を表すものとして一般的に認められている状態にあることをいいます
ので、単に売買実例があることのみでは、重要な影響を与えている場合に該
当しません。(基通2-3-29(2))

　なお、上記の(1)又は(3)の同一の区分に属する同一銘柄の有価証券の価
格が2以上の活発な市場に存する場合には、主要な市場(その有価証券の
取引の数量及び頻度が最も大きい市場をいいます。)における価格をもっ
て時価評価金額とします。ただし、これら2以上の活発な市場のうちいず
れの市場が主要な市場に該当するかどうかが明らかでない場合には、これ
ら2以上の活発な市場のうち最も有利な市場(取引に係る付随費用を考慮
した上で、売却価格を最大化できる市場をいいます。)の価格をもって時
価評価金額とします。(基通2-3-29(3))

(4)　上記(1)～(3)以外の有価証券(株式又は出資を除きます。)……その有
価証券に類似する有価証券について公表(金融商品取引所における公表、
金融商品取引法第67条の19の規定による公表又は価格公表者による公表に
限ります。)がされた事業年度終了の日における最終の売買の価格又は利
率その他の価格に影響を及ぼす指標に基づき合理的な方法により計算した
金額

(5)　上記(1)～(4)以外の有価証券……その有価証券の事業年度終了の時にお
ける帳簿価額

合理的な方法での時価の計算

【問5-14】　【問5-13】の(1)～(4)での合理的な方法での時価の計算
とは、どのような方法をいうのですか。

【答】　売買目的有価証券を時価法で評価する場合、取引所売買有価証券、店
頭売買有価証券及び取扱有価証券、その他価格公表有価証券(【問5-13】の
(1)～(3))で、事業年度終了の日における最終の売買の価格及び最終の気配

(233)

相場の価格のいずれもない場合は、同日前の最も近い日における最終の売買の価格等を基礎として合理的な方法により計算した金額を時価とするものとされています。また、上記以外の有価証券（株式及び出資を除きます。）（【問5-13】の(4)）については、その有価証券に類似する有価証券について金融商品取引所等により公表された事業年度終了の日における最終の売買の価格等に基づき合理的な方法により計算した金額を時価とするものとされています。（法政令119の13①）

ここで規定している合理的な方法により計算した金額とは、令和元年7月4日企業会計基準第30号「時価の算定に関する会計基準」及び企業会計基準適用指針第31号「時価の算定に関する会計基準の適用指針」に定める算定方法により計算した金額をいいます。その場合、それぞれの方法の計算の基礎とする事項として用いられる市場価格、利率、信用度、株価変動性又は市場の需給動向等の経済指標などの指標は、客観的なものを最大限使用し、最も適切な金額となるように計算することに留意が必要とされています。（基通2-3-32）

なお、時価を合理的な方法により計算した金額によった場合、その方法を採用した理由及びその方法による計算の基礎とした事項を記載した書類を保存しておく必要があります。（法政令119の13②）

償却原価法による評価額の計算方法

> **【問5-15】** 税法では、償還期限及び償還金額の定めのある有価証券の評価方法は償却原価法とされていますが、どのような方法ですか。具体的に説明してください。

【答】 償却原価法とは、償還期限及び償還金額の定めのある売買目的外有価証券（償還期限に償還されないと見込まれる新株予約権付社債その他これに準ずるものを除きます。以下「償還有価証券」といいます。）を銘柄（満期保有目的等有価証券とその他の有価証券に区分した後のそれぞれの銘柄とします。）の異なるごとに区別し、その銘柄の同じものについて、その償還有価証券の当期末調整前帳簿価額（この規定を適用する前の帳簿価額）にその償還有価証券の調整差益又は調整差損（帳簿価額と償還金額の差額のうち当該事業年度に

（234）

第5章　有価証券、自己株式

配分すべき金額）に相当する金額を加算し又は減算した金額をもって、当該有価証券の評価額とする方法です。（法61の3①二かっこ書、法政令119の14）

　これを算式で示すと次のとおりで、一般にアキュムレーション法（調整差益を加算する場合）又はアモーチゼーション法（調整差損を減算する場合）とよばれています。

$$\begin{array}{l}\text{償却原価法に}\\\text{よる評価額}\end{array} = \begin{array}{l}\text{当期末調整}\\\text{前帳簿価額}\end{array} + \text{調整}\atop\text{差益} \left(\text{又は} - \text{調整}\atop\text{差損}\right)$$

　その具体的な方法は、法人税法施行令第139条の2に定められていますが、算式で示すと次のとおりです。

A：当期末額面合計額

B：前期末額面合計額

　(注)　額面合計額とは、当期末（当事業年度終了の時）又は前期末（前事業年度終了の時）におけるその償還有価証券の償還金額の合計額をいいます。

C：当期末調整前帳簿価額

イ：当期保有日数（当事業年度の日数×$\frac{1}{2}$の数とします。）

ロ：翌期以後の日数（翌事業年度開始の日からその償還有価証券の償還日までの日数）

ハ：当事業年度の日数

I　A＞Bの場合（当事業年度中に同じ銘柄の償還有価証券が増加した場合）（法政令139の2②一）

$$(A-C) \times \left\{ \underbrace{\frac{A-B}{A} \times \underset{\text{（取得後の日数割合）}}{\frac{イ}{イ+ロ}}}_{\substack{\text{当事業年度中に増加した償還有}\\\text{価証券の調整差益又は償還差損}}} + \underbrace{\frac{B}{A} \times \underset{\text{（当事業年度の日数割合）}}{\frac{ハ}{ハ+ロ}}}_{\substack{\text{前事業年度から繰り越した償還有}\\\text{価証券の調整差益又は償還差損}}} \right\}$$

　この算式は、当事業年度中に増加した償還有価証券は、期央に取得したものとみなして調整差益又は償還差損の計算をするものです。ただし、Bが0で、当事業年度における同じ銘柄の償還有価証券の取得が1回だけのときは、イをイ′（その償還有価証券の取得の日から当事業年度終了の日までの日数）として、実際の保有日数による計算をすることができます。（法政令139の2③）　その場合の算式は、次のとおりになります。

$$(A-C) \times \frac{イ′}{イ′+ロ}$$

（235）

Ⅱ　A≦Bの場合（当事業年度中に同じ銘柄の償還有価証券の異動がないか減少した場合）（法政令139の2②二）

$$(A-C) \times \frac{ハ}{ハ+ロ}$$

なお、上記イ、ロ、ハ及びイ′の日数は、継続適用を前提として、月数とすることができます。この場合の月数は暦に従って計算し、1月未満の端数は1月とします。（法政令139の2⑤、基通2-1-32(2)）

(注1)　外貨建ての償還有価証券については、外貨表示の金額により算出した調整差損益を、継続適用を条件として、期中の平均為替相場又は期末時の為替相場（先物外国為替契約等により円貨額を確定させている場合には、当該償還有価証券の円換算に使用した為替相場）により円換算します。（基通2-1-32(3)）

(注2)　法第25条第2項又は第33条第2項及び第3項による評価換えは、上記の計算後の金額に基づいて行います。（同通達(4)）

(注3)　調整差損益を帳簿価額に加算又は減算した場合には、その有価証券の1単位当たりの帳簿価額についても、加算又は減算をします。（同通達(5)）

(注4)　調整差損益を為替予約差額の配分を行う場合の直先差額に含めて各事業年度に配分しているときは、継続適用を条件に認められます。（同通達(6)）

この方法は、定額法とよばれる方法です。金融商品会計実務指針は、金融商品会計基準が満期保有目的の債券の貸借対照表価額として「償却原価法により算定された価額」を規定したことに関連して、償却原価の算定について、利息法（債券のクーポン受取総額と金利調整差額（取得価額と債券金額の差額のうちの金利調整部分）の合計額を債券の帳簿価額に対して一定率（実効利子率）となるように、複利をもって各期の損益に配分する方法）と定額法の二つを示しており、原則として利息法によるものとするが、継続適用を条件として、簡便法である定額法を採用することができるとしています。（金融商品会計実務指針70）しかし、利息法では、有価証券の帳簿価額を平均法（移動平均法又は総平均法）により計算することができませんので、税法では前記のように定額法のみとされています。

（236）

第5章　有価証券、自己株式

〔事例〕

　令和6年4月1日に、償還期限令和11年3月31日、償還金額1,000百万円の社債を、償還期限まで保有する目的で990百万円で取得しました。クーポン利子率は年2％で、利払日は年1回毎年3月31日です。なお、当社の事業年度は、4月1日から翌年3月31日までです。

　償還金額と取得価額の差額は1,000百万円－990百万円＝10百万円ですので、これを取得日から償却日までの期間の年数5で除しますと、毎年の調整差益の額は2百万円となります。保有期間中の仕訳は、次のとおりになります。

（単位：百万円）

・令和6年4月1日　取得時

　満期保有目的有価証券　990　／　預　　　金　　　990

・令和7年以後令和10年まで毎年3月31日（利息受取時及び決算時）

　預　　　金　　　　　20　／　有価証券利息　　22
　満期保有目的有価証券　2　／

・令和11年3月31日（償還時）

　預　　　金　　　1,020　／　有価証券利息　　　　22
　　　　　　　　　　　　　／　満期保有目的有価証券　998

株式相場低落のもとでの上場株式の評価損

【問5-16】　売買目的外有価証券について、株式相場の低落によりその株価が帳簿価額の50％相当額を下回るものが生じた場合、時価までの評価損を計上することは税法上認められますか。

【答】　有価証券について、特定の事実が生じた場合の評価損の損金算入の規定を適用することができるのは、次の場合です。（法33②、法政令68①）

(1) 有価証券の区分に応じ、下記イ～ハに掲げる事実が生じたことにより、当該有価証券の価額がその帳簿価額を下回ることとなった場合（法政令68①二）

　イ　取引所売買有価証券、店頭売買有価証券、取扱有価証券、その他価格

（237）

公表有価証券及びこれら以外の有価証券で株式又は出資以外のもの（これらの有価証券のすべてについて企業支配株式等に該当するものを除きます。以下「市場有価証券等」といいます。）の価額が著しく低下したこと

ロ　イに規定する有価証券以外の有価証券について、その有価証券を発行する法人の資産状態が著しく悪化したため、その価額が著しく低下したこと

ハ　ロに準ずる特別の事実

(2) 法的整理の事実（更生手続における評定が行われることに準ずる特別の事実）が生じた場合

ところで、上記(1)のイの市場有価証券等の価額の著しい低下とは、①当該事業年度終了の時における価額がその時の帳簿価額のおおむね50％相当額を下回ることとなり、かつ、②近い将来その価額の回復が見込まれないことをいうものとされています。（基通9-1-7）なお、おおむね50％相当額を下回るかどうかの判定に当たり、法政令119の2②に規定するその他有価証券（売買目的有価証券及び満期保有目的等有価証券以外の有価証券）については、事業年度終了の日以前1月間の市場価格の平均額によっても差し支えないものとされています。（基通9-1-7（注）1）

②の「近い将来その価額の回復が見込まれないこと」という要件ですが、その判断は、過去の市場価格の推移、発行法人の業況等も踏まえ、事業年度終了の時に行うこととされています。（基通9-1-7（注）2）したがって、株式市況が長期間低迷して回復の気配をみせないとき、発行法人の業況に改善の兆しがみえないときは、②の要件も満たしていることになります。

市場有価証券等の評価損で「近い将来その価額の回復が見込まれない」とは

> 【問5-17】　市場有価証券等の評価損が損金算入される要件に、「近い将来その価額の回復が見込まれないこと」がありますが、どのような場合に、この要件に該当し、評価損の損金算入が認められるのでしょうか。

【答】　【問5-16】で説明しましたように、市場有価証券等の評価損が税法上

（238）

第5章　有価証券、自己株式

認められるのは、事業年度終了の時における時価が帳簿価額のおおむね50%
相当額を下回ることとなり、かつ、近い将来時価の回復が見込まれない場合
です。（基通9-1-7）ここで、時価が帳簿価額のおおむね50%を下回って
いるかどうかは客観的に判断できますが、近い将来時価の回復が見込まれな
いかどうかは、実務上、どのように判断するのかが問題になります。

　時価の回復可能性については、市場価格の推移、市場環境の動向、有価証
券の発行法人の業績等を踏まえて総合的に判断する必要がありますが、金融
商品会計実務指針では、株式について、次のような場合には、通常は回復す
る見込みがあるとは認められないとしています。（金融商品会計実務指針91）

① 　株式の時価が過去2年間にわたり著しく下落した状態にある場合。著し
　い下落とは、時価が取得原価に比べて50%程度以上下落した場合をいいま
　す。

② 　株式の発行会社が債務超過の状態にある場合。

③ 　株式の発行会社が2期連続で損失を計上しており、翌期もそのように予
　想される場合。

　これは、有価証券の減損処理に関する会計上の取扱いですが、税法上の回
復見込みの有無の判断にも参考になると思われます。

　また、株価の回復可能性について、平成21年4月に国税庁が公表した「上
場有価証券の評価損に関するQ&A」に、概略、次のとおりの事例が記載さ
れています。（かっこ書は、筆者が補足したものです。）

① 　株価の回復可能性について、法人が用いた合理的な基準が示される限り、
　その基準が尊重されます。株価が過去2年間にわたり、帳簿価額の50%以
　下に下落した状態でなければ、損金算入が認められないというものではあ
　りません。

② 　監査法人の監査を受けている法人において、株価の回復可能性の判断の
　基準として一定の形式基準を作成し、税効果会計等の観点からその合理性
　について監査法人のチェックを受けて、これを継続的に使用するのであれ
　ば、税務上その基準に基づく損金算入の判断は、合理的なものと認められ
　ます。

③ 　翌事業年度以後に株価の上昇などの状況の変化があっても、そのような
　事後的な事情は、当事業年度末の株価の回復可能性の判断に影響を及ぼす

（239）

ものでなく、当事業年度に評価損として損金経理した処理を、遡って是正する必要はありません。

④ 評価損否認金の額のある上場株式について、その後の事業年度で、税務上評価損を計上できる状況になった場合には、評価損否認金の額も含めて、その事業年度に損金算入することが認められます。この場合の具体的な取扱いは、次のとおりです。

a 評価損否認金の額は、その事業年度に申告減算した金額を、評価損として損金経理した金額として取扱います。（過年度に計上した評価損を戻して、改めて損金経理の会計処理をする必要はないということです。）

b 評価損として損金算入されるのは、その事業年度末における帳簿価額と時価の差額です。（損金経理により帳簿価額を減額していないものを、申告減算で損金算入することはできません。）

市場有価証券等以外の有価証券の発行法人の資産状態の著しい悪化（Ⅰ）

> **【問5-18】** 市場有価証券等以外の有価証券について、評価損の損金算入が認められる当該有価証券を発行する法人の資産状態の著しい悪化とは、どのような事実をいうのですか。

【答】 市場有価証券等以外の有価証券について評価損の損金算入が認められるのは、「その有価証券を発行する法人の資産状態が著しく悪化したため、その価額が著しく低下したこと」（法政令68①二ロ）により、当該有価証券の価額がその帳簿価額を下回ることとなった場合です。（法政令68①）この場合の「価額の著しい低下」は、市場有価証券等の評価損の損金算入に規定されている要件と同じで、【問5-16】に記載した「市場有価証券等の著しい価額の低下の判定（基通9-1-7）」が準用されています。（基通9-1-11）

前段の「発行法人の資産状態の著しい悪化」という要件については、次に掲げる事実がこれに該当するとされています。

① 当該有価証券を取得して相当の期間を経過した後に発行法人について次に掲げる事実が生じたこと。（基通9-1-9(1)）

イ 特別清算開始の命令があったこと

ロ 破産手続開始の決定があったこと

（240）

第5章　有価証券、自己株式

　　ハ　再生手続開始の決定があったこと

　　ニ　更生手続開始の決定があったこと

　これらの事実は形式基準で、当該事実が生じただけで発行法人の資産状態
が著しく悪化したものと判定しますが、有価証券の取得時にこれらの事実が
生ずることが予測されていたような場合は、取得後における資産状態の著し
い悪化といえませんので、取得後相当の期間を経過した後という条件がつけ
られています。

②　当該事業年度終了の日における当該有価証券の発行法人の1株又は1口
　当たりの純資産価額が、当該有価証券を取得した時の当該発行法人の1株
　又は1口当たりの純資産価額に比して、おおむね50％以上下回ることとな
　ったこと。（基通9-1-9(2)）

　②については、【問5-19】で事例による説明をします。

市場有価証券等以外の有価証券の発行法人の資産状態の著しい悪化（Ⅱ）

【問5-19】　A社（市場有価証券等以外の有価証券の発行会社）の
株式を、次の経過のとおり取得して保有しています。

取得等の区分	株　　数		1株当たり の取得価額	取得等又は株式 の併合の前にお ける1株当たり 純資産価額
	増減株数	累積株数		
1　設立時払込	1,000	1,000	500円	
2　第1回新株の発行	1,000	2,000	500円	300円
3　第2回新株の発行	1,000	3,000	500円	△ 80円
4　株式の併合	△ 500	2,500	0	△150円
5　購　　入	1,500	4,000	120円	120円

　このようにA社株式の取得を数回行っている場合、現在の所有
株4,000株の取得時におけるA社の1株当たりの純資産価額は
どのように計算するのですか。当事業年度終了の時におけるA社
の1株当たりの純資産価額は140円ですが、A社の株式について
評価損の損金算入は認められますか。

【答】　市場有価証券等以外の有価証券について、評価損の損金算入ができる

（241）

かどうかを判定するに当っての発行法人の資産状態の著しい悪化の有無についての【問5-18】の②の判定は、当該有価証券の取得時における発行法人の資産状態と、評価損の損金算入の可否を判定しようとする事業年度終了の日における発行法人の資産状態を比較して行います。この場合、御質問のように当該有価証券の取得が2回以上にわたって行われているとき又は当該発行法人が募集株式の発行等若しくは株式の併合等を行っている場合には、その取得又は募集株式の発行等若しくは株式の併合等があった都度、その増加又は減少した当該有価証券の数及びその取得又は募集株式の発行等若しくは株式の併合等の直前における1株又は1口当たりの純資産価額を加味して、当該有価証券を取得した時の1株又は1口当たりの純資産価額を修正し、これに基づいてその比較を行います。(基通9-1-9(注)1)

　その取得又は募集株式の発行等若しくは株式の併合等の「直前における」とされており、「直後における」とされていないことに御注意ください。1株当たりの払込金額が直前における1株当たり純資産価額に比べて高い金額で株式の発行が行われますと、その直後における1株当たりの純資産価額が高くなりますが、有価証券の評価損は当該株式の発行に係る払込額を含めての当該株式の帳簿価額について行いますので、税務でのその損金算入の可否の判定は、1株当たりの純資産価額を当該株式の発行直前におけるものと事業年度終了の時におけるものとについて対比して行うこととされています。

　この点、市場価格のない株式についての評価損失の要否を、その取得価額と事業年度終了の時の価額を対比して判定する金融商品会計基準とは、考え方が異なります。

　御質問の事例は、次のとおりになります。

①　第1回新株の発行による修正

$$\frac{\left(\begin{array}{c}\text{旧株取得時の1}\\\text{株当り純資産額}\end{array}\right)\ \ \ \left(\begin{array}{c}\text{新株取得直前におけ}\\\text{る1株当り純資産額}\end{array}\right)\ \ \ \left(\begin{array}{c}\text{旧株1株当}\\\text{り新株の数}\end{array}\right)}{1+1\ \ (\text{旧株1株当り新株の数})}=400\text{円}$$

$$500\text{円}\ \ \ \ +\ \ \ \ 300\text{円}\ \ \ \ \times\ \ \ \ 1$$

②　第2回新株の発行による修正

$$\frac{\left(\text{①による修正後の額}\right)\ \ \ \left(\begin{array}{c}\text{新株取得直前におけ}\\\text{る1株当り純資産額}\end{array}\right)\ \ \ \left(\begin{array}{c}\text{旧株1株当}\\\text{り新株の数}\end{array}\right)}{1+0.5\ \ (\text{旧株1株当り新株の数})}=240\text{円}$$

$$400\text{円}\ \ \ \ -\ \ \ \ 80\text{円}\ \ \ \ \times\ \ \ \ 0.5$$

第5章　有価証券、自己株式

③　株式の併合による修正

$$\frac{240円（②による修正後の額）}{1 - \dfrac{1}{6}（旧株1株当り減少株数）} = 288円$$

④　購入による修正

$$\frac{288円（③による修正後の額） + \overset{\left(\begin{array}{c}購入直前における\\1株当り純資産額\end{array}\right)}{120円} \times \overset{\left(\begin{array}{c}旧株1株当\\り購入株数\end{array}\right)}{0.6}}{1 + 0.6（旧株1株当り購入株数）} = 225円$$

　以上のように、現在所有するA社の株式4,000株の取得時における同社の純資産額は、1株当たり225円になります。これに対して事業年度終了の時におけるA社の1株当たり純資産額は140円ですので、50％以上下回っておらず、評価損の損金算入はできないわけです。

　市場有価証券以外の有価証券の損金算入の要件（【問5-18】参照）のうち、「価額の著しい低下」については、【問5-18】で説明したように、法人税基本通達9-1-7（【問5-16】参照）を市場有価証券以外の有価証券に準用して（基通9-1-11）、帳簿価額と事業年度終了の時の価額を比較してその判定をしますが、本問で説明した「発行法人の資産状態の著しい悪化」については、取得時における発行会社の資産状態と事業年度終了の時における発行法人の資産状態を比較して判定をすることに御注意ください。A社の株式4,000株の帳簿価額は、次のように1株当たり420円となっていますが、これと事業年度終了の時におけるA社の1株当たり純資産額140円とを比較するのではありません。

〈A社の株式4,000株の帳簿価額〉

	増減による取得価額等	累計額
1　設立時払込	500円 × 1,000 ＝ 500,000円	500,000円
2　第1回新株の発行	500円 × 1,000 ＝ 500,000円	1,000,000円
3　第2回新株の発行	500円 × 1,000 ＝ 500,000円	1,500,000円
4　株式の併合	0	1,500,000円
5　購　　　入	120円 × 1,500 ＝ 180,000円	1,680,000円

　1株当たりの帳簿価額　1,680,000円 ÷ 4,000 ＝ 420円

（243）

市場有価証券等以外の有価証券の発行法人が新株の発行時に債務超過状態であるときの諸問題

【問5-20】　債務超過状態にある子会社B社を倒産させずに事業継続させるため、新株の発行をさせて当社が全額払込みをしました。

① 債務超過会社の新株の発行に応ずる払込みは経済的合理性を欠くという理由で、贈与とされることはありませんか。

② この払込額のなかに企業支配に係る対価の額があると認定されることはありませんか。

③ 新株の発行後においてもB社が債務超過である場合、直ちに同社の株式を評価減して、損金算入することができますか。

【答】　①について……債務超過状態にある子会社が新株の発行をする場合、株主割当をしても少数株主の新株引受けと払込みは期待できませんので、御質問のように親会社が全株を引き受けて、払込みせざるを得ないことになると思われます。その場合、債務超過会社の新株の発行に係る払込みに応ずるのは経済的合理性が乏しいとしても、会社法上適法に払込みが行われているのを税法が贈与と認定するのは法律の限界を超えた解釈であり、困難です。

したがって、当該払込みが子会社に対する贈与と認定されることはありません。税務では、子会社の新株の発行に応ずる払込みをそのまま認めた上で、この払込みによって取得する子会社株式の評価損の損金算入の可否を問題にすることになります。

②について……親会社が子会社の発行する新株を全額引受けをするのは、その持株割合の増加を通じて企業支配の度合いを高めるためのものであると解しますと、御質問の場合の払込額と払込み時の旧株式の時価との差額（債務超過会社のため、旧株式の時価は通常0と思われますので、事実上払込額の全額）が、企業支配に係る対価の額となります。しかし、御質問の場合は、子会社の事業継続に必要な資金を手当てするための新株の引受けであり、企業支配の度合いを高めるためのものではありませんので、当該引受額のなかに企業支配に係る対価の額があると認定されることはありません。

(注)　【問5-5】、【問5-6】に掲げた事例は、企業支配を目的にした株式の取得又は新株の引受けという点で、本問の事例とは異なります。

（244）

第5章　有価証券、自己株式

　③について……市場有価証券等以外の有価証券について、評価損の損金算入をする場合の要件である「当該株式の発行会社の資産状態が著しく悪化した場合」に該当するのかどうかの判定は、【問5-19】で説明したように、当該株式の取得時と、評価損の損金算入を判定しようする事業年度終了の時との二つの時点での発行法人の資産状態を比較して行います。したがって、B社が新株の発行後なお債務超過状態であるとしても、その直後に直ちに評価損を計上することはできません。（基通9-1-12）

　ところで、B社のように債務超過会社の株式は、その取得の直前における発行法人の1株当たりの純資産価額がマイナスという場合があります。このような場合、評価損の損金算入が認められる資産状態の著しい悪化は、マイナスの状態でさらに50％以上悪化することをいいますので（基通9-1-9（注）2）、例えば取得時に1株当たり純資産額がマイナス100であったものが、新株の発行後相当期間を経過してその見直しをすると、さらに悪化してマイナス150以下になったという場合は、評価損の損金算入が認められます。（基通9-1-12ただし書）その場合の当該会社の1株当たりの純資産価額はマイナスですので、その評価額は、当然ゼロになります。

有価証券の空売りに係る譲渡損益の額とその計上時期

> **【問5-21】**　有価証券の空売りをした場合の譲渡損益の額の計算方法とその計上時期は、税法ではどのように規定されていますか。

　【答】　有価証券を空売り（有価証券を有しないでその売り付けをし、その後にその有価証券と同じ銘柄の有価証券の買い戻しをして決済をする取引をいい、信用取引及び発行日取引に該当するものを除きます。）の方法で売り付け、その後にその有価証券と同じ銘柄の有価証券の買い戻しをして決済した場合の当該有価証券の譲渡損益の額は、次の①の額と②の額の差額とされています。（法61の2⑳）

①　$\left(\begin{array}{c}\text{売り付けをした有価証券の1単位}\\\text{当たりの譲渡に係る対価の額(注)}\end{array}\right) \times \left(\begin{array}{c}\text{買い戻しをした}\\\text{有価証券の数}\end{array}\right)$

　　(注)　同じ銘柄の有価証券について、その売付け（適格合併若しくは適格分割型分割による被合併法人若しくは分割法人からの空売有価証券の引継ぎ又は適

（245）

格分社型分割若しくは適格現物出資による分割法人若しくは現物出資法人からの空売有価証券の取得を含みます。）の都度算出した移動平均単価とします。（法政令119の10①）

② 買戻しをした有価証券の買戻しに係る対価の額

この譲渡損益の計上日は、その決済に係る買戻しの契約をした日とされています。（法61の2⑳）

なお、事業年度終了の時に有価証券の空売りで未決済のものがあるときは、事業年度終了の時に決済したものとして、売付けをした有価証券の事業年度終了の時の帳簿価額から当該有価証券の時価評価額に当該有価証券の数を乗じて計算した金額を減額した金額を、益金の額又は損金の額に算入します。

（法61の4①、法規則27の6一）この益金算入額又は損金算入額は、事業年度ごとに洗替え（分割型分割により分割承継法人に空売りを移転する場合のその空売りに係る金額を除きます。）をしなければなりません。（法政令119の16①）

(注1) 適格分割等（適格分割又は適格現物出資）により空売り等（有価証券の空売り、信用取引、発行日取引及び有価証券の引受け）に係る契約を分割承継法人又は被現物出資法人に移転する場合には、当該適格分割等の日を事業年度終了の日とした場合に上記の規定により計算される当該空売り等に係るみなし決済損益額に相当する金額は、当該適格分割等の日の属する事業年度において、益金の額又は損金の額に算入します。（法61の4②）

(注2) 適格合併又は適格分割等により空売り等の契約に係る移転を受けたときは、被合併法人の最後事業年度又は分割法人若しくは現物出資法人の適格分割等の日の属する事業年度において当該移転を受けた空売り等に係る契約につき益金の額又は損金の額に算入された金額に相当する金額は、当該適格合併の日又は適格分割等の日の属する事業年度において戻入の処理をします。（法政令119の16②）

第5章　有価証券、自己株式

有価証券の信用取引又は発行日取引に係る譲渡損益の額とその計上時期

【問5-22】　有価証券の信用取引又は発行日取引をした場合の譲渡
損益の額の計算方法とその計上時期は、税法ではどのように規定
されていますか。また、信用取引又は発行日取引により現引きし
た有価証券の取得価額は、どのようになりますか。

【答】　信用取引（金融商品取引法第156条の24第1項に規定する取引をいい
ます。）又は発行日取引（有価証券が発行される前にその有価証券の売買を
行う取引であって、金融商品取引法第161条の2に規定する取引及びその保
証金に関する内閣府令第1条第2項に規定する発行日取引をいいます。（法
規則27の4②））の方法により、株式の売付け又は買付けをし、その後に同
じ銘柄の株式を買付け又は売付けをして決済をした場合における譲渡損益の
額は、次の①の額と②の額の差額とされています。（法61の2㉑）

① 　売付けをした株式のその売付けに係る対価の額

② 　買付けをした株式のその買付けに係る対価の額

（注）　信用取引又は発行日取引に伴い証券業者等との間で授受するものは、次のと
おり取り扱われます。（基通2-3-2）

① 　売付けに係る対価の額に含めるもの……売付けを行った者が証券業者等か
ら支払いを受ける金利に相当する額（日歩）、買付けを行った者が証券業者
等から支払いを受ける品貸料の額（逆日歩）

② 　買付けに係る対価の額に含めるもの……売付けを行った者が証券業者等に
支払う買委託手数料及び品貸料の額（逆日歩）、買付けを行った者が証券業
者等に支払う買委託手数料、名義書換料及び金利に相当する額（日歩）

③ 　売付けに係る対価の額から控除するもの……売付けを行った者が証券業者
等に支払う配当落調整額及び権利処理価額に相当する額

④ 　買付けに係る対価の額から控除するもの……買付けを行った者が証券会社
等から支払を受ける配当落調整額及び権利処理価額に相当する額

　　ただし、売買委託手数料の額及び権利処理価額に相当する金額を除き、これ
らのものを売付けに係る対価の額又は買付けに係る対価の額に含めず、その発
生に応じ収益又は費用として益金算入又は損金算入している場合は、継続適用
を条件として認められます。

この譲渡損益の計上日は、決済に係る買付け又は売付けの契約をした日、

（247）

すなわち手仕舞の契約をした日とされていますが（法61の2㉑）、事業年度終了の時に未決済のものがあるときは、事業年度終了の時に決済したものとして、次に掲げる金額を益金の額又は損金の額に算入し（法61の4①、法規則27の6二）、事業年度ごとに洗い替えをしなければなりません。（法政令119の16①）

イ　信用取引又は発行日取引の方法により有価証券の売付けをしている場合……売付けをした有価証券（事業年度終了の時に未決済のものに限ります。）のその売付けに係る対価の額から当該有価証券の時価評価額に当該有価証券の数を乗じて計算した金額を減算した金額

ロ　信用取引又は発行日取引の方法により有価証券の買付けをしている場合……買付けをした有価証券（事業年度終了の時に未決済のものに限ります。）の時価評価額に当該有価証券の数を乗じて計算した金額から当該有価証券の買付けに係る対価の額を減算した金額

(注)　適格分割又は適格現物出資により信用取引又は発行日取引に係る契約を分割承継法人又は被現物出資法人に移転する場合の処理は、【問5-21】の末尾に記載した**(注1)**を参照してください。

　次に、信用取引（買付けに限ります。）及び発行日取引（買付けに限ります。）に係る契約に基づき有価証券を取得した場合（繰延ヘッジ処理による利益額又は損失額の繰延べ（法61の6）の規定の適用を受ける信用取引等に係る契約に基づき当該有価証券を取得した場合を除きます。）には、その取得の時における当該有価証券の価額と信用取引又は発行日取引の契約に基づき当該有価証券の取得の対価として支払った金額との差額は、当該取得の日の属する事業年度において益金の額又は損金の額に算入します。（法61の4③）したがって、現引きした有価証券の取得価額は、現引き時の時価となり、反対売買によって差金決済をして別途有価証券を取得した場合と、同じ結果になります。

第5章　有価証券、自己株式

事業年度終了の時に未決済のデリバティブ取引の税務での取扱い

> **【問5-23】**　デリバティブ取引で事業年度終了の時に未決済のもの
> は、その時に決済したものとみなして損益の計算をしなければな
> らないそうですが、これについて説明してください。

【答】　法人が行ったデリバティブ取引のうちに、事業年度終了の時に未決済
のもの（外貨建取引によって取得し又は発生する資産又は負債の円換算額を
確定させる先物外国為替契約等に基づく取引並びにスワップ取引及びオプシ
ョン取引のうち所定のものを除きます。以下同じ。）があるときは、事業年
度終了の時に決済を行ったものとみなして、それによって算出される利益の
額又は損失の額に相当する金額を益金の額又は損金の額に算入し（法61の5
①、法規則27の7②）、事業年度ごとに洗替えをしなければなりません。（法
政令120①）

- **（注1）**　適格分割等（適格分割、適格現物出資又は適格現物分配（残余財産全部の
分配を除きます。）により分割承継法人、被現物出資法人又は被現物分配法
人にデリバティブ取引に係る契約を移転する場合には、当該適格分割等の日
の前日を事業年度終了の日とした場合に上記の規定により計算される当該デ
リバティブ取引に係るみなし決済損益額に相当する金額は、当該適格分割等
の日の属する事業年度において、益金の額又は損金の額に算入します。（法
61の5②）

- **（注2）**　適格合併若しくは適格現物分配（残余財産全部の分配に限ります。）又は
適格分割等によりデリバティブ取引に係る契約の移転を受けたときは、被合
併法人の最後事業年度若しくは現物分配法人の残余財産確定の日の属する事
業年度又は分割法人等の適格分割等の日の属する事業年度において当該移転
を受けたデリバティブ取引に係る契約につき益金の額又は損金の額に算入さ
れた金額に相当する金額は、当該適格合併の日若しくは残余財産の確定の日
の翌日又は適格分割等の日の属する事業年度において戻入れの処理をします。
（法政令120②）

- **（注3）**　金融商品会計基準においても、デリバティブ取引によって生じる正味の債
権及び債務は、時価をもって貸借対照表価額とし、評価差額は、原則として、当
期の損益として処理することとされています。（金融商品会計基準Ⅳ4第25項）

デリバティブ取引とは、金利、通貨の価格、商品の価格その他の指標の数

（249）

値としてあらかじめ当事者間で約定された数値と将来の一定の時期における現実の当該指標の数値との差に基づいて算出される金銭の授受を約する取引又はこれに類似する取引であって、次の7種類の取引をいいます。（法61の5①かっこ書、法規則27の7①）

① 金融商品取引法第2条第20項に規定するデリバティブ取引（市場デリバティブ取引、店頭デリバティブ取引、外国市場デリバティブ取引）

② 銀行法施行規則第13条の2の3第1項第1号に規定する商品デリバティブ取引

③ 同規則同条同項第2号に掲げる取引

④ 同規則同条同項第3号に掲げる取引（商品等オプション取引）

⑤ 同規則第13条の6の3第5項第4号に規定する選択権付債券売買

⑥ 先物外国為替取引

⑦ ①～⑥に掲げる取引に類似する取引（その他のデリバティブ取引）

(注) ⑦のその他のデリバティブ取引は、基本的には、以下に掲げる要件のすべてを満たす取引をいいます。（基通2-3-35）

(1) その価値が、特定の金利、有価証券の価格、現物商品の価格、外国為替相場、各種の価格又は率の指数、信用格付け、信用指数その他これらに類する変数の変化に反応して変化し、かつ、想定元本又は決済金額のいずれか又はその両方を有する取引であること

(2) 当初純投資が不要であるか、又は同一の効果若しくは成果をもたらす類似の一般的な取引と比べ当初純投資をほとんど必要としない取引であること

(3) 当該取引に係る契約の条項により、純額決済を要求又は容認する取引（次の取引を含みます。）であること

イ 例えば、市場において当該取引に係る契約の転売又は当該契約と反対の契約の締結が容易である場合のように、契約に定められている条項以外の方法で実質的な純額決済が容易にできる取引

ロ 資産等の引渡しを定めていても、例えば、当該資産等が市場において売買される有価証券又は上記①～⑥に掲げる取引である場合のように、その資産等が容易に換金できることによって、純額決済の取引と実質的に異ならない状態に置くことができる取引

なお、デリバティブ取引に係る契約に基づいて、金銭以外の資産を取得した場合（繰延ヘッジ処理による利益額又は損失額の繰延べの規定（法61の6

第5章　有価証券、自己株式

①）の適用を受けるデリバティブ取引に係るものを除きます。）には、その
取得の時における当該資産の価額とその取得の基因となったデリバティブ取
引に係る契約に基づき当該資産の取得の対価として支払った金額との差額は、
当該取得の日の属する事業年度において益金の額又は損金の額に算入します。
（法61の5③）

(注)　この場合の「取得の日」とは、デリバティブ取引に係る契約の決済が現物の
受渡しにより行われることが確定した日（当該日に具体的な引渡物件及び受渡
代金が確定していない場合には、これらが具体的に確定した日）をいいます。
ただし、その取得される資産が非金融資産（金融商品以外の資産）であり、かつ、
当該非金融資産の受渡期日が受渡決済確定日から通常の受渡しに要する期間内
に到来するときは、継続適用を条件に、その受渡しの日を当該非金融商品の取
得の日とすることができます。（基通2-1-35）

繰延ヘッジ処理が適用されるヘッジ取引

> **【問5-24】**　法人税法第61条の6に規定されている繰延ヘッジ処理
> により利益額又は損失額の繰延べができるのは、どのようなヘッ
> ジ取引ですか。

【答】　法人税法には、ヘッジ取引の処理方法として、繰延ヘッジ処理（法61
の6）と時価ヘッジ処理（法61の7）が規定されています。このうち時価ヘ
ッジ処理は、売買目的外有価証券をヘッジ対象資産とする場合にのみ適用で
きますが、繰延ヘッジ処理は、売買目的外有価証券を含めてヘッジ対象資産
を広範囲にとることができますので、ヘッジ取引の原則的処理方法は、繰延
ヘッジ処理です。

　繰延ヘッジ処理が適用されるヘッジ取引は、ヘッジ対象資産等損失額（ヘ
ッジ対象に係る損失）を減少させるために、その手段（ヘッジ手段）として
行われるデリバティブ取引等です。（法61の6①）この場合のヘッジ対象資
産等損失額とは、次の(1)又は(2)の損失をいいます。

(1) 資産（短期売買商品等及び売買目的有価証券を除きます。）又は負債の
価額の変動（期末時換算法により円換算額への換算をする外貨建資産又は
外貨建負債（以下「期末時換算資産等」といいます。）の価額の外国為替

（251）

の売買相場の変動に基因する変動を除きます。）に伴って生ずるおそれの
ある損失

(2) 資産の取得若しくは譲渡、負債の発生若しくは消滅、金利の受取若しく
は支払その他これらに準ずるものに係る決済により受け取ることとなり、
又は支払うこととなる金銭の額の変動（期末時換算資産等に係る外国為替
の売買相場の変動に基因する変動を除きます。）に伴って生ずるおそれの
ある損失

(1)において、ヘッジ対象資産から短期売買商品と売買目的有価証券が除
かれているのは、これらの資産は事業年度終了の時に時価評価をしてその価
額変動が損益に計上されるため、当該価額変動による損失をヘッジするヘッ
ジ手段の価額変動による損益も計上すべきことになり、ヘッジ手段に係る利
益額又は損失額のうち有効な部分の金額を繰り延べるという繰延ヘッジ処理
は適用対象外となるからです。いいかえれば、ヘッジ取引が行われても、繰
延ヘッジ処理が適用される事象は生じないわけです。

同様に、期末時換算資産等も、期末の為替相場で換算されて換算差額が損
益に計上されますので、為替相場の変動による損失をヘッジするヘッジ手段
の為替相場変動による損益も計上すべきこととなり、繰延ヘッジ処理が適用
される事象は生じず、その適用対象外となります。

また、ヘッジ手段として行われるデリバティブ取引等とは、次に掲げる取
引をいいます。（法61の6④）

㋑　デリバティブ取引（【問5-23】参照）

㋺　暗号資産信用取引

㋩　有価証券の空売り（【問5-21】参照）並びに信用取引及び発行日取引
（【問5-22】参照）

㊁　外貨建資産等（期末時換算法によりその金額の円換算額への換算をする
ものに限ります。）（【問17-3】参照）を取得し、又は発生させる取引

なお、㋑～㊁のいずれについても、先物外国為替契約等により円換算額を
確定させた外貨建取引の換算の規定（法61の8②）の適用を受ける先物外国
為替契約等によるものは、為替予約差額の配分処理をしますので（【問
17-10】参照）、ヘッジ手段とするデリバティブ取引等から除くこととされて
います。（法61の6④かっこ書）

（252）

第5章　有価証券、自己株式

　また、適格合併等（適格合併、適格分割又は適格現物出資）により被合併法人等（被合併法人、分割法人又は現物出資法人）から繰延ヘッジ処理に係るヘッジ対象とヘッジ手段であるデリバティブ取引が移転された場合（ヘッジ手段であるデリバティブ取引が既に決済された状態でヘッジ対象の移転があった場合を含みます。）には、合併法人等（合併法人、分割承継法人又は被現物出資法人）においてその繰延ヘッジ処理を引き継ぐこととされています。（法61の6③）

繰延ヘッジ処理によりヘッジ手段に係る損益を繰り延べるための要件

> **【問5-25】**　法人税法第61条の6の規定を適用して、ヘッジ手段に係る損益を繰り延べるために必要とされる要件はどのような要件ですか。そのなかに掲げられているヘッジ手段の有効性の判定は、どのようにして行うのですか。

【答】　繰延ヘッジ処理が適用されるヘッジ取引を行ったとき（時価ヘッジ処理による損益の計上の規定（法61の7①）の適用がある場合を除きます。）は、次の①及び②の要件を満たす場合、デリバティブ取引等（ヘッジ手段）に係る利益額又は損失額のうち有効な部分の金額（以下「有効決済損益額」といいます。）は、益金の額又は損金の額に算入せず、ヘッジ対象資産等の譲渡又は消滅、ヘッジ対象金銭の受取り又は支払によってヘッジ対象資産等の損益が計上されるまで、繰り延べることとされています。（法61の6①、法政令121の5）

①　当該デリバティブ取引等（ヘッジ手段）を行った時から事業年度終了の時までの間において、当該ヘッジ対象資産等損失額を減少させようとするヘッジ対象資産等の譲渡若しくは消滅又は受取り若しくは支払がないこと、いいかえれば、ヘッジ対象資産等損失額が実現していないこと

②　当該デリバティブ取引等（ヘッジ手段）が当該ヘッジ対象資産等損失額を減少させるために有効であると認められること

　(注)　ヘッジ資産等損失額を減少させるためにデリバティブ取引を行った場合において、適格分割等（適格分割又は適格現物出資）により分割承継法人等（分割承継法人又は被現物出資法人）に当該デリバティブ取引に係る契約を移転し、

（253）

かつ、ヘッジ対象資産等を移転するときは、当該適格分割等の日の前日を事業
　　年度終了の日とした場合に上記の規定により計算される当該デリバティブ取引
　　等に係る有効決済損益額に相当する金額は、当該適格分割等の日の属する事業
　　年度において、益金の額又は損金の額に算入しません。（法61の6②）

　次に、上記②の「デリバティブ取引等（ヘッジ手段）がヘッジ対象資産等
損失額を減少させるために有効と認められるか否か」の判定は、事業年度終
了の時までに決済をしていないデリバティブ取引等については事業年度終了
の時に、事業年度中に決済されたデリバティブ取引等についてはその決済時
に、次の④又は回の場合に応じ、それぞれに掲げる方法により行うこととさ
れています。（法政令121①）

④　資産又は負債に係るヘッジ対象資産等損失額（【問5-24】での(1)）を減
　少させるためにデリバティブ取引を行った場合……期末時又は決済時にお
　けるそのデリバティブ取引等に係る利益額又は損失額と、ヘッジ対象資産
　等評価差額（ヘッジ対象資産等のデリバティブ取引等を行った時と期末時
　又は決済時の価額の差額）を比較する方法

回　金銭に係るヘッジ対象資産等損失額（【問5-24】での(2)）を減少させる
　ためにデリバティブ取引等を行った場合……期末時又は決済時におけるそ
　のデリバティブ取引等に係る利益額又は損失額と、ヘッジ対象金銭受払差
　額（ヘッジ対象である金銭のデリバティブ取引等を行った時の算出額と期
　末時又は決済時の算出額の差額）を比較する方法

　上記の判定により、デリバティブ取引等がヘッジ対象資産等損失額を減少
させるために有効であると認められる場合とは、デリバティブ取引等を行っ
た時から事業年度終了の時までのいずれかの有効性判定（適格合併等により
被合併法人等から引き継いだ繰延ヘッジ処理に係るデリバティブ取引等につ
いては、被合併法人等が行った有効性判定を含みます。）において、有効性
割合（判定時におけるデリバティブ取引等に係る損益のヘッジ対象資産等評
価差額又はヘッジ対象金銭受払差額に対する割合）が、おおむね80％から
125％となっている場合とされています。（法政令121の2）

　なお、有効性判定は、期末時及びデリバティブ取引等の決済時に行うのが
原則ですが、繰延ヘッジ処理に関する帳簿書類にその旨を記載することを条
件に、6か月に1度等規則性のある1事業年度以内の一定期間ごとに継続的

（254）

第5章　有価証券、自己株式

に行うことも認められています。この場合、法人の選択した有効性判定の時
に算出した有効性割合の事績に基づき、繰延ヘッジ処理を適用します。（基
通2-3-49）ただし、デリバティブ取引等について手仕舞約定等が成立した
場合における当該手仕舞約定等に係る決済の時には、有効性判定を行わなけ
ればなりません。（同通達(注)(1)）

(注)　ヘッジ手段として行ったオプション取引の有効性判定について、原則的方法
（上記の㋑及び㋺）によらず、次の方法によることができます。（法政令121の
3の2①②）

イ　資産又は負債に係るヘッジ対象資産等損失額を減少させるためにオプショ
ン取引を行った場合……期末時又は決済時におけるそのオプション取引に係
る基礎商品変動差額とヘッジ対象資産等評価差額とを比較する方法。基礎商
品変動差額とは、オプション取引に係る金融商品のオプション取引を行った
時の価格と期末時又は決済時の価格との差額をいいます。

ロ　金銭に係るヘッジ対象資産等損失額を減少させるためにオプション取引を
行った場合……期末時又は決済時におけるそのオプション取引に係る受払金
銭評価差額とヘッジ対象金銭受払差額とを比較する方法。受払金銭評価差額
とは、オプション取引に係る金銭に相当するもののオプション取引を行った時
のオプション取引に係る金融商品の利率等に基づいて算出した額と期末時又
は決済時のその金融商品の利率等に基づいて算出した額との差額をいいます。

この方法で有効性判定を行う場合は、その判定を行おうとする事業年度の確
定申告書の提出期限までに、これらの方法で有効性判定を行う旨及び一定の事
項を記載した届出書を、所轄税務署長に提出する必要があります。（法政令121
の3の2③、法規則27の8⑦）

繰延ヘッジ処理による損益の繰延べ方法

> **【問5-26】**　【問5-25】で説明していただいた有効性判定等の要件を
> 満たしたことにより、繰延ヘッジ処理をする場合、どのような方
> 法で損益を繰り延べるのですか。税法では、超過差額を控除した
> 金額を繰り延べ、超過差額は益金算入又は損金算入することが認
> められているとのことですが、具体的に説明してください。

【答】　【問5-25】で説明した有効性判定で有効と判定された場合、原則とし

（255）

てデリバティブ取引等に係る利益額又は損失額を繰り延べますが、利益額又は損失額から有効性判定における超過差額を控除した金額を繰り延べ、超過差額を益金算入又は損金算入することも認められています。有効性判定における超過差額とは、利益額又は損失額のうち、有効性割合がおおむね100％から125％となった場合の100％から有効性割合までの部分に相当する金額をいいますが（法政令121の3②）、利益額又は損失額から超過差額を控除した金額を繰り延べるためには、デリバティブ取引等を行った日にその旨を帳簿書類に記載しておくことが要件とされています。（法政令121の3①、法規則27の8⑤）

〔事例〕

　甲社は、令和6年12月10日にA社発行の固定利付社債を10,000百万円で購入し、その他有価証券に区分しました。購入と同時に、金利変動による当該社債の価格変動リスクをヘッジするため、固定金利支払い、変動金利受取りの金利スワップ契約を締結しました。

　その後、市場金利の上昇により、令和7年3月31日（甲社の決算日）に当該社債の時価は9,950百万円に低下しましたが、金利スワップは60百万円の時価をつけました。これにより、事業年度終了の時の有効性割合は、次のとおり120％となり、このヘッジ取引は有効と判定されました。

$$\frac{\text{ヘッジ手段（金利スワップ）の評価差額　60百万円}}{\text{ヘッジ対象資産（社債）の評価差額　50百万円（10,000百万円－9,950百万円）}} = 120\%$$

イ　ヘッジ手段の利益60百万円を全額繰り延べる場合

　　金利スワップ資産　60百万円／その他負債（繰延ヘッジ利益）　60百万円

ロ　ヘッジ手段の利益60百万円のうち超過差額10百万円（60百万円－50百万円）を益金算入し、残りを繰り延べる場合

　　金利スワップ資産　60百万円／その他負債（繰延ヘッジ利益）　50百万円
　　　　　　　　　　　　　　　／ヘッジ利益　　　　　　　　　　10百万円

（注1）　繰延ヘッジ処理により益金算入又は損金算入されなかった金額に相当する金額は、事業年度終了の時の負債の帳簿価額又は資産の帳簿価額に含まれるものとして、所得の金額を計算します。（法政令121の5④）

（注2）　金融商品会計基準は、上記ロのように超過差額を控除した金額を繰り延べ、超過差額を損益に計上する方法は、認めていません。

第5章　有価証券、自己株式

　有効性判定で有効でないと判定された場合は、有効性割合がおおむね80％から125％となっていた直近の有効性判定（適格合併等により引き継いだデリバティブ取引等について、適格合併等の日の属する事業年度以後に行った有効性判定で有効でないと判定された場合は、被合併法人等が行った有効性判定で有効性割合がおおむね80％から125％となっていた直近の有効性判定）でのデリバティブ取引等の利益額又は損失額（有効性判定における超過差額を控除した金額を繰り延べることとしているときは超過差額を控除した金額）を繰り延べ、期末時又は決済時におけるデリバティブ取引等に係る利益額又は損失額と上記繰延額の差額は、益金の額又は損金の額に算入することとされています。（法政令121の3④）

　有効性判定で有効でないと判定されたことにより、ヘッジ会計の適用を中止してデリバティブ取引等損失額のうち新たに生じた額を益金算入又は損金算入することとなっても、その後の有効性判定で有効に戻ったときは、ヘッジ会計の適用を再開することになります。しかし、直近の有効性判定でのデリバティブ取引等の利益額又は損失額（有効性判定における超過差額を控除した金額を繰り延べることとしているときは超過差額を控除した金額）をそのままヘッジ対象資産等の譲渡若しくは消滅又は受取り若しくは支払がある時まで繰り延べ、次回以降の有効性判定を行わないこととしているときは、継続適用を条件としてこれが認められます。（基通2-3-51）

　これは、企業会計では、ヘッジ取引を行っている期間中にヘッジ有効性の評価基準（税法と同じおおむね80％から125％まで）を満たさなくなった場合、ヘッジ会計の適用を中止し、以後は有効性の評価を行わず、その時点までのヘッジ手段に係る損益又は評価差額はヘッジ対象に係る損益が認識されるまで繰り延べるとされていること（金融商品会計実務指針180）との整合性をもたせるための取扱いです。

　繰延ヘッジ処理により繰り延べたデリバティブ取引等の決済損益額（適格合併等により被合併法人等から引き継いだ繰延ヘッジ処理に係るデリバティブ取引等の決済損益額を含みます。）は、ヘッジ対象資産若しくは負債の譲渡若しくは消滅又は金銭（その金銭の受取り又は支払によって負債が発生し又は資産を取得する場合のその金銭を除きます。）の受取り若しくは支払のあった日（適格合併に該当しない合併により合併法人が受取り又は支払うこ

（257）

ととなった場合は、当該合併の日の前日）の属する事業年度において、益金
の額又は損金の額に算入します。（法政令121の5①）

金融商品会計基準に示されているヘッジ会計と税法のヘッジ取引の関係

【問5-27】 ヘッジ会計について、金融商品会計基準はどのように
示していますか。ヘッジ取引の内容によって、ヘッジ会計の適用
の有無、可否を区分すると、どのようになりますか。

【答】 金融商品会計基準においてヘッジ会計は、「ヘッジ取引のうち一定の
要件を充たすものについて、ヘッジ対象に係る損益とヘッジ手段に係る損益
を同一の会計期間に認識し、ヘッジの効果を会計に反映させるための特殊な
会計処理」とされています。（金融商品会計基準Ⅵ1第29項）ここでの「一
定の要件」が税法では【問5-25】に掲げた①と②の要件であり、この要件を
充たす場合、税法でもヘッジ手段に係る損益のうち有効な部分の金額をヘッ
ジ対象に係る損益が実現するまで繰り延べることとしています。

なお、税法では、繰延ヘッジ処理は、ヘッジ対象資産等（デリバティブ取
引（ヘッジ手段）によりヘッジ対象資産等損失額を減少させようとする資産
又は負債及び金銭）及びそのデリバティブ取引等の種類、名称、金額、ヘッ
ジ対象資産等損失額を減少させようとする期間その他参考となるべき事項を、
デリバティブ取引等を行った日に帳簿書類に記載した場合に限り適用するこ
ととされています。（法61の6①、法規則27の8①②）この点について、金
融商品会計実務指針でも、ヘッジ取引開始時にヘッジ手段とヘッジ対象（ヘ
ッジ対象のリスクとこれに対してどのようなヘッジ手段を用いるのか）、ヘ
ッジ有効性の評価方法を、正式な文書により、明確にしなければならないと
されています。（同実務指針143）

また、適格合併等により被合併法人等からヘッジ対象資産等損失額を減少
させるために行ったデリバティブ取引等に係る契約とヘッジ対象の資産若し
くは負債の移転を受け、又はヘッジ対象の金銭の受取り若しくは支払をする
こととなり、被合併法人等が当該デリバティブ取引等について上記の帳簿書
類の記載をしていたときは、合併法人等において当該デリバティブ取引等を
行い、かつ、当該記載をしていたものとみなされます。（法61の6③）

（258）

第5章　有価証券、自己株式

（注）　上記の適格合併等、被合併法人等及び合併法人等は、【問5-24】の末尾にかっこ書で記載したものと同じです。

　ヘッジ取引とヘッジ会計の関係をまとめますと、次のとおりになります。
（①、②は、前記税法の要件の①、②に該当します。）

	①	②		
ヘッジ取引	事業年度終了の時までにヘッジ対象資産等損失額が実現していないもの	有効性判定基準を充たすもの	ヘッジ対象資産が売買目的外有価証券以外の場合	繰延ヘッジ処理が適用できる
			ヘッジ対象資産が売買目的外有価証券の場合	繰延ヘッジ処理又は時価ヘッジ処理が適用できる
		有効性判定基準を充たさないもの		ヘッジ会計は適用できない
	事業年度終了の時までにヘッジ対象資産等損失額が実現しているもの			ヘッジ会計の適用対象にならない

（259）

時価ヘッジ処理が適用されるヘッジ取引

> 【問5-28】 法人税法第61条の7に規定されている時価ヘッジ処理が適用されるのは、どのようなヘッジ取引ですか。

【答】 法人税法の時価ヘッジ処理が適用されるヘッジ取引は、法人が有する売買目的外有価証券の価額の変動（期末時換算法により円換算する外貨建償還有価証券の為替相場変動に基因する変動を除きます。）により生ずるおそれのある損失の額（以下本問及び【問5-29】で「ヘッジ対象有価証券損失額」といいます。）を減少させるために、その手段としてデリバティブ取引等が行われるものです。（法61の7①）したがって、売買目的外有価証券の価額の変動をヘッジ対象とし、デリバティブ取引等をヘッジ手段とするヘッジ取引は、繰延ヘッジ処理に係る規定（法61の6①）と時価ヘッジ処理に係る規定（法61の7①）を選択適用することができます。

　この場合、ヘッジ対象資産が売買目的外有価証券に限られるのは、次のような理由によります。

イ　繰延ヘッジ処理をすることによって、ヘッジ対象資産に係る損益とヘッジ手段に係る損益を同一の会計期間に認識するというヘッジ会計の目的は達せられるので、特例的に時価ヘッジ処理の対象にもすることのできるヘッジ対象資産は、限定的であること。

ロ　時価ヘッジ処理は、繰延ヘッジ処理のようにヘッジ手段に係る損益を繰延べるのでなく、ヘッジ対象資産を時価評価してその評価損益を計上する方法だから、ヘッジ対象資産は実務上時価評価をすることが可能なものに限られ、これに該当する資産は売買目的外有価証券しかないこと。

　(注)　売買目的有価証券は必ず時価評価をしますので、ヘッジ会計の適用対象になりません。

　なお、金融商品会計実務指針でも、同様の理由で時価ヘッジの適用対象は、「現時点ではその他有価証券のみであると解釈される。」としています。（同実務指針185）実務指針は、その理由として、その他有価証券は時価を貸借対照表価額とすることが認められていることを挙げていますが、その他有価証券の評価方法を時価法とする金融商品会計基準と異なり、税法では原価法としていますので、税法での理由は上記のロに記載したように、「時価評価

（260）

第5章　有価証券、自己株式

は認めらないが実務上時価評価をすることが可能なもの」となります。

(注)　税法での売買目的外有価証券には、満期保有目的等有価証券（満期保有目的
　　　有価証券と企業支配株式等）が含まれますが（【問5-11】参照）、満期保有目的
　　　等有価証券をヘッジ対象としてヘッジ取引をすることは、通常あり得ません。

　なお、時価ヘッジ処理を適用するヘッジ取引でヘッジ手段となるデリバティブ取引等は、繰延ヘッジ処理を適用するヘッジ取引に係るものと同じです。

時価ヘッジ処理による損益の計上方法

> 【問5-29】　法人税法第61条の7の規定が適用される時価ヘッジ処
> 理を行った場合、どのような方法で損益を計上するのですか。

【答】　時価ヘッジ処理が適用されるヘッジ取引を行ったときは、次のイ及びロの要件を満たす場合、ヘッジ対象資産である売買目的外有価証券の評価差額のうちデリバティブ取引等（ヘッジ手段）に係る利益額又は損失額に対応する部分の金額を、益金の額又は損金の額に算入することとされています。
（法61の7①）

イ　当該デリバティブ取引等（ヘッジ手段）を行った時から事業年度終了の
　時までの間に、当該売買目的外有価証券の譲渡がないこと。

ロ　当該デリバティブ取引等（ヘッジ手段）が、ヘッジ対象有価証券損失額
　を減少させるために、有効であると認められること。

　このイとロが、金融商品会計基準にあるヘッジ会計を適用するための「一定の条件」であること、ロにおいてヘッジ手段が有効であると認められるための有効性割合がおおむね80％から125％となっていることは、繰延ヘッジ処理の場合と同じです。

(注1)　ヘッジ対象有価証券損失額を減少させるためにデリバティブ取引を行った
　　　場合において、適格分割等（適格分割又は適格現物出資）により分割承継法
　　　人等（分割承継法人又は被現物出資法人）に当該デリバティブ取引に係る契
　　　約を移転し、かつ、ヘッジ対象資産である売買目的外有価証券を移転すると
　　　きは、当該適格分割等の日の前日を事業年度終了の日とした場合に上記の規
　　　定により計算される当該売買目的外有価証券に係るヘッジ対象有価証券評価
　　　差額に相当する金額は、当該適格分割等の日の属する事業年度において、益

（261）

金の額又は損金の額に算入します。（法61の7②）

(注2) 法人が、適格合併又は適格分割等により被合併法人又は分割法人等がヘッジ対象有価証券損失等を減少させようとしていた売買目的外有価証券の移転を受けたときは、被合併法人の最後事業年度又は分割法人等の当該適格分割等の日の属する事業年度において当該売買目的外有価証券につき益金の額又は損金の額に算入された金額は、適格合併又は適格分割等の日の属する事業年度において戻入れの処理をします。（法政令121の11②）

〔事例〕

　【問5-26】の事例に掲げた甲社が、令和7年3月期末に時価ヘッジ処理をする場合は、まず、ヘッジ対象資産であるA社発行の固定利付社債の評価差額のうち、ヘッジ手段である金利スワップ契約の利益額に対応する部分の金額50百万円を、次の仕訳により損金算入します。

　　有価証券評価損　50百万円／その他有価証券　50百万円

　そして、ヘッジ手段に係る利益を、次のとおり計上して益金算入します。

　　金利スワップ資産　60百万円／金利スワップ評価益　60百万円

　なお、時価ヘッジ処理についても、繰延ヘッジ処理での有効性判定について述べたのと同様の方法で有効性の判定をすることが認められています。すなわち、有効性判定の時期については、6か月に1度など規則性のある1事業年度以内の一定期間ごとに継続的に行うこととし、かつ、デリバティブ取引等の決済時には必ず行うこととすることを認めた繰延ヘッジ処理に係る法人税基本通達2-3-49の取扱いが、時価ヘッジ処理にも準用されています。（基通2-3-61(3)）また、有効性判定で有効でないと判定された場合のヘッジ会計の適用中止期間についても、有効性割合がおおむね80％から125％でとなっていない場合において次回以降の有効性判定を行わないこととし、かつ、時価ヘッジ処理における時価評価差額の洗替え処理を行わないこととしているときは、継続適用を条件として認めることとされています。（基通2-3-61(2)）

　税法では、時価ヘッジ処理は、ヘッジ対象資産である売買目的外有価証券を期末時若しくは決算時の時価により評価し若しくは外国為替の売買相場により換算する旨、当該売買目的外有価証券及びデリバティブ取引等の種類、

（262）

第5章　有価証券、自己株式

名称、金額、ヘッジ対象有価証券損失額を減少させようとする期間その他参考となるべき事項を、デリバティブ取引等を行った日に帳簿書類に記載することとされています。（法61の7①、法規則27の9①）なお、金融商品会計実務指針でも、ヘッジ取引開始時に、ヘッジ対象のリスクとこれに対してどのようなヘッジ手段をとるかを正式な文書により明確にしなければならないとされています。（同実務指針143）

　また、適格合併等により被合併法人等からヘッジ対象有価証券損失額を減少させるために行ったデリバティブ取引等に係る契約とヘッジ対象の売買目的外有価証券の移転を受け、被合併法人等が当該デリバティブ取引等について上記の帳簿書類の記載をしていたときは、合併法人等において当該デリバティブ取引等を行い、かつ、当該記載をしていたものとみなされます。（法61の7③）

　売買目的外有価証券の価額変動リスクをヘッジ対象とするヘッジ取引について時価ヘッジ処理を適用する場合、当該有価証券の時価ヘッジ処理適用後における帳簿価額は、期末時又は決済時における時価ヘッジ処理適用前の帳簿価額に、ヘッジ対象有価証券評価差額（当該売買目的外有価証券のそのデリバティブ取引等を行った時における価額と期末時又は決済時における価額との差額）を加減算した金額とされています。（法政令121の6①一）時価ヘッジ処理での時価評価差額は、洗替え処理をしますので（法政令121の11①）、この金額は通常売買目的外有価証券の期末時又は決済時の時価となります。税法がこの金額を時価と規定していないのは、売買目的外有価証券のうち償還有価証券は期末時又は決済時の帳簿価額が取得価額でなく償却原価法により算定した金額となっており、これにヘッジ対象有価証券評価差額を加減算しても、期末時又は決済時における時価とならないためと思われます。

　上記の規定のかっこ書の中にある「当該売買目的外有価証券のそのデリバティブ取引等を行った時における価額」及び「期末時又は決済時における価額」は、当該売買目的外有価証券について時価法により評価した金額とされています。（基通2-3-61(1)）

　ところで、時価ヘッジ処理により益金の額又は損金の額に算入される金額は、本問の最初に記載したように、ヘッジ対象資産である売買目的外有価証券の評価差額のうち、デリバティブ取引等に係る利益額又は損失額に対応す

（263）

る部分の金額です。（法61の7①）この金額は、事業年度開始の日前にデリバティブ取引等を決済していない場合は次の金額とされ、事業年度開始の日前にデリバティブ取引等を決済している場合はないものとされています。（法政令121の9）

イ　期末時の有効性判定において価額変動に対する有効性割合がおおむね80％から125％までとなっている場合……その有効性判定に係る売買目的外有価証券の評価差額（期末時又は決済時の価額とデリバティブ取引等を行った時の価額の差額）

ロ　期末時の有効性判定において価額変動に対する有効性割合がおおむね80％から125％となっていない場合及び当該事業年度中にそのデリバティブ取引等の決済（当該事業年度中に売買目的外有価証券の譲渡をしている場合のそのデリバティブ取引等の決済を除きます。）をしている場合……価額変動に対する有効性割合がおおむね80％から125％までとなった当該事業年度終了の時の直近の有効性判定に係る売買目的外有価証券の評価差額

時価ヘッジ処理により損益とした評価差額は、翌事業年度において洗替え処理をします。（法政令121の11①）ただし、デリバティブ取引等を決済した事業年度において有効部分として損益処理した金額は、翌事業年度において洗替え処理をせず、当該損益処理額を有価証券の帳簿価額に加減算したまま残すことになります。（法政令121の11③）

　　(注)　ヘッジ手段として行ったオプション取引の有効性判定について、原則的方法によらず、基礎商品変動差額とヘッジ対象有価証券評価差額とを比較する方法によることができます。（法政令121の9の2①）基礎商品変動差額とは、オプション取引に係る金融商品のオプション取引を行った時の価格と期末時又は決済時の価格との差額をいいます。なお、この方法で有効性判定を行う場合は、その判定を行おうとする事業年度の確定申告書の提出期限までに、この方法で有効性判定を行う旨及び一定の事項を記載した届出書を、所轄税務署長に提出する必要があります。（法政令121の9の2②、法規則27の9④）

第5章　有価証券、自己株式

子会社からの配当と子会社株式譲渡を組み合わせた租税回避の防止

> **【問5-30】**　子会社からの受取配当金が益金不算入になることを利用して、子会社から多額の配当金を受け取った後、価値の下落した子会社株式を売却することにより譲渡損を計上し、節税を図るという行為が規制されているとのことですが、その概要を説明してください。

【答】　国内の子会社から受け取る配当金は、完全子法人の場合は全額が、その他の場合は受取配当金の額から負債利子の額を控除した額が、それぞれ益金不算入となります。（【問3-9】参照）また、外国子会社（所有割合が25％以上の会社）から受け取る配当金はその95％が益金不算入となります。（【問3-18】参照）この制度を利用しますと、子会社から多額の配当金を受け取り、その後、支払配当による純資産の減少により価値の下落した子会社株式を時価で売却した場合、受取配当金は無税又は少額の税負担で済み、一方、株式売却時は譲渡損の発生又は譲渡益の圧縮により税負担の軽減が可能となります。つまり、本来、子会社株式譲渡益として課税されるべき部分が、受取配当金として益金不算入となってしまうということです。

　こうした租税回避行為を防止するため、法人が子会社から一定の配当を受けた場合には、その法人の有する子会社株式の帳簿価額から配当額のうち益金不算入額相当額を減額することとされています。これにより、株式売却時の譲渡原価が引き下げられ、その結果、譲渡損の創出や譲渡益の圧縮が防止されることとなります。この規定の概要は以下のとおりです。なお、この規定は、子会社株式の帳簿価額の10％相当額を超える配当を受け取った場合に適用されますが、設立以来内国法人により90％以上を所有されてきた内国法人や子会社化後10年を経過している法人からの配当金、子会社から受ける配当金がその事業年度に2,000万円以下の場合等は適用がありません。（下記3の④参照）

1　規定の内容

　法人が他の法人から配当等を受ける場合、その配当等の額（「対象配当等の額」といいます。）及び同一事業年度内配当等の額の合計額が、対象配当等の額及び同一事業年度内配当等の額に係る各基準時**(注)**の直前においてそ

（265）

の法人が有する他の法人（配当等を行った法人）の株式等の帳簿価額のうち最も大きいものの10%相当額を超えるときは、一定の場合を除き、その株式等の帳簿価額から対象配当等の額のうち益金不算入相当額を減額した金額を基に、その基準時の１単位当たりの帳簿価額を計算します。（法政令119の3⑩）「対象配当等の額」とは、対象配当等の額に係る決議日等において特定支配関係がある法人から受ける次のイ〜ニの金額をいいます。また、「同一事業年度内配当等の額」とは、対象配当等を受ける日の属する事業年度開始の日からその受ける直前の時までの間に対象配当等を行った法人から受けた次のイ〜ニの金額をいい、これらの額に係る決議日等においてその法人との間に特定支配関係があったものに限ります。（法政令119の3⑩）

イ　剰余金の配当若しくは利益の配当又は剰余金の分配の額

ロ　投資信託及び投資法人に関する法律第137条の金銭の分配の額

ハ　資産の流動化に関する法律第115条第１項の金銭の分配の額

ニ　みなし配当の金額（完全支配関係のある法人間の譲渡損益を計上しないこととされている（法61の2⑰）みなし配当事由に係るみなし配当は除きます。）

　「特定支配関係」とは、一の者が他の法人の株式等又は配当等に関する議決権の数等の50%を超える数を直接又は間接に所有する場合におけるその一の者と他の法人との関係をいいます。（法政令119の3⑫二）

（注）　「基準時」とは、次の時をいいます。（法政令119の3⑫三）

　　イ　株式会社の行う剰余金の配当で、その剰余金を受ける者を定めるための会社法第124条第１項（基準日）に規定する基準日の定めのあるもの……その基準日が経過した時

　　ロ　株式会社以外の法人が行う剰余金の配当等で、その剰余金の配当等を受ける者を定めるための基準日に準ずる日の定めのあるもの……その基準日に準ずる日が経過した時

　　ハ　剰余金の配当等で、その剰余金の配当等を受ける者を定めるための基準日又は基準日に準ずる日の定めがないもの……その剰余金の配当等の効力が生ずる時（効力が生ずる日の定めがない場合は、その剰余金の配当等が行われる時）

　　ニ　法人税法第24条第１項各号に掲げる事由が生じたことに基因する金銭その他の資産の交付（みなし配当）……同条同項各号に掲げる事由が生じた時

　したがって、その事業年度に子会社から支払を受けた配当金の額が、その

第5章　有価証券、自己株式

子会社に係る子会社株式の帳簿価額の10％相当額を超える場合は、一定の場合（下記3参照）を除き、この規定の適用を受けることとなります。

2　子会社株式等の帳簿価額から減額する金額

上記1に該当する場合、対象配当等の額に係る基準時の直前における帳簿価額から、対象配当等の額のうち益金不算入相当額を減額して、1単位当たりの帳簿価額を計算します。（法政令119の3⑩）例えば、配当の直前の子会社株式の帳簿価額が1億円（株式数は10万株、1株当たりの帳簿価額は1,000円）で、配当金を3,000万円受け取り、その全額が益金不算入である場合、その配当の基準時における1株当たりの帳簿価額は、次のとおり700円となります。

　　（1億円－3,000万円）÷10万株＝700円

(注)　確定申告書等に一定の書類を添付し、かつ、一定の書類を保存している場合は、帳簿価額から減額する金額を特定支配後増加利益剰余金額超過額（益金不算入相当額に限ります。）に達するまでの金額とすることができます。特定支配後増加利益剰余金額超過額は一定の算式で計算します。（法政令119の3⑪）

なお、上記により子会社株式等の帳簿価額から減額される金額は、利益積立金額から減算されることになります。（法政令9①一ネ）

3　この規定が適用されない場合

次の①～④のいずれかに該当する場合、この規定の適用はありません。（法政令119の3⑩一～四）なお、①～④での他の法人とは対象配当等の額を支払う法人です。

①　内国普通法人である他の法人の設立の時から特定支配日(注)までの期間を通じて、その法人の発行済株式総数又は出資総額の90％以上を内国普通法人、協同組合等又は居住者が所有している場合（その期間を通じて所有割合が90％以上であることを証する書類の保存がない場合を除きます。）

②　特定支配日が対象配当等の額を受ける日の属する他の法人の事業年度開始の日の前である場合において、(イ)の金額から(ロ)の金額を減算した金額が(ハ)の金額以上である場合（このことを証する書類の保存がない場合を除きます。）

(イ)　他の法人の対象配当等の額に係る決議日等前に最後に終了した事業年度の貸借対照表に計上されている利益剰余金の額

（267）

㈡　㈠の事業年度終了の日の翌日から対象配当等の額を受ける時までの間
　　に、他の法人の株主等が他の法人から受ける配当等の額の合計額
㈢　他の法人の特定支配日前に最後に終了した事業年度の貸借対照表に計
　上されている利益剰余金の額
　　なお、一定の場合、利益剰余金の期中増加及び期中配当等があったとき
　は、一定額を㈠の金額に加算できます。この場合、一定額を㈢の金額にも
　加算が必要です。
③　特定支配日から対象配当等の額を受ける日までの期間が10年を超える場
　合
④　対象配当等の額及び同一事業年度内配当等の額の合計額が2,000万円を
　超えない場合
　(注)　「特定支配日」とは、他の法人との間に最後に特定支配関係を有すること
　　　　なった日をいいます。

　①は設立以来90％以上を内国法人等が所有している内国法人からの配当、
②は子会社化後に生じた利益剰余金からの配当、③は子会社化後10年経過し
てからの配当、④は少額（2,000万円以下）の配当です。これらの配当につ
いては、上記１、２の適用はありません。

株式交付により所有株式を譲渡した場合の譲渡損益

> **【問5-31】**　当社は、Ｘ株式会社の株式を10,000株所有していまし
> たが、当事業年度に、株式交付制度によりＡ株式会社にＸ社株式
> 全株を譲渡し、Ａ社株式5,000株を受け取りました。譲渡直前のＸ
> 社株式の帳簿価額は3,000万円で、交付を受けたＡ社株式の交付
> 時の時価は5,000万円ですが、その差額の2,000万円が譲渡損益と
> して課税されることになりますか。なお、Ａ株式会社から、Ａ社
> 株式以外の資産は受け取っていません。また、Ａ株式会社は同族
> 会社に該当しません。

【答】　株式交付制度は、令和３年３月１日に施行された改正会社法（令和元
年改正）で創設された制度です。株式交付とは、株式会社が他の株式会社を
その子会社とするために当該他の株式会社の株式を譲り受け、当該株式の譲

第5章　有価証券、自己株式

渡人に対して当該株式の対価として当該株式会社の株式を交付することをいいます。（会社法2三十二の二）つまり、他の株式会社を子会社化するために、その会社の株主から株式を取得し、その対価として自社の株式を交付するものです。同様の制度に株式交換がありますが、株式交換は完全子会社化するときの手法なのに対して、株式交付は、完全子会社とはしないが、過半数の株式を取得して子会社化するときに活用される手法です。株式交付が行われた場合の法人税の取扱いは以下のとおりです。

　法人が、株式交付により所有株式を譲渡し、株式交付親会社(**注1**)の株式の交付を受けた場合（交付を受けた株式交付親会社の株式の価額が、交付を受けた金銭の額及び金銭以外の資産の価額の合計額の80%未満の場合、及び、株式交付親会社が同族会社（非同族の同族会社を除きます。）に該当する場合(**注2**)を除きます。）、譲渡対価の額は次のとおり計算します。（措法66の2①）

譲渡対価の額＝（所有株式の株式交付直前の帳簿価額×株式交付割合）
　　　　　　　＋交付を受けた金銭等の額

$$株式交付割合 = \frac{交付を受けた株式交付親会社の株式の価額}{交付を受けた株式交付親会社の株式の価額＋交付を受けた金銭等の額}$$

(**注1**)　株式交付親会社とは、株式交付をする株式会社をいいます。（会社法774の3①一）

(**注2**)　株式交付親会社が同族会社（非同族の同族会社を除きます。）が適用除外となるのは、令和5年10月1日以後に行われる株式交付です。（令5改所法等附則1二ロ）なお、同族会社の意味は【問22-1】で説明しています。「非同族の同族会社」とは、株主等の中に非同族会社がいる場合、その会社を除いて判定すれば同族会社にならない会社を意味しています。（現行の法人税法では「非同族の同族会社」の定義はありません。）

(**注3**)　上記の算式の「交付を受けた金銭等の額」とは、交付を受けた金銭の額及び金銭以外の資産の価額の合計額から交付を受けた株式交付親会社の株式の価額及び配当見合いの金銭等の額の合計額を控除した金額をいいます。

　御質問の場合、A社株式以外の資産は交付されていませんから、株式交付割合は100%となり、譲渡対価の額はX社株式の帳簿価額の3,000万円となります。したがって、譲渡対価と譲渡原価は同額となり、譲渡損益は発生しません。

（269）

なお、株式交付により交付を受けた株式交付親会社の株式の取得価額は、譲渡した株式の譲渡直前の帳簿価額に株式交付割合を乗じて計算した額とします。なお、株式の交付を受けるために要した費用がある場合は、その費用の額を加算します。（措政令39の10の2③一）御質問の場合、取得したA社株式の取得価額は、X社株式の帳簿価額を引き継ぎ、3,000万円となります。

(注)　株式交換では、株式以外の資産が交付された場合、適格株式交換とならず【問23-14】参照）、課税の繰延べが行われないのに対して、株式交付の場合は、上記のとおり、株式以外の資産の交付が対価の額の20％以内であれば、株式部分については課税が繰り延べられることとなります。

第5章　有価証券、自己株式

第3節　有価証券の取得価額

有価証券の取得価額

> **【問5-32】** 税法では、有価証券の取得価額は、どのように規定されていますか。

【答】 有価証券の取得価額は、その取得方法により区分して、法人税法施行令第119条第1項の第1号から第27号に、下記の表の①から㉗のとおり規定されています。

	有価証券の取得方法による区分	取得価額
金銭の払込み又は金銭以外の資産の給付等による有価証券の取得	①　購入した有価証券（信用取引等により取得したもの又はデリバティブ取引による資産の取得の規定の適用があるものを除きます。）	その購入の代価（購入手数料その他その有価証券の購入のために要した費用を加算した額）
	②　金銭の払込み又は金銭以外の資産の給付により取得をした有価証券（④又は㉒に該当する有価証券及び適格現物出資により取得をしたものを除きます。）	その払込みをした金銭の額及び給付をした金銭以外の資産の価額の合計額
	③　株式等無償交付（法人がその株主等に対して新たに金銭の払込み又は金銭以外の資産の給付をさせないで当該法人の株式又は新株予約権を交付することをいいます。）により取得をした株式又は新株予約権（④に該当する有価証券及び新株予約権付社債に付された新株予約権を除きます。）	零
	④　「通常要する価額に比して有利な金額」での払込み等により取得をした有価証券（新たな払込み又は給付をせずに取得をした有価証券を含み、法人の株主等が当該株主等として取得をした株式又は新株予約権で、その法人の他の株主等に損害を及ぼすおそれがないと認められる場合におけるその株式又は新株予約権、㉒に該当する有価証券及び適格現物出資により取得をしたものを除きます。）	その取得の時におけるその有価証券の取得のために通常要する価額

（271）

直前の帳簿価額を付すべき有価証券の取得	⑤　合併（法人税法第61条の2第2項に規定する金銭等不交付合併に限ります。）により交付を受けた合併法人又は一定の関係の親法人の株式	当該被合併法人の株式の当該合併直前の帳簿価額に相当する金額（配当等の額とみなされた金額がある場合は、その金額を加算します。）
	⑥　分割型分割（法人税法第61条の2第4項に規定する金銭等不交付分割型分割に限ります。）により交付を受けた分割承継法人又は一定の関係の親法人の株式	当該分割法人の株式の当該分割型分割の直前の帳簿価額 $\times$ $\dfrac{\text{当該分割法人の分割事業年度末の移転資産の純資産額}}{\text{当該分割法人の分割事業年度末又はその直前事業年度末の純資産額}}$（配当等の額とみなされた金額がある場合は、その金額を加算します。）
	⑦　適格分社型分割又は適格現物出資により交付を受けた分割承継法人若しくは分割承継親法人又は被現物出資法人の株式	当該適格分社型分割又は当該適格現物出資の直前の移転資産の帳簿価額から移転負債の帳簿価額を減額した金額
	⑧　株式分配（法人税法第61条の2第8項に規定する金銭等不交付株式分配に限ります。）により交付を受けた完全子法人の株式	当該現物分配法人の株式の当該株式分配直前の帳簿価額 $\times$ $\dfrac{\text{当該現物分配法人の株式分配直前の完全子法人株式の帳簿価額}}{\text{当該現物分配法人の株式分配の日の属する事業年度の前事業年度末の純資産額}}$（配当等の額とみなされた金額がある場合は、その金額を加算します。）
	⑨　株式交換（法人税法第61条の2第9項に規定する金銭等不交付株式交換に限ります。）により交付を受けた株式交換完全親法人又は一定の関係の親法人の株式	当該株式交換完全子法人の株式の当該株式交換の直前の帳簿価額に相当する金額
	⑩　適格株式交換等（法人税法第61条の2第9項に規定する金銭等不交付株式交換に限ります。また、適格株式交換等に該当しない⑨に規定する株式交換（適格組織再編成における株式の保有関係等に規定する無対価株式交換にあっては、株主均等割合保有関係があるものに限ります。）で、当該株式交換の直前に当該株式交換に係る株式交換完全親法人と株式交換完全子法人との間に完全支配関係があった場合における株式交換を含みます。）により取得した株式交換完全子法人の株式	適格株式交換等の直前における株式交換完全子法人の株主の数が、 イ　50人未満の場合……当該株式交換完全子法人の株主が有していた当該法人の株式の適格株式交換等の直前の帳簿価額に相当する金額の合計額 ロ　50人以上の場合……当該株式交換完全子法人の当該適格株式交換等の日の属する事業年度の前事業年度終了時の資産の帳簿価額から負債の帳簿価額を減額した金額

第5章　有価証券、自己株式

⑪　株式移転（株式移転に係る株式移転完全子法人の株主にその株式移転に係る株式移転完全親法人の株式以外の資産が交付されなかったものに限ります。）により交付を受けた当該株式移転完全親法人の株式	当該株式移転完全子法人の株式のその株式移転の直前の帳簿価額に相当する金額
⑫　適格株式移転（適格株式移転に該当しない上記⑪の株式移転で、当該株式移転の直前に株式移転完全子法人と他の株式移転完全子法人との間に完全支配関係があった場合の当該株式移転を含みます。）により取得をした株式移転完全子法人の株式	適格株式移転の直前における株式移転完全子法人の株主の数が、 イ　50人未満の場合……当該株式移転完全子法人の株主が有していた当該法人の株式の適格株式移転の直前の帳簿価額に相当する金額の合計額 ロ　50人以上の場合……当該株式移転完全子法人の当該適格株式移転の日の属する事業年度の前事業年度終了時の資産の帳簿価額から負債の帳簿価額を減額した金額
⑬　旧新株予約権等（新株予約権又は新株予約権付社債）を発行する法人を被合併法人、分割法人、株式交換完全子法人又は株式移転完全子法人とする合併等により当該旧新株予約権等に代えて合併等に係る合併法人、分割承継法人、株式交換完全親法人又は株式移転完全親法人の新株予約権又は新株予約権付社債のみの交付を受けた場合における当該新株予約権又は新株予約権付社債	当該旧新株予約権等のその合併等の直前の帳簿価額に相当する金額
⑭　組織変更（組織変更をした法人の株主等にその法人の株式のみが交付されたものに限ります。）に際して交付を受けた株式	当該法人の株式の当該組織変更の直前の帳簿価額に相当する金額
⑮　取得請求権付株式に係る請求権の行使による当該取得請求権付株式の取得の対価として交付を受けた当該取得をする法人の株式	当該取得請求権付株式の当該請求権の行使の直前の帳簿価額に相当する金額
⑯　取得条項付株式に係る取得事由の発生（その取得の対価として当該取得をされる株主等に当該取得をする法人の株式のみが交付されたものに限ります。）による当該取得条項付株式の取得の対価として交付を受けた当該取得をする法人の株式	当該取得条項付株式の当該取得事由の発生の直前の帳簿価額に相当する金額

（273）

⑰　取得条項付株式に係る取得事由の発生（その取得の対象となった種類の株式の全てが取得され、かつ、その取得の対価として当該取得をされる株主等に当該取得をする法人の株式及び新株予約権のみが交付されたものに限ります。）による当該取得条項付株式の取得の対価として交付を受けた当該取得をする法人の株式及び新株予約権	イ　当該取得をする法人の株式…当該取得条項付株式の当該取得事由の発生の直前の帳簿価額に相当する金額 ロ　当該取得をする法人の新株予約権…零
⑱　全部取得条項付種類株式に係る取得決議（その取得の対価として当該取得をされる株主等に当該取得をする法人の株式のみが交付されたものに限ります。）による当該全部取得条項付種類株式の取得の対価として交付を受けた当該取得をする法人の株式	当該全部取得条項付種類株式の当該取得決議の直前の帳簿価額に相当する金額
⑲　全部取得条項付種類株式に係る取得決議（その取得の対価として当該取得をされる株主等に当該取得をする法人の株式及び新株予約権のみが交付されたものに限ります。）による当該全部取得条項付種類株式の取得の対価として交付を受けた当該取得をする法人の株式及び新株予約権	イ　当該取得をする法人の株式…当該全部取得条項付種類株式の当該取得決議の直前の帳簿価額に相当する金額 ロ　当該取得をする法人の新株予約権…零
⑳　新株予約権付社債についての社債に係る新株予約権の行使による当該社債の取得の対価として交付を受けた当該取得をする法人の株式	その行使の直前の当該新株予約権付社債の帳簿価額に相当する金額
㉑　新株予約権付社債に付された新株予約権の行使により取得をした自己の社債	当該取得をした社債に係る新株予約権付社債の帳簿価額に相当する金額
㉒　取得条項付新株予約権又は取得条項付新株予約権が付された新株予約権付社債についての新株予約権に係る取得事由の発生による取得条項付新株予約権又は新株予約権付社債の取得の対価として交付を受けた当該取得をする法人の株式	当該取得条項付新株予約権又は当該新株予約権付社債の当該取得事由の発生の直前の帳簿価額に相当する金額
㉓　取得条項付新株予約権又は取得条項付新株予約権が付された新株予約権付社債についての新株予約権に係る取得事由の発生により取得をした自己の取得条項付新株予約権又は取得条項付新株予約権が付された自己の新株予約権付社債	当該取得をした取得条項付新株予約権又は新株予約権付社債の帳簿価額に相当する金額
㉔　集団投資信託についての信託の併合により交付を受けた新たな信託の受益権	当該従前の信託の受益権の当該信託の併合の直前の帳簿価額に相当する金額

第5章　有価証券、自己株式

	㉕　集団投資信託についての信託の分割により交付を受けた承継信託の受益権	当該分割信託の受益権の当該信託の分割の直前の帳簿価額を基礎として計算した分割純資産に対応する帳簿価額
その他	㉖　適格合併に該当しない合併で法人税法第61条の11第1項の規定の適用があるものにより移転を受けた有価証券で譲渡損益調整資産に該当するもの	取得の時におけるその取得に通常要する価額から同条第7項の譲渡利益額に相当する金額を減算し、又は同項の譲渡損失額に相当する金額を加算した金額
	㉗　①～㉖に掲げる有価証券以外の有価証券	その取得の時におけるその有価証券の取得のために通常要する価額

（注1）　①の「その他その有価証券の購入のために要した費用」には、有価証券を取得するために要した通信費、名義書換料、外国有価証券の取得に際して徴収される有価証券取引税その他これに類する税は、含めないことができます。（基通2-3-5）

（注2）　株式交付の場合の課税の特例を受けた場合、交付を受けた株式の取得価額は、譲渡した株式の帳簿価額を引き継ぎます。（措政令39の10の2③一、【問5-31】参照）

①の左欄のかっこ書にある有価証券、すなわち信用取引若しくは発行日取引により取得した有価証券又は繰延ヘッジ処理の適用を受けないデリバティブ取引により取得した有価証券の取得価額は、上記㉗により、その取得の時におけるその取得のために通常要する価額（受渡決済に伴って新たに支出する委託手数料その他の費用の額を加算した金額）とします。（基通2-3-13）

また、子会社等（資本関係を有する者のほか、取引関係、人事関係、資本関係等で事業関連性を有するものを含みます。）に対して債権を有する法人が、合理的な再建計画等の定めるところにより、当該債権を現物出資（適格現物出資を除きます。）することによって取得した株式の取得価額は、上記②により、その取得の時における給付をした当該債権の価額とします。（基通2-3-14）これは、債権者がその有する債権を債務者に対して現物出資する、いわゆるデット・エクィティ・スワップ（Debt Equity Swap）により取得した株式の取得価額についてのもので、例えば銀行が貸付金を現物出資して株式を取得し、融資先の再建後にその株式を売却して資金の回収を図るというスキームで行われているものです。

（275）

剰余金の額を減少して資本金の増加が行われた場合の株式の取得価額

> **【問5-33】** 当社が1,000株（帳簿価額770,000円）を有するC株式会社が、令和6年10月30日を払込期日として、「株主割当1：0.5、払込金額1株につき500円の資本金の増加」と、同日を効力発生日とする「剰余金の額1億円を減少して行う資本金の増加」を、株主総会で決議しました。この決議の実行後に当社が所有するC株式会社の株式1,500株の取得価額は、いくらにすればよろしいですか。

【答】 まず、払込みによって取得した新株500株の取得価額は、500円×500＝250,000円となります。（法政令119①二）

次に、剰余金の額1億円を減少して行われる資本金の増加ですが、これによる新株の発行はなく、貴社には株式の取得がありません。また、剰余金の額1億円の減少があっても、株主に分配されたのでありませんので、貴社に受取配当も生じません。

したがって、上記の決議の実行後に貴社が所有されるC株式会社の株式1,500株の取得価額は、旧株1,000株の帳簿価額770,000円に新株500株の取得価額250,000円を加えた1,020,000円となります。

(注) C株式会社では、繰越利益剰余金100百万円／資本金100百万円　という会計処理をしますが、同社の資本金等の額、利益積立金額ともこれによる変動が生じませんので、別表五(一)のⅠとⅡに次のとおりの記載をします。なお、会社法では、「剰余金の額を減少して行う資本金の額の増加」は、株主総会の決議により、いつでもできると規定されています。（会社法450）

第5章　有価証券、自己株式

| 利益積立金額及び資本金等の額の計算に関する明細書 | 事業年度 | ：　： | 法人名 | C株式会社 | 別表五(一) |

Ⅰ　利益積立金額の計算に関する明細書

区　　　　分		期首現在利益積立金額 ①	当　期　の　増　減		差引翌期首現在利益積立金額 ①−②+③
			減　②	増　③	④
利　益　準　備　金	1	円	円	円	円
積　立　金	2				
資本金等の額	3			100,000,000	100,000,000
	4				
	24				
繰越損益金(損は赤)	25	××××××	100,000,000		××××××
納　税　充　当　金	26				

Ⅱ　資本金等の額の計算に関する明細書

区　　　　分		期首現在資本金等の額 ①	当　期　の　増　減		差引翌期首現在資本金等の額 ①−②+③
			減　②	増　③	④
資本金又は出資金	32	×××××× 円	円	100,000,000	×××××× 円
資　本　準　備　金	33				
利益積立金額	34			△100,000,000	△100,000,000
	35				
差　引　合　計　額	36				

準備金の額を減少して資本金の額の増加が行われた場合の株式の取得価額

> **【問5-34】**　当社が保有する株式の発行会社において、会社法第448条の規定による「準備金の額の減少と同額の資本金の増加」が行われた場合、当該会社の株式の取得価額に影響が生じますか。減少させる準備金が資本準備金か利益準備金かで異なりますか。また、当社の所得の金額に対する影響は、どのようになりますか。

【答】　会社法第448条第1項は、「株式会社は、準備金の額を減少することができる。この場合においては、株主総会の決議によって、次に掲げる事項を定めなければならない。」と規定し、その第2号に、「減少する準備金の額の全部又は一部を資本金とするときは、その旨及び資本金とする額」を掲げています。この準備金には、資本準備金と利益準備金がありますが、税法では、当該準備金が資本金等の額なのか利益積立金額なのかによって、取扱いが異なります。

　まず、当該準備金が資本金等の額のときは、税法では資本金等の額のなかでの移動ですので、貴社の所有株式の取得価額や将来の所得の金額への影響

（277）

等は一切生じません。

　一方、当該準備金が利益積立金額のときは、金銭等の交付が行われないため、配当等の額とみなされる額はなく、その限りでは貴社の所有株式の取得価額に対する影響は生じません。

　しかし、準備金が資本金等の額の場合は、将来においても貴社の所得の金額への影響は生じませんが、利益積立金額の場合は、その減少に伴う資本金の額の増加額は、発行会社の資本構成において利益積立金額として残るため、将来貴社が同社へ当該株式を譲渡されたとき又は同社から残余財産の分配を受けられたときに、譲渡額又は残余財産分配額のうちの利益積立金額部分の金額について、株式譲渡益又は残余財産分配益としての課税が行われます。この意味で、利益積立金額である準備金を減少させての資本金の額の増加は、そのときに配当等の額とみなされなくても、税法では将来発行会社からの剰余金の分配として課税され、実質的には課税の繰延べが行われていることになります。

　(注)　御質問にある株式の発行会社において資本金を増加させるために減少させる準備金が利益積立金額の場合の同社の別表五(一)のⅠとⅡの記載方法を【問27-4】に具体例で掲げていますので、参照してください。

（278）

第5章　有価証券、自己株式

株式の分割があった場合の株式の取得価額

【問5-35】　上場会社であるＤ株式会社の株式20,000株（帳簿価額18,060千円）を所有しています。同社は、令和6年7月11日開催の取締役会の決議により、次の要領（要点のみ記載）で株式の分割（無償交付）を行うことを決議しました。

①　分割により増加する株式数……額面普通株式とし、令和6年9月30日最終の発行済株式総数に0.05を乗じた株式数

②　分割の方法……令和6年9月30日最終の株主名簿及び実質株主名簿に記載された株主の所有株式数を1株につき1.05株の割合をもって分割する。

　　この無償交付を受けた後での当社のＤ株式会社の株式の所有数は、21,000株となりますが、その取得価額及び1単位（1株）当たりの帳簿価額は、どのようになりますか。

【答】　会社は株主総会（取締役会設置会社は取締役会）の決議により、株式の分割をすることができます。（会社法183）

　分割による株式の取得は、株式等無償交付による株式の取得ですので、その取得価額は零となります。（法政令119①三）分割による株式の交付を受けた後の当該株式の1単位当たりの帳簿価額は、法人の選定する算出の方法（移動平均法又は総平均法）により算出した平均単価となります。（法政令119の2①）

　貴社の選定されている有価証券の1単位当たりの帳簿価額の算出の方法が移動平均法のときは、御質問の場合、次のとおりになります。

$$\frac{\overset{\left(\begin{array}{c}株式分割直前のＤ社株\\式20,000株の帳簿価額\end{array}\right)}{18,060,000円} + \overset{\left(\begin{array}{c}株式分割により取得したＤ\\社株式1,000株の取得価額\end{array}\right)}{0円}}{\underset{\left(分子にあるＤ社株式の総数\right)}{21,000}} = 860円$$

　この株式の分割前におけるＤ株式会社の株式20,000株の1単位当たりの帳簿価額は、18,060,000円 ÷ 20,000 = 903円 だったのが、分割後は860円 $\left(\dfrac{903円 \times 20,000}{21,000}\right)$ になるわけです。

（279）

時価よりも低い価額で引き受けた公募株の取得価額

> **【問5-36】** 上場会社である取引先会社の公募株を引き受けました。公募価額は時価よりも約5％低い価額です。時価と払込価額の差額を、収益に計上しなければなりませんか。

【答】「通常要する価額に比して有利な金額」での払込みにより取得をした有価証券の取得価額は、その取得の時におけるその有価証券の取得のために通常要する価額と規定されていますが、その法人の他の株主等に損害を与えるおそれがないと認められるときは、この規定が適用されませんので（法政令119①四かっこ書、【問5-32】④参照）、取得価額を時価（その取得の時におけるその取得のために通常要する価額）とせず、払込価額とすることができます。

  (注)　「他の株主等に損害を及ぼすおそれがないと認められる場合」とは、株主等である法人が有する株式の内容及び数に応じて株式又は新株予約権が平等に与えられ、かつ、その株主等とその内容の異なる株式を有する株主等との間においても経済的な衡平が維持される場合をいいます。これに該当するか否かについては、例えば、新株予約権無償割当てについて会社法第322条の種類株主総会の決議があったか否かのみをもって判定するのではなく、その発行法人の各種類の株式の内容、当該新株予約権無償割当ての状況などを総合的に勘案して判定することが必要とされています。（基通2-3-8）

  公募株は、株主として取得したものでありませんので、時価の約5％低い価額が「通常要する価額に比して有利な金額」での発行価額に該当するのかどうかですが、当該株式の払込金額等を決定する日の現況における当該発行会社の株式の価額に比して社会通念上相当と認められる価額を下回る価額（おおむね10％相当額以上下回る価額）の場合、これに該当するものとされています。（基通2-3-7、同(注)1）

  (注)　払込金額等を決定する日の現況における当該株式の価額とは、決定日の価額のみをいうのではなく、決定日前1か月間の平均株価等、払込金額等を決定するための基礎として相当と認められる価額をいいます。（基通2-3-7(注)2）

  御質問の場合、取引先会社が上場会社であって、一般に公募株は時価よりも若干低い価額で発行されており、会社法上もそれが不公正な価額とされていないことからみて問題ありません。会社法では、募集株式の発行に当たり

第5章　有価証券、自己株式

「払込金額が募集株式を引き受ける者に特に有利な金額である場合には、取締役は、募集事項を決定する株主総会において、当該払込金額でその者の募集をすることを必要とする理由を説明しなければならない。」と規定されていますので（会社法199③）、この説明があったかどうかにより、有利な発行価額だったかどうかの判断ができると思います。

取引相場のない株式を通常要する価額に比して有利な金額で取得した場合の時価の算定

> **【問5-37】**　当社の下請会社（非上場会社）に資本参加をすることになり、同社が発行する新株の引受をして払い込みました。当社は、同社の株式を所有していませんので、この新株は株主割当てにより取得したものではありません。下請会社の株式を財産評価基本通達に示された方式で評価しますと、引受価額の約2倍になりますが、通常要する価額に比して有利な金額で発行された有価証券として、その取得価額が税務上問題になりますか。
>
> 　当該下請会社の定款に株式の譲渡制限の規定がありますが、時価の計算に当たりマイナス要素として考慮することができますか。

【答】　その株式を取得のために通常要する価額に比して有利な金額で発行された株式を引き受けた場合、その取得の時におけるその株式の取得のために通常要する価額を取得価額としなければなりませんので（法政令119①四）、当該価額と払込み額の差額は、資産の低廉譲受益として益金の額に算入されます。

　(注)　「その株式の取得のために通常要する価額」は、新株式の発行による権利落ちに準じた算定をすることに御注意ください。例えば、1株当たりの価額が1,000円の会社が1株当たりの払込価額を500円として発行済株式数を2倍にする新株を第三者に発行した場合、この新株を引受けて取得した第三者の新株1株当たりの低廉譲受益は、1,000円－500円＝500円でなく、(1,000円＋500円) $\times \frac{1}{2} - 500円 = 250円$ となります。

　この払込期日における価額は、当該株式が取引所売買有価証券、店頭売買有価証券又はその他価格公表有価証券（以下「市場有価証券」といいます。）

（281）

でない場合、法人税基本通達4-1-5（市場有価証券等以外の株式の価額）及び同4-1-6（市場有価証券等以外の株式の価額の特例）に準じて合理的に計算される当該払込期日の価額とされていますので（基通2-3-9(3)）、次の区分ごとにそれぞれに記載するとおりの価額となります。

① 売買実例のあるもの……新株払込日前6か月間において売買の行われたもののうち適正と認められるものの価額（基通4-1-5(1)）

② 公開途上にある株式で、当該株式の上場に際して株式の公募又は売出しが行われるもの（①に該当するものを除きます。）……金融商品取引所の内規によって行われる入札により決定される入札後の公募又は売出しの価格等を参酌して通常取引されると認められる価額（基通4-1-5(2)）

③ 売買実例のないものでその株式の発行法人と事業の種類、規模、収益の状況等が類似する他の法人の株式の価額のあるもの（②に該当するものを除きます。）……当該価額に比準して推定した額（基通4-1-5(3)）

④ ①から③までに該当しないもの……新株払込日又は同日に最も近い日におけるその株式の発行法人の事業年度終了の時における1株当たりの純資産価額等を参酌して通常取引されると認められる価額（基通4-1-5(4)）

　上記の③及び④に該当する株式は、課税上弊害がない限り、次によることを条件として、財産評価基本通達の178から189-7までに示された取引相場のない株式の評価の例によって算定した価額によることができます。（基通4-1-6）

イ　財産評価基本通達179（取引相場のない株式の評価の原則、同通達189-3の(1)により株式保有特定会社の株式の評価に当たって準用する場合を含みます。）により新株発行会社の株式の価額を算定する場合において、貴社が発行会社にとって同通達188の(2)に定める「中心的な同族株主」に該当するときは、当該発行会社は常に同通達178に掲げる「小会社」に該当するものとして、その例によること。

ロ　当該新株発行会社が土地（土地の上に存する権利を含みます。）又は金融商品取引所に上場されている有価証券を有しているときは、財産評価基本通達185の本文に掲げる「1株当たりの純資産価額」の計算に当たり、これらの資産については新株払込日における価額によること。

ハ　財産評価基本通達185の本文に定める「1株当たりの純資産価額」の計

算に当たり、同通達186-2により計算した評価差額に対する法人税額等に相当する金額は控除しないこと。

御質問の下請会社の株式は、上記の④に該当すると思いますので、原則的には新株払込日又は同日に最も近い日における当該下請会社の1株当たりの純資産価額等を参酌して通常取引されると認められる価額で評価しますが、この評価は現実に困難ですので、法人税基本通達4-1-6に示された方法で評価することになります。その場合、貴社が当該下請会社の「中心的な同族株主」に該当するときは、当該会社をその規模に関係なく「小会社」に該当するものとして、上記による評価をすることになります。（【問5-38】参照）

この場合財産評価基本通達では、取引相場のない株式のうち小会社の株式の価額は純資産価額方式で評価しますが、納税者の選択により純資産価額方式と類似業種比準方式の50％ずつの混合方式で評価することも認めていますので（評基通179(3)）、御質問の場合もこの選択をすることができます。

御質問の後段にある定款の株式の譲渡制限の規定ですが、この規定があることは株価の形成に当たってマイナス要素でしょうが、財産評価基本通達は取引相場のない株式の評価に当たってこの点を織り込んでいませんので、特別に考慮することはできません。

法人が「中心的な同族株主」となる場合

> 【問5-38】 法人税基本通達4-1-6の(1)に示されている「中心的な同族株主」とはどのような株主ですか。法人が「中心的な同族株主」になるのは、どのような場合ですか。

【答】 財産評価基本通達では、取引相場のない株式は、「同族株主以外の株主等が取得した株式」又は「特定の評価会社の株式」を除いて、原則的評価方法（大会社は類似業種比準方式、中会社は類似業種比準方式と純資産価額方式との混合方式、小会社は純資産価額方式若しくは納税者の選択により類似業種比準方式と純資産価額方式との50％ずつの混合方式）によって評価することとしています。（評基通178、179）この場合の「同族株主以外の株主等が取得した株式」とは、次のいずれかに該当する株式をいいます。（評基通188）

（283）

(注) 財産評価基本通達での「特定の評価会社の株式」は、①比準要素数1の会社の株式、②株式等保有特定会社の株式、③土地保有特定会社の株式、④開業後3年未満の会社等の株式、⑤開業前又は休業中の会社の株式、⑥清算中の会社の株式をいい（評基通189）、それぞれの評価方法は同通達の189-2から189-6に示されています。

① 同族株主のいる会社の株主のうち、同族株主以外の株主の取得した株式
　　この場合の同族株主とは、㋑評価会社の第一順位の株主グループの議決権の割合が50％を超える場合、当該50％を超えるグループに属する株主、㋺評価会社の第一順位の株主グループの議決権の割合が30％以上50％以下の場合当該30％以上50％以下のグループに属する株主をいいます。

　　(注) 株主グループとは、株主の1人及びその同族関係者（法政令第4条に規定する特殊の関係のある個人又は法人。【問22-1】参照）をいいます。

② 「中心的な同族株主」のいる会社の株主のうち、「中心的な同族株主」以外の同族株主で、単独での議決権の所有割合が5％未満で、かつ、評価会社の役員でない者の取得した株式
　　この場合の「中心的な同族株主」とは、同族株主の1人とその株主の配偶者、直系血族、兄弟姉妹及び1親等の姻族並びにこれらの者と特殊の関係のある会社（法人税法施行令第4条第2項に掲げる会社のうち、これらの者の議決権の割合が25％以上である会社）の議決権の割合が25％以上である場合のその株主をいいます。

③ 同族株主のいない会社の株主のうち、株主グループの議決権の割合が15％未満である株主の取得した株式

④ 「中心的な株主」がおり、かつ、同族株主のいない会社の株主のうち、その者の属する株主グループの議決権の割合が15％以上、単独での議決権の割合が5％未満で、かつ、評価会社の役員でない者の取得した株式
　　この場合の「中心的な株主」とは、議決権の割合15％以上の株主グループに属する株主のうち、単独での議決権の割合が10％以上の株主をいいます。
　　以上の判定方法をフローチャートにしますと、次ページの図のとおりです。

第5章　有価証券、自己株式

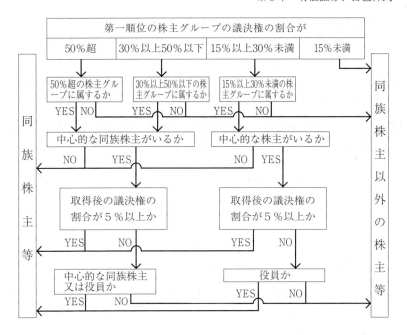

　上記の①及び②からわかるように、同族株主よりも「中心的な同族株主」の範囲は狭く、例えば社長夫妻が35％、社長の従弟とその支配会社が20％の議決権を有している会社では、この株主グループ内の全株主が同族株主となりますが、「中心的な同族株主」になるのは社長夫妻だけで、社長の従弟とその支配会社は「中心的な同族株主」になりません。

　以上によって、法人が評価会社の「中心的な同族株主」になるのは、法人が評価会社の同族株主であって、かつ、法人単独又はその法人が25％以上の議決権を有する会社とで評価会社の議決権を25％以上有する場合です。法人には親族がありませんので、法人及び特殊の関係のある会社が有する評価会社の議決権の割合が、25％以上かどうかを判断すればよいわけです。

　ところで財産評価基本通達によりますと、同族株主の所有する株式でも、評価会社をその規模によって大会社又は中会社として評価する場合があります。しかし、評価会社の「中心的な同族株主」に該当する法人が、法人税基本通達4－1－6によって当該評価会社の株式の評価をするときは、評価会社はその規模に関係なく、小会社として評価しなければなりません。

（285）

議決権の割合による取引相場のない株式の評価方法の区分

> 【問5-39】 法人が所有する取引相場のない株式を法人税基本通達
> 4-1-6の取扱いによって評価する場合、当該株式に係る議決権
> の所有割合によって、評価方法はどのように区分されますか。

【答】 財産評価基本通達の定め方が複雑ですので、議決権の割合だけで単純に区分することはできません。次の順序によって、判定してください。

イ　法人が同族株主である場合

①　「中心的な同族株主」である場合……発行会社の規模の大小にかかわらず、常に小会社として評価します。したがって、純資産価額方式によって評価するのが原則ですが、納税者の選択により純資産価額方式と類似業種比準方式の50％ずつの混合方式をとることもできます。(【問5-37】参照)

②　「中心的な同族株主」でない場合

(1) 法人単独の議決権の割合が５％以上の場合……原則的評価方法によって評価します。

(2) 法人単独の議決権の割合が５％未満の場合

(i) 他に「中心的な同族株主」がいない場合……原則的評価方法によって評価します。

(ii) 他に「中心的な同族株主」がいる場合……配当還元方式によって評価します。

ロ　法人が同族株主でない場合

①　他に同族株主がいる場合……配当還元方式によって評価します。

②　他に同族株主がいない場合

(1) 議決権の割合が15％以上の株主グループに属する場合

(i) 法人単独の議決権の割合が５％以上の場合……原則的評価方法によって評価します。

(ii) 法人単独の議決権の割合が５％未満の場合

(a) 他に「中心的な株主」がいない場合……原則的評価方法によって評価します。

(b) 他に「中心的な株主」がいる場合……配当還元方式によって評

第5章　有価証券、自己株式

価します。

(2) 議決権の割合が15%未満の株主グループに属する場合……配当還元
方式によって評価します。

(注) 同族株主、中心的な同族株主、中心的な株主及び原則的評価方法の意義は、
【問5-38】を参照してください。

会社の所有する株式の発行会社が他から財産の贈与を受けた場合

> **【問5-40】** 相続税法基本通達9-2によりますと、同族会社に対し
> て無償で財産の提供があったことによってその会社の株式の価額
> が増加した場合には、その会社の株主は、自己の所有する株式の
> 価額の増加額相当額を、財産の提供者から受贈したものとみなす
> こととされています。株主が会社のときにも、これに準じた取扱
> いが行われますか。

【答】 御質問の相続税法基本通達9-2は、贈与税の課税財産のうちみなし
贈与財産について示された取扱いです。贈与税は、原則として個人間の贈与
について受贈者が納税義務者となるものであり、法人が納税義務者となるの
は、財産受贈益に法人税が課税されない公益法人等だけです。したがって、
前記の通達は、原則として個人株主の場合だけについての取扱いです。

　この通達の趣旨は、同族会社に対する財産の贈与によってその会社の株式
の価額が増加するときは、財産の贈与者の損失と引換えにその会社の個人株
主が利得することになるので、直接贈与があった場合と同様に贈与税の課税
対象にしようというものです。しかし、利得するのは法人株主でも同じです
ので、法人税でも前記の相続税法基本通達と同じ趣旨の受贈益の認定がされ
るのかどうかが問題になります。

　法人税法施行令第119条第1項には、【問5-32】に記載したように、有価証
券の取得の方法が異なる場合それぞれについての取得価額の算定方法が規定
されていますが、これは有価証券を新たに取得する場合の規定です。

　御質問にあるような会社の所有する株式の価額については、その発行会社
において他人からの財産の受贈というラッキーな取引があっても、これによ
る法人株主の所有する株式の価額の上昇に対する課税は、当該発行会社が事

（287）

業活動で利益を計上したときと同様に、法人株主が当該株式の譲渡等をするときまで行われません。いいかえれば、御質問のような同族会社に対する財産の無償提供があっても、法人株主が有する当該同族会社の株式の取得価額は変わりませんので、当該法人株主にその時点で課税されることはありません。

会社の所有する株式の発行会社が有利な合併をした場合

【問5-41】　当社は、下記甲社の株式を100％、乙社の株式を50％所有しており、乙社の株式の他の50％の所有者は個人Aです。今般甲社が乙社を吸収合併（適格合併に該当します。）することになりました。乙社の1株当たり純資産額は1,000円で、甲社の1株当たり純資産額500円の2倍になっています。合併比率を1：1としますと、甲社の100％株主である当社にとって有利な合併になりますが、この合併に伴う当社の利得に対して、法人税が課税されますか。

	発行済株式総数 Ⓐ	各株主所有株数		純資産額 Ⓑ	1株当たりの純資産額 Ⓑ/Ⓐ
		当　社	A		
甲社（合併会社）	140千株	140千株	－千株	70,000千円	500円
乙社（被合併会社）	20千株	10千株	10千株	20,000千円	1,000円

【答】　御質問の事例について、合併比率を1：2としたときと1：1としたときの合併後の発行済株式総数、貴社とAそれぞれの所有株数及び1株当たりの純資産額（価額）は、次のとおりになります。

合併比率	発行済株式総数 Ⓒ	各株主所有株数		純資産額 Ⓓ	1株当たり純資産額 Ⓓ/Ⓒ
		貴　社	A		
1：2のとき	180千株	160千株	20千株	90,000千円	500　円
1：1のとき	160千株	150千株	10千株	90,000千円	562.5円

　合併比率が1：2のときは、被合併会社（乙社）の株主にその所有株1株（価額1,000円）に対して合併会社（甲社）の新株が2株（価額500円×2＝1,000円）交付され、被合併会社の株主と合併会社の株主との間での得失は

（288）

第5章　有価証券、自己株式

生じません。しかし、合併比率が１：１のときは、被合併会社の株主にその所有株１株に対して合併会社の新株が１株（価額562.5円）しか交付されませんので、被合併会社の株主が損をし、合併会社の株主が得をします。すなわち、被合併会社の株式だけを所有する個人Ａから、合併会社の株式を所有する貴社へ、次のとおりの金額の価値の移転が生じます。

① 　個人Ａが損をする金額

　　1,000円×10,000－562.5円×10,000＝4,375,000円

② 　貴社が得をする金額

　　562.5円×150,000－（500円×140,000＋1,000円×10,000）＝4,375,000円

　御質問は、合併比率を１：１の合併としたとき、この合併によって貴社が得をされる4,375千円について、貴社に法人税が課されないかということですが、会社の所有する株式の発行会社において有利な吸収合併というラッキーな取引があったのにすぎず、個人Ａから貴社への受贈益に対する課税は行われません。この受贈益に課税するには、税務上貴社において、子会社株式4,375千円／受贈益4,375千円、という会計処理が行われたと想定しなければなりませんが、合併によって取得した株式の取得価額は、被合併法人の株式の当該合併直前の帳簿価額に相当する額（配当等とみなされる額、当該合併法人の株式の交付を受けるために要した費用がある場合には、これらの金額を加算した金額）と規定されており（法政令119①五、【問５-32】⑤参照）、上記のような処理が行われたと想定した認定課税をされることは、ありません。

（注）　個人Ａにとっても、この事例は法人に対する資産の無償又は低廉（時価の$\frac{1}{2}$未満の価額）譲渡でありませんので、所得税法第59条によるみなし譲渡所得課税は行われません。

　なお、御質問の場合、合併比率を１：１超としても、当該合併が適格合併ですので、被合併法人の株主である貴社と個人Ａに対するみなし配当課税は行われません。（法24①一、所法25①一）したがって、合併比率を１：２という合理的な比率にしても、みなし配当課税問題は生じません。

分割型分割によって交付を受けた分割承継法人の株式の取得価額

【問5-42】 S社及びT社は、いずれも当社の完全子会社です。S社を分割会社、T社を分割承継会社とする適格分割によって、当社が交付を受けるT社の株式の取得価額はどのように算定しますか。なお、当社が有するS社の株式のこの分割型分割の直前の帳簿価額は200百万円、S社の分割事業年度末の純資産額は△10百万円、分割によってT社に移転する純資産額は2百万円です。

【答】 法人が、分割型分割により交付を受けた分割承継法人の株式の取得価額は、下記の算式によって算定される金額と規定されています。(法政令119①六、119の8①、23①二、【問5-32】⑥参照)

$$分割法人の株式の当該分割型分割の直前の帳簿価額（イ）\times\frac{分割法人の当該分割前事業年度終了の時の移転資産の帳簿価額から移転負債の帳簿価額を\underline{控除した金額（ロ）}}{分割法人の当該分割前事業年度終了の時の資産の帳簿価額から負債の帳簿価額を\underline{減算した金額（ハ）}}$$

$\frac{ロ}{ハ}$は、ロ＞0で、かつ、ハ≦0の場合は1とし、小数点3位未満の端数があるときは、これを切り上げます。また、ハ＞0の場合でも、ロ＞ハのときはロはハの額としますので、$\frac{ロ}{ハ}$は1となります。

御質問の場合は、上記の算式のイの額が200百万円、ハの額が△10百万円、ロの額が2百万円ですので、$\frac{ロ}{ハ}＝\frac{2百万円}{△10百万円}$は1となり、200百万円×1＝200百万円が、分割型分割によって貴社が交付を受けるT社の株式の取得価額となります。したがって、この取得に係る貴社の仕訳は、「T社株式200百万円／S社株式200百万円」となり、分割会社S社の株式の帳簿価額200百万円の全額が、T社の株式の取得価額に振り替わります。この分割型分割後において、T社の純資産額が2百万円増加し、S社の純資産額は同額減少して△12百万円となりますので、この振替えは当然のことでしょう。

御質問のケースと異なりますが、分割会社S社の分割直前の純資産額が10百万円で、分割承継会社T社への移転資産の純資産額が8百万円、S社に残る分割後の純資産額が2百万円という場合（事例甲の場合）は、

$$200百万円\times\frac{8百万円}{10百万円}＝160百万円$$

が分割によって貴社が交付を受けるT社の株式の取得価額となります。貴社において、「T社株式160百万円／S社株式160百万円」の仕訳をしますので、分割後のS社の株式の帳簿価額は、

（290）

第5章　有価証券、自己株式

200百万円－160百万円＝40百万円となります。

　なお、御質問のケースで、分割によってT社に移転する純資産額を△2百万円とし、S社に残る純資産額を△8百万円（△10百万円－△2百万円）とする場合（事例乙の場合）は、$\frac{㋺}{㋑}=\frac{△2百万円}{△10百万円}$となりますが、ここで注意を要するのは、前記の算式において、乗数の分子の㋺は「〜を控除した金額」とされ、分母の㋑は「〜を減算した金額」とされている点です。㋺のように「控除した金額」という場合は0以下になることはありませんが、㋑のように「減額した金額」という場合は0以下になることがあり得ます。

　要するに、分割会社の純資産額すなわち分母の㋑の額がマイナスのことはあり得ますが、分割承継会社に移転する純資産の額すなわち分子の㋺の額が0以下というケースは、税法には規定されていないのです。会社法でも、会社分割によって分割承継会社へ移転する純資産額を0以下とすることの可否について定説がなく、税法が会社法上その可否に定説のないものについて、可とする規定を設けることはできないでしょう。このケースについて、㋺≦0であることから$\frac{㋺}{㋑}$を0としますと、㋺＞1のときは$\frac{㋺}{㋑}$が1、㋺≦0のときは$\frac{㋺}{㋑}$が0という、連続性のない結果が生ずるわけです。

　以上を表にまとめますと、下記のとおりになります。（単位：百万円）

	御質問の場合	事例甲の場合	事例乙の場合
分割会社S社の株式の分割直前の帳簿価額　㋩	200	200	200
S社の分割直前事業年度末の純資産額　㋑	△10	10	△10
分割承継会社T社に移転するS社の純資産額　㋺	2	8	△2
分割により取得するT社株式の取得価額　㋩×$\frac{㋺}{㋑}$	$200×\frac{2}{△10}$ ＝200×1 ＝200	$200×\frac{8}{10}$ ＝160	㋺≦0となる分割はあり得ない。

（291）

転換社債型新株予約権付社債の権利を行使して取得した株式の取得価額

> **【問5-43】** 転換社債型新株予約権付社債（取得価額100万円）の新
> 株予約権を行使して、株式675株と端数処理による交付金1,000円
> を取得しました。この株式1株の発行価額は1,480円で、新株予
> 約権を行使したときの価額1,700円に比べて、10％以上低い価額
> です。税法では、通常要する価額に比して有利な金額で発行され
> た株式の取得とされ、取得価額を1株当たり1,700円とすべきこ
> とになりますか。

【答】 新株予約権付社債について、その社債に係る新株予約権の行使による
当該社債の取得の対価として交付を受けた法人の株式の取得価額は、その行
使の直前の当該新株予約権付社債の帳簿価額に相当する金額（その交付を受
けるために要した費用がある場合は、その費用の額を加算した金額）とされ
ています。（法政令119①二十、【問5-32】⑳参照）

　御質問は、通常要する価額に比して有利な金額で発行された有価証券の取
得価額の規定（法政令119①四）が適用されないかとのことですが、この規
定を適用して権利行使により取得した株式675株の取得価額を、1,147,500円
（1,700円×675株）とされることはありません。

　転換社債型新株予約権付社債の新株予約権の行使によって株式が発行され
る場合のその発行価額は、当該社債の発行時に発行条件として定められます。
その価額は当該社債の発行時における発行法人の株価を基礎にして合理的に
定められますので、新株予約権の行使により発行される株式の取得は、通常
要する価額に比して有利な金額で発行される株式の取得には該当しません。
いいかえれば、新株の発行価額が有利な金額なのかどうかは、当該社債の発
行時における発行法人の株価と比べて判断するのであり、新株予約権行使時
の株価と比べて判断するのではありません。

　御質問の場合の株式1株当たりの時価1,700円と新株の発行価額1,480円の
差額220円は、当該新株予約権付社債の所有期間中における発行法人の株価
の上昇額ですので、新株予約権の行使によって取得した株式を処分するまで
認識する必要はないわけです。新株予約権の行使により取得される株式675
株の取得価額は、当該社債の帳簿価額は100万円ですが、権利の行使に当た

り端数処理のための交付金1,000円を受領されていますので、999,000円（1,000,000円－1,000円）とし、その１株当たりの取得価額を、999,000円÷675株＝1,480円とすることになります。

　なお、金融商品会計基準は、転換社債型新株予約権付社債の取得者側の会計処理として、「その取得価額は、社債の対価部分と新株引受権の対価部分とに区分せず普通社債の取得に準じて処理し、権利を行使したときは株式に振り替える」と定めており（同基準Ⅶ１(1)第37項）、本問の最初に記載した法人税法施行令第119条第１項第20号は、これに準拠した規定ということができます。

公社債をその利子計算期間の中途で購入した場合の経過利子の処理方法

> 【問5-44】　公社債をその利子計算期間の中途で購入した場合、経過利子相当額を前払金として経理することができるそうですが、仕訳の方法を具体的に教えてください。

【答】　公社債をその利子計算期間の中途で購入した場合、当該公社債の購入代価のほかに直前の利払期からその購入の時までの期間に応じた利子を支払いますが、この経過利子相当額は当該公社債の取得価額に含めないで、その購入後最初に到来する利払期まで前払金として経理することが認められています。（基通２-３-10）これは、この経過利子相当額を取得価額に含めますと、購入の日の属する計算期間の利息が全額益金の額に算入されるにもかかわらず、経過利子相当額は公社債の償還又は譲渡の時まで損金の額に算入されないという不合理が生じるからです。

　事例で説明しましょう。令和６年７月25日に、利付債券（額面2,000万円、利払期毎年３月31日及び９月30日、年利率1.825％）を購入し、購入時の支払額が債券の価額21,000,000円と経過利子相当額115,000円の合計額21,115,000円だったとします。

　(注)　経過利子相当額の計算は、次のとおりです。

$$20,000,000円 \times 0.01825 \times \frac{115日（4.1\sim7.24）}{365日} = 115,000円$$

（293）

購入時の仕訳は、次のとおりです。

有価証券	21,000,000円	/	現預金	21,115,000円
前払金	115,000円			

令和6年9月30日に利息を受け取ったときの仕訳は、次のとおりです。

現預金	154,974円	/	受取利息	68,000円
法人税等	28,026円		前払金	115,000円

(注1) 現預金の入金額154,974円は、次の計算によります。

① 受取利息の額　$20,000,000円 \times 0.01825 \times \dfrac{183日}{365日} = 183,000円$

② 源泉徴収所得税及び復興特別所得税の額　$183,000円 \times 15.315\% = 28,026円$

③ 入金額　$183,000円 - 28,026円 = 154,974円$

(注2) 受取利息の計算は次のとおりです。

$$\overbrace{20,000,000円 \times 0.01825 \times \frac{183日}{365日}}^{(4.1〜9.30の間の利息)} - \overbrace{20,000,000円 \times 0.01825 \times \frac{115日}{365日}}^{(経過利子相当額)}$$

$$= 183,000円 - 115,000円 = 68,000円$$

転換社債型新株予約権付社債をその利子計算期間の中途で購入し利払期到来前に新株予約権を行使した場合

> **【問5-45】** 転換社債型新株予約権付社債をその利子計算期間の中途で購入し、経過利子相当額を前払金として経理した場合でも、購入の日の属する計算期間の利息について【問5-44】で説明された方法で処理してよろしいですか。購入後最初に到来する利払期の到来する前に新株予約権を行使して、その行使による株式の取得をしたときはどうなりますか。

【答】 募集事項において、社債と新株予約権がそれぞれ単独で存在し得ないこと及び新株予約権が付された社債を当該新株予約権行使時における出資の目的とすること（会社法236①二、三）を、あらかじめ明確にしている転換社債型新株予約権付社債は、かつての転換社債と経済的実質が同一のものです。（企業会計基準適用指針第17号「払込資本を増加させる可能性のある部分を含む複合金融商品に関する会計処理」第41項）

　この新株予約権付社債についても、購入後の最初の利払期到来前に新株予

第5章　有価証券、自己株式

約権の行使をしない場合は、経過利子相当額について【問5-44】で説明した
とおりの処理をすることができますが、最初の利払期到来前に新株予約権の
行使をしますと、これによって取得した株式の取得価額の問題になります。

　新株予約権付社債に付された新株予約権の行使により当該社債の対価とし
て交付を受けた株式の取得価額は、その行使の直前の当該新株予約権付社債
の帳簿価額に相当する金額と規定されていますが（法政令119①二十、【問5
-32】⑳参照）、最初に到来する利払期前に新株予約権を行使して株式を取得
したときは、【問5-44】で説明した法人税基本通達2-3-10によって前払金
に経理している経過利子相当額は、当該新株予約権付社債に係る社債利子の
支払が次のいずれの方法がとられているかにより、次のとおり区分して処理
します。（基通2-3-12）

① 　新株予約権を行使した事業年度の期首に新株の発行があったものとし、
　当該事業年度については社債利子でなく配当金が支払われる場合……前払
　金の額は、新株予約権の行使によって取得する株式の経過配当に類するも
　のになります。株式を購入して取得した場合、購入の代価は経過配当相当
　額を区分せず、全額を当該株式の取得価額としますので、前払金の額は新
　株予約権の行使によって取得する株式の取得価額に算入します。（基通2-
　3-12本文）

　　（注）　同一銘柄の新株予約権付社債をその利子の計算期間の中途において2回以
　　　　上にわたって購入し、それぞれの経過利子に相当する金額を前払金として経
　　　　理している場合において、その購入後最初に到来する利払期前にその新株予
　　　　約権付社債に係る新株予約権の一部を行使することにより株式を取得し、又
　　　　は他に譲渡したときは、次の算式により当該前払金の合計額のうち株式の取
　　　　得価額に算入し、又は譲渡に伴って損金算入される金額を計算することがで
　　　　きます。（基通2-3-12(注)）

$$\text{当該前払金の合計額} \times \frac{\text{その新株予約権を行使し、又は譲渡した新株予約権付社債の額面金額の合計額}}{\text{その購入した新株予約権付社債の額面金額の合計額}}$$

　　　　要するに2回以上にわたって購入した新株予約権付社債のうちから、平均
　　　的に新株予約権の行使又は譲渡が行われたものとするわけです。

② 　新株予約権を行使した事業年度の期末に新株の発行があったものとし、
　当該事業年度については社債利子が支払われ、配当金はその翌事業年度か

（295）

ら支払われる場合　……【問5-44】で説明した方法によって処理します。
（基通2-3-12ただし書）

（注） ①、②ともに新株予約権を行使した事業年度は、新株予約権付社債発行会社
の事業年度です。この場合、新株予約権付社債発行会社が定款で中間配当に関
する規定を定めているときは、更に上半期と下半期に区分します。

M&Aの際のデューデリジェンス費用や仲介手数料の取扱い

> **【問5-46】** 当社は、新事業に進出するため企業買収を行い、その
> ためのデューデリジェンス費用や仲介手数料が多額に発生しまし
> た。この費用は買収した会社の株式の取得価額に含める必要があ
> るでしょうか。会計上は費用処理が妥当であるとも聞きましたが、
> 会計上の処理もお教えください。

【答】 最近、大企業であるか中小企業であるかに関わらず、企業買収
（M&A）が盛んに行われるようになってきました。M&Aの際に、買収対
象の企業の価値やリスクなどを調査するデューデリジェンスの費用、仲介会
社に支払う手数料等が高額になるケースもよくあります。税法では、購入し
た有価証券の取得価額を、その購入の代価とし、購入手数料その他その有価
証券の購入のために要した費用がある場合には、その費用の額を加算した額
とするものとしています。（法政令119①一）

デューデリジェンス費用には、対象会社を買収するか否かを決定するため
の参考とするための調査の費用がありますし、仲介業者への手数料にも、対
象会社の資料を入手するために支払うものもあります。こうした付随費用は
購入の意思決定前の費用ですから、上記の規定の「有価証券の購入のために
要した費用」には含まれないと解されます。したがって、M&Aの際のデュ
ーデリジェンス費用や仲介手数料については、株式の購入意思決定後に支出
した費用についてのみ、その株式の取得価額に含めればよいことになります。
購入意思決定の時点がいつかの判断は難しいところもありますが、基本的に
は、経営会議や取締役会等で決定等を行った時点になるでしょう。

会計上は、企業会計基準第21号「企業結合に関する会計基準」の26で、取
得関連費用（外部のアドバイザー等に支払った特定の報酬・手数料等）は、

第5章　有価証券、自己株式

発生した事業年度の費用として処理するものとされており、費用処理する根拠として、国際的な会計基準との整合性、及び、取得関連費用のうちどこまでを取得価額とするかという実務上の問題が挙げられています。（同基準94）ただし、取得関連費用を費用処理するのは連結決算上であり、個別決算では、金融商品会計実務指針56の「金融資産（デリバティブを除く。）の取得時における付随費用（支払手数料等）は、取得した金融資産の取得価額に含める。ただし、経常的に発生する費用で、個々の金融資産との対応関係が明確でない付随費用は、取得価額に含めないことができる。」の規定により、取得関連費用は取得価額に含める必要があるものとされています。「企業結合に関する会計基準」でも述べられているように、取得関連費用のうちどの範囲を取得価額に含めるかは実務上難しいところがありますが、会計上も、上記の税法上と同様に、購入意思決定があった時点以後の費用について、取得価額に算入すればよいものと考えられます。

（297）

第4節　自己株式の取扱い

株式会社による自己株式の取得についての会社法の規定

> 【問5-47】　株式会社はどのような場合に自己株式を取得すること
> ができますか。取得するに当たって、交付する金銭の総額に制限
> があるのは、どのような場合ですか。

【答】　会社法第155条は、株式会社は次に掲げる場合に限り、当該株式会社
の株式を取得することができると規定しています。

(1)　会社法第107条第2項第3号イの事由が生じた場合……一定の事由が生
　じた日に会社がその株式を取得する旨及びその事由を定款で定めている会
　社において、当該事由が生じた場合

(2)　会社法第138条第1号ハ又は第2号ハの請求があった場合……譲渡制限
　株式（会社法2十七）の株主からのその有する譲渡制限株式を他人へ譲渡
　することについての承認請求を会社が拒否し、会社が当該譲渡制限株式を
　買い取ることを請求する場合、又は譲渡制限株式の取得者からのその取得
　をしたことについての承認請求を会社が拒否し、会社が当該譲渡制限株式
　を買い取ることを請求する場合

(3)　会社法第156条第1項の決議があった場合……株主との合意により会社
　の株式を有償で取得するについて、㋑取得する株式の数（種類株式発行会
　社では株式の種類及び種類ごとの数）、㋺株式を取得するのと引換えに交
　付する金銭等（当該会社の株式を除きます。）の内容及びその総額、㋩株
　式を取得することができる期間（1年を超えることはできません。）をあ
　らかじめ定めた株主総会の決議があった場合

(4)　会社法第166条第1項の規定による請求があった場合……取得請求権付
　株式（会社法2十八）の株主から会社に対してその有する取得請求権付株
　式の取得請求があった場合

(5)　会社法第171条第1項の決議があった場合……全部取得条項付種類株式
　（会社が株主総会の決議によりその全部を取得することができる旨の定め
　がある種類の株式）の発行会社において、当該株式の全部を取得する旨の
　株主総会の決議があった場合

（298）

第5章　有価証券、自己株式

(6)　会社法第176条第1項の規定による請求をした場合……相続その他の一般承継により譲渡制限株式を取得した者に対し、当該株式を会社へ売り渡すことを請求できる旨を定款で定めている会社において、会社がこの請求（会社が相続その他の一般承継があったことを知った日から1年以内にしなければなりません。）をした場合

(7)　会社法第192条第1項の規定による請求があった場合……単元未満株主から、自己の有する単元未満株式の買取請求があった場合

(8)　会社法第197条第3項各号に掲げる事項を定めた場合……同条第1項の規定により競売できる株式（株主に対する通知又は催告が5年以上継続して到達しないため当該通知又は催告が不要となり、かつ、株主が継続して5年間剰余金の配当を受領しなかった株式）の全部又は一部を会社が買い取ることについて、㋑買い取る株式の数（種類株式発行会社では、株式の種類及び種類ごとの数）、㋺株式の買取りをするのと引換えに交付する金銭の総額を定めた場合（取締役会設置会社では、取締役会の決議が必要です。）

(9)　会社法第234条第4項各号（第235条第2項において準用する場合を含みます。）に掲げる事項を定めた場合……株主に対する株式無償割当て、吸収合併した会社の株主又は社員、株式交換をする株式会社の株主、株式移転をする株式会社の株主に対する株式の交付等により生じた端株の全部又は一部を会社が買い取ることについて、(8)の㋑、㋺に掲げる事項を定めた場合

(10)　他の会社（外国会社を含みます。）の事業の全部を譲り受ける場合において、当該他の会社が有する当該株式会社の株式を取得する場合

(11)　合併後消滅する会社から当該株式会社の株式を承継する場合

(12)　吸収分割をする会社から当該株式会社の株式を承継する場合

(13)　法務省令（会社法施行規則第27条）で定める次に掲げる場合

①　当該株式会社の株式を無償で取得する場合

②　当該株式会社が有する他の法人等の株式につき当該他の法人等が行う剰余金の配当又は残余財産の分配により、当該株式会社の株式の交付を受ける場合

③　当該株式会社が有する他の法人等の株式につき当該他の法人等が行う

（299）

④組織の変更、㋺合併、㋩株式交換、㋥取得条項付株式の取得又は㋭全部取得条項付種類株式の取得に際して、当該株式と引換えに当該株式会社の株式の交付を受ける場合

④　当該株式会社が有する他の法人等の新株予約権等を当該他の法人等が当該新株予約権等の定めに基づき取得することと引換えに、当該株式会社の株式の交付をする場合において、当該株式会社の株式の交付を受けるとき

⑤　反対株主の株式買取請求（会社法116⑤、182の4④、469⑤、785⑤、797⑤、806⑤又は816の6⑤）に応じて、当該株式会社の株式を取得する場合

⑥　合併後消滅する法人等（会社を除きます。）から、当該株式会社の株式を承継する場合

⑦　他の法人等（会社及び外国会社を除きます。）の事業の全部を譲り受ける場合において、当該他の法人等の有する当該株式会社の株式を譲り受けるとき

⑧　その権利の実行に当たり目的を達成するために当該株式会社の株式を取得することが必要かつ不可欠である場合（①から⑦までに掲げる場合を除きます。）

上記のうち、(1)、(2)、(3)、(4)、(5)、(6)、(8)及び(9)の場合の取得については、株主に交付する金銭の総額は、分配可能額を超えてはならないと規定されています。（会社法461①）

取得するに当たっての手続の記載は省略しますが、(3)の株主との合意による会社の株式の有償取得に当たっての株主総会での決議事項、特定の株主から取得する場合の株主総会の決議の方法は、【問3-1】に記載しています。

取得した自己株式の会社法及び税法での取扱い

【問5-48】　取得して会社が保有することになった自己株式は、会社法及び税法では、どのように取扱われますか。

【答】　自己株式の取得については、会社法に【問5-47】に記載した制限規定がありますが、その取得後処分又は消却をしないで、保有し続けることがで

きます。その場合、自己株式の取得は資産の取得でなく、株主に対する資本の払戻しですので、貸借対照表において資産の部に計上せず、純資産の部の株主資本に自己株式の科目を設けて、控除項目として記載しなければなりません。（会社計規76②五）

この点について、自己株式等会計基準も、「取得した自己株式は、取得価額をもって純資産の部の株主資本から控除する。」と定めています。（同基準７）

税法でも、自己株式は有価証券から除外されており（法２二十一）、次の規定にみられるように、自己株式の取得は資本の払戻しとされています。

① 自己株式の取得（市場取引等による取得を除きます。）の対価のうち資本金等の額に対応する金額を超える部分の金額は、原則として当該取得の対価の交付を受けた株主等に対する配当等の額とみなし（所法25①五、法24①五、【問３-１】、【問３-２】参照）、利益積立金額を減少させるという規定。（法２十八、法政令９十四）

② 同族会社の判定に当たり自己株式を有する場合の所有割合は、分子の株式等、分母の発行済株式総数のいずれからも自己株式を除くという規定。（法２十、【問22-１】参照）

自己株式を取得したときの税法での処理

> **【問５-49】**【問５-48】の御説明のように、自己株式の取得が資本の払戻しとなりますと、税法では資本金等の額を減少させる処理をすることになるのですか。

【答】 自己株式の取得が資本の払戻しであるとする処理を、税法でストレートに行いますと、自己株式の取得等のために交付した金銭等の合計額（以下「自己株式取得のための交付額」といいます。）は、全額資本金等の額を減少させることになります。

しかし、税法では、当該額を下記の算式により、④資本金等の額を減少させる金額と、回利益積立金額を減少させる金額とに区分します。これは、自己株式取得のための交付額のうちの回の金額は、交付を受ける株主等に対する配当等とみなして、当該株主に対する課税が必要になるからです。

（301）

④　資本金等の額を減少させる金額（法政令8①二十）

$$\text{自己株式の取得の直前} \atop \text{における資本金等の額} \times \frac{\text{自己株式の取得に係る株式の数又は出資の金額}}{\text{自己株式の取得の直前における}\atop\text{発行済株式の総数又は出資の総額}}$$

この金額を、「取得資本金額」といいます。

㋺　利益積立金額を減少させる金額（法政令9十四）

（自己株式取得のための交付額）－（取得資本金額）

法人税申告書では、㋺の金額は配当として社外流出となり、利益積立金額の減少となりますが、取得した自己株式は貸借対照表上全額純資産の部の株主資本に設けた自己株式の金額のマイナス表示となり、利益剰余金の額をマイナスさせていません。自己株式の取得は資本等取引で所得の金額に影響しませんが、㋺の金額は社外流出となりますので、別表四で社外流出とする記載が必要になります。この記載は、別表四の①の社外流出③の配当の欄に記載することとされており、この記載をすることによって、別表四と別表五（一）のⅠの関係が保たれることになります。

【問3-1】にこの事例を掲げていますので参照してください。

なお、自己株式の取得が金融商品取引所の開設する市場における購入で行われる場合、当該市場で売却された株式のうちどの株式が自己株式として購入されたのかわかりませんので、自己株式取得のための交付額は、全額資本金等の額を減少させ（法政令8①二十一）、利益積立金額を減少させる金額は0とします。これにより、当該市場で売却した株主には、配当等とみなされる額は生じません。

（注）　法政令8①二十一は「自己の株式の取得（（中略）前号に規定する自己株式等の取得等及び（中略）を除く。）」と規定し、その前号である法政令8①二十は「法24①五〜七に掲げる事由により金銭その他の資産を交付した場合の取得資本金額（後略）」と規定しています。法24①五は金融商品取引所の開設する市場での自己株式の購入をみなし配当の適用となる自己株式の取得から除外していますので、当該市場で購入した自己株式を当該市場で売却しても、配当とみなされる金額は生じません。

この場合は、自己株式を取得した事業年度の別表五（一）のⅡの区分「自己株式」の行において、自己株式取得のための交付額の全額を、「当期の増減の増③」にマイナスで記載します。

第5章　有価証券、自己株式

(注)　消費税では、自己株式の取得（証券市場での買入れによる取得を除きます。）
及び処分は不課税取引（課税対象外）となり、証券市場での買入れによる自己
株式の取得は非課税取引となります。（消通5-2-9）消費税での資産の譲渡
とは、資産につきその同一性を保持しつつ、他人に移転させることをいいます
が（消通5-2-1）、自己株式を取得すると、議決権や利益配当請求権等が消
滅し、同一性が保持されているとはいえないので、資産の譲渡に該当せず、また、
自己株式の処分は、新株の発行と同様の法的行為なので、資産の譲渡には該当
しないためです。なお、証券市場での取得の場合、売主は通常の株式の譲渡と
変わりありませんから、有価証券の譲渡に該当し、非課税取引とされます。

自己株式処分差損益の会計処理方法

【問5-50】　企業会計基準第1号「自己株式及び準備金の額の減少
　　　　等に関する会計基準」（自己株式等会計基準）では、自己株式処
　　　　分損益は、損益に計上されないこととされていますが、どのよう
　　　　に処理するのでしょうか。

【答】　　自己株式の取得は株主に対する資本の払戻しとして処理しますので、
自己株式の処分は、募集株式の発行手続（会社法199）をとって行うことに
なります。単元未満株主からの売渡請求に基づく自己株式の売渡し（同法
194③）は、募集株式の発行手続をとりませんが、自己株式の処分ですので、
会計処理方法は変わりません。

　自己株式等会計基準は、「自己株式処分差益は、その他資本剰余金に計上
する。」とし（同基準9）、処分差益を利益に計上しないこととしています。

　貸借対照表の純資産の部の株主資本の資本剰余金に係る項目は、資本準備
金とその他資本剰余金に区分しますが（会社計規76④）、この「その他資本
剰余金」には、資本金及び資本準備金減少差益、自己株式処分差益が計上さ
れます。自己株式処分差益を資本剰余金の部の「その他資本剰余金」に計上
するのは、自己株式の処分は新株の発行と同様の経済的実態を有し、株主と
の間の資本取引により生じたものと考えられるからです。

　また、自己株式等会計基準は、「自己株式処分差損は、その他資本剰余金
から減額し、減額しきれない場合には、会計期間末において、その他資本剰

（303）

余金を零とし、当該負の値をその他利益剰余金（繰越利益剰余金）から減額する。」とし（同基準10、12）、処分差損を損失に計上しないこととしています。自己株式処分差損は、払込資本の払戻しと同様の性格を有しますので、まず「その他資本剰余金」から減額しますが、「その他資本剰余金」から減額しきれない金額は、資本剰余金は株主からの払込資本のうち資本金に含まれないものを表すもので、負の残高の資本剰余金という概念が想定されないため、利益剰余金で補填することになります。（同基準40）

　貸借対照表の利益剰余金に係る項目は、利益準備金とその他利益剰余金に区分しますが（会社計規76⑤）、自己株式処分損の額がその他資本剰余金の額を超える場合、その超過額相当額は、その他利益剰余金のうちの繰越利益剰余金を減額させます。

自己株式処分差損益が生じたときの申告調整方法

> 【問5-51】　自己株式処分差益又は自己株式処分差損が生じた場合、どのように申告調整するのですか。具体例で説明してください。

【答】　自己株式の処分損益の会計処理方法は、【問5-50】で説明したとおりですが、税法でも自己株式の処分は新株の発行と同様に取扱われ、自己株式の処分額は、その全額が資本金等の額の増加となります。（法政令8①一）この場合の別表五（一）の記載方法を具体例で説明しますと、次のとおりです。

(1) 自己株式処分差益が生じた場合

　【問3-1】のA社が、甲社から買い受けた自己株式2万株（会計上の帳簿価額は200百万円、税務での帳簿価額は、200百万円のうち190百万円が自己株式の譲渡者である株主甲社に対するみなし配当となったため、200百万円－190百万円＝10百万円）を、230百万円で他へ処分したとします。この自己株式処分取引の仕訳は、次のとおりになります。

・会計仕訳　預　金　230百万円　／　自　己　株　式　200百万円
　　　　　　　　　　　　　　　／　その他資本剰余金　30百万円
・税務での仕訳　預　金　230百万円　／　自　己　株　式　10百万円
　　　　　　　　　　　　　　　　／　資本金等の額　220百万円

　この仕訳の差異は、別表五（一）に次のとおりの記載をして処理します。

（304）

第5章　有価証券、自己株式

利益積立金額及び資本金等の額の計算に関する明細書	事業年度	： ：	法人名	A社

I　利益積立金額の計算に関する明細書

区　　分	期首現在利益積立金額①	当期の増減 減②	当期の増減 増③	差引翌期首現在利益積立金額①-②+③④
利　益　準　備　金　1	円	円	円	円
積　　立　　金　2				
資本金等の額　3	△190,000,000			△190,000,000
4				
5				

II　資本金等の額の計算に関する明細書

区　　分	期首現在資本金等の額①	当期の増減 減②	当期の増減 増③	差引翌期首現在資本金等の額①-②+③④
資本金又は出資金　32	円	円	円	円
その他資本剰余金　33			30,000,000	30,000,000
自己株式　34	△200,000,000	△200,000,000		
利益積立金額　35	190,000,000			190,000,000
差　引　合　計　額　36				

（説明）　この取引に関係する資本金等の額は、自己株式処分前は△10百万円でしたが、処分後は上記の税務での仕訳の220百万円となり、230百万円増加します。別表五(一)のⅡでは、①欄に記載されていた自己株式△200百万円を②欄に記載して消去し、その他資本剰余金30百万円を③欄と④欄に記載します。

　　　　この取引によって、利益積立金額は変わりません。別表五(一)のⅠに区分欄を資本金等の額として記載している△190百万円、同表のⅡに区分欄を利益積立金額として記載している190百万円は、そのまま残ります。

(2)　自己株式処分差損が生じた場合

　(1)のA社が、当該自己株式2万株を170百万円で処分したとしますと、この取引の仕訳は、次のとおりになります。なおA社には、その他の資本剰余金はないものとします。

・会計仕訳　　預　　　　　　　金　170百万円　／　自己株式　200百万円

　　　　　　　その他利益剰余金　　30百万円　／

　　　　　　　（繰越利益剰余金）

・税務での仕訳　預　金　170百万円　／　自　己　株　式　　10百万円

　　　　　　　　　　　　　　　　　／　資本金等の額　160百万円

（305）

この仕訳の差異は、別表五(一)に下記のとおりの記載をして処理します。

利益積立金額及び資本金等の額の計算に関する明細書		事業年度	： ：	法人名	A社		
I　利益積立金額の計算に関する明細書							
区　　分		期首現在利益積立金額 ①	当　期　の　増　減				差引翌期首現在利益積立金額 ①-②+③ ④
			減 ②		増 ③		
利　益　準　備　金	1	円	円		円		円
積　　立　　金	2						
資本金等の額	3	△190,000,000	△30,000,000				△160,000,000
	4						
繰越損益金(損は赤)	25	××××	××××		△30,000,000		××××
納　税　充　当　金	26						
未納法人税等	未納法人税及び未納地方法人税(附帯税を除く。)	27	△	△	中間 △		△
					確定 △		
	未払通算税効果額(附帯税の額に係る部分の金額を除く。)	28			中間		
					確定		
	未納道府県民税(均等割額を含む。)	29	△	△	中間 △		△
					確定 △		
	未納市町村民税(均等割額を含む。)	30	△	△	中間 △		△
					確定 △		
差　引　合　計　額	31						

II　資本金等の額の計算に関する明細書							
区　　分		期首現在資本金等の額 ①	当　期　の　増　減				差引翌期首現在資本金等の額 ①-②+③ ④
			減 ②		増 ③		
資本金又は出資金	32	円	円		円		円
資　本　準　備　金	33						
自　己　株　式	34	△200,000,000	△200,000,000				
利益積立金額	35	190,000,000	30,000,000				160,000,000
差　引　合　計　額	36						

(説明)　この取引に関係する資本金等の額は、自己株式処分前は△10百万円でしたが、処分後は上記の税務での仕訳の160百万円となり、170百万円増加します。別表五(一)のIIでは、①欄に記載されていた自己株式△200百万円と、利益積立金額190百万円のうちの30百万円を②欄に記載して消去し、④欄には、区分欄を利益積立金額とする160百万円が記載されます。

利益積立金額△190百万円は、自己株式の処分によってこの場合も変わりませんが、上記の会計仕訳により繰越利益剰余金が30百万円減額されますので、別表五(一)のIでは区分欄を資本金等の額として記載してきた△190百万円を②欄で△30百万円消去し、「繰越損益金25」の「当期中の増」に△30百万円を記載することになります。

（306）

第5章　有価証券、自己株式

自己株式処分差損の一部をその他利益剰余金から減額したときの申告調整方法

> 【問5-52】　自己株式処分差損の一部をその他資本剰余金から減額し、残りをその他利益剰余金（繰越利益剰余金）から減額したときは、どのように申告調整するのですか。具体例で説明してください。

【答】　次の事例で説明しましょう。

〔事例〕

　帳簿価額60百万円の自己株式を45百万円で処分したため、自己株式処分差損が15百万円生じましたが、その他資本剰余金が10百万円しかありませんでしたので、差額の5百万円はその他利益剰余金（繰越利益剰余金）を減額しました。この自己株式は市場取引により取得したものですので、その処分直前の帳簿価額60百万円のうちに、税務上みなし配当に該当するものとして利益積立金額をマイナス処理をしたものはありません。

　この取引の仕訳は、次のとおりになります。

・会計仕訳　　預　　　　　　金　45百万円 ／ 自己株式　60百万円
　　　　　　　その他資本剰余金　10百万円
　　　　　　　その他利益剰余金　 5百万円 ／
　　　　　　　（繰越利益剰余金）

・税務での仕訳　預　　　　　金　45百万円 ／ 自己株式　60百万円
　　　　　　　　資本金等の額　15百万円 ／

（307）

この仕訳の差異は、別表五(一)に下記のとおり記載して処理します。

利益積立金額及び資本金等の額の計算に関する明細書		事業年度	： ：		法人名	

Ⅰ　利益積立金額の計算に関する明細書

区　　　分		期首現在利益積立金額 ①	当　期　の　増　減		差引翌期首現在利益積立金額 ①-②+③ ④
			減 ②	増 ③	
利　益　準　備　金	1	円	円	円	円
積　　立　　金	2				
資本金等の額	3			5,000,000	5,000,000

繰越損益金(損は赤)	25		5,000,000		△ 5,000,000
納　税　充　当　金	26				
未納法人税等	未納法人税及び未納地方法人税(附帯税を除く。)	27	△	△	中間 △ 確定 △	△
	未払通算税効果額(附帯税の額に係る部分の金額を除く。)	28			中間 確定	
	未納道府県民税(均等割額を含む。)	29	△	△	中間 △ 確定 △	△
	未納市町村民税(均等割額を含む。)	30	△	△	中間 △ 確定 △	△
差　引　合　計　額	31				

Ⅱ　資本金等の額の計算に関する明細書

区　　　分		期首現在資本金等の額 ①	当　期　の　増　減		差引翌期首現在資本金等の額 ①-②+③ ④
			減 ②	増 ③	
資本金又は出資金	32	円	円	円	円
その他資本剰余金（資本準備金）	33	10,000,000	10,000,000		
自己株式	34	△ 60,000,000	△ 60,000,000		
利益積立金額	35			△ 5,000,000	△ 5,000,000
差　引　合　計　額	36				

(説明)　自己株式処分損15百万円について、会計仕訳でその他資本剰余金を減額した10百万円は、別表五(一)のⅡのその他資本剰余金の②欄に記入し、その他利益剰余金（繰越利益剰余金）から減額した５百万円は、別表五(一)のⅠの「繰越損益金25」の②欄に記入します。税務では、自己株式消却損15百万円の全額が資本金等の額の減少となりますので、別表五(一)のⅡでは、その②欄に上記の「その他資本剰余金」10百万円、③欄に「利益積立金額」として△５百万円を記入します。この「利益積立金額」△５百万円に対応して、別表五(一)のⅠの③欄に「資本金等の額」として５百万円が記入されますので、上記「繰越損益金25」の③欄の△５百万円との合計で、自己株式処分差損の利益積立金額への影響はないことになります。

(308)

第5章　有価証券、自己株式

自己株式を消却したときの会計処理と税法での処理

【問5-53】　企業会計基準第1号「自己株式及び準備金の額の減少
等に関する会計基準」（自己株式等会計基準）では、自己株式の
消却はどのように処理することとされていますか。税務では、ど
のように処理するのですか。

【答】　自己株式等会計基準は、「自己株式を消却した場合には、消却手続が
完了したときに、消却の対象となった自己株式の帳簿価額をその他資本剰余
金から減額する。」（同基準11）、「その結果、その他資本剰余金の残高が負の
値となった場合には、会計期間末において、その他資本剰余金を零とし、当
該負の値をその他利益剰余金（繰越利益剰余金）から減額する。」（同基準
12）とし、消却損を損益に計上しないこととしています。自己株式の消却に
当たり、その他資本剰余金とその他利益剰余金のいずれから減額するかにつ
いて、会社計算規則は優先的にその他資本剰余金から減額すると規定してい
ますので（会社計規24③）、自己株式等会計基準は上記のとおりその順序を
定めています。

　自己株式の処分及び消却時の帳簿価額は、会社の定めた計算方法に従って、
株式の種類ごとに決定しますが（同基準13）、自己株式は、取得目的を明示
せずに取得及び保有ができますので、取得目的ごとに処分及び消却時の帳簿
価額の計算をするのは適切でありません。したがって、自己株式の処分及び
消却時の帳簿価額の算定は、株式の種類単位で行うのが適切とされています。
（同基準48）

　税法では、資本金等の額の減算項目の1つとして法人税法施行令第8条第
1項第20号に「法人税法第24条第1項第5号から第7号までに掲げる事由に
より金銭その他の資産を交付した場合の取得資本金額」が規定され、そのう
ちの法人税法第24条第1項第6号に「株式又は出資をその発行した法人が取
得することなく消滅させること」が掲げられていますので、自己株式の消却
は、資本金等の額を減額させる事由になります。その場合、資本金等の額を
減額させることとなる「取得資本金額」は、自己株式を取得した法人が1の
種類の株式を発行している法人である場合、次の算式により計算される金額
とされています。（法政令8①二十イ）

（309）

$$\text{自己株式の消却の直前の資本金等の額} \times \frac{\text{自己株式の消却に係る株式の数（又は出資の金額）}}{\text{自己株式の消却の直前の発行済株式の総数（又は出資の総額）}}$$

種類株式の発行会社は、種類株式ごとにこの計算をします。（同ロ）

自己株式を消却したときの申告調整方法の具体的な方法は、【問5-54】で説明します。

自己株式を消却したときの申告調整方法

> 【問5-54】 自己株式を消却したときの申告調整方法を、具体例で
> 説明してください。

【答】 【問5-52】の事例での自己株式（会計上、税務上とも帳簿価額は60百万円）を、処分でなく消却して、消却損60百万円はそのうち10百万円をその他資本剰余金を減額し、残りの50百万円をその他利益剰余金（繰越利益剰余金）を減額した場合、仕訳は次のとおりになります。

・会計仕訳　その他資本剰余金　10百万円　／　自己株式　60百万円

　　　　　　その他利益剰余金　50百万円　／
　　　　　　（繰越利益剰余金）

・税務での仕訳　資本金等の額　60百万円　／　自己株式　60百万円

　(注)　法人税法施行令第8条第1項第20号により計算したところ、自己株式の消却
　　　　により減額する資本金等の額は、60百万円になったとします。

上記の仕訳の差異は、別表五(一)に次ページのとおりの記載をして処理します。

（310）

第5章　有価証券、自己株式

利益積立金額及び資本金等の額の計算に関する明細書	事業年度	・　・	法人名	

Ⅰ　利益積立金額の計算に関する明細書

区　　分		期首現在利益積立金額 ①	当期の増減		差引翌期首現在利益積立金額 ①-②+③ ④
			減 ②	増 ③	
利 益 準 備 金	1	円	円	円	円
積　立　金	2				
資本金等の額	3			50,000,000	50,000,000
	4				

繰越損益金（損は赤）	25			50,000,000	△ 50,000,000
納 税 充 当 金	26				
未納法人税等（各事業年度の所得に対するものに限る。） 未納法人税及び未納地方法人税（附帯税を除く。）	27	△	△	中間 △ 確定 △	△
未払通算税効果額（附帯税の額に係る部分の金額を除く。）	28			中間 確定	
未納道府県民税（均等割額を含む。）	29	△	△	中間 △ 確定 △	△
未納市町村民税（均等割額を含む。）	30	△	△	中間 △ 確定 △	△
差　引　合　計　額	31				

Ⅱ　資本金等の額の計算に関する明細書

区　　分		期首現在資本金等の額 ①	当期の増減		差引翌期首現在資本金等の額 ①-②+③ ④
			減 ②	増 ③	
資本金又は出資金	32	円	円	円	円
その他資本剰余金 資本準備金	33	10,000,000	10,000,000		
自 己 株 式	34	△ 60,000,000	△ 60,000,000		
利益積立金額	35			△ 50,000,000	△ 50,000,000
差　引　合　計　額	36				

（説明）自己株式消却損60百万円のうち、その他資本剰余金から減額した10百万円は、別表五（一）のⅡのその他資本剰余金の②欄に記入し、その他利益剰余金（繰越利益剰余金）から減額した50百万円は、別表五（一）のⅠの「繰越損益金25」の②欄に記入します。税務では、自己株式消却損60百万円の全額が資本金等の額の減少となりますので、別表五（一）のⅡでは、その②欄に上記の「その他資本剰余金」10百万円、③欄に「利益積立金額」として△50百万円を記入します。この「利益積立金額」△50百万円に対応して、別表五（一）のⅠに「資本金等の額」としてその③欄に50百万円が記入されますので、上記「繰越損益金25」の③欄の△50百万円との合計で、自己株式消却損の利益積立金額への影響はないことになります。

自己株式取得時の付随費用の取扱い

> **【問5-55】** 自己株式を取得した際の購入手数料等の付随費用は、会計上及び税務上、どのように処理すればよろしいですか。

【答】 会計上は、自己株式等会計基準で、自己株式の取得に関する付随費用は、損益計算書の営業外費用に計上することとされています。（同基準14）税務上は、自己株式が有価証券として取り扱われるのであれば、購入手数料等の付随費用は取得価額に含める必要がありますが、自己株式は有価証券から除外されており（法2二十一）、自己株式の取得は資本の払戻しとされています。（【問5-48】参照）したがって、付随費用は損金算入が認めれることとなります。

第6章　固定資産及び減価償却

第1節　減価償却資産の範囲、償却費の意義

非減価償却資産

> 【問6‐1】　法人税法上、固定資産であって減価償却のできないも
> のにはどのような資産がありますか。土地、借地権、電話加入権
> のほかにもあれば、教えてください。

【答】　法人税法での減価償却資産は、建物、構築物、機械及び装置、船舶、
車両及び運搬具、工具、器具及び備品、鉱業権その他の資産で償却すべきも
のとして法人税法施行令第13条に掲げられているものですが（法2二十三）、
「事業の用に供していないもの及び時の経過によりその価値の減少しないも
のを除く。」とされています。（法政令13かっこ書）

　固定資産であるが減価償却資産に該当しない資産には、次のものがありま
す。

① 　土地、土地の上に存する権利（地上権、借地権）

　(注)　借地借家法の第2章第4節に規定されている定期借地権等は、契約期間の終
　　　了時に借地人が地主に土地を返還しなければならないため、借地に当たって支
　　　払った権利金は借地期間に償却すべきであると考えられますが、法人税法施行
　　　令第13条に掲げられていませんので、減価償却資産に該当しません。

② 　電話加入権及びこれに準ずる権利……電話加入権とは、加入電話契約に
　基づいて加入電話の提供を受ける権利で、利用の期限がなく、時の経過に
　よる価値の減少がありませんので、減価償却資産に該当しません。

　(注)　電信役務、専用役務、データ通信役務、デジタルデータ伝送役務、無線呼
　　　出し役務等の提供を受ける権利は、無形減価償却資産の電気通信施設利用権
　　　（法政令13八ネ、耐用年数20年）に該当します。（基通7‐1‐9）携帯電話等
　　　の役務の提供を受ける権利も同じ取扱いになります。なお、少額の減価償却
　　　資産に該当する場合及びその処理方法は、【問6‐5】及び【問6-15】を、中小

（313）

企業者等の少額減価償却資産に該当する場合及びその処理方法は【問6-8】を、それぞれ参照してください。

③ 美術品等……次に掲げるようなものは、時の経過によってその価値が減少しませんので、減価償却資産に該当しません。（基通7-1-1）

イ 古美術品、古文書、出土品、遺物等のように歴史的価値又は希少価値を有し、代替性のないもの

ロ イ以外の美術品等で、取得価額が1点100万円以上であるもの（時の経過によりその価値が減少することが明らかなものを除く。）

(注) 美術品等についての詳細は【問6-2】を参照してください。

④ ガラス繊維製造用の白金製溶解炉、光学ガラス製造用の白金製るつぼ、か性カリ製造用の銀製なべのように、素材となる貴金属の価額が取得価額の大部分を占め、かつ、一定期間使用後は素材に還元のうえ鋳直して再使用することを常態としているもの……減価償却資産に該当しませんが、これらの資産の鋳直しに要する費用（地金の補給のために要する費用を含みます。）の額は、その鋳直しをした日の属する事業年度の損金の額に算入します。（基通7-1-2）なお、白金ノズルは減価償却資産に該当しますが、これに類する工具で貴金属を主体とするものについても、白金ノズルに準じて減価償却をすることができます。（基通7-1-2（注））

⑤ 事業の用に供していない次に掲げるような資産

イ 稼働休止資産。ただし、稼働休止期間中必要な維持補修が行われており、いつでも稼働し得る状態にあるもの、例えば非常時の取替え用固定資産は、減価償却資産に該当します。（基通7-1-3）また、他の場所において使用するために移設中の固定資産は、その移設期間がその移設のために通常要する期間であると認められる限り、減価償却を継続することができます。（基通7-1-3（注））

(注1) 稼働休止資産は減価償却をすることができませんが、1年以上にわたって遊休状態にある固定資産は、その事業年度終了の時における当該資産の価額（その時において使用収益されるものとして譲渡される場合に通常付される価額）まで評価減をすることができます。（法33②、法政令68①三ロ）

(注2) 航空機の予備エンジン、電気自動車の予備バッテリー等のように減価償却資産を事業の用に供するために必要不可欠なものとして常備され、繰り返して使用される専用の部品で通常他に転用できないものは、当該減価償

第6章　固定資産及び減価償却

却資産と一体のものとして減価償却をすることができます。（基通7-1-4の2）

（注3）　「固定資産の減損に係る会計基準の適用指針」の第56項に、「減損処理を行った遊休資産について、減損処理後の減価償却費は、原則として、営業外費用として処理する。なお、減損処理を行うこととはされなかった遊休資産についても減価償却を行うことになるが、当該遊休資産の減価償却費についても、原則として、営業外費用として処理する。」と示されています。休止中であっても自然減耗、経済的陳腐化等の減価が生じているためというのがその理由ですが、事業の用に供していないものは減価償却資産から除くという税法の規定（法政令13かっこ書）と異なる処理を示していますので、この適用指針どおりの処理をするときは、減価償却超過額として申告調整が必要になります。

ロ　建設中の資産。ただし、建設仮勘定として表示されている場合であっても、その完成した部分が事業の用に供されているときは、その部分は減価償却資産に該当します。（基通7-1-4）

⑥　ゴルフ場の芝生等……ゴルフ場、運動競技場の芝生等のように緑化以外の本来の機能を果たすために植栽されたものは、構築物の緑化施設に含まれず、減価償却をすることが認められていません。（耐通2-3-8の2）なお、芝生の張替えのための支出などは、修繕費として支出時に損金算入することができます。

（注1）　ゴルフコースのフェアウェイ、グリーン、築山、池その他これらに類するもので、一体となってゴルフコースを構成するものは、土地に該当します。（耐通2-3-6（注））

（注2）　緑化施設及び庭園は、構築物として減価償却資産（耐用年数20年、ただし工場緑化施設は7年）に該当します。庭園（工場緑化施設に含まれるものを除きます。）とは、泉水、池、灯ろう、築山、あづまや、花壇、植樹等により構成されているもので（耐通2-3-9）、料亭の庭園のように時の経過とともに陳腐化し、模様替えされるものをいいます。また、緑化施設とは、植栽された樹木、芝生等が一体となって緑化の用に供されている場合の当該植栽された樹木、芝生等をいい（耐通2-3-8の2）、公害防止、環境整備対策の観点から減価償却をすることが認められています。

（315）

美術品等の取扱い

> 【問6-2】 時の経過によりその価値の減少しない資産は減価償却資産に該当しないものとされていますが、会社が所有する絵画や彫刻などの美術品については、減価償却できないのでしょうか。

【答】 次の①又は②に該当するものは「時の経過によりその価値の減少しない資産」として減価償却できないものとされています。（基通7-1-1）

① 古美術品、古文書、出土品、遺物等のように歴史的価値又は希少価値を有し、代替性のないもの

② ①以外の美術品等で、取得価額が1点100万円以上であるもの（時の経過によりその価値が減少することが明らかなものを除きます。）

②の「時の経過によりその価値が減少することが明らかなもの」には、例えば、会館のロビーや葬祭場のホールのような不特定多数の者が利用する場所の装飾用や展示用（有料で公開するものを除きます。）として法人が取得するもののうち、移設することが困難でその用途にのみ使用されることが明らかなものであり、かつ、他の用途に転用すると仮定した場合にその設置状況や使用状況から見て美術品等としての市場価値が見込まれないものが含まれます。（同通達（注）1）また、取得価額が1点100万円未満であるものについては、時の経過によりその価値が減少しないことが明らかなものを除き、減価償却資産として取り扱われます。（同通達（注）2）

以上から、上記②の美術品等についての取扱いをまとめますと、次のとおりとなります。

1点当たりの取得価額	税法上の取扱い
100万円以上	非減価償却資産。ただし、時の経過によりその価値が減少することが明らかなものは減価償却資産。
100万円未満	減価償却資産。ただし、時の経過によりその価値が減少しないことが明らかなものは非減価償却資産。

なお、美術品等が減価償却資産に該当する場合、一般的には、器具及び備品の家具、室内装飾品に該当し、法定耐用年数は、主として金属製のものは15年、その他のものは8年になります。

（注） 上記の②の美術品等の取扱いは、平成26年12月の法人税基本通達の改正によ

（316）

第6章　固定資産及び減価償却

り、平成27年１月１日以後に取得する美術品等に適用され、平成26年12月31日以前に取得した美術品等については旧通達の取扱いによります。（平26.12法人税基本通達等の一部改正について経過的取扱い）旧通達では、書画骨とうのように、時の経過によりその価値が減少しない資産は非減価償却資産とされ、美術関係の年鑑等に登載されている作者の制作に係る書画、彫刻、工芸品等は、原則として書画骨とうに該当するものとされていました。また、書画骨とうに該当するかどうかが明らかでない美術品等でその取得価額が１点20万円（絵画は、号２万円）未満であるものについては、減価償却資産として取り扱うことができるものとされていました。なお、平成26年12月31日以前に取得した美術品等で、改正後の通達の取扱いにより減価償却資産に該当することとなる資産については、平成27年１月１日以後最初に開始する事業年度から減価償却を行うことができることとされました。（同通達経過的取扱いただし書）

（317）

ソフトウエアについての研究開発費等会計基準の定めと税法の規定の相違

> **【問6-3】** 研究開発費等会計基準は、その制作目的によってソフトウエアの制作費の処理方法を定めていますが、その内容を教えてください。税法はソフトウエアを無形減価償却資産と規定していますが、研究開発費等会計基準の定めと、どのような点が異なりますか。

【答】 研究開発費等会計基準は、ソフトウエアを「コンピュータを機能させるように指令を組み合わせて表現したプログラム等」と定義し（同基準一2）、将来の収益等との対応関係がその制作目的によって異なるため、その制作費について、次のとおり異なる処理をすべきであると定めています。

① 特定の研究開発目的のみに使用され、他の目的に使用できないソフトウエアの制作費……取得時の研究開発費とします。（同基準注1）

② ①以外のソフトウエアの制作費のうち、研究開発に該当する部分……研究開発費として発生時に費用処理しなければなりません。（同基準三なお書）下記④の市場販売目的のソフトウエアについては、最初に製品化された製品マスターの完成までの費用及び製品マスター又は購入したソフトウエアに対する著しい改良に要した費用が、研究開発費に該当します。（同基準注3）

③ 受注制作のソフトウエアの制作費……請負工事の会計処理に準じて処理しますので（同基準四1）、資産計上する科目は無形固定資産でなく、棚卸資産となります。

④ 市場販売目的のソフトウエアである製品マスターの制作費……研究開発費に該当する部分を除いて、資産として計上しなければなりません。ただし、製品マスターの機能維持に要した費用は、機能の改良、強化等の制作活動のための費用に該当しませんので発生時に費用処理し、資産に計上することはできません。（同基準四2）

> **(注)** 例えば、OA機器のメーカーが、製品マスターから複写したものを製品であるOA機器に組み込む場合の製品マスターの制作費もこれに該当します。
> その場合、当該ソフトウエアの償却費は、製造原価に算入します。

⑤ 自社利用のソフトウエアの制作費……その提供又は利用により、将来の

第6章　固定資産及び減価償却

収益獲得又は費用削減が確実であると認められる場合には、その取得に要した費用を資産として計上しなければなりません。機械装置等に組み込まれているソフトウエアについては、当該機械装置等に含めて処理します。（同基準四3）

なお、上記④の市場販売目的のソフトウエアの制作費及び⑤の自社利用のソフトウエアの制作費を資産として計上する場合には、無形固定資産の区分に計上しなければなりません。（同基準四4）これらのソフトウエアが制作途中である場合の制作費は、無形固定資産に「ソフトウエア仮勘定」などの勘定科目で計上します。（同基準注4、研究開発費等会計実務指針10）

税法でも、減価償却資産に該当する無形固定資産のなかにソフトウエアが掲げられていますが（法政令13八リ）、その内容についての規定は設けられていません。耐用年数省令には、次のとおりの区分が規定されています。

別表第三　無形減価償却資産の耐用年数表

| ソフトウエア | 複写して販売するための原本 | 3 年 |
| | その他のもの | 5 年 |

別表第六　開発研究用減価償却資産の耐用年数表

| ソフトウエア | 3 年 |

研究開発費等会計基準での市場販売目的のソフトウエアは別表第三の複写して販売するための原本に、研究開発目的のみに使用されるソフトウエアは別表第六のソフトウエアに該当します。後者の制作費は、他の目的に使用できないソフトウエアの場合、研究開発費等会計基準によって発生時に費用処理しますが、税務では、法人が特定の研究開発にのみ使用するため取得又は製作をしたソフトウエア（研究開発のためのいわば材料となるものであることが明らかなものを除きます。）であっても、減価償却資産に該当しますので（基通7-1-8の2）、減価償却超過額として申告調整が必要になります。

(注)　研究開発費等会計基準では、研究開発目的以外のソフトウエアの制作費でも、研究開発に該当する部分は、発生時に費用処理すべきこととされていますが（上記の②参照）、税務での取扱いは、【問6-33】を参照してください。

また、研究開発費等会計基準は、自社利用のソフトウエアの処理方法につ

（319）

いて、「独自仕様の社内利用ソフトウエアを自社で制作する場合又は委託により制作する場合には、将来の収益獲得又は費用削減が確実であると認められる場合を除き費用として処理することとなる。」と示しています。（同基準前文三３(3)③）しかし、税務では、ソフトウエアが無形減価償却資産として規定されているため、将来の収益獲得又は費用削減の確実性のみによって無形減価償却資産として資産計上すべきものかどうかを決めることはできませんので、将来の収益獲得又は費用削減が確実といえないものでも無形減価償却資産として資産計上すべきことになり、申告調整が必要になります。

ただし、ソフトウエアを制作したが、失敗作でまったく使いものにならないものは、税務でも損失処理をすることができます。

機械装置を稼動させるに当たってのソフトウエア

> **【問６-４】** コンピュータ制御の機械を取得しました。この機械は、ソフトウエアを変えることによって多能的な操作ができる汎用機械です。これを稼動させるに当たってのソフトウエアの開発を専門業者に委託した場合、当該ソフトウエアの制作費は機械の取得価額に含めるのですか。それともソフトウエアとして、機械とは別個の資産に計上するのですか。

【答】 購入した減価償却資産の取得価額には、当該資産を事業の用に供するために直接要した費用の額を加えることとされています。（法政令54①一ロ）御質問にあるソフトウエアの制作費は、購入した機械を稼動させるに当たっての不可欠の費用であり、機械の取得価額に含めるべきだとも考えられます。

また、研究開発費等会計基準は、機械装置等に組み込まれているソフトウエアは、当該機械等に含めて処理すると示しています。（同基準四３）しかし、ここでいう機械装置等は、機械装置等と特定のソフトウエアが一体にならないと機能しないコンピュータ制御の専用機械で、当該ソフトウエアが組み込まれているものをいいます。

御質問にある機械は、特定のソフトウエアが組み込まれていて当該ソフトウエアにより単能的な稼動をするのではなく、種々のソフトウエアによって多能的な稼動をする汎用機械とのことです。このような機械の場合は、ソフ

（320）

第6章　固定資産及び減価償却

トウエアは機械の取得価額に含めず、別個の資産に計上すべきです。

- **(注)**　「研究開発費及びソフトウエアの会計処理に関するＱ＆Ａ」においても、「当初からソフトウエアの交換（バージョンアップ）が予定されている場合とか、機械等の購入時にソフトウエアの交換が契約により予定され、新・旧ソフトウエアの購入価格が明確な場合には、ソフトウエア部分を区分して処理することも考えられる」と示されています。（同Ｑ＆Ａ・Ｑ17）御質問の場合は、この事例以上に、機械とソフトウエアの一体性が乏しいといえるでしょう。

少額の減価償却資産

> **【問6-5】**　減価償却資産として資産に計上しなければならないものと、消耗品費等として費用に計上することができるものとのボーダーラインについて説明してください。

【答】　減価償却資産として資産に計上しなければならないものは、使用可能期間が1年以上で、かつ、取得価額が10万円以上の資産です。いいかえますと、使用可能期間が1年未満の資産又は取得価額が10万円未満の資産は、事業の用に供した日の属する事業年度において損金経理をすることにより、損金の額に算入することができます。（法政令133①）

- **(注)**　貸付用の減価償却資産（貸付けが主要な事業として行われる場合を除きます。）については、取得価額が10万円未満であっても、事業の用に供した事業年度に取得価額の全額を損金の額に算入することはできません。（法政令133①）詳細は【問6-11】を参照してください。

この取得価額が10万円未満であるかどうかは、通常1単位として取引されるその単位、例えば、機械及び装置については1台又は1基ごとに、工具、器具及び備品については1個、1組又は1そろいごとに判定し、構築物のうち例えば枕木、電柱等単体では機能を発揮できないものについては、一の工事等ごとに判定します。（基通7-1-11）

したがって、例えば、事務机と椅子のセット1組で8万円のものを合計10セット購入しますと、取得価額の合計は80万円になりますが、1セット当たりの取得価額が8万円ですので、事業の用に供した日の属する事業年度において損金経理をすることにより、全額損金の額に算入することができます。

（321）

しかし、応接セットで1組15万円のものは、机、椅子それぞれに区別して10万円未満かどうかの判定をすることができず、1組で10万円以上のため減価償却資産に計上しなければなりません。いわゆるユニット式の会議用テーブルも同じです。また、日除けブラインド、カーテン、じゅうたんなどは、1個単位でなく、1室単位で判定します。

(注1) 共有資産の場合、取得価額が10万円未満かどうかは、自法人の持分だけについて判定します。

(注2) 減価償却資産のうち国外リース資産（法政令48①六）及びリース資産（同48の2①六）については、この少額の減価償却資産の取得価額の損金算入に関する規定は適用されません。（法政令133①かっこ書）

(注3) 上記基通7-1-11に示されている「通常1単位として取引されるその単位」の考え方は、一括償却資産に該当するかどうかについての「20万円未満」（【問6-6】参照）の判定及び中小企業者等の少額減価償却資産に該当するかどうかについての「30万円未満」（【問6-8】参照）の判定においても同じです。（中小企業者等の少額減価償却資産については、措通67の5-2）

一括償却資産の損金算入制度の概要

> **【問6-6】** 一括償却資産の損金算入制度について、その概要を説明してください。

【答】 一括償却資産の損金算入制度は、その事業年度に事業の用に供した取得価額が20万円未満の減価償却資産の取得価額を一括して36か月で損金算入できる制度で、その内容は以下のとおりです。

(注) 一括償却資産の損金算入制度は、平成10年度の税法改正で少額の減価償却資産の取得価額の基準が20万円未満から10万円未満に引き下げられたことに伴い、事務負担の増加に対処するために設けられたものです。

① 一括償却資産……取得価額が20万円未満の減価償却資産ですが、国外リース資産（法政令48①六）及びリース資産（同48の2①六）並びに少額の減価償却資産の取得価額の損金算入の規定（法政令133、【問6-5】参照）の適用を受けるものを除きます。（法政令133の2①）したがって、通常は取得価額が10万円以上20万円未満の減価償却資産がその対象になりますが、10万円未満の減価償却資産の取得価額相当額を事業の用に供した日の属す

（322）

第6章　固定資産及び減価償却

る事業年度において損金経理せず、一括償却資産に含めることもできます。
また、一括償却資産は、「法人がその全部又は特定の一部を一括したもの」
と規定されていますので、対象となり得る資産の一部を一括償却資産とし、
その他の部分を通常の減価償却資産とすることもできます。

　なお、取得価額が20万円未満であるかどうかは、通常1単位として取引
されるその単位、例えば、機械及び装置については1台又は1基ごとに、
工具、器具及び備品については1個、1組又は1そろいごとに判定し、構
築物のうち例えば枕木、電柱等単体では機能を発揮できないものについて
は一の工事等ごとに判定します。（基通7-1-11）これは、少額の減価償
却資産（取得価額が10万円未満の減価償却資産）の判定と同様です。

(注)　貸付用の減価償却資産（貸付けが主要な事業として行われる場合を除きま
す。）は、一括償却資産になりません。（法政令133の2①）詳細は【問6-11】
を参照してください。

② 　損金算入額……一括償却資産を法人の事業の用に供した事業年度以後の
各事業年度における損金算入額は、その取得価額の合計額について損金経
理をした金額のうち、下記の算式で計算した金額に達するまでの金額です。
（法政令133の2①）

$$一括償却資産の \atop 取得価額の合計額 \times \frac{当該事業年度の月数}{36}$$

(注)　上記の算式の月数は暦に従って計算し、1月未満の端数を生じたときは、
1月とします。（法政令133の2⑥）

　なお、上記の損金経理した金額には、一括償却資産について当該事業年
度前の事業年度から繰り越してきた繰越損金算入限度超過額が含まれます。
（法政令133の2⑨）

　上記の算式からもわかるように、一括償却資産の損金算入限度額の計算
に当たり、当該資産を事業の用に供した事業年度において、事業の用に供
した月による月割計算をすることは不要です。仮決算による中間申告をす
るに当たり、中間期間中に事業の用に供した一括償却資産の損金算入限度
額についても同じで、その場合、上記の算式の分子の月数は中間期間の月
数である6でなく、当該事業年度の月数、すなわち1年決算の場合は12と
します。（法政令150の2①）ただし、一括償却資産を事業の用に供した事

（323）

業年度の翌事業年度の中間申告からは、分子の月数は中間期間の月数である６としますので御注意ください。

③　適用を受けるための要件……一括償却資産を事業の用に供した日の属する事業年度の確定申告書（仮決算による中間申告をするときは中間申告書）に、当該一括償却資産に係る一括償却対象額の記載があり、かつ、その計算に関する書類を保存していることが必要です。（法政令133の２⑪）
一括償却対象額につき損金経理した金額があるときは、そのうちの損金算入額の計算に関する明細書（別表十六（八））を確定申告書（中間申告をするときは中間申告書）に添付しなければなりません。（法政令133の２⑫）

一括償却資産と会計処理の適正性

> 【問6-7】　一括償却資産の取得価額を固定資産に計上し、一括償
> 却資産の取得価額のうちの損金算入限度額相当額を減価償却費に
> 計上する会計処理は、企業会計上適正な処理でしょうか。

【答】　一括償却資産は取得価額が20万円未満の減価償却資産ですから、資産に計上する場合は固定資産となりますが、固定資産に計上して一括償却資産の取得価額（以下「一括償却対象額」といいます。）のうちの損金算入限度相当額を減価償却費に計上する会計処理は、次の点で、企業会計上適正な処理とはいえません。

イ　一括償却対象額のうちの損金算入限度額は、一括償却資産をその個々の資産の耐用年数に関係なく、すべて事業の用に供した事業年度の期首月から36か月間に残存価額を０として均等償却する場合の金額で、法人が会計方針として採用している減価償却方法及び適用している耐用年数に基づいて計算した場合の金額と異なること。

ロ　一括償却資産を構成する個々の資産の帳簿価額を算出せず、一括償却対象額の損金算入期間中に当該資産の全部又は一部に滅失、除却、譲渡等の事実が生じても、これに係る処理をしないこと。（基通7-1-13）
しかしながら、大企業では、取得価額が20万円未満の資産は重要性が乏しいですので、重要性の観点から、この処理も認められると思われます。
なお、取得価額が20万円未満の資産については、重要性から、事業の用に

供した事業年度において消耗品費等としてその全額を費用処理し、損金算入限度超過額を申告調整している会社もあります。その例を示せば、以下のとおりです。

〔事例〕

　年1回3月末日決算の会社の一括償却対象額が、令和3年3月期と令和4年3月期はいずれも0、令和5年3月期3,000千円、令和6年3月期3,600千円、令和7年3月期4,500千円で、すべて取得事業年度に消耗品費として費用に計上した場合、令和5年3月期から令和7年3月期までの各事業年度における損金算入限度額は、次のとおりになります。

令和5年3月期……3,000千円（令和5年3月期分）$\times \dfrac{12}{36} = 1{,}000$千円

令和6年3月期……3,000千円（令和5年3月期分）$\times \dfrac{12}{36}^{(注)} + 3{,}600$千円（令和6年3月期分）$\times \dfrac{12}{36} = 2{,}200$千円

令和7年3月期……3,000千円（令和5年3月期分）$\times \dfrac{12}{36}^{(注)} + 3{,}600$千円（令和6年3月期分）$\times \dfrac{12}{36}^{(注)} + 4{,}500$千円（令和7年3月期分）$\times \dfrac{12}{36} = 3{,}700$千円

(注)　前事業年度から繰り越してきた損金算入限度超過額は、損金経理した金額に含むものとするという規定（法政令133の2⑨）によるものです。

　令和7年3月期の申告書別表十六(八)を記載しますと、次のとおりになります。

（325）

一括償却資産の損金算入に関する明細書　　事業年度 6・4・1／7・3・31　法人名　　別表十六(八)

		1					（当期分）
事業の用に供した事業年度		1	4・4・1 5・3・31	5・4・1 6・3・31	・・	・・	・・ （当期分）
同上の事業年度において事業の用に供した一括償却資産の取得価額の合計額		2	3,000,000	3,600,000			4,500,000
当期の月数 （事業の用に供した事業年度の中間申告の場合は、当該事業年度の月数）		3	12	12			12
当期分の損金算入限度額 $(2) \times \dfrac{(3)}{36}$		4	1,000,000	1,200,000			1,500,000
当期損金経理額		5	0	0			4,500,000
差引	損金算入不足額 (4)-(5)	6	1,000,000	1,200,000			
	損金算入限度超過額 (5)-(4)	7					3,000,000
損金算入限度超過額	前期からの繰越額	8	1,000,000	2,400,000			0
	同上のうち当期損金認容額（(6)と(8)のうち少ない金額）	9	1,000,000	1,200,000			0
	翌期への繰越額 (7)+(8)-(9)	10	0	1,200,000			3,000,000

中小企業者等の少額減価償却資産の取得価額の損金算入の特例

> 【問6-8】　中小企業者等の少額減価償却資産の取得価額の損金算
> 入の特例の内容を、説明してください。

【答】　御質問の特例の内容は、次のとおりです。

(1) 適用対象法人である中小企業者等……租税特別措置法第42条の4第19項
　第7号に規定する中小企業者又は同項9号農業協同組合等（【問1-25】参
　照）で、以下の①又は②に該当し、青色申告書を提出するものです。ただ
　し、適用除外事業者（【問1-27】参照）は、適用が受けられません。（措法
　67の5①、措政令39の28①）

① 特定法人以外の法人で、常時使用する従業員の数が500人以下の法人

第6章　固定資産及び減価償却

② 常時使用する従業員の数が300人以下の特定法人

　特定法人とは、電子申告が強制される法人で、次の法人をいいます。
（法75の4②）

(a) 事業年度開始時の資本金の額又は出資金の額が1億円を超える法人

(b) 通算法人（(a)を除きます。）

(c) 保険業法に規定する相互会社（(b)を除きます。）

(d) 投資法人（(a)を除きます。）

(e) 特定目的会社（(a)を除きます。）

　したがって、中小企業者で従業員の数が500人を超えるもの、出資金の額が1億円を超える農業協同組合等で従業員の数が300人を超えるもの等は、この特例の対象外となります。

(注) 令和6年3月31日以前に減価償却資産を取得又は製作若しくは建設をした場合は、常時使用する従業員の数が500人以下の法人であれば、この特例が受けられます。（令6改措政令附則19）

(2) 適用対象資産……平成18年4月1日から令和8年3月31日までの間に取得し、又は製作し、若しくは建設し、かつ、当該中小企業者等の事業の用に供した減価償却資産で、その取得価額が30万円未満であるもの（下記①〜④のものを除きます。）です。（措法67の5①）

(注) 貸付用の減価償却資産（貸付けが主要な事業として行われる場合を除きます。）については、適用の対象外となります。（措政令39の28②）詳細は【問6-11】を参照してください。

① その取得価額が10万円未満であるもの（措法67の5①かっこ書）

② 特別償却の規定の適用を受けるもの（同上）

③ 少額の減価償却資産の取得価額の損金算入（法政令133）又は一括資産の損金算入（法政令133の2）の規定の適用を受けるもの（措政令39の28②一）

④ 農用地等を取得した場合の課税の特例（措法61の3①）、収用等に伴い代替資産を取得した場合の課税の特例（措法64①）、特定の資産の買換えの場合の課税の特例（措法65の7①）の規定等、租税特別措置法施行令第39条の28第2項第2号及び第3号に掲げられた規定の適用を受けるもの

（327）

なお、取得価額が30万円未満であるかどうかは、通常1単位として取引されるその単位、例えば、機械及び装置については1台又は1基ごとに、工具、器具及び備品については1個、1組又は1そろいごとに判定し、構築物のうち例えば枕木、電柱等単体では機能を発揮できないものについては一の工事等ごとに判定します。（措通67の5-2）これは、少額の減価償却資産（取得価額が10万円未満の減価償却資産）及び一括償却資産の判定と同様です。

　　この適用対象資産を、少額減価償却資産といいますが、一括償却資産（【問6-6】）と比べた場合、少額減価償却資産は取得価額の上限が高く、30万円未満のものと規定されていますので、中小企業者が上記の適用対象資産を取得等したときは、下記(3)のただし書にある損金算入限度額に注意して、本問で説明する少額減価償却資産に係る特例規定を適用するのが、法人にとって有利です。

(3) 損金算入額……少額減価償却資産の取得価額に相当する金額を事業の用に供した日を含む事業年度において損金経理した場合、当該事業年度において損金の額に算入することができます。ただし、当該事業年度における少額減価償却資産の取得価額の合計額が300万円（当該事業年度が1年未満の場合は、$300万円 \times \dfrac{当該事業年度の月数^{(注)}}{12}$、以下同じ。）を超えるときは、その取得価額の合計額のうち300万円に達するまでの少額減価償却資産の取得価額の合計額を限度とします。（措法67の5①）

　(注)　月数は暦に従って計算し、1月未満の端数が生じたときは、これを1月とします。（措法67の5②）

(4) 損金算入のための要件……少額減価償却資産の取得価額に相当する金額を事業の用に供した日を含む事業年度において損金経理すること（措法67の5①）、及び確定申告書等に「少額減価償却資産の取得価額の損金算入の特例に関する明細書」（別表十六（七））を添付すること（措法67の5③）が必要です。また、「租税特別措置の適用額明細書」を添付することも必要です。（租特透明化法3①、【問27-27】参照）

(5) 少額減価償却資産についての法人税に関する法令の規定の適用……上記の規定の適用を受けた少額減価償却資産について法人税に関する法令の規定を適用する場合には、上記の規定により損金算入された金額は、当該少

第6章　固定資産及び減価償却

額減価償却資産の取得価額に算入されません。（措法67の5④）このため、例えば当該少額減価償却資産が租税特別措置法第42条の6第2項に規定されている特定中小企業者等が取得した機械等に該当する場合でも、取得価額に算入されなかった金額の7％相当額について、特別税額控除の規定の適用を受けることはできません。

少額減価償却資産の特例での従業員が500人以下又は300人以下の判定

> 【問6-9】　少額減価償却資産の取得価額の損金算入の特例が適用される要件として、常時使用する従業員の数が中小企業者では500人以下、出資金の額が1億円を超える農業協同組合等では300人以下とされていますが、いつの時点の人数で判定するのですか。また、臨時雇いの従業員はどのように取り扱えばよいのですか。

【答】　従業員の数の判定時期は、原則として、減価償却資産の取得日及び事業の用に供した日です。したがって、特例の適用を受けるには、取得日及び事業供用日に500人以下又は300人以下であることが必要です。ただし、期末日時点での従業員の数が500人以下又は300人以下であれば、取得日又は事業供用日の従業員の数にかかわらず、適用を受けることができるものとされています。（措通67の5-1）

　次に、臨時雇いの従業員の取扱いですが、「常時使用する従業員の数」は、常用であるか日々雇い入れるものであるかを問わず、事務所又は事業所に常時就労している職員、工員等（役員を除きます。）の総数によって判定することとされています。この場合、酒造最盛期、野菜缶詰・瓶詰製造最盛期等に数か月程度の期間その労務に従事する者を使用するときは、その従事者を「常時使用する従業員の数」に含めることとされています。（措通67の5-1の2）

（329）

**中小企業者等の少額減価償却資産の取得価額の合計額が300万円を超える
場合の損金算入限度額**

> **【問6-10】** 中小企業者等の少額減価償却資産の取得価額の損金算
> 入の特例規定の適用についてですが、少額減価償却資産の取得価
> 額の合計額が300万円を超える場合、損金算入限度額は、そのう
> ちの300万円ですか。それとも個々の少額減価償却資産の取得価
> 額の合計額で、300万円までの金額ですか。

【答】 中小企業者等の少額減価償却資産の取得価額の損金算入限度額は、「そ
の取得価額の合計額が300万円（当該事業年度が1年未満の場合は、300万円
$\times \dfrac{\text{当該事業年度の月数}}{12}$。以下同じ）を超えるときは、その取得価額の合計額
のうち300万円に達するまでの少額減価償却資産の取得価額の合計額」と規
定されています。（措法67の5①）したがって、取得価額の合計額が300万円
を超える場合、損金算入限度額はそのうちの300万円でなく、個々の少額減
価償却資産の取得価額の合計額で300万円までの金額です。

　その場合、この特例規定を最も有利に適用するためには、少額減価償却資
産の取得価額の組み合わせを種々行ない、そのうちの合計額が300万円に最
も近い金額になるものを求めることになりますが、一括償却資産にも該当す
るものはその損金算入規定（法政令133の2）の適用を受けることとし、一
括償却資産に該当しない取得価額が20万円以上30万円未満の少額減価償却資
産を優先して組み合わせるのが有利です。

（330）

第6章　固定資産及び減価償却

少額の減価償却資産等から除外される貸付用の資産とは

【問6-11】　貸付用の資産については、【問6-5】の少額の減価償却
資産、【問6-6】の一括償却資産、【問6-8】の中小企業者等の少
額減価償却資産に該当しないとのことですが、これらの規定の適
用対象から除外される貸付用の資産とは、どのようなものをいい
ますか。当社はメーカーですが、外注先に対して当社の製品の製
造に使用する機器を貸し付けています。この機器も貸付用となり、
上記の規定の適用を受けられないのでしょうか。

【答】　少額の減価償却資産（取得価額が10万円未満の減価償却資産）につい
ては、取得価額の全額をその資産を事業の用に供した日の属する事業年度に
損金の額に算入することができますし（法政令133①、【問6-5】参照）、一
括償却資産（取得価額が20万円未満の減価償却資産）については、その資産
を事業の用に供した事業年度から3年間で取得価額を損金算入することがで
きます。（法政令133の2①、【問6-6】参照）また、中小企業者等の場合、
少額減価償却資産（取得価額が30万円未満の減価償却資産）については、取
得価額の全額をその資産を事業の用に供した日の属する事業年度に損金の額
に算入することができます。（措法67の5①、【問6-8】参照）

　これらの規定について、令和4年4月1日以後に取得する資産から、貸付
け（主要な事業として行われるものを除きます。）の用に供した資産は、適
用対象から除外されることとされました。（法政令133①、133の2①、措法
67の5①、措政令39の28②）この趣旨は、建設用足場やドローン等、自社の
事業で使用しない少額の資産を大量に取得し、その資産を貸し付けることに
より、資産の取得価額を早期に損金算入し、益金と損金の算入時期の相違を
利用した過度の節税を図るスキームに対応するものです。したがって、課税
上弊害のないものについては、貸付用であっても、適用除外しないこととさ
れており、主要な事業として行われる貸付けは除外の対象とならないものと
されています。

　資産の貸付業（リース業、レンタル業等）を営む法人の貸付けは主要な事
業として行われる貸付けであることに疑問はありませんが、次の①～④の貸
付けも主要な事業として行われる貸付けに該当するものとされています。（法

（331）

政令133②、法規則27の17、法政令133の２⑬、法規則27の17の２、措法67の
５①、措政令39の28②③、措規則22の18）

① 資産を取得した法人との間に特定関係(注)がある法人の事業の管理及び
運営を行う場合に、その法人に対する資産の貸付け

(注) 特定関係とは、一の者が法人の事業の経営に参加し、事業を実質的に支配し、
又は株式若しくは出資を有する場合におけるその一の者と法人との間の関係
（以下「当事者間の関係」といいます。）、一の者との間に当事者間の関係があ
る法人相互の関係その他これらに準じる関係をいいます。

② 資産を取得した法人に対して資産の譲渡又は役務の提供を行う者のその
資産の譲渡又は役務の提供の事業の用に専ら供する資産の貸付け

③ 継続的に資産を取得した法人の経営資源(注)を活用して行い、又は行う
ことが見込まれる事業としての資産の貸付け

(注) 経営資源とは、事業の用に供される設備（貸付けの用に供する資産を除きま
す。）、事業に関する従業者の有する技能又は知識（租税に関するものを除きま
す。）その他これらに準じるものをいいます。

④ 資産を取得した法人が行う主要な事業に付随して行う資産の貸付け

また、上記①〜④に含まれる行為として、以下のものが例示されています。

（基通７-１-11の３、措通67の５-２の３）

①に含まれるもの……企業グループ内の各法人の営む事業の管理運営を行
っている法人が各法人で事業の用に供する減価償却資産の調達を一括して行
い、企業グループ内の他の法人に対して調達した減価償却資産を貸し付ける
行為

②に含まれるもの……法人が自己の下請業者に対して、下請業者の専らそ
の法人のためにする製品の加工等の用に供される減価償却資産を貸し付ける
行為

③に含まれるもの……小売業を営む法人が小売店の駐車場の遊休スペース
を活用して自転車その他の減価償却資産を貸し付ける行為

④に含まれるもの……不動産貸付業を営む法人が貸し付ける建物の賃借人
に対して、家具、電気機器その他の減価償却資産を貸し付ける行為

(注) 資産の貸付け後に譲渡人（資産を貸し付けた法人に資産を譲渡した者）その
他の者がその資産を買い取り、又はその資産を第三者に買い取らせることをあ
っせんする旨の契約が締結されている場合（貸付けの対価の額及び資産の買取

第6章　固定資産及び減価償却

りの対価の額の合計額が資産を貸し付けた法人のその資産の取得価額のおおむ
ね90％を超える場合に限ります。）、その貸付けは主要な事業として行われる貸
付けに該当しないものとされます。（法規則27の17②、措規則22の18）

　なお、法人が減価償却資産を貸付けの用に供したかどうかは、その減価償
却資産の使用目的や使用状況等を総合勘案して判定されるべきものですから、
例えば、一時的に貸付けの用に供した減価償却資産について、その事実のみ
をもって貸付けの用に供したものに該当するとは判定しません。（基通7‐1
‐11の2）

　御質問のケースは、上記②に該当し、その貸付けは主要な事業として行わ
れる貸付けに該当しますので、貸し付けている減価償却資産は、少額減価償
却資産等の規定の適用から除外されることはありません。

圧縮記帳により取得価額が10万円未満となった減価償却資産

> 【問6‐12】　減価償却資産について交付を受けた国庫補助金等の金
> 　額を損金経理により圧縮記帳した結果、当該減価償却資産の取得
> 　価額が10万円未満となった場合、その資産は少額の減価償却資産
> 　とすることができますか。

【答】　減価償却資産の取得価額を規定した法人税法施行令第54条は、その第
3項において、「減価償却資産につき、法人税法第42条から第50条までの規
定（法人税法上の圧縮記帳の規定）により各事業年度の所得の金額の計算上
損金の額に算入された金額がある場合には、当該減価償却資産の取得価額か
ら当該損金算入された金額を控除した金額に相当する金額をもって、当該資
産の取得価額とみなす」と規定しています。そして、法人税法施行令の下記
の条文の規定において、法人税法上の圧縮記帳ごとに、圧縮記帳の規定の適
用を受けて取得した固定資産の取得価額には、当該圧縮記帳の規定により損
金算入された金額を算入しない旨が明記されています。

・第80条の2第1項……国庫補助金等で取得した固定資産等の取得価額

・第83条の3第1項……工事負担金で取得した固定資産等の取得価額

・第87条の2第1項……保険金等で取得した固定資産等の取得価額

・第92条の2第1項……交換により取得した資産の取得価額

（333）

また、租税特別措置法上の圧縮記帳の規定の適用を受けたものについても、例えば租税特別措置法第65条の7第8項に「同条第1項の規定の適用を受けた買換資産について法人税法に関する法令の規定を適用する場合には、同項の規定により各事業年度の所得の金額の計算上損金の額に算入された金額は、当該買換資産の取得価額に算入しない」と規定されています。同様の取扱いは、租税特別措置法関係通達42の5〜48(共)-3の2（国庫補助金等の圧縮記帳の適用を受ける場合の取得価額）、同42の6-3（圧縮記帳の適用を受けた場合の特定機械装置等の取得価額要件の判定）等にもみられます。

　次に、少額の減価償却資産の取得価額の損金算入を定めた法人税法施行令第133条第1項は、そのかっこ書で、10万円未満かどうかを判定する取得価額は、「法人税法施行令第54条第1項各号の規定により計算した取得価額をいう。」としていますので、圧縮記帳後の価額が10万円未満であれば、少額の減価償却資産とすることができます。

　この場合、圧縮記帳の経理が減価償却資産の帳簿価額を減額する方法で行われているのか、積立金として積み立てる方法で行われているのかは問いませんが、少額の減価償却資産として費用処理する場合は、当該資産について積み立てた圧縮積立金は取り崩さなければなりません。

(注1)　上記法政令第133条第1項の規定が適用される減価償却資産の取得価額は、「次条第1項において同じ」とされ、一括償却資産の損金算入を規定した同令第133条の2にも準用されています。したがって、圧縮記帳による減額後の取得価額が20万円未満となった減価償却資産は、一括償却資産とすることができます。

(注2)　【問6-8】で説明した中小企業者等の少額減価償却資産の取得価額の損金算入の特例（措法67の5）は、収用等に伴い代替資産を取得した場合の課税の特例（措法64①）など租税特別措置法の規定による圧縮記帳の適用を受けるものには適用されません。（措政令39の28②二）しかし、法人税法の規定による圧縮記帳の適用を受けるものは適用除外されていませんので、前記した法人税法施行令第80条の2第1項等の規定での圧縮記帳による減額後の取得価額が30万円未満となった資産は、適用対象資産とすることができます。

（334）

第6章　固定資産及び減価償却

少額の減価償却資産の取得価額基準の判定に当たっての消費税等の額

> 【問6-13】　固定資産等の取得に当たっての消費税及び地方消費税
> （以下「消費税等」といいます。）を税込経理方式で処理してい
> る場合、少額の減価償却資産の取得価額基準の判定に当たっての
> 取得価額は、消費税等込みの価額とすべきですか。税抜経理方式
> で処理している場合と整合させるため、消費税等抜きの価額とす
> ることも認められますか。

【答】　少額の減価償却資産（法政令133）、一括償却資産（法政令133の2）
又は少額の繰延資産（法政令134）に該当するかどうかの金額基準を満たし
ているかどうかは、法人が適用している消費税等の経理方式により算定した
取得価額によって判定することとされています。（消費税関連通達9）

　固定資産等の取得に当たっての消費税等を税抜経理方式で処理していると
きは、消費税等は通過勘定となりますので、固定資産等の取得価額に含まれ
ません。一方、税込経理方式で処理しているときは、消費税等は取引の対価
に含まれますので、固定資産の取得価額に含まれます。したがって、税込経
理方式で処理した場合は税抜経理方式で処理した場合に比べて固定資産等の
取得価額が消費税等相当額だけ高くなり、税抜経理方式で処理すると10万円
未満となって少額の減価償却資産とすることができるものが、10万円以上と
なって、少額の減価償却資産とすることができないことが起こり得ます。

　租税特別措置法第67条の5の中小企業者等の少額減価償却資産及び租税特
別措置法に規定する特別償却等において定められている金額基準の判定につ
いても、この点は同じです。

（335）

減価償却資産の使用可能期間が1年未満かどうかの判定

> **【問6-14】** 特定製品のために専用する金型で次のものは、取得価額が10万円以上でも減価償却資産に計上しないことができますか。
> ① 特定製品のモデルチェンジの関係で、当初からその生産予定期間が1年未満と決まっている金型
> ② 使用予定度数が一般の金型よりも高く、その打抜予定回数からみて到底1年以上使用し得ないと見積もられる金型

【答】 使用可能期間が1年未満である減価償却資産とは、法人の属する業種（例えば、紡績業、鉄鋼業、建設業等の業種）において種類等を同じくする減価償却資産の使用状況、補充状況等を勘案して一般的に消耗性のものとして認識される減価償却資産で、その法人の平均的な使用状況、補充状況等（おおむね過去3年間の平均値を基準として判定します。）からみて、その使用可能期間が1年未満であるものをいいます。この場合、種類等が同じ減価償却資産のうちに、材質、型式、性能等が著しく異なるため、その使用状況、補充状況等も著しく異なるものがあるときは、当該材質、型式、性能等の異なるものごとに判定することができます。（基通7-1-12）

この取扱いに示されているように、使用可能期間は償却限度額を定める法定耐用年数と異なり、その法人の平均等な使用状況、補充状況等によって判定しますので、法定耐用年数よりも短くなることがあり得ます。

金型のなかには、業種によっては消耗性の減価償却資産と認識されるものがあるでしょうが、御質問の金型は、①、②ともに今後の生産予定期間又は生産予定度数によって使用可能期間を1年未満と推定されているだけで、使用開始後に生産予定が変更されることもありますので、予定のみで使用可能期間を判定することはできません。貴社の金型の一般的な使用可能期間が、過去の実績からみて1年以上であるならば、使用予定期間が1年未満であっても、減価償却資産としなければなりません。

なお、特定の製品の生産のために専用されていた金型で、当該製品の生産中止により将来使用される可能性のほとんどないことがその後の状況等からみて明らかなものは、たとえ廃棄をしていない場合であっても、その帳簿価額から処分見込価額を控除した金額を除却損として損金の額に算入すること

（336）

第6章　固定資産及び減価償却

ができます。(基通7-7-2(2)、【問6-61】参照)

事業の用に供した事業年度に減価償却資産に計上した少額の減価償却資産等

> 【問6-15】　事業の用に供した事業年度に減価償却資産に計上した
> 取得価額10万円未満の資産の帳簿価額を、その翌事業年度に少額
> の減価償却資産として消耗品費等へ振り替えることができますか。
> また、当該減価償却資産の取得価額が20万円未満の場合、その翌
> 事業年度に一括償却資産とすることができますか。

【答】　取得価額10万円未満の資産を取得した場合は、その事業の用に供した
日の属する事業年度において損金経理をしたときに限り、損金の額に算入す
ることができます。(法政令133①)

　事業の用に供した日の属する事業年度に損金経理をしなかったときは、法
人が減価償却資産として認識したことになりますので、その後の事業年度に
おいてその帳簿価額を消耗品費等に振り替えて、少額の減価償却資産として
損金の額に算入することはできません。消耗品等に振り替えても、減価償却
資産として、そのうちの償却限度額だけが損金の額に算入されます。

　これと同様に、事業の用に供した日の属する事業年度において一括償却資
産の損金算入の規定(法政令133の2)に定める方法を選定しなかった取得
価額が20万円未満の減価償却資産は、以後の事業年度においてその帳簿価額
を一括償却資産として、当該規定に定める方法を選定することに変更するこ
とはできません。中小企業者等の少額減価償却資産の取得価額の損金算入の
特例の規定(措法67の5)の適用が受けられる少額減価償却資産を、事業の
用に供した日を含む事業年度において減価償却資産に計上した場合も、同じ
です。

(337)

償却費として損金経理をした金額の意義

> 【問6-16】 消耗品費として費用に計上していた小型自動車を税務調査で減価償却資産の取得として否認された場合、更正される金額はその取得価額（100万円）の全額ですか。取得後否認される事業年度の直前事業年度終了の日までの間の減価償却費を差し引いた金額ですか。

【答】 減価償却資産についてその償却費として各事業年度の所得の金額の計算上損金の額に算入される金額は、法人が当該事業年度においてその償却費として損金経理をした金額のうち、償却限度額に達するまでの金額です。(法31①)

　御質問の場合は、小型自動車を取得したとき消耗品費として費用に計上しており、償却費として損金経理していません。したがって、取得後事業年度終了の日までの間の償却費は、更正による所得の金額の計算に当たって損金の額に算入されず、取得価額100万円の全額が否認されます。税務調査が2事業年度以上にわたって行われた場合、直前事業年度前の事業年度において更正された金額は、その後の事業年度においても償却費の損金算入が認められません。

　これについて、償却費の科目をもって損金経理していなくても、下記のⅠ及びⅡに掲げるものについて損金経理をした金額は、償却費として損金経理した金額に含まれるとされています。御質問にある小型自動車は、取得価額が100万円のため下記Ⅰの⑥の取扱いが適用されず、消耗品費として費用に計上した金額は、償却費として損金経理した金額に含まれません。

Ⅰ　法人税基本通達7-5-1に掲げられているもの

① 法人税法施行令第54条第1項（減価償却資産の取得価額）の規定により減価償却資産の取得価額に算入すべき付随費用の額のうち、原価外処理をした金額

② 減価償却資産について法人税法又は租税特別措置法の規定による圧縮限度額を超えてその帳簿価額を減額した場合のその超える部分の金額

③ 減価償却資産について支出した金額で修繕費として経理した金額のうち、法人税法施行令第132条（資本的支出）の規定により損金の額に算入されなかった金額

④ 無償又は低い価額で取得した減価償却資産につきその取得価額として

（338）

第6章　固定資産及び減価償却

法人の経理した金額が税法の規定する取得価額に満たない場合のその満たない金額

⑤　減価償却資産について計上した除却損又は評価損の金額（法人が計上した減損損失の金額を含みます。）のうち、損金の額に算入されなかった金額

⑥　少額な減価償却資産（おおむね60万円以下）又は耐用年数が３年以下の減価償却資産の取得価額を消耗品費等として損金経理をした場合のその損金経理をした金額

⑦　法人税法施行令第54条第１項の規定によりソフトウエアの取得価額に算入すべき金額を研究開発費として損金経理した場合のその損金経理をした金額

　上記の①～④は、例えば、①の場合本体部分の取得価額が資産に計上されているように、その減価償却資産が資産に計上されており、簿外資産となっていません。税法が償却費として損金経理していることを要求するのは、例えば、贈与を受けたがその受入れの処理をしていない資産とか、売上げを除外した資金で取得した資産の償却費で、このような資産についてまで償却費の損金算入を認めるのは好ましくないからです。このため、本体部分が資産に計上されている場合は、例えば、資本的支出に該当する金額が修繕費として経理されていても、当該修繕費を償却費として損金経理をした金額に含めますので、資本的支出の金額として更正されるときは、そのうちの償却限度額相当額は損金の額に算入されます。

　一方、⑤については除却損又は評価損の処理が税務上認められるのかどうか、⑥については減価償却資産とすべきかどうかについて見解の相違があり得ること、⑦については研究開発費等会計基準による処理方法との調整が必要なこと（【問６-３】参照）から設けられたものであり、法人税基本通達７-５-１は、企業会計の実務と税法の取扱いとの調整を図ったものといえます。

なお、簿外資産についても、法人が自発的に当該資産を事業の用に供した事業年度の確定申告書又は修正申告書（更正又は決定があるべきことを予知して提出された期限後申告書及び修正申告書を除きます。）に添付した「減価償却資産の償却額の計算に関する明細書」に償却費として損金経理しなかった金額を記載して申告調整をしているときは、その記載した金額は、償却

（339）

費として損金経理をした金額に該当するものとして取扱われます。（基通7-5-2、【問6-17】参照）

Ⅱ リース取引に係るもの

① 法人税法第64条の2第1項の規定により売買があったものとされたリース資産について、賃借人が賃借料として損金経理した金額（法政令131の2③前段、【問2-36】参照）

② 法人税法第64条の2第2項の規定により金銭の貸付けがあったものとされた場合、賃貸に係る資産につき譲渡人が賃借料として損金経理した金額（同後段、【問2-38】参照）

(注) この規定により償却費として損金経理した金額に含まれるものとされる金額については、申告書に減価償却に関する明細書を添付しなければならないという要件が除外されていますので（法政令63①かっこ書）、「減価償却資産の償却額の計算に関する明細書」に簿外資産についての償却限度額、当該償却限度額等の記載をする必要はありません。

申告調整により償却限度額を損金算入する場合の申告書の記載方法

> **【問6-17】** 【問6-16】の小型自動車について、確定申告書に添付した「減価償却資産の償却額の計算に関する明細書」に償却限度額を記載し、償却超過額の申告調整をする場合の申告書（当該明細書）の記載方法を、具体例で教えてください。

【答】 【問6-16】のⅠのなお書で説明しましたように、法人が消耗品費等として処理した簿外資産について、その資産を事業の用に供した事業年度の確定申告書又は修正申告書に添付した「減価償却資産の償却額の計算に関する明細書」の当期償却額の欄に消耗品費等として処理した金額を記載し、償却超過額の計算をして申告調整しているときは、その記載した金額は償却費として損金経理をした金額に該当するものとして取り扱われます。（基通7-5-2）贈与によって取得した減価償却資産の取得価額の全部を資産に計上せず、償却超過額の計算をして申告調整しているときも、同じです。

(注) 贈与により取得した減価償却資産の価額が10万円未満の場合、消耗品費／受贈益の処理をしなくても、少額の減価償却資産の取得価額を損金経理したもの

（340）

第6章　固定資産及び減価償却

として、法人税法施行令第133条第1項の規定（【問6-5】参照）を適用することができます。（基通7-5-2（注））当該減価償却資産の価額が30万円未満の場合、租税特別措置法第67条の5の規定の適用対象法人について、上記と同様に当該規定の適用を受けることができるのかどうか明示された通達はありませんが、確定申告書等に添付する少額減価償却資産の取得価額の損金算入の特例に関する明細書（別表十六(七)）に当該資産を記載しているならば、適用が受けられると思われます。

〔事例〕

　3月31日決算の法人が、令和6年10月に取得した小型自動車100万円を消耗品費とした場合は、令和7年3月期の法人税申告書の別表十六(二)に次ページの（Ⅰ）のように記載して、償却超過額750,000円を別表四で加算調整します。その翌事業年度の令和8年3月期には、前事業年度から繰り越した償却超過額750,000円が償却費として損金経理した金額に含まれますので、そのうちの償却限度額750,000円×0.500＝375,000円について、償却超過額の損金認容をすることができます。（法31④）

　令和8年3月期の別表十六(二)は、次ページの（Ⅱ）のようになります。

(注1)　次ページの別表十六(二)のⅠの㉖調整前償却額の欄にかっこ書で記載している500,000円は、⑱1,000,000円×㉕0.500の金額で、㉘に記載する償却保証額との比較をするために計算し記載するものです。

(注2)　適格組織再編成により被合併法人等から移転を受けた減価償却資産について、被合併法人等における損金経理額（適格分社型分割、適格現物出資又は適格現物分配の場合は分割法人等が期中損金経理額として帳簿に記載した金額及び分割等事業年度前の各事業年度における損金経理額）のうち損金の額に算入されなかった金額についても、上記の「前期から繰り越した償却超過額」と同様に取り扱われます。（法31④）

（341）

（Ⅰ）旧定率法又は定率法による減価償却資産の償却額の計算に関する明細書

区分	項目	No.	金額
資産区分	種類	1	車両及び運搬具
	構造	2	前掲atab以外のもの
	細目	3	自動車,小型車
	取得年月日	4	令6・10・1
	事業の用に供した年月	5	令6・10
	耐用年数	6	4年
取得価額	取得価額又は製作価額	7	外 1,000,000円
		8	
	差引取得価額 (7)-(8)	9	1,000,000
償却額計算の基礎となる額	償却額計算の対象となる期末現在の帳簿記載金額	10	0
	期末現在の積立金の額	11	
	積立金の期中取崩額	12	
	差引帳簿記載金額 (10)-(11)-(12)	13	外△ 0
	損金に計上した当期償却額	14	1,000,000
	前期から繰り越した償却超過額	15	外
	合計 (13)+(14)+(15)	16	1,000,000
	前期から繰り越した特別償却不足額又は合併等特別償却不足額	17	
	償却額計算の基礎となる金額 (16)-(17)	18	1,000,000
当期分の普通償却限度額等	差引取得価額×5% (9)×5/100	19	
	旧定率法の償却率	20	
	算出償却額 (18)×(20)	21	
	増加償却額 (21)×割増率	22	( )
	計 (21)+(22)	23	
	算出償却額 (18-1円)×...	24	
	定率法の償却率	25	0.500
	調整前償却額 (18)×(25)	26	(500,000×5/12) 250,000円
	保証率	27	0.12499
	償却保証額 (9)×(27)	28	124,990円
	改定取得価額	29	
	改定償却額	30	
	改定償却額	31	円
	増加償却額 (29又は31)×割増率	32	( )
	(26又は31)+(32)	33	250,000
	当期分の普通償却限度額等 (23)、(24)又は(33)	34	250,000
当期分の特別償却限度額	租税特別措置法適用条項	35	条 項 ( )
	特別償却限度額	36	外 円
	前期から繰り越した特別償却不足額又は合併等特別償却不足額	37	
	計 (34)+(36)+(37)	38	250,000
	当期償却額	39	1,000,000
差引	償却不足額 (38)-(39)	40	
	償却超過額 (39)-(38)	41	750,000
償却超過額	前期からの繰越額	42	外
	当期損金認容額 償却不足によるもの	43	
	積立金取崩しによるもの	44	
	差引合計翌期への繰越額 (41)+(42)-(43)-(44)	45	750,000
特別償却不足額	翌期に繰り越すべき特別償却不足額	46	
	当期において切り捨てる特別償却不足額又は合併等特別償却不足額	47	
	差引翌期への繰越額 (46)-(47)	48	
	翌期への繰越額	49	
	当期分不足額	50	
	適格組織再編成により引き継ぐべき合併等特別償却不足額 ((40)-(43))と(36)のうち少ない金額	51	
備考			

（Ⅱ）旧定率法又は定率法による減価償却資産の償却額の計算に関する明細書

区分	項目	No.	金額
資産区分	種類	1	車両及び運搬具
	構造	2	前掲のもの以外のもの
	細目	3	自動車,小型車
	取得年月日	4	令6・10・1
	事業の用に供した年月	5	令6・10
	耐用年数	6	4年
取得価額	取得価額又は製作価額	7	外 1,000,000円
		8	
	差引取得価額 (7)-(8)	9	1,000,000
償却額計算の基礎となる額	償却額計算の対象となる期末現在の帳簿記載金額	10	0
	期末現在の積立金の額	11	
	積立金の期中取崩額	12	
	差引帳簿記載金額 (10)-(11)-(12)	13	外△ 0
	損金に計上した当期償却額	14	0
	前期から繰り越した償却超過額	15	外 750,000
	合計 (13)+(14)+(15)	16	750,000
	前期から繰り越した特別償却不足額又は合併等特別償却不足額	17	
	償却額計算の基礎となる金額 (16)-(17)	18	750,000
当期分の普通償却限度額等	差引取得価額×5% (9)×5/100	19	
	旧定率法の償却率	20	
	算出償却額 (18)×(20)	21	円
	増加償却額 (21)×割増率	22	( )
	計 (21)+(22)	23	
	算出償却額 (18-1円)×...	24	
	定率法の償却率	25	0.500
	調整前償却額 (18)×(25)	26	375,000円
	保証率	27	0.12499
	償却保証額 (9)×(27)	28	124,990円
	改定取得価額	29	
	改定償却額	30	
	改定償却額	31	円
	増加償却額 (29又は31)×割増率	32	( )
	(26又は31)+(32)	33	375,000
	当期分の普通償却限度額等 (23)、(24)又は(33)	34	375,000
当期分の特別償却限度額	租税特別措置法適用条項	35	条 項 ( )
	特別償却限度額	36	外 円
	前期から繰り越した特別償却不足額又は合併等特別償却不足額	37	
	計 (34)+(36)+(37)	38	375,000
	当期償却額	39	0
差引	償却不足額 (38)-(39)	40	375,000
	償却超過額 (39)-(38)	41	
償却超過額	前期からの繰越額	42	外 750,000
	当期損金認容額 償却不足によるもの	43	375,000
	積立金取崩しによるもの	44	
	差引合計翌期への繰越額 (41)+(42)-(43)-(44)	45	375,000
特別償却不足額	翌期に繰り越すべき特別償却不足額	46	
	当期において切り捨てる特別償却不足額又は合併等特別償却不足額	47	
	差引翌期への繰越額 (46)-(47)	48	
	翌期への繰越額	49	
	当期分不足額	50	
	適格組織再編成により引き継ぐべき合併等特別償却不足額 ((40)-(43))と(36)のうち少ない金額	51	
備考			

第6章　固定資産及び減価償却

第2節　固定資産の取得価額

土地とともに取得した建物を取り壊した場合

> 【問6-18】　建物付きの土地を取得しました。建物を使用してみましたが使い勝手が悪く、取り壊して建て替えることにしました。取得してから取り壊すまで1年経過していません。このような場合でも、建物の帳簿価額と取壊し費用の合計額を、土地の取得価額に振り替えなければなりませんか。

【答】　法人が建物等の存する土地（借地権を含みます。以下同じ。）を建物等とともに取得した場合又は自己の有する土地の上に存する借地人の建物等を取得した場合において、その取得後おおむね1年以内に当該建物等の取壊しに着手する等、当初からその建物等を取り壊して土地を利用する目的であることが明らかであると認められるときは、当該建物等の取壊しの時における帳簿価額及び取壊し費用の合計額（廃材等の処分によって得た金額がある場合は、当該金額を控除した金額）は、土地の取得価額に算入するとされています。（基通7-3-6）

　この取扱いは、次の場合にも適用されます。

イ　借地権とともに取得した建物等を取り壊した場合の借地権の取得価額の計算

ロ　自己の所有する土地を貸している場合に、その土地の上に存する借地人の建物等を取得しこれを取り壊したときの土地の取得価額の計算

　御質問の場合は取得時には建物を使用するつもりだったのですから、使用してみたところ使い勝手が悪く建て替えることに方針を変更したときは、たとえ取得してから取り壊すまでの期間が1年以内であっても、この通達は適用されません。その場合、取得時には当該建物を取り壊さずに使用する予定だったことを、当該土地建物の購入を決めた取締役会の議事録、稟議書、経営計画書等で明らかにするとともに、使用後取り壊すことに方針を変更した経緯書も整備しておくべきでしょう。

　（注）　上記の基通7-3-6の適用がある場合、建物等の取得に係る消費税等について仕入税額控除をすることができるのかどうかですが、上記の通達により土地

（343）

の取得価額に算入される部分の金額についても、建物の取得という課税仕入れ
はあったのですから、仕入税額控除をすることができます。なお、建物等を売
主の負担で取壊し、かつ、滅失登記までするような場合は、たとえ売買契約書
に建物等の売買価額が土地の売買価額と区分して記載されていても、実質的に
建物等の取得はないのですから、建物等の売買価額に係る消費税等について仕
入税額控除をすることはできません。

固定資産の取得価額に算入すべき公害補償金

> **【問6-19】** 次のような公害補償金を支出した場合、税務上のどのよ
> うに取り扱われますか。
> ① 高層ビルの建築に当たって近隣の居住者に支払った日照妨害
> による損害補償金
> ② 工場新設に伴い、今後予想される公害に対して協定によって
> 毎年支払うこととなった補償金

【答】 法人が工場、ビル、マンション等の建設に伴って支出する住民対策費、
公害補償費等の費用（宅地開発等に際して支出する開発負担金等で、【問6
-20】の②及び③に該当するものを除きます。）の額で当初からその支出が予
定されているものは、たとえその支出が工場等の建設後に行われるものであ
っても、当該工場等の建設のために不可欠のものですので、その取得価額に
算入することとされています。（基通7-3-7後段）

　したがって、御質問の①の日照妨害による損害補償金は、建物の取得価額
に算入することになります。高層ビルの建築に伴って近隣にテレビの電波障
害が生ずるため、当該建物の屋上に共同聴視装置を設置した場合の費用も、
一種の補償金の支出ですので、同じです。

> **(注)** 住民パワーによって建設工事が遅延したため、資材の保管のために借地料、
> 倉庫料等に特別の支出が生じたときは、これらの費用は異常原因に基づいて支
> 出するものですので、固定資産の取得価額に算入しないことができます。

　しかし、②のように固定資産の取得時に一時に支出するものでなく、取得
後毎年支払うこととなる補償金は、取得後に発生する公害に対する補償金を
毎年支払うもので、その金額を予測することができず、公害による損失の発

第6章　固定資産及び減価償却

生状況をみながら今後折衝してきめられるものがあると思われます。したがっ
て、支払の都度（折衝によって補償金の額が債務として確定するときはそ
の都度）損金の額に算入することができます。（基通7−3−7後段かっこ書）

建物の建築許可に関連して徴収される開発負担金等

> **【問6−20】**　市に建物の建築許可申請をしたところ、市の公園の整
> 備のための開発負担金と上水道及び下水道の負担金の支出を求め
> られました。いずれも建物の建築に当たって要する費用として、
> その取得価額に算入すべきことになりますか。

【答】　法人税基本通達7−3−11の2に、土地、建物等の造成又は建築等（以
下「宅地開発等」といいます。）の許可を受けるために地方公共団体に対し
てその宅地開発等に関連して行われる公共的施設等の設置又は改良の費用に
充てるものとして支出する負担金等（これに代えて提供する土地又は施設を
含み、純然たる寄附金の性質を有するものを除きます。）の額の取扱いが、
次のとおり示されています。

① 　団地内の道路、公園又は緑地、公道との取付道路、雨水調整池（流下水
　路を含みます。）等のように直接土地の効用を形成すると認められる施設
　に係る負担金等の額……その土地の取得価額に算入します。

② 　上水道、下水道、工業用水道、汚水処理場、団地近辺の道路（取付道路
　を除きます。）等のように土地又は建物等の効用を超えて独立した効用を
　形成すると認められる施設で、支出する法人の便益に直接寄与すると認め
　られるものに係る負担金等の額……それぞれの施設の性質に応じて、無形
　減価償却資産の取得価額又は繰延資産とします。（【問7−10】参照）

③ 　団地の周辺又は後背地に設置されるいわゆる緩衝緑地、文教福祉施設、
　環境衛生施設、消防施設等のように主として団地外の住民の便益に寄与す
　ると認められる公共的施設に係る負担金等の額……繰延資産とし、その償
　却期間は8年とします。

　御質問の場合は、次のとおりになります。

(1) 　市の公園整備のための開発負担金……建築許可申請をする建物が例えば
　大規模なマンションのため、市がその入居者も利用できる公園の整備を企

（345）

画してその開発負担金を徴収するような場合は、上記の③に該当し、公共的施設に係る負担金として繰延資産となります。建物の建築と公園の整備との間にこのような関係がないときは、地方公共団体に対する純然たる寄附金として、損金算入することができます。

なお、上記の①に施設に係る負担金が例示され、土地の取得価額に算入すべきことが示されていますが、土地の造成許可を受けるに当たっての団地内の施設の整備に係る負担金であり、当該土地が当該施設の整備により一般的効用を具備することとなるものです。御質問の場合は、建物の建築許可を受けるに当たってのものですので、土地の取得価額に算入しませんし、建物の効用と関係のない支出ですので、建物の取得価額に算入すべきものでもありません。

(2) 上水道及び下水道の負担金……上水道の負担金は、建物の新築に当たって上水道の供給をその事業者である市から受けるために支出するものですので、無形減価償却資産の水道施設利用権（耐用年数15年）の取得価額に算入します。下水道の負担金は、税法上その取扱いに関する明文規定はありませんが、法人が下水道法第2条第3号に規定する公共下水道を使用する排水設備を新設し、又は拡張するに当たり、公共下水道管理者に対してその新設又は拡張により必要となる公共下水道の改築に要する費用を負担するときは、その負担金の額は、水道施設利用権に準じて取り扱うとされていますので、上水道の負担金と同じ処理をします。（基通7-1-8）

なお、上記②において、上水道及び下水道の負担金はその施設の性質に応じて繰延資産とすることもあるとされていますが、地方公共団体が都市計画事業その他これに準ずる事業として公共下水道を設置する場合、その設置により著しく利益を受ける土地所有者が都市計画法その他の法令の規定に基づき負担する受益者負担金がこれに該当し、その償却期間は6年とされています。（基通8-2-5）これは、公共下水道の設置に当たって地域住民全体に求められる受益者負担金についてのものですので、御質問の建物新築の場合の負担金は、これに該当しません。

第6章　固定資産及び減価償却

建設工事の工期短縮に伴って支払う値増金又は工期遅延を理由に受領する違約金の取扱い

【問6-21】　大阪支社の建物を建設会社に発注して建て替えており、その建築期間中大阪支社は別のビルを賃借して業務を営んでいます。当該建物は、10月末日に完成して引渡しを受ける契約でしたが、営業の都合で8月末日まで2月間工期を短縮してほしい旨を依頼したところ、値増金を請求されました。2月早く建て替え後の建物に移転できれば賃借中のビルの家賃等が削減できますので、この請求に応じることにしましたが、当該値増金は建物の取得価額に算入する必要がありますか。

　逆に、建設会社の都合で工期が遅延したため違約金を請求して受領したときは、請負代金の値引きとして建物の取得価額から控除することができますか。

【答】　まず、建設会社に工期短縮を依頼した結果支払うこととなった値増金は、当該建物の取得に要した費用の一環ですので、その取得価額に算入しなければなりません。御質問の場合、仮移転中のビルの賃借期間が短縮して家賃が削減できたとしても、値増金は家賃ではありませんので、削減できた家賃の代替として支出時に損金算入することはできません。

　一方、建設会社の都合で工期遅延となったことに伴い受領する違約金には、請負代金の値引きという性格と、遅延に伴う損害補償という性格とがあると思います。前者であれば建物の取得価額から控除することができますが、後者であれば建物の取得価額から控除せず、収益に計上すべきことになります。違約金がこのいずれに該当するのか、混合する場合前者と後者にそれぞれいくらずつ配分するのかは、事実に即して判断するしかありませんが、例えば仮移転中のビルの賃借期間の延長に伴う家賃の増加額相当額を請求して受領したようなときは、その受領金は遅延に伴う損害賠償金に該当しますので、収益に計上すべきことになります。

　建物の取得価額から控除するときは、建設業者との覚書等で値引きである旨を明確にしておくべきでしょう。

（347）

減価償却資産について取得した事業年度後に値引きを受けた場合

> 【問6-22】　減価償却資産についてその取得をした事業年度後に値引きを受けた場合、その時の帳簿価額から値引きを受けた金額を全額控除してもよろしいですか。それとも、過年度の減価償却費に対応する部分の金額について、何らかの調整計算が必要ですか。

【答】　法人の有する固定資産について値引き、割戻し又は割引（以下「値引き等」といいます。）があった場合には、その値引き等のあった日の属する事業年度の確定した決算において、次の算式で計算した金額の範囲内で当該固定資産の帳簿価額を減額することができます。（基通7-3-17の2）

$$値引き\atop 等の額 \times \frac{値引き等の直前における当該固定資産の帳簿価額}{値引き等の直前における当該固定資産の取得価額}$$

　法人の有する固定資産について受けた値引き等の金額は、その取得価額から控除することができますが、当該固定資産について前事業年度までに計上した減価償却費のうちこの値引き等の金額に対応する部分の金額は、当該減価償却費の修正額として、調整計算をしなければならないわけです。

〔事例〕

　前事業年度中の令和5年10月に1,000千円で取得した器具備品（耐用年数4年、前事業年度に計上した減価償却費1,000千円×0.500×$\frac{6}{12}$＝250千円）について、当事業年度（令和7年3月期）に200千円の値引きを受けた場合、その仕訳は次のとおりになります。

現　　　　金	200,000円	器 具 備 品	150,000円
		雑 　収 　益	50,000円

　貸方の「器具備品150,000円」は、上記の算式により、次のとおり計算した金額です。

$$200,000円 \times \frac{1,000,000円 - 250,000円}{1,000,000円} = 150,000円$$

　貸方の「雑収益50,000円」は、次のとおり計算した金額です。

$$\underset{(既計上の減価償却費)}{250,000円} \times \frac{\overset{(値引きを受けた金額)}{200,000円}}{\underset{(値引き前の取得価額)}{1,000,000円}} = 50,000円$$

（348）

第6章　固定資産及び減価償却

上記の器具備品の当事業年度における償却限度額は、次のとおりです。

・値引き後における前事業年度末の未償却残高

1,000,000円（当初の取得価額）－250,000円（前事業年度の減価償却費）－
150,000円（値引きによる帳簿価額の減少額）＝600,000円

（800,000円（値引き後の取得価額）－800,000円×0.500×$\frac{6}{12}$＝600,000円）

・償却限度額　600,000円×0.500＝300,000円

償却保証額は、800,000円（値引き後の取得価額）×0.12499（耐用年数4年の
保証率）＝99,992円ですので、償却限度額は、上記の300,000円となります。

（注1） 当該固定資産が圧縮記帳の適用を受けたものであるときは、前記の算式の
分母及び分子の金額は、その圧縮記帳後の金額によります。（同通達（注）1）

（注2） 当該固定資産について直前事業年度に特別償却不足額（特別償却準備金の
積立不足額を含みます。）があるときのこれらの不足額の修正については、
【問6-78】を参照してください。

工場の建物の建設期間中の借入金の利子

【問6-23】　工場の建物の新築に当たって、その建築工事を発注し
た建設会社の当該工事に伴う借入金の利子を当社が負担して支払
った場合、支払利息として損金の額に算入することができますか。

【答】　固定資産の取得価額には、その資産の購入の代価だけでなく、購入の
ために要した一切の費用が含まれますが、その取得をするために借り入れた
借入金の利子の額は、たとえ当該固定資産の使用開始前の期間に係るもので
あっても、当該固定資産の取得価額に算入しないことができます。（基通7-
3-1の2）支払利息、割引料等のいわゆる財務費用は、原価計算基準でも
経営目的に関連しない価値の減少として非原価項目とされていますので、当
該支払利息等の元本債務によって調達した資金で購入した資産に係るもので
あっても、当該支払利息等の当該資産の取得価額への算入は要しません。

（注） 借入金の利子の額を建設中の固定資産に係る建設仮勘定に含めたときは、当
該利子の額は固定資産の取得価額に算入されたことになりますので、建設仮勘
定から完成した固定資産へ振り替えるときに、支払利息として損金の額に算入
することはできません。したがって、借入金の利子は、当初から費用計上して

（349）

おくことが必要です。（基通7-3-1の2（注））ただし、借入金の利子の額を
建設仮勘定に含める経理をした事業年度中であれば、当該経理処理を訂正し、
当該事業年度の決算において当該利子の額を期間費用とすることができます。

しかし、この取扱いは、法人が金融機関からの借入れや社債の発行等によ
って、固定資産取得のための資金を調達している場合についてのものです。

御質問の場合、なぜ貴社が工場の建物の建築工事を発注した建設会社の借
入金の利息を負担されたのかわかりませんが、一般の取引慣行では建設会社
が利息を負担したうえで、建築代金に含めて貴社に請求されるものです。貴
社は建築代金の一部を支払利息という名目で支払ったと考えるべきですから、
御質問の支払利息は、固定資産の取得価額に算入しなければなりません。

なお、貴社が建設会社に早期に支払うために金融機関等から借入れを行い、
建設会社から早期支払いによる建築代金の値引きを受けたときは、借入金の
利息について損金算入が認められ、建設会社から受ける値引き額は、固定資
産の取得価額から控除することができます。

割賦購入資産に係る割賦期間中の利息の取扱い

> **【問6-24】** 割賦販売契約によって購入する固定資産の取得価額に
> は、割賦期間中の利息相当額を含めないことができる旨が通達に
> 示されていますが、当該固定資産を取得する前から割賦によって
> 購入代金の一部を販売業者に積み立てている場合の利息も、同じ
> 取扱いになりますか。

【答】 固定資産を割賦販売契約（延払条件付譲渡契約を含みます。）によっ
て購入するに当たり、契約において購入代価と割賦期間分の利息及び売手側
の代金回収のための費用等に相当する金額とが明らかに区分されているとき
は、当該利息及び費用相当額は、当該固定資産の取得価額に含めないことが
できます。（基通7-3-2）この取扱いは、当該利息が割賦代金の未払金の
額に対応しないアドオン方式（利息の総額を各支払期に均等配分する方法）
の場合にも適用されます。

御質問にある割賦期間が当該固定資産の取得前に開始している場合の取得
前の期間に係る利息の取扱いは、通達で示されていませんが、事例が少ない

（350）

第6章　固定資産及び減価償却

ためでしょう。したがって、私見になりますが、取得前の期間に係るもので
も利息に相違ありませんし、固定資産を取得するために借入れた借入金の利
子の額は、たとえ固定資産の使用開始前の期間に係るものであっても、当該
固定資産の取得価額に算入しないことができるという取扱いがありますので
（基通7-3-1の2）、法人が割賦支払額のうちの購入代金に対応する金額
だけを固定資産の取得価額に算入し、割賦利息相当額を費用処理している場
合は、そのまま認められると考えます。

賃借中の建物を買い取ったときの借家権利金の未償却残額の処理

> **【問6-25】**　3年前に200万円の権利金を支払って賃借している建物
> を、買い取ることにしました。賃借した時に家主に支払った借家
> 権利金（償却期間5年）の未償却残額が80万円ありますが、この
> 金額は買い取る建物の取得価額に加えなければなりませんか。

【答】　購入した減価償却資産の取得価額は、当該資産の購入の代価と当該資
産を事業の用に供するために直接要した費用の額の合計額と規定されていま
す。（法政令54①一）

　御質問の権利金は、3年前にその建物を賃借するために要した費用であり、
その建物を取得するための購入の代価又はその取得に当たって事業の用に供
するために直接要した費用ではありません。借家権利金は税法上繰延資産と
して資産に計上し、通常償却期間を5年として償却しなければならないとさ
れているのは（法政令14①六ロ、基通8-2-3）、借家権利金の支出の効果
が借家期間中に及ぶからです。当該建物の買取りによって借家契約は解約に
なり、以後借家権利金としての効果がなくなりますので、当該借家権利金の
未償却残額は、解約があった日の属する事業年度において、全額損金の額に
算入することができます。（基通8-3-6）

　建物の賃借権は債権で、借地権のような物権的保護が与えられていません
ので、建物の賃借に当たって借家権利金の支払をしても、賃借建物に対する
物権的権利の取得はしていません。建物の所有者が賃借人に賃貸物件を譲渡
する場合、第三者に譲渡する場合よりも譲渡価額を低くするのは、借家権利
金の収受によって借家人に物権的権利を認めたからではなく、第三者に譲渡

（351）

する場合賃借人を円満に立ち退かせるために必要な立退料の支払いが不要であることを考慮し、立退料相当額だけ譲渡価額を低くするからです。したがって、借家権利金の未償却残額は、当該建物を買い取る場合のその取得価額に加える必要はありません。

　(注)　建物の譲受価額が低廉であるため、税務上立退料相当額を見積もって、建物／特別利益（受入立退料）という認定をされないかですが、現実に立退きの事実がなく立退料の授受のないものについて、このような認定はあり得ません。

　ただし、建物の新築に際してその所有者に支払った権利金の額が、当該建物の賃借部分の建設費の大部分に相当し、かつ、その建物の存続期間中賃借できるというように、借家権利金が事実上建物の譲受価額に等しいようなときは、高額の借家権利金が支払われていることを勘案して建物の買取価額は相当減額されると思われます。そのようなときは、借家権利金の未償却残額を建物の取得価額に加えるべき場合があり得るでしょうが、その場合は借家権利金の繰延資産としての償却期間が建物の耐用年数の$\frac{7}{10}$に相当する年数となっていますので（基通8-2-3）、御質問の場合との区別ができます。

　一方、借地権を設定している土地を買い取った場合は、以前に当該土地の賃貸借契約に当たり借地権の対価として土地所有者に支払って借地権として資産に計上されている金額は、土地の取得価額に加えなければなりません。借家を買い取ったときの借家権利金未償却残高と借地を買い取ったときの借地権利金の処理の違いは、借地権には物権的性格があり、借地権の設定による土地の借受けは、その上土部分の譲受けに等しいものだからです。

借地上の建物を取得した場合の当該建物の取得価額

> **【問6-26】**　繁華街において普通借地権の契約による借地をして店舗を開設するため、その店舗の敷地の地主甲に借地権の対価として1,000万円を支払い、その店舗の建物の所有者乙に4,000万円を支払いました。当該建物の時価は800万円程度ですが、その取得価額を4,000万円として、減価償却をしてもよろしいですか。

【答】　貴社が建物の所有者乙から、時価800万円の建物を4,000万円支出して購入されたのは、建物の取得とともに乙から普通借地権を譲り受けたからで

（352）

第6章　固定資産及び減価償却

す。すなわち、乙に支払った4,000万円と建物の時価800万円の差額3,200万円
は、乙から普通借地権を取得するために支払った対価ですので、借地権とし
て経理し、減価償却をすることはできません。(基通7-3-8(1))

> **(注)**　借地権の対価と認められる部分の金額が、建物等の代価のおおむね10%以下
> の金額であるときは、強いてこれを区分しないで建物等の取得価額に含めるこ
> とができます。(同通達ただし書)例えば、借地上に存する建物を1億円で買
> い取った場合において、建物の価額が9,200万円、借地権の対価と認められる金
> 額が800万円というような場合です。

また、地主甲に支払った1,000万円は、借地人変更承諾料であり、借地権
の取得に要した費用ですので、借地権の取得価額に算入しなければなりませ
ん。(同通達(3))

なお、乙から取得した建物を取得後おおむね1年以内に取壊しに着手する
等、当初からその建物を取り壊して土地を利用する目的であることが明らか
であると認められるときは、当該建物の取壊しの時における帳簿価額及び取
壊し費用の合計額(廃材等の処分によって得た金額がある場合は、当該金額
を控除した金額)を、借地権の取得価額に算入しなければなりません。(基
通7-3-6)

> **(注)**　この事例は、土地の所有者と建物の所有者が異なる場合について、建物を取
> 得するときのものです。土地の所有者と建物の所有者が同一人の場合において、
> 建物だけを取得するときの処理方法は、【問21-18】で説明しています。

賃貸建物の明渡しに当たって支払う立退料の処理方法

> **【問6-27】**　本社ビルの一部を賃貸していましたが、当社が使用す
> るため賃借人に明渡しを求め、立退料を支払うことになりました。
> この立退料は、資産勘定に計上しなければなりませんか。
> 　立退料を受ける賃借人の処理は、どのようになりますか。

【答】(1)　賃貸人が賃借人に支払う立退料の処理

建物の賃貸人が賃貸物件を使用するために賃借人に明渡しを求めるときは、
明渡しに伴う紛争を避けるために、立退料を支払うことが多いようです。こ
の立退料は、支払ったときに一時に損金の額に算入することができ、当該建

(353)

物勘定に計上したり、税務上の繰延資産とする必要はありません。

　これは、明渡しによって建物の価値が増えるわけでありませんし、自己所有の建物について借家権利金のようなものを想定することもできないからです。明渡しを求めるに当たって支払う立退料は、建物を賃貸するときに受取る権利金の逆のものです。明渡しを受けることによって建物の価値が増加するとして支払った立退料を当該建物勘定に計上するのならば、賃貸の開始に当たって賃貸権利金を受け取ったときに賃貸する建物の帳簿価額の一部が損金の額に算入できることになりますが、そのような処理は認められていません。

　同じ立退料でも、法人が土地、建物等の取得に際し、当該土地、建物等の使用者等に支払う立退料その他立退きのために要した金額は、当該土地、建物等の取得価額に算入します。（基通7-3-5）この立退料は、当該資産を事業の用に供するために直接要した費用に該当し、取得価額に含める必要があるからです。（法政令54①一ロ）

(2) 賃借人が賃貸人から受け取る立退料の処理

　立退料を受け取る賃借人が法人の場合、受取立退料は全額益金の額に算入されますが、一方で移転費用、移転に伴う休業期間中の諸費用、借家権利金の未償却額などが損金の額に算入されます。

　　(注)　立退料を受け取るのが個人の場合は、立退料の内容を区分して譲渡所得、一時所得、事業所得等の収入金額に算入することになります。詳しくは所得税基本通達33-6、34-1の(7)を参照してください。

工事請負契約書に記載された諸経費の取扱い

> **【問6-28】**　鉄筋コンクリート造の店舗用建物の建築代金のうち、工事請負契約書のなかの見積書に諸経費として記載されている金額は、建物と建物附属設備にそれぞれの固有の建築代金の比によってあん分して、その取得原価に算入してもよろしいですか。

【答】　建物の附属設備は、原則として建物本体と区分して耐用年数を適用しますが、木造、合成樹脂造又は木骨モルタル造の建物の附属設備については、建物と一括して建物の耐用年数を適用することができます。（耐通2-2-1）

（354）

第6章　固定資産及び減価償却

したがって、鉄筋コンクリート造の店舗用建物の附属設備は、建物本体（耐用年数39年）と区分して、建物本体よりも短い耐用年数を適用します。

御質問の工事見積書での諸経費は、通常建設会社の建設全般に要した諸雑費や建設会社の利益等ですので、建物又は建物附属設備のいずれかとの関係が明らかなものを除き、当該建物と建物附属設備にそれぞれの固有の建築代金の比によってあん分して、それぞれの取得価額に算入することができます。

（注1）　建物の建築に当たっての旧建物の取壊し費用は損金の額に算入できますので、請負代金のなかに当該取壊し費用が含まれているときは、御質問の諸経費はこの費用にもあん分することができます。

（注2）　工事見積書において「出精値引き」等として減額されている金額は、御質問の諸経費から差し引いて上記の計算をします。

下取車を時価よりも高く下取りしてもらったときの新車の取得価額

> **【問6-29】**　自動車の買換え（新車の購入価額120万円）に当たって110万円を支払い、従来使用していた自動車（帳簿価額8万円）を10万円で下取りしてもらいました。下取車の時価は3万円です。下取車を時価の3万円で下取りしてもらったことにして、譲渡損5万円を計上し、新車の取得価額を113万円としてもよろしいですか。

【答】　新車を120万円で購入するに当たり、下取車を10万円で下取りしてもらったときの仕訳は、次のとおりです。

① 　車　両(新)　　120万円　／　預　　　金　　110万円
　　　　　　　　　　　　　　　車　両(旧)　　8万円
　　　　　　　　　　　　　　　車両譲渡益　　2万円

一方、下取車を時価の3万円で下取りしてもらったときの仕訳は、次のとおりになります。

② 　車　両(新)　　113万円　／　預　　　金　　110万円
　　車両譲渡損　　　5万円　／　車　両(旧)　　8万円

自動車の販売業者が時価3万円の下取車を10万円で下取りしたのは、新車を販売するためのものですので、差額の7万円は新車の値引額といえます。この考えによって上記①の仕訳を訂正しますと、次のとおりになります。

（355）

車　両(新)	120万円	預　　　金	110万円
車両譲渡損	5万円	車　両(旧)	8万円
		車　両(新)	7万円

　この仕訳は、新車の取得価額を113万円とする②の仕訳と同じですので、②の仕訳による処理が正しいことになります。

広告宣伝用資産の受贈益

> **【問6-30】**　家庭電気器具の販売会社です。製造業者から車体の色を統一色にしてその製品名を書くという条件で、製造業者の取得価額150万円の自動車を60万円で譲り受けました。この自動車は、いくらで資産に計上すればよろしいですか。

【答】　贈与によって取得した減価償却資産、例えば新築祝いに取引先から贈与を受けた減価償却資産は、受贈した時における当該資産の取得のために通常要する価額すなわち時価（事業の用に供するために直接要した費用の額を加算します。）を取得価額としますので、その受贈益を益金の額に算入しなければなりません。（法22②、法政令54①六）時価に比べて低い価額で譲り受けた資産についても、時価を取得価額とし、時価と譲受価額の差額について低廉譲受益の益金算入をしなければなりません。

　(注)　企業会計原則においても、「贈与その他無償で取得した資産については、公正な評価額をもって取得原価とする」とされています。（同原則第三の五F）

　ところで、御質問の自動車のように、販売業者等が製造業者等から贈与又は低廉譲受けにより取得した資産（広告宣伝用の看板、ネオンサイン、どん帳のように専ら広告宣伝の用に供されるものを除きます。）は、取得後販売業者等の事業の用に供されるとともに、製造業者等の広告宣伝のためにも使用されるものです。販売業者等は、当該資産に描かれた製造業者等の製品名を自由に書き替えることができない等その用途が制限されますので、受贈益の計上をすべき金額は、製造業者等のその資産の取得価額の $\frac{2}{3}$ に相当する金額から販売業者等がその取得のために支出した金額を控除した金額とし、当該金額（同一の製造業者等から2以上の資産を取得したときは、当該金額の合計額）が30万円以下であるときは、受贈益を益金の額に算入する必要は

（356）

第6章　固定資産及び減価償却

ないものとされています。（基通4-2-1）

　したがって、御質問の場合受贈益として益金算入すべき金額は、150万円 $\times \frac{2}{3}$ －60万円＝40万円となり、自動車を譲り受けたときの仕訳は、次のとおりになります。

車　　両　　100万円　／　現　　　　金　　60万円
固定資産受贈益　　40万円

　このような資産には、他に陳列棚、陳列ケース、冷蔵庫又は容器等で、製造業者等の製品名又は社名の広告宣伝を目的としていることが明らかなもの（例えば、飲食店にあるビール名入りの冷蔵庫）、展示用モデルハウスのように、製造業者等の製品の見本であることが明らかなものがあります。

　一方、贈与又は低廉譲渡をした製造業者は、贈与等をした金額（御質問の場合は、150万円－60万円＝90万円）を繰延資産（製品等の広告宣伝の用に供する資産を贈与したことにより生ずる費用）とし、その車両の法定耐用年数の10分の7（1年未満の端数を切り捨て、その年数が5年を超えるときは5年とします。）を償却期間として償却することになります。（基通8-2-3）

債務超過の事業を有償で譲り受けたときの営業権の取得価額

【問6-31】　債務超過の事業を譲り受けることになりました。最近巨額の貸倒損失があったためその事業は債務超過となっていますが、生産設備、生産技術、得意先、従業員等にすぐれたものをもっており、超過収益力があると認められます。譲受けの対価として支出する金額と譲受事業に係る債務超過額の合計額を営業権の取得価額として処理しようと思いますが、税務上認められますか。

【答】　事業を譲り受けるときの当該事業に係る資産及び負債の受入額は、譲渡会社の帳簿価額でなく、譲り受ける時の時価とすべきです。したがって、譲受資産のなかに含み益のあるものがあるときは、その表現をした価額を当該資産の譲受価額とします。それでもなお債務超過額が残る場合でも、御質問のように譲受けの対価として支出する金額と譲受事業に係る債務超過額の合計額を、営業権の取得価額とすることはできません。

　(注)　適格組織再編成により移転を受ける資産は、原則として被合併法人等の帳簿

（357）

価額としますが（法政令123の3、123の4、123の5、123の6）、本問の営業の譲渡は、適格組織再編成によるものでない場合についての説明です。

　営業権の取得の対価には、「超過収益力説」により支出されるものと「営業機会取得説」により支出されるものとがあり（【問1-17】の⑤の**(注)**参照）、「超過収益力説」による営業権の譲受対価は、超過収益力のある事業を譲り受けるときに支出されるものです。御質問にある事業は、臨時的な損失によって債務超過となっているが超過収益力があると認められるとのことですので、営業権の取得の対価の支出が行われても、不合理ではありません。

　問題は、当該営業権の取得価額ですが、その取得に当たって取引される金額として適正な評価が行われた金額であるべきです。御質問のように譲受けの対価として支出する金額と譲受事業に係る債務超過額の合計額が営業権の価額となるのではなく、譲り受ける資産のなかに適正に評価された営業権があるべきことになります。譲受け対価の額が、営業権の適正な評価額を加味した譲受事業の純資産の適正な価額を超えているときは、当該超過額は譲渡をした会社に対する贈与すなわち寄附金になります。

(注)　営業権の評価額は、通常譲受事業の譲受け後一定期間の純利益予想額をキャッシュ・フロー・インとする複利現価の合計額として計算されます。（DCF法）財産評価基本通達に示されている営業権の評価方法は、将来10年間に期待される超過収益額の複利年金現価ですので、令和6年1月の長期基準年利率1.00％（【問21-22】参照）で計算しますと、超過収益額が10,000千円の場合、その営業権の評価額は10,000千円×9.471＝94,710千円となりますが、一定期間中の各期間の超過収益額を同額と予想せず、現在及び新規の事業の今後の拡大や逆に競争の激化、事業の陳腐化等による縮小の予測によって、増減させた金額についてその複利現価を合計する方法が通常採用されています。

　なお、営業権は無形減価償却資産ですので、（法政令13八カ）、償却方法は定額法（法政令48の2①四）、耐用年数は5年（耐令別表三）とされています。

（358）

第6章　固定資産及び減価償却

購入した減価償却資産を事業の用に供するための費用

> 【問6-32】　新たに購入したウインドータイプのルームクーラーを
> 設置するため、電気配線の延長が必要になりましたが、この配線
> に要した費用は、ルームクーラーを事業の用に供するために直接
> 要した費用として、その取得価額に算入するのですか。

【答】　購入した減価償却資産を事業の用に供するために直接要した費用の額
は、当該減価償却資産の取得価額に算入しなければなりません。（法政令54
①一ロ）例えば、当該資産を事業の用に供するに当たっての試運転の費用が
これに該当します。

　御質問にある電気配線の延長に要した費用は、当該部分についての新たな
配線施設の取得に要した費用ですので、ルームクーラー（器具及び備品の冷
房用又は暖房用機器、耐用年数6年）の取得価額に算入せず、建物附属設備
の電気設備、その他のもの（耐用年数15年）の取得価額とすることになります。

自己製作のソフトウエアの取得価額

> 【問6-33】　ソフトウエアは税法上無形減価償却資産と規定されて
> いますが、自己製作のソフトウエアの場合、その取得価額に算入
> すべき費用の範囲は、どのようになりますか。

【答】　ソフトウエアの取得価額は、他に委託して開発するものの場合は通常
明確ですが、自己製作のものの場合は御質問にあるように取得価額に算入す
べき費用の範囲がむつかしいと思われます。しかし税法では、「自己の製作
に係る減価償却資産の取得価額」の規定（法政令54①二）が適用され、ソフ
トウエアの製作のために要した原材料費、労務費及び経費の額並びに当該ソ
フトウエアを事業の用に供するために直接要した費用の額の合計額が、その
取得価額となります。（基通7-3-15の2前段）

　この取得価額は、適正な原価計算に基づいて算定することになりますが、
法人が原価の集計、配賦等につき、合理的であると認められる方法により継
続して計算している場合には、これを認めるとされています。（同通達後段）

　(注1)　他の者から購入したソフトウエアについて、その導入に当たり必要な設定

（359）

作業及び自社の仕様に合わせるために行う付随的な修正作業等の費用の額は
そのソフトウエアの取得価額に算入します。(同通達(注)1)

(注2) 既に有しているソフトウエア又は購入したパッケージソフトウエア等(以
下「既存ソフトウエア等」といいます。)の仕様を大幅に変更して、新たな
ソフトウエアを製作するための費用の額は、新たなソフトウエアの取得価額
となります。なお、新たなソフトウエアを製作することに伴い、その製作後、
既存ソフトウエア等を利用することが見込まれない場合、その既存ソフトウ
エア等の残存簿価は、新たなソフトウエアの製作のために要した原材料費と
なります。(同通達(注)2)

(注3) 市場販売目的のソフトウエアについて、完成品になるまでの間に製品マス
ターに要した改良又は強化に係る費用の額は、そのソフトウエアの取得価額
に算入します。(同通達(注)3)

この場合、システム開発専門部署以外の従業員が製作するソフトウエアの
制作費用もすべて集計すべきかどうかですが、ソフトウエア製作のための人
件費等を全社にわたって網羅的に集計するのは困難なことが考えられます。
また、ソフトウエア開発専門部署以外で製作するソフトウエアは小規模なも
のが多く、コンピュータシステム全般に係るようなものはないでしょう。

しかし、税法は、減価償却資産に計上するかどうかについての金額基準を
定めていますが、その利用範囲やその効果の大小は判断の基準としていませ
ん。したがって、システム開発専門部署以外の従業員が開発したソフトウエ
アでも、取得価額が10万円以上(中小企業者等が租税特別措置法第67条の5
の規定の適用を受けるときは30万円以上)のものであれば、資産に計上すべ
きことになります。その場合の原価の集計方法は、上記の通達により、継続
適用を条件として、合理的な簡便法をとることができます。

また、次に掲げるような費用の額は、ソフトウエアの取得価額に算入しな
いことができるとされています。(基通7-3-15の3)

① 自己の製作に係るソフトウエアの製作計画の変更等により、いわゆる
仕損じがあったため不要となったことが明らかなものに係る費用の額

② 研究開発費の額(自社利用のソフトウエアに係る研究開発費の額につ
いては、その自社利用のソフトウエアの利用により将来の収益獲得又は
費用削減にならないことが明らかな場合におけるその研究開発費の額に

第6章　固定資産及び減価償却

限ります。）

③　製作等のために要した間接費、付随費用等で、その費用の額の合計額が少額（その製作原価のおおむね３％以内の金額）であるもの

自社利用のソフトウエアの制作に当たってその研究開発に要した費用は、上記の②のかっこ書により、当該ソフトウエアの利用により将来の収益獲得又は費用削減になることが明らかなもの又は不明なものは取得価額に算入しなければなりませんが、収益獲得又は費用削減にならないことが明らかなものは取得価額に算入しないことができます。

一方、研究開発費等会計基準は、研究開発費はすべて発生時に費用処理することとし、ソフトウエアの制作費のうち、研究開発に該当する部分も研究開発費として費用処理することとしています。（同基準三）このため、その利用により将来の収益獲得又は費用削減になることが明らかな又は不明なソフトウエアの製作に当たっての研究開発費の額は、税務では資産計上を要しますが、研究開発費等会計基準では費用処理すべきことになり、両者の取得価額の相違による申告調整が必要になります。

(注)　税務上、ソフトウエアの取得価額に算入すべき研究開発費の額を、研究開発費等会計基準によって費用処理し、申告調整を失念している場合でも、当該研究開発費として費用処理した金額は、償却費として損金経理した金額として償却限度額までの損金算入が認められます。（基通７－５－１(7)、【問６-16】参照）

（361）

第3節　償却の方法、償却限度額の計算

税法の規定する減価償却資産の償却の方法

【問6-34】　税法では、減価償却資産の償却の方法はどのように定められていますか。

【答】　税法では、減価償却資産の償却の方法を次のとおり定めています。

減価償却資産の取得時期 （かっこ内は⑧の資産についてリース取引の契約が締結された時期）	平成19年3月31日以前 （平成20年3月31日以前） （法政令48①）	平成19年4月1日以後 （平成20年4月1日以後） （法政令48の2①）
①　平成10年4月1日以後に取得の建物（鉱業用のもの及び⑧の資産を除きます。）	旧定額法	定額法
②　平成28年4月1日以後に取得の建物附属設備及び構築物（鉱業用のもの及びリース資産を除きます。）	———	定額法
③　①及び②以外の有形減価償却資産（鉱業用のもの、⑧の資産及び生物を除きます。）	旧定額法 又は 旧定率法	定額法 又は 定率法
④　鉱業用減価償却資産のうち、平成28年4月1日以後に取得の建物、建物附属設備及び構築物（リース資産を除きます。）	———	定額法 又は 生産高比例法
⑤　④以外の鉱業用減価償却資産（鉱業権及び⑧の資産を除きます。）	旧定額法、旧定率法 又は旧生産高比例法	定額法、定率法 又は生産高比例法
⑥　無形減価償却資産（鉱業権及び⑧の資産を除きます。）及び生物	旧定額法	定額法
⑦　鉱業権	旧定額法又は 旧生産高比例法	定額法又は 生産高比例法
⑧　国外リース資産	旧国外リース期間定額法	———
リース資産	———	リース期間定額法

（注1）　④及び⑤の鉱業用減価償却資産とは、鉱業経営上直接必要な減価償却資

（362）

第6章　固定資産及び減価償却

産で、鉱業の廃止により著しくその価値を減ずるものをいいます。(法政令48⑤一、48の2⑤三)

(注2)　⑧のリース資産とは、所有権移転外リース取引に係る賃借人が取得したものとされる減価償却資産をいいます。(法政令48の2⑤四)

(注3)　取得時期が平成19年4月1日以後の③及び⑤の減価償却資産の償却の方法に掲げている定率法の償却率は、平成19年4月1日から平成24年3月31日の間に取得したものは250%定率法の償却率、平成24年4月1日以後取得するものからは200%定率法の償却率となります。(法政令48の2①一イ(2)、【問6-36】参照)

　建物は、表の①のとおり、平成10年4月1日以後に取得するものから償却の方法が旧定額法又は定額法に限定されていますし、建物附属設備及び構築物についても、表の②のとおり、平成28年4月1日以後に取得するものから、償却方法が定額法に限定されています。

　なお、資本的支出により損金算入されなかった金額は、資本的支出をした減価償却資産と種類及び耐用年数を同じくする減価償却資産を新たに取得したものとされますので(法政令55①)、資本的支出をした元の建物、建物附属設備又は構築物の償却の方法が旧定率法又は定率法の場合でも、資本的支出をした金額の償却の方法は定額法に限定されます。しかし、償却の方法として法人税法施行令第48条第1項に規定する方法を採用している減価償却資産(平成19年3月31日以前に取得した減価償却資産)に資本的支出をしたときは、当該減価償却資産の取得価額に資本的支出の金額を加算することができるという特例が設けられていますので(法政令55②)、資本的支出をした金額の償却の方法を元の建物、建物附属設備又は構築物の償却の方法と同じ旧定率法とすることができます。

　平成10年3月31日以前に取得した建物に、増築、増階等が行われたときは、その部分は量的に増加したもので新たに取得した建物ですので、同じ棟の中のものでも、その増築等部分の償却の方法は、定額法に限定されます。

旧定額法・定額法による償却限度額の計算

【問6-35】 法人税での旧定額法及び定額法による償却限度額の計算方法を説明してください。

【答】 旧定額法は平成19年3月31日以前に取得した減価償却資産に適用される方法で、定額法は平成19年4月1日以後に取得した減価償却資産に適用される方法です。旧定額法及び定額法での計算について、法人税では次のように規定しています。

① 旧定額法……減価償却資産の取得価額から残存価額を控除した金額に償却費が毎年同一となるようにその資産の耐用年数に応じた償却率を乗じて計算した金額を各事業年度の償却限度額として償却する方法（法政令48①一イ(1)）

② 定額法……減価償却資産の取得価額に償却費が毎年同一となるようにその資産の耐用年数に応じた償却率を乗じて計算した金額を各事業年度の償却限度額として償却する方法（法政令48の2①一イ(1)）

旧定額法も定額法も毎年の償却費が同額となることは同じですが、定額法では取得価額の全額が償却の対象金額となるのに対して、旧定額法では取得価額から残存価額を控除した金額が償却の対象金額となります。残存価額については、一般の有形減価償却資産は取得価額の10%、無形減価償却資産は0と規定されています。（耐令6）

また、一般の有形減価償却資産の場合、旧定額法では、償却費の累計額が取得価額の95%に達した（帳簿価額が取得価額の5%になった）段階で上記の計算は終了し（法政令61①一イ）、翌事業年度からは、残額（取得価額の5%相当額）から1円を控除した金額を60で除し、その事業年度の月数を乗じた額が償却限度額となります。（法政令61②）なお、定額法でも、帳簿価額が1円になれば、減価償却はできません。（法政令61①二イ）

上記から、旧定額法及び定額法の償却限度額の算式は次のとおりとなります。

① 旧定額法

(1) 有形減価償却資産

イ 帳簿価額が取得価額の5%に達するまでの事業年度

（364）

第6章　固定資産及び減価償却

　　　　償却限度額（年額）＝（取得価額－取得価額×10％）×旧定額法の償却率
　　ロ　帳簿価額が取得価額の５％に達した事業年度の翌事業年度以後
　　　　償却限度額＝（取得価額×５％－１円）×$\dfrac{その事業年度の月数}{60月}$

　　（注）　帳簿価額が１円になった時点で、減価償却は終了します。

　(2)　無形減価償却資産

　　　　償却限度額（年額）＝取得価額×旧定額法の償却率

②　定額法

　　　　償却限度額（年額）＝取得価額×定額法の償却率

　　（注）　有形減価償却資産については、帳簿価額が１円になった時点で、減価
　　　　償却は終了します。

　それぞれの方法での計算例を示すと、以下のとおりです。

（設例）

　第１期の期首に、取得価額100万円、耐用年数８年の有形減価償却資産を
取得して事業の用に供した。耐用年数８年の償却率は、旧定額法が0.125、
定額法が0.125である。なお、当社の事業年度は１年である。

①　旧定額法

期	償却限度額	期末帳簿価額	償却限度額の計算式
1	112,500円	887,500円	（1,000,000円－100,000円）×0.125
2	112,500	775,000	〃
3	112,500	662,500	〃
4	112,500	550,000	〃
5	112,500	437,500	〃
6	112,500	325,000	〃
7	112,500	212,500	〃
8	112,500	100,000	〃
9	50,000	50,000	（注２）
10	9,999	40,001	（50,000円－１円）×$\dfrac{12}{60}$
11	9,999	30,002	〃
12	9,999	20,003	〃
13	9,999	10,004	〃
14	9,999	5	〃
15	4	1	〃　（注３）

（365）

(注1) 償却限度額どおり減価償却費を計上したものとして、期末帳簿価額を計算しています。

(注2) 帳簿価額が取得価額の5％に達した事業年度で、通常の方法での償却限度額の計算は終了しますから、次の①と②のうち少ない方の額の50,000円が償却限度額となります。

① （1,000,000円 − 100,000円）×0.125＝112,500円

② 100,000円 − 1,000,000円×5％＝50,000円

(注3) 帳簿価額が1円になれば、減価償却はできません。

② 定額法

期	償却限度額	期末帳簿価額	償却限度額の計算式
1	125,000円	875,000円	1,000,000円×0.125
2	125,000	750,000	〃
3	125,000	625,000	〃
4	125,000	500,000	〃
5	125,000	375,000	〃
6	125,000	250,000	〃
7	125,000	125,000	〃
8	124,999	1	〃 **(注2)**

(注1) 償却限度額どおり減価償却費を計上したものとして、期末帳簿価額を計算しています。

(注2) 帳簿価額が1円になれば、減価償却はできません。

なお、旧定額法の償却率は耐用年数省令別表第七に、定額法の償却率は同省令別表第八にそれぞれ定められています。定額法的計算（毎年の償却費が同額となる計算）の場合、償却率は耐用年数の逆数ですから、旧定額法も定額法も同一となるはずですが、耐用年数の逆数に小数点以下3位未満の端数がある場合、旧定額法の償却率では、その端数を耐用年数20年以下のものについては切り捨て、21年以上のものについては切り上げているのに対して、定額法の償却率では、その端数をすべて切り上げていますので、20年以下のものに次のような相違があります。（一部抜粋）

第6章　固定資産及び減価償却

耐用年数	旧定額法償却率	定額法償却率
3年	0.333	0.334
6年	0.166	0.167
7年	0.142	0.143
12年	0.083	0.084
15年	0.066	0.067
18年	0.055	0.056

旧定率法・定率法による償却限度額の計算

> 【問6-36】　法人税での旧定率法及び定率法による償却限度額の計
> 算方法を説明してください。

【答】　旧定率法は平成19年3月31日以前に取得した減価償却資産に適用される方法で、定率法は平成19年4月1日以後に取得した減価償却資産に適用される方法です。旧定率法及び定率法での計算について、法人税では次のように規定しています。

① 旧定率法……減価償却資産の取得価額（既にした償却の額で各事業年度の所得の金額の計算上損金の額に算入された金額がある場合には、その金額を控除した金額）に、償却費が毎年一定の割合で逓減するようにその資産の耐用年数に応じた償却率を乗じて計算した金額を各事業年度の償却限度額として償却する方法（法政令48①一イ(2)）

② 定率法……減価償却資産の取得価額（既にした償却の額で各事業年度の所得の金額の計算上損金の額に算入された金額がある場合には、その金額を控除した金額）に、償却費が毎年1から定額法償却率に2（平成24年3月31日以前に取得された減価償却資産にあっては、2.5）を乗じて計算した割合を控除した割合で逓減するようにその資産の耐用年数に応じた償却率を乗じて計算した金額（その計算した金額が償却保証額に満たない場合には、改定取得価額に償却費が毎年同一となるようにその資産の耐用年数に応じた改定償却率を乗じて計算した金額）を各事業年度の償却限度額として償却する方法（法政令48の2①一イ(2)）

旧定率法も定率法も、償却費が毎年一定の割合で逓減していくことは同じ

（367）

ですが、定率法には次の特徴があります。

(1) 上記②の下線部分（　）で示したように、逓減割合が定額法償却率の2倍（平成24年3月31日以前取得の資産については2.5倍）であること。つまり、償却率がその資産の耐用年数に応じた定額法償却率の2倍（平成24年3月31日以前取得の資産については2.5倍）であること。

(2) 上記②の波線部分（　）で示したように、通常の方法で計算した償却費が償却保証額に満たなくなったときは、改定取得価額に改定償却率を乗じて計算する方法、つまり、定額法的計算に変わること。

　また、旧定率法では、償却費の累計額が取得価額の95％に達した（帳簿価額が取得価額の5％になった）段階で上記の計算は終了し（法政令61①一イ）、翌事業年度からは、残額（取得価額の5％相当額）から1円を控除した金額を60で除し、その事業年度の月数を乗じた額が償却限度額となります。（法政令61②）　なお、定率法でも、帳簿価額が1円になれば、減価償却はできません。（法政令61①二イ）

　上記から、旧定率法及び定率法の償却限度額の算式は次のとおりとなります。

① 旧定率法

　イ　帳簿価額が取得価額の5％に達するまでの事業年度

　　償却限度額(年額)＝(取得価額−直前事業年度までの償却累計額)×旧定率法の償却率

　ロ　帳簿価額が取得価額の5％に達した事業年度の翌事業年度以後

　　償却限度額＝（取得価額×5％−1円）×$\dfrac{その事業年度の月数}{60月}$

　　(注)　帳簿価額が1円になった時点で、減価償却は終了します。

② 定率法

　イ　調整前償却額が償却保証額以上の事業年度

　　償却限度額(年額)＝(取得価額−直前事業年度までの償却累計額)×定率法の償却率

　　(注1)　調整前償却額とは、通常の定率法の算式、つまり、「（取得価額−直前事業年度までの償却累計額）×定率法の償却率」で計算した金額をいいます。（法政令48の2⑤二イ）

　　(注2)　償却保証額とは、減価償却資産の取得価額にその資産の耐用年数に応じた保証率を乗じた金額をいいます。（法政令48の2⑤一）

　ロ　調整前償却額が償却保証額に満たなくなった事業年度以後の事業年度

（368）

第6章　固定資産及び減価償却

償却限度額（年額）＝改定取得価額×改定償却率

（注1）　改定取得価額とは、調整前償却額が償却保証額に満たなくなった最初の事業年度の期首帳簿価額（取得価額－その事業年度の直前事業年度までの償却累計額）をいいます。（法政令48の2⑤二）

（注2）　改定償却率は、資産の耐用年数に応じて定められています。

それぞれの方法での計算例を示すと、以下のとおりです。

（設例）

第1期の期首に、取得価額100万円、耐用年数8年の減価償却資産を取得して事業の用に供した。耐用年数8年の償却率は、旧定率法が0.250、定率法が0.250である。また、定率法の改定償却率は0.334、保証率は0.07909である。なお、当社の事業年度は1年である。

① 旧定率法

期	償却限度額	期末帳簿価額	償却限度額の計算式
1	250,000円	750,000円	1,000,000円×0.250
2	187,500	562,500	750,000円×0.250
3	140,625	421,875	562,500円×0.250
4	105,468	316,407	421,875円×0.250
5	79,101	237,306	316,407円×0.250
6	59,326	177,980	237,306円×0.250
7	44,495	133,485	177,980円×0.250
8	33,371	100,114	133,485円×0.250
9	25,028	75,086	100,114円×0.250
10	18,771	56,315	75,086円×0.250
11	6,315	50,000	（注2）
12	9,999	40,001	$(50,000円－1円)\times\dfrac{12}{60}$
13	9,999	30,002	〃
14	9,999	20,003	〃
15	9,999	10,004	〃
16	9,999	5	〃
17	4	1	〃 （注3）

（369）

(注1) 償却限度額どおり減価償却費を計上したものとして、期末帳簿価額を計算しています。

(注2) 帳簿価額が取得価額の5％に達した事業年度で、通常の方法での償却限度額の計算は終了しますから、次の①と②のうち少ない方の額である6,315円が償却限度額となります。

① 56,315円×0.250＝14,078円

② 56,315円−1,000,000円×5％＝6,315円

(注3) 帳簿価額が1円になれば、減価償却はできません。

② 定率法

期	償却限度額	期末帳簿価額	償却限度額の計算式
1	250,000円	750,000円	1,000,000円×0.250
2	187,500	562,500	750,000円×0.250
3	140,625	421,875	562,500円×0.250
4	105,468	316,407	421,875円×0.250
5	79,101	237,306	316,407円×0.250
6	79,260	158,046	237,306円×0.334 **(注3)**
7	79,260	78,786	237,306円×0.334
8	78,785	1	**(注4)**

(注1) 償却限度額どおり減価償却費を計上したものとして、期末帳簿価額を計算しています。

(注2) 償却保証額は79,090円（1,000,000円×0.07909）です。

(注3) 第6期で、調整前償却額59,326円（237,306円×0.250）が償却保証額79,090円に満たなくなるので、償却限度額の計算方法が変わります。

(注4) 帳簿価額が1円になると償却できないので、次の(1)と(2)のうち少ない方の額の78,785円が償却限度額となります。

(1) 237,306円×0.334＝79,260円

(2) 78,786円−1円＝78,785円

旧定率法の償却率は耐用年数省令別表第七に定められています。定率法の償却率、改定償却率及び保証率は、平成19年4月1日から平成24年3月31日までの間に取得した資産については同省令別表第九に、平成24年4月1日以後に取得した資産については同省令別表第十に、それぞれ定められています。なお、平成19年4月1日から平成24年3月31日までに取得した資産に適用さ

（370）

第6章　固定資産及び減価償却

れる償却率は定額法の償却率の2.5倍とされており、平成24年4月1日以後に取得した資産に適用される償却率は定額法の2倍とされていますので、前者に適用する償却方法を250％定率法、後者に適用する償却方法を200％定率法といわれることがあります。

増加償却制度の内容とその計算事例

> **【問6-37】**　受注が増加したために、工場が残業を続けています。機械装置の稼働率が高く減耗の度合が大きいのですが、税法での償却限度額を増加させることはできませんか。

【答】　御質問のような機械装置の稼働率が高くなったことに対応して償却限度額を増加させる方法として、「通常の使用時間を超えて使用される機械及び装置の償却限度額の特例」（法政令60）が規定されており、増加償却制度とよばれています。この特例により増加した償却限度額は、租税特別措置法に規定された特別償却額と異なり、普通償却額の一環ですので、別表十六（一）では22又は28、別表十六（二）では22又は32の「増加償却額」の欄に記載し、普通償却限度額を基にして行う特別償却（例えば障害者を雇用する場合の機械等の割増償却）では、この特例によって増加した償却限度額も割増償却の基礎になる金額に加えます。

　この制度を利用するためには、「増加償却の届出書」を確定申告書に添付してその提出期限までに納税地の所轄税務署長に提出しなければなりません。増加償却割合（後記（3）参照）が $\frac{10}{100}$ 以上かどうかは事業年度終了後でなければ分りませんので、事前に承認を求める必要はありませんが、適用を受けようとする事業年度ごとにこの届出書を提出しなければなりません。

(注)　「増加償却の届出書」の提出期限は、適格分割等（適格分割、適格現物出資又は残余財産の全部の分配を除く適格現物分配）により分割承継法人、被現物出資法人又は被現物分配法人に移転する機械装置に係る期中損金経理額について増加償却の規定の適用を受けようとする場合は、適格分割等の日以後2月以内です。

　増加償却の対象になるのは、機械及び装置（償却の方法として、旧定額法、旧定率法、定額法又は定率法を採用しているものに限ります。）で、「耐用年

（371）

数の適用等に関する取扱通達」の付表5「通常の使用時間が8時間又は16時間の機械装置」に列挙されているものです。当該機械装置を同表に掲げられた通常の使用時間である8時間又は16時間を著しく超えて稼働させますと、物理的減耗が大きくなるので、償却限度額の増加を認めるというのが、増加償却の趣旨です。この付表5に掲げられていない機械装置は、使用時間を24時間として耐用年数が定められており、付表5に掲げられてはいるが、通常の使用時間が24時間とされているものと同様に超過使用時間がありませんので、増加償却の対象になりません。

増加償却の計算方法をその手続順に説明しますと、次のとおりです。

(1) 当該事業年度における個々の機械装置の1日当たりの平均超過使用時間の計算

この計算の算式は、次のとおりです。

(超過使用時間の合計) ÷ (通常使用されるべき日数)

(注) 超過使用時間を計算する場合、一の設備を構成する機械装置の中に他から貸与を受けている資産が含まれているときは、当該資産の使用時間を除いたところによりその計算をします。(基通7-4-7)

例えば、機械装置がA、B、C、Dの4台あって、当事業年度(令和6年4月1日から令和7年3月31日まで)の超過使用時間が次表のとおりで、当事業年度の通常使用されるべき日数が300日だったとしますと、個々の機械装置の1日当たりの平均超過使用時間は、次表のとおりA4時間、B8時間、C4時間、D2時間となります。

(単位:時間)

	超過使用時間			合計	平均超過使用時間(合計÷300)
	4/1	4/2……	3/31		
A	4	4 …………	4	1,200	4
B	6	6 …………	8	2,400	8
C	8	4 …………	6	1,200	4
D	2	2 …………	2	600	2
計	20	16…………	20	5,400	18

(372)

第6章　固定資産及び減価償却

(2) 機械装置の1日当たりの超過使用時間の計算

　　法人の選択により、次の①又は②のいずれかの方法で計算します。

①　個々の機械装置の取得価額を加味して計算する方法（法規則20②一）

$$\left[\begin{array}{l}\text{個々の機械装置の当該事}\\\text{業年度における当該平均}\\\text{超過使用時間}\end{array}\times\dfrac{\text{当該個々の機械装置の取得価額}}{\text{当該機械装置の取得価額}}\right]\text{の合計}$$

　　個々の機械装置の取得価額が下表の(ロ)のとおりだったとしますと、当該取得価額を加味した場合の機械装置1台当たりの1日当たりの平均超過使用時間は、(ハ)の計のとおり5.8時間となります。このように、取得価額の高い機械装置の超過使用時間が長いときは、「機械装置の1日当たりの超過使用時間」は、下記の②よりも多くなります。

	平均超過使用時間(イ)	取得価額(ロ)	(ロ)のウエイトをつけた(イ)(ハ)
A	4	3,000(万円)	1.2
B	8	5,000	4
C	4	1,000	0.4
D	2	1,000	0.2
計	18	10,000	5.8

(注) $(ハ)=(イ)\times\dfrac{\text{それぞれの機械装置ごとの(ロ)}}{\text{(ロ)の合計}}$

②　個々の機械装置の台数により、単純平均で計算する方法（法規則20②二）

$$\left(\begin{array}{l}\text{個々の機械装置の当該事業年度における}\\\text{平均超過使用時間の合計}\end{array}\right)\div\left(\begin{array}{l}\text{当該事業年度終了の日における}\\\text{当該個々の機械装置の総数}\end{array}\right)$$

　　上表の場合、機械装置1台当たりの当事業年度中の1日当たりの平均超過使用時間は、18時間÷4＝4.5時間となります。

(3) 増加償却がある場合の機械装置の償却限度額の計算

　　この計算の算式は、次のとおりです。（法政令60、法規則20①）

　通常の計算による償却限度額 ×（1＋増加償却割合）

　増加償却割合 ＝ 機械装置の1日当たり超過使用時間の数 $\times\dfrac{35}{1,000}$

　　（増加償却割合に小数点2位未満の端数があるときはこれを切り上げ、この割合が$\dfrac{10}{100}$未満のときは増加償却を適用しません。）

（373）

機械装置の1日当たりの超過使用時間をXとしますと、

$$X \times \frac{35}{1,000} \geqq \frac{10}{100} \qquad \text{したがって} \quad X \geqq \frac{100}{35}$$

となりますので、平均超過使用時間が1日当たり$\frac{100}{35}$時間（約2.86時間）以上かどうかが、増加償却ができるかどうかのメルクマールになります。

(注) 増加償却は、法人の有する機械装置につき旧耐用年数省令別表第二に定める設備の種類（細目の定めのあるものは、細目）ごとに適用します。2以上の工場に同一の種類に属する設備があるときは、工場ごとに適用することができ（基通7-4-5）、同一工場の構内に2以上の棟を有していて、一の設備の種類を構成する機械装置が独立して存在する棟があるときは、当該棟ごとに適用することができます。（耐通3-1-1）

上記(2)の①及び②について増加償却割合を求めますと、次のとおりになります。

① $5.8 \times \dfrac{35}{1,000} = 0.203 \rightarrow 0.21$

② $4.5 \times \dfrac{35}{1,000} = 0.1575 \rightarrow 0.16$ （小数点2位未満の端数切上げ）

増加償却を行う前の機械装置の普通償却限度額が1,000万円であった場合、①及び②により増加する償却限度額は、それぞれ次のとおりになります。

① 1,000万円×0.21＝210万円

② 1,000万円×0.16＝160万円

週5日制の場合の増加償却割合の計算

> **【問6-38】** 週5日制の場合、土曜日（週休2日制のもとでの休日）に操業したときの機械装置の稼働時間が超過使用時間に該当し、事業年度中の通常使用されるべき日数が減ることによって、増加償却割合が増えると考えてよろしいですか。

【答】 法人が週5日制（機械装置の稼働を休止する日が1週間に2日あることを常態とする操業体制をいいます。）を採用しているときは、まず超過使用時間を算定するに当たっての標準稼働時間（通常の経済事情における機械装置の平均的な使用時間をいいます。）を、次の算式で計算される時間に調

（374）

第6章　固定資産及び減価償却

整し直します。(耐通3-1-3)

$$当該法人の属する業種における週6日制の場合の機械装置の標準稼働時間 + \frac{左項の標準稼働時間}{5}$$

　この算式により調整後の標準稼働時間は、1日の標準稼働時間が8時間の場合は、8時間＋8時間÷5＝9.6時間、16時間の場合は、16時間＋16時間÷5＝19.2時間となり、1.2倍に調整されます。週5日制の場合、土曜日の稼働時間は超過使用時間ですが標準稼動時間がその1.2倍に調整されますので、週6日制の場合と変わらないことになります。

　この調整に当たり、日曜、祭日等通常休日とされている日（週5日制による日曜日以外の休日とする日を含みます。）における機械装置の稼働時間は、そのすべてを超過使用時間とします。(耐通3-1-6) また、「機械装置の通常使用されるべき日数」には、この日曜日以外の休日を含めますので（耐通3-1-12)、この点も週6日制の場合と変わりません。

　上記の取扱いは、完全週5日制の場合に適用され、隔週5日制の場合には適用されません。

　このように、増加償却の計算では、週6日制を基本とし、週5日制は特別扱いとされています。週5日制の定着状況からみて、見直しが必要と思われますが、その場合、まず機械装置の耐用年数が休日の増加による物理的減耗進行度の減速に対応して延長され、そのうえで土曜日の操業時間を超過使用時間として増加償却割合を計算することになると考えられます。

常時使用される機械装置などの超過使用時間

【問6-39】　機械装置の増加償却割合を計算するに当たっての超過使用時間について、次の事項を教えてください。

①　受電盤、配電盤のような常時使用されている機械装置の稼働時間も、超過使用時間の算定の基礎に含めてよろしいですか。

②　倉庫とか試験研究室のような間接部門の機械装置にはほとんど超過使用時間がありませんが、超過使用時間の算定の基礎に含めなければなりませんか。

【答】　①について……受電盤、変圧器、配電盤、配線、配管、貯槽、架台、

(375)

定盤などは、設備の使用時間が8時間とか16時間ときめられているときでも、常時使用の状態にあるのが通常です。これは、その構造等からみて当然のことで、これらの資産には超過使用時間がないわけです。したがって、これらの機械装置及びその稼働時間は、超過使用時間の算定の基礎に含めないものとされています。(耐通3-1-10(1)) 熱処理装置、冷蔵装置、発こう装置、熟成装置その他これらに準ずるもので、その用法等からみて長時間の仕掛りを通常の態様とする機械装置についても、同じです。(同通達(2))

②について……間接部門の機械装置には御質問にあるように超過使用時間がほとんどありません。このような機械装置まで算定の基礎に含めますと増加償却割合が少なくなりますので、次に掲げる機械装置（上記①に該当するものを除きます。）及びその稼働時間は、法人の選択によりその全部について継続して除外することを条件として、日々の超過使用時間の算定の基礎に含めないことができます。(耐通3-1-11)

　(一)　電気、蒸気、空気、ガス、水等の供給用機械装置

　(二)　試験研究用機械装置

　(三)　倉庫用機械装置

　(四)　空気調整用機械装置

　(五)　汚水、ばい煙等の処理用機械装置

　(六)　教育訓練用機械等の生産に直接関連のない機械装置

なお、①、②ともに、超過使用時間の算定の基礎から除外した機械装置であっても、増加償却の対象になります。(耐通3-1-10(注))

償却方法を定率法・旧定率法から定額法・旧定額法へ変更した場合の償却限度額

> 【問6-40】　減価償却資産の償却方法を、定率法から定額法へ変更した場合、償却限度額の計算はどのようにするのでしょうか。また、旧定率法から旧定額法への変更の場合はどうですか。

【答】　減価償却資産の償却方法を、定率法から定額法へ又は旧定率法から旧定額法へ変更した場合、償却限度額は、次の(1)に定める取得価額又は残存価額を基礎として、(2)で定める年数に応じる償却率により計算することとされ

(376)

第6章　固定資産及び減価償却

ています。（基通7-4-4）

(1)　次の①又は②の価額

①　平成19年4月1日以後に取得した減価償却資産……償却方法を変更した事業年度の開始日の帳簿価額を取得価額とみなします。

②　平成19年3月31日以前に取得した減価償却資産……償却方法を変更した事業年度の開始日の帳簿価額を取得価額とみなし、実際の取得価額の10％相当額を残存価額とします。

(2)　耐用年数は、減価償却資産の種類の異なるごとに、法人の選択により、次の①又は②に定める年数によります。

①　その減価償却資産について定められている耐用年数

②　その減価償却資産について定められている耐用年数から経過年数を控除した年数（その年数が2年未満のときは、2年）

(2)の②の経過年数は、償却方法を変更した事業年度の開始日の帳簿価額を実際の取得価額で除して計算した未償却残額割合を基礎として、経過年数を算定します。経過年数の求め方については【問6-41】で説明しています。

計算例を示すと、以下のとおりです。

（定率法から定額法への変更）

取得価額1,000万円、変更事業年度の期首の帳簿価額300万円、法定耐用年数10年、経過年数6年とします。

(2)の①による場合……償却限度額＝3,000,000円×0.100（耐用年数10年の定額法の償却率）＝300,000円

(2)の②による場合……償却限度額＝3,000,000円×0.250（耐用年数4年の定額法の償却率）＝750,000円

（旧定率法から旧定額法への変更）

取得価額1,000万円、変更事業年度の期首の帳簿価額220万円、法定耐用年数30年、経過年数20年とします。

(2)の①による場合……償却限度額＝（2,200,000円－10,000,000円×10％）×0.034（耐用年数30年の旧定額法の償却率）＝40,800円

(2)の②による場合……償却限度額＝（2,200,000円－10,000,000円×10％）×0.100（耐用年数10年の旧定額法の償却率）＝120,000円

上記のように、償却方法変更後の償却年数について、税法は、当初の耐用

（377）

年数と残存年数（当初の耐用年数から経過年数を控除した年数）の両方を認めていますが、例えば、上記の定率法から定額法への変更の計算例では、償却方法変更後に当初の耐用年数で減価償却した場合は、変更前の4年と変更後の10年の合計14年で減価償却することとなり、自動的に耐用年数が延長されてしまいます。したがって、会計上は、償却方法変更後は、残存年数で減価償却することが妥当とされています。

定率法・旧定率法から定額法・旧定額法へ変更した場合の経過年数の計算

> **【問6-41】** 【問6-40】の説明にある経過年数はどのように計算するのですか。

【答】 定率法から定額法へ、又は旧定率法から旧定額法へ償却方法を変更した場合、変更後の償却年数は、当初の耐用年数又は残存年数（当初の耐用年数から経過年数を控除した年数）のいずれかによるものとされていますが、残存年数による場合、経過年数の計算が必要となります。経過年数については、「償却方法の変更をした事業年度開始の日における帳簿価額を実際の取得価額をもって除して得た割合に応ずるその資産の耐用年数に係る未償却残額割合に対応する経過年数」とされており（基通7-4-4(2)ロ）、具体的には、耐用年数通達の付表の未償却残額表を利用して計算することになります。なお、未償却残額表は、資産の取得時期に応じて次の3種類があります。

① 耐用年数通達付表7(1) 旧定率法未償却残額表（平成19年3月31日以前取得分）

② 耐用年数通達付表7(2) 定率法未償却残額表（平成19年4月1日から平成24年3月31日まで取得分）

③ 耐用年数通達付表7(3) 定率法未償却残額表（平成24年4月1日以後取得分）

耐用年数通達の付表により経過年数を求める方法は以下のとおりです。

（設例）

法定耐用年数10年の減価償却資産（平成24年4月1日以後取得）の取得価額が1,000,000円、償却方法の変更事業年度の期首帳簿価額が455,000円である場合、経過年数は次の順序で求めます。

（378）

第6章　固定資産及び減価償却

⑴　未償却残額割合は、455,000円÷1,000,000円＝0.455

⑵　耐用年数通達付表７⑶定率法未償却残額表では、「0.455」は、「耐用年
　数10年」の欄の「0.512」と「0.410」の間であるので、下位の「0.410」に
　応じる経過年数４年とします。

付表7⑶　定率法未償却残額表（平成24年4月1日以後取得分）

耐用年数／経過年数	3	4	5	6	7	8	9	⑩	11	12	13	14	15	16	17
償却率	0.667	0.500	0.400	0.333	0.286	0.250	0.222	0.200	0.182	0.167	0.154	0.143	0.133	0.125	0.118
改定償却率	1.000	1.000	0.500	0.334	0.334	0.334	0.250	0.250	0.200	0.200	0.167	0.167	0.143	0.143	0.125
1 年	0.333	0.500	0.600	0.667	0.714	0.750	0.778	0.800	0.818	0.833	0.846	0.857	0.867	0.875	0.882
2	0.111	0.250	0.360	0.446	0.510	0.563	0.605	0.640	0.669	0.694	0.716	0.734	0.752	0.766	0.778
3	0.000	0.125	0.216	0.297	0.364	0.422	0.471	0.512	0.547	0.578	0.605	0.629	0.652	0.670	0.686
④		0.000	0.108	0.198	0.260	0.316	0.366	0.410	0.448	0.481	0.512	0.539	0.565	0.586	0.605
5			0.000	0.099	0.173	0.237	0.285	0.328	0.366	0.401	0.433	0.462	0.490	0.513	0.534
6				0.000	0.086	0.158	0.214	0.262	0.300	0.334	0.367	0.396	0.425	0.449	0.471
7					0.000	0.079	0.143	0.197	0.240	0.278	0.310	0.340	0.368	0.393	0.415
8						0.000	0.071	0.131	0.180	0.223	0.258	0.291	0.319	0.344	0.366
9							0.000	0.066	0.120	0.167	0.207	0.242	0.274	0.301	0.323
10								0.000	0.060	0.111	0.155	0.194	0.228	0.258	0.283

　なお、経過年数の計算は、一の償却計算単位として償却限度額を計算する
減価償却資産ごとに行うものとされていますが（基通７−４−４（注）１）、個々
の資産ごとに行っても、より厳密な方法ですから、問題ありません。

　(注)　償却限度額の計算単位は、㋑減価償却資産の種類の区分（その種類につき構
　　造若しくは用途、細目又は設備の種類の区分が定められているものはそれぞれ
　　の区分とし、２以上の事業所又は船舶を有する法人で事業所又は船舶ごとに償
　　却の方法を選定している場合は、事業所又は船舶の区分）ごとに、かつ、㋺耐
　　用年数の異なるごと及び㋩法人の採用している償却の方法の異なるごとです。
　　（法規則19）

償却方法を定額法・旧定額法から定率法・旧定率法へ変更した場合の償却限度額

> **【問6-42】**　減価償却資産の償却方法を、定額法から定率法へ変更
> した場合、償却限度額の計算はどのようにするのでしょうか。ま
> た、旧定額法から旧定率法への変更の場合はどうですか。

【答】　減価償却資産の償却方法を、定額法から定率法へ又は旧定額法から旧

（379）

定率法へ変更した場合、変更した事業年度開始の日における帳簿価額、その減価償却資産の改定取得価額又は取得価額を基礎として、その資産について定められている耐用年数に応じる償却率、改定償却率又は保証率により計算するものとされています。（基通7-4-3）したがって、当初から定率法又は旧定率法を適用していた場合と同様の方法で計算すればよいことになります。なお、定率法の場合の償却保証額の計算も、当初の取得価額に基づいて行います。

転用資産の償却限度額

> 【問6-43】 3月31日決算の法人です。従来、事務所として使用していた建物（平成10年3月31日以前に取得したもので、前事業年度末の帳簿価額50,000千円、償却方法旧定率法、法定耐用年数38年、償却率0.059）を、事業年度途中の7月1日に倉庫（法定耐用年数31年、旧定率法の償却率0.072）に転用した場合、転用した事業年度の償却限度額の計算方法を教えてください。

【答】 減価償却資産を事業年度の途中で他の用途に転用した場合、その事業年度の償却限度額の計算方法には、次の二つの方法があります。

① 原則的方法……月数按分により転用前の期間の償却限度額と転用後の期間の償却限度額をそれぞれ計算し、その合計額を転用した日の属する事業年度の償却限度額とする方法

② 簡便法……転用した日の属する事業年度の開始の日から転用後の耐用年数により償却限度額の計算をする方法

それぞれの方法によって、御質問の建物の償却限度額を計算しますと、次のとおりになります。

① 原則的方法による場合

転用前の期間（4月～6月の3月間）の償却限度額

$50,000,000円 \times 0.059 \times \dfrac{3}{12} = 737,500円$

転用後の期間（7月～翌年の3月の9月間）の償却限度額

$(50,000,000円 - 737,500円) \times 0.072 \times \dfrac{9}{12} = 2,660,175円$

（380）

第6章　固定資産及び減価償却

　転用した事業年度の償却限度額
　　737,500円＋2,660,175円＝3,397,675円
② 簡便法による場合
　転用した事業年度の償却限度額
　　50,000,000円×0.072＝3,600,000円
　上記のいずれの方法を採る場合でも、同一事業年度に転用した減価償却資産が2以上ある場合は、その全部についていずれかの方法を採らなければならず、転用した個々の資産ごとに上記の二つの方法で計算した償却限度額のうちの償却限度額の多い方法を選択するという、つまみ食いをすることはできません。（基通7-4-2）

償却不足額の繰越しについて

> **【問6-44】** 普通償却については、償却不足額の繰越しが認められていませんが、これは償却不足額はその後償却費として損金の額に算入されないということですか。

【答】 御指摘のように普通償却については、償却不足額の繰越しが認められていません。一方、特別償却対象資産の特別償却限度額に係る不足額は、翌事業年度以後1年間繰り越すことが認められています。（措法52の2①②）各特別償却対象資産別に特別償却限度額以下の金額を特別償却準備金として積み立てていく方法によっている場合も、積立不足額の1年間の繰越しが認められています。（措法52の3②）

　ところで償却不足額の繰越しは、同じ繰越しでも、青色申告書を提出した事業年度の欠損金の10年間繰越しとは翌事業年度以後の所得の金額に及ぼす影響が異なります。欠損金の場合は、原則として翌事業年度以後10年間の所得の金額から控除されなかった金額は打切りになり、以後原則として損金の額に算入される機会がなくなりますが、償却不足額の場合は、償却不足相当額だけ減価償却資産の帳簿価額が高いため、当該減価償却資産が除却されるまでの間に、償却不足相当額が減価償却費若しくは固定資産除却損として損金の額に算入されます。

　例えば、3月31日決算の法人が、令和6年4月に2,000千円で取得した減

（381）

価償却資産（耐用年数10年／初年度10％の特別償却ができます）について、償却の方法が定率法の場合、令和７年３月期の普通償却及び特別償却の償却限度額は、それぞれ次のとおりになります。

　　普通償却限度額……2,000千円×0.200＝400千円

　　特別償却限度額……2,000千円×10％＝200千円

　これについて特別償却費200千円を全額償却不足額とした場合、当該償却不足額は特別償却不足額（当該事業年度開始の日前１年以内に開始した各事業年度の特別償却限度額に係る不足額）として翌事業年度に繰り越すことができますので、翌令和８年３月期の償却限度額は次のとおりになります。（措法52の２①②）

　普通償却限度額

　　（2,000千円－400千円－*200千円）×0.200＝280千円

　前事業年度から繰り越した特別償却不足額　　　200千円

　　　　　　　合　計　　　　　　　　　　480千円

　*印の200千円は、前事業年度から繰り越した特別償却不足額で、特別償却不足額の繰越しが認められているときの定率法又は旧定率法による償却計算の基礎となる金額は、当該特別償却不足額が既に償却されたものとみなした帳簿価額とすることとされています。（措法52の２①、措政令30②一）次ページに記載した申告書別表十六(二)では、「償却額計算の基礎となる金額⑱」1,400千円の算定に当たり、「前期から繰り越した特別償却不足額又は合併等特別償却不足額⑰」200千円を減算しているわけです。

　(注)　本問は税法の問題として解説しています。会社法及び企業会計の基準に照らした場合は、特別償却は相当の償却に該当しませんので、特別償却を損金経理によって計上するのは妥当でありません。

　これに対して普通償却の償却不足があった場合、例えば前記の資産（ただし初年度10％の特別償却はできないものとします。）について令和７年３月期に減価償却費を100千円だけ計上し、普通償却限度額400千円に対して300千円の償却不足額が生じたときは、この償却不足額を翌事業年度へ繰り越すことが認められていませんので、翌事業年度の普通償却限度額は、（2,000千円－100千円）×0.200＝380千円となります。

　この場合、償却不足額がないときは、普通償却限度額は、（2,000千円－

（382）

第6章　固定資産及び減価償却

400千円）×0.200＝320千円となりますので、償却不足額が300千円あったときは、380千円－320千円＝60千円多く償却できることになります。この金額は、償却不足額300千円に償却率0.200を乗じた金額、すなわち300千円×0.200で、償却の方法が定率法の場合は、このように翌事業年度から直ちに普通償却限度額のなかに償却不足額の一部が加わります。

　一方、この減価償却資産の償却の方法が定額法の場合は、令和7年3月期（取得事業年度）の普通償却限度額は、2,000千円×0.100＝200千円ですので、減価償却費を100千円だけ計上しますと、償却不足額が100千円生じます。ところが、翌事業年度以後の償却限度額も200千円ですので、取得事業年度に生じた償却不足額100千円は、この減価償却資産の耐用年数が経過した後に償却できることになります。

　このように、定率法には減価償却資産について償却過不足が生じたとき、その一部をその直後の事業年度の償却費から段階的に修正する機能があります。

【取得第2期目】

旧定率法又は定率法による減価償却資産の償却額の計算に関する明細書

資産区分	種類	1	
	構造	2	
	細目	3	
	取得年月日	4	令6・4・1
	事業の用に供した年月	5	令6・4
	耐用年数	6	10 年
取得価額	取得価額又は製作価額	7	外 2,000,000 円
	(7)のうち積立金方式による圧縮記帳の場合の償却額計算の対象となる取得価額に算入しない金額	8	
	差引取得価額(7)-(8)	9	2,000,000
償却額計算の基礎となる額	償却額計算の対象となる期末現在の帳簿記載金額	10	1,120,000
	期末現在の積立金の額	11	
	積立金の期中取崩額	12	
	差引帳簿記載金額(10)-(11)-(12)	13	外△ 1,120,000
	損金に計上した当期償却額	14	480,000
	前期から繰り越した償却超過額	15	
	合計(13)+(14)+(15)	16	1,600,000
	前期から繰り越した特別償却不足額又は合併等特別償却不足額	17	200,000
	償却額計算の基礎となる金額(16)-(17)	18	1,400,000
当期分の普通償却限度額等	平成19年3月31日以前取得分	差引取得価額×5%(9)×5/100	19	
		旧定率法の償却率	20	
		(16)>(19)の場合 算出償却額(18)×(20)	21	円
		増加償却額(21)×割増率	22	( )
		計(21)+(22)	23	
		(16)≤(19)の場合 算出償却額((19-1円)×60)	24	
	平成19年4月1日以後取得分	定率法の償却率	25	0.200
		調整前償却額(18)×(25)	26	280,000 円
		保証率	27	0.06552
		償却保証額(9)×(27)	28	131,040 円
		(26)<(28)の場合 改定取得価額	29	
		改定償却率	30	
		改定償却額(29)×(30)	31	円
		増加償却額((26)又は(31))×割増率	32	( )
		計((26)又は(31))+(32)	33	280,000
	当期分の普通償却限度額等(34)、(33)又は(33)	34	280,000
当期分の償却限度額	特別償却限度額	租税特別措置法適用条項	35	条　項
		特別償却限度額	36	外 円
		前期から繰り越した特別償却不足額又は合併等特別償却不足額	37	200,000
		合計(34)+(36)+(37)	38	480,000
	当期償却額	39	480,000
差引	償却不足額(38)-(39)	40	
	償却超過額(39)-(38)	41	
償却超過額	前期からの繰越額	42	外
	当期損金認容額	償却不足によるもの	43	
		積立金取崩しによるもの	44	
	差引合計翌期への繰越額(42)+(43)-(44)	45	
特別償却不足額	翌期に繰り越すべき特別償却不足額((40)-(43))と((47)-(48))のうち少ない金額	46	
	当期において切り捨てる特別償却不足額又は合併等特別償却不足額	47	
	差引翌期への繰越額(46)-(47)	48	
	翌期への繰越額の内訳	: :	49	
		: :		
	当期分不足額	50	
適格組織再編成により引き継ぐべき合併等特別償却不足額((40)-(43))と(36)のうち少ない金額	51	
備考			

（383）

確定申告書等に添付すべき償却額の計算に関する明細書

【問6-45】 確定申告書等に添付しなければならない償却額の計算に関する明細書は、資産の種類、償却の方法の異なるごとにまとめた合計表でよいそうですが、特別償却があるときはどうすればよいのですか。

【答】 確定申告書等に添付しなければならない償却額の計算に関する明細書には、別表十六（一）から十六（五）まで五つの表があり、償却の方法によって添付する明細書が異なります。

① 別表十六（一）……旧定額法又は定額法による減価償却資産の償却額の計算に関する明細書

② 別表十六（二）……旧定率法又は定率法による減価償却資産の償却額の計算に関する明細書

③ 別表十六（三）……旧生産高比例法又は生産高比例法による鉱業用減価償却資産の償却額の計算に関する明細書

④ 別表十六（四）……旧国外リース期間定額法若しくは旧リース期間定額法又はリース期間定額法による償却額の計算に関する明細書

⑤ 別表十六（五）……取替法による取替資産の償却額の計算に関する明細書

　法人税法に規定された普通償却については、減価償却資産の種類ごとに、かつ、償却の方法の異なるごとに区分し、その区分ごとの合計額を記載した書類を確定申告書に添付したときは、上記の明細書を法人が保存している場合に限り、償却明細書の添付は不要とされています。（法政令63②）上記の明細書は、いずれも償却の方法（例えば別表十六（二）の場合、旧定率法と定率法）、減価償却資産の種類等（種類、構造、細目）及び耐用年数の異なるものごとに別行に記載し、更に事業年度の途中で事業の用に供したものについても別行に記載しなければならないのですが、相当の数量になりますので、確定申告書等への添付は合計額を記載した書類によることとし、明細書は法人が作成して保存しておけばよいこととされているわけです。

　この場合、法人が保存する明細書については、別表十六（一）から十六（五）までに定める書式に代え、当該書式と異なる書式（これらの表の書式に定め

第6章　固定資産及び減価償却

る項目を記載しているものに限ります。）によることができるとされています。（法規則34②ただし書）

　なお、減価償却資産の種類とは、法人税法施行令第13条に定める資産の種類で、次のとおりです。

　①建物及びその附属設備／②構築物／③機械及び装置／④船舶／⑤航空機／⑥車両及び運搬具／⑦工具、器具及び備品／⑧無形固定資産（イ鉱業権、ロ漁業権、ハダム使用権、ニ水利権、ホ特許権、ヘ実用新案権、ト意匠権、チ商標権、リソフトウエア、ヌ育成者権、ル公共施設等運営権、ヲ樹木採取権、ワ漁港水面施設運営権、カ営業権、ヨ専用側線利用権、タ鉄道軌道連絡通行施設利用権、レ電気ガス供給施設利用権、ソ水道施設利用権、ツ工業用水道施設利用権、ネ電気通信施設利用権）／⑨生物

　また、特別償却があるときは、合計額を記載した書類によることができませんので、資産の種類等（種類、構造、細目）及び耐用年数の異なるごとに特別償却部分を別行に記載し、そのうちの期中取得した資産は更に別行に記載した内訳を添付しなければなりません。この場合、その内訳を合計額の内書とするのか外書とするのかは任意ですが、外書としますと合計額と決算書の数字との突合せができ、かつ、特別償却の内訳の合計との突合せもできますので便利です。

　(注)　特別償却の規定の適用を受ける場合には、特別償却限度額等の計算に関して参考となるべき事項を別紙に記載し、添付しなければなりません。(法規則別表十六(一)記載要領1、別表十六(二)記載要領1)

　なお、合計額を記載した書類による場合は、明細表の欄の一部は、記載を要しません。別表十六(一)及び別表十六(二)についての当該記載不要欄は、次のとおりです。

・別表十六(一)……②から⑥まで、⑩から⑫まで、⑭、⑮、⑰、⑱、⑳、㉖、㊺及び㊻の各欄（別表十六(一)記載要領12）

・別表十六(二)……②から⑥まで、⑩から⑫まで、⑭、⑮、⑰、⑲、⑳、㉕、㉗、㉚、㊾及び㊿の各欄（別表十六(二)記載要領13）

（385）

第4節　耐用年数

機械及び装置と工具の区分

> 【問6-46】　製造工程で使用する試験機器や検査機器は、機械及び
> 装置、工具、器具及び備品のいずれに該当しますか。自動式か手
> 動式かで異なりますか。

【答】　耐用年数省令別表第一では、器具及び備品の「3／時計、試験機器及
び測定機器」に「試験又は測定機器」として耐用年数5年が掲げられていま
すが、研究所等製造工程以外で使用する試験機器等に適用されるものです。
御質問の資産は、製造工程で使用されるものですので、機械及び装置若しく
は工具のいずれかに該当します。

　別表第一の工具に、「測定工具及び検査工具（電気又は電子を利用するも
のを含む。）」として耐用年数5年が掲げられていますが、この工具は、ブロ
ックゲージ、基準巻尺、ダイヤルゲージ、粗さ測定器、硬度計、マイクロメ
ーター、限界ゲージ、温度計、圧力計、回転計、ノギス、水準器、小型トラ
ンシット、スコヤー、V型ブロック、オシロスコープ、電圧計、電力計、信
号発生器、周波数測定器、抵抗測定器、インピーダンス測定器その他測定又
は検査に使用するもので、主として生産工程（製品の検査等を含みます。）
で使用する可搬式のものをいいます。（耐通2-6-1）したがって、自動式
のものも含みますが、試験機器や検査機器でも機械に取り付けられたものは
可搬式のものでありませんので工具でなく、機械及び装置に該当します。

中古資産の耐用年数

> 【問6-47】　中古資産を取得したとき、その耐用年数はどのように
> して算定するのか、計算例で説明してください。

【答】　中古資産の耐用年数は、次に掲げる耐用年数によることができます。
（耐令3①）なお、中古資産とは、個人において使用され、又は法人（人格
のない社団等を含みます。以下同じ）において事業の用に供された減価償却
資産の取得（適格合併又は適格分割型分割による被合併法人又は分割法人か

（386）

第6章　固定資産及び減価償却

らの引継ぎを含みます。）をして、法人の事業の用に供したものをいいます。

(1) 見積法による耐用年数……当該資産をその用に供した時以後の使用可能
期間の年数（耐令3①一）

(2) 簡便法による耐用年数……見積法により耐用年数を見積もることが困難
なもの（無形減価償却資産と生物を除きます。）は、次に掲げる資産の区
分に応じそれぞれに定める年数（その年数が2年未満のときは、2年とし
ます。）（耐令3①二）

　イ　法定耐用年数の全部を経過した資産

　　　　　……当該資産の法定耐用年数の20％に相当する年数

　ロ　法定耐用年数の一部を経過した資産

　　　　　……（当該資産の法定耐用年数－経過年数）＋経過年数の20％
　　　　　　　に相当する年数

　上記の年数は暦に従って計算し、1年未満の端数が生じたときは、これを
切り捨てます。（耐令3⑤）

　ただし、当該資産を事業の用に供するために当該資産について支出した資
本的支出の金額が当該資産の取得価額の50％に相当する金額を超えるときは、
(2)の簡便法による耐用年数によることはできません。（耐令3①ただし書）

　(注)　適格組織再編成（適格合併、適格分割、適格現物出資又は適格現物分配）に
　　　より被合併法人等から中古資産の移転を受けた場合において、当該被合併法人
　　　等が当該資産につき上記の規定の適用を受けていたときは、当該被合併法人等
　　　において中古耐用年数とされていた年数によることができます。（耐令3②）

　例えば、法定耐用年数15年の器具備品で経過年数が6年のものの上記(2)
のロによる見積り耐用年数は、（15－6）＋6×20％＝9＋1.2＝10.2で、1
年未満の端数を切り捨てて10年となります。

　なお、耐用年数の適用等に関する取扱通達の第1章第5節に、中古資産の
耐用年数について、下記のような取扱いが示されています。

① 中古資産についての見積法又は簡便法による耐用年数の算定は、初めて
当該資産を事業の用に供した事業年度においてすることができますので、
当該事業年度においてその算定をしなかったときは、その後の事業年度に
おいてはその算定をすることができません。（耐通1-5-1）ただし、仮決算
をした場合の中間申告（【問27-14】参照）に係る中間事業年度において取得

（387）.

した中古資産につき法定耐用年数を適用した場合であっても、当該中間事業年度を含む事業年度においては、当該中古資産につき見積法又は簡便法により算定した耐用年数を適用することができます。(耐通1-5-1(注))

② 中古資産を事業の用に供するに当たって支出した資本的支出の金額が当該減価償却資産の再取得価額の50％に相当する金額を超えるときは、見積法及び簡便法を適用することができず、法定耐用年数によらなければなりません。(耐通1-5-2)

例えば、中古資産の再取得価額が150万円、取得価額が50万円、資本的支出の金額が80万円のときは、資本的支出の金額80万円が当該資産の再取得価額150万円の50％である75万円を超えているため、当該中古資産は新品と変わらなくなったとされるわけです。

(注) この事例で、資本的支出の金額が30万円で、中古資産の取得価額50万円の50％である25万円を超えている場合は、簡便法による耐用年数を上記(2)の簡便法によって算定することはできず、後記⑥に掲げる算式によって算定します。

③ 見積法又は簡便法により算出した耐用年数により減価償却を行っている中古資産につき、各事業年度において資本的支出を行った場合において、一の計画に基づいて支出した資本的支出の金額の合計額又は当該各事業年度中に支出した資本的支出の金額の合計額が、当該減価償却資産の再取得価額の50％に相当する金額を超えるときは、当該減価償却資産及びこれらの資本的支出についての当該資本的支出をした後の耐用年数は、法定耐用年数によらなければなりません。(耐通1-5-3)

④ 上記(2)の簡便法による耐用年数での「見積法により耐用年数を見積もることが困難なもの」とは、その見積りのために必要な資料がないため技術者等が積極的に特別の調査をしなければならないこと、又は耐用年数の見積りに多額の費用を要すると認められることにより、使用可能期間の年数を見積もることが困難な減価償却資産をいいます。(耐通1-5-4)

⑤ 耐用年数を上記(2)の簡便法により計算する場合、中古資産の経過年数が不明なときは、その構造、形式、表示されている製作の時期等を勘案してその経過年数を適正に見積もるものとされています。(耐通1-5-5)

⑥ 上記(2)のただし書(耐令3①ただし書)により簡便法による耐用年数によることができない場合であっても、上記の②に該当しないときは、次の

第6章　固定資産及び減価償却

算式により計算した年数（1年未満の端数があるときは、これを切り捨てます。）を当該中古資産の耐用年数とすることができます。（耐通1-5-6）

$$\left\{ \begin{array}{l} 当該中古資産の \\ 取得価額（資本 \\ 的支出の額を含 \\ みます。） \end{array} \right\} \div \left\{ \begin{array}{l} 当該中古資産の取得価額（資 \\ 本的支出の額を含みません。） \\ \hline 当該中古資産についての簡便 \\ 法による見積残存耐用年数 \end{array} + \begin{array}{l} 当該中古資産の \\ 資本的支出の額 \\ \hline 当該中古資産の \\ 法定耐用年数 \end{array} \right\}$$

例えば、中古資産の取得価額が100万円、再取得価額が200万円、資本的支出の額が80万円（資本的支出の額80万円は中古資産の取得価額100万円の50％に相当する金額を超えていますが、再取得価額200万円の50％に相当する金額を超えていません。）、法定耐用年数が8年、経過年数が3年の場合は、前記(2)の簡便法によって算定される耐用年数は（8年－3年）＋3×20％＝5.6年で、1年未満の端数を切り捨てて5年となりますが、資本的支出の額が中古資産の取得価額の50％に相当する金額を超えているため、5年とすることはできず、上記の算式により次のとおりの計算をして、6年とすることになります。

$$（100万円＋80万円）÷\left(\frac{100万円}{5}+\frac{80万円}{8}\right)＝180万円÷30万円＝6（年）$$

無形減価償却資産についての見積り中古耐用年数の適用

> **【問6-48】**　関係会社から某製品の製法に関する特許権と、その製品の商標権を買い取りました。ところが特許権は、関係会社が出願した日から15年経過しており、商標権も設定登録した日から7年経過しています。この特許権及び商標権について、中古資産の見積耐用年数を適用することができますか。

【答】　【問6-47】で説明した中古資産についての(2)の簡便法による耐用年数の見積りは、耐用年数省令の別表第一（機械及び装置以外の有形減価償却資産）、別表第二（機械及び装置）、別表第五又は第六に掲げる減価償却資産であって、(1)の見積法による耐用年数の適用が困難なものに限り適用することができます。したがって、別表第三に掲げる無形減価償却資産と第四に掲げる生物については、適用することができません。（耐令3①二かっこ書）

　法人が他の者の有する工業所有権（特許権、実用新案権、意匠権及び商標

（389）

権をいいます。）について実施権又は使用権を取得したときは、その取得のために要した金額を当該工業所有権に準じて取り扱います。この場合、その実施権又は使用権の取得後における存続期間が当該工業所有権の法定耐用年数に満たないときは、当該存続期間の年数（１年未満の端数は切り捨てます。）をその耐用年数とすることができます。（基通７−１−４の３）

　まず、特許権の存続期間は特許出願の日から20年をもって終了するとされていますので（特許法67①）、御質問の特許権の法律上の残存存続期間は、出願公告の日から15年経過しているため５年となります。したがって、耐用年数は５年となりますが、仮に経過年数が12年未満で残存存続期間が８年を超えるときは、耐用年数は特許権の法定耐用年数の８年となります。

　また、商標権の存続期間は、設定登録の日から10年をもって終了するとされていますので（商標法19①）、御質問の商標権の法律上の残存存続期間は設定登録の日から７年経過しているため３年となります。したがって、耐用年数は３年となります。

(注)　商標権の存続期間は、商標権者の更新登録の申請によって更新することができますので（商標法19②）、実質的に存続期間が終了することがないともいえますが、法律上の存続期間は更新登録を考慮しないで算定します。

機械及び装置の中古資産の耐用年数の見積り方法

> **【問6-49】**　機械及び装置については、設備を構成する機械のうち１台だけ中古資産を取得しても中古資産の耐用年数を適用することができないそうですが、どうしてですか。また、中古の工場を一括して取得したような場合は、中古資産の耐用年数を適用できるそうですが、その場合の耐用年数の見積り方法を具体的に説明してください。

【答】　機械及び装置のような総合償却資産は、設備を構成する機械のうちの一部について中古資産を取得しても、その機械だけについて中古資産の耐用年数を適用することはできません。これは、総合償却資産の耐用年数が標準的なプラントについて個々の資産の耐用年数の加重平均により定められており、一部の機械が中古資産であっても、設備全体の耐用年数には影響がない

（390）

第6章　固定資産及び減価償却

ためです。ただし、法人が工場を一括して取得したような場合は、設備全体の耐用年数に影響がありますので、当該中古資産以外の資産と区別して、中古資産の耐用年数を見積もることができます。

中古資産の総合耐用年数の見積り方法は、次のとおりです。

① 同じ「設備の種類」又は「種類」に属する総合償却資産の相当部分について中古資産を一時に取得した場合……当該中古資産以外の資産と区分し、当該中古資産については次の算式により計算した年数を耐用年数とします。

（耐通1-5-8）

$$\frac{\text{当該中古資}}{\text{産の取得価}} \div \left\{ \left(\frac{\text{当該中古資産を構成する}}{\text{個々の資産の取得価額}} \div \frac{\text{当該個々の資産の}}{\text{見積残存耐用年数}} \right) \text{の合計額} \right\}$$

　　　（1年未満の端数を切り捨て、その年数が2年未満のときは2年とします。）

(注)　取得した中古資産がその総合償却資産の相当部分であるかどうかは、次の割合がおおむね30％以上であるかどうかにより判定します。（耐通1-5-9）

$$\left(\begin{array}{c} \text{取得した資産の再} \\ \text{取得価額の合計額} \end{array} \right) \div \left(\begin{array}{c} \text{当該資産を含めた資産の属する} \\ \text{設備全体の再取得価額の合計額} \end{array} \right)$$

　　　法人が2以上の工場を有するときは、工場別に判定します。

　例えば、中古資産がA、B、C、Dの4台で、個々の資産の取得価額、見積残存耐用年数が下表のとおりですと、中古資産の見積耐用年数は、その機械の全部について、1,000万円÷175万円＝5.714年の1年未満の端数を切り捨て、5年となります。

	取　得 価　額 ㋑	見積残 存耐用 年　数 ㋺	年要償 却　額 $\frac{㋑}{㋺}$
A	300万円	10年	30万円
B	500万円	5年	100万円
C	100万円	4年	25万円
D	100万円	5年	20万円
計	1,000万円		175万円

② 法人が工場を一括して取得する場合のように、中古資産である一の設備

（391）

の種類に属する総合償却資産の全部を一時に取得したとき……次の算式によって計算した年数を当該中古資産の見積残存耐用年数とすることができます。(耐通 1 - 5 -10)

　　（当該総合償却資産の法定耐用年数 - 経過年数）＋経過年数×20％

　　　　（1 年未満の端数を切り捨て、その年数が 2 年未満のときは 2 年とします。）

　この経過年数は、当該資産の譲渡者が償却の方法を旧定率法又は定率法としている場合、次の算式によって譲渡者が譲渡した日の未償却残額割合を計算し、「旧定率法未償却残額表」又は「定率法未償却残額表」によって求めた当該割合に対応する年数としますので、譲渡者からこの算式による計算に必要な資料の提供を受けなければなりません。

$$\frac{\text{当該資産の譲渡者の譲渡の日の帳簿価額}}{\text{当該資産の譲渡者の取得価額の合計}}$$

2以上の用途に供する建物の耐用年数

> 【問6-50】　鉄筋コンクリート造地上 5 階建の食堂総合ビルを新築しました。1 階は当社が和風料理店を経営するため主として木造の内部造作を施工し、2 階から上は飲食業を営むテナントを募集して、内部造作はテナントが施工することとしています。耐用年数について、次の事項をお尋ねします。
> ①　1 階の木造の内部造作は、鉄筋コンクリート造の本体とは別に、木造建物の飲食店用の20年を適用することができますか。
> ②　建物本体の耐用年数は、鉄筋コンクリート造のものの飲食店用の41年を適用することができますか。

【答】　①について……建物の内部造作は、その造作が建物附属設備に該当する場合を除き、その造作の構造が当該建物の骨格の構造と異なっている場合でも、それを区分しないで当該建物に含めて当該建物の耐用年数を適用します。(耐通 1 - 2 - 3)御質問のように鉄筋コンクリート造の建物に木造の内部造作を施工した場合でも、その内部造作を建物から分離して木造建物の耐用年数を適用することはできません。これは、建物の耐用年数がその用途に

（392）

第6章　固定資産及び減価償却

より、一般的な内部造作を含めて定められているからで、飲食店用のもので
あれば、御質問のような内部造作が行われることが想定されているからです。

(注)　鉄筋コンクリート造の建物の「飲食店用」のものの法定耐用年数は通常41年
ですが、延べ面積のうちに占める木造内装部分の面積が3割を超えるものは、
34年に短縮されています。（耐用年数省令別表第一《建物／鉄筋コンクリート
造／飲食店用の欄》）

②について……貴社が内部造作を行わないで賃貸する2階から上の部分は、
用途の区分がありませんので、耐用年数は鉄筋コンクリート造の建物の「左
記以外のもの」の50年を適用します。（耐通2-1-2）

これにより、御質問の建物は1階部分が「飲食店用」、2階以上が「左記以
外のもの」という2以上の用途に使用されていることになります。同一の
減価償却資産が2以上の用途に共通して使用されているときは、その減価償
却資産の用途は、その使用目的、使用の状況等より勘案して合理的に判定す
るものとされていますが（耐通1-1-1）、同一の建物を2以上の用途に使
用するため、当該建物の一部について特別な内部造作その他の施設をしてい
る場合は、その建物を2以上の用途ごとに区分して、その用途について定め
られている耐用年数をそれぞれ適用することができます。（耐通1-2-4）

御質問の建物は、1階部分は内部造作も含めて「飲食店用」の耐用年数を、
2階以上は「左記以外のもの」の耐用年数を適用することになります。ただ
し、当該建物の地階等に附属して設けられている電気室、機械室、車庫又は
駐車場等のようにその建物の機能を果たすために必要な補助的部分は、用途
ごとに区分しないで、当該建物の主たる用途について定められている耐用年
数を適用します。（耐通1-2-4ただし書）

（393）

テナントが賃借建物に施設する内部造作の耐用年数

> **【問6-51】** 【問6-50】の建物の2階以上の部分にテナントが施工する内部造作について、テナントの側での下記の処理をお尋ねします。
> ① テナントは、税法上減価償却資産、繰延資産（建物を賃借するために支出する権利金等）のいずれで処理をすべきことになりますか。
> ② 減価償却資産として処理すべきだとした場合、この造作部分の耐用年数は、どのようになりますか。

【答】 ①について……他人の建物に造作した場合の費用は、テナントの側で資本的支出として減価償却資産に計上しなければなりません。テナントの施工した内部造作は、テナントが占有し使用収益するもので、その処分権もテナントが有しており、テナントにその所有権があるからです。

　(注) 民法第206条は、所有権の内容を、「所有者は、法令の制限内において、自由にその所有物の使用、収益及び処分をする権利を有する。」と規定しています。

　②について……法人が建物を賃借して自己の用に供するため造作した場合（現に使用している用途を他の用途に変えるために造作した場合を含みます。）の造作に要した金額は、当該造作が、建物についてされたときは、当該建物の耐用年数、その造作の種類、用途、使用材質等を勘案して、合理的に見積もった耐用年数により、建物附属設備についてされたときは、当該建物附属設備の耐用年数により償却します。ただし、その建物について賃借期間の定めがあって賃借期間の更新ができず、かつ、有益費の請求又は買取請求をすることができないものは、当該賃借期間を耐用年数として償却することができます。（耐通1-1-3）

　したがって、建物に施工された内部造作は、建物本体の耐用年数を用いるのではありません。この耐用年数の合理的な見積り方法は特に定められていませんが、例えば造作の内容をその材質等によって大別し、それぞれについての造作価額をその個別年数で除して年要償却額を求め、取得価額の合計額を年要償却額の合計額で除して求める方法が考えられます。（下表参照）

第6章 固定資産及び減価償却

内部造作の耐用年数の見積り方法			
種　　　類	取得価額	個別年数	年要償却額
ガラス戸工事	400千円	16年	25千円
床タイル工事	120千円	10年	12千円
その他木造工事	480千円	24年	20千円
計	1,000千円	―	57千円
耐用年数	1,000千円 ÷ 57千円 ≒ 18年		

　なお、同一の建物（一の区画ごとに用途を異にしている場合は、同一の用途に属する部分）についてした造作は、そのすべてを一の資産として償却しますので、その耐用年数は、その造作全体を総合して見積もることとされています。（耐通1-1-3（注））

廃棄予定の減価償却資産の耐用年数

> **【問6-52】**　当期に、生産の効率化を図るため工場の立替えが決定し、工場用建物（法定耐用年数38年、経過年数30年）を2年後に取り壊すこととなりました。使用期間があと2年間ですから、未償却残高を2年で減価償却するのが妥当と思いますが、認められるでしょうか。

【答】　御質問の建物は使用可能予測期間が2年ですので、2年で減価償却することが会計上妥当な処理方法といえます。「減価償却に関する当面の監査上の取扱い（日本公認会計士協会、監査・保証実務委員会実務指針第81号）」では、Ⅱの3.耐用年数の決定とその変更の14で、減価償却資産の使用状況、環境の変化等により、当初予定による残存耐用年数と現在以降の経済的使用可能予測期間とのかい離が明らかになったときは、耐用年数を変更しなければならないとしています。

　一方、税法で耐用年数の短縮が認められるのは、次の事由による場合に限られます。（法政令57①、法規則16）

①　その資産の材質又は製作方法がこれと種類及び構造を同じくする他の減価償却資産の通常の材質又は製作方法と著しく異なることにより、その使

（395）

用可能期間が法定耐用年数に比して著しく短いこと

② その資産の存する地盤が隆起又は沈下したことにより、その使用可能期間が法定耐用年数に比して著しく短いこととなったこと

③ その資産が陳腐化したことにより、その使用可能期間が法定耐用年数に比して著しく短いこととなったこと

④ その資産がその使用される場所の状況に基因して著しく腐食したことにより、その使用可能期間が法定耐用年数に比して著しく短いこととなったこと

⑤ その資産が通常の修理又は手入れをしなかったことに基因して著しく損耗したことにより、その使用可能期間が法定耐用年数に比して著しく短いこととなったこと

⑥ 旧耐用年数省令（平成20年改正前省令）を用いて償却限度額を計算することとした場合に、旧耐用年数省令に定める一の耐用年数を用いて償却限度額を計算すべき減価償却資産の構成がその耐用年数を用いて償却限度額を計算すべき同一種類の他の減価償却資産の通常の構成と著しく異なることにより、その使用可能期間が法定耐用年数に比して著しく短いこと

⑦ その資産が機械及び装置である場合において、その資産の属する設備が旧耐用年数省令別表第二に特掲された設備以外のものであることにより、その使用可能期間が法定耐用年数に比して著しく短いこと

⑧ その他①から⑦に準じる事由により、その使用可能期間が法定耐用年数に比して著しく短いこと又は著しく短いこととなったこと

御質問の場合は、上記のいずれの事由にも該当しませんので、税法上は、2年で減価償却することはできず、従来どおりの耐用年数で償却限度額を計算することになります。したがって、会計上2年で減価償却した場合は、償却超過額が発生しますが、この建物の減価償却費が製造原価に算入されているときは、その償却超過額は貸方原価差額として申告調整できます。（基通5-3-9、【問4-36】参照）

第6章　固定資産及び減価償却

第5節　減価償却資産の減損損失、除却損失等

減損損失が損金算入されるケースはないか

> 【問6-53】「固定資産の減損に係る会計基準」の適用により計上した減損損失は、税務上損金として認められないと聞きましたが、損金算入されるケースはないのでしょうか。

【答】「固定資産の減損に係る会計基準」(以下「減損会計基準」といいます。)による減損損失と同様に、固定資産の帳簿価額を切り下げるものとして法人税での固定資産の評価損がありますので、以下、この両者を比較して、減損損失の損金算入の余地がないか検討します。

(1)　簿価切下げが行われる場合

　減損会計では、次のような兆候がある場合に、減損損失を認識するかどうかの判定を行い、必要な場合は減損損失を計上することとされています。(減損会計基準二1)

①　資産又は資産グループが使用されている営業活動から生ずる損益又はキャッシュ・フローが、継続してマイナスとなっているか、あるいは、継続してマイナスとなる見込みであること

　(注)　「資産グループ」とは、他の資産又は資産グループのキャッシュ・フローから概ね独立したキャッシュ・フローを生み出す最小の単位をいいます。

②　資産又は資産グループが使用されている範囲又は方法について、当該資産又は資産グループの回収可能価額を著しく低下させる変化が生じたか、あるいは、生ずる見込みであること。資産又は資産グループが使用されている範囲又は方法について生ずる当該資産又は資産グループの回収可能価額を著しく低下させる変化とは、資産又は資産グループが使用されている事業を廃止又は再編成すること、当初の予定よりも著しく早期に資産又は資産グループを処分すること、資産又は資産グループを当初の予定と異なる用途に転用すること、資産又は資産グループが遊休状態になったこと等をいいます。(減損会計基準注解の(注2))

　(注)　「回収可能価額」とは、資産又は資産グループの正味売却価額と使用価値のいずれか高い方の金額をいいます。「正味売却価額」とは、資産又は資産グル

(397)

ープの時価から処分費用見込額を控除して算定される金額をいい、「使用価値」とは、資産又は資産グループの継続的使用と使用後の処分によって生ずると見込まれる将来キャッシュ・フローの現在価値をいいます。（減損会計基準注解の（注1））

③　資産又は資産グループが使用されている事業に関連して、経営環境が著しく悪化したか、あるいは、悪化する見込みであること

④　資産又は資産グループの市場価格が著しく下落したこと

　一方、税法では、次の事実が生じたことにより、資産の価額（時価）が帳簿価額を下回ることとなった場合、帳簿価額と期末の時価との差額について評価損の損金算入が認められます。（法33②、法政令68①三）

①　その資産が災害により著しく損傷したこと

②　その資産が1年以上にわたり遊休状態にあること

③　その資産がその本来の用途に使用することができないため、他の用途に使用されたこと

④　その資産の所在する場所の状況が著しく変化したこと

⑤　①～④に準ずる特別な事実

　なお、⑤の例として、やむを得ない事情によりその取得の時から1年以上事業の用に供されないため、その資産の価額が低下したと認められることが示されています。（基通9-1-16）

　減損会計は収益性の低下した資産の帳簿価額を回収可能価額まで引き下げることであるのに対して、税法の評価損は一定の事実が生じたことにより資産の時価が下落した場合に認められるもので、基本的な考え方が異なりますが、「減損会計基準」の減損の兆候の②のうち他の用途への転用や遊休については、そのことにより時価が低下した場合は、税法での評価損が認められる場合の②や③に該当する可能性があると思われます。

(2)　簿価切下げ単位

　減損会計は、他の資産又は資産グループのキャッシュ・フローから概ね独立したキャッシュ・フローを生み出す最小の単位で資産をグルーピングし、減損損失の認識及び測定を行います。（減損会計基準二6）つまり、個々の資産ごとに減損損失の認識、測定を行うのではなく、例えば、特定の事業に使用されている資産全体や工場の資産全体といった単位で行うということです。税法の評価損について、時価が帳簿価額を下回ることとなったかどうか

第6章　固定資産及び減価償却

を判定する単位は次の区分によるものとされており、その他の資産について
は、これらに準ずる合理的な基準によるものとされています。(基通9－1－1)

イ　土地等（土地の上に存する権利を含む。）……一筆（一体として事業の
　　用に供される一団の土地等にあっては、その一団の土地等）ごと

ロ　建物……一棟（建物の区分所有等に関する法律第1条の規定に該当する
　　建物にあっては、同法第2条第1項に規定する建物の区分）ごと

ハ・電話加入権（特殊な番号に係る電話加入権を除く。）……電話局の異な
　　るものごと

　　（以下、省略）

　上記以外の固定資産、例えば、機械装置については必ずしも画一的な判定
単位によることが適当でないため、具体的な判定単位が上記通達には定めら
れていませんが、上記に準じて合理的な基準により判定することになります。

　このように、税法の評価損の判定単位にはグルーピングという概念がない
ため、減損会計と大きく異なることとなり、減損損失の対象が遊休土地や遊
休建物で一定の場合等を除き、税法の評価損と判定単位が合致することはな
いと思われます。

⑶　簿価切下げの場合の時価

　減損損失を計上する場合、帳簿価額を回収可能価額まで減額します。（減
損会計基準二3）回収可能価額とは、上記⑴②の**(注)**のとおりです。税法で
評価損の計上が認められる場合、帳簿価額と資産の期末の時価との差額が損
金として認められますが、期末の時価とは、その資産が使用収益されるもの
としてその時において譲渡される場合に通常付される価額とされており（基
通9－1－3）、評価損の原因となった事実が生じた後の状態において事業の
用に供すると仮定した場合の通常の価額をいいます。したがって、税法の時
価は、将来キャッシュ・フロー等から算出される減損会計での回収可能価額
とはまったく異なりますが、税法の評価損が認められる条件を満たしている
（上記の⑴及び⑵がクリアされている）ときに減損損失を計上した場合、減
損損失計上額のうち、帳簿価額と税法の期末時価との差額は損金として認め
られることになります。

　以上のように、減損損失が税法の評価損として損金算入されることはない
とは言えませんが、かなりまれなケースと思われます。なお、損金算入され

（399）

なかった減損損失の額は償却費として損金経理した額に含まれます。（基通7-5-1(5)（注））減損損失を計上した場合の申告調整については【問6-54】を参照してください。

(注) 減損損失を税法上損金として認めるべきであるとの意見がありますが、企業会計と税法は目的が異なりますから、損金算入を認めるべきではありません。企業会計では情報提供の目的から企業の実態を表示するため、会計上の見積りが必要とされる場合もありますが、税法の目的は税の徴収であり、課税の公平、租税回避行為の防止が重要ですので、恣意性を排除することが必要です。したがって、将来キャッシュ・フローの見積り等、見積要素の大きい減損会計による損失は認められないことは当然です。

減損損失を計上した場合の申告調整

> 【問6-54】 「固定資産の減損に係る会計基準」の適用により計上した減損損失が損金算入されなかった場合、どのように申告調整すればよろしいですか。

【答】【問6-53】で御説明したとおり、減損損失が税法の評価損に該当する場合は減損損失の額が損金算入されますが、そうしたケースはまれであり、ほとんどのケースでは、減損損失の額は損金の額に算入されないと考えられます。この場合、減価償却資産について損金の額に算入されなかった減損損失の金額は、償却費として損金経理した金額に含まれるものとされています。（基通7-5-1(5)（注））したがって、減損損失計上額は償却超過額として取り扱われ、翌期以後、償却不足による償却超過額の認容として損金の額に算入されていくこととなります。以下、設例で申告調整を説明します。

（設例） 当社は3月31日決算です。令和4年4月に事業の用に供した機械装置（取得価額1,000万円、耐用年数8年、定額法で償却、償却率0.125）について、経済環境の著しい変化により、令和7年3月決算で、425万円の減損損失を計上しました。この結果、令和7年3月期での帳簿価額は200万円（取得価額1,000万円から、3年間の減価償却費1,000万円×0.125×3年＝375万円及び減損損失425万円を控除した額）となりました。今後は、減損損失計上後の帳簿価額200万円を耐用年数5年（償却率0.200）で減価償却します。

（400）

第6章　固定資産及び減価償却

① 令和7年3月期の申告調整

　　償却限度額　　　1,000万円×0.125＝125万円

　　償却費として損金経理した金額　　125万円＋425万円（減損損失計上額）
　　＝550万円

　　償却超過額　　　550万円－125万円＝425万円（申告調整で加算、処分は留保）

② 令和8年3月期の申告調整

　　償却限度額　　　1,000万円×0.125＝125万円

　　償却費として損金経理した金額　　200万円×0.200＝40万円

　　償却不足額　　　125万円－40万円＝85万円

　　償却不足による償却超過額の認容額　　85万円（85万円≦425万円）（申告
　　調整で減算、処分は留保）

　その後、状況に変化がなければ、令和9年3月期以後も各事業年度に85万
円の申告減算することにより、令和12年3月期で償却超過額の全額が認容さ
れることになります。

テナントが賃借建物に施工した内部造作の契約解除による廃棄損

> **【問6-55】**　Aビル内の一室を賃借して本社事務所としてきました
> が、当方から申し出て賃借契約を解除し、本社事務所は工場の所
> 在地に移転することにしました。賃借時に施工して資産に計上し
> た内部造作は、家主であるAビルの希望で立退きに当たって除去
> せず、そのままAビルに引き渡しますが、廃棄損として損金算入
> することができますか。なお、Aビルとの契約では、立退き時に
> おける内部造作の買取り請求はできないことになっています。
>
> 　この場合、Aビルに対して、当該内部造作の受贈益に対する課
> 税が行われますか。

【答】　賃借建物にテナントが内部造作を施工する場合、一般の建物賃貸借契
約では「テナントは立退き時に内部造作を除去して原状に復することを要し、
家主に対して買取り請求をすることができない」とされています。これは、
テナントによって特殊用途に使用するための内部造作が施工されますと、家
主は次のテナントに賃貸するに当たって支障をきたすからですが、なかには

（401）

家主が除去することを要求しないものもあると思います。

　御質問の場合も、立退きに当たって内部造作を除去しないのですが、賃貸借契約で内部造作の買取り請求ができないことになっており、かつ、当方から契約の解除を申し出たという事情を考えますと、家主の希望によって内部造作を除去しないで引渡したとしても、税務上その価額相当額を家主に対する贈与とされることはなく、内部造作の帳簿価額は廃棄損として損金の額に算入することができます。

　仮に、家主の側から立退きを要求してきたときは、賃貸借契約での上記の条項にかかわらず内部造作の買取りを申し出て、買取りの対価を立退料のなかに含めて受領することがあります。したがって、立退きに当たって家主の希望で内部造作を除去しないときは、家主とテナントの関係が親子会社とか役員とその支配会社という場合、契約の内容にかかわらず家主に対する贈与とされることもあるでしょう。内部造作が家主にとって価値のあるものなのかどうか、契約の内容、立退き時の事情、家主とテナントの関係などによって、個別に判断すべき事項です。

　なお、家主については、価値のある内部造作で自ら除去を希望しなかった場合、無償による資産の譲受益として益金の額に算入すべきだと思います。支出する側で業務遂行のための必要経費となり、受け取る側で受贈益となる事例は、例えば得意先に対する事業用資産の贈与のように他にもあります。

　(注)　家主とテナントとの間に法人による完全支配関係がある場合は、テナントから家主への贈与となった金額は損金の額に算入されず（法37②）、家主において受贈益となった金額は益金の額に算入されません。（法25の2）

グループ償却と当該償却をしている場合の除却価額

> **【問6-56】**　耐用年数表の種類、構造若しくは用途、細目及び耐用年数が同一の個別償却資産は、償却額を個々の資産に配賦しない方法がとれるとのことですが、どのような方法なのか教えてください。また、この方法を採用している場合、個別の資産を除却したときのその除却価額はどのようにして計算するのですか。

【答】　御質問にある償却額の計算方法は、グループ償却と呼ばれているもの

（402）

第6章　固定資産及び減価償却

で、償却費の額を個々の償却資産に配賦する手数を省略する方法です。

　税法の償却限度額は、耐用年数表の細目及び耐用年数が同じ資産については個々の資産ごとに計算しなくても、その計算の基礎となる金額の合計額に償却率を乗ずるだけで計算することができます。例えば、法人に減価償却資産として多数の試験機器がある場合、個々の試験機器の取得時期と取得価額を明らかにしておけば、各事業年度におけるその償却限度額は、償却方法が旧定率法、250％定率法又は200％定率法の場合、償却方法を旧定率法とするもの、250％定率法とするもの及び200％定率法とするものに区分し、〔前事業年度から繰り越した試験機器の帳簿価額の合計額×償却率〕＋〔（当事業年度に取得した試験機器の取得価額の月ごとの合計額×償却率）の月割額の合計額〕として計算することができますので、試験機器１台ごとの償却限度額を計算する必要はありません。（法規則19参照）

　この方法で償却している場合、工具、器具及び備品のような個別償却資産で償却費の額を個々の資産に合理的に配賦することが困難なものについて除却等があったときは、当該資産についてその法定耐用年数を基礎として計算される除却等の時の未償却残額を除却価額とします。（基通７-７-６(2)）

　この未償却残額は、償却方法が旧定率法又は定額法の場合は当該個別償却資産の１年間の償却限度額に経過年数を乗じた金額を取得価額から差し引いて計算し、旧定率法又は250％定率法若しくは200％定率法の場合は「旧定率法未償却残額表」又は「定率法未償却残額表」を用いて、当該個別償却資産の取得価額にその耐用年数及び経過年数をもとにして求めた未償却残額割合を乗じて計算します。例えば、償却方法が200％定率法である取得価額50万円の試験機器《耐用年数５年》で、経過年数３年のものは、未償却残額割合が0.216ですので、50万円×0.216＝108,000円を除却価額とします。

　また、この未償却残額を計算するに当たって、取得後に資本的支出や耐用年数の改定があった場合、経過年数に１年未満の端数がある場合、除却資産が特別償却や増加償却の対象資産の場合等の計算方法は特に定められていませんので、法人が合理的に計算することになります。

　(注)　定率法未償却残額表の一部を掲げ、上記の耐用年数５年の資産について経過年数が３年のときの未償却残額割合0.216の求め方を矢印で示しておきます。

　　　　例えば、経過年数に１年未満の端数がある場合の未償却残額割合は、次のよ

（403）

うにして計算すればよいでしょう。

耐用年数5年で経過年数が3年6か月のとき、

$$0.216 - (0.216 - 0.108) \times \frac{6}{12} = 0.162$$

（0.108は、経過年数3＋1＝4年のときの未償却残額割合です。）

付表7(3)　定率法未償却残額表（平成24年4月1日以後取得分）

耐用年数／償却率／経過年数	3	4	⑤	6	7	8	9	10	11	12	13	14	15	16	17
償却率	0.667	0.500	0.400	0.333	0.286	0.250	0.222	0.200	0.182	0.167	0.154	0.143	0.133	0.125	0.118
改定償却率	1.000	1.000	0.500	0.334	0.334	0.334	0.250	0.250	0.200	0.200	0.167	0.167	0.143	0.143	0.125
1年	0.333	0.500	0.600	0.667	0.714	0.750	0.778	0.800	0.818	0.833	0.846	0.857	0.867	0.875	0.882
2	0.111	0.250	0.360	0.445	0.510	0.563	0.605	0.640	0.669	0.694	0.716	0.734	0.752	0.766	0.778
③	0.000	0.125	0.216	0.297	0.364	0.422	0.471	0.512	0.547	0.578	0.605	0.629	0.652	0.670	0.686
4		0.000	0.108	0.198	0.260	0.316	0.366	0.410	0.448	0.481	0.512	0.539	0.565	0.586	0.605
5			0.000	0.099	0.173	0.237	0.285	0.328	0.366	0.401	0.433	0.462	0.490	0.513	0.534
6				0.000	0.086	0.158	0.214	0.262	0.300	0.334	0.367	0.396	0.425	0.449	0.471
7					0.000	0.079	0.143	0.197	0.240	0.278	0.310	0.340	0.368	0.393	0.415
8						0.000	0.071	0.131	0.180	0.223	0.258	0.291	0.319	0.344	0.366
9							0.000	0.066	0.120	0.167	0.207	0.242	0.274	0.301	0.323
10								0.000	0.060	0.111	0.155	0.194	0.228	0.258	0.283

種類等を同じくする減価償却資産の間での償却費の配賦

【問6-57】　自動車運送業を営む会社です。大型トラックを数十台所有していますが、いずれも耐用年数表の「車両及び運搬具／運送事業用／自動車／その他のもの」で、法定耐用年数は4年です。

①　耐用年数省令の区分を同じくする減価償却資産の償却限度額は、細目の区分ごとに計算するそうですが、大型トラック全体の償却額の合計額が償却限度額以下であれば、個々のトラックへの償却額の配賦は任意でよろしいですか。例えば、翌事業年度に除却を予定しているトラックに償却額を配賦せず、その額だけ新車の償却額を増やしてもよろしいですか。

②　会社が不況で償却限度額未満の額しか償却をしない場合、償却不足額を一部のトラックに集中させてもよろしいですか。

【答】　①について……車両及び運搬具のような個別償却資産の償却限度額の計算は、耐用年数省令の細目が同じ資産ごとに計算します。（法規則19）この場合、細目を同じくする資産については、個々の資産の償却過不足額は通算しますので、例えば、Aトラックは償却超過額が5万円ありBトラックは

（404）

第6章　固定資産及び減価償却

償却不足額が4万円あるという場合、Aトラックの償却超過額5万円が損金不算入となるのでなく、Aトラックの償却超過額とBトラックの償却不足額の差引額1万円が償却超過額として損金不算入になります。

　しかし、このことは、償却限度額の計算についてのことで、個々の資産への償却額の配賦を恣意的にすることを認めているのではありません。個々の資産への償却額の配賦は合理的に行われていることが必要で（基通7-7-6(1)）、御質問のように翌事業年度に除却を予定しているトラックに償却額の配賦をしないでその帳簿価額を故意に高くし、翌事業年度に計上される除却損の額を大きくするようなことはできません。

　②について……償却額を償却限度額未満の額とするのは、不況で稼働率が低下してトラックの物理的減耗度が少なかったためなのか、その他の理由によるものなのか不明ですが、「償却すべき資産については、事業年度の末日において、相当の償却をしなければならない。」という会社計算規則第5条第2項の規定に違反していないことを前提にして、お答えします。

　貴社の減価償却額は、税法の償却限度額未満の額とされるに当たって、その算定根拠があるべきです。つまり、耐用年数4年では短いから5年にしたとか、トラックの見積走行可能距離に対する実際走行距離で物理的減耗度を計算したとかという根拠です。その結果、例えば一部のトラックが全期間休止していて物理的減耗がないというような合理的な理由があれば、当該車両にだけ税務計算上の償却不足額を集中されても不合理でありません。要するに、①に記載した償却費の額が個々の資産に合理的に配賦されることが必要という条件がこの場合にも必要で、特別の理由なく償却不足額を一部のトラックに集中させることは、会計上はもちろん税務でも認められません。翌事業年度以後に除却するトラックの除却価額が相当でないという問題が生じます。

（405）

総合償却資産の除却価額

> **【問6-58】** 総合償却資産とは、どのような資産ですか。その一部の除却等があった場合、除却価額は原則として0となるのでしょうか。

【答】 総合償却資産は、構築物の一部と機械及び装置の全部がこれに該当するとされています。機械及び装置の場合、耐用年数省令別表第二には合計55区分の設備について耐用年数が定められていますが、それぞれの設備を構成する個々の機械の耐用年数を定めているのでなく、設備ごとに標準的なプラントを想定したうえで、それを構成する個々の機械の耐用年数を加重平均して定めています。

例えば、ある設備の標準的なプラントが、A、B、C、D、Eという5種類の機械で構成され、個々の機械の取得価額が下表の㋑、その個別耐用年数が同表の㋺のとおりであるとします。この場合、$\frac{㋑}{㋺}$は個々の機械について1年間に償却すべき金額ですので、取得価額㋑の合計額1,000万円を$\frac{㋑}{㋺}$の合計額140万円で除しますと7.14となり、この設備全体の総合耐用年数は7年とします。

このようなプラントが稼働した場合、通常最初に除却される機械は、個別耐用年数の最も短いEです。この場合、総合償却では全体を7年で償却し個々の機械を7年で償却しませんが、あえてEを7年で償却していますと、5年経過してEが除却されるとき、まだ

個別機械	取得価額㋑	個別耐用年数㋺	$\frac{㋑}{㋺}$
A	280万円	10年	28万円
B	200万円	8年	25万円
C	300万円	6年	50万円
D	60万円	12年	5万円
E	160万円	5年	32万円
	1,000万円		140万円

その償却が終わっていません。このときの未償却残額でEの除却損を計上しますと、7年経過したときに、まだ使用が可能なA、B及びDの償却が終わってしまうという不合理が生じます。このため、総合償却資産のなかの個々の資産が除却されるときには、その資産については償却が終わっているものとして除却損を計上しないのが、理論的には正しい処理ということになります。

（406）

第6章　固定資産及び減価償却

　しかし、税法では、法人の有する総合償却資産の一部について除却等があった場合における除却等による損益の計算の基礎となる帳簿価額は、原則として下記①の方法によることとし（基通7-7-3）、償却額の配賦がされていない総合償却資産の一部を除却したときは、継続適用を条件に、下記②の方法によることを認めるとされています。（基通7-7-4）

①　総合耐用年数を基礎として計算される除却等（除却、廃棄、滅失又は譲渡。②において同じ）の時における未償却残額に相当する金額

②　個々の資産の個別耐用年数を基礎として計算される除却等の時における未償却残額に相当する金額

　したがって、総合償却資産の一部の除却等があった場合、除却価額を0とする処理は求められていません。

　なお、上記の①又は②の計算をする場合、除却等に係る個々の資産が特別償却、割増償却又は増加償却の規定の適用を受けたものであるときは、当該資産のこれらの償却に係る償却限度額相当額についても、償却があったものとして未償却残額を計算します。（基通7-7-3（注）、7-7-4（注）1）

　(注)　個別耐用年数は、機械及び装置については「機械装置の個別年数と使用時間表」の「機械及び装置の細目と個別年数」の「同上算定基礎年数」を基礎として見積もられる耐用年数により、構築物については耐用年数通達付表3又は付表4に定められている個別耐用年数によります。ただし、除却等される個々の資産がこれらの表に掲げられていない場合には、その資産と種類等を同じくする資産又はその資産に類似する資産の個別耐用年数を基礎として見積もられる耐用年数とします。（基通7-7-4（注）2）なお、機械及び装置については、上記の資料が昭和40年公表のため、入手が容易でなく、また、技術革新や経済環境の変化等で実態にそぐわない点もありますから、実務的に利用することは難しいところがあるのではないかと思います。

（407）

総合償却資産の除却価額の計算例

> 【問6-59】 総合償却資産の除却価額の計算を、(1)総合耐用年数による未償却残額（基通7-7-3）で行う場合と(2)個別耐用年数に基づく未償却残額（基通7-7-4）で行う場合について、それぞれの計算方法を具体的な事例で説明してください。

【答】 【問6-58】に事例として掲げた機械（取得時期が平成24年4月1日以後のもの）のなかのE（取得価額160万円、個別耐用年数5年）を、取得後4年経過したときに除却する場合の除却価額の計算は、次のとおりになります。

(1) 総合耐用年数による未償却残額で計算する場合

イ 償却方法が定率法の場合……定率法未償却残額表で、7年（総合耐用年数）に対する経過年数4年の欄は0.260ですので、1,600,000円×0.260＝416,000円が除却時の未償却残額になります。

ロ 償却方法が定額法の場合……

$$1,600,000円 - (1,600,000円 \times \underset{\substack{\text{総合耐用年数} \\ \text{7年の償却率}}}{0.143} \times 4) = 684,800円$$

が除却時の未償却残額になります。

(2) 個別耐用年数に基づく未償却残額で計算する場合

イ 償却方法が定率法の場合……定率法未償却残額表で、耐用年数5年（個別耐用年数）に対する経過年数4年の欄は0.108ですので、1,600,000円×0.108＝172,800円が除却時の未償却残額になります。

ロ 償却方法が定額法の場合……

$$1,600,000円 - (1,600,000円 \times \underset{\substack{\text{個別耐用年数} \\ \text{5年の償却率}}}{0.200} \times 4) = 320,000円$$

が除却時の未償却残額になります。

(注) 定率法未償却残額表は【問6-56】の(注)を参照してください。

（408）

第6章　固定資産及び減価償却

総合償却資産の償却費の額の個々の資産への合理的基準に基づく配賦

> 【問6-60】　総合償却資産の除却価額の算定を法人税基本通達7-
> 7-5に示された個別配賦簿価除却方式で行う場合、各事業年度
> における償却費の額の個々の資産への合理的基準に基づく配賦は、
> どのようにすればよいのですか。

【答】　個別耐用年数の異なるものによって構成されて有機的に稼動している
資産が総合償却資産ですので、償却費の額をあえて個々の資産に配賦する場
合、個々の資産の個別耐用年数を無視しないのが正しいといえます。したが
って、総合償却資産の償却額の合計額を個々の資産に配賦する場合、償却額
の合計額は総合耐用年数によって計算し、個々の資産への配賦はその個別耐
用年数により計算された償却費の額の割合によって行うのが、法人税基本通
達7-7-5にある合理的基準に基づく配賦となります。

　【問6-58】に事例として掲げた機械（取得時期が平成24年4月1日以後の
もの）について、取得した事業年度（1年決算ですべての機械を期首月に取
得したものとします。）におけるこの方法による償却額の合計額の配賦計算は、
次のとおりになります。

個別機械	取得価額 ㋑	個別耐用年数 ㋺	㋺に対する200％定率法の償却率 ㋩	㋺に基づく償却限度額 ㊁=㋑×㋩	㊁の百分比 ㋭	償却費の配賦額 ㋬×㋭
	（万円）	（年）		（円）		（円）
A	280	10	0.200	560,000	0.2001	572,286
B	200	8	0.250	500,000	0.1786	510,796
C	300	6	0.333	999,000	0.3569	1,020,734
D	60	12	0.167	100,200	0.0358	102,388
E	160	5	0.400	640,000	0.2286	653,796
計	1,000	—	—	2,799,200	1.00	㋬2,860,000

(注)　機械全部の総合耐用年数による償却限度額　㋬

　　　1,000万円（㋑の計）×0.286（総合耐用年数7年の償却率）＝286万円

　しかし、この計算は、個々の資産の数が多い場合手数がかかりますし、個
別耐用年数の資料の入手も必要です。このため、総合償却の論理からは正し
くありませんが、個々の資産について総合耐用年数による償却額を計算する

（409）

個別機械	取得価額 ④	償却費の配賦額 ④×0.286
	（万円）	（円）
A	280	800,800
B	200	572,000
C	300	858,000
D	60	171,600
E	160	457,600
計	1,000	2,860,000

方法も合理的基準に基づく配賦に該当するとされています。（基通7-7-5（注））これは、【問6-58】で説明しているように、総合償却資産の一部について除却があった場合、法人税基本通達7-7-3により、総合耐用年数を基礎として計算される除却時の未償却残額相当額を、除却価額とすることが原則とされているからです。

その場合、上記の設例での個々の資産への償却費の配賦額は、左記の表のとおりになり、複雑な計算手数は不要になります。

有姿除却

【問6-61】　使用しなくなった固定資産は、廃棄処分していないものであっても、税務上その帳簿価額からその処分見込価額を控除した金額を除却損として損金算入することができるとのことですが、どのようなことなのか説明してください。

【答】　固定資産は、その使用を廃止して今後通常の方法で事業の用に供する可能性がなくなった場合でも、解撤、破砕、廃棄等（以下「解撤等」といいます。）に多額の費用を要するとか、将来ごく僅かだが再使用の可能性があるとかの理由で当分の間解撤等をせず、現状有姿のまま保有していることがあります。このような場合、当該資産が固定資産としての命数又は使用価値を失ったことが客観的に立証されるならば、現状有姿のままで、その帳簿価額からその処分見込価額を控除した金額を除却損として損金の額に算入することが認められており、これを「有姿除却」と呼んでいます。（基通7-7-2）

この取扱いが適用される固定資産は、次のとおりです。

① その使用を廃止し、今後通常の方法により事業の用に供する可能性がないと認められる固定資産

② 特定の製品の生産のために専用されていた金型等で、当該製品の生産を中止したことにより将来使用される可能性のほとんどないことがその後の

（410）

第6章　固定資産及び減価償却

状況等からみて明らかなもの

有姿除却に当たっての取壊し費用見積額等

> 【問6-62】　①　有姿除却処理によって計上する除却損失に、その対象資産の取壊し費用の見積額を加えることができますか。
> ②　廃品回収業者に買取価額を見積もってもらったところ、スクラップ価額よりも廃棄費用の方が高く、業者にその差額を支払わなければならないような場合は、いかがでしょうか。

【答】　①について……有姿除却資産の取壊し費用は、有姿除却時には取壊しの事実がまだ生じておらず、確定債務の要件（基通2-2-12、【問2-23】参照）を満たしていませんので、除却損失に加えることはできません。

　また、有姿除却によって除却損として損金の額に算入することができる金額は、対象資産の帳簿価額からその処分見込価額を控除した金額とされていますが、この処分見込価額とは当該資産のスクラップ価額そのもので、スクラップ価額から取壊し費用の見積額を控除した金額ではありません。いいかえれば、処分見込価額を取壊し費用の見積額を控除した後の金額として、有姿除却に当たっての除却損失の金額を高くすることはできません。

　②について……除却する資産を廃品回収業者に売却するときの処分見込価額は、廃品回収業者の買取価額ですが、その価額は、事実上スクラップ価額から当該廃品回収業者において要すると見積られる廃棄費用の額を控除した金額となるでしょう。その場合は、当該買取価額を処分見込価額として、除却損の計算をすることができます。したがって、御質問のようにスクラップ価額よりも当該廃品回収業者において要する廃棄費用の見積額の方が高いときは、処分見込価額をゼロとして除却損失を計算することができます。

（411）

有姿除却の処理に関する諸問題

> 【問6-63】 ① 有姿除却の処理に当たり、今後事業の用に供する
> 可能性がないにもかかわらず、該当する固定資産の解撤、破砕、
> 廃棄等をしていないことについて、特に理由を要しますか。
> ② 除却する資産が機械の場合、その解撤、破砕等をしていなく
> ても、生産ラインからはずしておく等の処置が必要ですか。
> ③ 事業の用に供しなくなった固定資産を翌事業年度以後に中古
> 資産として下請会社等に売却する予定の場合、有姿除却に準じ
> て、当該資産の帳簿価額からその売却予定価額を控除した金額
> を、除却損失として損金の額に算入することができますか。

【答】 ①について……取壊し費用が多額になるため、現状有姿のまま事業の用に供しないこととするのは通常のことですので、特に理由を要しません。

②について……邪魔にならなければ、既存の場所に据え付けたままでも有姿除却の処理をすることについては問題ありません。生産ラインからはずしていますと、はずしていない場合に比べて再度事業の用に供する可能性がないことがより明らかになるでしょうが、稟議書、生産計画書等によって今後事業の用に供する可能性のないことが明らかにされておればよいのです。

③について……有姿除却の取扱いは、固定資産としての命数、使用価値の尽きた資産について適用されます。中古資産として売却する予定の資産は、売却先で引き続き固定資産として使用されるものですので、売却に伴う損失が見込まれる場合でも、有姿除却に準ずる処理をすることはできません。固定資産の譲渡に係る収益の帰属の時期についての取扱い（基通2-1-14）により、売却先に引渡した日の属する事業年度において、売却損の額が損金の額に算入されます。

（412）

第6章　固定資産及び減価償却

第6節　資本的支出と修繕費

資本的支出と修繕費の区分についての法令及び通達のあらまし

【問6-64】　資本的支出と修繕費の区分について、税法の規定と通達の取扱いのあらましを説明してください。

【答】　法人が、修理、改良その他いずれの名義をもってするかを問わず、その有する固定資産について支出する金額で次に掲げる金額に該当するもの（いずれにも該当する場合には、いずれか多い金額）は、その支出する日の属する事業年度において損金の額に算入せず、資本的支出として、当該修繕をした固定資産の取得価額に算入することとされています。（法政令132）

① 当該資産の取得の時において通常の管理又は修理をするものとした場合に予測される当該資産の使用可能期間を延長させる部分に対応する金額

② 当該資産の取得の時において通常の管理又は修理をするものとした場合に予測されるその支出の時における当該資産の価額を増加させる部分に対応する金額

しかし、使用可能期間の延長や価額の増加に対応する部分の金額の算定は実務上困難な場合が多いので、法人税基本通達には7-8-1に資本的支出の例示が、同7-8-2に修繕費に含まれる費用の例示が、それぞれ次のとおり掲げられています。

〈資本的支出の例示（基通7-8-1）〉

① 建物の避難階段の取付け等物理的に付加した部分に係る費用の額

② 用途変更のための模様替え等改造又は改装に直接要した費用の額

③ 機械の部分品を特に品質又は性能の高いものに取り替えた場合のその取替えに要した費用の額のうち通常の取替えの場合にその取替えに要すると認められる費用の額を超える部分の金額（【問6-65】参照）

(注) 建物の増築、構築物の拡張、延長等は、建物等の取得に該当しますので、これらのために支出した金額は、すべて建物等の取得価額に算入します。

〈修繕費に含まれる費用の例示（基通7-8-2）〉

① 建物の移えい又は解体移築をした場合（移えい又は解体移築を予定して取得した建物にした場合を除きます。）におけるその移えい又は移築

（413）

に要した費用の額。ただし、解体移築の場合は、旧資材の70％以上がその性質上再使用できる場合であって、当該旧資材をそのまま利用して従前の建物と同一の規模及び構造の建物を再建築するものに限ります。

② 機械装置の移設に要した費用（解体費を含みます。）の額。ただし、集中生産を行う等のための機械装置の移設に要した費用の額を除きます。（【問6-66】参照）

③ 地盤沈下した土地を沈下前の状態に回復するために行う地盛りに要した費用の額。ただし、土地の取得直後に行う地盛り、土地の利用目的の変更その他土地の効用を著しく増加させるために行う地盛り及び地盤沈下により評価損を計上した土地について行う地盛り費用の額を除きます。

④ 建物、機械装置等が地盤沈下により海水等の浸害を受けることとなったために行う床上げ、地上げ又は移設に要した費用の額。ただし、その床上工事等が従来の床面の構造、材質等を改良するためのものである等明らかに改良工事であると認められる場合のその改良工事に対応する金額を除きます。

⑤ 現に使用している土地の水はけを良くする等のために行う砂利、砕石等の敷設に要した費用の額及び砂利道又は砂利路面に砂利、砕石等を補充するために要した費用の額

また、昭和44年改正前の法人税基本通達に、次に掲げるようなことのために支出した金額（新規購入資産又は新しく使用する資産に対して支出した金額を除きます。）が、修繕費として例示されていました。(旧基通235)

① 家屋又は壁の塗り替え
② 家屋の床の毀損部分の取替え
③ 家屋の畳の表替え
④ 毀損した瓦の取替え
⑤ 毀損したガラスの取替え又は障子、ふすまの張替え
⑥ ベルトの取替え
⑦ 自動車のタイヤの取替え

(注) この旧基通235は、昭和44年の通達改正時に廃止されましたが、その理由が法令の解釈上疑義がなく、条理上明らかであるため特に定める必要がないということでしたので、取扱いとして生きています。

（414）

第6章　固定資産及び減価償却

機械の部分品を品質の高いものに取り替えた場合の資本的支出の額

> **【問6-65】** 機械の部分品を品質又は性能の高いものに取り替えた場合、取替費用のうち資本的支出とすべき金額はどのように計算するのですか。事例で説明してください。

【答】 機械の部分品を特に品質又は性能の高いものに取り替えた場合、その取替えに要した費用の額のうち通常の取替えの場合に要すると認められる費用の額を超える部分の金額は、資本的支出に該当します。(基通7-8-1(3))

　例えば、機械の部品を品質の高いものに取り替えるに当たっての取替費用の額が180万円の場合、資本的支出とするのはこの180万円ではなく、通常の取替費用が仮に100万円のときは、180万円と100万円の差額80万円だけを資本的支出とし、100万円は修繕費とすることができます。この場合、実際に行う取替費用180万円の請求書とは別に、通常の取替えの場合に要すると認められる費用の見積書を、業者から取り寄せて保存しておくべきです。

　なお、通常の取替の場合に要すると認められる費用は、部品の取替え程度では機械の使用可能期間を延長することにならないと思いますので、取り替える部品と同品質のものの価額と取替工賃の合計額とすればよいでしょう。

集中生産を行う等のための機械装置の移設費の取扱い

> **【問6-66】** 機械装置の移設費用は、修繕費として損金算入することができるが、集中生産を行う等のためのものは、原則として資本的支出としてその機械装置の取得価額に算入しなければならないとされています。その内容を説明してください。

【答】 法人税基本通達7-8-2(2)に、修繕費に含まれる費用の例示として、「機械装置の移設に要した費用（解体費を含みます。）の額」が掲げられています。機械装置は移設しても通常資産価値が高まるものでありませんので、移設費（運賃、据付費、試運転費等）、解体費とも、修繕費として損金の額に算入することができます。

　しかし、集中生産を行う等のための機械装置の移設費は、この取扱いが適用されず、原則としてその機械装置の取得価額に算入しなければなりません。

（415）

（基通7-3-12）その内容は次のとおりです。

「集中生産を行う等のための機械装置の移設」とは、㋑集中生産又はよりよい立地条件において生産を行う等のための一の事業場の機械装置の他の事業場への移設、又は㋺ガスタンク、鍛圧プレス等多額の据付費を要する機械装置の移設です。ただし、公共事業の施行によって移設を余儀なくされたような場合は、法人の意思によらないものであるため、収用換地等の場合の所得の特別控除（措法65の2）に規定する収用換地等に伴う機械装置の移設は上記の㋑及び㋺に含まれず、その移設費は、修繕費として損金算入することができます。

㋑及び㋺の移設に係る運賃、据付費等その移設に要した費用（解体費を除きます。以下「移設費」といいます。）の額は、その機械装置の取得価額に算入し、当該機械装置の移設直前の帳簿価額のうちに含まれている旧据付費に相当する金額は、損金の額に算入することとされています。この場合、その移設費の額の合計額が、当該機械装置の移設直前の帳簿価額の10％相当額以下であるときは、移設費の金額の重要性が乏しいので、旧据付費に相当する金額を損金の額に算入しないで、当該移設費の額をその移設をした日の属する事業年度において損金の額に算入することができます。（基通7-3-12）

なお、主として新規の生産設備の導入に伴って行う既存の生産設備の配置換えのためにする移設は、原則として上記の㋑の集中生産又はよりよい立地において生産を行う等のための移設に該当しません。その主たる目的が新規の生産設備の導入であり、既存設備の移設は附随的に生じるものだからです。

資本的支出を行った場合の償却限度額の計算

> **【問6-67】** 資本的支出を行った場合、その対象となった資産及び資本的支出について償却限度額はどのように計算するのでしょうか。

【答】 既存の減価償却資産に資本的支出を行った場合、その資本的支出の額を取得価額として、既存の減価償却資産と種類及び耐用年数が同じ減価償却資産を新たに取得したものとされます。（法政令55①）したがって、既存資産と資本的支出は別個の資産として償却限度額を計算することとなり、以下

（416）

第6章　固定資産及び減価償却

の事例のように、既存資産と資本的支出に異なった減価償却方法が適用される場合があります。

〔事例〕

　当社は3月31日決算です。建物（平成9年4月取得。取得価額5,000万円、耐用年数38年、償却方法旧定率法、償却率0.059、令和6年3月31日の帳簿価額974万円）について、令和6年10月に500万円の資本的支出を行いました。

　この事例では、既存資産は、平成10年3月31日以前に取得ですので、旧定率法を適用することができますが、資本的支出部分は、令和6年10月に新たに建物を取得したものとされますので、定額法で償却限度額を計算することになります。したがって、償却限度額は次のとおりとなります。なお、耐用年数38年の定額法の償却率は0.027です。

・令和7年3月期の償却限度額

　　既存資産　　9,740,000円×0.059＝574,660円

　　資本的支出　　5,000,000円×0.027×$\frac{6月}{12月}$＝67,500円

　翌事業年度以後も、既存資産と資本的支出は別個の資産として取扱いますから、翌事業年度の償却限度額は次のとおりとなります。なお、令和7年3月期に償却過不足がないものとしています。

・令和8年3月期の償却限度額

　　既存資産　　（9,740,000円－574,660円）×0.059＝540,755円

　　資本的支出　　5,000,000円×0.027＝135,000円

　(注)　資本的支出は既存資産と一体ですので、別個の資産として取扱うのではなく、既存資産の取得価額に資本的支出の額を加算する方が妥当と考えられます。平成19年度の税法改正前は、資本的支出の額を既存資産の取得価額に加算する方法が原則的方法とされていましたが、平成19年度の改正後の定率法の計算では、償却保証額を算定し、それに基づき償却期間の中途で償却限度額の算式が変更されることから、資本的支出の額を既存資産の取得価額に加算すると、償却保証額が変動することになり、適当でないため、平成19年4月1日以後の資本的支出については、資本的支出は既存資産とは別個の資産として取扱うことが原則的方法とされました。

　なお、一定の条件を満たしている場合、以下の①又は②の方法を採用することができます。

（417）

① 旧償却方法適用資産（旧定額法又は旧定率法を適用している資産）に資本的支出を行った場合、既存の資産の取得価額に資本的支出の額を加算した額を、その資産の資本的支出後の取得価額とすることができます。（法政令55②）上記の事例をこの方法によった場合、次のとおりとなります。なお、資本的支出があった事業年度は、資本的支出部分の償却限度額は月割計算が必要ですので、既存資産とは別個に計算することになります。

・令和7年3月期の償却限度額

既存資産　9,740,000円 × 0.059 = 574,660円

資本的支出　$5,000,000円 × 0.059 × \dfrac{6月}{12月} = 147,500円$

・令和8年3月期の償却限度額

令和7年3月期に償却過不足がないとすれば、前事業年度末の資産の帳簿価額は14,017,840円（9,740,000円 + 5,000,000円 − 574,660円 − 147,500円）となりますので、償却限度額は827,052円（14,017,840円 × 0.059）となります。

② 既存資産と資本的支出の償却方法がともに200%定率法である場合又はともに250%定率法である場合、資本的支出を行った翌事業年度の開始の時に、その時におけるそれぞれの資産の帳簿価額の合計額を取得価額とする一の減価償却資産を新たに取得したものとすることができます。（法政令55⑤）なお、この場合、耐用年数は既存資産の耐用年数によります。（耐通1−1−2）この取扱いは、減価償却資産の個数を増やしたくない法人に配慮したものです。

(注)　定率法を採用している減価償却資産に対して同一事業年度内に複数回の資本的支出を行い、個々の資本的支出について上記②の特例の適用を受けないときは、資本的支出を行った翌事業年度の開始の時に、種類及び耐用年数を同じくする資本的支出の翌事業年度開始時の帳簿価額の合計額を取得価額とする新たな減価償却資産を取得したものとすることができます。（法政令55⑥）なお、この場合、耐用年数は既存資産の耐用年数によります。（耐通1−1−2）これは、上記②と同様、減価償却資産の個数を増やしたくない法人に配慮した取扱いです。

第6章　固定資産及び減価償却

帳簿価額１円の旧償却方法適用資産に資本的支出をした場合の償却限度額

> 【問6-68】　平成10年3月31日以前に1億円で取得し、法定耐用年数38年、旧定率法（償却率0.059）で減価償却を行い、前期以前に減価償却が終わり、帳簿価額が1円になっている建物について、令和6年4月に300万円の資本的支出を行いました。当社の決算日は令和7年3月31日ですが、償却限度額はどのように計算すればよろしいですか。また、資本的支出の額が600万円のときはどうなりますか。

【答】　【問6-67】で御説明したように、既存の減価償却資産に資本的支出を行った場合、資本的支出の額を取得価額として、既存の減価償却資産と種類及び耐用年数が同じ減価償却資産を取得したものとされますが（法政令55①）、旧償却方法適用資産に資本的支出を行った場合は、既存の資産の取得価額に資本的支出の額を加算した額を、その資産の資本的支出後の取得価額とすることができます。（法政令55②）御質問の建物は償却方法として旧定率法を適用していますので、上記2つの方法のいずれによることもでき、それぞれの方法によった場合の当期の償却限度額は次のとおりとなります。

①　資本的支出を新たな資産の取得とする方法

平成19年4月1日以後に取得した建物に適用される償却方法は定額法ですので、耐用年数38年の償却率は0.027で、償却限度額は次のとおり計算されます。

$$償却限度額 = 3,000,000円 \times 0.027 \times \frac{12月}{12月} = 81,000円$$

②　資本的支出を既存の資産の取得価額に加算する方法

この方法による場合、既存の資産に適用している旧定率法により償却限度額を計算することになります。資本的支出の額を既存資産の取得価額に加算しますから、加算後の取得価額は103,000,000円（100,000,000円＋3,000,000円）となります。帳簿価額は3,000,001円（1円＋3,000,000円）ですから、帳簿価額が取得価額の5％である5,150,000円（103,000,000円×5％）を下回っています。したがって、当期の償却限度額は次のとおり計算されます。（法政令61②、【問6-36】参照）

$$償却限度額 = （5,150,000円 - 1円） \times \frac{12月}{60月} = 1,029,999円$$

（419）

①と②を比較しますと、②の方法を採用した方が償却限度額が多くなりますので、有利になります。なお、既存資産の償却方法が旧定額法である場合も同様です。

次に、資本的支出が600万円の場合は以下のとおりです。

① 資本的支出を新たな資産の取得とする方法

平成19年4月1日以後に取得した建物に適用される償却方法は定額法ですので、耐用年数38年の償却率は0.027で、償却限度額は次のとおり計算されます。

$$償却限度額 = 6,000,000円 \times 0.027 \times \frac{12月}{12月} = 162,000円$$

② 資本的支出を既存の資産の取得価額に加算する方法

この方法による場合、既存の資産に適用している旧定率法により償却限度額を計算することになります。資本的支出の額を既存資産の取得価額に加算しますから、加算後の取得価額は106,000,000円（100,000,000円＋6,000,000円）となります。帳簿価額は6,000,001円（1円＋6,000,000円）ですから、帳簿価額が取得価額の5％である5,300,000円（106,000,000円×5％）に達していませんので、当期の償却限度額は次のとおり計算されます。

$$償却限度額 = 6,000,001円 \times 0.059 = 354,000円$$

②の方法を採用した場合、償却限度額どおり減価償却費を計上しますと、以下のとおり、令和9年3月末の帳簿価額は5,300,000円となります。

令和7年3月期末の帳簿価額　6,000,001円－354,000円＝5,646,001円

令和8年3月期の償却限度額　5,646,001円×0.059＝333,114円

令和8年3月期末の帳簿価額　5,646,001円－333,114円＝5,312,887円

令和9年3月期の償却限度額　次の(a)と(b)のうち少ない方の額　12,887円

　(a) 5,312,887円×0.059＝313,460円

　(b) 5,312,887円－5,300,000円＝12,887円

令和9年3月期末の帳簿価額　5,312,887円－12,887円＝5,300,000円

令和10年3月期以後の各事業年度の償却限度額は、次のとおり1,059,999円となり、令和14年3月期で減価償却が終わることになります。

$$償却限度額 = (5,300,000円 - 1円) \times \frac{12月}{60月} = 1,059,999円$$

御質問のケースとは異なりますが、旧償却方法適用資産について、帳簿価額が取得価額の5％に達したため、帳簿価額から1円を控除した額を60か月

（420）

第6章　固定資産及び減価償却

で月割して均等償却している場合に、資本的支出を行い、資本的支出の額を既存資産の取得価額に加算した結果、帳簿価額が資本的支出額加算後の取得価額の5％相当額を上回ったときは、60か月の月割による均等償却の適用はなくなり、既存資産に採用している償却方法で償却限度額を計算することになります。（基通7-4-8）なお、その後の事業年度で、帳簿価額が資本的支出額加算後の取得価額の5％に達したときは、その翌事業年度から60か月の月割による均等償却を行うことになります。

資本的支出と修繕費の金額による判定方法

> 【問6-69】　資本的支出と修繕費の区分について、通達に示されている金額による判定方法のあらましを説明してください。

【答】　資本的支出と修繕費の区分は期間損益の問題ですので、少額の減価償却資産の場合の10万円とか一括償却資産の場合の20万円のように金額による基準を設けるのが事務の簡素化に役立つということから、法人税基本通達の7-8-3から7-8-6までに御質問にある金額による判定方法が示されています。次々ページの判定図は、当該通達によって作成したものです。

　なお、この判定図のうち法人税基本通達7-8-6の部分は、災害の場合の資本的支出と修繕費の区分の特例として示されているものですが、次の点に注意してください。

①　被災資産である固定資産について被災後の時価までの評価損の計上（法33②、【問8-3】参照）をしたときは、この取扱いは適用されませんので（基通7-8-6かっこ書）、支出額の全額が資本的支出となります。

②　被災資産についてその原状を回復するために支出した費用は、修繕費に該当します。（基通7-8-6(1)）

③　「被災前の効用を維持するための補強工事費等」には、2次災害を回避するために行う排水又は土砂崩れの防止等のために支出した費用で、法人が修繕費として経理しているものが含まれます。（基通7-8-6(2)）

④　被災資産について支出した費用（②及び③に該当する費用を除きます。）の額のうちに資本的支出か修繕費か明らかでないものがある場合、法人がその金額の30％相当額を修繕費とし、残額を資本的支出とする経理をして

（421）

いるときは、これが認められます。(基通7-8-6(3))

⑤　法人が被災資産の復旧に代えて資産の取得をし、又は特別の施設（被災資産の被災前の効用を維持するためのものを除きます。）を設置する場合の当該資産又は特別の施設は、新たな資産の取得に該当しますので、その取得のために支出した金額は、これらの資産の取得価額に含めます。(基通7-8-6(注)1) 災害の発生を機に防災対策施設として新たに設置する貯水池や避難緑地は、この場合の特別の施設に該当します。

⑥　他の者の有する固定資産に対する支出金で税法上繰延資産となるもの（アーケード等の共同的施設の設置分担金など）について、当該他の者の有する固定資産に災害による損壊等の被害があったことによりその復旧費用を支出した場合についても、自己所有の固定資産に係る災害の場合の資本的支出と修繕費の区分についての上記の特例が準用されます。(基通7-8-6(注)2)

(422)

第6章 固定資産及び減価償却

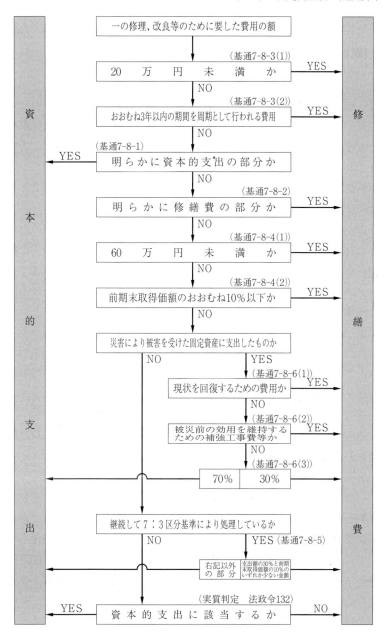

「20万円基準」と「60万円基準」の関係

【問6-70】 法人税基本通達7-8-3の(1)の「20万円基準」と、同
7-8-4の(1)の「60万円基準」の関係を説明してください。

【答】 法人税基本通達7-8-3の(1)の「20万円基準」は、一の計画に基づ
いて同一の固定資産について行った修理、改良等のために要した費用の額
（その修理、改修等が2以上の事業年度にわたって行われるときは、各事業
年度ごとに要した金額）が20万円未満のときは、たとえその支出額のなかに
資本的支出に該当するものがあっても、法人がその事業年度に修繕費として
損金経理することを認めるというものです。

一方、同7-8-4の(1)の「60万円基準」は、一の修理、改良等のために
要した費用のうちに、資本的支出であるか修繕費であるかが明らかでない金
額がある場合に適用するものです。したがって、支出額が60万円未満であっ
ても、「明らかに資本的支出に該当するもの」は資本的支出とし、資本的支
出か修繕費かの判断がつかない場合に、修繕費とすることができるというも
のです。

なお、法人税基本通達7-8-4は、資本的支出であるか修繕費であるかが
明らかでない金額が次のいずれかに該当するときは、修繕費として損金経理
することができるものとしています。

①　その金額が60万円未満の場合……「60万円基準」

②　その金額がその修理、改良等に係る固定資産の前期末における取得価額
のおおむね10％相当額以下である場合……「10％基準」

〔事例〕

一の修理、改良等のために要した費用の額が75万円で、そのうち18万円
は明らかに資本的支出に該当するが、残りの57万円は資本的支出であるか
修繕費であるか明らかでないという場合、18万円は法人税基本通達7-8
-1によって資本的支出としなければなりませんが、57万円は「60万円基
準」によって修繕費とすることができます。この場合、一の修理、改良等
のために要した費用の額が75万円で20万円未満でありませんので、そのう
ちの18万円に「20万円基準」を適用して修繕費とすることはできません。

（424）

第6章　固定資産及び減価償却

「10%基準」の判定に当たっての固定資産の前期末における取得価額

> 【問6-71】　法人税基本通達7-8-4の(2)の「10%基準」の判定に
> 当たっての固定資産の前期末における取得価額は、どのように算
> 定するのですか。

【答】　資本的支出であるか修繕費であるかが明らかでない金額が、その修理、改良等に係る固定資産の前期末における取得価額のおおむね10%相当額以下である場合は修繕費として損金経理することができるとされており（基通7-8-4(2)）、「10%基準」といわれています。

　ここでの、修理、改良等に係る固定資産の前期末の取得価額は、通常1単位として取引される単位ごとに算定しますので、例えば建物の内装部分の修繕をした場合、修理の対象となった内装部分だけについて算定するのではなく、当該建物1棟の取得価額について算定します。つまり、建物全体の取得価額に対する修理・改良等のための支出額の割合がおおむね10%以下のときは、全体の取得価額に対する金額の重要性が乏しいので、修繕費とすることができることになります。

　ところで、資本的支出が行われた場合、その資本的支出は新たな減価償却資産の取得とされますが（法政令55①、【問6-67】参照）、これによって既存の減価償却資産と資本的支出による追加取得資産とが別個の資産に計上されることになっても、上記の「10%基準」の判定に当たっての固定資産の前期末における取得価額は、両者を別個の資産とせず、一の減価償却資産として両者の取得価額の合計額とすることになります。これは、当該減価償却資産全体に占める修理改良部分のウエイトは、取得価額の合計額によって判定するのが合理的だからです。

　したがって、定率法を採用している減価償却資産に資本的支出を行った場合、その翌事業年度開始の時に、旧減価償却資産の帳簿価額と追加取得資産の帳簿価額の合計額を取得価額とする一の減価償却資産を新たに取得したものとする規定（法政令55⑤、【問6-67】②参照）の適用を受けた場合の当該固定資産の取得価額は、新たに取得したものとされる一の減価償却資産の旧減価償却資産の取得価額と追加取得資産の取得価額の合計額となります。（基通7-8-4（注）1）一の減価償却資産の取得価額は、それぞれの資産の取得

（425）

価額の合計額から直前事業年度末までの償却累計額を控除した金額ですが、「10%基準」の判定をする場合の取得価額は、当該償却累計額を控除する前の取得価額を取得価額とするわけです。

　また、事業年度内に複数回の資本的支出を行った場合、その翌事業年度開始の時に、その帳簿価額の合計額を取得価額とする一の減価償却資産を新たに取得したものとする規定（法政令55⑥、【問6-67】(注) 参照）の適用を受けた場合は、当該追加取得資産の取得価額と既存の減価償却資産の合計額を固定資産の取得価額とすることになります。（基通7-8-4(注)2）この一の減価償却資産の取得価額も、それぞれの資本的支出の合計額から資本的支出を行った事業年度の減価償却費を控除した金額ですが、「10%基準」の判定をする場合の取得価額は、それぞれの取得価額と既存の減価償却資産の取得価額の合計額を、固定資産の取得価額とするわけです。

　以上のことは、法人税基本通達7-8-5の適用に当たり、資本的支出であるか修繕費であるかが明らかでない金額の30%相当額と対比する修理、改良等をした固定資産の前期末における取得価額の10%相当額（【問6-72】参照）についても、同じです。（基通7-8-5(注)）

「60万円基準」「10%基準」「7・3区分基準」などの計算例

> **【問6-72】**　建物の内装部分の修理（災害で被害を受けたことによるものではありません。）のために、180万円支出しました。当該建物の前期末における取得価額が①2,000万円のとき、②1,000万円のとき、③500万円のときのそれぞれについて、法人税基本通達7-8-4の「60万円基準」及び「10%基準」の判断をすると、どのようになりますか。また、同7-8-5の「7・3区分基準」や「10%基準」を適用した場合は、どのようになりますか。

【答】　法人税基本通達7-8-4の形式基準は、資本的支出か修繕費かの判断のつかないものについて適用されます。御質問の建物の内装部分の修理のための費用が、資本的支出か修繕費か明らかでないものの場合、当該形式基準による判定は、次のとおりになります。

　まず、「60万円基準」については、180万円（修理のための支出額）は60万

（426）

円未満でありません。次の「10％基準」については、180万円は、修理の対象となった建物の前期末における取得価額が①2,000万円のときは、その10％の200万円以下ですので、修繕費とすることができますが、②1,000万円のとき又は③500万円のときは、それぞれの10％である100万円又は50万円以下でありませんので、ここまででは修繕費とすることはできません。

そこで、②及び③の場合は【問6-69】に掲げた判定図によって法人税基本通達7-8-6及び7-8-5の判定に進みますが、内装部分の修理のための費用180万円は災害で被害を受けたことによる支出でありませんので、7-8-6の適用はなく、7-8-5の判定を行います(注)。

イ　「7・3区分基準」による額……②、③ともに180万円×0.3＝54万円

ロ　「10％基準」による額……

　　②の場合⇨1,000万円×0.1＝100万円

　　③の場合⇨500万円×0.1＝50万円

修繕費とすることができる金額は、イとロのいずれか少ない金額ですので、②の場合はイの額54万円、③の場合はロの額50万円となります。

(注)　基通7-8-5は、継続適用が要件とされていますので、継続適用していないときは、法人税法施行令第132条の規定により、実質判定によって資本的支出と修繕費の区分をすることが必要です。

以上から、御質問の事例についての資本的支出と修繕費の区分は、次のとおりになります。

(単位：万円)

事　　　　　例		支出した180万円の区分	
		資本的支出	修　繕　費
修理の対象となった建物の前期末における取得価額	①　2,000	0	180
	②　1,000	126	54
	③　　500	130	50

（427）

ソフトウエアに係る資本的支出と修繕費の区分

> 【問6-73】 ソフトウエアのプログラムの修正等を行った場合、資本的支出と修理費の区分は、どのような判定基準で行いますか。研究開発費等会計基準による処理と同じと考えてよろしいですか。

【答】 法人が、その有するソフトウエアにつきプログラムの修正等を行った場合、当該修正等が、プログラムの機能上の障害の除去、現状の効用の維持等に該当するときは、その修正等に要した費用は修繕費に該当します。（基通7-8-6の2前段）したがって、バグ取り、ウイルス防止等プログラムの効用の維持、保全のために要した費用は、修繕費として損金の額に算入することができます。

　一方、当該修正等が新たな機能の追加、機能の向上等に該当するときは、その修正等に要した費用は資本的支出に該当します。（同通達後段）

(注1)　既に有しているソフトウエア又は購入したパッケージソフトウエア等の仕様を大幅に変更するための費用のうち、【問6-33】の(注2)の取扱いにより取得価額になったもの以外のものは、資本的支出に該当します。（同通達(注)1）

(注2)　本文の修正等に要した費用（修繕費に該当するものを除きます。）又は上記(注1)の費用が研究開発費（自社利用のソフトウエアについてした支出に係る研究開発費については、その自社利用のソフトウエアの利用により将来の収益獲得又は費用削減にならないことが明らかな場合におけるその研究開発費に限ります。）に該当する場合は、資本的支出に該当しないこととすることができます。（同通達(注)2）

　次に、研究開発費等会計基準による処理方法は、「研究開発費及びソフトウエアの会計処理に関するQ＆A」に、概略次のように示されています。

(1) 製品マスター又は購入したソフトウエアの機能の改良、強化を行うための費用は、原則として資産に計上しますが、当該改良が著しいと認められる場合は、研究開発費として処理します。（上記Q＆A・Q12）

(2) 市場販売目的のソフトウエアのバージョンアップのうち、①製品の大部分を作り直す大幅なバージョンアップは、新製品を制作する場合と同様に、新しいバージョンで最初に製品化された製品マスターの完成時点までの費

（428）

第6章　固定資産及び減価償却

用を研究開発費として処理し、㋺既存の製品に対する機能の追加、操作性の向上など、それほど大幅でないバージョンアップは、基本的な設計を大きく変更することなく、ソフトウエアの価値を高めるものですので、資本的支出として資産計上し、完成しているソフトウエアの未償却残高と合算します。（上記Ｑ＆Ａ・Ｑ13）

　税務上修繕費として処理できるものは、研究開発費等会計基準でも修繕費として処理しますが、税務上資本的支出とするもののうち、上記(1)の改良が著しいと認められるもの及び(2)の㋑に該当するものは、研究開発費等会計基準では、研究開発費として処理すべきことになります。これは、当該基準の「三、研究開発費に係る会計処理」において、「ソフトウエアの制作費のうち、研究開発に該当する部分も研究開発費として費用処理する」とされていることによるもので、これにより研究開発費として処理した費用は、税務上申告加算調整を要することになります。

商標権の更新登録のための費用

> 【問6-74】　商標権の存続期間の更新登録のための費用は、資本的支出として無形減価償却資産に計上しなければなりませんか。

【答】　商標権の存続期間は、設定の登録の日から10年で終了しますが、商標権者の更新登録の申請によって更新することができます。（商標法19①②）

　ところで、御質問の更新登録のための費用は、新たに権利を取得するための費用ではなく、現に有する権利を維持するための費用です。したがって、新たな商標権の取得価額にはなりませんが、現に有する商標権についての資本的支出に該当しないのかという問題があります。

　資本的支出は、【問6-64】で説明したように、固定資産の使用可能期間を延長させる部分の金額若しくは価額を増加させる部分の金額ですが、商標権の更新登録のための費用は権利を維持するための費用であり、価額を増加させる費用でありません。しかし、商標権の更新登録をしない場合、商標権者はその権利を失いますので、使用可能期間を延長させるための費用に該当します。したがって、無形減価償却資産として、資産に計上しなければなりません。

（429）

第7節　特別償却

中小企業者等が機械等を取得した場合の特別償却の計算方法

> **【問6-75】**　令和6年4月に購入して事業の用に供した機械について、中小企業者等が機械等を取得した場合の特別償却の規定の適用を受けるときの減価償却費の計算方法を教えてください。
>
> 　また、この機械が他の特別償却の対象となる場合、他の特別償却の規定の適用も受けることができますか。

【答】　青色申告法人である中小企業者等（適用除外事業者を除きます。）が、平成10年6月1日から令和7年3月31日までの期間内に1台又は1基（通常1組又は1式をもって取引の単位とされるものは、1組又は1式）の取得価額が160万円以上の機械及び装置等でその製作後事業の用に供されたことのないものを取得又は製作して、国内にある当該中小企業者等の営む製造業、建設業等所定の事業の用に供した場合、その事業の用に供した日を含む事業年度の当該機械及び装置の償却限度額は、普通償却限度額と特別償却限度額（当該機械及び装置の取得価額の30％相当額）の合計額となります。（措法42の6①、措政令27の6④）

　(注1)　中小企業者等の範囲及び適用除外事業者については、【問1-25】及び【問1-27】を参照してください。

　(注2)　上記の制度は、「中小企業者等が機械等を取得した場合の特別償却又は法人税額の特別控除」の一環として、措法第42条の6に規定されています。（【問25-19】参照）

　3月31日決算の中小企業者等である青色申告法人が、取得価額1,000万円の機械（耐用年数8年）を令和6年4月に取得して事業の用に供した場合、令和7年3月期における償却限度額は、償却の方法が定率法の場合、次の①と②の合計で、5,500,000円となります。

①　普通償却限度額……10,000,000円 × 0.250 × $\frac{12}{12}$ = 2,500,000円

②　特別償却限度額……10,000,000円 × 30％ = 3,000,000円

　翌事業年度（令和8年3月期）における償却限度額は、②の特別償却を直接簿価減額方式で行った場合と準備金方式で行った場合とで異なります。

（430）

第6章　固定資産及び減価償却

イ　直接簿価減額方式で行った場合

〈令和7年3月期末の帳簿価額〉

10,000,000円－5,500,000円＝4,500,000円

〈令和8年3月期の償却限度額〉

4,500,000円×0.250＝1,125,000円

ロ　準備金方式で行った場合

〈令和7年3月期末の帳簿価額〉

10,000,000円－2,500,000円＝7,500,000円

〈令和8年3月期の償却限度額〉

7,500,000円×0.250＝1,875,000円

令和8年3月期の償却限度額は、ロの場合はイの場合に比べて750,000円（3,000,000円×0.250）多くなりますが、特別償却準備金を$3,000,000円×\dfrac{12}{60}$＝600,000円取り崩して、益金の額に算入しなければなりません。

(注1)　税法上は上記のとおりですが、特別償却費は相当の償却の範囲を超えるものです。固定資産の減価償却について、会社計算規則は、「償却すべき資産については、事業年度の末日において、相当の償却をしなければならない」（同規則5②）と規定しており、上記イの直接簿価減額方式による処理は、会社法及び企業会計の基準に照らして妥当でありません。

(注2)　特別償却準備金の積立ては特別償却対象資産別に行い、その取崩しは原則として積み立てられた事業年度の翌事業年度から84月（特別償却対象資産の耐用年数が10年未満の場合には、60とその耐用年数に12を乗じた数とのいずれか少ない数の月）の間に均等に行うことと規定されています。（措法52の3①⑤）

次に、御質問の後段ですが、同一の事業年度において法人の有する減価償却資産が特別償却に関する複数の規定の適用を受けることができるものである場合、そのうちのいずれか一の規定のみが適用されることになりますので（措法53①）、同じ資産について複数の特別償却の規定を重複して適用することはできません。

（431）

割増償却の適用を受けなかった資産の事後の割増償却の適用

> **【問6-76】** 令和4年8月に建築して事業の用に供している倉庫用建物について、租税特別措置法第48条の倉庫用建物等の割増償却の規定の適用が受けられることに最近気づきました。
>
> 令和6年3月期までの2事業年度において当該割増償却の規定の適用を受けていなくても、今後当該規定の適用を受けることができますか。また、直前事業年度（令和6年3月期）における割増償却限度相当額は、当事業年度（令和7年3月期）において特別償却不足額の繰越しとして認められますか。

【答】 青色申告書を提出する法人で、特定総合効率化計画について認定を受けたものが、昭和49年4月1日から令和8年3月31日までの間に、物資の流通の拠点区域として政令（措政令29の3①）で定める区域内において、倉庫用の建物及びその附属設備並びに構築物のうち、政令（措政令29の3②）で定めるものでその建設の後使用されたことのないものを取得又は建設して、これを当該法人の一定の倉庫業の用に供した場合（所有権移転外リース取引により取得した当該倉庫用建物等をその事業の用に供した場合を除きます。）には、その事業の用に供した日（以下「供用日」といいます。）以後5年以内の日を含む各事業年度（一定の要件を満たす事業年度に限ります。）の当該倉庫用建物等の償却限度額は、供用日以後5年以内でその用に供している期間に限り、普通償却限度額と特別償却限度額（普通償却限度額の8％**(注)**に相当する金額）との合計額とします。（措法48①）つまり、5年間8％**(注)**の割増償却を行うことができるのですが、この場合、上記の期間内であれば、事業の用に供した事業年度から継続して割増償却をしてきたかどうかに関係なく、それぞれの事業年度の割増償却を行うことができます。

(注) 令和4年3月31日以前に取得等をした倉庫用建物等は10％です。（旧措法48①）

貴社の場合、割増償却の規定の適用を受けることができる期間の5年間が、事業の用に供した日から前事業年度末までの期間だけ短くなりますが、残余の期間について適用を受けることができます。

しかし、直前事業年度における割増償却限度相当額を当事業年度において

特別償却不足額の繰越しとすることはできません。特別償却不足額については、租税特別措置法第52条の2に1年間繰越しの規定がありますが、この規定の適用を受けるためには、特別償却不足額の生じた事業年度から直前事業年度までの確定申告書に、特別償却不足額の繰越しに関する欄の記載をした「減価償却資産の償却限度額の計算に関する明細書」の添付が必要です。(措法52の2③) 貴社の場合、前事業年度以前の確定申告書にこの添付をされていないと思われますので、当事業年度(令和7年3月期)の割増償却は、当事業年度の分しかできないことになります。

特別償却準備金の取崩し方法

> 【問6-77】 特別償却準備金は、これを計上する基礎となった資産を廃棄して廃棄損を計上したとき取り崩す必要がありますか。

【答】 特別償却限度額を損金の額に算入するための経理方法には、当該額を資産の帳簿価額から直接減額する直接簿価減額方式と、損金経理の方法により特別償却準備金として積み立てる（当該事業年度の決算の確定の日までに剰余金の処分により積み立てたときを含みます。）準備金方式があります。（措法52の3①）

> **(注)** 税法は直接簿価減額方式を認めていますが、特別償却は相当の償却の範囲を超えますので、会社法の規定及び企業会計の基準に照らして妥当でありません。
> また、税法は特別償却準備金を損金経理で積み立てる方法も認めていますが、剰余金の処分（繰越利益剰余金からの振替え）により積み立てるべきです。

ところで、減価償却資産の取得価額は、減価償却費又は固定資産除却損益によって最終的にはその全額が費用又は損失に計上されますが、特別償却の直接簿価減額方式は、この計上を特別償却費相当額だけ早期に行うものです。

例えば、3月31日決算の法人が、令和6年4月に取得した取得価額700万円、耐用年数10年の資産を定額法で償却しますと、令和7年3月期から毎事業年度に70万円の償却をして、10年目の令和16年3月期に帳簿価額が残存価額の1円になりますが、初年度30%の特別償却を行ったときは、7年目の令和13年3月期に帳簿価額が1円になります。このように、直接簿価減額方式では特別償却は早期償却としてその計上の基礎となった特別償却対象資産と結びついており、当該資産を廃棄するときは、特別償却をしなかった場合に比べて帳簿価額が低いため、廃棄損の額が少なくなります。

一方、準備金方式では、特別償却準備金の取崩しは積み立てた事業年度の翌事業年度から84（特別償却対象資産の耐用年数が10年未満の場合には、60とその耐用年数に12を乗じた数とのいずれか少ない数）の月間に均等に行うこととされています。（措法52の3①⑤）したがって、特別償却準備金を取り崩す月数は、特別償却対象資産の耐用年数が4年以下のものはその耐用年数に12を乗じた数、5年以上9年以下のものは60、10年以上のものは84となります。

（434）

第6章　固定資産及び減価償却

　この間に特別償却準備金の対象資産を有しないこととなった場合（適格合併等により特別償却対象資産を移転した場合を除きます。）は、その日におけるその特別償却対象資産に係る特別償却準備金の金額を取り崩さなければなりません。（措法52の3⑥一）

　前記の資産について、取得をした令和7年3月期に特別償却準備金700万円×30％＝210万円を積み立てたが、この資産を令和12年3月期中に廃棄したときは、下記イの廃棄損350万円が計上されますが、同時に下記ロの特別償却準備金取崩益90万円を計上すべきことになります。

　　イ　廃棄損の額　700万円－700万円×0.100×5（令和7年3月期～令和
　　　　11年3月期）＝350万円
　　ロ　特別償却準備金取崩益の額　210万円－210万円×$\frac{12}{84}$×4（令和8年
　　　　3月期～令和11年3月期）＝90万円

　（注）　合併又は現物分配により合併法人又は被現物分配法人に特別償却対象資産を
　　　　移転した場合は、その合併の直前又は当該現物分配に係る残余財産の確定の時
　　　　における当該特別償却対象資産に係る特別償却準備金の金額を、被合併法人又
　　　　は現物分配法人において取り崩すこととされていますが（措法52の3⑥二）、
　　　　適格合併により合併法人に特別償却準備金を移転した場合は、その適格合併直
　　　　前における特別償却準備金の金額は、合併法人に引き継ぐものとされています。
　　　　（同⑮）

（435）

特別償却対象資産について取得後の事業年度に値引きを受けた場合

> 【問6-78】 特別償却の対象となっている資産について取得後の事業年度に値引きを受けた場合、取得年度に損金に算入した特別償却額の修正が必要になりますか。また、特別償却準備金として積み立てている場合はどうですか。

【答】 特別償却の対象資産について取得後の事業年度において値引き等（値引き、割戻し又は割引）を受けた場合に、その資産について取得事業年度に損金算入した特別償却額のうち、値引き等に対応する部分の金額の修正をしなければならないという規定はありません。これは、下記(注)で示す算式を適用することにより、帳簿価額が自動的に修正されるためです。また、特別償却準備金として積み立てている場合も、取得事業年度に積み立てた特別償却準備金を修正しなければならないという規定はありません。

(注) 固定資産について、取得した事業年度後の事業年度に値引き等を受けたときは、値引き等のあった日の属する事業年度に、次の算式で計算した金額の範囲内でその固定資産の帳簿価額を減額することができます。（基通7-3-17の2、【問6-22】参照）

$$値引き等の額 \times \frac{値引き等の直前のその固定資産の帳簿価額}{値引き等の直前のその固定資産の取得価額}$$

ただし、値引き等のあった日の属する事業年度の直前の事業年度から繰り越された償却不足額があるときは、償却不足額が生じた事業年度に値引き等があったものとした場合に計算される特別償却限度額を基礎として繰り越された償却不足額を修正するものとされています。特別償却準備金として積み立てしている場合の積立不足額についても同様です。（基通7-3-17の2(注)2）

（事例）中小企業者等が機械等を取得した場合等の特別償却の規定（措法42の6）が適用される機械を令和6年3月期に500万円で取得し、特別償却限度額150万円（500万円×30％）のうち50万円だけ特別償却を行い、残りの100万円は償却不足額として翌事業年度へ繰り越しました。令和7年3月期に、この機械の購入価額について50万円の値引きを受けた場合、値引き後の取得価額450万円によって特別償却限度額を計算しますと135万円（450万円×30％）となりますので、特別償却不足額100万円は、85万円（135万円−50万円）に減額修正することになります。

（436）

第6章　固定資産及び減価償却

特別償却準備金の積立額と戻入額の差額処理

> **【問6-79】** 特別償却準備金を、剰余金の処分により積み立てる方法をとっています。当事業年度（令和7年3月期）の積立限度額は150万円、要取崩し額は40万円（令和5年3月期に積み立てた特別償却準備金280万円の$\frac{12}{84}$）ですので、差額110万円の積立てができますが、50万円だけ積み立て、残りの60万円は積立不足額として租税特別措置法第52条の3第2項の1年間繰越しの規定の適用を受けようと思います。株主資本等変動計算書での記載方法と、申告書を作成するに当たっての注意事項を教えてください。

【答】　御質問では、当事業年度の特別償却準備金の積立限度額150万円のうち60万円を積立不足額として、1年間繰越しの規定の適用を受けることにしたいとのことです。そのためには、当事業年度の積立額50万円は、当事業年度の特別償却準備金の積立限度額150万円のうちの90万円の積立てと、前事業年度から繰り越した特別償却準備金のうちの40万円の取崩しの差額であることが、株主資本等変動計算書で明らかにされていなければなりません。

　株主資本等変動計算書で50万円の積立ての記載だけをしますと、当事業年度の積立限度額150万円のうちの50万円だけを積み立ててその差額100万円を積立不足額として翌期へ繰り越し、特別償却準備金の要取崩し額40万円は申告加算して、益金の額に算入すべきことになります。

　しかし、株主資本等変動計算書において90万円の積立てと40万円の取崩しの両建の記載をしなくても、差額の50万円の積立ての記載を行い、申告書別表十六（九）に次ページのようにその「当期積立額⑦」の欄に90万円、同表の「翌期繰越額の計算」にある「当期益金算入額」の「均等益金算入による場合㉕」の欄に40万円の記載をしますと、税務上は当事業年度の積立限度額150万円のうちの90万円の積立てと、令和5年3月期に積み立てた280万円のうちの40万円の戻入れがあったものとして取り扱われます。（措通55〜57の8（共）-1）

　(注)　租税特別措置法上の準備金を株主資本等変動計算書で積み立て又は取り崩すときの記載方法及び申告調整方法は、【問20-31】及び【問20-32】を参照してください。

（437）

別表十六(九)

特別償却準備金の損金算入に関する明細書　事業年度 6・4・1 〜 7・3・31　法人名

資産区分	特別償却に関する規定の該当条項	1	第××条 第×項 第×号	第××条 第×項 第×号	第　条　第　項 第　号	計
	種　　　　　類	2	××××	××××		
	構造、用途、設備の種類又は区分	3	××××	××××		
	細　　　　　目	4	××××	××××		
	事業の用に供した年月	5	令和4年10月	令和6年7月		
	耐用年数等	6	×年	×年	年	
	当期積立額	7	円	900,000 円	円	900,000 円
当期積立限度額	当期の特別償却限度額	8		1,500,000		1,500,000
	前期から繰り越した積立不足額又は合併等特別償却準備金積立不足額	9				
	積立限度額 (8)+(9)	10		1,500,000		1,500,000
差引	積立限度超過額 (7)-(10)	11				
積立不足額	割増償却の場合 (8)-(7)	12				
	初年度特別償却の場合 (8)-((7)-(9)) ((7)-(9)≦0の場合は(8))	13		600,000		600,000
積立不足額	翌期に繰り越すべき積立不足額 (10)-(7)	14		600,000		600,000
	当期において切り捨てる積立不足額又は合併等特別償却準備金積立不足額	15				
	差引翌期への繰越額 (14)-(15)	16		600,000		600,000
	翌期への繰越額の内訳 ・・・	17				
	当期分 (12)又は(13)	18		600,000		600,000
	計 (17)+(18)	19		600,000		600,000
当期積立額のうち損金算入額 ((7)と(10)のうち少ない金額)		20		900,000		900,000
合併等特別償却準備金積立不足額 (8)-(7)		21				
翌期繰越額の計算	積立事業年度	22	4・4・1 5・3・31	・・	・・	
	各積立事業年度の積立額のうち損金算入額	23	2,800,000 円	円	円	2,800,000 円
	期首特別償却準備金の金額	24	2,400,000			2,400,000
	当期益金算入額 均等益金算入による場合 (23)×12/(84、60又は(耐用年数等×12))	25	400,000			400,000
	同上以外の場合による益金算入額	26				
	合計 (25)+(26)	27	400,000			400,000
	期末特別償却準備金の金額 (24)-(27)	28	2,000,000			2,000,000

（438）

第6章　固定資産及び減価償却

特別償却準備金の積立不足額の積立順序（割増償却の場合）

> 【問6-80】　当社は、倉庫用建物等の割増償却を準備金方式で計上
> していますが、その特別償却準備金について前事業年度（令和6
> 年3月期）の積立不足額の繰越しが150万円あります。当事業年
> 度（令和7年3月期）の特別償却限度額は200万円ですが、300万
> 円の積立てを行いました。この積立額300万円は、どの事業年度
> のものから積み立てたものとして取り扱われますか。申告書の記
> 載方法も説明してください。

【答】　当事業年度の積立額300万円は、①当事業年度の特別償却限度額200万
円、②前事業年度の積立不足額150万円のうちの100万円、の順に積み立てた
ものとして取り扱われます。

　いわゆる「割増償却」による特別償却準備金について、当事業年度の特別
償却限度額と前事業年度から繰り越した特別償却準備金の積立不足額がある
事業年度においてその積立てをしたときは、まず当事業年度の特別償却限度
額に達するまでの金額の積立てをしたものとみなされます。（措法52の3④）
前事業年度から繰り越した積立不足額は、当事業年度の積立額がその特別償
却限度額を超える場合にその差額について積立てをしたこととなり、当事業
年度において積立てできなかった金額は、積立不足額の繰越期間が1年間の
ため、御質問のような1年決算法人では当事業年度で打切りになります。し
たがって、御質問の場合は、前事業年度の積立不足額150万円のうち当事業
年度に積立てのできなかった50万円は、当事業年度で打ち切られます。

（注）　上記の「割増償却」は、次のとおりです。（措政令31①）

1　特定地域における工業用機械等の特別償却（措法45③）

2　輸出事業用資産の割増償却（措法46）

3　特定都市再生建築物の割増償却（措法47）

4　倉庫用建物等の割増償却（措法48）

　これらのほか、障害者を雇用する場合の特定機械装置の割増償却（令和4年
改正前旧措法46）（令和4年3月31日以前に開始する事業年度に適用）のように、
制度は廃止されましたが、割増償却期間が継続しているものがあります。

（439）

申告書別表十六(九)を記載しますと、次のとおりになります。

特別償却準備金の損金算入に関する明細書

特別償却に関する規定の該当条項	1	第48条 第1項 第 号
資産区分	種類	2	建物
	構造、用途、設備の種類又は区分	3	××××
	細目	4	××××
	事業の用に供した年月	5	令和5年8月
	耐用年数	6	××年
当期積立額	7	3,000,000 円
積立限度額	当期の特別償却限度額	8	2,000,000
	前期から繰り越した積立不足額又は合併等特別償却準備金積立不足額	9	1,500,000
	積立限度額 (8)+(9)	10	3,500,000
積立限度超過額 (7)−(10)	11	
積立不足額	割増償却の場合 (8)−(7)	12	
	初年度特別償却の場合 (8)−(7)−(5)((17)−9)5の場合は(8))	13	
積立不足額	翌期に繰り越すべき積立不足額 (10)−(7)	14	500,000
	当期において切り捨てる積立不足額又は合併等特別償却準備金積立不足額	15	500,000
	差引翌期への繰越額 (14)−(15)	16	0
翌期繰越額の明細	前期以前の分	17	
	当期分 (12)又は(13)	18	
	計 (17)+(18)	19	
当期積立額のうち損金算入額 (7)と(10)のうち少ない金額	20	3,000,000
合併等特別償却準備金積立不足額 (8)−(7)	21	

特別償却準備金の積立不足額の積立順序（初年度特別償却の場合）

【問6-81】 中小企業者等が機械等を取得した場合の初年度特別償却について、前事業年度（令和6年3月期）の特別償却準備金の積立不足額の繰越しが150万円あり、当事業年度（令和7年3月期）の特別償却限度額が300万円という場合に、400万円の積立てを行いますと、この400万円はどの事業年度のものから積み立てたものとして取り扱われますか。申告書の記載方法も説明してください。

【答】 特別償却準備金は、各特別償却対象資産別に積み立てることとされています。（措法52の3①）

初年度特別償却は、割増償却のように同一の資産について数年間繰り返して行うものでなく、1回限りのものです。すなわち、前事業年度の特別償却準備金の積立不足額の繰越し150万円に係る特別償却対象資産と、当事業年

（440）

度の特別償却準備金積立限度額300万円に係る特別償却対象資産は別のものですので、当事業年度の特別償却準備金積立額400万円をそのいずれについて積み立てたものとするかは、法人の計算によることになります。（措通52の3－2）

　したがって、積立不足額の期限切れを少なくしようとすれば、当事業年度の積立額400万円は、まず前事業年度の特別償却準備金の積立不足額の繰越し150万円について積み立て、残りの250万円を当事業年度の特別償却準備金積立限度額300万円の一部について積み立てたこととすればよいわけです。このように計算しますと、当事業年度の積立限度額300万円のうちの50万円が積立不足額として、翌事業年度へ繰り越されることになります。

　申告書別表十六（九）を記載しますと、下記のとおりになります。

特別償却準備金の損金算入に関する明細書

事業年度	： ・ ：	法人		
特別償却に関する規定の該当条項	1	第42条の6第1項第1号	第42条の6第1項第1号
種類	2	機械装置	機械装置
構造、用途、設備の種類又は区分	3	××××	××××
細目	4	××××	××××
事業の用に供した年月	5	令和5年8月	令和6年10月
耐用年数等	6	×× 年	×× 年
当期積立額	7	1,500,000 円	2,500,000 円
当期の特別償却限度額	8		3,000,000
前期から繰り越した積立不足額又は合併等特別償却準備金積立不足額	9	1,500,000	
積立限度額 (8)+(9)	10	1,500,000	3,000,000
積立限度超過額 (7)-(10)	11		
割増償却の場合 (8)-(7)	12		
初年度特別償却の場合 (8)-(7)-(9) ((7)-(9)≦0の場合は(8))	13		500,000
翌期に繰り越すべき積立不足額 (10)-(7)	14		500,000
当期において切り捨てる積立不足額又は合併等特別償却準備金積立不足額	15		
差引翌期への繰越額 (14)-(15)	16		500,000
翌期への繰越額の内訳 ： ・ ：	17		
当期分 (12)又は(13)	18		500,000
計 (17)+(18)	19		500,000
当期積立額のうち損金算入額 (7)と(10)のうち少ない金額	20	1,500,000	2,500,000
合併等特別償却準備金積立不足額 (8)-(7)	21		

特別償却不足額を特別償却準備金積立不足額に変更することの可否

【問6-82】 前事業年度に取得して事業の用に供した特別償却対象資産について、初年度特別償却限度額を全額償却不足額として繰り越しました。申告書別表十六(二)の償却不足額の欄には所要事項の記載をしています。特別償却を直接簿価減額方式で計上するのは企業会計の基準に照らして妥当でないという意見があるため、この特別償却不足額相当額を、当事業年度には特別償却準備金として積み立てたいと思いますが、差し支えありませんか。

その資産に係る特別償却費を前事業年度まで全く計上していないときは差し支えないとの見解もあるようですが、いかがでしょうか。

【答】 租税特別措置法上の特別償却は、法人の選択により直接簿価減額方式と特別償却準備金を積み立てる方式のいずれかによることができますが、いずれによるかは、特別償却限度額の生じた事業年度において定めることが必要です。

御質問の場合は、特別償却対象資産を取得して事業の用に供した前事業年度が、特別償却限度額の生じた事業年度です。当該事業年度の確定申告書に添付した明細書で直接簿価減額方式をとることとし、その償却不足額を翌事業年度へ繰り越すこととしたのですから、当事業年度になってこの償却不足額の処理方法を準備金方式に変えることはできません。前事業年度から繰り越した特別償却不足額はありますが、特別償却準備金積立不足額はありませんので、当該特別償却不足額を特別償却準備金として積み立てますと、その金額は積立限度超過額として、損金不算入となります。

前事業年度に特別償却限度額の一部を特別償却費に計上して残余を償却不足額として繰り越したとき、あるいはまったく特別償却費を計上しないで全額を償却不足額として繰り越したときのいずれについても、同じです。

（442）

第6章　固定資産及び減価償却

同一資産の割増償却について直接簿価減額方式から特別償却準備金を積み立てる方式への変更

> **【問6-83】**　倉庫用建物等の割増償却の適用を受けています。前事業年度まで直接簿価減額方式で割増償却費を計上してきましたが、相当の償却に該当するのかどうか疑問だという意見があるため、同じ資産に係る当事業年度の割増償却限度額から準備金を積み立てる方法に変更したいと思います。同じ資産に係る割増償却は、その適用期間を通じて継続した方式によるべきだという見解もあるようですが、いかがでしょうか。

【答】　租税特別措置法上の特別償却は、特別償却の規定の適用を受ける事業年度ごとに直接簿価減額方式と特別償却準備金を積み立てる方式の選択をすることができます。（措法52の3①）割増償却についても、例えば3月31日決算の会社が、令和5年3月期に取得して事業の用に供した倉庫用建物等について、令和6年3月期まで直接簿価減額方式、令和7年3月期から準備金方式とすることも認められますので、御質問の方式を採用されても、税法上問題は生じません。

　ただし、【問6-82】で説明したように、直接簿価減額方式を選択していた事業年度に生じた償却不足額を、その後の事業年度において特別償却準備金で積み立てることはできませんので御注意ください。

（443）

第7章　繰延資産とその償却

繰延資産の範囲、償却方法についての会社法の定め及び企業会計での取扱いと税法の対比

> **【問7-1】**　繰延資産の範囲、償却方法について、会社法の定め及び企業会計での取扱いを教えてください。法人税法での取扱いと、どのような点が相違しますか。

【答】　会社法では、繰延資産は「繰延資産として計上することが適当であると認められるもの」と包括的に規定され（会社計規74③五）、その償却についても、固定資産の償却とあわせて、「償却すべき資産については、事業年度の末日（事業年度の末日以外の日に評価すべき場合にあっては、その日）において、相当の償却をしなければならない。」と規定されています。（会社計規5②）

次に、企業会計での繰延資産の取扱いですが、実務対応報告第19号「繰延資産の会計処理に関する当面の取扱い」（企業会計基準委員会）は、繰延資産について、「既に代価の支払が完了し又は支払義務が確定し、これに対応する役務の提供を受けたにもかかわらず、その効果が将来にわたって発現するものと期待される費用」という企業会計原則注解（注15）の考え方を踏襲し、下表の5項目を繰延資産として取扱うこととして、それぞれの償却期間と償却方法を下表のとおり示しています。

繰延資産とする項目	償却期間	償却方法
株式交付費（企業規模の拡大のためにする財務活動に係るものに限ります。）	株式交付のときから3年以内のその効果の及ぶ期間	定額法

（444）

第7章　繰延資産とその償却

社債発行費等（新株予約権の発行に係る費用を含みます。）	社債発行費……社債の償還までの期間	利息法（継続適用を条件として定額法）
	新株予約権の発行に係る費用……発行のときから3年以内のその効果の及ぶ期間	定額法
創立費	会社成立のときから5年以内のその効果の及ぶ期間	定額法
開業費	開業のときから5年以内のその効果の及ぶ期間	定額法
開発費	支出のときから5年以内のその効果の及ぶ期間	定額法その他の合理的な方法による規則的な償却

　法人税法は、繰延資産を「法人が支出する費用のうち支出の効果がその支出の日以後1年以上に及ぶもので、政令で定めるもの」と定義し（法2二十四）、法人税法施行令第14条第1項において、その範囲を、法人が支出する費用（資産の取得に要した金額とされるべき費用及び前払費用を除きます。）のうち、上記の実務対応報告第19号に限定列挙されている5個と、税法独自のものとの6個と定めています。

　(注)　繰延資産の償却方法についての税法の規定は、【問7-3】に記載しています。

税法独自の繰延資産と資産に計上する場合の科目

> 　**【問7-2】**　税法に規定されている繰延資産には、企業会計上の繰延資産に該当しない税法独自のものが規定されていますが、どのようなものですか。また、貸借対照表の資産に計上する場合、どの科目に計上すればよいのですか。

【答】　【問7-1】で説明したように、法人税法施行令第14条第1項は繰延資

（445）

産の範囲を、実務対応報告第19号に限定列挙されているもの5個と、税法独自のものとの6個と定めています。このうち、前者の5個の繰延資産は、税法では次のとおり規定されています。（法政令14①一～五）

①　創立費…発起人に支払う報酬、設立登記のために支出する登録免許税その他法人の設立のために支出する費用で、当該法人の負担に帰すべきもの

②　開業費…法人の設立後事業を開始するまでの間に開業準備のために特別に支出する費用

③　開発費…新たな技術若しくは新たな経営組織の採用、資源の開発又は市場の開拓のために特別に支出する費用

④　株式交付費……株券等の印刷費、資本金の増加の登記についての登録免除税その他自己の株式（出資を含む。）の交付のために支出する費用

⑤　社債等発行費…社債券等の印刷費その他債券（新株予約権を含む。）の発行のために支出する費用

御質問の前段ですが、税法独自の繰延資産は、次のとおり規定されています。（法政令14①六）

上記の①～⑤に掲げるもののほか、次に掲げる費用で支出の効果がその支出の日以後1年以上に及ぶもの

　　イ　自己が便益を受ける公共的施設又は共同的施設の設置又は改良のために支出する費用

　　ロ　資産を賃借し又は使用するために支出する権利金、立ちのき料その他の費用

　　ハ　役務の提供を受けるために支出する権利金その他の費用

　　ニ　製品等の広告宣伝の用に供する資産を贈与したことにより生ずる費用

　　ホ　イからニまでに掲げる費用のほか、自己が便益を受けるために支出する費用

御質問の後段ですが、【問7-1】で説明したように会社法は繰延資産の範囲を限定列挙でなく包括的に定めているため、税法独自の繰延資産も貸借対照表上繰延資産として計上することができるという考えがあるかもしれません。しかし、繰延資産についての現時点での会計処理の基準である実務対応報告第19号は、繰延資産を上記の①～⑤の費用に限定していますので、税法独自の繰延資産を貸借対照表上繰延資産に計上するのは、会計処理として適

（446）

正でありません。

　したがって、税法独自の繰延資産は、④繰延資産以外の最も適切な科目で資産に計上するか、⑪支出時に費用処理をして税務上は「繰延資産償却超過額」として申告調整をすることになります。

　④の方法による場合の資産の科目ですが、例えば上記のロのうち「建物を賃借するために支出する権利金」は、借家権という無体財産権ですので、無形固定資産に計上することができます。税法は、減価償却資産とする無形固定資産を法人税法施行令第13条第8号に限定列挙していますが、借家権はその耐用年数を一律に規定することができないため掲げられていません。しかし、借家権を無形固定資産に計上する処理は、企業会計上適正です。

　また、「投資その他の資産」のその他の資産（会社計規74③四チ）に計上することができるものもあると思いますが、長期前払費用として計上するのは誤りですので御注意ください。繰延資産と前払費用は、下表に示すようにその属性を異にしており、法人税法施行令第14条においても、第1項のかっこ書で繰延資産となる費用は前払費用を除くとされ、その前払費用の意義が、同条第2項に規定されています。また、繰延資産と前払費用について、消費税で仕入税額控除することができる時期も、下表のかっこ書のように異なります。

	繰　延　資　産	前　払　費　用
役務の提供（消費税の仕入税額控除）	支出の相手先から既に役務の提供を受けた （支出日の属する課税期間に仕入税額控除することができる。）	支出の相手先からまだ役務の提供を受けていない （役務の提供を受ける日の属する課税期間まで仕入税額控除することはできない。）
対価の支払	支払済み又は支払義務が確定	支払済み
費用の効果の発現	将来に及ぶ	役務の提供をまだ受けていないので、当然まだである

繰延資産の償却限度額

> **【問7-3】** 繰延資産の償却限度額は、税法にどのように規定され
> ていますか。

【答】 繰延資産の税法での償却限度額は次のとおりと規定されており、下記
(2)の税法独自の繰延資産にだけ、償却限度額の規定が適用されます。

(1) 法人税法施行令第14条第1項第1号から第5号に掲げる繰延資産（創立
　　費、開業費、開発費、株式交付費及び社債等発行費）……償却限度額は、
　　その繰延資産の額（既にした償却の額で各事業年度の所得の金額の計算上
　　損金の額に算入されたもの（適格組織再編成（適格合併、適格分割、適格
　　現物出資又は適格現物分配）により被合併法人等（被合併法人、分割法人、
　　現物出資法人又は現物分配法人）から引継ぎを受けたものは、被合併法人
　　等の各事業年度の所得の金額の計算上損金の額に算入されたものを含みま
　　す。）がある場合には、当該金額を控除した金額）、すなわち繰延資産の税
　　法での未償却残高です。（法政令64①一）要するに一時償却（任意償却）
　　ができるということであり、支出した事業年度に全額を費用に計上し、繰
　　延資産に計上しないこともできます。

(2) 法人税法施行令第14条第1項第6号に掲げる繰延資産……償却限度額は、
　　次のとおりです。（法政令64①二）

$$
その繰延
資産の額 \times \frac{当該事業年度の月数（その繰延資産となる費用の支出をする日の属する事業年度では、同日から当該事業年度終了の日までの期間の月数）}{その繰延資産となる費用の支出の効果の及ぶ期間の月数}
$$

　　(注) 適格組織再編成により被合併法人等から引継ぎを受けたものである場合は、
　　　　上記の算式の「その繰延資産の額」は、当該被合併法人等における繰延資産の
　　　　額とし、「当該事業年度の月数」は、引継ぎを受けた日の属する事業年度にお
　　　　いては、「当該適格組織再編成の日から当該事業年度終了の日までの期間の月
　　　　数」とします。また、上記の算式での月数は、暦に従って計算し、1月未満の
　　　　端数を生じたときは、これを1月とします。（法政令64④）

　　(2)の繰延資産でも、当該繰延資産となる費用の支出金額が20万円未満の
ものは、少額の繰延資産として、支出の日の属する事業年度に損金経理する
ことにより、損金の額に算入することができます。（法政令134）この場合の
20万円未満かどうかは、法人が消費税等の経理処理について税抜経理方式又

（448）

第7章　繰延資産とその償却

は税込経理方式のいずれを採っているかに応じ、その適用している方式により算出した支出金額によって判定します。（消費税関連通達9）

建設会社の特定件名工事受注のための費用

> **【問7-4】**　建設会社が工事受注のために支出する設計図面作成費、交通費、交際費等は、開発費（一種の市場開拓費）として、受注の成否にかかわらず、支出時に費用処理をすることができますか。

【答】　法人が市場の開拓のために特別に支出する費用は、法人税法施行令第14条第1項第3号の開発費に該当しますので、税法の償却限度額の規定では、任意償却とされています。（法政令64①一）

　御質問の建設会社の工事受注のための活動費は、広い意味での市場開拓費ですが、法人税法施行令第14条第1項第3号の開発費の意義に掲げられている「市場の開拓」は、特定件名の受注活動、特定商品の特定の得意先への売込みに係る費用でなく、新市場全般へのＰＲ、需要の掘りおこしのための費用といった総括的なものです。なぜならば、特定件名の受注活動、特定の得意先への売込みの場合は、個別に当該活動の成否が明らかになり、不成功のときは収益に全く貢献しないことになりますので、これを繰延処理するのは誤りだからです。したがって、御質問のような個別の受注件名に係る費用は、税法が随時償却を認めている開発費には該当しません。

　税務上は、個別の件名について受注が確実になる前に支出する費用は、受注が不成功の場合当然原価外の費用として損金算入されますが、受注に成功した場合は、当該件名についての未成工事支出金勘定へ振り替える処理をすべきかどうかが問題になります。

　法人税基本通達2-2-5に、「請負による収益に対応する原価の額には、その請負の目的物の完成等のために要した費用の合計額のほかに、その受注をするために直接要したすべての費用が含まれる。」と示されていますが、「受注をするために直接要した費用には、たとえ正式の受注前であっても、その受注が確実になった時以後において支出する調査費、設計費、交際費等の費用で、その請負の原価となるべきものが含まれる。」と解説されています。したがって、受注が確実になった時前に支出した受注活動費には、この通達

（449）

は適用されず、支出時に費用処理することができることになります。

　企業会計上も、成功するかどうかわからない受注活動費用を前払金として処理するのは、保守主義の原則に照らして適正でありませんので、その支出時に費用処理をすべきです。

- **(注)** 特定件名の受注が確実になった時以後に支出する設計費等でも、設計、作業の指揮監督、技術指導その他の技術役務の提供のために要する費用のうち、法人が継続して次に掲げるものの額をその支出の日の属する事業年度の損金の額に算入している場合には、これを認めるとされています。(基通2-2-9)
  - ① 固定費（作業量の増減にかかわらず変化しない費用をいいます。）の性質を有する費用
  - ② 変動費（作業量に応じて増減する費用をいいます。）の性質を有する費用のうち、一般管理費に類するもので、その額が多額でないもの及び相手方から収受する仕度金、着手金等（中途解約のいかんにかかわらず取引の開始当初から返金が不要な支払を受けるものに限ります。）に係るもの

借家権利金の処理方法

> **【問7-5】** ビルのワンフロアを事務所として賃借するため、家主に権利金100万円と敷金500万円を支出し、周旋業者に手数料10万円を支払いました。どのように処理すればよろしいですか。

【答】 法人が資産を賃借し又は使用するために支出する権利金、立ちのき料その他の費用は、税法では繰延資産とされ（法政令14①六ロ）、その費用の支出の効果の及ぶ期間に月割りで均等償却すべきこととされています。（法政令64①二）

　この「資産を賃借するために支出する権利金等」として、「建物を賃借するために支出する権利金、立退料その他の費用」が法人税基本通達8-1-5(1)に掲げられていますが、建物の賃借に際して支払った仲介手数料の額は、その支払った日の属する事業年度の損金の額に算入することができますので（同通達(注)1）、御質問にある周旋業者に対する手数料10万円は、支出した時に全額費用処理することができます。

　したがって、御質問の場合は、権利金100万円が税法での繰延資産となります。

（450）

なお、最近の取引では少なくなってきましたが、敷金のうちの一部の金額が退去時に返還されない契約となっている場合があります。この場合、その返還されない金額も繰延資産になります。敷金のうちの退去時に返還されない部分の金額は、名目は敷金でも実質は権利金と変わらないからです。この返還されない部分の金額が1年以内に退去するときは20％、1年を超え2年以内に退去するときは10％、2年を超えて退去するときは5％というように、賃借期間の長短に応じて変えられているときは、最小限返還されない5％相当額を税法上の繰延資産に加え、残りの95％を敷金とすることになります。

次に、繰延資産である借家権利金の償却期間は、次のとおりとされています。(基通8-2-3)

① 建物の新築に際しその所有者に対して支払った権利金等で、当該権利金等の額が当該建物の賃借部分の建築費の大部分に相当し、かつ、実際上その建物の存続期間中賃借できる状況にあると認められるものである場合……その建物の耐用年数の$\frac{7}{10}$に相当する年数

　建築費の大部分を借家人が権利金として支出し、借家人が建物を建築したのに等しいような場合ですが、借家権は建物の所有権でありませんので、償却期間をその建物の耐用年数の$\frac{7}{10}$に相当する年数としています。

② 建物の賃借に際して支払った①以外の権利金等で、契約、慣習等によってその明渡しに際して借家権として転売できることになっているものである場合……その建物の賃借後の見積残存耐用年数の$\frac{7}{10}$に相当する年数

③ ①及び②以外の権利金等の場合……5年（契約による賃借期間が5年未満である場合において、契約の更新に際して再び権利金等の支払を要することが明らかであるときは、その賃借期間）

償却限度額は、次の算式によって計算します。(法政令64①二、詳細は【問7-3】(2)参照)

$$償却限度額＝繰延資産の額 \times \frac{当該事業年度の月数}{償却期間の月数}$$

御質問の場合、償却期間が5年で、権利金の支出日から事業年度終了の日までの期間の月数が6月としますと、当事業年度の償却限度額は次のとおりになります。

$$100万円 \times \frac{6}{60}＝10万円$$

なお、支出した権利金等の額が一契約について20万円未満のときは、少額の繰延資産として、その全額を支出した日の属する事業年度において損金経理をすることにより、損金算入することができます。(法政令134)

　(注)　消費税等においても、権利金、敷金のうち立退き時に返還されない金額及び周旋業者手数料の金額は課税仕入れになります。なお、賃借物件が事務所でなく従業員の社宅のような住宅の場合、住宅の貸付けに係る対価は非課税となりますが(消法別表第二第13号)、上記のうちこれによって非課税仕入れとなるのは権利金と敷金のうち立退き時に返還されない部分の金額で(消通6-13-9)、周旋手数料は課税仕入れとなります。

借家契約の更新料として1か月分の家賃を支払う場合

> **【問7-6】**　当社が賃借している店舗の賃貸借期間は10年、家賃は月額25万円ですが、賃借後3年目ごとに更新料名義で1か月分の家賃相当額を別に支払う契約になっています。この更新料は、家賃の追加額、借家権利金の追加額のいずれと考えるべきですか。

【答】　借家契約の更新料は、建物の賃貸借期間の満了に伴い、再度賃貸借契約を締結するための費用ですので、税法上は建物を賃借するために支出する権利金等に該当し、繰延資産となります。その金額が家賃の1か月分であっても、家賃の追加ではありません。ただし、その金額が20万円未満のときは、少額の繰延資産としてその全額を支出した日の属する事業年度において損金経理をすることにより、損金の額に算入することができます。(法政令134)

　この場合、前回支出した権利金等の額は、建物賃貸借期間の満了によって償却期間が終了しますので、更新料支払の段階で未償却残額はないはずです。仮に過年度の償却不足による未償却残額があっても、賃貸借契約更新の段階で未償却残額は全額損金の額に算入することができます。(基通8-3-6)

　しかし、御質問のように、建物賃貸借契約期間中であるにもかかわらず、一定期間ごとに家賃の何か月分かを更新料として支払うと定めた契約の場合は、名目は更新料であっても、当初の建物の賃貸借期間が終了していませんので、別に支払う当該家賃相当額は建物を賃借するために支出する権利金等でなく、家賃の追加額と考えるべきです。

(452)

第7章　繰延資産とその償却

　いいかえますと、更新料はその名目でなく実質でみた場合、①借家契約期間中の一定期間ごとに家賃の何か月分かを別に支払う家賃の追加額に該当するものと、②借家期間の終了に当たり、引き続き賃借してきた建物を賃借するための権利金に該当するものとがあります。①は家賃の追加ですので、建物を賃借するための権利金に該当せず、支出時に費用処理することができますが、②は税法上の繰延資産として処理すべきことになります。そして、②に該当するときは、当該更新料の支払いをしなければ借家契約の継続ができませんので、例えば賃貸借開始後3年後に②の更新料の支払いを要するものの賃貸借契約期間は3年ということになり、その時点で前回支払った権利金又は更新料の未償却残高は、償却不足がなければ0になっていることになります。（基通8-2-3、法政令第14条第1項第6号ロに掲げる費用、建物を賃借するために支出する権利金等(3)の償却期間のかっこ書）

（注）　平成21年7月23日に、京都地裁において、「賃貸マンションの2年ごとの契約更新時に、賃料2月分の更新料の支払を求める契約は入居者の利益を一方的に害するものであり、消費者契約法に反するもので無効」とする判決があり、以後地裁・高裁で同様の判決が続いていましたが、平成23年7月15日に最高裁で、更新料は有効とする逆転判決がありました。「更新料には賃料の補充・契約継続の対価等の性質があり、賃料や契約更新期間に照らし高額すぎるなどの事情がない限り、消費者契約法に反しない。」というのがその判旨ですが、基本は契約自由の原則の重視であり、賃借人は更新料の定めのある契約に合意したのだから、後日その無効を主張できないというものです。

私鉄の高架下を店舗用に賃借する場合の権利金

> **【問7-7】**　私鉄の高架下を店舗用に賃借して、当社の負担で店舗を設置します。この賃借に際して電鉄会社に支払った権利金は、繰延資産の借家権利金として償却することができますか。

【答】　建物を賃借するために支出する権利金は、資産を賃借し又は使用するために支出する権利金として税法上繰延資産に該当し（基通8-1-5(1)）、その償却限度額は、その支出の効果の及ぶ期間を償却期間とする均等額となります。（法政令64①二）

（453）

私鉄の高架は、電車の運行を目的に建設されたもので、その下を他人に賃貸することを目的に建設されたものではありません。このため、高架を支える脚柱に造作を施すようなことは、通常禁じられています。つまり賃借人は高架という構築物を賃借するのでなく、高架下の空間を賃借し、この空間に賃借人の負担で店舗用の建物を建築するということになります。

　したがって、資産を賃借するために支出する権利金には相違ありませんが、その資産は高架下という高さの制限された空間であり、土地の賃借権に準じたものです。このため、税法では繰延資産でなく固定資産となり、借地権に準じたものとして、減価償却をすることは認められないと考えられます。

（注）　私鉄の駅のプラットホームが高架上にあり、高架下に駅の事務所、改札口、コンコースと乗降客を対象にした店舗が建設されている場合は、当該店舗はテナントに賃貸することを目的に建設されたものですので、テナントが賃借するために支出する権利金は、税法上繰延資産に該当します。

量販店等が新店舗の開設に当たって地元の商店等に支出する運動費

> **【問7-8】**　量販店等が既存の商店街等に新店舗を開設するに当たって、周辺の商店等の同意を得るために支出する運動費は、交際費等に含まれる旨が租税特別措置法関係通達61の4(1)-15の(8)に示されていますが、税法上の繰延資産として、その支出の効果の及ぶ期間を見積もって償却すべきことになりますか。

【答】　御質問の運動費は、法人税法施行令第14条（繰延資産の範囲）の規定に照らしてみた場合、第1項第3号の「開発費」、同項第6号ホの「自己が便益を受けるために支出する費用」のいずれに該当するかが問題になります。前者に該当すれば、税法上一時償却することができますが、後者に該当すれば、その支出の効果の及ぶ期間における均等額が期間中の各事業年度の償却限度額となります。後者について、法人税法施行令第14条第1項第6号は「前各号に掲げるもののほか」として同項第1号から第5号に規定された繰延資産を除外していますので、御質問の場合「開発費」に該当すれば、後者には該当しません。

　「開発費」は、法人税法施行令第14条第1項第3号において、「新たな技

（454）

第7章　繰延資産とその償却

術若しくは新たな経営組織の採用、資源の開発又は市場の開拓のために特別に支出する費用」と規定されています。また、連続意見書第五「繰延資産について」も、開発費のなかに新市場の開拓等の目的をもって支出した金額を例示しており、その理由は、「現に保有している市場とくに販売市場に関係しない支出額は、支出の期以後の販売収益に貢献するものであり、毎期の収益に対応させるべき毎期の費用とは区別されるからである」としています。

　これらの規定等からみて、御質問の運動費は「開発費」に該当しますので、一時償却することができます。一方で、税法上交際費等にも該当しますが（措通61の4(1)-15(8)）、支出時に一時償却した場合その金額が交際費等となり、繰延資産として資産計上されませんので、原価算入された交際費等の調整計算（措通61の4(2)-7）は不要です。

工場騒音に対する近隣からのクレームに対する補償費

> 【問7-9】　当社の工場騒音に対して近隣からクレームを申し立てられ、周辺の住家の窓を二重サッシに取り替える費用を負担しました。この費用は、税務上一時に費用処理することができますか。

【答】　御質問の費用は、貴社の工場騒音に対して申し立てられたクレームに対する補償費の一種であり、今後当該工場が継続して操業していくために支出した費用です。したがって、税法上は「自己が便益を受けるために支出する費用」として繰延資産となり（法政令14①六ホ）、その支出の効果の及ぶ期間における均等額が、その期間中の各事業年度の償却限度額となります。

　支出の効果の及ぶ期間は、このような減価償却資産に準じた資産の取得のために要した支出については、一般にその耐用年数の$\frac{7}{10}$に相当する年数とし、1年未満の端数は切り捨てることとされています。御質問の二重サッシは、当該サッシを取り付けた建物の耐用年数、その使用材質等を勘案して耐用年数を合理的に見積もり、その$\frac{7}{10}$に相当する年数を償却期間とすることになると考えます。

　(注)　当該サッシを取り付けた建物は賃借建物ではありませんが、他人の建物であるため、賃借建物に施設する内部造作の耐用年数についての取扱い（耐通1-1-3、【問6-51】）が参考になるでしょう。

（455）

市への道路用地の寄附とその舗装のための費用の負担金

【問7-10】 公道に面する会社の建物を建替えるため、その建築許可を市に申請したところ、公道の拡幅用地として前面道路に接する土地の一部を市に寄附し、かつ、その舗装費用を負担するように求められました。当該土地の帳簿価額と舗装費用は、全額市に対する寄附金として損金の額に算入することができますか。

【答】 国又は地方公共団体に対する寄附金は、寄附金の損金算入限度額に関係なく、全額損金の額に算入することができます。しかし、その寄附をした者がその寄附によって設けられた設備を専属的に利用することその他特別の利益がその寄附をした者に及ぶと認められるものは、寄附金とならず（法37③一かっこ書）、自己が便益を受ける公共的施設の設置又は改良のために支出する費用として、税法では繰延資産とされます。（法政令14①六イ、基通8-1-3(1)）

御質問の場合は、寄附をした公道の拡幅部分を貴社が使用して便益を受けることになり、かつ、貴社の建物の建替えという必要性に基づいて行う道路の市への寄附とその舗装費用の負担ですので、税法では繰延資産となりますが、公道であり、貴社が専ら使用されるものでありませんので、その償却期間は寄附をした舗装路面の耐用年数の$\frac{4}{10}$に相当する年数となります。（基通8-2-3）

御質問の場合、寄附をする土地は帳簿価額でなく寄附をする時の時価によって繰延資産に計上し、時価と帳簿価額の差額を益金の額に算入すべきかどうかですが、法人税基本通達8-1-3(1)は、「法人が自己の有する道路その他の施設又は工作物を国等に提供した場合における当該施設又は工作物の価額に相当する金額」と示すのみで、その価額が法人の帳簿価額なのか時価なのかを示していません。しかし、土地の無償提供という点を勘案して、帳簿価額により繰延資産に計上することが認められているようです。

また、その償却期間は、土地と舗装費用を区分せず、一体化したものを市に提供した点に着目し、舗装費用を含む土地の価額について舗装道路及び舗装路面の最長の耐用年数である15年を「その施設又は工作物」の耐用年数として、その$\frac{4}{10}$の6年とすることが認められています。（基通8-2-3(注)1）

（456）

第7章　繰延資産とその償却

(注1)　寄附をする公道拡幅部分の土地の帳簿価額を残りの土地の帳簿価額に振り替えるのは、土地の取得に当たって私道を地方公共団体等へ寄附する場合であり（基通7-3-11の5）、本問の場合はこれに該当しません。

(注2)　建物の建築許可に関連して徴収される種々の開発負担金等の取扱いを、【問6-20】で説明していますので、参照してください。

公共的施設の用途変更があった場合における償却期間の変更の可否

> 【問7-11】　当社の工場への通路に、橋梁を架設しています。この橋は当初当社が専ら使用するものであったため、架設のために支出した費用を、その橋の耐用年数の$\frac{7}{10}$に相当する年数を償却期間として償却してきました。ところが、最近その橋の工場側に工場とは別方向への公道が敷設され、一般人が利用できることになりました。このような場合、償却期間をその橋の耐用年数の$\frac{4}{10}$に相当する年数に変更することができますか。

【答】　減価償却資産については、事業年度の中途でその用途の転用があった場合、転用した日の属する事業年度開始の日から転用後の耐用年数によって償却限度額を計算することができる旨が示されています。（基通7-4-2）

　繰延資産についてこれに準じた取扱いは示されていませんが、事例が少ないためであり、事情は同じと考えられます。

　したがって、御質問の場合、当該橋梁が一般人も利用できることになり、専ら貴社が使用するものでなくなった事業年度開始の日から、償却期間を当該橋梁の耐用年数の$\frac{7}{10}$に相当する年数から$\frac{4}{10}$に相当する年数に変更して、その架設のために支出した費用の償却限度額を計算することができます。

ＪＲ会社に施設負担金を支出した場合の処理

> 【問7-12】　ＪＲ会社の某駅の裏側にある当社工場への通勤時の臨時改札口を設置してもらうため、その施設負担金をＪＲ会社に支出しました。この支出金は、税法上どのように取り扱われますか。

【答】　自己が便益を受ける公共的施設の設置又は改良のために支出する費用

（457）

は、税法では繰延資産とされます。（法政令14①六イ）御質問のような負担
金もこれに該当しますので（基通8-1-3(3)）、その支出の効果の及ぶ期間
を償却期間とする均等額が、その期間中の各事業年度の償却限度額となりま
す。（法政令64①二）

　　(注)　基通8-1-3の(3)は、鉄道の建設に当たって連絡地下道等の建設費用の一
　　　　部の負担金を支出した場合の取扱いですが、御質問のような既設の鉄道施設と
　　　　の連絡路の設置費用の負担金の支出についても事情が類似しており、準用され
　　　　ると考えられます。

　公共的施設の設置のために支出する費用の償却期間は、次のとおりです。
（基通8-2-3）

① 　その施設又は工作物がその負担した者に専ら使用されるものである場合
　　……その施設又は工作物の耐用年数の$\frac{7}{10}$に相当する年数

② 　①以外の施設又は工作物の設置又は改良の場合……その施設又は工作物
　　の耐用年数の$\frac{4}{10}$に相当する年数

　御質問だけでは、臨時改札口が貴社だけに利用されるものなのか、通勤時
には一般の人が誰でも利用できるものなのか明らかでありませんが、改札口
が直接貴社の工場とＪＲの駅を直結するところにあって、貴社の従業員以外
の者が利用できないようなものの場合は、①に該当し、その耐用年数の
$\frac{7}{10}$に相当する年数が償却期間となります。

共同的施設の設置のために支出する負担金の税務での処理方法

> **【問7-13】**　当社の工場のある工業団地の組合が、団地のなかに会
> 館を建設して、団地組合員各社の製品の展示、会議、従業員の研
> 修、給食等のための設備を設け、会館内の一室を団地組合が事務
> 所として使用することになりました。当社も組合員としてその建
> 設費用の一部を負担しますが、この会館の建物は団地組合の所有
> となり、負担金は一切返還されません。当社が支出する負担金の
> 処理方法を教えてください。

【答】　御質問の負担金は、自己が便益を受ける共同的施設の設置のために支
出する費用であり、その支出の効果が支出の日以後1年以上に及ぶと認めら

(458)

第7章　繰延資産とその償却

れますので、税法では繰延資産とされます。（法政令14①六イ）

　この「自己が便益を受ける共同的施設の設置のために支出する費用」とは、法人がその所属する協会、組合、商店街等の行う共同的施設の建設又は改良に要する費用の負担金をいいますので、御質問の会館建設の負担金はこれに該当します。この場合、団地組合の事務所として使用される部分も共同的施設に該当しますが、仮に共同的施設の相当部分が不特定多数の者に対する貸室に供される等団地組合の本来の用以外の用に供されているときは、その部分に係る負担金は、団地組合に対する寄附金となります。（基通8-1-4）

　次に、共同的施設の設置のために支出する費用の償却期間は、次のとおりとされています。（基通8-2-3）

① 　その施設がその負担者又は構成員の共同の用に供されるものである場合又は協会等の本来の用に供されるものである場合……その施設の耐用年数の$\frac{7}{10}$に相当する年数（土地の取得に充てられる部分の負担金については、45年）。ただし、負担者又は構成員の属する協会等の本来の用に供される会館等の建設又は改良のために負担する負担金については、上記による償却期間が10年を超える場合には、当分の間、その償却期間を10年とするものとされています。（基通8-2-4）

② 　商店街等における共同のアーケード、日よけ、アーチ、すずらん灯等負担者の共同の用に供されるとともに、併せて一般公衆の用にも供されるものである場合……5年（その施設について定められている耐用年数が5年未満である場合には、その耐用年数）

　　（**注**）　国、地方公共団体、商店街等の行う街路の簡易舗装、街灯、がんぎ等の簡易な施設で主として一般公衆の便益に供されるもののために充てられる負担金は、繰延資産としないで、その負担金を支出する日の属する事業年度の損金の額に算入することができます。（基通8-1-13）

　御質問の場合は、団地組合員各社の製品の展示、会議、研修、給食等その共同の用に供される部分の負担金は会館の建物の耐用年数の$\frac{7}{10}$に相当する年数が、団地組合の事務等組合の本来の用に供される部分の負担金は10年（会館の建物の耐用年数の$\frac{7}{10}$が10年以下のときはその年数）が、それぞれの償却期間となります。

（459）

分割払いの繰延資産の税務での処理方法（Ⅰ）

> **【問7-14】**【問7-13】の場合ですが、負担金の支払を5年分割で行う場合、
> ① 団地組合が当該負担金で建設する会館の建築着工前に分割払いした負担金は、分割払いした時から、繰延資産として償却を開始することができますか。
> ② 会館完成後に負担金の分割未払額が残っている場合、当該未払額の繰延資産としての償却は、どのようになりますか。

【答】 ①について……法人がその所属する協会、連盟その他の同業団体等に対し、会館その他特別な施設の取得又は改良のための費用の分担額として会費を支出したときは前払費用とし、同業団体等が当該施設の取得又は改良のために支出した日に税法上繰延資産となるものの支出をしたものとされています。（基通9-7-15の3(2)）したがって、団地組合が会館の取得のために支出する前に支払う分割払いの負担金は前払費用としますが、税法上の繰延資産に振り替えて償却を開始することができるのは、団地組合が会館の建築着工をした時とされています。（基通8-3-5参照）

②について……法人税法施行令第14条第1項第6号に掲げる繰延資産となるべき費用の額を分割して支払うこととしている場合、分割して支払う期間が短期間（おおむね3年以内）のときは、総額を未払金に計上して償却することができます。しかし、御質問のように5年分割払いのときは、その総額が確定しているときであっても、その総額を未払金に計上して償却することはできず、分割支出の都度、支出額を税法上の繰延資産として償却することになります。（基通8-3-3）御質問のように、会館完成後に分割未払額が残っているときでも、同じです。

この場合、分割支払額を税法上の繰延資産に計上していきますと、支出額が累積されますので、償却限度額は逐年増加します。例えば、総額100万円を毎年20万円ずつ5年間に分割して支出し、その償却期間が120月のときは、各年度の償却限度額は次のとおりになり、第12年目で償却が終わります。

第1年目 20万円 $\times \dfrac{12}{120} = 2$ 万円

（460）

第７章　繰延資産とその償却

第２年目　40万円 $\times \dfrac{12}{120}$ ＝ 4 万円

第３年目　60万円 $\times \dfrac{12}{120}$ ＝ 6 万円

第４年目　80万円 $\times \dfrac{12}{120}$ ＝ 8 万円

第５年目〜第12年目　毎年　100万円 $\times \dfrac{12}{120}$ ＝10万円

　なお、支出額が20万円未満の少額の繰延資産は、支出事業年度において損金経理をすることにより損金の額に算入することができますが（法政令134）、分割して支出する場合には、支出する時に見積られる支出金額の合計額によって20万円未満かどうかを判定しますので、御質問の場合１回当たりの分割支出の金額が20万円未満であっても、その支出事業年度において損金の額に算入することはできません。（基通８-３-８）

　また、公共的施設又は共同的施設の設置又は改良に係る負担金で繰延資産となるべきものを支出した場合、当該負担金が次のいずれにも該当するものであるときは、その負担金として支出した金額は、その支出をした日の属する事業年度の損金の額に算入することができるとされています。（基通８-３-４）

① 　その負担金の額が、その負担金に係る繰延資産の償却期間に相当する期間以上の期間にわたり分割して徴収されるものであること。

② 　その分割して徴収される負担金の額がおおむね均等額であること。

③ 　その負担金の徴収がおおむねその支出に係る施設の工事の着工後に開始されること。

　御質問の場合５年間という分割期間は【問７-13】で説明した繰延資産の償却期間未満と思われますので、これにも該当しません。

（461）

分割払いの繰延資産の税務での処理方法（Ⅱ）

> **【問7-15】** 商店街の共同のアーケードの負担金30万円を、6年間に毎年5万円ずつ分割で支払うことになりました。
>
> この分割支払期間は、法人税基本通達8-2-3に示された償却期間5年よりも長いのですが、負担金30万円の償却方法はどのようになりますか。(イ)アーケードの分割負担金をその工事着工前から商店街振興組合で積み立てていく場合と、(ロ)商店街振興組合が借入金によってアーケードの工事を着工し、その後に負担金を徴収する場合とで異なりますか。

【答】 商店街の共同のアーケードがその設置費用の負担者の共同の用に供されるとともに併せて一般公衆の用にも供されるものである場合、その設置のための支出費用は「自己が便益を受ける共同的施設の設置のために支出する費用」として、税法では繰延資産とされ（法政令14①六イ、基通8-1-4）、その償却期間は、5年とされています。（基通8-2-3）

  (注) その施設について定められている耐用年数が5年未満である場合には、その耐用年数を償却期間としますが（基通8-2-3かっこ書）、アーケードの耐用年数は15年（耐用年数省令別表第一の建物附属設備、アーケード）です。

御質問の場合は、負担金の分割支払期間は6年で、その繰延資産の償却期間5年よりも長くなります。

御質問の場合、【問7-14】に記載した共同的施設の設置等に係る負担金で繰延資産となるべきものを支出事業年度に損金算入することができる法人税基本通達8-3-4の①～③の要件については、①の「負担金の分割徴収期間が繰延資産の償却期間以上」という要件と、②の「負担金の分割徴収額がおおむね均等額」という要件は満たしていますので、③の「負担金の徴収開始がおおむね施設の工事着工後」という要件を満たすのかどうかが問題になります。

御質問にある(イ)のアーケードの分割負担金をその工事着工前から商店街振興組合で積み立てていく場合は、③の要件を満たしませんが、(ロ)の商店街振興組合が借入金によってアーケードの工事を着工し、その後に分割して負担金を徴収する場合は、③の要件を満たします。したがって、(イ)の場合は、

（462）

毎年支出する５万円はアーケードの工事着工前は前払費用とし（基通９‐７-15の３（2））、工事着工後は償却期間を５年とする均等額が各事業年度の償却限度額となりますが（【問７‐14】参照）、(ロ)の場合は、分割支出額を支出事業年度において損金の額に算入することができます。

別表十六（六）に記載を要する一時償却が認められる繰延資産の償却額

> **【問７‐16】** 当事業年度中に有償による新株の発行を行い、株式交付費を支出しました。株式交付費は税法上一時償却ができますので、全額損金に計上するつもりです。この場合、申告書別表十六（六）の「Ⅱ　一時償却が認められる繰延資産の償却額の計算に関する明細書」の欄に、記載しなければなりませんか。

【答】 株式交付費は、税法の繰延資産の１つとされていますが（法政令14①四）一時償却が認められていますので（法政令64①一）、支出した事業年度にその全額を費用処理することができます。

各事業年度終了の時の繰延資産につき償却費として損金経理をした金額がある場合には、「繰延資産の償却額の計算に関する明細書（別表十六（六））」を当該事業年度の確定申告書に添付しなければなりませんので（法政令67①）、御質問の場合も、この明細書の添付が必要です。

しかし、税法の規定する繰延資産のなかには、株式交付費や社債発行費等のように、その範囲が明確なものと、開業費や開発費のように明確でないものとがあります。この範囲が明確でないものについてまで、その記載をした明細書を確定申告書に添付することが絶対必要だというのもどうかと思われます。一時償却の認められる繰延資産のうち株式交付費のようなその範囲の明確なものについては、支出した事業年度にその一部を償却しないで繰延資産として貸借対照表に計上した場合、及び前事業年度から繰り越してきた繰延資産があって当事業年度においてその全部又は一部を償却する場合に、別表十六（六）のⅡの「一時償却が認められる繰延資産の償却額の計算に関する明細書」に記載すればよいと思います。

（463）

第8章　資産の評価損益

資産の評価益の任意計上について

> 【問8-1】　業績不振の建設会社です。入札に当たって納税証明が
> 必要なため、固定資産として保有している土地の時価と帳簿価額
> の差額の一部について評価益を計上し、わずかでも法人税を納め
> たいのですが、認められるでしょうか。

【答】　会計計算規則第5条第1項は、「資産については、この省令又は法以
外の法令に別段の定めがある場合を除き、会計帳簿にその取得価額を付さな
ければならない。」と規定して、資産の貸借対照表計上額は取得価額による
ことを原則とし、評価益を計上することを禁じています。税法もこれを受け
て、法人がその有する資産の評価換えをしてその帳簿価額を増額した場合に
は、その増額した部分の金額は益金の額に算入せず（法25①）、当該資産の
帳簿価額はその増額がされなかったものとみなすとされています。（法25⑤）

御質問の場合、土地の評価益を計上しても、所得の金額の計算上益金の額
に算入されませんので、これによって所得の金額をマイナスからプラスに変
えて、納税額を生じさせることはできません。

なお、次の金額は、税法上も評価益の額の益金算入が認められています。

① 法人がその有する資産につき更生計画認可の決定があったことにより会
社更生法又は金融機関等の更生手続の特例等に関する法律の規定に従って
行う評価換えをしてその帳簿価額を増額した場合のその増加した部分の金
額（法25②）

② 保険会社が保険業法第112条の規定に基づいて行う株式の評価換えをし
てその帳簿価額を増額した場合の増加した部分の金額（法25②、法政令24）

③ 法人について再生計画認可の決定があったことにより、その法人がその
有する資産の価額につき当該再生計画認可の決定があった時の価額により
評定を行っているときのその資産の評価益の額（法25③、法政令24の2③
一、⑤）

（464）

第8章　資産の評価損益

④　法人について再生計画の認可があったことに準ずる事実（その債務処理に関する計画が下記イからハまで及びニ又はホに掲げる要件に該当するものに限ります。）があったことにより、資産評定（債務者の有する資産及び負債の価額の評定）が行われ、当該資産評定による価額を基礎とした当該債務者の貸借対照表が作成される場合の資産評定によるその資産の評価益の額（法25③、法政令24の2①、③二）

イ　一般に公表された債務処理を行うための手続についての準則（公正かつ適正と認められるものであって、所定の事項が定められており、特定の者（政府関係金融機関、株式会社地域経済活性化支援機構及び協定銀行を除きます。）が専ら利用するためのものでないもの）に従って策定されていること

ロ　債務者の有する資産及び負債につき資産評定が行われ、当該資産評定による価額を基礎とした当該債務者の貸借対照表が作成されていること

ハ　ロの貸借対照表における資産及び負債の価額、債務処理に関する計画における損益の見込み等に基づいて、債務者に対して債務免除等（債務の免除又は債権のその債務者に対する現物出資による移転（法政令24の2②三））をする金額が定められていること

ニ　2以上の金融機関等が債務免除等をすることが定められていること

ホ　政府関係金融機関、株式会社地域経済活性化支援機構又は協定銀行が有する債権、株式会社地域経済活性化支援機構又は協定銀行が信託の受託者として有する債権（法規則8の6②）につき、債務免除等をすることが定められていること

評価損益の対象にならない資産

> 【問8-2】　法人について再生計画認可の決定等特定の事実が生じた場合、法令で定める評定を行うことにより算定された評価益は益金算入、評価損は損金算入されますが、当該評価損益の対象とならない資産には、どのようなものがありますか。現金、売掛金、貸付金その他の債権はいかがでしょうか。

【答】　御質問にある評価損益の対象にならない資産は、評価益に係るもの

（465）

（法25③かっこ書）が法人税法施行令第24条の２第４項に下記のとおり規定され、評価損に係るもの（法33④かっこ書）は同施行令第68条の２第３項で「法政令第24条の２第４項各号に掲げる資産とする。」と規定されて、評価益に係るものと同じ下記①～⑤の資産とされています。

① 再生計画認可の決定のあった日又は再生計画の認可があったことに準ずる事実（【問８-１】の④参照）のあった日の属する事業年度開始の日前５年以内に開始した各事業年度において、法人税法上の固定資産等の圧縮額の損金算入の規定（法42、44、45、46、47、49）、租税特別措置法の転廃業助成金等に係る課税の特例の規定（措法67の４）の適用を受けた減価償却資産

② 短期売買商品及び暗号資産（法61③）

③ 売買目的有価証券（法61の３①一）

④ 償還有価証券（法政令119の14）

⑤ 少額の減価償却資産の取得価額の損金算入（法政令133①）又は一括償却資産の損金算入（法政令133の２①）の規定の適用を受けた減価償却資産その他これに類する減価償却資産

　次に、評価損の対象となる資産の範囲には限定が付されていませんので、預金等（預金、貯金、貸付金、売掛金その他の債権）も評価額の評価損の対象資産となりますが、預金等のうち法人の有する金銭債権は、法人税法第33条第２項の評価換えの対象にはならず、法人税法施行令第68条に定める法的整理の事実（下記の**(注)**参照）が生じた場合に法人の有する金銭債権の帳簿価額を損金経理により減額したときは、その減額した金額に相当する金額は、法人税法第52条の貸倒引当金勘定に繰入れた金額として取り扱われます。（基通９-１-３の２）預金等のうち預金及び貯金は、金銭債権でありませんので、法人税法第33条第２項の評価換えの対象になります。

(注) 法的整理の事実には、例えば、民事再生法の規定による再生手続開始の決定があったことにより、同法第124条第１項（財産の価額の評定等）の評定が行われることが該当します。（基通９-１-３の３）

（466）

第8章　資産の評価損益

震災等で被災した資産の評価減

> 【問8-3】　震災、風水害等で被災した棚卸資産、固定資産の評価
> 損は、どのように取り扱われますか。

【答】　特定の事実が生じた場合の資産の評価損の損金算入規定（法33②）が
適用される特定の事実として、棚卸資産と固定資産に、「当該資産が災害に
より著しく損傷したこと」が掲げられています。（法政令68①一イ、三イ）
したがって、震災、風水害等で被災し、著しく損傷した棚卸資産及び固定資
産は、損金経理により、当該資産の帳簿価額と評価換えをした日の属する事
業年度終了の時における価額すなわち時価との差額について、評価減をする
ことができます。

　この場合の評価換えをした日の属する事業年度終了の時における価額（時
価）は、当該資産が使用収益されるものとしてその時において譲渡される場
合に通常付される価額です。（基通9-1-3）すなわち、評価損の基因とな
った事実が生じた後の状態で事業の用に供するとした場合の譲渡価額ですか
ら、スクラップ等としての処分価額でなく、また正味売却価額（棚卸資産評
価基準5本文）や再調達原価（同基準6）でもありません。しかし、災害で
完全に損壊したような資産は、この「譲渡される場合に通常付される価額」
をゼロとして、帳簿価額の全額について、損金経理により評価損の計上をす
ることができます。

　この「譲渡される場合に通常付される価額」は、消費税について税抜経理
方式を適用しているときは消費税抜きの金額、税込経理方式を適用している
ときは消費税込みの金額となります。（消費税関連通達10(2)）

季節遅れの商品を評価減する場合の時価

> 【問8-4】　洋品雑貨の販売を営む会社です。流行の移り変りが激
> しく夏物を秋に持ち越しますと、翌年には相当額販売価額の引下
> げをせざるを得ません。この商品を評価減する場合の時価は、ど
> のように算定すればよいのでしょうか。

【答】　季節商品で売れ残ったものについて、今後通常の価額で販売すること

（467）

ができないことが既往の実績その他の事情に照らして明らかな場合には、その商品は著しく陳腐化したものとして、損金経理により事業年度終了の時の価額（時価）まで評価減することができます。（法33②、法政令68①一ロ）

この場合の時価は、【問8-3】に記載した時価と同じで、当該資産が使用収益されるものとしてその時において通常付される価額です。（基通9-1-3）

ところが、例えば事業年度終了の日が12月31日という場合、その時期に夏物を売ろうと思っても売れませんので、翌年の夏に売れると見込まれる価額が時価となります。すなわち売れ残りの季節商品のように事業年度終了の時における取引事例がないため、時価を客観的にきめることができないものは、同種の商品の既往の販売実績等によって、どの程度値下げをすれば翌年のシーズンに売れるのかを推測し、その価額を時価とします。

棚卸資産の著しい陳腐化とは、棚卸資産そのものには物質的な欠陥がないにもかかわらず、季節おくれ、流行おくれ、代替新製品の販売等経済的な環境の変化に伴ってその価値が著しく減少し、その価額が今後回復しないと認められる状態にあることをいいます。（基通9-1-4）

問題は、価値の著しい減少とはどの程度のものをいうのかですが、法人税基本通達9-1-4は“著しい”の程度を示していません。市場有価証券等の著しい価額の低下の判定について、「その価額が著しく低下したこと」とは「当該有価証券の当該事業年度終了の時における価額がその時の帳簿価額のおおむね50％相当額を下回ることとなり、かつ、近い将来その回復が見込まれないことをいうものとする」と通達（基通9-1-7）に示されていますが、株式相場は20〜30％程度の変動は異常でなく、その程度の低下では近い将来回復することもあり得るので、50％相当額を下回ることとしたといわれています。

棚卸資産は株式と異なり、低下した価額が回復する可能性はほとんどありませんので、価額の著しい低下の判定基準として市場有価証券等についての「50％相当額を下回る」を準用するのは妥当でありません。いいかえれば、棚卸資産は低下の割合が50％に達していなくても、評価損の損金算入が認められることがあり得ます。

（468）

第8章　資産の評価損益

消費者の感覚にあわないため大量返品を受けた製品の評価減

> **【問8-5】**　当社のアイデアにより生産した製品が消費者の時代感
> 覚にあわず、大量返品を受けました。事業年度終了の時には手持
> ちしていますが、他に転用することができず、会社の信用にかか
> わりますので投売りせず廃棄する予定です。事実上無価値に等し
> いものですが、時価をゼロとして評価減してもよろしいですか。

【答】　棚卸資産が災害により著しく損傷したこと、著しく陳腐化したこと及
びこれらに準ずる特別の事実が生じた場合には、その棚卸資産の帳簿価額を
損金経理により時価まで評価減することができます。(法33②、法政令68①一)

　この場合の時価は、【問8-3】に記載した時価と同じで、当該資産が使用
収益されるものとしてその時において通常付される価額です。(基通9-1-
3) また、「これらに準ずる特別の事実」として「棚卸資産が破損、型崩れ、
棚ざらし、品質変化等により通常の方法によって販売することができないよ
うになったこと」が例示されています。(基通9-1-5)

　製品について御質問のように消費者の時代感覚にあわないため大量返品を
受けたという事実は、当該製品について著しい陳腐化が生じた事実に該当し
ます。したがって、評価減ができる場合に該当します。

　問題は、事業年度終了の時における価額、すなわちその時において譲渡さ
れる場合に通常付される価額がゼロなのかどうかです。御質問によれば、会
社の信用にかかわるため投売りせず廃棄する予定とのことですが、会社の方
針であり、その故に譲渡される場合に通常付される価額がゼロということに
はなりません。事業年度終了の時までに廃棄処分をされた製品は、廃棄損と
して損金の額に算入することができますが、事業年度終了の時に手持ちして
いる製品は、翌事業年度以後何らかの方法で換金できる余地が残されている
ことになります。

　要するに、譲渡する場合に通常付される価額は、製品を処分する会社の方
針に基づいて算定される価額でなく、当該製品が時代感覚にあわないことを
加味した上で、客観的に形成される換金可能価額です。したがって、投売り
せずに廃棄する予定という会社の方針を考慮に入れないで、その時価を算定
しなければなりません。

（469）

需要を見込んで過剰生産した棚卸資産の評価減

【問8-6】 得意先からの某製品の部品1,000個の受注に対し、生産コストを下げるため2,000個を生産して残り1,000個は次回の受注時に納品する予定でいたところ、得意先が当該製品のモデルチェンジをされたため、まったく売れる見込みがなくなりました。過剰生産は評価減のできる事実に該当しないと聞いていますが、このような場合でも、当該部品の評価減はできないのでしょうか。

【答】 棚卸資産の時価が単に物価変動、過剰生産、建値の変更等によって低下しただけでは、当該棚卸資産の評価損の計上ができる事実に該当しません。（基通9-1-6）また、モデルチェンジがあっただけでは旧型について著しい陳腐化が生じたとはいえませんが、これらは過剰生産品や旧型の製品が、今後も通常の方法で売れる見込みのある場合についてのものです。

　御質問にある部品は、得意先の製品の部品として納入できる見込みがなくなった棚卸資産です。したがって、上記法人税基本通達9-1-6でなく同9-1-4の(2)に示されている「用途の面ではおおむね同様のものであるが、型式、性能、品質等が著しく異なる新製品が発売されたことにより、当該商品につき今後通常の方法により販売することができないようになった」場合の取扱いに準じて、評価減をすることができると考えられます。

　その場合の時価すなわち「当該棚卸資産が使用収益されるものとして譲渡される場合に通常付される価額」は、当該部品を解体して材料に戻す場合は材料の評価額から解体費用を差し引いた価額となりますが、くずとして処分する以外に方法がない場合は、その処分見込価額になります。

仕損じ品の評価減

【問8-7】 陶器製造会社です。生産工程で不可避的に生じたきずもの、いびつものは、年に1回開催される安売り市で処分します。安売り市で売れると見込まれる価額まで、その製造原価から評価減することができますか。

【答】 棚卸資産について、破損、型崩れ、棚ざらし、品質変化等により通常

（470）

第8章　資産の評価損益

の方法によって販売することができないようになったとき、すなわち棚卸資産に物質的欠陥が生じたときは、損金経理により評価減をすることができます。（基通9−1−5）しかし、この通達で評価減の対象にしているのは、製造したときには良品だったが、陳列、運送等の過程とか時間の経過によって物質的に破損や品質変化等が生じて価額の低下したものです。製造したときから物質的かしのある仕損じ品は、この通達の適用対象になりません。

　御質問にある陶器の生産工程で不可避的に生じたきずもの、いびつものは、一種の仕損じ品であり、原価計算において、良品と異なる取得価額が付されるべきものです。すなわち、製品の製造工程から副産物、作業くず又は仕損じ品（以下「副産物等」といいます。）が生じたときは、総製造費用の額から次のいずれかの方法で算定した副産物等の評価額の合計額を控除して、製品の製造原価の額を計算します。（基通5−1−7）

①　副産物等に係る実際原価として合理的に見積もった価額
②　当該副産物について通常成立する市場価額
③　当該副産物の価額が著しく少額である場合には、備忘価額
　(注)　①と②については、継続適用が条件とされています。

　ところで原価計算基準は、第2章第4節の28「副産物等の処理と評価」で、総合原価計算において、副産物が生ずる場合に主産物の総合原価から控除する副産物の価額の算定方法を次のとおり示しています。

イ　そのまま外部に売却できるもの……（見積売却価額）−（販売費及び一般管理費の見積額）又は（見積売却価額）−（販売費、一般管理費及び通常の利益の見積額）

ロ　加工の上売却できるもの……（加工製品の見積売却価額）−（加工費、販売費及び一般管理費の見積額）又は（加工製品の見積売却価額）−（加工費、販売費、一般管理費及び通常の利益の見積額）

ハ　そのまま自家消費されるもの……これによって節約されるべき物品の見積購入価額

ニ　加工の上自家消費されるもの……（これによって節約されるべき物品の見積購入価額）−（加工費の見積額）

　要するに一種の控除法ですが、前記の①副産物等に係る実際原価として合理的に見積もった価額は、これらを指していると考えられます。

（471）

御質問の仕損じ品は、上記のイに該当するものですので、当該きずもの、いびつものは見積売却価額からアフターコストと通常の利益の見積額を控除した金額でその見積原価を算定し、総製造費用の額から当該見積原価の合計額を控除した金額を主製品（良品）の製造原価とする方法で、原価計算をすることになります。

採算われを承知のうえで生産した製品の評価減

> 【問8-8】　製造原価が販売価額よりも高くて採算われであることが明らかであるにもかかわらず、製品の品揃えのためにその生産を続けているものがあります。事業年度終了の時に保有する当該製品について、販売価額まで評価減をすることができますか。税務、企業会計それぞれの立場から、教えてください。

【答】　自己が製造等（製造、採掘、採取、栽培、養殖など）をした棚卸資産の取得価額は、その製造原価（原材料費、労務費及び製造経費）と当該資産を消費し、又は販売するために直接要した費用の額の合計額と規定されています。（法政令32①二）また、棚卸資産について評価減ができるのは、その保有期間中に著しい物質的価値の減少（災害による著しい損傷、破損、型崩れ、棚ざらし、品質変化等）又は経済的価値の減少（著しい陳腐化、流行おくれ、季節おくれ等）が生じた場合です。（法33②、法政令68①一）

　採算われを承知で生産した製品でも、取得価額は製造原価そのものですし、かつ、保有期間中に当該製品について上記のような評価減ができる事実が生じたのではありませんから、販売価額までの評価減の損金算入は税務では認められません。

　ただし、貴社が、当該製品の評価方法として低価法を選定している場合には、低価法を適用するに当たって原価と比較する時価は正味売却価額とされていますので（【問4-13】参照）、低価法の適用による評価減の損金算入が認められます。当該製品の仕掛品についても同じです。

　なお、「製品の品揃えのため」というのが、採算の良い製品の販売促進のためのセット品への組み入れのためという場合は、セット品の取得価額と正味売却価額を対比することになりますので、採算われを承知で生産した製品

（472）

第8章　資産の評価損益

をセット品から区分して低価法の適用による評価減をすることはできません。低価法の適用による評価減の損金算入が認められるのは、販売促進を期待する採算の良い製品とのセット品でないものの場合です。

　一方、企業会計の基準からは、保守主義の原則により、このような製品は評価減すべきでないのかが問題になります。当該製品の正味売却価額は、取得したときから取得原価よりも低く、取得後期末までの保有期間中に下落したのでありませんが、棚卸資産評価基準は、通常の販売目的で保有する棚卸資産の評価基準について、「取得原価をもって貸借対照表価額とし、期末における正味売却価額が取得原価よりも下落している場合には、当該正味売却価額をもって貸借対照表価額とする。」と示しています。（同基準7）

　さらに、棚卸資産の薄価切下げの考え方として、「棚卸資産について収益性の低下により投資額の回収が見込めなくなった場合には、品質低下や陳腐化が生じた場合に限らず、帳簿価額を切り下げることが考えられる。この薄価切下げは、取得原価基準の下で回収可能性を反映させるように、過大な帳簿価額を減額し、将来に損失を繰り延べないために行われる会計処理である。」と述べています。（同基準36）

　当該製品の正味売却価額は取得原価未満であり、取得原価相当額の回収可能性がありません。したがって、企業会計の基準では正味売却価額までの評価減が必要で、上記の税務の取扱いとの差異は、申告調整で対処すべきです。

棚卸資産の評価減をするに当たってのグルーピングのしかた

> 【問8-9】　棚卸資産の評価減をするに当たっての評価損の計上額は、棚卸資産をどのようにグルーピングして算定すればよいのですか。具体的に説明してください。

【答】　棚卸資産について評価損を計上する場合、その評価損について税務での損金算入の可否の額を計算する単位は、「棚卸資産の種類等の異なるものごと、かつ、法人税法施行令第68条第1項に規定する事実の異なるものごと」とされています。（基通9-1-1（4））棚卸資産の種類等とは、棚卸資産の評価額の計算単位すなわち期末棚卸資産の種類、品質及び型をいいますので（法政令28①一ロかっこ書）、低価法の適用に当たり低価の事実を判定する

（473）

ときの棚卸資産のグルーピングのしかたと同じです。

　したがって、評価損の計上額を算定するに当たっては、まず棚卸資産を評価損の計上ができる事実の異なるものごとに分類し、次に同一の事実に基づくものの帳簿価額と時価を棚卸資産の種類等ごとに集計して、この集計後の帳簿価額と時価の差額を、評価損のできる金額とします。

〔事例〕

　甲商品（通常の販売価額は1個当たり13,000円です。）の一部に、次のとおり棚ざらしにより通常の方法で販売できないものが生じました。なお、棚ざらし品Aは、棚ざらしにより通常の販売価額に比べて販売可能価額が低下していますが、その取得価額以下にはなっていません。

	数　量	取得単価	取得価額 （帳簿価額）	販売可能 単　価	販売可能 価　額
	（個）	（円）	（円）	（円）	（円）
棚ざらし品A	1,000	10,000	10,000,000	11,000	11,000,000
棚ざらし品B	700	10,000	7,000,000	5,000	3,500,000
棚ざらし品C	300	10,000	3,000,000	3,500	1,050,000
計	2,000		20,000,000		15,550,000

　この場合、甲商品という種類等を同じくする棚卸資産ですので、棚ざらしの程度の著しいBとCだけを抽出して、その帳簿価額の合計額10,000千円（7,000千円＋3,000千円）と販売可能価額の合計額4,550千円（3,500千円＋1,050千円）の差額5,450千円を評価損の計上できる金額とすることはできません。甲商品のうちの良品は、棚ざらしの事実が生じていませんので、この計算に加えませんが、棚ざらし品Aは、販売可能価額が取得価額以下になっていなくても棚ざらしの事実が生じていますので、棚ざらし品の全部についての帳簿価額の合計額20,000千円と販売可能価額の合計額15,550千円の差額4,450千円が、評価損の計上できる金額となります。

　なお、棚ざらし、災害による損傷、破損のような物質的原因による事実は、上記の計算例のように種類等の同じ棚卸資産の一部に生じることがありますので、当該事実の生じたものだけを評価減することになりますが、棚卸資産の陳腐化は、種類等を同じくするもの全部に生じますので、良品と陳腐化したものを区別して、後者だけを評価減するようなことはあり得ません。

（474）

第8章　資産の評価損益

　また、上記の計算例で甲商品のなかに災害による損傷（法政令68①一、イ
の事実）の生じたものがあるときは、棚ざらしによって通常の方法による販
売不能（法政令68①一、ハの事実）となったものと評価損の計上ができる事
実が異なりますので、上記の棚ざらし品とは区別して、評価損の計上ができ
る金額を計算することになります。

補修用部品在庫調整勘定について（Ⅰ）

> **【問8-10】**　行政官庁の指導によって製造中止品に係る補修用部品
> を一定期間保有している場合、税務上評価減をすることができる
> そうですが、その計算方法を説明してください。

【答】　御質問の評価減は、補修用部品在庫調整勘定の設定として、法人税基
本通達9-1-6の2から9-1-6の4までに、次のとおりその計算方法等が
示されています。

① 設定対象となる棚卸資産……法令の規定、行政官庁の指導、業界の申合
　せ等に基づき製品の製造を中止した後一定期間保有することが必要と認め
　られる当該製品の補修用部品で、相当数量を一時に取得して保有するもの

② 設定できる事業年度……保有開始年度（その製品の製造を中止した事業
　年度の翌事業年度）以後の各事業年度

③ 設定できる金額……②の各事業年度終了の時において次の算式により計
　算される金額

$$
\left(\begin{array}{l}\text{事業年度終了の}\\\text{時における補修}\\\text{用の部品の帳簿}\\\text{価額の合計額}\end{array}\right) - \left(\begin{array}{l}\text{保有開始年度開始}\\\text{の時における補修}\\\text{用の部品の帳簿価}\\\text{額の合計額}\end{array}\right) \times \left(\begin{array}{l}\text{保有期間の年数及び}\\\text{経過年数に応じて法}\\\text{人税基本通達9-1-}\\\text{6の2に示された率}\end{array}\right)
$$

　イ　保有開始年度開始の時における補修用の部品の帳簿価額の合計額は、
　　保有開始年度以後の事業年度において取得した当該製品に係る補修用の
　　部品がある場合には、その取得価額の合計額を加算した金額とします。

　ロ　保有期間の年数は、当該補修用の部品が法令の規定又は行政官庁の指
　　導に基づき保有されているものである場合には、当該法令の規定又は行
　　政官庁の指導により保有すべきこととされている年数とし、業界の申合
　　せその他の事由に基づき保有されているものである場合には、その保有

（475）

すべき年数としてあらかじめ所轄税務署長（国税局の調査部（課）所管法人は、所轄国税局長）の確認を受けた年数とします。

ハ　法人税基本通達9－1－6の2に示された率は、次の算式で求めた率です。

$$1 - \sum_{t=1}^{n} r(1-r)^{n-t}$$

n ＝保有期間の年数
t ＝経過年数
$r = 1 - \sqrt[n]{\dfrac{1}{10}}$

この率によって計算される金額をグラフで示しますと、次のとおりで、直線ＡＢに対して旧定率法で償却する場合の帳簿価額の曲線を、対称の位置に置きかえた曲線になります。したがって、例えばｎ年経過後の事業年度終了の時の補修用部品の帳簿価額の合計額がＣのときは、この図でのＣ－Ｄが、その時における補修用部品在庫調整勘定を設定できる金額になります。

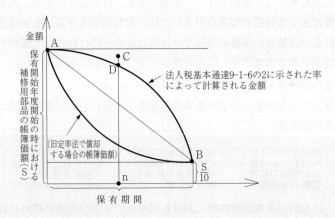

④　設定した金額の益金算入方法……繰入れをした事業年度の翌事業年度に益金の額に算入します。（基通9－1－6の3）

⑤　明細書の添付……繰入れを行う事業年度の確定申告書に、補修用部品在庫調整勘定の繰入額の計算に関する明細を記載した書類を添付しなければなりません。（基通9－1－6の4）この明細書の様式は特に定められていませんので、適当な様式に所要事項を記載すればよいのです。

第8章　資産の評価損益

（注）　補修用部品在庫調整勘定の貸借対照表上の表示方法、その繰入額及び戻入
　　　額の損益計算書での計上科目（【問8-12】参照）等についても、この明細書
　　　に記載しておくべきでしょう。

補修用部品在庫調整勘定について（Ⅱ）

【問8-11】　補修用部品在庫調整勘定は、
　①　同一の製品に係る補修用の部品が2種類以上ある場合、個々
　　の部品の種類ごとに計算しなければなりませんか。
　②　製造を中止した製品の種類ごとに計算した場合、【問8-10】
　　の③の算式で計算される金額がマイナスになるものがあるとき
　　は、プラスになるものと通算する必要がありますか。
　③　保有期間が経過した後は、どのように処理しますか。

【答】　①について……補修用の部品の保有期間が製造を中止した製品の種類
ごとに定められており、かつ、保有開始年度も製品の種類ごとに異なります
ので、補修用の部品の種類ごとでなく、製造を中止をした製品の種類ごとに
計算します。したがって、同一の製品に係る補修用の部品が2種類以上ある
ときは、その帳簿価額の合計額を基にして計算します。

　②について……製造を中止した製品の種類ごとに計算した結果、補修用の
部品の帳簿価額の合計額が減少していて【問8-10】の③の算式で計算した金
額がマイナスになるものがあっても、プラスになるものと通算する必要はあ
りません。補修用部品在庫調整勘定は、製造を中止した製品の種類ごとに計
算して、設定できるものだけを集計すればよいのです。

　③について……保有期間が経過すれば通常補修用の部品は廃棄されるでし
ょうから、保有期間経過後になお補修用部品在庫調整勘定を設定する事例は
生じないでしょう。保有期間経過後も補修用の部品を任意に保有している場
合、保有期間経過時における法人税基本通達9－1－6の2に示された率が
0.100となっているため、次の算式によって計算される金額について補修用
部品在庫調整勘定の設定が認められるのかどうかですが、補修用部品在庫調
整勘定は保有期間限りの特例ですので、任意に保有する補修用の部品の金額
について直接評価損の計上をする処理に切換えるべきでしょう。

（477）

$$\left[\begin{array}{l}\text{当該事業年度終了の時}\\\text{における補修用部品の}\\\text{帳簿価額の合計額}\end{array}\right]-\left[\begin{array}{l}\text{保有開始年度開始の時に}\\\text{おける補修用部品の帳簿}\\\text{価額の合計額}\end{array}\right]\times 0.100$$

補修用部品在庫調整勘定の経理処理方法

【問8-12】 補修用部品在庫調整勘定の貸借対照表での表示方法、
及びその繰入額、戻入額の損益計算書での記載場所は、どのよう
にすべきですか。

【答】 法人税基本通達9-1-6の2では「損金経理により補修用部品在庫調整勘定に繰り入れることができるものとする」と示されているだけで、当該勘定の貸借対照表での表示方法及び当該勘定の繰入額の損益計算書での記載場所は示されていません。したがって、会計処理の基準に従って処理します。

まず、補修用部品在庫調整勘定の設定は、補修用の部品の評価減といえるのかどうかですが、補修用の部品は通常の販売目的で保有する棚卸資産でなく、営業循環過程から外れた棚卸資産です。棚卸資産評価基準は、「この種の棚卸資産について、合理的に算定された価額によることが困難な場合には、正味売却価額まで切り下げる方法に代えて、その状況に応じ、次のような方法により収益性の低下の事実を適切に反映するように処理する。」とし、その方法の(2)として、「一定の回転期間を超える場合、規則的に帳簿価額を切り下げる方法」を掲げています。(同基準9) 補修用部品在庫調整勘定の設定方法は、この方法の1つといえますので、評価減といえるでしょう。

一方、補修用部品在庫調整勘定は、補修用の部品に係る評価性引当金であるという考えもあり得ます。この場合、貸借対照表での表示方法は、一般には棚卸資産に対する控除項目として、当該引当金の設定目的を示す名称を付した項目をもって表示しなければなりませんが、棚卸資産の金額から直接控除し、その控除残高を棚卸資産の金額として表示することもできます。(会社計規78) なお、直接控除した場合には、当該引当金の金額を注記しなければなりません。(同103二)

次に、この勘定の繰入額の損益計算書での記載場所ですが、保有期間中補修用の部品がどのような目的に使用されるかによって変わると思います。まず、補修用の部品の払出高の損益科目ですが、補修用の部品が販売された場

(478)

第8章　資産の評価損益

合は売上原価、補修責任に応じて無償使用された場合は販売費となります。補修用部品在庫調整勘定への繰入額も、これに応じて売上原価又は販売費として処理することになりますが、現実には両者へ配分せず、補修用の部品の主な払出高に応じた科目で処理することになるでしょう。

　一方、補修用部品在庫調整勘定の戻入額ですが、税務では繰入れをした事業年度の翌事業年度に益金の額に算入するとされていますが（基通9－1－6の3）、企業会計上は目的使用に応じて取崩し処理をすべきです。例えば、補修用部品を補修責任に応じて無償使用した場合は、補修用部品の帳簿価額に基づいて計上したアフターサービス費と相殺すべきことになります。

電話加入権の評価損

> 【問8-13】　当社の貸借対照表には、固定電話を設置する際に取得した電話加入権が計上されていますが、換金価値はありません。税務上、評価損の計上は認められますか。

【答】　電話加入権は非減価償却資産ですから、減価償却により損金算入されることもなく、取得価額で資産計上されています。御質問のように、現状、電話加入権の売買取引はほとんどなく、契約解除による返金額もなく、特別な電話番号を除き、換金価値はほぼありません。しかし、税法上、固定資産の評価損が認められるのは、次の事実により資産の価額が帳簿価額を下回ることとなった場合に限定されています。（法33②、法政令68①三）

①　その資産が災害により著しく損傷したこと

②　その資産が1年以上にわたり遊休状態にあること

③　その資産が本来の用途に使用することができないため、他の用途に使用されたこと

④　その資産の所在する場所の状況が著しく変化したこと

⑤　①～④に準ずる特別の事実……この例として、やむを得ない事情により取得の時から1年以上事業の用に供されないことが挙げられています。（基通9-1-16）

　したがって、単に換金価値がないだけでは、評価損の計上は認められません。

（479）

なお、最近、携帯電話やインターネット電話の普及により、固定電話回線が休止している場合があります。1年以上休止している場合は、上記の②の事実に該当しますが、評価損が認められるためには、遊休が原因で時価が下落していることが必要です。電話加入権については、こうした因果関係はありませんので、この場合でも評価損は認められません。

(注)　携帯電話やインターネット電話の使用により、固定電話回線を使用していない場合でも、契約は解除されていませんから、権利は消滅していないため、電話加入権の除却損は認められません。

第9章　役員給与

第1節　税法での役員の定義とその範囲

法人税法上の役員として掲げられている執行役

> **【問9-1】**　法人税法第2条第15号に、同法上の役員として執行役
> が掲げられていますが、執行役とはどのような役員ですか。

【答】　法人税法において役員は、「法人の取締役、執行役、会計参与、監査役、理事、監事及び清算人並びにこれら以外の者で法人の経営に従事している者のうち、政令（法政令7）で定めるもの」と規定されています。（法2十五）

(注)　法政令7については、【問9-10】【問9-11】で説明しています。

このうちの執行役は、会社法第402条第1項に「指名委員会等設置会社には、1人又は2人以上の執行役を置かなければならない」と規定されているものです。指名委員会等設置会社の概略を、執行役の権限、責任等に焦点をあてて説明しますと、次のとおりです。

1　指名委員会等設置会社とは、指名委員会、監査委員会及び報酬委員会
（以下「指名委員会等」といいます。）を置く株式会社（会社法2十二）で、指名委員会等設置会社になるには、定款で指名委員会等を置く旨を定めなければなりません。（同法326②）

2　指名委員会等設置会社は、指名委員会等並びに1人又は2人以上の執行役、取締役会及び会計監査人を置かなければなりませんが（同法2十二、402①、327①四、⑤）、監査役又は監査等委員会を置くことはできません。（同法327④、⑥）

これにより、指名委員会等設置会社の税法上の役員は、取締役、執行役及びみなし役員となります。

3　指名委員会等設置会社の取締役は、会社法又は会社法に基づく命令に別段の定めがある場合を除き、当該指名委員会等設置会社の業務を執行することができません。（同法415）また、当該指名委員会等設置会社の支配人

（481）

その他の使用人を兼ねることができませんので（同法331④）、税法上使用人兼務役員になり得ません。

4　指名委員会等設置会社の取締役会は、会社の経営の基本方針等業務執行を決定し（同法416①一）、執行役等（執行役及び取締役をいい、会計参与設置会社の場合は執行役、取締役及び会計参与をいいます。（同法404②一かっこ書））の職務の執行の監督をしますが（同法416①二）、その決議によって、会社法第416条第1項の各号及び第4項の各号に掲げられた事項以外の会社の業務執行の決定を、執行役に委任することができます。（同法416④）

5　指名委員会等設置会社の各委員会は、委員3人以上で組織し、各委員会の委員は、取締役の中から、取締役会の決議によって選定し、その過半数は社外取締役でなければなりません。（同法400①②③）これにより指名委員会等設置会社は、2名以上の社外取締役を置かなければならないことになります。なお、社外取締役とは、株式会社の取締役であって、次の(イ)から(ホ)までの要件のいずれにも該当するものをいいます。(イ)当該株式会社又はその子会社の業務執行取締役（代表取締役など同法第363条第1項各号に掲げる取締役及び当該株式会社の業務を執行したその他の取締役をいいます。以下同じ。）若しくは執行役又は支配人その他の使用人（以下、「業務執行取締役等」といいます。）でなく、かつ、その就任の前10年間当該株式会社又はその子会社の業務執行取締役等であったことがないこと。(ロ)その就任の前10年内のいずれかの時において当該株式会社又はその子会社の取締役、会計参与（会計参与が法人であるときは、その職務を行うべき社員）又は監査役であったことがある者（業務執行取締役等であったことのある者を除きます。）にあっては、当該取締役、会計参与又は監査役への就任の前10年間当該株式会社又はその子会社の業務執行取締役等であったことがないこと。(ハ)当該株式会社の親会社等（自然人であるものに限ります。）又は親会社等の取締役若しくは執行役若しくは支配人その他の使用人でないこと。(ニ)当該株式会社の親会社等の子会社等（当該株式会社及びその子会社を除きます。）の業務執行取締役等でないこと。(ホ)当該株式会社の取締役若しくは執行役若しくは支配人その他の重要な使用人又は親会社等（自然人であるものに限ります。）の配偶者又は二親等内

（482）

第9章 役員給与

の親族でないこと。(同法2十五)

6　執行役に関する事項は、次のとおりです。

①　権限（職務）……㋑取締役会の決議によって委任を受けた会社の業務の執行の決定をすること及び㋺会社の業務を執行することです。(同法418)

②　選任及び解任……取締役会の決議によって選任し（同法402②）、取締役会の決議によっていつでも解任することができます。(同法403①)

③　任期……選任後1年以内に終了する事業年度のうち最終のものに関する定時株主総会の終結後最初に開催される取締役会の終結の時までです。ただし、定款によって、その任期を短縮することができます。(同法402⑦)

④　取締役等との兼任……執行役は、取締役を兼ねることができますが（同法402⑥）、監査委員会の委員は、指名委員会等設置会社若しくはその子会社の執行役若しくは業務執行取締役又は指名委員会等設置会社の子会社の会計参与若しくは支配人その他の使用人を兼ねることができません。(同法400④)

⑤　代表執行役……取締役会は、執行役の中から代表執行役を選定しなければなりません。ただし、執行役が1人のときは、その者が代表執行役に選定されたものとします。(同法420①)

⑥　責任……執行役は、その任務を怠ったときは、会社に対し、これによって生じた損害を賠償する責任を負います。(同法423①)　この責任は、総株主の同意がなければ、免除することができません。(同法424)

⑦　会社との関係……委任に関する規定に従います。(同法402③)

以上のように、執行役は、一般の会社の取締役の職務のうち、会社の業務の執行をしますので、会社法にその権限、責任、会社との関係等が規定されています。このため、法人税法だけでなく他の法律においても、取締役の次に執行役が加えられ、執行役は指名委員会等設置会社の役員とされています。

（483）

執行役員は税法上の役員に該当するのか

> **【問9-2】** 当社では、会社法上の取締役のほかに、業務を執行する役職の担当者として執行役員を置いています。この執行役員は、取締役でありませんが、税法上の役員に該当しますか

【答】【問9-1】で説明しましたように、指名委員会等設置会社の執行役は会社法で当該会社の必置機関とされ、その権限、責任、会社との関係が規定されていますので、法人税法上役員と規定されていますが（法2十五）、執行役員は会社法に規定されたものでありませんので、みなし役員に該当する場合を除いて、法人税法上の役員に該当しません。執行役と執行役員は、このように基本的に異なります。

　執行役員には、取締役を兼務している者と取締役を兼務していない者とがあり、後者には、使用人としての雇用契約を打ち切って執行役員としての委任契約を締結している者、使用人としての雇用契約から執行役員としての雇用契約へ切り換えている者など、種々の者があります。

　執行役員が取締役を兼務している場合、当該執行役員が税法上の役員に該当するのは当然のことですが、貴社のように取締役を兼務していない場合は、会社との契約が委任契約か雇用契約かに関係なく、当該執行役員は原則として税法上の役員に該当しません。ただし、当該執行役員が経営に従事しているときは、みなし役員になることがあります。

　みなし役員になるのかどうかが問題になるのは、当該執行役員が法人の使用人以外の者で法人の経営に従事している場合ですが、ここでの「使用人」は「職制上使用人としての地位のみを有する者に限る。」とされています。（法政令7一）「使用人」は法人と雇用関係にある者ですので、執行役員として会社との関係が雇用関係でなく委任関係となっている者は、使用人としての職制上の地位を有する者といえず、法人の使用人以外の者に該当します。したがって、法人と委任契約を締結している執行役員が、【問9-11】で説明する経営に従事する業務を行っているときは、みなし役員になります。

　(注)　所得税基本通達30-2の2は、使用人（職制上使用人としての地位のみを有する者に限ります。）からいわゆる執行役員に就任した者に対しその就任前の勤務期間に係る退職手当等として一時に支払われる給与のうち、次のいずれに

（484）

第9章　役員給与

も該当する執行役員制度の下で支払われるものは、退職手当等に該当すると
していますが、この通達は当該一時金についての所得税の取扱いを示したもので
あり、そのような執行役員制度の下で使用人が執行役員となっても、法人税法
上の役員になったのではありません。

①　執行役員との契約は、委任契約又はこれに類するもの（雇用契約又はこれ
に類するものを含みません。）であり、かつ、執行役員退任後の使用人とし
ての再雇用が保障されているものではないこと

②　執行役員に対する報酬、福利厚生、服務規律等が役員に準じたものであり、
執行役員は、その任務に反する行為又は執行役員に関する規程に反する行為
により使用者に生じた損害について賠償する責任を負うこと

会社法で役員とされ法人税法でも役員に含められている会計参与の概略

> 【問9-3】　会社法、法人税法のいずれにおいても役員とされてい
> る会計参与とは、どのような役員ですか。その概略を説明してく
> ださい。

【答】　会社法第329条第1項は、「役員（取締役、会計参与及び監査役をい
う。）及び会計監査人は、株主総会の決議によって選任する。」と規定し、会
計参与を会社法上の役員としています。これを受けて、法人税法でも、会計
参与は役員とされています。（法2十五）

会計参与の概略は、次のとおりです。

(1)　職務

①　取締役（指名委員会等設置会社では執行役）と共同して、計算書類（貸
借対照表、損益計算書、株主資本等変動計算書及び個別注記表）及びそ
の附属明細書、臨時計算書類並びに連結計算書類を作成すること（会社
法374①前段、⑥）

②　①の場合において、会計参与報告を作成すること（同法374①後段）

③　取締役会設置会社では、会計参与（会計参与が監査法人又は税理士法
人であるときは、その職務を行うべき社員）は、①の計算書類等を承認
する取締役会に出席し、必要があると認めるときは、意見を述べること
（同法376①）

（485）

④　株主総会で株主から計算書類等について説明を求められた場合、当該事項について必要な説明をすること（同法314）

⑤　職務を行うに際して取締役（指名委員会等設置会社では執行役又は取締役）の職務の執行に関し不正の行為又は法令若しくは定款に違反する重大な事実があることを発見したときは、遅滞なく、株主（監査役設置会社では監査役、監査役会設置会社では監査役会、監査等委員会設置会社では監査等委員会、指名委員会等設置会社では監査委員会）に報告すること（同法375）

⑥　各事業年度に係る計算書類及びその附属明細書並びに会計参与報告を、定時株主総会の日の1週間（取締役会設置会社では2週間）前の日から5年間、臨時計算書類及び会計参与報告を臨時計算書類を作成した日から5年間、会計参与が定めた場所に備え置くこと（同法378①）

⑦　会社の営業時間内は、いつでも、株主及び債権者並びにその権利行使のために必要であることについて裁判所の許可を得た親会社社員からの次に掲げる請求に応ずること（同法378②③）

　イ　⑥に掲げる書類が書面で作成されているとき……当該書面の閲覧の請求、その謄本又は抄本の交付の請求

　ロ　⑥に掲げる書類が電磁的記録で作成されているとき……当該電磁的記録に記録された事項を表示したものの閲覧の請求、電磁的方法であって会計参与の定めたものにより提供することの請求又はその事項を記載した書面の交付の請求

　(注)　⑦の請求時に、計算書類について請求者から質問を受けても、会計参与には説明義務はありません。

(2)　権限

①　会計帳簿又はこれに関する資料の閲覧及び謄写をし、取締役（指名委員会等設置会社では執行役及び取締役）及び支配人その他の使用人に対して会計に関する報告を求めること（同法374②⑥）

②　職務を行うため必要があるときは、会社の子会社に対して会計に関する報告を求め、又は会社若しくはその子会社の業務及び財産の状況の調査をすること（同法374③）

　(注)　子会社は、正当な理由があるときは、この報告又は調査を拒むことがで

第9章 役員給与

きます。(会社法374④)

③ (1)①の計算書類等の作成に関する事項について取締役(指名委員会等設置会社では執行役)と意見を異にするときは、株主総会において意見を述べること(同法377)

④ 報酬等(報酬、賞与その他の職務執行の対価として会社から受ける財産上の利益(同法361①))について、株主総会で意見を述べること(同法379③)

⑤ 職務の執行に必要な費用を会社に請求すること(同法380)

⑥ 選任若しくは解任又は辞任について、株主総会で意見を述べること。(同法345①)

⑦ 辞任後最初に招集される株主総会に出席して、辞任した旨及びその理由を述べること(同法345②)

(3) 選任及び解任をする機関

株主総会の決議によって選任し(同法329①)、解任することができます。(同法339①)この決議は、議決権を行使することができる株主の議決権の過半数($\frac{1}{3}$以上の割合を定款で定めた場合は、その割合以上)を有する株主が出席し、出席した株主の議決権の過半数(これを上回る割合を定款で定めた場合は、その割合以上)をもって行わなければなりません。(同法341)

(4) 員数

規定がありませんので、2人以上置くことができます。

(5) 資格

公認会計士若しくは監査法人又は税理士若しくは税理士法人でなければなりません。(同法333①)

(6) 欠格者(会計参与となることができない者)

㋑会社又はその子会社の取締役、監査役若しくは執行役又は支配人その他の使用人、㋺業務の停止の処分を受け、その停止の期間を経過しない者、及び㋩税理士法第43条の規定により同法第2条第2項に規定する税理士業務を行うことができない者は、会計参与となることができません。(同法333③)

(7) 任期

選任後2年(指名委員会等設置会社及び監査等委員会設置会社では1年とし、指名委員会等設置会社及び監査等委員会設置会社を除く公開会社でない

会社では、定款によって10年まで伸長することができます。）以内に終了する事業年度のうち最終のものに関する定時総会終結の時までです。ただし、定款又は株主総会の決議によって、その任期を短縮することができます。（同法334①、332①～③⑥）

(8) 会計参与を置かなければならない会社

会社法には、会計参与を必置機関とする会社の規定がありませんので、会計参与はすべての株式会社で任意設置機関です。ただし、取締役会設置会社（指名委員会等設置会社及び監査等委員会設置会社を除きます。）であるため監査役を置かなければならない場合でも、公開会社でない会計参与設置会社は、監査役を置かないことができますので（同法327②）、このような機関設計を採った会社では、会計参与が必置機関となります。

会計参与が法人税法上の役員であることにより生ずる問題

> 【問9-4】　会計参与は法人税法でも役員とされていますが、監査法人又は税理士法人が会計参与に就任しますと、法人が法人税法上の役員になります。また、顧問公認会計士又は顧問税理士が会計参与に就任し、計算書類の作成時に臨時報酬を受領しますと、定期同額給与に該当しないという問題が生ずると思います。
>
> 　　税法上これらの事項は、どのように取り扱われるのでしょうか。

【答】　御質問の事項についての私見は、次のとおりです。

① 　監査法人又は税理士法人が会計参与に就任しますと、法人が法人税法上の役員になります。（基通9-2-2）その場合、これらの法人に会社が支払う報酬は「給与」とはいえませんので、役員給与に関する法人税法の規定は適用されません。

　「法人である役員に対する報酬」のうち、過大部分や臨時のものを損金不算入とすることが制度論としてあり得るのかどうかですが、法人である会計参与がお手盛りで報酬を高くする等して法人税の逋脱を図るようなことは想定し難いので、私見ではあり得ないと思われます。

　なお、「法人である役員に対する報酬」には、所得税の源泉徴収義務はなく、受け取る監査法人又は税理士法人において、益金算入されます。この

第9章　役員給与

点は、会計監査人である監査法人が会社から受領する監査報酬と同じです。
②　会計参与に公認会計士又は税理士が就任した場合、会計参与報酬は受領者が個人ですので法人税法上役員給与となり、役員給与に関する法人税法の規定が適用されます。したがって、損金算入されるためには、㋑定期同額給与、㋺事前確定届出給与又は㋩所定の要件を満たす利益連動給与であることが必要ですが、計算書類の作成時に臨時報酬を支払い、これが会計参与に対する給与になりますと、臨時のものですので上記の㋑の定期同額給与に該当しませんし、㋺の事前確定届出給与又は㋩の所定の要件を満たす利益連動給与にもならないときは、損金不算入となります。

　また、この場合の会計参与報酬は、役員給与ですので、支払う会社での所得税の源泉徴収は給与の支払として行うことになり、これらの点は、社外監査役に就任している顧問公認会計士等に支払う監査役報酬と同じです。

　しかし、顧問公認会計士や顧問税理士は、使用人でなく、【問9-3】の(6)の㋑に記載した欠格者に該当しませんので、顧問公認会計士や顧問税理士が顧問契約を継続したまま、会計参与に就任することがおこり得ます。その場合、御質問にある計算書類の作成時に受領する臨時報酬は会計参与報酬でなく顧問報酬ですから、役員給与に該当せず、定期同額給与であることを要するという法人税法の規定は適用されません。この場合、所得税の源泉徴収は給与としてでなく、報酬料金として行うことになります。

使用人兼務役員の意義とその税法上の効果

> 【問9-5】　使用人兼務役員とはどのような役員ですか。使用人兼務役員として認められると、税法上どのような効果が生じますか。

【答】　使用人兼務役員とは、役員のうち、次のA及びBの要件（同族会社の役員はA、B及びCの要件）をすべて満たしている者をいいます。(法34⑥)
A　部長、課長等その法人の使用人としての職制上の地位を有し、かつ、常時使用人としての職務に従事していること。
B　㋑代表取締役、代表執行役、代表理事及び清算人　㋺副社長、専務、常務その他これらに準ずる職制上の地位を有する役員　㋩合名会社、合資会社及び合同会社の業務を執行する社員　㋥指名委員会等設置会社の取締役

（489）

及び監査等委員である取締役、会計参与及び監査役並びに監事　のいずれ
でもないこと。（法政令71①一～四）

C　同族会社の役員は、次の①から③の要件のすべてを満たしている者でな
いこと。（法政令71①五）

①　その役員が次に掲げるいずれかの株主グループに属していること。

　　（注）　株主グループとは、その会社の一の株主等（その会社が自己の株式又は出
　　　資を有する場合のその会社を除きます。）並びに当該株主等と特殊の関係の
　　　ある個人及び法人（同族会社の判定に当たっての特殊の関係のある個人及び
　　　法人【問22-1】参照）をいいます。（法政令71②）なお、株主グループは、こ
　　　こで説明する同族会社の役員が使用人兼務役員になり得るかどうかの判定の
　　　ほかに、税法上次の事項の判定に当たっても必要です。

　　　①　同族会社の使用人がみなし役員に該当するのかどうかの判定（【問
　　　　9-10】参照）

　　　②　その会社が同族会社に該当するのかどうかの判定（【問22-1】参照）

　　　③　その会社が特定同族会社に該当するのかどうかの判定（【問22-9】参照）

　　　④　法人の所有する会社の株式が企業支配株式等に該当するのかどうかの判
　　　　定（【問5-4】参照）

　　　⑤　移転価格税制が適用される「国外関連者」の判定（【問12-17】参照）

　　　⑥　タックスヘイブン税制における「外国関係会社」の判定

イ　第1順位の株主グループの所有割合が50％を超える場合における当
該株主グループ

ロ　第1順位及び第2順位の株主グループの所有割合を合計した場合に
その所有割合がはじめて50％を超えるときにおけるこれらの株主グル
ープ

ハ　第1順位から第3順位までの株主グループの所有割合を合計した場
合にその所有割合がはじめて50％を超えるときにおけるこれらの株主
グループ

　　同族会社は、上位3株主グループの所有割合の合計が50％を超える会
社ですので（【問22-4】参照）、第3順位までが同族会社に該当するかど
うかを判定する株主グループになりますが、これらの株主グループに属
していても、イに該当する会社では第2、第3順位の株主グループ、ロ
に該当する会社では第3順位の株主グループに属している役員は、上記

（490）

のA及びBの要件を満たしていれば、使用人兼務役員になり得ます。

② その役員の属する株主グループの当該会社に係る所有割合が10％を超えていること。

①に該当する場合でも、その役員の属する株主グループの所有割合が10％以下ですと、その役員は、上記のA及びBの要件を満たしていれば、使用人兼務役員になり得ます。しかし、これは、第2、第3順位の株主グループに属する役員にあり得ることで、同族会社で第1順位の株主グループの所有割合が10％以下ということはあり得ませんので、第1順位の株主グループに属する役員は、①と②のいずれにも該当し、ここまででは使用人兼務役員になり得ません。

③ その役員（その配偶者とこれらの者の所有割合が50％を超える場合における他の会社を含みます。）の当該会社に係る所有割合が5％を超えていること。

①と②のいずれにも該当する場合でも、夫妻とその支配会社の所有割合の合計が5％以下であれば、その夫妻は、上記のA及びBの要件を満たしていれば、使用人兼務役員になり得ます。

上記の説明での「所有割合」は、下記のa～cのいずれの判定によって同族会社に該当するのかにより、それぞれに掲げる割合です。（法政令71③）

a 株主等の有する株式又は出資の数又は金額による判定によって同族会社に該当する場合……株式の数又は出資の金額の割合

b 議決権の数による判定によって同族会社に該当する場合……議決権の数の割合

c 持分会社において社員又は業務を執行する社員の数による判定によって同族会社に該当する場合……社員又は業務を執行する社員の数の割合

　(注)　a～cの判定は、役員自らは株式又は出資を有しない場合、議決権を有しない場合又は持分会社の社員若しくは執行役員でない場合でも、その役員の同族関係者（その役員と特殊の関係のある個人又は法人）によって行います。（基通9-2-7）

以上の説明を判定図にしますと、次の図のようになります。【問9-10】の②で説明する「同族会社の使用人のうちみなし役員となるもの」の判定も、併せて図示していますので、参照してください。

（491）

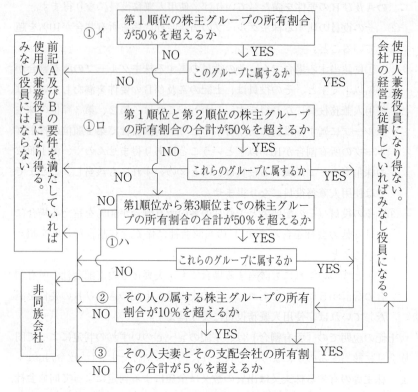

　次に御質問の後段ですが、役員が税法上使用人兼務役員として認められますと、次のような法人にとって有利な効果を生じます。
(1) 使用人兼務役員に支給する使用人としての職務に対する給与（使用人分給与）は、役員給与に該当しませんので、定期同額給与、事前確定届出給与又は所定の要件を満たす業績連動給与であることを条件に損金算入するという規定（法34①）は適用されません。
(2) 使用人分給与を定款又は株主総会の決議において役員給与に含めない旨を定めている場合は、使用人分給与を役員給与と別枠として、過大な役員給与の額の有無を判定することができます。（法政令70一ロ）
　一方、使用人兼務役員の使用人としての職務に対する賞与（使用人分賞与）で、他の使用人に対する賞与の支給時期と異なる時期に支給したものは、損金算入されないという逆の効果も生じますので、御注意ください。（法政令70三）

第9章 役員給与

同族会社の使用人兼務役員の範囲についての具体的事例

> **【問9-6】** 第1順位から第3順位までの株主グループの所有割合
> によって、同族会社の使用人兼務役員の範囲がどのように変わる
> のかを具体的に説明してください。また、所有割合の同じ株主グ
> ループがあったときはどのように判定しますか。

【答】 次表に六つの事例を掲げ、【問9-5】に記載したA及びBの要件を満た
していれば使用人兼務役員になり得る株主グループを○印でマークしました。

(注) 以下の説明で「使用人兼務役員になり得る」という場合、【問9-5】に記載し
たA及びBの要件を満たすことが必要ですが、この要件の記載は省略していま
す。

（単位：％）

事　例 順　位	イ	ロ		ハ		
		a	b	c	d	e
第1順位	60	45	45	25	25	40
第2順位	○20	20	○8	20	20	○8
第3順位	○15	○15	○5	11	○8	○5

イ　第1順位の株主グループだけで所有割合が50％を超えますので、第2
　順位、第3順位のグループ内の平取締役（指名委員会等設置会社の取締
　役及び監査等委員である取締役を除きます。以下同じ）は、使用人兼務
　役員になり得ます。

ロ　a、bの事例ともに第1順位と第2順位の合計ではじめて所有割合が
　50％を超えますので、第3順位のグループ内の平取締役は、使用人兼務
　役員になり得ます。更にbの事例では第2順位の株主グループの所有割
　合が10％以下ですので、このグループ内の平取締役も、使用人兼務役員
　になり得ます。

ハ　c、d、eの事例のいずれも第1順位から第3順位までの合計ではじ
　めて所有割合が50％を超えますが、dの事例での第3順位、eの事例で
　の第2順位と第3順位の株主グループの所有割合は10％以下ですので、
　これらのグループ内の平取締役は、使用人兼務役員になり得ます。

なお、以上によって使用人兼務役員になり得ない株主グループに属する役

（493）

員でも、その役員の夫妻とその支配会社の所有割合が5％以下であれば、【問9-5】に掲げた判定図の③によって使用人兼務役員になり得ます。同族会社の社長の兄弟とか子息等は通常第1順位の株主グループに属していると思いますが、当該判定図の③によって使用人兼務役員になり得る場合があります。

次に、所有割合の同じ株主グループは、それぞれ同順位の株主グループとします。（基通9-2-8）下表の事例で、①は第1順位に続く株主グループとして所有割合が25％の株主グループが二つあるケースですが、この二つのグループともに第2順位になります。この場合、この二つのグループ内の役員は、平取締役であっても使用人兼務役員になり得ませんが、①′のようにそのうちの一つのグループの所有割合をわずかでも少なくしますと、そのグループ内の平取締役は使用人兼務役員になり得ます。

②のケースとこれについての②′は、同じことを第2順位に続く二つの株主グループについて示したものです。

（単位：％）

順位＼事例	①	①′	②	②′
第 1 順 位	30	30	25	25
第 2 順 位	25 25	25	15	15
第 3 順 位		○24	12 12	12
第 4 順 位				○11

取締役会設置会社でない会社での代表権を有しない取締役

> **【問9-7】** 取締役会設置会社でない会社において、取締役が2人以上いる場合、定款又は株主総会の決議によって代表取締役を定めていないと、取締役の全員が代表権を有することとなり、使用人兼務役員になれないことになるとのことですが、会社法の規定も含めて教えてください。

【答】 会社法第349条（株式会社の代表）は、第1項から第3項に次のとおり規定しています。

（494）

第9章　役員給与

① 取締役は、株式会社を代表する。ただし、他に代表取締役その他株式会社を代表する者を定めた場合は、この限りでない。
② 前項本文の取締役が２人以上ある場合には、取締役は、各自、株式会社を代表する。
③ 株式会社（取締役会設置会社を除く。）は、定款、定款の定めに基づく取締役の互選又は株主総会の決議によって、取締役の中から代表取締役を定めることができる。

　取締役会設置会社については、会社法第362条第３項に「取締役会は、取締役の中から代表取締役を選定しなければならない。」と規定されています。

　要するに、取締役会設置会社では代表取締役を必ず選定しなければなりませんが、御質問にある取締役会設置会社でない会社では、取締役が２人以上いてもその中から代表取締役を選定するかどうかは任意であり、選定しない場合は、各取締役が会社を代表することになります。

　ところで、【問９-５】の前段に使用人兼務役員になるための要件として掲げているＢの要件の④に、「代表取締役でないこと。」が掲げられています。（法34⑥、法政令71①一）取締役会設置会社でない会社において、任意機関である代表取締役を選定していないために取締役各自が会社を代表することとなる場合、この税法の規定によって、取締役の全員が使用人兼務役員になれないことになるのかどうかですが、「取締役会設置会社以外の株式会社の取締役が、定款、定款の定めに基づく取締役の互選又は株主総会の決議によって、取締役の中から代表取締役を定めたことにより代表権を有しないこととされている場合には、当該取締役は、法人税法施行令第71条第１項第１号に掲げる者（使用人兼務役員とされない役員）には該当しない。」という取扱いが示されています。（基通９-２-３前段）

　したがって、取締役会設置会社でない会社では、会社法上任意であっても、社長である取締役を代表取締役に選定し、他の取締役は会社を代表する者でない旨を明確にしておくことが必要です。

　なお、「株式会社以外の法人の理事等で同様の事情にある者についても、同様とする。」（基通９-２-３後段）とされています。ただし、消費生活協同組合は消費生活協同組合法第30条の９第１項で、農業協同組合は農業協同組合法第35条の３第１項で、漁業協同組合は水産業協同組合法第39条の３第１

（495）

項で、「理事会は理事の中から組合を代表する理事（代表理事）を定めなければならない」という取締役会設置会社についての会社法第362条第3項に準じた規定がありますので、これらの協同組合の理事は、この通達でいう「同様の事情にある者」には該当しません。

専務取締役等の表見代表取締役について

> 【問9-8】　株式会社の専務取締役、常務取締役などの表見代表取締役が使用人兼務役員に該当しないこととされているのはなぜですか。また、表見代表取締役に該当するかどうかの判断は、何を基準にして行いますか。

【答】　株式会社では、使用人兼務役員になり得る役員は平取締役（指名委員会等設置会社の取締役及び監査等委員である取締役を除きます。）に限られており、専務取締役、常務取締役は使用人兼務役員になることはできません。（法34⑥、法政令71①一～四、【問9-5】参照）

　株式会社の専務取締役、常務取締役は、社長、副社長とともに、会社を代表する権限を有するものと認められる名称を付しているため、代表取締役でない場合でもその者のした行為について、会社は善意の第三者に対してその責任を負わなければなりません。（会社法354）このような取締役を表見代表取締役といいますが、税法でも、会社を代表して業務執行を常時行っている旨を外部に表示している以上、実質的にもそのとおりであるとし、使用人兼務役員になり得ないとしています。

　(注)　株式会社の代表取締役は、その氏名及び住所が登記事項とされています（会社法911③十四）ので、第三者は専務取締役や常務取締役が代表取締役かどうかは、登記を閲覧すれば確認することができます。しかし、会社は代表権を有しない取締役に対して代理権を与えることができ、代理権を与えられた取締役は会社の代理人として対外取引をすることができますが、第三者は代理権の有無は登記を閲覧しても確認することができません。民法第109条（代理権授与の表示による表見代理等）第1項は、「第三者に対して他人に代理権を与えた旨を表示した者は、その代理権の範囲内においてその他人と第三者との間でした行為について、その責任を負う。」と規定しています。上記の会社法第354条

（496）

第9章　役員給与

の規定は、この民法の規定を取締役について規定したもので、登記の閲覧によって確認することができる代表権でなく、確認することができない代理権の付与について、善意の第三者を保護するための規定です。

　ところで取締役が表見代表取締役となるのは、定款の規定、株主総会又は取締役会の決議等によりその地位を付与するなど会社の内部組織上その旨が明確にされている場合と、単に通称として専務、常務等の名称が付されている場合とがあります。大規模な会社の大部分は前者に該当しますが、小規模な同族会社等の大部分は後者に該当し、専務、常務と称していても、通称又は自称にすぎないことが多いようです。税務上専務取締役等として使用人兼務役員になれない場合、同人に支給する給与から使用人分給与を区分できない等法人に不利な規定が適用されますので、後者のような通称又は自称の専務取締役等まで使用人兼務役員としないのは、法人税法施行令第71条の趣旨からみて行き過ぎと考えられます。このため使用人兼務役員になれない者の範囲は、前者に限ることとされています。(基通9-2-4)

使用人兼務役員の職制上の地位について

> 【問9-9】　使用人兼務役員は使用人としての職制上の地位を有しなければならないそうですが、当社のような小規模な会社には、職制らしいものがありません。どうすればよろしいですか。

【答】　使用人としての職制上の地位とは、総務部(課)長、人事部(課)長、工場長、支店長、営業所長、事業部長、支配人、主任、事務局長等法人の機構上定められている使用人たる職制上の地位をいいます。したがって、総務担当、人事担当というように法人の特定の部門の職務を統括しているものは、使用人としての職制上の地位に該当しません。(基通9-2-5)

　ところで、小規模な会社では使用人が少なく、職制上の地位が定められていない場合があります。そのような会社で、税務対策のために無理に部長、課長等の地位を定めてみても、極端な場合、部(課)長だけで部(課)員がいないというようなこともあり、無意味です。それでこのような会社の場合は、その役員（【問9-5】に記載したA、B及びCの三つの要件のうち、B及びCの要件を満たしている者に限ります。）が、常時他の使用人の職務と同質

(497)

の職務に従事していると認められるときは、使用人兼務役員として取り扱うことができるとされています。（基通9−2−6）

みなし役員の範囲

> **【問9−10】** 税法に規定されているみなし役員とは、どのようなものをいうですか。

【答】 税法では、取締役、執行役、会計参与、監査役、理事、監事及び清算人のように株主総会等で役員として選出された者のほかに、法人の経営に従事している者のうち次の①及び②に掲げる者も役員として取り扱われます。（法二十五、法政令7）この役員として取り扱われる者が、みなし役員です。

① 法人の使用人（職制上使用人としての地位のみを有する者に限ります。）以外の者で法人の経営に従事しているもの……取締役でない会長、副会長等で表見的な役員と認められる者、人格のない社団等における代表者又は管理人がその例ですが、相談役、顧問その他これらに類する者で法人内における地位、その行う職務等からみて他の役員と同様に実質的に法人の経営に従事していると認められるものが含まれます。（基通9−2−1）

② 同族会社の使用人（職制上使用人としての地位のみを有する者に限ります。）のうち、その者を役員とみなして【問9−5】のCで説明した方法によって使用人兼務役員になり得るかどうかの判定をしたとき、使用人兼務役員になり得ない者で、その会社の経営に従事しているもの

　　(注) 【問9−5】に掲げた判定図には、会社の経営に従事しておればみなし役員になる場合とみなし役員にはならない場合の区分も記載しています。

　①は同族会社以外の法人にも適用されますが、通常は、②によって同族会社にみなし役員が生ずることが多いと思われます。この規定は、同族会社の株式をその経営権を左右できるほど所有し、かつ、その会社の経営に従事していながら、役員になると役員給与の損金不算入の規定（法34①）、役員給与の額のうち不相当に高額な部分の金額の損金不算入の規定（法34②）及び事実を隠蔽又は仮装して支給する役員給与の損金不算入の規定（法34③）が適用されるという税法上の不利益を避けるために、故意に役員に就任しない者がある場合、そのような者は税法上役員とみなすという趣旨のものです。

（498）

第9章　役員給与

(注)　法人が役員と特殊の関係のある使用人（特殊関係使用人）に対して支給する
給与の額のうち、不相当に高額な部分の金額は損金不算入とされています。(法
36、【問10-10】参照) 役員の親族を対象にしているという点で、上記②の同族
会社のみなし役員と似ていますが、特殊関係使用人は同族会社に該当しない法
人の役員の親族や、経営に従事していない者もその対象になるという点で、み
なし役員と異なります。また、会社が支給する賞与（定期同額給与に該当しな
い給与）は、特殊関係使用人に対するものは不相当に高額な部分の金額だけが
損金不算入となりますが、みなし役員に対するものは、事前確定届出給与又は
所定の要件を満たす業績連動給与に該当しない場合、その全額が損金不算入と
なります。

「経営に従事している」とはどのようなことか

【問9-11】　みなし役員の規定のなかにある「経営に従事している」
とは、どのようなことですか。

【答】「経営に従事する」とは、法人の役員の職務として一般に考えられる
業務に従事することをいいます。

法人の取締役（理事）の職務は、株式会社の場合ですと取締役会の構成メン
バーとして取締役会に出席し、会社の業務執行の意思決定に参画することで
あり、このような職務が「経営に従事する職務」に該当します。つまり法
人の経営方針、例えば職制の制定、販売、仕入及び生産等の計画、人事政策、
予算・決算の作成方針、資金計画、設備計画などの決定に参画する職務です。
したがって、上司から命ぜられるまま与えられた仕事に従事するような場合
は、業務の方針について自己の意思を表明して反映させることがなく、「経
営に従事している」とはいえません。

いいかえれば、税法上みなし役員になる人は、法人の経営方針について発
言力のある人ですので、その人の年齢、社内での経歴、力関係等によって、
総合的に判断することになります。

(注)　会社法第362条第4項は、取締役会は次の事項その他の重要な業務執行の決
定を取締役に委任することができず、取締役会が決定すべき事項と規定してい
ます。代表取締役への過度の権限集中を抑制するための規定ですが、「経営に
従事する職務」を判断するに当たって参考になると思います。

（499）

イ 重要な財産の処分及び譲受け
ロ 多額の借財
ハ 支配人その他の重要な使用人の選任及び解任
ニ 支店その他の重要な組織の設置、変更及び廃止
ホ 募集社債に関する事項その他社債を引き受ける者の募集に関する事項として法務省令（会社規則99）で定める事項
ヘ 取締役の職務が法令及び定款に適合することを確保するための体制その他株式会社の業務並びに当該株式会社及びその子会社から成る企業集団の業務の適正を確保するために必要なものとして法務省令（会社規則100）で定める体制の整備
ト 会社法第426条第1項の規定による定款の定めに基づく取締役、会計参与、監査役、執行役又は会計監査人の会社に対する損害賠償責任の免除

　この「経営に従事する」という用語の反対が、使用人兼務役員を規定した法人税法第34条第6項にある「使用人としての職制上の地位を有し、かつ、常時使用人としての職務に従事する」という用語です。したがって、みなし役員と使用人兼務役員は、次の図に示すように逆の立場にあるわけです。

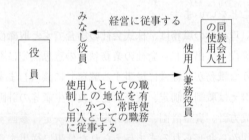

　次に、法人の監査役（監事）の職務ですが、株式会社の場合監査役は取締役の職務の執行の監査（業務監査）及び取締役の作成する計算書類の監査（会計監査）を行いますが、「経営に従事する業務」とは執行業務のことですので、監査役の職務はこれに該当しません。したがって、例えば法人の使用人以外の者で監査役でない者が仮に監査役の職務を行っていたとしても、同人がみなし役員となることはありません。例えば、【問9-13】で説明する監査役の退任による欠員が生じたため、退任した監査役が新任の監査役が就職するまで引き続き監査役の職務を行うような場合でも、当該退任監査役がみなし役員になることはないと考えられます。

第9章　役員給与

職務執行停止期間中の取締役、職務代行者等は税法上の役員に該当するのか

> 【問9-12】　次に掲げる者は、税務上の役員に該当しますか。
> ①　職務執行停止期間中の取締役
> ②　取締役の職務執行停止に伴い選任された職務代行者
> ③　更生会社の取締役及び監査役
> ④　更生管財人

【答】　①について……民事保全法第23条第2項は、争いがある権利関係について債権者に生ずる著しい損害又は急迫の危険を避けるために必要な場合、職務執行の停止、職務代行者の選任等の仮処分命令を発することを認めており、会社法第917条はこれを受けて、㋑株式会社の取締役、会計参与、監査役、代表取締役、委員、執行役又は代表執行役、㋺合名会社の社員、㋩合資会社の社員、㋥合同会社の業務を執行する社員の職務の執行の停止又はその職務の代行者を選任する仮処分命令（その変更、取消を含みます。）があったときは、これを登記事項としています。

　また、会社法第352条第1項は、「民事保全法第56条に規定する仮処分命令により選任された取締役又は代表取締役の職務を代行する者は、仮処分命令に別段の定めがある場合を除き、株式会社の常務に属しない行為をするには、裁判所の許可を得なければならない。」と規定し、この規定が仮処分命令により選任された執行役又は代表執行役の職務を代行する者に準用されています。（会社法420③）

　これらの規定によって職務執行を停止された役員が税法上の役員に該当するのかどうかについては、該当するとする説と該当しないとする説の両説があります。それぞれの論拠は次のとおりですが、税法は役員として顕名されている者は役員の業務に従事していなくても形式により役員としますので、イの説により役員に該当すると考えるべきです。

イ　該当するとする説……役員の定義を規定した法人税法第2条第15号は、職務執行停止期間中の役員を除外しておらず、かつ、会社法上職務執行停止期間中でも取締役としての地位は存続している。

ロ　該当しないとする説……前記の仮処分が行われると、当該役員は職務の

（501）

執行が停止され、役員としてのすべての権限を行使し得なくなり、暫定的に役員の地位から除外された状態におかれる。したがって、名目上役員としての地位は存続していても、法的に職務を執行し得ないという点で、任意に役員としての職務を執行しない名目のみの役員と基本的に異なる。

②について……取締役の職務代行者は、取締役の職務執行が停止され、会社が財産管理者及び財産管理能力を失う場合に、裁判所が後見的にその財産管理能力を回復するために選任する者です。職務の範囲が原則として常務に属する行為に限られていますので、税法上の役員に該当しないと解されます。

③について……更生手続開始の決定があった場合、更生会社の事業の経営並びに財産の管理及び処分をする権利は、裁判所の選任した管財人に専属しますので（会社更生法72①）、更生会社の取締役及び監査役は、大幅にその権限を失います。しかし、取締役及び監査役の地位そのものに変更はなく、かつ、管財人に専属する権限は会社の財産的活動に関するものに限られ、取締役の選任、解任、定款の変更、株主名簿の整備等会社の人格的な部面には管財人の権限は及びません。したがって、この面で取締役としての業務は、なお残ることになります。このように、更生会社の取締役及び監査役は引き続き取締役又は監査役として顕名しますし、かつ、その活動の分野が残りますので、税法上の役員に該当します。

④について……更生管財人は更生手続の上での必要機関ですが、税法上の役員には該当しません。

退任により欠員が生じた場合の退任取締役又は監査役、登記されていない取締役、執行役又は監査役は税法上の役員に該当するのか

【問9-13】　次に掲げる者は、税法上の役員に該当しますか。
① 退任により欠員が生じた場合の退任取締役又は監査役
② 株主総会等で選任されながら登記手続の遅延している取締役、執行役又は監査役

【答】　①について……会社法第346条第1項は、「役員（監査等委員会設置会社にあっては、監査等委員である取締役若しくはそれ以外の取締役又は会計参与）が欠けた場合又はこの法律若しくは定款で定めた役員の員数が欠けた

（502）

場合には、任期の満了又は辞任により退任した役員は、新たに選任された役員（裁判所の選任する一時役員の職務を行うべき者を含む。）が就任するまで、なお役員としての権利義務を有する。」と規定しています。

　この規定の趣旨は、会社の役員について退任の事実は認めるが、会社の経営を維持するために引き続き暫定的に役員としての権利義務を付与し、その職務を行わせようというものです。税法上「経営に従事する業務」とは執行業務のことで、取締役（監査等委員会設置会社の監査等委員である取締役及び指名委員会等設置会社の取締役を除きます。以下本問の①において同じ）の業務ですので【問9-11】参照）、取締役又は執行役の退任によって欠員が生じた場合の当該退任取締役は、法人の経営に従事する者としてみなし役員に該当します。しかし、監査役の退任によって欠員が生じた場合の当該退任監査役は、経営に従事する者といえませんので、みなし役員には該当しないと解されます。

> **(注)**　取締役、執行役、会計参与又は監査役に欠員が生じた場合、裁判所は必要があると認めるときは、利害関係人の申立てにより、一時これらの役員の職務を行うべき者を選任することができます。（会社法346②、401③、403③）この規定によって選任された者も、取締役又は執行役の職務を行うべき者の場合は税法上法人の経営に従事する者としてみなし役員に該当しますが、会計参与又は監査役の職務を行うべき者の場合は、みなし役員に該当しないと解されます。

　②について……取締役の氏名、執行役の氏名、会計参与の氏名又は名称及び監査役の氏名は、本店所在地での登記事項とされ（会社法911③十三、十六、十七ロ、二十二イ、二十三ロ）、会社法第915条第1項は、「登記事項に変更が生じたときは、2週間以内に、その本店の所在地において、変更の登記をしなければならない。」と規定しています。

　しかしこの登記は、商業登記の一般的効力である善意の第三者に対する対抗要件にすぎず（同法908）、会社の成立のように登記によって効力を生ずるもの（同法49）ではありません。取締役、執行役、会計参与又は監査役は登記によってでなく、株主総会での選任によって取締役、会計参与又は監査役になり、取締役会での選任によって執行役になります。

　税法上も役員として選任された事実のみで十分であり、登記の有無によって役員かどうかを判定することにはなりません。

補欠役員として選任された者は税法上の役員に該当するのか

> **【問9-14】** 会社法第329条第3項の規定により補欠役員として選任
> された者は、税法上の役員に該当しますか。

【答】 御質問にある会社法第329条第3項の規定は、「第1項の決議（株主総
会での役員（取締役、会計参与及び監査役。監査等委員会設置会社では、監
査等委員である取締役、それ以外の取締役及び会計参与）の選任決議）をす
る場合には、法務省令（会社規則96）で定めるところにより、役員が欠けた
場合又はこの法律若しくは定款で定めた役員の員数を欠くこととなるときに
備えて補欠の役員を選任することができる。」というものです。

　会社の役員に欠員が生じた場合、裁判所は必要があると認めるときは、利
害関係人の申立てにより、一時役員の職務を行うべき者を選任することがで
きますが（会社法346②）、この措置は一時的なものですので、会社は早急に
株主総会を招集して、欠員の生じた役員の補選をしなければなりません。そ
の場合、臨時株主総会の招集に手数と費用を要しますし、役員を定数よりも
多く選任しますと、余剰の役員に対する給与の支払いなど会社の負担が生じ
ますので、このような事態が生ずるのを避けるため、会社法に上記の補欠役
員の選任に関する規定が設けられています。

　このような補欠役員として選任された者が税法上の役員になるのかどうか
ですが、現実に欠員が生じたことによって役員に就任するまで同人は補欠者
であり、役員となる条件を満たしていません。従って、税法上の役員には該
当しません。しかし、補欠者がその状況でみなし役員に該当するときは、み
なし役員という事由で税法上の役員になります。

　なお、補欠役員の選任は、監査役について行われることが多く、取締役に
欠員が生じた場合の補欠者として、現にみなし役員に該当する者が選任され
る事例は少ないと思います。

第9章 役員給与

第2節　役員給与が損金算入されるための要件

役員給与に関する法人税法の規定の概略

【問9-15】　法人税法第34条に定められている役員給与に関する規定について、その概略を説明してください。

【答】　法人税法第34条は、その表題のとおり「役員給与の損金不算入」についての規定であり、法人が役員に対して支給する給与について、下記の(1)～(3)に該当するものは、損金の額に算入しないと規定しています。

(1)　法人が役員に支給する給与のうち、㋑定期同額給与（法34①一）、㋺事前確定届出給与（同二）、㋩所定の要件を満たす業績連動給与（同三）のいずれにも該当しないもの（法34①）

　この役員給与には、退職給与で業績連動給与に該当しないもの及び使用人兼務役員に支給する使用人分給与は含まれません。また、後記(3)の事実の隠蔽又は仮装経理により支給するものは、すべて損金の額に算入されませんので、この役員給与に含まれません。

(2)　不相当に高額な部分の金額（法34②）

　法人が役員に支給する給与（前記(1)及び後記(3)の規定の適用により損金不算入となるものを除きます。）のうち、不相当に高額な部分の金額として政令（法政令70）で定める金額（【問9-47】参照）は、損金の額に算入されません。

(3)　事実を隠蔽し、又は仮装して経理をすることにより支給する役員給与の額（法34③）

　法人が、事実を隠蔽し、又は仮装して経理をすることによりその役員に支給する給与の額は、損金の額に算入されません。

　なお、上記(1)～(3)の役員給与は、債務の免除による利益その他の経済的な利益の額を含むものとされています。（法34④）

【問9-16】以下で説明する事項も含めて、役員給与に対する課税関係を分類しますと、次ページの図のようになります。

（505）

役員に対して支給する給与

役員給与に該当するもの

(1) 所定の要件を満たすことにより損金算入されるもの

① 退職給与以外の給与 ＝

損金算入されるための要件
a　定期同額給与、事前確定届出給与、所定の要件を満たす業績連動給与のいずれかであること
b　(2)に該当するものでないこと

② 退職給与 ＝

a　業績連動型のものは所定の要件を満たす業績連動給与であること
b　(2)に該当するものでないこと

(2) 損金不算入となるもの

　イ　不相当に高額な部分の金額（法34②、法政令70一、二）

　ロ　事実を隠蔽し、又は仮装して経理することにより支給する給与の額（法34③）

使用人兼務役員に支給する使用人分の給与

　損金算入されるもの ＝ 下記以外のもの

　損金不算入となるもの ＝ 使用人分賞与のうち他の使用人に対する賞与の支給時期と異なる時期に支給したものの額（法政令70三）

定期同額給与の意義

> **【問9-16】**　法人税法第34条第1項で、損金不算入となる役員給与から除外されているものの第1に掲げられている定期同額給与とは、どのような給与ですか。

【答】　【問9-15】の説明の(1)に記載したように、法人が役員に支給した給与のうち、㋑定期同額給与、㋺事前確定届出給与、㋩所定の要件を満たす業績連動給与のいずれかに該当するものは、損金算入されますが、㋑の定期同額給与は、㋺の事前確定届出給与のような納税地の所轄税務署長に対する事前の届出、㋩の業績連動給与のようなその算定方法の有価証券報告書での記載

第9章　役員給与

が不要のもので、手続の面ではフリーなものです。

この定期同額給与は、次の①～③に掲げる給与です。

① その支給時期が1月以下の一定の期間ごとである給与（以下「定期給与」といいます。）で、当該事業年度の各支給時期における支給額が同額であるもの（法34①一）

② 定期給与で、下記イ～ハに掲げる改定がされた場合、ⓐとⓑの期間の各支給時期における支給額が同額であるもの（法政令69①一）

ⓐ 当該事業年度開始の日から給与改定後の最初の支給時期の前日までの期間

ⓑ 給与改定前の最後の支給時期の翌日から当該事業年度終了の日までの期間

イ 当該事業年度開始の日の属する会計期間（事業年度）開始の日から3月(注1)を経過する日（以下「3月経過日等」といいます。）までにされた定期給与の額の改定。なお、定期給与の額の改定が3月経過日等後にされることについて特別の事情があると認められる場合は、継続して毎年所定の時期に改定されるものに限り、認められます。（法政令69①一イ）

（注1） 各事業年度終了の日の翌日から3月以内に定時株主総会が招集されない常況にある等のため、確定申告書の提出期限の延長の特例の指定を受けている法人は、指定月数に2を加えた月数になります。

（注2） 定期給与の額の改定が「3月経過日等後にされることについて特別の事情があると認められる場合」の例として、法人の役員給与の額がその親会社の役員給与の額を参酌して決定されるなどの常況にあるため、当該親会社の定時株主総会の終了後でなければ当該法人の役員の定期給与の額の改定に係る決議ができない場合が示されています。（基通9-2-12の2）

ロ 当該事業年度において当該法人の役員の職制上の地位の変更、その役員の職務の内容の重大な変更その他これらに類するやむを得ない事情（「臨時改定事由」といいます。）によりされたこれらの役員に係る定期給与の額の改定（イの改定を除きます。）（法政令69①一ロ）

（注） 「これに類するやむを得ない事情」には、①親会社と子会社の取締役を

（507）

兼務していた役員に親会社が支給していた給与の額が、親会社による当該
子会社の吸収合併後同人の業務の内容が合併前に兼務していた業務と変わ
らないため、子会社が支給していた給与の額相当額を増額する場合、②会
社分割により分割承継会社の業務を兼務することになった役員に支給する
給与の額について、分割承継会社が支給することとなる給与の額相当額を
分割会社が減額する場合があると考えられます。(平成18年12月「役員給
与に関する質疑応答事例」問4、問5参照) また、役員が病気になったこ
とにより職務の執行が一部できなくなった場合及び病気が治癒して職務の
執行が可能になった場合も、これに該当します。(平成20年12月〔平成24
年4月改訂〕「役員給与に関するQ&A」Q5)

ハ 当該事業年度において、法人の経営の状況が著しく悪化したことその
他これに類する理由 (「業績悪化改定事由」といいます。) によりされた
定期給与の額の改定 (その定期給与の額を減額した改定に限ります。イ
及びロの改定を除きます。) (法政令69①一ハ)

(注) 「経営の状況が著しく悪化したことその他これに類する理由」とは、経
営状況が著しく悪化したことなどやむを得ず役員給与を減額せざるを得な
い事情があることをいいますので、法人の一時的な資金繰りの都合や単に
業績目標値に達しなかったことなどはこれに含まれません。(基通9-
2-13)

③ 継続的に供与される経済的な利益のうち、その供与される利益の額が毎
月おおむね一定であるもの (法政令69①二)

なお、支給額から源泉徴収税額や社会保険料等を控除した手取額が同額の
ものも、定期同額給与とされます。(法政令69②)

第9章　役員給与

役員賞与を定期同額給与に含めることとして均等配分した場合

> 【問9-17】　当社は従来、年間の役員給与を月々の給与と年2回の
> 賞与に区分して支給し、賞与については、事前確定届出給与の手
> 続を行ってきました。この手続が煩雑ですので、年間の賞与支給
> 予定額を12等分して毎月の役員給与に加算し、定期同額給与に含
> めようと思います。税務上問題が生ずるでしょうか。

【答】　賞与を損金算入するには、事前確定給与に関する届出書を所定の期日
までに納税地の所轄税務署長に提出する必要がありますし、何らかの理由で
実際の支給額と事前確定届出額が異なったときは、実際の支給額の全額が事
前確定届出給与に該当せず、損金不算入となります。

　このため、このような拘束のない定期同額給与とすることとして、御質問
のような方法をとろうと考えられるのでしょうが、支給時期が1月以下の期
間ごとで、かつ、当該事業年度の各支給時期における支給額が同額の役員給
与は、定期同額給与になりますので（法34①一）、年間の賞与支給予定額を
12等分して加算した部分の金額も、定期同額給与になります。

　ただし、毎月の役員給与のうち本来賞与であるべき部分の金額を支給しな
いで未払金に計上し、賞与の支給時期にこの未払金を取り崩して支給する場
合とか、毎月の役員給与の一部を会社が預かって簿外預金としてプールし、
賞与の支給時期に当該簿外預金から引き出して支給するような場合は、当該
部分の金額は実質的に定期同額給与といえず、損金不算入になります。

　一方、役員給与について税法は、当該役員の職務の内容、その法人の収益
及びその使用人に対する給与の支給の状況、その法人と同業種・同規模法人
の役員給与の支給の状況等に照らし、当該役員の職務に対する対価として相
当であると認められる金額を超える部分の金額は、過大な役員給与の額とし
て、損金の額に算入しないと規定しています。（法34②、法政令70一イ）御
質問のような方法をとられますと、使用人に対する毎月の給与には年間賞与
の月割額が加えられていないのに、役員の毎月の給与にはこれが加えられて
おり、使用人に対する給与の支給の状況に照らして相当と認められる金額を
超える部分の金額が生じるのではないかとの懸念が生じます。この点につい
ては、毎月の給与は多額になりますが、年間を通じての職務執行の対価とし

（509）

ての給与の額は変わりませんので、問題はないと考えます。

役員に支給する諸手当と定期同額給与の関係

> **【問9-18】** 役員に対して毎月支給する諸手当（家族手当、皆勤手当、能率給、歩合給、超過勤務手当など）は、定期同額給与に該当しますか。

【答】 役員と会社との関係は委任関係であり（【問9-22】参照）、使用人と会社との関係は雇用関係です。

雇用関係に基づいて使用人に支給する給与は、労働基準法等労働法令の適用があり、御質問の諸手当のうちの超過勤務手当は、当該法令に基づいて会社に支給義務があります。家族手当や皆勤手当は法令上支給義務はありませんが、労働協約あるいは就業規則で給与の一環としてその支給が定められていることが多く、使用人が労働者としての立場において受けるものです。

一方、委任関係に基づいて支給する役員報酬は、定款の規定又は株主総会等の決議等によって定められるもので、通常その金額は包括的であり、本給と諸手当の区分をしません。

ただし、こうした諸手当が支給された場合、それが税法上定期同額給与に該当するのかどうかは、税法の規定によって判断することになります。

税法では、支給時期が1月以下の一定の期間ごとであり、かつ、当該事業年度の各支給時期における支給額が同額の役員給与は、定期同額給与とされていますので（法34①一）、家族手当のような毎月定額支給されるものは定期同額給与になります。しかし、皆勤手当、能率給、歩合給、超過勤務手当などは、毎月の支給額が同額でありませんので、定期同額給与になりません。

なお、役員給与の額が固定給の部分と歩合給等の部分とにあらかじめ区分されているときは、固定給の部分は定期同額給与の要件を満たす場合、損金の額に算入されます。

また、能率給や歩合給は、使用人兼務役員の使用人分の給与として支給されることが一般的であると思われます。この場合、使用人給与としての相当額は損金算入されます。（法34①かっこ書）

（510）

第9章　役員給与

役員給与の増額を既往に遡って行った場合

【問9-19】　3月31日を事業年度終了の日とする会社です。従業員の給与規程では定期昇給の時期を毎年4月と定めていますが、例年6月に昇給率が決まるため、4月分及び5月分の昇給差額を6月の給与にあわせて支給しています。これにあわせて、役員給与についても6月の支給時に4月に遡って算定した昇給差額を支給した場合、当該昇給差額部分は定期同額給与と認められますか。

【答】　役員給与のうち、その支給時期が1月以下の一定の期間ごとであり、かつ、当該事業年度の各支給時期における支給額が同額であるものは、定期同額給与とされています。（法34①一）

　御質問のように、役員給与の昇給差額の支給を従業員の昇給率確定のときまで待つこととし、6月分の役員給与に4月分及び5月分の増額差額を追加して支給されますと、当該差額は定期同額給与に該当せず、損金不算入になります。例えば役員給与の月額が昇給前は100万円、昇給後は102万円としますと、4月及び5月の支給額は昇給前の100万円、6月の支給額は102万円（昇給後の額）＋2万円×2（昇給差額）＝106万円、7月以後の支給額は102万円となり、6月の支給額106万円のうち昇給後の定期同額給与である102万円を超える4万円は、定期同額給与に該当しないことになります。

　いわゆる雇われ役員の給与の増額は、従業員の定期昇給と同時に行われることがあると思います。しかし、委任契約に基づく役員報酬額の改訂は、雇用契約に基づく賃金の改訂とは別のものですので、税法ではその時期を従業員の昇給率確定の時期に合わせる理由はないという考えがとられています。

　支給時期が1月以下の一定の期間の役員給与は、会計期間開始の日から3月を経過する日（確定申告書の提出期限の延長の特例の指定を受けている場合は、指定月数に2を加えた月数を経過する日、特別の事情があると認められる場合は、継続適用を条件に、毎年所定の時期）までに改定し、当該事業年度の改定前及び改定後の支給額が同額であれば定期同額給与になりますので（法政令69①一イ）、御質問の場合は、従業員の昇給率確定の時期と関係なく、4月から改定するか、6月から改定するかの方法をとるべきです。

（511）

不況のため役員給与を減額した場合等

【問9-20】 下記の場合、役員給与の減額について定期同額給与の規定の適用はどのようになりますか。

① 業界の不況により経営状況が著しく悪化したため、役員給与を今後1年間30%減額することとした場合

② 役員に職務執行上の過失の責任をとらせるため、又は役員が病気で入院し、職務の執行が一時できないことになったため、数か月間定期給与の額の一定割合を減額する場合

【答】 ①の場合……支給時期が1月以下の一定の期間である役員給与が、法人の経営の状況が著しく悪化したことその他これに類する理由（業績悪化改定事由）により減額された場合、当該事業年度のその改定前及び改定後の期間における支給額が同額であれば、当該役員給与は定期同額給与に該当するとされています。（法政令69①一ハ）

そして、「経営の状況が著しく悪化したことその他これに類する理由」とは、経営状況が著しく悪化したことなどやむを得ず役員給与を減額せざるを得ない事情があることをいうので、法人の一時的な資金繰りの都合や単に業績目標値に達しなかったことなどはこれに含まれないとされています。（基通9-2-13）また、平成20年12月〔平成24年4月改訂〕「役員給与に関するQ＆A」Q1では、「経営の状況が著しく悪化したことその他これに類する理由」とは、財務諸表の数値が相当程度悪化したことや倒産の危機に瀕したことだけでなく、経営状況の悪化に伴い、第三者である利害関係者（株主、債権者、取引先等）との関係上、役員給与の額を減額せざるを得ない事情が生じていれば、これも含まれるものとしており、次のような場合の減額改定は、通常、業績悪化改定事由による改定に該当することとなると考えられるとしています。

(1) 株主との関係上、業績や財務状況の悪化についての役員としての経営上の責任から役員給与の額を減額せざるを得ない場合

(2) 取引銀行との間で行われる借入金返済のリスケジュールの協議において、役員給与の額を減額せざるを得ない場合

(3) 業績や財務状況又は資金繰りが悪化したため、取引先等の利害関係者からの信用を維持・確保する必要性から、経営状況の改善を図るための計画

第9章　役員給与

が策定され、これに役員給与の額の減額が盛り込まれた場合

　このように、業績悪化改定事由による改定が認められる場合は、かなり限定されていますが、これは、役員給与の変更を利益操作に利用することを防止するためです。

　御質問の場合、上記の状況に該当すれば、定期同額給与として認められることとなります。

（注1） 役員給与の減額割合を役員のランクによって、例えば社長は30％、専務及び常務は25％、平取締役は20％というように変えても、役員の地位による責任の軽重を反映してのものですので、問題ありません。

（注2） 給与支給額の減額ではなく、資金繰りの都合により、役員給与の全部又は一部の支給ができない場合は、支給遅延となる金額を未払費用に計上し、定期同額給与相当額を毎月費用に計上するようにすべきです。

　次に、役員給与の減額が業績悪化改定事由によるものと認められたとして、仮に1年後に役員給与を元通りとされるときは、当該事業年度の期中における役員給与の増額となり、増額部分が定期同額給与に該当しなくなることがあり得ます。事業年度の途中における定期同額給与の増額は、会計期間開始の日から3月を経過する日（確定申告書の提出期限の延長の特例の指定を受けている場合は、指定月数に2を加えた月数を経過する日、特別の事情があると認められる場合は、継続適用を条件に、毎年所定の時期。以下同じ）までと規定されており（法政令69①一イ）、当該期間経過後における増額部分の金額は、定期同額給与に該当しないからです。このため、経営不振によって減額した役員給与を元へ戻す時期は、会計期間開始の日から3月を経過する日までとすることが必要です。

　②の場合……役員に職務執行上の過失の責任をとらせるため、一定期間役員給与の減額処分をすることは企業慣行として定着しています。この場合、当該役員がいったん受給した定期給与を自主的に返還したときは定期同額給与に該当するが、減額処分したときは定期同額給与に該当しないとしますと、実質が同じものについてバランスを失した取扱いになりますので、減額された期間においても、引き続き同額の定期給与が支給されたものとして取扱って差支えないとされています。（平成18年12月「役員給与に関する質疑応答事例」問3）

（513）

一方、役員が病気で入院して職務の執行が一時できなくなった場合、役員給与の額を減額するのは、業績悪化事由による改定でなく、臨時改定事由（【問9-16】参照）による改定と認められます。退院して従来どおり職務の執行が可能になり、入院前と同額の給与に戻す改定も、臨時改定事由による改定と認められますので、入院前、入院中、退院後を通じての給与は、いずれも定期同額給与に該当するとされています。（平成20年12月〔平成24年4月改訂〕「役員給与に関するQ&A」Q5）

臨時改定事由又は業績悪化改定事由に基づかない給与改定があった場合の損金不算入額

> 【問9-21】 当社（決算日3月31日）は取締役Aに対して、前年度から毎月70万円の給与を支給しており、令和6年5月29日開催の定時株主総会後の取締役会で、Aの給与を据え置く旨の決議をしています。しかしながら、Aの担当部門の上半期の営業成績が優れていたため、11月27日開催の取締役会で給与改定を決議し、12月分からの給与を90万円としました。したがって、Aに対する給与は、令和6年4月から同年11月までは毎月70万円、令和6年12月から令和7年3月までは毎月90万円となりました。この場合、税務上どのように取り扱われますか。
>
> また、上記とは逆に、Aの担当部門の上半期の営業成績が劣っていたため、令和6年12月分から給与を60万円に減額した場合はどうなりますか。

【答】 期中に給与改定が行われた場合に定期同額給与と認められるのは、事業年度開始の日から3月を経過するまでに行われた改定、臨時改定事由による改定又は業績悪化改定事由による改定に限られますが、御質問の増額改定及び減額改定とも、このいずれの改定にも該当しません。この場合、損金不算入となる額はどのように計算するのかが問題となります。その事業年度に支給した給与全額が定期同額給与に該当せず、損金不算入になるという解釈も考えられますが、これについて、国税庁から公表されている「役員給与に関するQ&A」（平成20年12月〔平成24年4月改訂〕）Q3、Q4では、次のと

（514）

第9章 役員給与

おり取り扱われています。

　まず、70万円から90万円への増額の場合ですが、このケースでは、増額改定前の支給額である70万円に、12月から20万円が上乗せされて支給されているものと考えられますので、定期同額である70万円の給与は継続して支給されていることになり、上乗せされた20万円部分のみが損金不算入となります。したがって、損金不算入額は80万円（20万円×令和6年12月〜令和7年3月の4か月）と計算されます。

　次に、70万円から60万円への減額の場合ですが、減額改定後の額である60万円を当職務執行期間開始後最初の給与である令和6年6月から令和7年3月まで継続して支給し、そのうち、6月から11月までは10万円を上乗せして支給していたものとみることができます。したがって、上乗せされた10万円部分のみが損金不算入となり、損金不算入額は60万円（10万円×令和6年6月〜同年11月の6か月）と計算されます。

役員給与の未払計上

【問9-22】　毎月の役員に対する給与について、役員報酬規程で計算期間を前月21日から当月20日まで、支給日を当月25日と定めている場合、3月31日（事業年度終了の日）における3月21日から同月31日までの期間に対応する役員給与相当額を未払計上することができますか。なお、当社は役員給与を定期同額給与として、損金算入する方法をとっています。

【答】　会社と役員との関係は委任関係ですので、役員に対する報酬は受任者である役員が委任者である会社から受ける報酬ということになります。
　(注)　会社と取締役、会計参与及び監査役との関係は会社法第330条、執行役との関係は同法第402条第3項において、委任に関する規定に従うと規定されています。
　ところで、民法第648条第2項は、受任者の委任者に対する報酬請求権は、委任された事務を履行した後、期間によって報酬を定めたときはその期間が経過した後に発生すると規定しています。したがって、御質問のように役員給与の計算期間を定めている場合、前月21日から当月20日まで1か月間の役

（515）

員給与の請求権は、全額当月20日にならないと発生しませんので、役員給与を支払う会社の側で、前月末日においてその一部である当該月の21日から月末日までの期間の分についての債務は成立していません。このため、御質問の場合、3月21日から31日までの11日分の役員給与相当額を、確定債務として未払計上することはできません。

　貴社のように、役員給与を定期同額給与として損金算入する方法をとっておられる場合でも、期末月の計算期間締切日後決算日までの期間の役員給与相当額の未払計上は、税務では認められません。

(注)　雇用契約に係る報酬請求権についても、民法第624条第2項に同様の規定がありますが、使用人に対する賃金は労働基準法第89条により就業規則にその決定、計算及び支払の方法、締切り及び支払の時期を定めるべきこととされ、期間経過分について雇用者である法人の債務が成立します。したがって、税務でも、期末月の締切日後決算日までの期間の従業員給与の未払計上が認められます。

事前確定届出給与の意義

> **【問9-23】**　法人税法第34条第1項で、損金不算入となる役員給与から除外されているものに掲げられている給与のうち、事前確定届出給与とはどのような給与ですか。

【答】　事前確定届出給与の典型的なケースは、定時株主総会（又はその後の取締役会）で、各役員の賞与の支給日と支給額を決議し、決議後1か月以内に所轄税務署長へ届出を行い、届出どおり支給するものです。支給額が事前に確定していますから、恣意的な利益操作を排除することができますので、事前確定届出給与は損金算入が認められています。

　事前確定届出給与に関する法人税の規定は以下のとおりです。

　事前確定届出給与とは、定期同額給与及び業績連動給与のいずれにも該当しない給与で、その役員の職務につき所定の時期に確定した額の金銭、確定した数の株式（出資を含みます。）又は新株予約権、確定した額の金銭債権に係る特定譲渡制限付株式又は特定新株予約権を交付する旨の定めに基づいて支給する給与をいい、次の場合は、次の要件を満たしているものに限ります。(法34①二、法政令69③④)

（516）

第9章　役員給与

① 定期給与を支給しない役員に対して支給する給与（同族会社以外の法人が支給する金銭による給与に限ります。）以外の給与（株式又は新株予約権による給与で、将来の役務に係るものとして交付される一定の条件を満たす特定譲渡制限付株式又は特定新株予約権を除きます。）である場合……所定の方法で納税地の所轄税務署長にその定めの内容に関する届出をしていること

② 株式を交付する場合……その株式が市場価格のある株式又は市場価格のある株式と交換される株式（給与を支給する法人又はその関係法人(注3)が発行したものに限ります。）であること

③ 新株予約権を交付する場合……その新株予約権がその行使により市場価格のある株式が交付される新株予約権（給与を支給する法人又はその関係法人(注3)が発行したものに限ります。）であること

(注1) 「特定譲渡制限付株式」については【問9-24】を参照してください。

(注2) 「特定新株予約権」とは、譲渡制限付新株予約権（譲渡についての制限その他の条件が付されている新株予約権）のうち、次のいずれかに該当するものをいいます。（法54の2①）

　　　・譲渡制限付新株予約権と引換えにする払込みに代えて、役務の提供の対価として個人に生じる債権をもって相殺されること

　　　・譲渡制限付新株予約権が、実質的に役務の提供の対価と認められるものであること

(注3) 「関係法人」とは、役員の職務につき支給する給与（株式又は新株予約権によるものに限ります。）に係る株主総会等の決議日において、その決議日から株式又は新株予約権の交付日までの間、給与を支給する法人と他の法人との間にその他の法人による支配関係が継続することが見込まれている場合のその他の法人をいいます。（法34⑦、法政令71の2）給与を支給する会社の親会社は、これに該当します。

　上記①の場合の届出方法は、次のとおりです。

(1) 提出期限

イ 株主総会等（株主総会、社員総会その他これらに準ずるもの）の決議により、役員の職務につき所定の時期に確定額等を支給する旨を定めた場合……次の(a)と(b)のうちいずれか早い日（法政令69④一本文）

(a) その決議をした日（その日が職務の執行の開始の日後である場合は、

職務の執行の開始の日）から１月を経過する日

(b) 職務の執行の開始の日の属する会計期間開始の日から４月（確定申告書の提出期限の延長の特例の指定を受けている法人は、指定月数に３月を加えた月数）を経過する日

(注) 「職務の執行の開始の日」は、その役員がいつから就任するかなど個々の事情によりますが、例えば、定時株主総会において役員に選任された者で、その日に就任した者及び役員に再任された者は、当該定時株主総会の開催日が、職務の執行の開始の日となります。(基通９-２-16)

ロ 新たに設立した法人が、その役員のその設立の時に開始する職務につき所定の時期に確定額等を支給する旨を定めた場合……設立の日以後２月を経過する日（法政令69④一かっこ書）

ハ 臨時改定事由（【問９-16】②ロ参照）により、当該臨時改定事由に係る役員の職務につき所定の時期に確定額等を支給する旨を定めた場合（当該役員の当該臨時改定事由が生ずる直前の職務について、この定めがあった場合を除きます。）……当該臨時改定事由が生じた日から１月を経過する日（法政令69④二）

(注) 当該役員の当該臨時改定事由が生ずる直前の職務について定めがあり、その定めに関する届出をしている法人が、臨時改定事由又は業績悪化改定事由（【問９-16】②ハ参照）が生じたことにより定めの内容を変更するときは、下記(3)に記載する「定めの変更に関する届出」をします。

(2) 事前確定届出給与に関する届出書に記載すべき事項（法規則22の３②）

① 届出をする内国法人の名称、納税地及び法人番号並びに代表者の氏名

② 事前確定届出給与の支給の対象となる者（以下「事前確定届出給与対象者」といいます。）の氏名及び役職名

③ 事前確定届出給与の支給時期並びに各支給時期における支給額又は交付する株式若しくは新株予約権の銘柄、次の区分に応じそれぞれ次に定める事項及び条件その他の内容

イ 確定した数の株式又は新株予約権を交付する旨の定めに基づいて支給する給与……交付する数及び交付決議時価額（交付した株式又は新株予約権と銘柄を同じくする株式又は新株予約権の交付する旨の定めをした日における１単位当たりの価額に交付した数を乗じて計算した金額）

（518）

第9章　役員給与

　　ロ　確定した額の金銭債権に係る特定譲渡制限付株式又は特定新株予約
　　　権を交付する旨の定めに基づいて支給する給与……その金銭債権の額
　④　③の支給時期及び支給額等の決議をした日及び当該決議をした機関等
　⑤　事前確定届出給与に係る職務の執行の開始の日（臨時改定事由が生じ
　　　たことによる届出をする場合は、臨時改定事由の概要及び当該臨時改定
　　　事由が生じた日）
　⑥　事前確定届出給与につき定期同額給与による支給としない理由及び当
　　　該事前確定届出給与の支給時期を上記③の支給時期とした理由
　⑦　事前確定届出給与に係る職務を執行する期間内の日の属する会計期間
　　　において事前確定届出給与対象者に対して事前確定届出給与と事前確定
　　　届出給与以外の給与とを支給する場合における当該事前確定届出給与以
　　　外の給与の支給時期及び各支給時期における支給額（業績連動給与又は
　　　金銭以外の資産による給与については、その概要）
　⑧　その他参考となるべき事項
　(注)　上記の記載事項は、「事前確定届出給与に関する届出書」（本表と付表1及び
　　　　付表2の3枚で構成されています。）にそれぞれの記載欄が設けられ、詳しい
　　　　記載要項が、それぞれの用紙の裏面等に示されています。

　事前確定届出給与は、「事前」にその役員に対する給与の支給時期、支給
額等が定められているものについて、納税地の所轄税務署長へ届出ることに
より、その定められている事実を確認するものですので、事前確定届出給与
対象者が職務の執行を開始する日までに「所定の時期に確定額等を支給する
旨」が定められていることが必要です。したがって、まず当該対象者の職務
につき「所定の時期に確定額等を支給する旨」を定め、次いで所定の事項を
記載した届出書により納税地の所轄税務署長へ届出るという手続をとること
になります。
(3)　定めの変更に関する届出（法政令69⑤、法規則22の3③）
　事前確定届出給与について、既に届出（変更に関する届出を含みます。）
をしている法人がその定めの内容を変更する場合は、下記イ又はロの事由に
応じ、それぞれに掲げる変更届出期限までに、それぞれに掲げる事項を記載
した書類により変更届出をしなければなりません。
イ　臨時改定事由……臨時改定事由が生じた日から1月を経過する日までに、

（519）

当該臨時改定事由の概要及びその生じた日を記載した書類

ロ　業績悪化改定事由……業績悪化改定事由により直前届出に係る定めの内
　容の変更に関する株主総会等の決議をした日から1月を経過する日（当該
　変更前の当該直前届出に係る定めに基づく給与の支給の日（その決議をし
　た日後最初に到来するものに限ります。）が当該1月を経過する日前にあ
　る場合には、当該支給の日の前日）までに、当該決議をした日及びかっこ
　内にある給与の支給の日を記載した書類

特定譲渡制限付株式の意味と税法上の取扱い

【問9-24】　譲渡制限付株式（リストリクテッド・ストック）とは
　何ですか。また、税法上特別な取扱いが定められている特定譲渡
　制限付株式の意味と税法での取扱いを説明してください。

【答】　譲渡制限付株式とは、役員などに付与される自社の株式で、一定期間
又は一定の条件を満たすまで譲渡が制限されているものです。譲渡制限付株
式の付与は株式報酬制度の1タイプであり、譲渡制限解除の条件として、一
定期間の勤務や一定の業績目標の達成等が設けられます。付与の対象となる
役員等に中長期的な企業価値向上に対するインセンティブをもたらすほか、
譲渡制限期間があるため、株主目線での経営を促す効果や優秀な人材の流出
を防止するリテンション効果があります。譲渡制限付株式の付与は、欧米で
は一般に利用されている制度ですが、日本では、会社法及び税法の制約があ
り、利用されてきませんでした。しかし、平成28年に会社法上の論点整理が
され、また、税法上の取扱いも明確化されましたので、利用する上場企業等
が増加しました。

　会社法では、株式発行に際して、募集株式の払込金額又はその算定方法を
定めなければならないとされており（会社法199①二）、株式の無償発行はで
きないものと解されています。また、株式発行に際して、金銭以外の財産を
出資の目的とするときは当該財産の価額を定める必要があるため（会社法
199①三）、労務の出資はできないものと解されています。これについて、役
員等の有する報酬債権を現物出資することにより株式を発行する手続をとる
ことにより、譲渡制限付株式の発行が可能となりました。

（520）

第9章　役員給与

(注)　会社法上、現物出資については、原則として、裁判所の選任する検査役の検査を受ける必要がありますが、割り当てる株式の総数が発行済株式の総数の10分の1を超えない場合等には、この検査は不要とされていますので（会社法207）、報酬債権の現物出資による譲渡制限株式の発行の場合は、検査役の検査は不要になると思われます。

そして、令和3年3月1日施行の改正会社法では、上場会社について、金銭の払込み又は財産の給付をせずに取締役に報酬等として株式を発行する特則が認められました。（会社法202の2①、361①三）したがって、従来行われてきた報酬債権を現物出資することにより株式を発行するという手続をとらずに、株式発行をすることが可能となりました。

また、税法に関しては、平成28年度の税法改正で、一定の要件をみたす譲渡制限付株式は特定譲渡制限付株式とされ、株式交付等のスケジュールに関する要件を満たす特定譲渡制限付株式による給与は、届出不要の事前確定届出給与として損金算入が認められることとなりました。また、特定譲渡制限付株式による給与について、法人税での損金算入時期及び損金算入額、所得税での課税時期及び収入金額とすべき額が定められ、平成29年度の税法改正で取扱いが一部変更されています。以下で、税法上の取扱いを説明します。

(1) 特定譲渡制限付株式の定義

まず、譲渡制限付株式とは、次の①と②の要件を満たす株式をいいます。（法54①、法政令111の2①）

①　譲渡（担保権の設定その他の処分を含みます。）についての制限がされており、かつ、譲渡制限期間が設けられていること

②　個人から役務の提供を受ける法人又はその株式を発行し若しくはその個人に対して交付した法人が、その株式を無償で取得することとなる事由が定められていること。その事由は、譲渡制限期間内の所定の期間勤務を継続しないことや勤務実績が良好でないこと等の勤務に基づく事由、又は法人の業績があらかじめ定めた基準に達しないこと等の業績その他の指標の状況に基づく事由に限ります。

(注)　事前確定届出給与に該当する特定譲渡制限付株式による給与は、下記(2) ④の要件があり、業績に連動するものは認められませんので、無償で取得される株式の数が役務の提供期間以外の事由により変動する特定譲渡制限付株式によ

（521）

る給与は事前確定届出給与に該当しません。

　そして、特定譲渡制限付株式とは、譲渡制限付株式のうち、次の①又は②のいずれかに該当するものをいいます。（法54①）

　①　役務の提供の対価として個人に生じる債権の給付と引換えにその個人に交付されるもの

　②　①以外に、実質的に役務の提供の対価と認められるもの

　したがって、現物出資型の譲渡制限付株式及び無償交付型の譲渡制限付株式が該当することになります。

(2) 特定譲渡制限付株式による給与が事前確定届出給与に該当するための要件

　次の①～④のすべての要件を満たす場合、事前確定届出給与に該当します。
（法34①二、⑦、法政令71の２）

　①　その役員の職務につき所定の時期に確定した額の金銭債権に係る特定譲渡制限付株式を交付する旨の定めに基づいて、支給されていること。
　　つまり、役員の職務執行開始当初に職務執行期間に係る報酬債権の額を確定し、所定の時期までにその報酬債権の現物出資と引換えに譲渡制限付株式が交付される必要があります。

　　(注)　役員の過去の役務提供の対価としての譲渡制限付株式の交付による給与は、事前確定届出給与に該当しません。（基通９-２-15の２）

　②　交付される株式が、個人の役務の提供を受ける法人又はその関係法人の株式であること。なお、関係法人とはその法人との間に支配関係のある法人で、株式の譲渡制限期間の終了まで支配関係が継続することが見込まれているものをいいます。

　③　交付される株式が、適格株式（市場価格のある株式又は市場価格のある株式と交換できる株式）であること

　④　定期同額給与及び業績連動給与に該当しないこと

(3) 届出不要の事前確定届出給与に該当する特定譲渡制限付株式による給与

　役員に対する特定譲渡制限付株式による給与が事前確定届出給与に該当する場合、損金算入が認められますが、職務の執行の開始日（原則として、定時株主総会の日）から１月を経過する日までに、株主総会等（株主総会の委任を受けた取締役会を含むと解されます。）の決議により、次の①と②の両方を定め、その定めにしたがって特定譲渡制限付株式が交付されている場合、

（522）

第9章　役員給与

特定譲渡制限付株式による給与は、事前確定届出給与に該当するとともに、その内容につき所轄税務署長への届出が不要とされています。（法34①二イかっこ書、法政令69③一）

①　役員個人別のその職務執行期間の報酬債権の確定額

②　①の決議の日から１月を経過する日までに、報酬債権の現物出資により特定譲渡制限付株式を交付すること

(4)　特定譲渡制限付株式による給与の損金算入時期及び損金算入額

　特定譲渡制限付株式による給与の損金算入時期は、所得税での給与等課税額が生ずることが確定した日とされており（法54①）、その日は特定譲渡制限付株式の無償取得がされないことが確定した日と考えられます。また、損金算入額は、現物出資型の場合は譲渡制限が解除された特定譲渡制限付株式の交付と引換えに現物出資された報酬債権の額、無償交付型の場合は譲渡制限が解除された特定譲渡制限付株式の交付時の価額です。（法政令111の２④）なお、一定の事由の発生により、株式の発行法人等が特定譲渡制限付株式を役員等から無償で取得した場合は、損金に算入される額はありません。（法54②）

(5)　特定譲渡制限付株式を交付された個人の課税

　特定譲渡制限付株式を交付された役員等は、譲渡制限が解除された日が課税時期となり（所基通23～35共－５の３）、その時点の特定譲渡制限付株式の価額が、所得税法上の収入金額となります。（所政令84①）上記(4)での法人税での損金算入時期と所得税での課税時期が異なる場合もあり得ますし、法人税での損金算入額が現物出資された報酬債権額又は特定譲渡制限付株式の交付時の価額であるのに対して、所得税での収入金額は特定譲渡制限付株式の課税時期での価額であり、金額が異なることとなります。

　なお、譲渡制限の解除が退職に基因する場合、所得区分は退職所得となります。（令和元年６月25日付国税庁文書回答事例「譲渡制限期間の満了日を「退任日」とする場合の特定譲渡制限付株式の該当性及び税務上の取扱いについて」）

（523）

親会社株式を特定譲渡制限付株式として交付する場合

> 【問9-25】　当企業グループは持株会社制度を採用しています。子会社の役員に持株会社である親会社の株式を譲渡制限付株式として交付した場合、特定譲渡制限付株式による給与として【問9-24】の取扱いの対象になるでしょうか。

【答】　持株会社制度を採用している企業グループ等でのニーズを考慮して、関係法人の株式の交付の場合も、税法上、特定譲渡制限付株式の交付として取り扱われます。したがって、親会社の株式を交付することも可能です。ただし、譲渡制限期間の終了まで、親会社による支配関係の継続が見込まれることが必要です。（法34①二ロ、⑦、法政令71の2）なお、親会社株式を交付する場合、子会社の役員が報酬債権を親会社に現物出資する方法（この結果、親会社が子会社に対する債権を取得することになります。）と、子会社が役員に負っている債務について親会社が債務引受けした後に、子会社の役員等が親会社に現物出資する方法が考えられます。

特定譲渡制限付株式による給与の会計処理と申告調整

> 【問9-26】　特定譲渡制限付株式を交付した場合、会計処理はどのようにすればよいですか。また、これが事前確定届出給与に該当するときの申告調整についても説明してください。

【答】　以下の設例で御説明します。なお、決算日は3月31日とします。

〔設例〕

（例1）

① 取締役に対して3,600万円の報酬債権を支給し、その報酬債権の現物出資を受け、3,000株の特定譲渡制限付株式を交付した。なお、1株当たりの払込金額は12,000円である。

② 株式付与日はX1年7月1日、譲渡制限の解除日はX4年7月1日で、譲渡制限解除の条件は3年間の継続勤務である。

③ 取締役は3年間勤務を継続したため、譲渡制限が解除された。その時点の株価は1株15,000円である。

第9章　役員給与

（例2）

①　今後3年間の職務執行の対価として、取締役に対して特定譲渡制限付株式3,000株を無償発行で交付した。交付時の株価は1株12,000円である。

②　株式付与日はX1年7月1日、譲渡制限の解除日はX4年7月1日で、譲渡制限解除の条件は3年間の継続勤務である。

③　取締役は3年間勤務を継続したため、譲渡制限が解除された。その時点の株価は1株15,000円である。

〔会計処理〕

特定譲渡制限付株式の交付からX5年3月期までの会計処理を示すと、下表のとおりとなります。

（注）　この会計処理は、経済産業省が公表している「「攻めの経営」を促す役員報酬～企業の持続的成長のためのインセンティブプラン導入の手引～（2023年3月時点版）」及び実務対応報告第41号「取締役の報酬等として株式を無償交付する取引に関する取扱い」（企業会計基準委員会）で示された方法に基づいています。

（例1）

時　　期	会計処理
株式の交付時	前払費用等　3,600万円／報酬債務　3,600万円 報酬債務　3,600万円／資本金等（注）3,600万円
X2年3月期	株式報酬費用　900万円／前払費用等　900万円
X3年3月期	株式報酬費用　1,200万円／前払費用等　1,200万円
X4年3月期	株式報酬費用　1,200万円／前払費用等　1,200万円
譲渡制限解除時	会計処理なし
X5年3月期	株式報酬費用　300万円／前払費用等　300万円

（例2）

時　　期	会計処理
株式の交付時	会計処理なし
X2年3月期	株式報酬費用　900万円／資本金等（注）900万円
X3年3月期	株式報酬費用　1,200万円／資本金等（注）1,200万円
X4年3月期	株式報酬費用　1,200万円／資本金等（注）1,200万円
譲渡制限解除時	会計処理なし
X5年3月期	株式報酬費用　300万円／資本金等（注）300万円

（525）

(注) 自己株式の交付による場合は、「自己株式」等の勘定科目になります。

　各事業年度の株式報酬費用計上額は、対象勤務期間36月のうち、その事業年度に属する期間の対応額を計上しています。例えば、X2年3月期は次の計算で900万円となります。

$$3,600万円 \times \frac{9月\ （X1.7.1〜X2.3.31）}{36月\ （X1.7.1〜X4.6.30）} = 900万円$$

〔申告調整〕

　法人税での損金算入時期は給与等課税額が生ずることが確定した日である譲渡制限解除時で、損金算入額は現物出資を受けた報酬債権の額（（例1）の場合）又は特定譲渡制限付株式の交付時の価額（（例2）の場合）ですから、X4年7月1日に3,600万円が損金算入されることになります。したがって、（例1）、（例2）とも、次の申告調整が必要です。

　X2年3月期……株式報酬費用900万円を加算（処分は留保）

　X3年3月期……株式報酬費用1,200万円を加算（処分は留保）

　X4年3月期……株式報酬費用1,200万円を加算（処分は留保）

　X5年3月期……株式報酬費用3,300万円を減算（処分は留保）

　なお、役員の所得税の計算上、収入金額とされる額は、譲渡制限解除時の株式の価額ですから、4,500万円（15,000円×3,000株）となります。

事前確定届出額どおり支給しなかった場合(1)

> **【問9-27】** 事前確定届出給与の届出額が100万円のときに、150万円を支給した場合、若しくは80万円を支給した場合、損金不算入額はそれぞれいくらになりますか。あるいは、業績が思わしくなかったので、事前確定届出給与の届出は行ったものの、実際にはまったく支給しなかった場合はどうなりますか。

【答】 損金算入が認められる事前確定届出給与とは、その役員の職務につき所定の時期に確定額を支給する旨の定めに基づいて支給する給与ですから（法34①二）、支給時期、支給金額が事前に確定し、その定めのとおり実際に支給されるものをいいます。事前に届け出た支給額と実際の支給額が異なる場合は、事前に支給額が確定していたと言えませんから、支給額全額が損

第9章　役員給与

金不算入となります。(基通9-2-14)したがって、御質問の場合、150万円を支給した場合は150万円が、80万円を支給した場合は80万円が、それぞれ損金不算入とされます。

　事前確定届出給与の届出を行ったものの、まったく支給をしなかった場合、事前に届け出た額と実際支給額が異なることになりますが、支給額が0ですので、損金不算入額は発生しません。この場合、いったん支給の定めをした給与を支払わないことになりますから、支給日までに、株主総会等で支払わない旨の決議をしておくことが必要です。

(注)　所得税では、役員に対する賞与について、支払の確定した日から1年を経過した日までに支払されない場合、その1年を経過した日において支払があったものとみなして、所得税の源泉徴収が必要となります。(所法183②)なお、賞与とは定期の給与以外の給与等をいいます。(所基通183-1の2)株主総会等で定めた支給額未満の金額を支給したり、支給の定めがあるにもかかわらず支給しなかったりした場合、賞与が未払となっているものとして、上記の規定が適用される可能性があります。したがって、支給額を減額するときは、株主総会等で変更の決議をしておく必要があります。

　なお、事前確定届出給与は法人税法第34条第1項第2号で「その役員の職務につき所定の時期に確定した額の金銭(中略)を交付する旨の定めに基づいて支給する給与」と規定されていますので、事前確定届出給与の要件を満たしているかどうかは役員ごとに判断しますから、例えば、役員Aについては届出額どおり実際に支給したが、役員Bについては届出額と実際支給額が異なっていた場合、役員Bの給与のみが損金不算入となります。

(527)

事前確定届出額どおり支給しなかった場合(2)

> 【問9-28】 当社は3月31日決算ですが、令和6年6月26日の株主総会で、役員Aに対して、令和6年12月11日と令和7年6月17日に各々200万円の給与を支給する旨を定め、事前確定届出給与の届出を適法に行いました。この場合、実際の支給額が次の(1)、(2)のときは、どのように取り扱われますか。なお、給与のうち不相当に高額な部分はありません。
>
> (1) 令和6年12月11日の支給額150万円、令和7年6月17日の支給額200万円
>
> (2) 令和6年12月11日の支給額200万円、令和7年6月17日の支給額150万円

【答】 事前確定届出給与は、役員の職務執行の開始時に、その職務執行の期間の給与を定め、届け出るものですから、その期間中に複数の事前確定届出給与の支給が行われることがあります。事前確定届出給与については、届出額と実際支給額が異なる場合、支給額の全額が損金不算入とされますが（基通9-2-14）、複数の支給がある場合、届出どおりに支給されたかどうかは、個々の支給ごとに判定するのか、それとも、複数の支給を通して判定するのかが問題になります。これについて、役員給与の額は、株主総会から翌年度の株主総会までの職務執行の対価として定められるのが一般的と考えられますから、事前確定届出給与の支給が複数回ある場合、その職務執行の期間を通じて、すべての支給が届出どおり支給されたかどうかで判定すべきこととなります。

したがって、御質問の(1)の場合、令和6年12月の給与は支給額が届出額と異なるため、損金不算入となり、令和7年6月の給与は届出額どおり支給されていますが、令和6年12月の給与支給額が届出額と異なるため、職務執行期間を通じて届出額どおり支給されていないこととなり、令和7年6月の給与も損金不算入となります。

次に、御質問の(2)の場合ですが、職務執行期間を通じて届出額どおり支給されていませんが、令和6年12月の給与は届出額どおりの支給ですので、その給与は令和7年3月期では損金算入が認められています。その後、令和

(528)

第9章　役員給与

7年6月の支給額が届出額と異なるため、その結果、職務執行期間を通じて届出額どおり支給されていないことになったわけです。このように複数の事業年度にまたがっている場合、令和7年6月の給与のみを損金不算入としても差し支えないものとされています。これは、令和7年6月の給与を届出額どおり支給しなかったことにより、令和7年3月期の課税所得に影響を与えるものでないという理由によるものです。この取扱いは、(1)と整合せず、実務上の都合といえないこともありませんが、令和7年3月期では、事前確定届出額どおり支給されており、この事業年度においては利益操作は排除されているので、損金算入を認めても課税上弊害がないということもいえると思います。

役員に対する年俸、期間俸を損金算入するための要件

> 【問9-29】　当組合は、理事長はじめ非常勤役員に、6か月に1回給与を支給することとしています。このような給与は、定期同額給与に該当しないので、事前確定届出給与として納税地の所轄税務署長に届出しなければなりませんか。

【答】　御質問にある半年俸は、1月以下の一定の期間ごとに支給されるものでありませんので、法人税法第34条第1項第1号の給与（定期同額給与）でなく、同項第2号の給与に該当します。

　しかし、納税地の所轄税務署長に「事前確定届出給与に関する届出書」を提出することを条件に損金算入されるものから、「同族会社に該当しない法人が、定期給与を支給しない役員に対して支給する給与」が除かれています。（法34①二イ、【問9-23】参照）したがって、貴組合が非常勤役員に6か月に1回支給されるいわゆる半年俸は、事前確定届出給与として納税地の所轄税務署長に届出していなくても、不相当に高額な部分の金額がある等他の役員給与損金不算入の規定に該当するものでなければ、全額損金の額に算入されます。

（529）

役員給与の額が会計期間開始の日から３月経過する日までに決まらない場合

> 【問９-30】　当社（３月31日を事業年度終了の日とする会社）は、指名委員会等設置会社でありませんが、毎年６月下旬に定時株主総会で取締役が選任された後に、社長が報酬決定委員会に諮問して、その後１年間に各取締役に支給する報酬額を決めています。この報酬決定委員会の答申がでるのに、１月余りを要しますので、取締役給与の改定を会計期間開始の日から３月を経過する日までに行うことができません。どのようにすればよいのでしょうか。

【答】　役員給与が損金算入されるためには、定期同額給与、事前確定届出給与、所定の要件を満たす業績連動給与のいずれかであることが必要ですが（法34①）、業績連動給与は、有価証券報告書提出会社又はその100％子会社でなければ採れませんので、一般の会社は、定期同額給与又は事前確定届出給与のいずれかを採ることが必要です。

　御質問のように、定時株主総会での選任後の取締役に対する報酬の額が、当該定時株主総会前又はその直後に決まらない場合、定期同額給与及び事前確定届出給与に関する税法の規定との関係は、次のとおりになります。

① 定期同額給与との関係……定期給与の改定の時期は、臨時改定事由又は業績悪化改定事由に該当するものでない場合、「当該事業年度開始の日の属する会計期間開始の日から３月を経過する日まで」というのが原則ですが、「定期給与の改定が３月を経過する日後にされるについて特別の事情があると認められる場合は、継続して毎年所定の時期に改定されるものに限り、当該改定の時期まで」とすることが認められています。（法政令69①一イ、【問９-16】参照）

　定時株主総会で選任される予定の取締役の報酬の額を事前に決めておくのは株主総会軽視ですから、御質問のような決め方は、合理的な方法といえます。したがって、特別の事情があると認められる場合に該当し、継続して毎年所定の時期までに決定されるのであれば、定期給与に該当するものは、定期同額給与とすることができます。

② 事前確定届出給与との関係……事前確定届出給与の届出期限は新設法人

（530）

第9章 役員給与

のする届出又は臨時改定事由に係る役員についてのものの届出に該当する
ものでない場合、定時株主総会等で決議をした日から1月を経過する日と
規定されています。(法政令69④一前段、【問9-23】参照)御質問のように
報酬決定委員会の答申がでるのに定時株主総会の日から1月余り要するも
のは、報酬決定委員会の定めた報酬額のうち定期同額給与に該当しないも
のを事前確定届出給与としようとしても、届出期限に間に合わないことに
なります。

以上により、御質問のような方法で決定される取締役給与は、定時同額給
与とする方法はとれますが、例えば年末に支給する役員賞与を事前確定届出
給与とするためには、報酬決定委員会の答申に基づいて支給額を決定する時
期を定時株主総会の日から1月以内とし、届出期限までに届出ができるよう
にすることが必要です。

親会社からの出向役員に対する給与を給与負担金として親会社に支払う場合

> 【問9-31】 使用人甲を子会社に専務取締役として派遣しました。
> 同人への給与は親会社が支給し、子会社は親会社に給与負担金を
> 支払っています。この給与負担金は、甲に支給する賞与に係るも
> のを含めて、子会社において全額損金算入することができますか。

【答】 他の法人に出向した使用人の給与を出向元法人が支給することとして
いるため、出向先法人が自己の負担すべき給与(退職給与を除きます。)を
出向元法人に支出したときは、当該給与負担金の額は、出向先法人における
その出向者に対する給与(退職給与を除きます。)として取扱われます。(基
通9-2-45)

御質問の場合、出向社員甲は親会社では使用人ですので、親会社の業務に
従事している限り、親会社で支払う給与は、毎月の給料及び賞与の全額が損
金の額に算入されます。しかし、出向先の子会社では専務取締役に就任して
いますので、子会社の負担する給与のうちの賞与相当額は定期同額給与に該
当しません。したがって、子会社において当該賞与相当額を損金算入するた
めには、これを事前確定届出給与とし、「事前確定届出給与に関する届出書」

(531)

に記載して子会社の納税地の所轄税務署長に届出で、届出書に記載したとおりの時期に、記載したとおりの金額を親会社に給与負担金として支払い、親会社は甲に当該額を含めた金額を賞与として支払うことが必要になります。

これについて法人税基本通達9-2-46（出向先法人が支出する給与負担金に係る役員給与の取扱い）に、次のとおり示されています。

「出向者が出向先法人において役員となっている場合において、次のいずれにも該当するときは、出向先法人が支出する当該役員に係る給与負担金の支出を出向先法人における当該役員に対する給与の支給として、法人税法第34条（役員給与の損金不算入）の規定が適用される。

(1) 当該役員に係る給与負担金の額につき当該役員に対する給与として出向先法人の株主総会、社員総会又はこれらに準ずるものの決議がされていること。

(2) 出向契約等において当該出向者に係る出向期間及び給与負担金の額があらかじめ定められていること。」

したがって、この役員給与負担金を事前確定届出給与として損金算入しようとするときは、出向先法人がその納税地の所轄税務署長にその出向契約等に基づいて支出する給与負担金に係る定めの内容に関する届出をすることが必要です。（上記の通達の(注)1）ただし、出向先法人が給与負担金として支出した金額が出向元法人が当該出向者に支給する給与の額を超える部分の金額は、出向先法人にとって給与負担金としての性格がありません。この差額の税務での取扱いは、【問9-32】の②で説明します。

御質問の場合、上記の通達の(1)に示されている子会社（出向先法人）の株主総会、社員総会又はこれに準ずるものでの決議と、(2)に示されている出向契約等での取りきめを行い、事前確定届出給与として届出ることとする給与負担金は、当該出向契約等で定めた金額とすることが必要です。

なお、出向先法人が同族会社に該当しない場合、出向先法人に支出する役員給与負担金を毎月払いとせず年俸又は期間俸として事前確定届出給与の届出をしない方法をとることができますが（【問9-29】参照）、御質問の場合の出向先法人は子会社で同族会社に該当しますので、この方法をとることはできません。

(注1) 所得税の源泉徴収は、出向者(甲)に給与を支払う出向元法人（親会社）で

（532）

第9章　役員給与

行います。

（注2）　給与負担金が定期給与の額と法定福利費、退職給付費用負担金などとに明確に区分されているときは、法定福利費や退職給付費用負担金で毎月同額とならないものは、定期同額給与には該当しませんが、金額が合理的に算定されている限り、出向先法人において福利厚生費等として損金算入することができます。（退職給与の負担金については基通9-2-48参照）

出向役員に支払う給与と出向先から受け入れる給与負担金の差額の取扱い

【問9-32】　【問9-31】の場合ですが、親会社において甲に支払う給与の額と子会社から受け入れる給与負担金の額との間に差額がある場合、その差額は税務ではどのように取り扱われますか。

【答】　①　親会社（出向元法人）が甲に支給する給与の額が子会社（出向先法人）から受け入れる給与負担金の額を超えているとき……給与負担金の額が子会社の給与ベースで計算された額である場合、その差額すなわち親会社の実質負担額は、給与条件の較差の補てん金となります。この較差補てん金は、出向が親会社の必要に基づいて行われており、甲には親会社との雇用契約に基づいて親会社のベースによる給与を請求し受取る権利がありますので、親会社で損金の額に算入されます。（基通9-2-47）

この場合、子会社が経営不振等で出向者に賞与を支給することができないため、親会社が当該賞与の全額を負担して支給した場合でも、当該賞与の額は給与条件の較差補てん金として認められます。（基通9-2-47（注）1、【問9-34】参照）子会社が海外にあるため、親会社が支給する留守宅手当の額についても同じです。（同通達（注）2）

なお、子会社の給与負担額が子会社の給与ベースで計算された額を下回る場合、子会社の給与ベースでの計算額と実際の負担額との差額は、親会社から子会社への寄附金として取り扱われます。

②　親会社（出向元法人）が甲に支給する給与の額を超える給与負担金を、子会社（出向先法人）から例えば経営指導料の名義で受け入れているとき……子会社が当該超過額を支出する理由があるのかどうかによって、税務での判断が異なります。親会社から子会社に対して甲の派遣以外の経営指

（533）

導が行われており、当該超過額がその対価として相当と認められる金額であれば問題ありませんが、このような事情がないときは、当該超過額は、子会社において親会社に対する寄附金として取り扱われます。（基通9-2-46(注)2参照）

(注1) 経営指導料のほかに、親会社における子会社への出向者に係る給与計算、社会保険事務等の費用の負担金も、その金額が相当と認められるものであれば、子会社から親会社に対する寄附金とされることはないでしょう。

(注2) 給与負担金は、消費税法上資産譲渡の対価等に該当しませんが、経営指導料、上記(注1)の給与計算事務等の費用の負担金は、資産譲渡の対価等に該当します。

親会社からの出向役員に対する賞与の月割額を毎月の給与負担金に含めて支払う場合

> 【問9-33】 【問9-31】の場合ですが、親会社が甲に支給する賞与の額の一部を12等分して、毎月子会社から受け入れる給与負担金に加えることとした場合、賞与の月割配分額も、子会社において定期同額給与として認められますか。

【答】 御質問の趣旨は、例えば、親会社の使用人で子会社に出向して専務取締役となっている甲に、親会社が支給する毎月の給与が60万円、年に2回支給する賞与の合計額が250万円である場合、親会社が子会社から受け入れる毎月の給与負担金の額を70万円とすると、そのうちの10万円は親会社が甲に支給する賞与250万円のうち120万円の月割額になるが、子会社において定期同額給与として認められるのかということと思います。

この場合、毎月の給与負担金70万円のうちの10万円は、親会社においてプールされ年2回の賞与支給時期に甲に支給されますので、子会社において定期同額給与に該当しないのではないかという疑問が生じます。しかし、子会社が役員給与として費用に計上する金額は、毎月同額の70万円ですので、月額70万円の全額が定期同額給与に該当します。この給与負担金が、親会社で受け入れられた後どのような方法で甲に支給されるのかは、子会社での定期同額給与に該当するのかどうかの判定には関係しません。

（534）

第9章　役員給与

(注)　親会社が甲に支給する賞与の合計額250万円と、給与負担額に含まれる120万円の差額130万円の税務での取扱いは、【問9-32】の①に記載しています。

子会社への出向者の賞与を全額負担した場合

> **【問9-34】**　子会社への出向者の給与について、当社と子会社との給与較差金を以前から当社が負担しています。今年子会社では業績悪化のため賞与を支給することができませんので、出向者の賞与は全額当社が負担しようと思いますが、給与較差金として認められますか。出向者が子会社で役員になっているときは、いかがでしょうか。

【答】　親会社が子会社への出向者に支給する給与較差補てん金は、損金の額に算入され、子会社に対する贈与（寄附金）とされません。子会社が業績悪化によって賞与を支給できないため、親会社が出向者の賞与を全額負担する場合でも、給与較差補てん金であることに変わりありません。（基通9-2-47(注)1）

子会社の従業員に僅かでも賞与が支給されている場合、親会社からの出向者に対しても同じベースで計算した賞与を子会社が負担して支給すべきかどうかですが、子会社の業績からみてその従業員に僅かな賞与を支給するのが精一杯ということもありますので、親会社が出向者の賞与を全額負担しても問題ないと思います。

次に、出向者が子会社で役員になっている場合ですが、役員賞与は本来役員としての功績に対する報奨金的なもので全額子会社で負担すべきだという見解をとりますと、当該賞与の較差補てん金は子会社に対する贈与になります。しかし、当該出向者は親会社の使用人として子会社の業績に関係なく親会社のベースで計算した給与を受ける権利があります。子会社が業績不振のためその従業員に賞与を支給することができない場合でも、親会社には出向者との雇用契約に基づく同人に対する賞与の支給義務がありますので、子会社で役員になっていない出向者と同様に考えればよいのです。

（535）

親会社が負担した出向役員賞与の子会社での取扱い

> **【問9-35】** 当社の専務取締役甲は親会社からの出向者（親会社では役員でありません。）です。業績悪化により賞与を支給できないため、甲に支給する賞与を親会社に負担してもらった場合、当社が当該負担額を親会社から受贈して甲に支給したことになるので、当社では定期同額給与に該当せず、事前確定届出給与の届出をしていないので損金不算入となり、申告加算が必要であるとの意見がありますが、そのような取扱いがされるのでしょうか。

【答】 御質問にある意見によって、貴社での仕訳をしてみますと、「役員給与（賞与）／親会社よりの受贈益」となります。税務においてこの仕訳のとおりの取引が認定がされるときは、貸方の「親会社よりの受贈益」は益金算入され、借方の「役員給与」は御質問にあるように損金不算入となりますので、申告加算が必要になります。

　しかし、甲に支給する賞与の親会社の負担額が、貴社に対する贈与なのかどうかですが、【問9-34】で説明しましたように、親会社は甲との雇用契約に基づいて甲に賞与を支給する義務があります。いいかえれば、親会社が貴社に支給義務のある役員賞与を肩替わりして支給したのでありませんので、貴社が親会社から受贈したうえで役員給与（賞与）として支給したという見解は採り得ず、税務上上記のような仕訳を認定することはできません。

　したがって、御質問にあるような役員給与の申告加算は不要です。

　ただし、貴社が甲に対して貴社のベースでの賞与を支給する能力があるにもかかわらず、親会社が当該賞与を負担しているときは、親会社では貴社に対する寄附金、貴社では親会社からの受贈益と役員給与（賞与）の支給が、税務において認定されるでしょう。

　(注) 親会社と貴社との間に法人による完全支配関係がある場合（貴社が親会社の完全子会社である場合）において、上記ただし書に該当する親会社から貴社への寄附金、貴社での親会社からの受贈益の認定があったときは、親会社から貴社への寄附金は全額損金不算入となり（法37②）、貴社での親会社からの受贈益は全額益金不算入となります。（法25の2①、【問23-10】参照）

第9章 役員給与

損金算入の要件を満たす業績連動給与の意義

> 【問9-36】 法人税法第34条第1項で、損金不算入となる役員給与から除外されているものの第3号に掲げられている「所定の要件を満たす業績連動給与」とは、どのような給与ですか。

【答】 業績連動給与とは、利益の状況を示す指標、株式の市場価格の状況を示す指標等、内国法人又はその内国法人との間に支配関係のある法人の業績を示す指標を基礎として算定される額又は数の次のものをいいます。(法34⑤)

・金銭による給与

・株式による給与

・新株予約権による給与

・無償で取得され又は消滅する株式又は新株予約権の数が役務の提供期間以外の事由により変動する特定譲渡制限付株式又は特定新株予約権による給与

(注1) 「特定譲渡制限付株式」については【問9-24】を参照してください。

(注2) 「特定新株予約権」とは、譲渡制限付新株予約権(譲渡についての制限その他の条件が付されている新株予約権)のうち、次のいずれかに該当するものをいいます。(法54の2①)

　　・譲渡制限付新株予約権と引換えにする払込みに代えて、役務の提供の対価として個人に生じる債権をもって相殺されること

　　・譲渡制限付新株予約権が、実質的に役務の提供の対価と認められるものであること

このうち、損金算入されるのは、以下(1)～(10)のすべての要件を満たす業績連動給与です。(法34①三)

(1) 同族会社以外の会社、又は、同族会社のうち同族会社以外の法人との間にその法人による完全支配関係がある法人(完全子会社)が支給するものであること

(2) 業務執行役員(注1)に支給する次のいずれかによる給与であること

　イ 金銭

　ロ 適格株式……市場価格のある株式又は市場価格のある株式と交換され

(537)

る株式（給与を支給する法人又はその関係法人(**注2**)が発行したものに
限ります。)

ハ　適格新株予約権……その行使により市場価格のある株式が交付される
新株予約権（給与を支給する法人又はその関係法人(**注2**)が発行したも
のに限ります。)

(**注1**)　「業務執行役員」とは、下記の要件(4)の算定方法についての下記(7)の手
続の終了の日において、その法人の次の役員に該当する者をいいます。(法
政令69⑨)

①　取締役会設置会社での㋑代表取締役及び㋺その他の取締役で取締役会の決
議によりその会社の業務を執行する取締役として選任されたもの

②　指名委員会等設置会社の執行役

③　①及び②に掲げる役員に準ずる役員

したがって、法人の役員であっても、取締役会設置会社における代表取締
役以外の取締役のうち、業務を執行する取締役として選任されていない者、
社外取締役、監査役及び会計参与は、業務執行取締役に含まれません。(基
通9-2-17)

(**注2**)　「関係法人」の意味は、【問9-23】の(**注3**)を参照してください。

(3)　他の業務執行役員のすべてに対して(4)～(8)を満たす業績連動給与を
支給すること

(4)　交付される金銭の額、株式又は新株予約権の数、又は新株予約権の数
のうち無償で取得され若しくは消滅する数の算定方法が、その給与に係
る職務執行期間の開始日以後に終了する事業年度の利益の状況を示す指
標等、一定の指標を基礎とした客観的なものであること

(5)　金銭である給与の場合は確定した額を、株式又は新株予約権による給
与の場合は確定した数を、それぞれ限度としているものであること

(6)　他の業務執行役員に対して支給する業績連動給与と算定方法が同様で
あること

(7)　職務執行期間の開始日の属する会計期間開始の日から3月（確定申告
書の提出期限の延長の特例の指定を受けている場合は、指定月数に2を
加えた月数）を経過する日までに（法政令69⑬）報酬委員会が決定して
いることその他の一定の適正な手続を経ていること。なお、一定の適正

（538）

第9章 役員給与

な手続とは、次の手続をいいます。(法政令69⑯⑰)

① 同族会社以外の法人

イ 指名委員会等設置会社の報酬委員会の決定で、次の要件のすべてを満たすもの

(i) 報酬委員会の委員の過半数が、独立社外取締役であること

(ii) 業務執行役員の特殊関係者が、報酬委員会の委員でないこと

(iii) 報酬委員会の委員である独立社外取締役の全員が、その決定に係る報酬委員会の決議に賛成していること

ロ 指名委員会等設置会社以外の法人で、株主総会の決議による決定

ハ 指名委員会等設置会社以外の法人で、報酬諮問委員会(取締役会の諮問に応じ、業務執行役員の給与を調査審議し、意見を取締役会に述べることができる3以上の委員から構成される合議体)に対する諮問その他の手続を経た取締役会の決議による決定で、次の要件のすべてを満たすもの

(i) 報酬諮問委員会の委員の過半数が、独立社外取締役又は社外監査役である独立職務執行者(以下「独立社外取締役等」といいます。)であること

(ii) 業務執行役員の特殊関係者が、報酬諮問委員会の委員でないこと

(iii) 報酬諮問委員会の委員である独立社外取締役等の全員が、その諮問に対する報酬諮問委員会の意見に係る決議に賛成していること

(iv) その決定に係る給与の支給を受ける業務執行役員が、(iii)の決議に参加していないこと

ニ イ〜ハに準ずる手続

(注1) 独立社外取締役とは、会社法第2条第15号に規定する社外取締役である独立職務執行者をいいます。(法政令69⑭)

(注2) 社外監査役とは、会社法第2条第16号に規定する社外監査役をいいます。(法政令69⑯三イ)

(注3) 独立職務執行者とは、報酬委員会又は報酬諮問委員会を置く法人(以下「設置法人」といいます。)の取締役又は監査役のうち、次に掲げる者のいずれにも該当しないものをいいます。(法政令69⑱、法規則22の3④⑤)

① 業績連動給与の算定方法についての手続の終了の日の属する会計期間開

(539)

始の日の1年前の日からその手続の終了の日までの期間内のいずれかの時において、次に掲げる者に該当する者

イ　その設置法人の主要な取引先である者又はその業務執行者（会社法施行規則第2条第3項第6号に規定する業務執行者をいいます。以下同じです。）

ロ　その設置法人を主要な取引先とする者又はその業務執行者

② ①の期間内のいずれかの時において、次に掲げる者に該当する者の配偶者又は二親等以内の親族（ハ又はホに掲げる者に該当する者の配偶者又は二親等以内の親族は、①の手続の終了の日において設置法人の監査役である者に限ります。）

イ　①のイ又はロに掲げる者（重要な使用人以外の使用人を除きます。）

ロ　その設置法人の業務執行者（重要な使用人以外の使用人を除きます。）

ハ　その設置法人の業務執行者以外の取締役又は会計参与（会計参与が法人である場合は、その職務を行うべき社員）

ニ　その設置法人による支配関係がある法人の業務執行者（重要な使用人以外の使用人を除きます。）

ホ　その設置法人による支配関係がある法人の業務執行者以外の取締役又は会計参与（会計参与が法人である場合は、その職務を行うべき社員）

③ 業績連動給与の算定方法についての手続の終了の日の属する会計期間開始の日の10年前の日からその手続の終了の日までの期間内のいずれかの時において、次に掲げる者に該当する者

イ　その設置法人とその設置法人以外の法人との間にその法人による支配関係がある場合のその法人（以下「親法人」といいます。）の業務執行者又は業務執行者以外の取締役

ロ　親法人の監査役（③の手続の終了の日において、その設置会社の監査役である者に限ります。）

ハ　その設置法人との間に支配関係がある法人（親法人及びその設置法人による支配関係がある法人を除きます。）の業務執行者

④ ③の期間内のいずれかの時において、次に掲げる者に該当する者の配偶者又は二親等以内の親族（ロに掲げる者に該当する者の配偶者又は二親等以内の親族は、③の手続終了の日において設置法人の監査役である者に限ります。）

イ　③のイ又はハに掲げる者（重要な使用人以外の使用人を除きます。）

（540）

ロ　③のロに掲げるもの

② 同族会社

　イ　完全支配関係法人の報酬委員会の決定（次の要件をすべて満たすものに限ります。）に従って行う株主総会又は取締役会の決議による決定

　　(i)　報酬委員会の委員の過半数が、完全支配関係法人の独立社外取締役であること

　　(ii)　次の者（完全支配関係法人の業務執行役員を除きます。）が、報酬委員会の委員でないこと

　　　　・その法人の業務執行役員

　　　　・その法人又は完全支配関係法人の業務執行役員に係る特殊関係者

　　(iii)　報酬委員会の委員である完全支配関係法人の独立社外取締役の全員が、報酬委員会の決定に係る決議に賛成していること

　ロ　完全支配関係法人（指名委員会等設置会社を除きます。）の報酬諮問委員会（取締役会の諮問に応じ、完全支配関係法人及びその法人の業務執行役員の給与を調査審議し、意見を述べることができる３以上の委員から構成される合議体）に対する諮問その他の手続を経た完全支配関係法人の取締役会の決議による決定（次のすべての要件を満たすものに限ります。）に従って行うその法人の株主総会又は取締役会の決議による決定

　　(i)　報酬諮問委員会の委員の過半数が、完全支配関係法人の独立社外取締役等であること

　　(ii)　次の者（完全支配関係法人の業務執行役員を除きます。）が、報酬諮問委員会の委員でないこと

　　　　・その法人の業務執行役員

　　　　・その法人又は完全支配関係法人の業務執行役員に係る特殊関係者

　　(iii)　報酬諮問委員会の委員である完全支配関係法人の独立社外取締役等の全員が、その諮問に対する報酬諮問委員会の意見に係る決議に賛成していること

　　(iv)　その決定に係る給与の支給を受ける業務執行役員が、(iii)の決議に参加していないこと

（541）

ハ　イ及びロに準ずる手続

　　(注)　「完全支配関係法人」とは、完全支配関係のある法人（同族会社を除きます。）をいいます。

(8)　次の給与の区分に応じ、それぞれ次の要件を満たすこと（法政令69⑲一）

①　金銭による給与の場合、金額の算定の基礎とした指標の数値が確定した日の翌日から１月を経過する日までに交付され、又は交付される見込みであること

②　株式又は新株予約権による給与の場合、数の算定の基礎とした指標の数値が確定した日の翌日から２月を経過する日までに交付され、又は交付される見込みであること

③　特定新株予約権による給与で、無償で取得され又は消滅する新株予約権の数が役務の提供期間以外の事由により変動するものについては、上記(7)の手続の終了の日の翌日から１月を経過する日までに交付されること

(9)　損金経理をしていること（給与の見込額として損金経理により引当金勘定に繰り入れた金額を取り崩す方法により経理していることを含みます。）（法政令69⑲二）

(10)　算定方法の内容が、(7)の手続終了の日以後遅滞なく有価証券報告書に記載されていることその他下記①〜③の方法（法規則22の３⑥）により開示されていること

①　半期報告書に記載する方法

②　臨時報告書に記載する方法

③　金融商品取引所の業務規程又はその細則を委ねた規則に規定する方法に基づいて行うその事項に係る開示による方法

　　なお、給与を支給する法人が同族会社（上場会社の完全子会社）の場合は、完全支配関係法人（上場会社である親会社）が上記の方法で開示することになります。（法規則22の３⑦）

（542）

第9章 役員給与

業績連動給与の算定の基礎となる指標

> **【問9-37】** 業績連動給与の算定の基礎となる指標について、税法
> でどのように定められていますか。また、具体的に用いることが
> できる指標にはどのようなものがありますか。

【答】 業績連動給与の算定の基礎となる指標は、利益の状況を示す指標、株
式の市場価格の状況を示す指標、売上高の状況を示す指標とされており（法
34①三イ）、その詳細は次のとおりです。

(1) 利益の状況を示す指標（法34①三イ、法政令69⑩）

いずれも有価証券報告書に記載されるものに限り、②～⑤の指標について
は、利益に関するものに限ります。

① 職務執行期間開始日以後に終了する事業年度（以下「対象事業年度」
といいます。）の有価証券報告書に記載されるべき利益の額

② ①の指標の数値に、対象事業年度の減価償却費の額、支払利息の額そ
の他の有価証券報告書に記載されるべき費用を加算し、又は、その指標
の数値から対象事業年度の受取利息の額その他の有価証券報告書に記載
されるべき収益の額を減算して得た額

③ ①及び②の指標の数値の次のイ～ハの金額のうちに占める割合、又は、
①及び②の指標の数値を対象事業年度の有価証券報告書に記載されるべ
き発行済株式（自己株式を除きます。）の総数で除して得た額

イ 対象事業年度の売上高の額その他の有価証券報告書に記載されるべ
き収益の額又は対象事業年度の支払利息の額その他の有価証券報告書
に記載されるべき費用の額

ロ 貸借対照表に計上されている総資産の帳簿価額

ハ ロの金額から貸借対照表に計上されている総負債（新株予約権に係
る義務を含みます。）の帳簿価額を控除した金額

④ ①～③の指標の数値が対象事業年度前の事業年度のその指標に相当す
る指標の数値その他の対象事業年度に目標とする数値で既に確定してい
るもの（確定値）を上回る数値又は①～③の指標の数値の確定値に対す
る比率

⑤ ①～④の指標に準ずる指標

(543)

(2) 株式の市場価格の状況を示す指標（法34①三イ、法政令69⑪）

① 職務執行期間開始日の属する事業年度開始の日以後の所定の期間又は職務執行期間開始日以後の所定の日における株式（その法人又はその法人との間に完全支配関係がある法人の株式に限ります。）の市場価格又はその平均値

② ①の指標の数値が確定値（①の期間以前の期間又は①の日以前の日における次のイ又はロの数値その他の目標とする指標の数値で既に確定しているものをいいます。）を上回る数値、又は①の数値の確定値に対する比率

　イ　①の指標に相当する指標の数値

　ロ　金融商品取引法第2条第16項に規定する金融商品取引所に上場されている株式について多数の銘柄の価格の水準を総合的に表した指標の数値

③ ①の指標の数値に①の期間又は日の属する事業年度の有価証券報告書に記載されるべき発行済株式の総数を乗じて得た額

④ ①の期間又は日における株式の市場価格又はその平均値が確定値（①の期間以前の期間又は①の日以前の日におけるその株式の市場価格の数値で既に確定しているものをいいます。）を上回る数値とその期間開始の日又はその日以後に終了する事業年度の有価証券報告書に記載されるべき支払配当の額を発行済株式の総数で除して得た数値とを合計した数値のその確定値に対する比率

⑤ ①～④の指標に準ずる指標

(3) 売上高の状況を示す指標（法34①三イ、法政令69⑫）

上記の利益の状況を示す指標又は株式の市場価格の状況を示す指標と同時に用いられる場合に限り、有価証券報告書に記載されるものに限ります。

① 対象事業年度の有価証券報告書に記載されるべき売上高の額

② ①の指標の数値から対象事業年度の有価証券報告書に記載されるべき費用の額を減算して得た額

③ ①及び②の指標の数値が対象事業年度前の事業年度のその指標に相当する指標の数値その他の対象事業年度において目標とする指標の数値で既に確定しているもの（確定値）を上回る数値、又は①及び②の指標の

第9章 役員給与

数値の確定値に対する比率

④ ①～③の指標に準ずる指標

具体的に用いることができる指標としては、上記の区分ごとに、次のようなものが考えられます。

(1)の①……営業利益、経常利益、税引前当期純利益、当期純利益

(1)の②……EBITDA（利払い前・税引き前・減価償却前利益）

(1)の③……売上高利益率、ROA（総資産利益率）、ROE（自己資本利益率）、1株当たり利益

(1)の④……①～③の数値の対前期比増加額、①～③の数値の対前期比増加率

(2)の①……株価、平均株価

(2)の②……株価の上昇額、株価上昇率、株価インデックスとの対比での上昇率

(2)の③……株式時価総額

(2)の④……TSR（株主総利回り）

(3)の①……売上高、セグメント売上高

(3)の②……売上高から特定の費用を控除した額

(3)の③……①又は②の数値の対前期比増加額、①又は②の数値の対前期比増加率

役員賞与引当金の性格と業績連動給与との関係

> **【問9-38】** 貸借対照表の流動負債に「役員賞与引当金」を計上している上場会社をみかけますが、この引当金の性格はどのようなものですか。法人税法第34条第1項第3号の業績連動給与との関係は、どのようになりますか。

【答】 貸借対照表に御質問にある「役員賞与引当金」を計上している上場会社がありますが、この引当金は、「役員賞与会計基準」の定めによって計上されているものです。

役員賞与会計基準は、「役員賞与は、発生した会計期間の費用として処理する。」（同基準3）と期間損益対応の原則による会計処理を冒頭に掲げ、「当

（545）

該事業年度の職務に係る役員賞与を期末後に開催される株主総会の決議事項とする場合には、当該支給は株主総会の決議が前提となるので、当該決議事項とする額又はその見込額（当該事業年度の職務に係る額に限るものとする。）を、原則として引当金として計上する。」（同基準13）と定めています。

この基準の「結論の背景」に述べられていますが、会社法施行前は、取締役や監査役に対する役員賞与は、利益処分により未処分利益の減少とする会計処理が一般的でした。しかし、会社法では、役員賞与は役員報酬とともに役員が職務執行の対価として会社から受ける財産上の利益とされましたので、役員がその受給の基因となる職務執行をした事業年度の費用として処理します。しかし、翌事業年度に開催される定時株主総会でその支給決議が行われますので、費用に計上した事業年度末の貸借対照表では、「役員賞与引当金」として流動負債に計上することになります。会社法は、計算書類から利益処分案を削除しましたので、役員賞与は利益処分項目でなく、期間損益に対応させて計上する費用項目であることが、明確になったわけです。

御質問の後段にある法人税法の業績連動給与との関係ですが、まず「役員賞与引当金」は税法に規定されていませんので、計上した事業年度では申告加算（処分は留保）することになります。翌事業年度以後に給与を支給した場合、前事業年度末に申告加算した「役員賞与引当金」は申告減算（処分は留保）して利益積立金額から消去しますが、役員給与として損金算入されるのかどうかは、【問9-36】で御説明した損金算入の要件を満たす業績連動給与に該当するかどうかによります。損金算入の要件を満たしている場合、支給した日の属する事業年度において損金の額に算入することができます。

（546）

第9章　役員給与

第3節　役員に供与した経済的利益

所得税法上課税されない役員に対する経済的利益

> 【問9-39】　役員給与には、役員に供与した経済的な利益を含むと
> 　規定されていますが、法人税基本通達9-2-10において、法人が
> 　役員に対して経済的な利益の供与をした場合でも、それが所得税
> 　法上経済的な利益として課税されないものであり、かつ、法人が
> 　役員給与として経理しなかったものは、給与として取り扱われな
> 　いとされています。具体的にどのようなものがあるのでしょうか。

【答】　まず、所得税法第9条に非課税所得として規定されているもののうち、給与所得とのボーダーラインにあるものは次のとおりです。

(1) 出張者が支給される出張旅費及び転任者、就職者が支給される赴任旅費並びに退職をした者若しくは死亡による退職をした者の遺族がこれらに伴う転居のために支給される金品で、その旅行について通常必要と認められるもの（所法9①四）

(2) 給与所得者が通常の給与に加算して受ける通勤手当のうち、①交通機関又は有料道路の利用者が受ける通勤手当はその者の通勤に係る運賃等に照らし最も経済的かつ合理的な運賃等の額（最高限度1月当たり150,000円）、②自転車その他の交通用具を使用することを常例とする者が受ける通勤手当は、通勤距離が片道2km以上10km未満の場合は1月当たり4,200円、10km以上15km未満の場合は1月当たり7,100円、15km以上25km未満の場合は1月当たり12,900円、25km以上35km未満の場合は1月当たり18,700円、35km以上45km未満の場合は1月当たり24,400円、45km以上55km未満の場合は1月当たり28,000円、55km以上の場合は1月当たり31,600円、③交通機関を利用することを常例とする者（①の通勤手当を受ける者及び④の者を除きます。）が受ける通勤用定期乗車券は、最も経済的かつ合理的と認められる通常の通勤の経路及び方法による定期乗車券の価額（最高限度1月当たり150,000円）、④交通機関又は有料道路を利用するほか、併せて自転車その他の交通用具を使用することを常例とする者（当該交通用具を利用する距離が片道2km未満の者を除きます。）が受ける通勤手当又は通勤用定

（547）

期乗車券は、最も経済的かつ合理的と認められる通常の通勤の経路及び方法による運賃等の額又は定期乗車券の価額と②の金額の合計額（最高限度1月当たり150,000円）（所法9①五、所政令20の2）

> **(注)** 通勤手当には新幹線を利用する場合の運賃も含まれますが、グリーン車等の「特別車両料金等」は含まれません。（所基通9-6の3）

(3) その職務の性質上制服を着用すべき者がその使用者から支給又は貸与される制服その他の身回品及びこれらの貸与を受けることによる利益（所法9①六、所政令21二、三）

(4) 国外勤務者の受ける在勤手当（所法9①七）……この在勤手当は、「その勤務地における物価、生活水準及び生活環境並びに勤務地と国内との間の為替相場等の状況に照らし、通常の給与に加算して支給を受けることにより国内で勤務した場合に比して利益を受けると認められない部分の金額」とされています。（所政令22）

また、使用者から役員又は使用人（以下「従業員等」といいます。）に供与される経済的利益で、通達によって課税しないこととされている主なものを列挙しますと、次のとおりです。

① 永年勤続者が支給を受ける表彰記念品（現物に代えて支給する金銭は含みません。）又は旅行、観劇等への招待費用で、勤続期間等に照らして社会通念上相当と認められるものであり、かつ、当該表彰がおおむね10年以上の勤続年数の者を対象とし、2回以上表彰を受ける者はおおむね5年以上の間隔をおいて行われるもの（所基通36-21）

② 創業何周年、竣工、合併などの記念品（現物に代えて支給する金銭は含みません。）で、社会通念上記念品として応わしく、かつ、その処分見込価額が10,000円以下であり、創業何周年記念のように一定期間ごとに到来する記念に際して支給されるものは、創業後相当な期間（おおむね5年以上の期間）ごとに支給されるもの（所基通36-22）

③ 自社の取り扱う製商品（有価証券及び食事を除きます。）の法人からの値引販売により供与される経済的利益で、法人が取得価額以上の価額で販売し、値引率がおおむね30％以内であり、値引率に勤続年数等に応ずる格差があるときは合理的なバランスがあり、かつ、値引販売した製商品の数量は、一般の消費者が自己の家事のために通常消費すると認められる程度

（548）

第9章　役員給与

のものであるもの（所基通36-23）

④　残業又は宿日直をした者に支給する食事（所基通36-24）

⑤　寄宿舎等の電気、ガス、水道等の料金で、その寄宿舎に居住するために通常必要と認められるものであり、かつ、各人ごとの使用部分に相当する金額が明らかでないもの（所基通36-26）

⑥　災害、疾病等により臨時的に多額の生活資金を要することとなった者に対し、その資金に充てるために貸し付けた金額について、その合理的な返済期間中の無利息又は所得税基本通達36-49により評価した利息相当額未満の利息により供与される経済的利益（所基通36-28、【問9-43】参照）

⑦　法人の営む事業に属する用役の無償又は低廉価格での提供又は福利厚生施設を利用させることにより供与される経済的利益（所基通36-29）

⑧　業務遂行上の必要に基づく、職務に直接必要な技術や知識の習得、免許や資格の取得のための研修会等の出席費用、大学等の聴講費用で適正なもの（所基通36-29の2）

⑨　社会通念上一般に行われていると認められるレクリエーションの費用（所基通36-30、昭63直法6-9・直所3-13〔最終改正：平5課法8-1・課所4-5〕「所得税基本通達36-30の運用について」）

　　レクリエーションとして行われる慰安旅行は、次のいずれの要件も満たしている場合には、原則として課税されません。

　イ　旅行に要する期間が4泊5日（目的地が海外の場合には、目的地における滞在日数によります。）以内のものであること

　ロ　当該旅行に参加する役員又は使用人の数が、役員又は使用人全員（工場、支店等で行う場合には当該工場、支店等の役員又は使用人）の50％以上であること

⑩　役員又は使用人が負担すべき社会保険料、役員又は使用人を保険金受取人とする生命（損害）保険契約に基づく保険料で、月割額の合計額が300円以下のもの。ただし、役員又は特定の使用人（これらの者の親族を含みます。）のみを対象とするものを除きます。(所基通36-32)

　　(注)　使用者契約の下記の保険に係る経済的利益については、それぞれに記載する問答を参照してください。

　　　・養老保険（所基通36-31）……【問16-17】

（549）

・定期保険（所基通36-31の２）……【問16-18】

・定期付養老保険（所基通36-31の３）……【問16-20】

・傷害特約等の特約を付した保険（所基通36-31の４）……【問16-21】

⑪　法人が支給する食事について、その食事の価額の50％相当額以上を役員又は使用人から徴収しており、かつ、食事の価額と実際に徴収している金額との差額が月額3,500円以下のもの（所基通36-38の２）

役員と使用人とで計算方法の異なる経済的利益

【問９-40】　法人から受ける経済的利益で、役員と使用人とで計算方法が異なるものには、どのようなものがありますか。

【答】　法人から受ける経済的な利益について、役員と使用人とで計算方法が異なるものは次のとおりです。

①　社宅家賃について、通常支払われるべき家賃の額の計算方法が、役員と使用人とで異なります。役員の場合は、住宅が、豪華な住宅、小規模住宅以外の住宅（豪華な住宅を除きます。）又は小規模住宅のいずれかによって下記のように計算方法が異なり、かつ、従業員社宅の場合のように、徴収している賃貸料がそれぞれにより算定される額の$\frac{1}{2}$以上であれば、その差額について課税しなくてもよいという取扱いがありません。

イ　豪華な住宅（平７課法８-１・課所４-４「使用者が役員に貸与した住宅等に係る通常の賃貸料の額の計算に当たっての取扱いについて」）……その住宅が一般の賃貸住宅であるとした場合に授受される賃貸料の額

(注)　豪華な住宅に該当するかどうかは、家屋の床面積（公的使用に充てられている部分を除きます。）が240㎡超のものについて、当該住宅の取得価額、支払賃貸料の額、内外装その他の設備の状態等を総合勘案して判定しますが、プール等のような設備若しくは施設又は役員個人の嗜好等を著しく反映した設備若しくは施設を有する住宅は、家屋の床面積が240㎡以下であっても、豪華な住宅に該当します。

ロ　小規模住宅以外の住宅（イに該当するものを除きます。）（所基通36-40）

第9章　役員給与

a　会社所有の社宅の場合……次の算式のとおりです。

$$\left\{\begin{array}{l}\text{その年度の}\\\text{家屋の固定}\\\text{資産税の課}\\\text{税標準額}\end{array}\times\frac{12}{100}\left(\begin{array}{l}\text{ただし、木}\\\text{造家屋以外}\\\text{の家屋につ}\\\text{いては、}\dfrac{10}{100}\end{array}\right)+\begin{array}{l}\text{その年度の}\\\text{敷地の固定}\\\text{資産税の課}\\\text{税標準額}\end{array}\times\frac{6}{100}\right\}\times\frac{1}{12}$$

b　借上社宅の場合……会社所有の社宅の場合の計算による金額（敷地のみが借地の場合は敷地のみについて計算した金額）と支払家賃（地代）の50％とのいずれか多い方の金額

ハ　小規模住宅（所基通36-41）……次の算式のとおりです。

$$\begin{array}{l}\text{その年度の}\\\text{家屋の固定}\\\text{資産税の課}\\\text{税標準額}\end{array}\times\frac{2}{1,000}+12\text{円}\times\frac{\text{その家屋の総床面積(㎡)}}{3.3(㎡)}+\begin{array}{l}\text{その年度の}\\\text{敷地の固定}\\\text{資産税の課}\\\text{税標準額}\end{array}\times\frac{2.2}{1,000}$$

(注)　「小規模住宅」とは、家屋の床面積が木造家屋の場合は132㎡以下、木造家屋以外の家屋の場合は99㎡以下のものをいいます。

　なお、法人が使用人兼務役員に対して供与した経済的な利益は、他の使用人に供与されている程度のものである場合、使用人としての職務に対するものとされますが、住宅等の貸与をした場合の経済的な利益は、全額役員としての職務に対するものとされていますので御注意ください。（基通9-2-24）

② 役員だけ（ハについては、役員又は特定の使用人だけ）を対象として供与される次に掲げる経済的利益は、課税されます。

イ　法人の営む事業に属する用役を無償若しくは通常の対価の額未満の対価で提供し、又は福利厚生施設を利用させることにより役員が受ける経済的利益（所基通36-29）

ロ　レクリエーションの費用を法人が負担することにより、レクリエーションに参加した役員が受ける経済的利益（所基通36-30）

ハ　所得税基本通達36-31～36-32によって、その経済的利益に課税されないこととされている生命保険料、損害保険料、社会保険料の負担

（551）

役員に供与した経済的利益の額が定期同額給与になるのかどうかの区分

【問9-41】 役員に供与した経済的利益は、役員給与になりますが、そのうちその供与される利益の額が毎月おおむね一定であるものは、定期同額給与に該当するとされています。経済的利益のうち、どのようなものがこれに該当するのでしょうか。

【答】 御質問にあるように、役員に供与した経済的利益は役員給与に含まれますが（法34④）、継続的に供与される経済的な利益のうち、その供与される利益の額が毎月おおむね一定であるものは、定期同額給与となります。（法政令69①二）定期同額給与は、過大役員給与に該当する部分の金額を除いて損金算入されますので、どのような経済的利益が定時同額給与に該当するのかが、問題になります。

　法人が役員に与えた経済的利益の例示が、下表のとおり法人税基本通達9-2-9に12項目列記されており、これらの経済的利益の額が毎月おおむね一定かどうかの区分が、下表の右欄のとおり同9-2-11に示されています。

事　　　例	経済的利益の額 (基通9-2-9)	定期同額給与になるの かどうか (基通9-2-11)
①　役員に対する会社の物品その他の資産の贈与	その資産の価額相当額	その額が毎月おおむね一定しているものは定期同額給与になります。
②　役員に対する会社の所有資産の低い価額での譲渡	その資産の価額と譲渡価額との差額相当額	
③　役員からのその所有資産の高い価額での買入れ	買入価額とその資産の価額との差額相当額	定期同額給与になりません。
④　役員に対する債権の放棄又は免除（貸倒れに該当する場合を除きます。）	その放棄又は免除した債権の額相当額	
⑤　役員の債務の無償引受け	引き受けた債務の額相当額	

（552）

第9章　役員給与

⑥　役員に対するその居住用の土地又は家屋の無償又は低い価額での提供	通常取得すべき賃貸料の額と実際徴収した賃貸料の額との差額相当額	定期同額給与になります。（その額が毎月著しく変動するものを除きます。）
⑦　役員に対する金銭の無償又は通常の利率よりも低い利率での貸付け	通常取得すべき利率により計算した利息の額と実際徴収した利息の額との差額相当額	
⑧　役員に対する⑥、⑦以外の用役の無償又は低い価額での提供	通常その用役の対価として収入すべき金額と実際に収入した対価の額との差額相当額	その額が毎月おおむね一定しているものは定期同額給与になります。
⑨　役員に対して機密費、交際費、旅費等の名義で支給したもののうち、その法人の業務のために使用したことが明らかでないもの	その額	毎月定額により支給される渡切交際費に係るものは定期同額給与になります。
⑩　役員のための個人的費用の負担	その費用の額相当額	毎月負担する住宅の光熱費、家事使用人給料等は定期同額給与になります。（その額が毎月著しく変動するものを除きます。）
⑪　役員が負担すべき社交団体の入会金、経常会費等の負担	法人が負担した費用の額相当額	経常的に負担するものは定期同額給与になります。
⑫　役員を被保険者及び保険金受取人とする生命保険契約の保険料の全部又は一部の負担	その負担した保険料の額相当額	

（注1）　明らかに株主等としての地位に基づいて取得したと認められるもの（通常
　　　　配当所得になりますが、株主優待制度によるものは雑所得になります。（所
　　　　基通24-2、35-1(7)）及び病気見舞、災害見舞等のような純然たる贈与と
　　　　認められるもの（贈与者と受贈者の関係に照らして社会通念上相当と認めら

（553）

れるものは、受贈者に対する課税は行われません。）は、上記の表の経済的
利益に含まれません。（基通９−２−９かっこ書）

(注２) 上記の表により役員給与になる経済的利益のうち、どのようなものが事実
の隠蔽又は仮装経理によって支給する役員給与に該当するおそれがあるのか
は、【問９-56】を参照してください。

役員に対する経済的利益の供与を期中に開始した場合

> **【問９-42】** 当社は３月決算の会社で、役員Ａに対して、毎月80万
> 円の給与を支給していますが、10月から住宅を貸与することにな
> りました。その住宅について通常支払われるべき家賃は月額20万
> 円ですが、役員Ａからは毎月８万円しか徴収していません。この
> 場合、家賃の差額の12万円は、期中の10月から発生しているもの
> ですが、定期同額給与として損金算入されるのでしょうか。

【答】 御質問の趣旨は、経済的利益を加算した役員給与の額が、４月から９
月までが毎月80万円、10月から翌年３月までが毎月92万円となり、期中に任
意に金額変更されていますが、これが定期同額給与として認められるのかど
うかということと思います。

【問９-41】で説明しましたが、継続的に供与される経済的利益のうち、利
益の額が毎月おおむね一定のものについては、定期同額給与とされ（法政令
69①二）、役員に対する住宅の提供から生じる経済的利益は、原則として定期
同額給与になるものとされています。（基通９−２−11）したがって、御質問の
事例のように、期中から経済的利益の供与が開始された場合でも、過大役員
給与とされる部分を除き、定期同額給与として損金算入されることになりま
す。この取扱いは、法人税基本通達９−２−11で定期同額に該当するものとさ
れている経済的利益について同様ですから、例えば毎月同額の渡切交際費の
支給を期中から開始した場合も、その渡切交際費は定期同額給与となります。

通常の給与の場合、原則として改定は事業年度開始後３月以内という制限
がありますが（法34①一、法政令69①一イ）、経済的利益の場合、改定に関
する定めがありませんから、期中に経済的利益の提供を開始したり、終了し
たりしても、定期同額給与として認められます。これは、経済的利益につい

（554）

第9章　役員給与

ては、通常の給与のように利益操作に利用する余地が少ないためと考えられます。

役員に対する無利息貸付金の取扱い

> **【問9-43】**　会社が役員に対する貸付金に利息をとらなかった場合、どのように取り扱われますか。

【答】　会社が役員に対する貸付金について利息をとらなかった場合は、通常収受すべき利息の利率により計算した利息相当額だけ役員に対して経済的利益の供与があったものとして課税されます。（基通9-2-9(7)）この場合の通常収受すべき利息の利率は、次のとおり取り扱われます。（所基通36-49）

①　その金銭を会社が他から借り入れて貸し付けたものであることが明らかな場合は、その借入金の利率

②　その他の場合は、貸付けを行った日の属する年の租税特別措置法第93条第2項に規定する利子税特例基準割合による利率。利子税特例基準割合とは、平均貸付割合（各年の前々年の9月から前年の8月までの各月における短期貸付けの平均利率（当該各月において銀行が新たに行った貸付け（貸付期間が1年未満のものに限ります。）に係る利率の平均をいいます。）の合計を12で除して計算した割合として各年の前年の11月30日までに財務大臣が告示する割合をいいます。）に年0.5％の割合を加算した割合をいいます。

(注)　令和6年の②の利率は年0.9％です。

なお、次の場合は、無利息又は上記所得税基本通達36-49により評価した利息相当額未満の利息による貸付けであっても、役員が受ける経済的利益には課税されません。（所基通36-28）

①　災害、疾病等により臨時的に多額な生活資金が必要となった役員に対するその資金に充てるための貸付金について、合理的と認められる返済期間内に当該役員が受ける経済的利益

(注)　上記の生活資金には、結婚、入学等のための資金は含まれません。

②　使用者における借入金の平均調達金利（例えば、当該使用者が貸付けを行った日の前事業年度中における借入金の平均残高に対する当該事業年度

（555）

中に支払うべき利息の額の割合など合理的に計算された利率）など合理的と認められる貸付利率を定め、これにより利息を徴している場合に生じる経済的利益

(注) この取扱いにより、上記所基通36-49の②では貸付利率が年0.9%（令和6年の場合）となる場合でも、より低い利率を適用することができます。

③ ①及び②以外の貸付金について役員が受ける経済的利益で、法人の1事業年度における利益の合計額が5,000円（法人の事業年度が1年未満の場合は、$5,000円 \times \dfrac{事業年度の月数}{12}$）以下のもの

したがって、役員に対する貸付金に利息をとらなかった場合は、当該貸付金が所得税基本通達36-28の①に掲げる災害、疾病等に起因する生活資金の貸付けに該当する場合及びその経済的利益の額が同③に掲げる少額なものである場合を除き、通常収受すべき利息との差額に相当する金額が役員に供与した経済的利益の額となります。

取締役が会社から与えられた新株予約権を行使した場合の経済的利益に対する課税方法

> **【問9-44】** 取締役が会社から与えられた新株予約権を行使することによって受ける経済的利益に対する課税は、どのように規定されていますか。役員に給与所得として課税される場合と、税制適格ストックオプションとして給与所得として課税されない場合との区分を教えてください。

【答】 会社から下記①又は②に掲げる新株予約権を与えられ、これを行使することによって受ける経済的利益（所政令84③）に対する課税は、(1)税制上非適格となるストックオプション、(2)税制上適格となるストックオプションについて、それぞれ下記(1)、(2)のとおり行われます。

① 平成18年会社法施行前の商法第280条ノ21第1項（新株予約権の有利発行の決議）の決議に基づき発行された同項に規定する新株予約権で、雇用関係又はこれに類する関係に基因して与えられたと認められるもの

② 会社法第238条第2項の決議に基づき発行された新株予約権で、雇用契約又はこれに類する関係に基因して当該権利が与えられたと認められ

（556）

第9章　役員給与

るもの

(1) 税制上非適格となるストックオプション……権利行使時に権利行使者に対して、原則として給与所得として課税されます。(所政令84③、所基通23〜35共-6)

　　(注) 上記の①又は②の権利が当該取締役又は使用人の退職後に行使された場合で、例えば権利付与後短期間のうちに退職を予定している者に付与され、かつ、退職後長期間にわたって生じた株式の値上り益に相当するものが主として付与されているなど、主として職務の遂行に関連を有しない利益が付与されていると認められるときは、雑所得として課税されます。(所基通23〜35共-6)

(2) 税制上適格となるストックオプション……上記の②の権利を行使することにより当該新株予約権に係る株式の取得をした場合、当該株式の取得に係る経済的利益については所得税を課税せず(措法29の2①本文)、当該株式の譲渡があったときに租税特別措置法第37条の10(株式等に係る譲渡所得等の課税の特例)の規定その他の所得税に関する法令の規定を適用するというものですが(措法29の2④)、次の要件を満たさなければなりません。

　イ　新株予約権は、会社法の規定による株主総会の決議に基づき、会社と取締役又は使用人との間で締結された契約により付与されたものであること(措法29の2①本文)

　ロ　上場株式又は店頭登録銘柄の株式の発行会社ではその発行済株式の総数の$\frac{1}{10}$を超える株式、その他の株式会社では発行済株式の総数の$\frac{1}{3}$を超える株式を有する大口株主及び当該大口株主と特別の関係(【問22-1】で「(1)特殊の関係のある個人」について記載する特殊の関係と同じです。)があった個人は除外すること(同、措政令19の3③④)

　ハ　新株予約権は、株主総会での付与決議の日後2年を経過した日から当該付与決議の日後10年を経過する日までの間に行使しなければならないこと(措法29の2①一)

　　(注) 新株予約権の付与決議において設立後5年未満であり、上場会社等でない会社の場合、令和5年4月1日以後に行われる付与決議に基づき締結される契約により付与されるストックオプションについては、上記の10年の

(557)

要件が15年になります。（措法29の２①一かっこ書、措規則11の３②）

ニ　新株予約権の行使に係る権利行使価額の年間の合計額が、1,200万円を超えないこと（措法29の２①二）

（注）　次の①又は②の会社は、上記の1,200万円が、それぞれ次に示した金額になります。（措法29の２①、措規則11の３①二）

①　新株予約権の付与決議日において設立後５年未満である会社……2,400万円

②　新株予約権の付与決議日において設立後５年以上20年未満の会社で、次のイ又はロに該当する会社……3,600万円

イ　新株予約権の付与決議日において上場会社等でない会社

ロ　上場会社等のうち、新株予約権の付与決議日において上場等後５年未満の会社

ホ　新株予約権の行使に係る１株当たりの権利行使価額が、イに記載した契約締結の時における１株当たりの価額に相当する金額以上であること（措法29の２①三）

ヘ　新株予約権については、譲渡をしてはならないこととされていること（措法29の２①四）

ト　新株予約権の行使に係る株式の交付が、株主総会での新株予約権の付与決議で定められた事項に反しないで行われるものであること（措法29の２①五）

チ　新株予約権は、その行使により取得した株式の保管・管理を証券会社等に委託されているものであること（措法29の２①六イ）

（注）　新株予約権を付与した会社と新株予約権を与えられた者との間での株式の管理に関する取決めに従い、一定の要件のもとで管理されるものは、その会社により管理することができます。（措法29の２①六ロ）

第9章 役員給与

役員に対する貸付金の返済を役員所有の会社にとって不要の資産で受けた
場合

> **【問9-45】** 社長に対する貸付金が5,000万円あり、これに対して毎
> 年50万円の利息を受取っています。利息の額が少なくありません
> ので、社長の所有している書画骨とう品のなかから時価5,000万
> 円相当のものを会社が受け入れて、貸付金と相殺しようと思いま
> す。このような処理は、税務で認められるでしょうか。なお、受
> け入れた書画骨とう品は、応接室に飾る予定です。

【答】 会社は営利法人で利潤の追求を目的とするものですので、その取引全
般について経済性、合理性が要求されます。したがって、会社の所有する資
産は、その事業の遂行のために必要なものに限られるべきです。

御質問にある書画骨とう品は、社長に対する貸付金と相殺するために受け
入れるという動機からみて、会社の事業遂行上必要なものといえないと思い
ます。その書画骨とう品を会社の応接室に飾ってみても、無理に受け入れた
ものを飾っているのであり、通常の事業活動においてそのような高額の書画
骨とう品を購入して応接室に飾るようなことはしないでしょう。

税務では書画骨とう品の受入れも社長に対する貸付金の返済も認められま
せんので、今後も社長から毎年貸付金の利息を受け取っていかなければなり
ません。また、社長から受け入れる資産が別荘のような資産の場合は、受入
れ後会社が負担する固定資産税等の維持費や減価償却費も税務では認められ
ず、損金の額に算入されません。

法人税申告書では、別表四で「社長に対する貸付金5,000万円」を加算（処
分は留保）し、社長から受入れた「不要の資産5,000万円」を減算（処分は
留保）して、別表五（一）のⅠの③欄と④欄に、「社長に対する貸付金5,000万
円」はプラス、「不要の資産5,000万円」はマイナスで記載します。固定資産
税等の維持費を会社が負担したときは、定期同額給与、事前確定届出給与等
に該当しませんので、別表四の「役員給与の損金不算入額7」に記載して加
算（処分は社外流出）し、減価償却費を計上したときは別表五（一）のⅠにマ
イナス記載されている「不要の資産」の②欄に記載し、別表四で「不要の資
産の減価償却費」として加算（処分は留保）をします。

（559）

(注) 法人税において役員からの会社にとって不要の資産の譲受けが否認された場合、所得税においても、当該役員について当該資産に係る譲渡所得はないことになります。したがって、当該役員が譲渡所得の申告をした後に法人税の調査で譲受けが否認されたときは、先に申告した譲渡所得について、法人税に係る更正のあった日の翌日から起算して2月以内に更正の請求をすることができます。（国通法23②二）

会社が役員から源泉徴収すべき所得税を負担した場合

> **【問9-46】** 昨年度の某役員の給与所得に係る源泉所得税について、扶養控除の適用誤りがあることを所轄税務署から指摘され、源泉所得税の徴収不足額を納付しました。納付時に租税公課として処理してもよろしいですか。

【答】 役員の給与所得に係る所得税の源泉徴収の誤りにより納付される徴収不足額は、本来その役員の給与から差し引いて納付されるべきものです。

給与所得に係る所得税は源泉徴収の方法をとっており、その徴収誤りがあった場合、当該所得税の納税義務者である役員から徴収せず、源泉徴収義務者である給与の支払者（本問の場合、貴社）から徴収します。（所法221）貴社がこの源泉所得税を納付したときは、当該役員の負担すべき所得税を立替払いしたことになりますので立替金等に計上し、今後当該役員に支払う給与から差し引く等の方法で返済を受けなければなりません。

租税公課等として損金経理しますと、当該役員に対して損金経理した金額相当額の給与を追加支払いしたことになります。この点は、使用人に対する給与、源泉徴収を要する報酬、料金等についても同じです。（基通9-5-3）

役員給与の追加支払いとなったときは、定期同額給与、事前確定届出給与、所定の要件を満たす業績連動給与のいずれにも該当せず、損金の額に算入されませんし、追加支払いとなった金額についての所得税の源泉徴収と納付が別途必要になります。

(注) 給与所得に係る源泉所得税を追徴課税される役員等が退職ずみ等で、法人が源泉徴収義務者として納付した所得税を当該元役員等から回収することが困難な場合は、回収できない税額を給与所得の収入金額に含めて追徴税額を算定するグロスアップ方式による賦課決定が行われます。

第9章 役員給与

　なお、源泉所得税に併せて賦課決定を受けて納付する不納付加算税、重加算税等は、経理上は租税公課として処理しますが、法人の所得の金額の計算上損金の額に算入できませんので（法55④一）、申告書別表四の「損金経理をした附帯税、加算金、延滞金及び過怠税⑤」欄で加算（処分欄はその他社外流出）しなければなりません。

第4節　過大な役員給与等の損金不算入

損金不算入とされる役員給与の額のうちの不相当に高額な部分の金額

> **【問9-47】**　役員給与のうち、損金の額に算入しないと規定されている不相当に高額な部分の金額について、税法はどのように規定されているのですか。

【答】　御質問にある税法の規定は、次のとおりです。

(1) 法人税法第34条第2項……「法人がその役員に対して支給する給与（同条第1項及び第3項の規定の適用があるものを除く。）の額のうち不相当に高額な部分の金額として政令（法政令70）で定める金額は、その法人の所得の金額の計算上損金の額に算入しない。」と規定されています。

　この規定の適用が除外されている同条第1項の適用があるものは、本章の第2節の役員給与が損金算入されるための要件、すなわち定期同額給与、事前確定届出給与又は所定の要件を満たす業績連動給与のいずれにも該当しないことによって、損金不算入となるものであり、同条第3項の規定の適用があるものは、役員給与が事実の隠蔽又は仮装経理により支給されたものであるため、損金不算入となるもの（【問9-55】参照）です。これらの規定が適用される役員賞与は、その全額が損金不算入となりますので、そのなかに不相当に高額な部分の金額があるのかどうかを、問う必要はないわけです。

(2) 法人税法施行令第70条……損金不算入とする役員給与のうちの不相当に高額な部分の金額は、次の①～③の金額の合計額とされています。

① 次のイとロの金額のうち、いずれか多い金額（法政令70一）

　イ　法人が各事業年度においてその役員に対して支給した給与（上記(1)の法人税法第34条第2項に規定する給与のうち、退職給与以外のもの）の額（後記③の金額に相当する金額を除きます。）が、当該役員の職務の内容、その法人の収益及びその使用人に対する給与の支給の状況、その法人と同種の事業を営む法人でその事業規模が類似するものの役員に対する給与の支給の状況等に照らし、当該役員の職務に対する対価として相当と認められる金額を超える場合におけるその超える部分の金額

　ロ　定款の規定又は株主総会、社員総会若しくはこれらに準ずるものの決

（562）

第9章　役員給与

議により、役員に対する給与として支給することができる金銭の額の限
度額若しくは算定方法、株式若しくは新株予約権の数の上限又は金銭以
外の資産（以下「支給対象資産」といいます。）の内容（以下「限度額等」
といいます。）を定めている法人が、各事業年度においてその役員（当
該限度額等が定められた給与の支給の対象となるものに限ります。）に
対して支給した給与の額（使用人兼務役員に対して支給する給与のうち
その使用人としての職務に対するものを含めないで当該限度額等を定め
ている法人については、当該事業年度において当該職務に対する給与と
して支給した金額のうち、使用人分給与として相当であると認められる
金額を除きます。）の合計額が、当該事業年度に係る当該限度額及び当
該算定方法により算定された金額、当該株式又は新株予約権の当該上限
及びその支給の時における1単位当たりの価額により算定された金額並
びに当該支給対象資産の支給の時における価額に相当する金額の合計額
を超える場合における、その超える部分の金額

② 法人が各事業年度において退職した役員に対して支給した退職給与の額
が、その退職した役員に対する退職給与として相当であると認められる金
額を超える場合におけるその超える部分の金額（法政令70二、本章の第6
節参照）

③ 使用人兼務役員の使用人としての職務に対する賞与で、他の使用人に対
する賞与の支給時期と異なる時期に支給したものの額（法政令70三、【問
9-58】のなお書参照）

定款の規定等によって役員給与の限度額等を定めていない場合

> 【問9-48】 当社は定款の規定、株主総会の決議のいずれにおいて
> も取締役等に対する報酬の支給限度額を定めていません。このよ
> うな場合、役員給与の損金算入限度額はどのようになりますか。

【答】 役員に対して支給する給与の額（定期同額給与、事前確定届出給与若
しくは所定の要件を満たす業績連動給与のいずれにも該当しないこと、又は
事実の隠蔽又は仮装経理により支給するものであることにより、損金不算入
となるものを除きます。以下本問において同じ。）のうち不相当に高額な部

（563）

分の金額は、損金の額に算入されません。（法34②）この場合の不相当に高額な部分の金額は、【問9-47】に記載したとおりです。

　御質問は【問9-47】の(2)①のロの規定（法政令70一ロ）の適用について、定款の規定又は株主総会等の決議によって報酬として支給することができる金額の限度額を定めていない場合、どうなるのかということですが、税法上この規定の適用はなく、【問9-47】の(2)①のイの規定（法政令70一イ）だけについて、不相当に高額な部分の金額がないかどうかを判定することになります。

　これは、【問9-47】の(2)①のロに記載しているように、法人税法施行令第70条第1号ロの規定が「定款の規定、株主総会、社員総会その他これに準ずるものの決議により（中略）限度額を定めている法人が」とされているため、この定めをしていない会社には、この規定が適用されないことになるからです。

　一方、会社法は、第361条第1項において、取締役の報酬等について、「取締役の報酬、賞与その他の職務執行の対価として株式会社から受ける財産上の利益（以下「報酬等」という。）についての次に掲げる事項は、定款に当該事項を定めていないときは、株主総会の決議によって定める。

一　報酬等のうち額が確定しているものについては、その額

二　報酬等のうち額が確定していないものについては、その具体的な算定方法

　（中略）

六　報酬等のうち金銭でないもの（当該株式会社の募集株式及び募集新株予約権を除く。）については、その具体的な内容」

と規定し、会計参与の報酬等については第379条第1項、監査役の報酬等については第387条第1項において、いずれも「定款にその額を定めていないときは、株主総会の決議によって定める。」と規定しています。

　また、指名委員会等設置会社の執行役等（執行役及び取締役、会計参与設置会社では、執行役、取締役及び会計参与）の個人別の報酬等の内容は、報酬委員会が決定しますが（会社法404③前段）、「報酬委員会は、次の各号に掲げるものを執行役等の個人別の報酬等とする場合には、その内容として、当該各号に定める事項について決定しなければならない。ただし、会計参与の個人別の報酬等は、第1号に掲げるものでなければならない。

（564）

第9章　役員給与

一　額が確定しているもの　個人別の額

二　額が確定していないもの　個人別の具体的な算定方法

　（中略）

六　金銭でないもの（当該株式会社の募集株式及び募集新株予約権を除く。）
　個人別の具体的な内容」

と規定しています。（同法409③）

　したがって、株式会社は、役員給与の限度額等を定めないときは、会社法
違反になります。

　【問9-47】の(2)①のロの規定（法政令70一ロ）が、「株主総会等の決議に
より役員給与として支給することができる金銭の額などの限度額等を定めて
いる法人が」としているのは、会社法の規定に違反して役員給与の限度額等
の定めをしていない法人を想定してのものではなく、法人のなかには、その
設立根拠法規において、役員に対する報酬の限度額の決定を強制されていな
いものがあることを考慮してのものです。

　立法趣旨はともかく、株式会社でも御質問のように役員給与の限度額等の
定めをしていない場合、法人税法施行令第70条第1号ロの規定は適用されま
せん。しかし、会社法の規定に違反するのは好ましくありませんので、貴社
の場合、税法の規定の適用に当たり窮屈になっても、早急に株主総会等の決
議によって役員給与の限度額等を定めるべきです。

役員給与の限度額等の規定のみなし役員に対する適用の有無

> **【問9-49】**　株主総会等の決議で定める役員給与限度額等の規定に
> 関する税法の規定は、みなし役員にも適用されますか。

【答】　定款又は株主総会等の決議等によって役員給与の限度額等を定めてい
る法人は、その限度額等を超えて役員給与を支給した場合、その超える部分
の金額は過大役員給与として、損金の額に算入されません。（法34②、法政
令70一ロ）しかしこの規定は、限度額等が定められた役員給与の支給の対象
となる役員だけに適用されます。（法政令70一ロかっこ書）

　みなし役員は会社法上の役員でありませんので、株主総会等で役員給与の
限度額等を定める場合、その対象者になりません。したがって、みなし役員

（565）

に支給した給与には、法人税法施行令第70条第1号ロの規定は適用されず、そのなかに過大な役員給与に該当する金額がないかどうかについては、同条第1号イの規定だけが適用されます。

会社の設立費用と発起人報酬の取扱い

> 【問9-50】　株式会社の原始定款に記載しないで設立費用と発起人報酬を会社に負担させますと、会社法違反になると思いますが、税務上もこのような設立費用及び発起人報酬は、損金不算入になりますか。

【答】　会社法第28条は、株式会社を設立する場合、発起人が受ける報酬その他特別の利益及び会社の負担する設立に要する費用（定款の認証の手数料、定款に係る印紙税、金銭払込取扱銀行等に支払うべき手数料及び報酬、裁判所の選任した検査役の報酬、設立の登記の登録免許税を除きます。（会社法28四かっこ書、会社規則5））は、定款に記載しなければその効力を生じない定款の相対的記載事項と規定しています。

(注)　設立費用から定款の認証手数料等上記かっこ書の費用を除いているのは、その算定に客観性があり、濫用のおそれがないからです。

しかし、これらの費用を定款に記載しますといわゆる変態設立となり、その調査をさせるために裁判所に検査役の選任の申立てをしなければならず（会社法33①）、設立手続が複雑になりますので、現実に定款に記載している例は少ないようです。会社法上は定款に記載しないで会社に負担させることはできないと解されますが、税務上は定款に記載しないで会社が負担しても、直ちに否認されません。

まず、設立費用は、定款の相対的記載事項とされていますが、その金額が会社設立のため通常必要と認められるものであれば、会社が負担しても不合理ではありません。このため、税務では、当該費用を法人の負担とすべきことが定款等で定められていないときであっても、当該費用は法人税法施行令第14条第1項第1号（創立費）に規定する「法人の設立のために支出する費用で、当該法人の負担に帰すべきもの」に該当するものとされています。（基通8-1-1）

（566）

第9章　役員給与

　また、発起人報酬の額も、会社法上は定款に記載しないで会社が負担する
ことはできませんが、税務では上記の設立費用と同様に取り扱われます。た
だし発起人報酬については、昭和44年の法人税基本通達の改正時に定款に記
載のない場合損金不算入とした従前の取扱いを廃止したことに関連して
「個々の実情に応じて判定するが、おおむね役員報酬に準じて取り扱う」旨
が示されていますので、高額な発起人報酬はその高額な部分の金額が損金不
算入とされます。つまり、定款に発起人報酬の額が記載されている場合は、
当該記載額を超える部分の金額が不相当に高額な部分の金額として損金不算
入とされ、その記載がない場合及び記載されていて当該記載額を超えないと
きでもその金額が不相当に高額な場合、例えば同業種同規模の会社で一般に
支給されている発起人報酬の額を超える場合は、その超える部分の金額が損
金不算入とされます。

役員給与の増額に関する株主総会等での決議の方法

> 【問9-51】　定時株主総会等の決議によって役員に対する給与の支
> 　給限度額を増額するに当たり、前回の取締役給与改訂決議におい
> 　て、取締役給与には使用人兼務取締役の使用人としての職務に対
> 　する給与を含まない旨を定めているときは、増額の決議に当たり、
> 　再度その旨を定める必要はないと考えてよろしいですか。

【答】　取締役に対する給与の支給限度額の変更決議が行われますと、従前の
決議は効力を失いますので、変更後の支給限度額については金額だけでなく、
その内容についても、必要な事項は当然決議すべきです。したがって、取締
役に対する給与の支給限度額を変更する都度、変更後の支給限度額に使用人
兼務取締役の使用人としての職務に対する給与を含まないこととするのかど
うかを決議すべきです。
　単に金額だけを決議した場合は、変更後は取締役に対するすべての給与に
ついて決議したものとして取り扱われ、使用人兼務取締役の使用人としての
職務に対する給与の額も取締役給与の額に含まれることになり、役員給与の
額が株主総会の決議で定めた限度額等を超え、税務上損金不算入部分が生じ
ることがおこり得ます。

事業年度の途中で就任した役員の役員給与の支給限度額等

> 【問9-52】 事業年度の途中で臨時株主総会で選任されて就任した役員に対する役員給与について、当該臨時株主総会でその選任に伴う支給限度額の増額変更決議をしていない場合、税務上どのように取り扱われますか。

【答】 役員に対する給与の支給限度額等が、定款の規定又は株主総会等の決議によってどのように定められているかによります。

① 全役員についての総額を定めているとき（大部分の法人はこの定めかたをしていると思われます。）……全役員というのが当該決議のとき現在の全役員である旨が明らかにされておれば、御質問にある新任役員については給与の支給限度額等はまだ定められていませんので、同人の役員給与が過大かどうかについては法人税法施行令第70条第1号イの規定だけが適用されます。（【問9-48】参照）同じ会社の役員給与について、法人税法施行令第70条第1号イの規定だけが適用される者と、同号のイとロの規定が適用される者とが、経過的に生じます。しかし、通常は、決議のとき以後の新任、退任等の役員の異動をすべて織り込んで、包括的に全役員に対する給与支給限度額等を決議していると思われます。その場合は、新任役員の給与の額を含めて支給日現在での支給限度額等との関係をみなければなりません。支給限度額が新任役員が就任する前の役員に対する給与の合計額又はそれを僅かに超える額というときは、その後の株主総会で増額変更決議がされるまで、過大役員給与として損金不算入となる金額が生じます。

② 個々の役員についての支給限度額を定めているとき……新任役員については、まだ給与の支給限度額等が定められていませんので、①の前段の場合と同様に、当該新任役員の給与の額が過大かどうかについては、法人税法施行令第70条第1号イの規定だけが適用されます。

(注1) 指名委員会等設置会社における報酬委員会での取締役及び執行役の報酬等の決議は、個人別に行われますので（【問9-48】参照）、指名委員会等設置会社の役員給与の支給限度額の定めは、上記の②に該当します。新任取締役等が生じた場合、報酬委員会を即時招集して同人の報酬等を決定すべきですから、新任取締役等の個人別報酬等の額が未定ということはおこり得ません。

第9章　役員給与

（注2）　御質問にある新任役員が職務を開始する日は、臨時株主総会で選任された
日ですが、事前確定届出給与に関する届出書は、その日から1月を経過する
日と会計期間開始の日から4月（確定申告書の提出期限の延長の特例の指定
を受けている法人は、指定月数に3月を加えた月数）を経過する日とのいず
れか早い日までに納税地の所轄税務署長に提出しなければなりません。（法
政令69④一）したがって、当該役員の給与を事前確定届出給与とすることは、
次の定時株主総会の日まで、通常できないと考えられます。

特定の取締役に対する報酬支給額が取締役会で決定した額を超える場合

> **【問9-53】**　当社は、取締役報酬について、株主総会で、その総額
> を決議するとともに、各取締役の報酬額の決定は取締役会に一任
> する旨を決議しています。当期の各取締役の報酬は以下のとおり
> ですが、取締役Aの給与について過大役員給与と判定されるでし
> ょうか。なお、株主総会で決議した取締役報酬の総額は5,000万
> 円以内です。
>
> | 取締役 | 取締役会で決定した
報酬の額 | 実際の支給額 |
> |:---:|:---:|:---:|
> | A | 1,800万円 | 2,000万円 |
> | B | 1,200万円 | 1,200万円 |
> | C | 1,000万円 | 1,000万円 |
> | 合計 | 4,000万円 | 4,200万円 |

【答】　形式基準による過大役員給与の判定では、株主総会で決議した役員給
与の限度額と実際の支給額を比較することとされています。（法政令70一ロ）
御質問の場合、株主総会では取締役報酬の総額を5,000万円以内と決議する
とともに、各取締役の報酬額の決定は取締役会に一任することを決議し、取
締役会で各取締役の報酬額を決定しています。この場合、株主総会で各取締
役の報酬額の決定を取締役会に一任する決議をしていますから、株主総会で
各取締役の報酬額の決定をしたものと解されます。したがって、役員給与が
過大かどうかは、取締役報酬の総額だけでなく、取締役ごとにも判定するこ
とになります。御質問の場合、取締役報酬の支給総額は4,200万円で、株主
総会決議の5,000万円以内ですが、取締役ごとに判定しますと、取締役Aへの

（569）

報酬支給額2,000万円が、取締役会での決定額1,800万円を超えていますので、200万円が過大役員給与ということになります。

なお、国税庁質疑応答事例「過大役員給与の判定基準」では、創立総会で役員給与の総額を定めるとともに、各人別内訳は役員会で決定する旨を決議した事例で、役員会決定の各人ごとの支給限度額を基準として過大役員給与かどうかを判定することとしています。

特定の監査役に対する報酬支給額が監査役間で協議した額を超える場合

> **【問9-54】** 監査役報酬について株主総会ではその総額だけを決議し、各監査役への配分額は会社法第387条第2項の規定により監査役の協議できめています。全監査役についての支給合計額が総会での決議額以下であっても、特定の監査役に支給した報酬額が監査役の協議できめた金額を超えるときは、超える部分の金額は、過大な役員給与となりますか。

【答】 監査役の報酬等は、その地位の強化を図るため、取締役の報酬等と区別して、定款の定め又は株主総会の決議で定めると規定されています。（会社法387①） 更に監査役が2人以上ある場合において、各監査役の報酬等について定款の定め又は株主総会の決議がないときは、当該報酬等は、定款又は株主総会の決議で定めた報酬等の範囲内において、監査役の協議によって定めると規定され（会社法387②）、監査役報酬の総額の決定及びその各監査役への配分について、取締役会が介入できないこととしています。

したがって、御質問のように監査役各人への配分額は監査役の協議できめますが、株主総会の決議等で定めた監査役報酬の総額の配分手続であり、全監査役が受ける報酬の合計額が株主総会の決議等で定めた報酬限度額を超えなければ、税法上過大な役員給与に係る問題は生じません。

なお、株主総会で各監査役の報酬を決議している場合は、監査役ごとに株主総会で決議した額と実際の支給額を比較して、過大かどうかの判定をします。

（570）

第9章 役員給与

仮装経理等により支給した役員給与の損金不算入

> **【問9-55】** 事実を隠蔽し、又は仮装して経理をすることにより役員に対して支給する給与の額は、損金不算入と規定されていますが、この規定が設けられている趣旨を説明してください。法人税法第55条第1項の「不正行為等に係る費用等の損金不算入」の規定との関係は、どのようになりますか。

【答】 事実を隠蔽し、又は仮装して経理をすることにより役員に対して支給する給与の額は、損金の額に算入しないと規定されています。(法34③)

　例えば、売上の除外や架空経費の支出によって捻出した簿外預金から毎月簿外の役員給与を定額支給していて税務調査で発見された場合、売上除外や架空経費が否認されても、一方で毎月定額支給していた役員給与が定時同額給与に該当し、過大な役員給与となる部分の額もないためにその全額が損金算入されるとしますと、事実の隠蔽又は仮装経理に対する税法の制裁が行われないことになります。このため、このような役員給与は、一切損金算入を認めないというのが、上記の規定の趣旨です。

　次に、御質問の後段にある法人税法第55条第1項は、「法人が事実の全部又は一部を隠蔽し、又は仮装すること（以下「隠蔽仮装行為」という。）により法人税の負担を減少させ、又は減少させようとする場合には、当該隠蔽仮装行為に要する費用の額又は当該隠蔽仮装行為により生ずる損失の額は、損金不算入とする」という規定です。(【問16-1】参照)この規定で損金不算入とされるのは、隠蔽仮装行為に当たって要した費用及び隠蔽仮装経理によって生ずる損失の額であり、当該行為によって捻出した裏金（簿外預金等）をその支払いに充てた費用には適用されません。そのような裏金で支払われた役員給与が、前記の法人税法第34条第3項の規定により、損金不算入とされるわけです。

(571)

役員に供与した経済的利益と仮装経理等により支給した役員給与の関係

【問9-56】 役員に毎月定額の渡切交際費を支給した場合や、法人が毎月役員の家事使用人の給料を負担した場合、そのような費用を支出することが仮装経理に該当し、仮装経理等により支給した役員給与として、その全額が損金不算入とされますか。

【答】 御質問の趣旨は、渡切交際費や家事使用人の給料等は、毎月定額支給されるものであっても、仮装経理等により支給した役員給与として、その全額が損金不算入とされるのでないのかということです。

これについての私見は、以下のとおりです。

① 事実の隠蔽、仮装経理に該当しないもの……居住用資産の無償又は低廉貸与、金銭の無利息又は低利率貸付けなど

　例えば、金銭の無利息貸付けをしている場合、経済的利益となる利息相当額について、「役員給与／受取利息」という処理をしていないと事実の隠蔽になるのかどうかですが、無利息のものについてこのような仕訳は企業会計において行いませんので、事実の隠蔽には該当しません。ただし、元本である貸付金が簿外のものであるときは、その無利息貸付けによって役員に供与する経済的利益は、事実の隠蔽とされます。

② 事実の隠蔽、仮装経理に該当するおそれのあるもの……毎月定額支給する渡切交際費、毎月使用する家事使用人の給料など

　渡切交際費は実際の費途を隠蔽しているものですし、家事使用人に対する給料は、家事使用人を法人の使用人と偽って支給するもので、仮装経理に該当します。

ただし、法人が当該渡切交際費や家事使用人に対する給料について、役員給与として所得税の源泉徴収をしているときは、役員給与であるという事実を隠蔽していませんので、たとえ交際費、使用人給与など役員給与以外の費用に計上していても、税の逋脱を意図した仮装経理といえません。したがって、法人税法第34条第3項の規定の適用により役員給与の額の損金不算入となることは、ないと考えます。

（572）

第9章 役員給与

第5節　使用人兼務役員に対する使用人分の給与

使用人兼務役員に対する使用人分の給与として相当な金額

> 【問9-57】　使用人兼務役員の使用人としての職務に対する給与の
> 額は、どのようにして算定するのですか。

【答】　本章の第2節で説明した役員給与が損金算入されるための要件は、使用人兼務役員に対して支給する「使用人としての職務に対するもの」には適用されません。（法34①かっこ書）また、定款の規定又は株主総会の決議等により役員給与の限度額等を定めるに当たり、使用人兼務役員に支給する給与のうち「使用人としての職務に対するもの」を当該限度額に含めない旨を定めている場合は、当該「使用人としての職務に対するもの」には、法人税法施行令第70条第1号ロの規定は適用されません。（【問9-47】(2)①ロ参照）

使用人兼務役員に対して支給した給与のうち、「使用人としての職務に対するもの」とは、その法人の他の使用人に対する給与の支給の状況に照らして相当と認められる金額であり、その金額の算定は、いわゆる足切り計算で行うこととされています。（基通9-2-23前段）

この足切り計算とは、使用人兼務役員に支給した給与の額のうち、当該使用人兼務役員が現に従事している使用人の職務とおおむね類似する職務に従事する使用人（これを比準使用人といいます。）に対して支給した給与の額に相当する金額は、原則として使用人分の給与として相当な金額とする方法です。例えば、取締役総務部長に月額100万円の給与を支給している場合、総務部長の職務は使用人としての職制上の地位に係る職務ですので、これと同等の地位の職務に従事していて取締役でない人事部長に月額80万円の給与を支給しているときは、取締役総務部長に支給する100万円の給与のうち80万円は総務部長すなわち使用人としての職務に対する給与とし、差引額20万円を取締役すなわち役員としての職務に対する給与とするわけです。

この場合、比準使用人に支給する給与の額が、例えば特定の資格とか特殊技術を有している等特別の事情により他の使用人に比して著しく多額なものである場合には、その特別の事情がないものと仮定したときに通常支給される額によって、使用人としての職務に対する給与として相当な金額の計算を

（573）

しなければなりません。(基通9-2-23かっこ書)

　比準使用人として適当な者が社内にいない場合は、使用人分の給与として相当な金額は、当該使用人兼務役員が役員となる直前に受けていた給与の額、その後のベースアップ等の状況、使用人のうち最上位にある者に対して支給した給与の額等を参酌して適正に見積もった金額によることができます。(基通9-2-23後段)　例えば、部長はすべて取締役で、使用人の最上位の者は課長で比準使用人として適当でないという場合には、課長の給与の額で足切り計算をせず、課長に支給した給与の額や会社の給与規程などによって、仮に取締役でない部長がいたらいくら給与を支給するのかを計算します。(【問9-61】にこの計算例を記載しています。)

事前確定届出給与の届出をしている場合における使用人兼務役員に支給する賞与の取扱い

> 【問9-58】　当社は、納税地の所轄税務署長に事前確定届出給与に関する届出書による届出をしており、役員には年2回当該届出書に記載した支給日に記載したとおりの金額を賞与として支給して、損金の額に算入しています。この場合、使用人兼務役員に支給する賞与について、【問9-57】で説明された月額給与と同様に、使用人分の賞与を区分すべきことになりますか。

【答】　役員に年に2回支給する賞与は、定期同額給与に該当しませんが、事前確定届出給与又は所定の要件を満たす業績連動給与に該当すれば、損金の額に算入することができます。

　貴社は、役員に年に2回支給する賞与を、事前確定届出給与として損金算入する方法をとっておられますが、使用人兼務役員に対して支給する賞与のうちの役員賞与の部分の金額を損金算入するためには、同じ方法をとる必要があります。したがって、使用人兼務役員に支給される年2回の賞与を、役員賞与の部分と使用人分賞与の部分に区分し、前者を事前確定届出給与として、納税地の所轄税務署長に届け出をすべきです。

　なお、この区分計算により使用人分賞与となった部分の金額は、他の使用人に対する賞与の支給時期と異なる時期に支給しますと、損金の額に算入さ

第9章 役員給与

れません。（法政令70三）例えば、3月31日を事業年度終了の日とする会社が、他の使用人に対する夏季賞与は6月15日に支給するにもかかわらず、使用人兼務役員に対する夏季賞与の金額を他の役員とあわせて定時株主総会終了後の6月下旬に支給しますと、使用人兼務役員に支給した夏季賞与のうち役員賞与の部分の金額が事前確定届出給与として損金算入される場合でも、使用人分賞与の部分の金額は損金不算入となります。したがって、使用人兼務役員に対する夏季賞与は、使用人分は6月15日、役員分は6月下旬にそれぞれ支給するか、役員に対する夏季賞与の全額を6月15日に支給することにして、その旨を事前確定届出給与に関する届出書に記載することが必要になります。

比準使用人として適当な者がいない場合の使用人分給与の区分計算（I）

> **【問9-59】** 6月末日に役員に昇格した取締役工場長甲に支給する月額給与のうちの使用人分給与の額をきめるに当たって、比準使用人として適当な者がいないため、同工場長が役員になる直前に受けていた給与の額60万円を参酌して見積もろうと思います。
>
> 当社は毎年7月にベースアップしており、甲が取締役に昇格せず工場長のままだった場合の7月度の給与の額は、63万円となります。この場合、役員昇格後の甲に対する使用人分給与の額は、60万円でなく、63万円としてもよろしいですか。

【答】 使用人兼務役員の使用人分給与の額を算定するに当たっての足切り計算とは、比準使用人に対して支給した給与の額を使用人分給与の額とする方法ですが、比準使用人として適当な者がいないときは、「当該使用人兼務役員が役員となる直前に受けていた給料の額、その後のベースアップ等の状況、使用人のうち最上位にある者に対して支給した給与の額等を参酌して適正に見積もった金額によることができる」とされています。（基通9-2-23後段）

したがって、甲氏に対する使用人分給与の額は、63万円とすることができます。翌年度においても、比準使用人として適当な者がなく、同年7月のベースアップによって、甲氏が取締役でなく工場長のままだった場合の給与の額が66万円になっていたときは、同月からの甲氏の使用人分給与の額は、66万円とすることができます。

（575）

比準使用人として適当な者がいない場合の使用人分給与の区分計算（Ⅱ）

【問9-60】 【問9-59】の甲が役員になる直前に受けた賞与は、6月
15日に支給した夏季賞与です。

① 夏季賞与と年末賞与とで支給率が異なる場合でも、今年の年
末賞与のうちの使用人分賞与の額は、夏季賞与の額を基準にし
て見積らなければなりませんか。

② 昨年の年末賞与の額を参酌して見積もる場合、業績の向上に
よって使用人全員に対する今年の年末賞与の支給率を高くした
ときは、この点を加味して算定することができますか。

【答】 ①について……年末賞与の支給率が夏季賞与の支給率に比べて高い場
合、今年の年末賞与の額のうちの使用人分賞与の額の見積額は、たとえ甲氏
が役員に昇格される直前に受けた賞与が今年の夏季賞与であっても、昨年の
年末賞与の額を基礎にして算定できると考えます。

(注) これとは逆に、役員になる直前に受けた賞与が年末賞与という場合、翌年の
夏季賞与の金額のうちの使用人分の金額は、昇格直前に受けた年末賞与の金額
でなく、前年の夏季賞与の金額を基礎にして見積もるべきことになるでしょう。

②について……昨年の年末賞与の額を基礎にして算定する場合でも、今年
のベースアップ率、今年と昨年の年末賞与の支給率の相違を織り込んで、次
のような計算をすることができるでしょう。

$$\left(\begin{array}{c}昨年末に甲氏に支\\給した賞与の額\end{array}\right) \times \left(1 + \dfrac{平均ベース}{アップ率}\right) \times \dfrac{今年の年末賞与の支給率}{昨年の年末賞与の支給率}$$

(計算例)

昨年末甲氏に支給した賞与の額 　150万円 　　(60万円×2.5)

今年度の使用人の給与の平均ベースアップ率 　5％

使用人に対する年末賞与の支給率 　昨年末2.5か月分、今年の年末3か
月分

甲氏に支給した今年の年末賞与が210万円の場合、そのうちの150万円×1.05
$\times \dfrac{3}{2.5} = 189$万円が使用人分賞与となり、差額の21万円が役員賞与となります。

なお、年末賞与の支給対象期間が例えば5月1日から10月31日という場合、
年末賞与210万円のうち甲氏が使用人であった2か月間（5月1日から6月

（576）

第9章　役員給与

末日まで）に係るもの210万円 $\times \dfrac{2}{6} = 70$ 万円は全額使用人分賞与の額とし、使用人兼務役員になられてから後の4か月間（7月1日から10月31日まで）に係るもの210万円 $\times \dfrac{4}{6} = 140$ 万円のうち、150万円 $\times \dfrac{4}{6} \times 1.05 \times \dfrac{3}{2.5} = 126$ 万円を使用人分賞与とすることができます。（基通9-2-27、【問9-62】参照）したがって、甲氏に支給した年末賞与210万円は、そのうちの70万円＋126万円＝196万円が使用人分賞与となり、差額の14万円が役員賞与となります。

比準使用人として適当な者がいない場合の使用人分給与の区分計算 （Ⅲ）

> 【問9-61】　使用人兼務役員に支給した賞与のうちの使用人分賞与の額の判定に当たり、比準使用人として適当な者がいない場合、使用人のうち最上位にある者に支給した賞与の額を参酌して適正に見積もることになりますが、具体的な計算例で教えてください。

【答】　使用人兼務役員、例えば取締役総務部長Aに支給した賞与が180万円で、Aの給料は毎月役員給与が10万円、総務部長としての給料が50万円であるとします。一方、使用人のうち最上位にある者例えば総務課長Bに支給した賞与が120万円で、Bの給料が月額40万円という場合、仮にBに支給した賞与の額で足切り計算をしますと、Aに支給した賞与180万円のうち使用人分給与（賞与）は120万円で、残りの60万円は役員給与（賞与）となります。

　しかし、この例のように、使用人のうち最上位にある総務課長Bが比準使用人として適当な者でないときは、Bは月額給料40万円の3月分相当額である120万円の賞与を支給されていますので、Aに支給した賞与180万円のうち、50万円（総務部長としての給料）×3＝150万円が使用人分給与（賞与）、残りの30万円が役員給与（賞与）という計算をすることができます。

　ただし、このような計算をするためには、次の事項があらかじめ整備されていることが必要です。

① 　適正に定めた従業員給与規程で計算した場合、A、Bそれぞれの月額給料が、前記の額（A：50万円、B：40万円）になること。

② 　Aに対する月60万円の支給額は、従業員給与規程によって計算される50万円を使用人分給与、差引額の10万円を役員給与として経理していること。

　適正に定めた従業員給与規程があるならば、比準使用人として適当な者が

（577）

いなくても、使用人のうち最上位にある者に支給した賞与の額を参酌して、このように使用人兼務役員Aに支給した賞与のうちの使用人分賞与の額を適正に計算することができます。

常務取締役に昇格した者に対する使用人兼務役員であった期間の賞与

> **【問9-62】** 当社は使用人に対する賞与の支給対象期間を「7月に支給する賞与は前年の10月1日からその年の3月31日まで、12月に支給する賞与はその年の4月1日から9月30日まで」と定めています。7月1日に使用人兼務役員Cが常務取締役に昇格したため、その年の7月及び12月の賞与支給時にはCは使用人兼務役員でなくなりました。このような場合、Cに支給する賞与のうち使用人兼務役員の期間に対応する部分の金額について、使用人分賞与の額を区分することができますか。

【答】 使用人兼務役員であった者が、常務取締役等使用人兼務役員とされない役員になった直後に支給を受ける賞与の額のうち、使用人兼務役員であった期間に係る賞与の額として相当であると認められる部分の金額は、使用人兼務役員に対して支給した賞与の額として認められます。(基通9-2-27)

御質問の場合は、7月にCに支給する賞与はその支給対象期間の全部がCの使用人兼務役員であった期間に係るものであり、12月に支給する賞与はその支給対象期間6か月のうちの4月から6月までの3か月がCの使用人兼務役員であった期間に係るものです。このため、他の使用人に賞与を支給する時期に支給しているならば(法政令70三)、7月に支給する賞与はその全額、12月に支給する賞与はそのうちの3か月分について、使用人分として相当と認められる金額を使用人分賞与として区分することができます。

なお、法人税基本通達9-2-27は、使用人兼務役員であった期間に係る賞与の額を区分することができる賞与を、「使用人兼務役員とされない役員になった直後に支給した賞与」としているため、御質問の場合7月支給賞与だけがその対象になるように読めますが、使用人に対する賞与の支給対象期間が定められているならば、12月に支給する賞与のうちの使用人兼務役員であった期間のものも、その対象にすることができます。

(578)

第9章　役員給与

(注)　使用人から役員になった者に対する使用人であった期間の賞与についても、
　　　同じです。

使用人の職務に従事している監査役に支給する給与

> 【問9-63】　従業員の1人を名目上監査役としました。監査役就任
> 後も職務の内容は就任前と変わらないのですが、同人に支給する
> 給与について、使用人分給与を区分することが認められますか。

【答】　会社法上の役員となった者は、単に名目だけのもので例えば取締役会
に出席したこともなく、実質的に会社の経営に従事していなくても、税法は
すべて役員として取り扱います。御質問の場合、監査役として選任されてお
れば、税法上は監査役として取り扱われ、使用人兼務役員になり得ませんの
で（法政令71①四）、同人に支給する給与のうちから、使用人分給与を区分
することはできません。

　御質問の監査役に支給した報酬について、次のような判決があります。

　「使用人としての業務を兼ねる監査役に対する報酬は、監査役としての職
務に対するもののみで計算されるべきであるから、使用人報酬部分は過大報
酬として損金不算入となる」（昭38.6.26広島高裁判決）

　この判決の論拠は、「監査役ハ会社又ハ子会社ノ取締役若ハ支配人其ノ他
ノ使用人又ハ子会社ノ執行役ヲ兼ヌルコトヲ得ズ」という会社法施行前の商
法第276条の規定にあると考えられます。これに対して、この規定は、監査
役の職務の公正を期すためのものであり、たとえ監査役がこの規定に反して
使用人の職務に従事しても、法目的を異にする税法が商法の規定をそのまま
適用すべきでなく、実質で判断すべきだという意見があります。しかし、こ
の意見は立法論であり、現行法のもとでは役員として顕名している者は、税
法上すべて役員として取り扱われます。（法2二十五）

　なお、会社法も第335条第2項で、「監査役は、株式会社若しくはその子会
社の取締役若しくは支配人その他の使用人又は当該子会社の会計参与（会計
参与が法人であるときは、その職務を行うべき社員）若しくは執行役を兼ね
ることができない。」と規定し、監査役の使用人兼務を禁止していますので、
御質問の場合は、早急に監査役の改選をすべきです。

（579）

第6節　役員退職給与

退任する役員にだけ直前事業年度の業績に対する賞与を支給しない場合

> **【問9-64】**　3月31日決算の会社です。毎年6月下旬に開催する定時株主総会での承認決議を得て、前事業年度の業績に対する賞与を当該年度の役員に支給していますが、本年の定時株主総会の終了の時に退任する取締役甲には当該賞与相当額を退職給与に加えて支給しようと思います。この加算をしても、甲に支給する退職給与の額は過大になりませんが、税務上問題が生じますか。

【答】　役員に支給する退職給与の額のうち、次の①～③の金額は、損金の額に算入されません。

①　退職給与で業績連動給与に該当するものについて、業績連動給与の損金算入の要件を満たさないもの。（法34①）業績連動給与の損金算入の要件については、【問9-36】を参照してください。

②　不相当に高額な部分の金額。退職給与を受給する役員の法人の業務に従事した期間、その退職の事情、その法人と同種の事業を営む法人でその事業規模が類似するものの役員に対する退職給与の支給の状況に照らし、その退職した役員に対する退職給与として相当であると認められる金額を超える場合におけるその超える部分の金額（法34②、法政令70二）

(注)　退職した使用人兼務役員に支給する退職給与は役員分と使用人分に区分している場合でも、その合計額について不相当に高額な部分の金額があるかどうかの判定をします。（基通9-2-30）

③　事実を隠蔽し、又は仮装して経理をすることにより支給する額（法34③）

　御質問の場合、退任取締役甲氏の役員在任期間等からみて、本来賞与として支給すべき金額を加算しても、同氏に支給する退職給与の額は相当と認められる金額を超えないとお考えのようですが、「役員退職給与」という名目で支給した給与が、支給を受ける者にとって退職所得になるのかどうかは、所得税法の規定によって判断すべきです。すなわち、所得税基本通達30-1の「退職手当等とは、本来退職しなかったとしたならば支払われなかったもので、退職したことに基因して一時に支払われることとなった給与をいう。

(580)

第9章 役員給与

したがって、退職に際し又は退職後に使用者等から支払われる給与で、その支払金額の計算基準等からみて、他の引き続き勤務している者に支払われる賞与等と同性質であるものは、退職手当等に該当しない」という取扱いに照らした場合、どのようになるのかという問題があります。

御質問の場合、6月下旬の定時株主総会での承認決議を得て支給される役員賞与は、同日退職する役員甲氏に対しても、他の退職しない役員に対してと同じ計算方法により算定した金額が支給されるべきものです。甲氏にこの支給をしない理由、例えば、甲氏が病気のため当該期間中ほとんど業務に従事していなかったとか、業務上特別なミスがあったとかいうようなことがない場合、税務では甲氏に支給すべき役員賞与を役員退職給与に加算して支給したものとして、甲氏に支給する役員退職給与のうちの当該部分の金額を役員給与とします。その金額は、他の退職しない役員に支給した役員賞与の金額から勘案して、甲氏に支給されるべきであったと算定される金額であり、定期同額給与に該当しないため損金不算入となりますし、源泉所得税も退職給与でなく賞与についての金額を徴収しなければなりません。

このことは、当該額を加算しても、甲氏に対する役員退職給与の額が過大になるのかどうかとは、関係のないことです。

事業年度の途中に死亡された役員に係る退職弔慰金

> 【問9-65】 事業年度の途中に死亡された役員の御遺族に対して、取締役会の決議により退職弔慰金を支払いました。当社及び当該役員の御遺族に対する課税関係を教えてください。

【答】 退職した役員に対する退職給与の損金算入時期は、原則として株主総会の決議等によりその額が具体的に確定した日の属する事業年度ですが、法人が退職給与の額を支払った日の属する事業年度においてその支払った額を損金経理した場合には、これが認められます。(基通9-2-28)

事業年度の途中に死亡された役員に対する退職給与の支給決議は、通常翌事業年度に開催される定時株主総会において行われますが、故人及び遺族に対する礼儀から、その支給決議をまたずに支給されることが多いと思います。法人税法第34条及び法人税法施行令第70条第2号に規定された役員退職給与

(581)

の損金算入要件には、株主総会等でその支給について承認を得ることが掲げられていません。また、死亡退職金を受給される役員の遺族に対する相続税の課税（後記参照）は、その支給時期をベースにして行われますので、支給する側での損金算入時期はこれと合わせる必要があります。このため、株主総会での支給決議前であっても、現実に退職弔慰金を支給して損金経理している場合、税務ではこれを認めることとしています。

(注1) 役員退職給与も会社法第361条の取締役報酬又は第387条の監査役報酬に該当しますので、株主総会の承認前に支給するのは違法でないかという疑問がありますが、支給後に開催される株主総会で追認が得られるならば、違法でないというのが有力な見解です。追認を得られなかったときは、支給時の取締役に弁済義務が生じますので、追認が得られるかどうか慎重に判断して支給する必要があります。ただし、事業年度の途中に死亡された役員が指名委員会等設置会社の取締役又は執行役のときは、退職弔慰金の支給前に報酬委員会を招集してその支給を定めることが可能ですので、このような問題は生じません。

(注2) 法令には役員退職給与を損金算入するに当たっての要件として、損金経理が掲げられていません。上記の法人税基本通達9-2-28にある損金経理は、株主総会の承認決議を得る前の事業年度に支給して仮払経理したような場合は、支給した事業年度には損金算入しないという趣旨のものと解されます。

次に、死亡退職金は、原則として相続人が相続によって取得したものとみなされるため（相続税法3①二）、所得税法上は非課税所得であり（所法9①十七かっこ書）、退職給与に係る所得税の源泉徴収は必要ありません。受け取られた遺族は、みなし相続財産として相続税の課税財産に加えなければなりませんが、500万円に相続税法第15条第2項に規定する相続人の数（民法の規定による相続人の数ですが、養子については、被相続人に実子がある場合又は実子がなく養子の数が1人の場合は1人、実子がなく養子の数が2人以上の場合は2人とし、相続の放棄があった場合はその放棄がなかったものとした場合の数です。）を乗じた金額まで非課税になります。（相続税法12①七）

また、御質問にある退職弔慰金が退職金なのか弔慰金なのかですが、弔慰金は遺族に対して哀悼の意を表して差し上げるものですので退職金でなく、遺族のみなし相続財産にもなりません。退職金と弔慰金の区分については、相続税法基本通達3-20に「被相続人の死亡が業務上の死亡であるときは、

第9章　役員給与

その雇用主等から受ける弔慰金等のうち、当該被相続人の死亡当時における賞与以外の普通給与（俸給、賃金、扶養手当、勤務地手当、特殊勤務地手当等の合計額をいいます。）の３年分に相当する金額、業務上の死亡でないときは、当該被相続人の死亡当時における賞与以外の普通給与の半年分に相当する金額を弔慰金に相当する金額とし、これを超える部分に相当する金額は死亡退職金に該当するものとして取り扱う」と示されており、法人税でも同じ基準で判断してよいと思います。

　なお、役員の死亡退職金のうち不相当に高額な部分の金額は、法人の所得の金額の計算上損金の額に算入されません。（法34②、法政令70二）

決算期末直前に死亡した役員を被保険者とする生命保険金の益金算入時期と死亡退職金の損金算入時期の関係

> **【問9-66】**　専務取締役が事業年度終了の日の直前に死亡しました。同人を被保険者とし、当社を保険金受取人とする生命保険3,000万円に加入していますが、この保険金は当事業年度末に未収入金に計上して益金の額に算入しなければなりませんか。同人に対する死亡退職金は、当社の内規では約2,000万円と算定され、前記の生命保険は主としてこの退職金の支出に備えて加入したものです。したがって、保険金を益金の額に算入すべきことになるのならば、この死亡退職金も当事業年度末に未払金に計上して損金の額に算入されないと課税だけが先行しますが、いかがでしょうか。

【答】　まず、事業年度終了の日の直前に死亡された専務取締役に対する死亡退職金は、事業年度終了の日までに支払っているか、同日までに株主総会の決議等によってその金額が具体的に確定していない限り、当事業年度において損金の額に算入することはできません。（基通9-2-28）仮に御質問にある生命保険金3,000万円を保険事故が発生したとの理由で益金の額に算入したとしても、これと関係なくその損金算入は否認されます。

　一方、生命保険金は、保険会社に支払請求手続を行い、保険会社から支払通知書が発せられた日の属する事業年度（御質問の場合は通常翌事業年度）に益金の額に算入します。生命保険の受取請求権が確定するのは保険事故発

（583）

生時でなく、保険請求、保険会社の審査等一定の手続を経た後だからです。

死亡した役員の社葬費用と受領した香典等の取扱い

【問9-67】 死亡した役員の社葬費用は、どの程度まで会社の費用として認められますか。この支出について、取締役会の決議等が必要ですか。後日税務調査で会社の支出額の一部が遺族の負担すべきものとして否認された場合、死亡退職金の追加として認められますか。また、葬儀当日会葬者から受領した香典等は、会社の収入とすべきですか。

【答】 法人の役員又は使用人の死亡に当たって行われる社葬は、故人の生前の功労に対する最後のはなむけであり、会社の儀式ですので、その社葬を行うことが社会通念上相当と認められるときは、その負担した金額のうち社葬のために通常要すると認められる部分の金額は、支出した日の属する事業年度において損金の額に算入することができます。（基通9-7-19）その費用は、法人固有の費用ですので、死亡退職金に加える必要はなく、交際費等とする必要もありません。

(注1) 役員の結婚式を法人の行事として行っても、結婚式は社会通念上私的行事で、葬式とは本質的に異なりますので、その費用を会社の費用とすることは認められません。当該役員に対する給与となり、定期同額給与等に該当せず、かつ、不相当に高額な部分の金額に該当するため、損金不算入となります。

(注2) 取引先の役員の葬儀に当たっての供花料や香典は交際費等に該当しますが、社葬は遺族に対する接待、供応、贈答でありませんので、社葬費用は交際費等に該当しません。

社葬費用の範囲は上記のように通常要すると認められる部分の金額ですので、例えば密葬の費用、墓石、墓地、仏壇、位牌等の買入費用、院号を受けるための費用、香典返戻費用、法会に要する費用など遺族が負担すべき費用を法人が負担することは認められません。社葬の後の「おとき」の費用は、法人の取引先を対象としたものは交際費等、遺族の親族等を対象としたものは遺族の負担とするのが相当とされた審査事例があります。

次に、社葬を行うこと及びその費用の支出額について取締役会の決議が必

第9章　役員給与

要かどうかですが、死亡された取締役については会社法第356条に規定され
ている利益相反取引の問題は生じませんし、社葬を行うことが会社法第362
条第4項に規定されている重要な業務執行に該当するとは考えられませんの
で、取締役会の決議は不要です。

　また、後日税務調査で会社負担額の一部が遺族の負担すべきものとして否
認されても、死亡退職金の追加にはなりません。死亡退職金は、会社法第
361条の取締役報酬等として株主総会等の決議でその支出と金額の承認を受
けなければなりませんが、当該否認額はこの承認を受けていないからです。
本来遺族の負担すべき費用を負担したのですから、遺族に対する贈与（遺族
が会社の役員のときは、当該役員に対する給与）となります。

　最後に香典等ですが、社葬の費用を法人が負担する以上、会葬者が持参し
た香典等は法人の収入とすべきだという考えもあるようです。しかし、香典
等は生前故人と親交のあった人々が遺族に対して哀悼の意を表して供えられ
るものですので、遺族が受領するのが社会常識です。この点は、葬式を営む
のが法人なのか遺族なのか、香典等を供えるのが法人の取引先なのか故人の
私的な知人なのかとは関係がありません。したがって、香典等を法人の収入
とせず遺族の収入としたときは、これが認められます。（基通9-7-19(注)）

常務取締役を退任して監査役に就任した役員に対する退職給与

> **【問9-68】**　常務取締役を退任して監査役に就任した役員に対して、
> 退職給与を支給したいと思います。監査役として会社の役員にと
> どまりますが、税務上認められますか。逆に、監査役を退任して
> 取締役に就任した役員に支給する退職給与は、いかがですか。

【答】　法人が役員の分掌変更又は改選による再任等に際しその役員に対し退
職給与として支給した給与は、その支給が、例えば次に掲げるような事実が
あったことによるものであるなど、その分掌変更等によりその役員としての
地位又は職務の内容が激変し、実質的に退職したと同様の事情にあると認め
られることによるものである場合には、退職給与として取り扱うことができ
るとされています。（基通9-2-32）

①　常勤役員が非常勤役員（常時勤務していない者であっても代表権を有す

（585）

る者及び代表権は有しないが実質的にその法人の経営上主要な地位を占めていると認められる者を除きます。）になったこと。

② 取締役が監査役（監査役でありながら実質的にその法人の経営上主要な地位を占めていると認められる者並びにその者及びその者の属する株主グループの所有割合からみて使用人兼務役員になれない株主に該当する者（【問9-5】参照）を除きます。）になったこと。

③ 分掌変更等の後におけるその役員（その分掌変更等の後においてもその法人の経営上主要な地位を占めていると認められる者を除きます。）の給与が激減（おおむね50％以上の減少）したこと。

常務取締役を退任して監査役に就任した場合は、②の事実に該当しますので、その中のかっこ書に掲げる者に該当しないのであれば、税務上退職給与の支給が認められます。

(注1) 「退職給与として支給した給与」には、原則として、法人が未払金等に計上した場合の当該未払金等の額は含まれません。（同通達(注)）

(注2) 「例えば次に掲げるような事実があったことによるものであるなど」とされていますので、上記の①～③のいずれかの事実があればよいのです。

(注3) 取締役又は監査役の任期の到来による退任は、本人の意思に関係のない当然の退任ですので、たとえ定時総会の決議によって重任されてもそれは新たな選任行為による就任であり、重任する取締役又は監査役に対して退職給与を支給するのは違法でないとする見解があります。税法は、任期到来ごとの退職給与の支給を認めていませんが、上記の基通9-2-32の取扱いは、この考えとの一部調整によるものであり、この取扱いによる役員の分掌変更等の場合の退職給与の支給は、役員が任期満了によって退任し、重任によって新たな分掌に就くときに行うのが問題ないといえます。

なお、取締役及び監査役の任期は、会社法で次のとおり規定されています。
取締役の任期（会社法332①～⑥）……選任後2年（監査等委員会設置会社の監査等委員以外の取締役及び指名委員会等設置会社の取締役は1年。公開会社でない会社（監査等委員会設置会社及び指名委員会等設置会社を除きます。）は、定款によって、10年まで伸長することができます。）以内に終了する事業年度のうち最終のものに関する定時株主総会終結の時まで。ただし、定款又は株主総会の決議によって、短縮することができます。
監査役の任期（同法336①～③）……選任後4年（公開会社でない会社は、

（586）

第9章 役員給与

定款によって、10年まで伸長することができます。）以内に終了する事業年度のうち最終のものに関する定時株主総会終結の時まで。ただし、定款によって、任期の満了前に退任した監査役の補欠として選任された監査役の任期を、退任した監査役の任期の満了する時までとすることができます。

御質問の後段ですが、逆に監査役が取締役になった場合の監査役としての退職給与の支給は、現在の税務の取扱いでは認められていません。これは、取締役から監査役への就任は役員の地位のグレード・ダウンだが、監査役から取締役への就任はグレード・アップであるためといわれています。しかし、取締役と監査役はその職務が異なっており、その間の異動は重要な職掌の変動で、両者の間にグレードの上下はないというべきです。監査役の地位の強化、取締役からの独立が行われていることを勘案しますと、監査役の地位を取締役の下とみる考えは是正されるべきで、監査役から取締役になった場合の退職給与の支給も認めるよう、税務の取扱いの見直しが望まれます。

指名委員会等設置会社において取締役と執行役との間を異動した者に対する打切退職給与

> 【問9-69】 指名委員会等設置会社において、取締役と執行役との間を異動した者に支給する役員退職給与は、税務上損金算入が認められますか。

【答】 指名委員会等設置会社において、取締役から執行役へ、又は執行役から取締役へという異動があった場合、法人税基本通達9-2-32の取扱いに準じて打切り支給する退職給与の損金算入が認められるのかどうかは、通達で示されていません。

取締役の職務と執行役の職務が異なること、取締役は指名委員会が決定する議案に基づいて株主総会の決議によって選任し（会社法404①、329①）、執行役は取締役会の決議によって選任する（会社法402②）という選任機関の違いがあることから、この異動が分掌変更であることは明らかです。

取締役と執行役は、【問9-68】の取締役と監査役と異なり、兼ねることができますので（会社法402⑥）、内容の異なる職務を同一人が兼ねるという点で、取締役と使用人に似ています。使用人が取締役になった場合、税務は使

（587）

用人であった期間の打切退職金の支給を認めていますので（基通9-2-36）、これに準じて取締役と執行役の間の異動をした者に異動した時に支給する退職給与も税務で認められるべきでないかという意見もあるでしょう。

しかし、取締役、執行役はそのいずれも会社法、税法ともに役員と規定しており、この点が取締役と使用人の場合と決定的に異なります。税務は、役員の分掌変更等の場合の退職給与の損金算入は、【問9-68】に掲げた事例からみて、実質的に退職したと同様の事情にあると認められるものであることを条件にしていますので、御質問の場合の退職給与は、税務では認められません。

取締役と執行役の兼務者が兼務をやめていずれかの専任になった場合はどうなのかですが、取締役又は執行役のいずれかで残るのですから、実質的に退職したといえず、兼務をやめた役職に係る退職給与のその時点での支給は、税務では認められません。

取締役を退任して執行役員になった者に対する退職給与

> 【問9-70】 執行役員制度の導入に伴い、取締役のうち数名の者が取締役を退任して執行役員に就任することになりました。会社との契約は、取締役であったときと同様に委任契約とし、使用人としての雇用契約は締結しません。この取締役退任者に対する役員退職給与の支給は、税法上問題なく認められますか。

【答】 御質問にある数名の方は、現実に取締役を退任されるのですから、たとえ執行役員として会社との委任関係が続くことになっても、取締役でなくなることは明らかです。取締役でない執行役員は、みなし役員となる場合（【問9-2】参照）を除いて税法上の役員でありませんので、役員退職給与を支給することについて、税法上の問題はありません。

なお、当該執行役員がみなし役員となる場合は、会社法上取締役の地位から退かれても、税法上は役員としてとどまることになりますので、役員退職給与の支給は税法上認められません。このような退任取締役に対して株主総会の決議に基づいて退職給与を支給した場合は、支給額を申告加算（処分は留保）し、将来みなし役員に該当しなくなったときに、申告減算して損金算入すべきです。みなし役員は税法だけのものですので、会計上当該退職給与

（588）

は支給時に費用に計上すべきであり、仮払金に計上して執行役員を退任され
たときに役員退職給与に振り替える処理は、適正な会計処理でありません。

役員退職金制度の廃止に伴い打切り支給する役員退職給与

> **【問9-71】** 役員退職金制度を廃止し、在任中の役員に対して廃止
> した時までの在任期間に係る役員退職給与を打切り支給する旨の
> 議案を、株主総会に付議する予定です。この打切り支給額は、役
> 員退職給与として損金算入することができますか。それとも役員
> 給与として、定期同額給与等に該当しないため損金不算入となり
> ますか。支給時期を各役員の退任時まで延期する旨を上記の議案
> に追加して、支給時期を延期した場合はいかがですか。

【答】 最近、役員退職金制度を廃止する会社が増えています。

これは、在任中の役員の功労に対する報酬を、退任時に支給する退職給与
から在任中の事業年度の業績に連動する報酬にシフトする動きですが、税法
上は、支給する側において不相当に高額な部分の金額を除いて損金算入され
る役員退職給与（業績連動給与に該当する場合は、所定の要件を満たす必要
あり）から、所定の要件を満たす業績連動給与となる場合を除いて支給額の
全額が損金不算入となる役員給与に変わり、受給する側において退職所得か
ら給与所得に変わるため所得税と住民税の負担が大きく増えるという、いず
れの側にもデメリットが生じます。

これらの点を承知のうえで役員退職金制度を廃止されるのは、税務上のデ
メリットを超える経営上の効果、すなわち報酬が業績にストレートに連動す
ることによる役員のモラールの向上を期待されてのことと思います。また、
業績悪化時や不祥事発生時に提出した退職給与支給議案が否決される可能性
があることも考慮されていると思われます。この場合、役員退職金制度の廃
止までの在任期間に係る功労金を支給したときに、税法上役員退職給与と認
めてほしいという要望がでることが考えられます。

しかし、役員退職金制度を廃止する時に、在任中の役員に対してこの功労
金を支給しますと、退任の事実が生じていないため当該功労金は役員給与と
なり、支給される会社では損金不算入、受給される役員には給与所得として

の課税が行われます。したがって、役員退職給与として会社で損金算入され、かつ、役員に対して退職所得として課税されるためには、御質問の後段にあるように、その支給時期を各役員の退任の時まで延期する必要があります。

なお、支給時期を各役員の退任の時まで延期することとしても、株主総会の決議に基づいて役員退職金制度廃止時までの各役員の在任期間に係る退職給与の額が確定していますので、会計上は当該額を長期未払金に計上して、税務では申告加算し、退任により支給する時に当該長期未払金を取り崩して申告減算する処理が必要です。

分割払いとする役員退職給与の損金算入時期

> **【問9-72】** 株主総会で支給することが承認された前代表取締役に
> 対する退職給与5,000万円は、資金的に一時に支給するのがむつ
> かしいため、10年間の年賦で支払おうと考えています。当事業年
> 度に全額長期未払金に計上して、損金算入することができますか。

【答】 一時に支給することができないような役員退職給与のなかに、不相当に高額な部分の金額が含まれていないのかという問題があるかと思いますが、5,000万円という金額が、前代表取締役の業務従事期間、退職の事情等に照らして相当のものであるものとして説明します。

まず、役員退職給与の損金算入時期は、原則として株主総会の決議等によってその額が具体的に確定した日の属する事業年度とされていますので（基通9-2-28本文）、御質問のようにその事業年度終了の日までに支払われず分割払いとしたものでも、長期未払金に計上して損金算入することができます。ただし、この通達のただし書で、役員退職給与を支払った事業年度においてその支払った金額を損金経理した場合に損金算入することも認めていますので、御質問の場合5,000万円全額を長期未払金に計上せず、10年年賦で500万円ずつ支払う都度損金経理して損金算入する方法も認めています。

一方、10年間年賦払いの退職金は、実質的に退職一時金でなく退職年金ではないかという問題があります。退職年金ですと、その損金算入時期は当該年金を支給すべき時となり、年金の総額を未払金等に計上して損金の額に算入することはできません。（基通9-2-29）また、所得税法では退職一時金は

（590）

第9章　役員給与

退職所得ですが、退職年金は雑所得とされており、受給される前代表取締役に対する課税方法、支給する会社の所得税の源泉徴収の方法とも異なります。

(注) 過去の勤務に基づき使用者であった者から支給される年金は、公的年金等に含まれ（所法35③二）、公的年金等の支払をする者は、その公的年金等について所得税の源泉徴収が必要です。（所法203の２）

しかし、退職一時金なのか退職年金なのかは、支給する側の制度、すなわち当該年賦払いの役員退職給与が、役員退職給与（一時金）規程、役員退職年金規程のいずれによって支給されるものかによって、区分されます。

御質問の場合、例えばその支給額及び支給方法を決めた株主総会（支給方法等が取締役会に一任された場合は取締役会）等において、「役員退職給与規程によるものだが会社の資金事情等を考慮し受給者である前代表取締役の了承を得て10年間の年賦払いとする。」旨が決議されているのであれば、退職年金にはなりません。会社に上記のような規程がなくて形式上の判断ができず、かつ、資金事情など年賦払いとするについての合理的な理由もないときは、税務上退職年金と認定されるおそれがあるでしょう。

取締役に対する退職給与の支給額の決定が遅れる場合

> **【問9-73】** 定時株主総会終結の時をもって取締役４名が退任しますので、この総会で「当該取締役４名に当社の所定の基準に基づき相当額の範囲内で退職給与を支給することとし、具体的な金額、支給時期、方法等は取締役会に一任する」旨の決議を行う予定です。ところが、会社の損益状況並びに資金事情からみて、一時に４名に対して退職給与を支給することができませんので、当該株主総会後の取締役会ではうち１名に対する支給額だけをきめて支給し、残りの３名に対する支給額の決定及びその支給は翌事業年度以後へ持ち越そうと思います。税務上差し支えありませんか。

【答】 取締役の退職給与の支給についての株主総会等の決議は、御質問にあるような内容のものとし、実際の支給額、支給時期及び支給方法は、通常取締役会の決議できめられています。

役員退職給与の損金算入時期は、原則として株主総会の決議等によりその

（591）

額が具体的に確定した日の属する事業年度とされています。（基通9-2-28本文）御質問の場合、その日は、株主総会等の決議に基づいて取締役会で支給額をきめた日ですので、税務上残りの3名に対する退職給与は、取締役会でその額が具体的に確定する日の属する翌事業年度以後に損金算入されます。更にこの通達は、そのただし書で、役員退職給与を支払った事業年度において損金経理をした場合も、これを認めることとしていますので、税務では翌事業年度以後のその支払をする事業年度において損金経理をすることにより、損金算入する方法をとることもできます。

　しかし、御質問の事例は、株主総会で退任する4名の取締役に退職給与を支給する旨の決議をしたにもかかわらず、取締役会での具体的な金額、支給時期、方法等の決定を翌事業年度以後に先延ばしするのであり、会社法第355条の取締役の忠実義務に違反しないのかという問題があります。また、退任取締役4名中1名にだけに当事業年度に退職給与を支給し、あとの3名に対する支給額の決定を翌事業年度以降に持ち越すのは、利益操作の疑いもあります。資金事情によって4名全部の退職給与を当事業年度に支給できなくても、支給額と支給方法を定めて未払金に計上すべきで、株主総会で支給する旨の決議がされた取締役の退職給与をその金額が未確定という理由でオフバランスとするのは、企業会計の基準に反し、費用の過少計上となるでしょう。

退任役員に生命保険に関する権利を与える場合の退職給与

> **【問9-74】**　取締役甲を被保険者とし、死亡保険金及び満期保険金ともその受取人を会社とする養老保険（保険金1,000万円）に加入して、既支払保険料の合計額320万円を資産に計上しています。甲は、次の株主総会終結の時をもって取締役を退任する予定ですが、甲と話合いの結果、上記の生命保険に関する権利を同人に対する退職給与の一部として支給することにしました。当該生命保険に関する権利の評価額は、どのように計算するのですか。

【答】　役員退職給与は、その額に不相当に高額な部分の金額がなく、かつ、事実の隠蔽又は仮装経理により支給したものでなければ、その全額が損金算

（592）

第9章　役員給与

入されます。したがって、御質問の生命保険に関する権利の評価額は、法人税では甲に対する役員退職給与が不相当に高額にならないのかどうかに関係し、源泉所得税では甲に支給する退職給与の所得税額の算定に関係します。

役員又は使用人に対して支給する生命保険に関する権利は、その支給時において当該契約を解除したとした場合に支払われることとなる解約返戻金の額（解約返戻金のほかに支払われることとなる前納保険料の金額、剰余金の分配額等がある場合には、これらの金額との合計額）によって評価します。

(注1)（所基通36-37）解約返戻金は、資産計上された既支払保険料（基通9-3-4(1)、【問16-17】参照）よりも少ないのが通常ですが、その差額は、保険に関する権利を役員退職給与として支給したときに損金算入されます。

御質問の場合、解約返戻金の額が仮に200万円であったとしますと、

役員退職給与　200万円	／　生命保険料積立金　320万円
雑　損　失　120万円	／

という仕訳をして、この200万円と金銭で支給する退職給与との合計額を甲に対する退職給与として退職所得に係る所得税の源泉徴収をし、当該合計額のなかに不相当に高額な部分の金額があることにならないかどうかを検討することが必要です。したがって、解約返戻金の額がいくらになるのか、保険会社に照会しなければなりません。

(注1)　次の(1)又は(2)に該当する場合には、保険契約等に関する権利は(1)又は(2)に記載のとおり評価します。なお、この取扱いは、令和元年7月8日以後に締結された保険契約等で、令和3年7月1日以後に行う保険契約等の権利の支給について適用されます。

(1)　支給時解約返戻金の額が支給時資産計上額の70％相当額未満である保険契約等に関する権利（基通9-3-5の2の取扱いの適用を受けるものに限ります。【問16-19】参照）を支給した場合には、支給時資産計上額により評価します。

(2)　復旧することのできる払済保険その他これに類する保険契約等に関する権利（元の契約が基通9-3-5の2の取扱いの適用を受けるものに限ります。）を支給した場合には、支給時資産計上額に基通9-3-7の2（払済保険へ変更した場合）の取扱いにより法人が損金に算入した金額を加算した金額により評価します。

上記で「支給時解約返戻金の額」とは、支給時に保険契約等を解除したと

（593）

した場合に支払われることとなる解約返戻金の額（解約返戻金のほかに支払われることとなる前納保険料の金額、剰余金の分配額等がある場合には、これらの金額との合計額）をいいます。また、「支給時資産計上額」とは、法人が払った保険料の金額のうち当該保険契約等に関する権利の支給時の直前において前払部分の保険料として法人税基本通達の取扱いにより資産に計上すべき金額をいい、預け金等で処理した前納保険料の金額、未収の剰余金の分配額等がある場合には、これらの金額を加算した金額をいいます。

(注2)　取締役に対する退職給与の一部を生命保険に関する権利のような金銭以外のもので支給する場合は、株主総会等の決議により、その具体的な内容を定めなければなりません。（会社法361①三、指名委員会等設置会社の場合は会社法409③三）

子会社へ役員として出向していた親会社の使用人に対する役員退職給与

> **【問9-75】**　子会社へ役員として出向していた親会社の使用人甲が、出向解除により当該役員を退任しました。子会社の株主総会で甲に対する退職給与の支給を決議しましたが、将来親会社を退職するときまで、甲には支給しないこととしています。
>
> ①　甲に対する当該退職給与相当額を子会社から親会社へ送金し、親会社において預り金として受け入れてもよろしいですか。
>
> ②　将来甲が親会社を退職する時に子会社から甲に支給する旨をあわせて決議して、④支給時まで会計処理をしない場合、回子会社で当該決議をした事業年度に長期未払金に計上して支給時まで据え置くこととした場合、それぞれいかがでしょうか。

【答】　甲は子会社へ出向して役員となっていても、親会社での身分は使用人のままです。このような場合、御質問のように出向解除の段階で甲に退職給与を支給せず、親会社を退職するまで支給を保留することが多いようです。

　①について……甲に対する退職給与相当額を親会社が預り金として受け入れた場合は、税務では甲が子会社から退職給与を受給したうえで、勤務先である親会社に預けたとされますので、親会社での受入額は、当該退職給与に係る源泉所得税及び特別徴収住民税控除後の金額になります。いいかえれば、

（594）

第9章 役員給与

子会社から甲への退職給与の支給と甲の勤務先である親会社への預けは、別の取引ですので、甲が親会社に預けるかどうかに関係なく、子会社からの支給額は甲に対する役員退職給与となります。

(**注**) 出向先法人が、出向者に対して出向元法人が支給すべき退職給与の額に充てるため、あらかじめ定めた負担区分に基づき、当該出向者の出向期間に対応する退職給与の額として合理的に計算された金額を定期的に出向元法人に支出している場合には、その支出する金額は、たとえ出向者が出向先法人において役員になっているときでも、その支出をする日の属する事業年度において損金の額に算入されます。(基通9-2-48) この場合は、出向者に対する退職給与として所得税を源泉徴収することは不要ですが、御質問の場合は、「あらかじめ定めた負担区分に基づいて定期的に支出するもの」でありませんし、出向先法人の役員退任という事実に基づいて当該法人の株主総会での支給決議により支出するものですので、この取扱いは適用されません。

②について……甲が親会社を退職する時に子会社から甲に支給する旨を株主総会であわせて決議して、④のように支給時まで会計処理をしない場合は、税務上の問題は生じません。しかし、株主総会で支給する旨の決議をした役員退職給与を長期間未払金に計上しない処理であり、子会社の計算書類は簿外負債があることになりますので、企業会計上適正でありません。

次に、回の当該決議をした日の属する事業年度に支給額を長期未払金に計上した場合、税務上当該役員退職給与の損金算入が認められるのかどうかですが、役員退職給与の損金算入時期は、原則として、株主総会等の決議によりその額が具体的に確定した日の属する事業年度とされています。(基通9-2-28本文) 長期間未払いとなるおそれのあるものにもこの取扱いが適用されるのかどうかですが、株主総会の決議等で支給額が確定した確定債務であること、長期間支払わないのは親会社からの出向者で、出向解除後引続き親会社で勤務していて企業グループ内にとどまっているためという合理的な理由によるものですので、この処理は税務においても認められると考えます。

(595)

第10章　使用人給与、賞与、退職給与

第1節　使用人賞与の損金算入時期

使用人賞与の損金算入時期のあらまし

> **【問10-1】**　使用人賞与の損金算入時期は、どのように規定されて
> いますか。

【答】　法人が事業年度終了の日の翌日以後に最初に支給する使用人賞与の見
積額の全部又は一部を、当該事業年度の確定決算で未払費用に計上した場合、
その損金算入を無条件に認めますと、費用の損金算入要件である債務確定基
準に反する場合がありますし、税法に規定のない賞与引当金の計上を認める
のに等しいことがおこり得ます。このため、使用人賞与の損金算入される事
業年度が、次のとおり厳しく定められています。（法政令72の3）
①　労働協約又は就業規則により定められる支給予定日が到来している賞与
　　（使用人にその支給額の通知がされているもので、かつ、当該支給予定日
　　又は当該通知をした日の属する事業年度においてその支給額につき損金経
　　理をしているものに限ります。）は、当該支給予定日又は当該通知をした
　　日のいずれか遅い日の属する事業年度を損金算入事業年度とします。（同
条一）
②　次に掲げる要件のすべてを満たす賞与は、使用人にその支給額の通知を
　　した日の属する事業年度を損金算入事業年度とします。（同条二）
　　イ　その支給額を、各人別に、かつ、同時期に支給を受けるすべての使用
　　　人に対して通知をしていること
　　ロ　イの通知をした金額を当該通知をしたすべての使用人に対し当該通知
　　　をした日の属する事業年度終了の日の翌日から1月以内に支払っていること
　　ハ　その支給額につきイの通知をした日の属する事業年度において損金経
　　　理をしていること
③　①及び②に掲げる賞与以外の賞与は、当該賞与が支払われた日の属する

（596）

第10章　使用人給与、賞与、退職給与

事業年度を損金算入事業年度とします。（同条三）

　いいかえれば、使用人賞与は上記の③により原則として支給した日の属する事業年度において損金算入され、当該事業年度の前事業年度終了の時に未払計上することが認められるのは、上記の①又は②の要件を満たすもののみということになります。なお、この規定の適用対象になる使用人賞与には、使用人兼務役員に対して支給する使用人の職務に対する賞与が含まれますが、使用人に対する臨時的な給与であっても、下記のものは含まれません。

イ　退職給与

ロ　他に定期の給与を受けていない者に対し継続して毎年所定の時期に定額を支給する旨の定めに基づいて支給されるもの。いわゆる年俸、半年俸の類いのものです。

ハ　譲渡制限付株式を対価とする費用の帰属事業年度の特例の規定（法54①）による特定譲渡制限付株式又は承継譲渡制限付株式によるもの

ニ　新株予約権を対価とする費用の帰属事業年度等の特例等の規定（法54の2①）による特定新株予約権又は承継新株予約権によるもの

法人税法施行令第72条の3の第1号の賞与と第2号の賞与の相違

> 【問10-2】　法人税法施行令第72条の3の第1号の賞与と第2号の賞与は、どのような点が違うのですか。

【答】　法人税法施行令第72条の3は、使用人賞与の損金算入時期は原則としてその支給した日の属する事業年度としていますが、御質問にある同条の第1号の賞与（労働協約又は就業規則により定められる支給予定日が到来している賞与）と第2号の賞与（第2号に規定された要件をすべて満たす賞与）については、例外的にそれぞれに掲げられた事業年度において損金経理することを条件に、当該事業年度に損金算入することを認めています。

　この場合、第1号の賞与は、労働協約等で定められた支給予定日が事業年度終了の日までに到来しているにもかかわらず、何らかの事情でその支給が遅れているものです。したがって、労働協約等で支給予定日が定められていても、その日が事業年度終了の日までに到来していない賞与は、第2号の賞与として損金算入することができるかどうかを検討しなければなりません。

（597）

例えば、11月30日を事業年度終了の日とする法人が、年末賞与の支給日を12月10日（同日が休日のときはその直前の営業日）と定めている場合、当該賞与は事業年度終了の日までに支給予定日が到来していませんので、第１号の賞与に該当しませんが、第２号に規定された三つの要件（【問10-1】参照）をすべて満たすならば、当該事業年度において、損金算入することができます。この事例では、三つの要件のうち、【問10-1】②のロの要件は12月10日に支給しますので満たしており、ハの要件は当該事業年度において損金経理により未払費用に計上することによって満たしますので、イの要件、すなわち11月30日までにすべての使用人に支給額を通知しているかどうかが当該事業年度において損金算入が認められるかどうかの決め手になります。

法人税法施行令第72条の３の第１号の賞与として未払計上ができるもの

> 【問10-3】　法人税法施行令第72条の３の第１号に掲げられている賞与に該当するのは、具体的にどのようなものですか。支給予定日が事業年度終了の日までに到来しているならば、その日の翌日から１月を超える日が支給日となっていてもよいのでしょうか。

【答】　法人税法施行令第72条の３の第１号の賞与は、【問10-2】でも説明したように、支給予定日が事業年度終了の日までに到来しているにもかかわらず、何らかの事情で支給が遅れているものです。しかし、事業年度終了の日までに使用人に支給額が通知されていなければなりませんので、例えば支給予定日が到来しているのに労使の交渉が長引いていて支給額が未確定というようなものは、支給額の通知がされておらず、第１号の賞与に該当しません。

　したがって、第１号の賞与に該当するのは、事業年度終了の日までに支給予定日が到来し、かつ、使用人に支給額の通知をしたが、例えば法人の資金事情で支給が遅延しているようなものです。

　この場合は、同条の第２号の賞与と異なり、事業年度終了の日の翌日から１月以内に支払っていることという要件がありませんので、同日以後数か月間の分割払いとするような場合でも、当該事業年度においてその全額を未払費用に計上して損金算入することができます。第２号の賞与と比べた場合、事業年度終了の日までに使用人に支給額の通知を要する点と、損金経理を要

（598）

第10章　使用人給与、賞与、退職給与

する点は同じですが、同日までに支給予定日が到来していることという要件
があり、その翌日から1月以内に支払っていることという要件がない点が異
なります。これは、支給予定日が到来ずみのものは、第2号の賞与のような
支給予定日が到来していないものと比べた場合確定債務性が強いので、資金
事情等で支給日が遅延しても、損金算入を認めるということと考えられます。

定例払い賞与の支給予定日を変更することの可否

> 【問10-4】　3月31日決算の法人です。就業規則を改訂して、毎年
> 6月中旬に支給している夏季賞与全額の支給予定日を3月31日に
> 変更し、同日に使用人の全員にその支給額を通知して未払費用に
> 計上して損金経理をするが、実際の支給は従来どおり6月中旬と
> した場合、法人税法施行令第72条の3の第1号の賞与として、未
> 払費用計上額の損金算入が認められますか。

【答】　法人税法施行令第72条の3の第1号の賞与は、事業年度終了の日まで
に支給予定日が到来していること、使用人の全員に支給額を通知しているこ
と及び損金経理をしていることが損金算入のための要件で、第2号の賞与の
ように事業年度終了の日の翌日から1月以内にその全額を支払っていること
を要件としていません。したがって、御質問の場合、この第1号の賞与とし
ての要件は、形式的には満たしていることになります。

　しかし、改訂後の就業規則で定めた支給予定日が3月31日であるにもかか
わらず、毎年その支給日を2か月以上後の6月中旬とするのは、賃金を支給
予定日又はその翌日以後に遅滞なく支払わないもので、労働法違反と考えら
れ、使用人も了承しないでしょうし、社会常識にも反するものといえます。
第1号の賞与は、【問10-3】で説明したように、例えば法人の資金事情で支
給が遅延しているようなものをいいます。

　御質問の場合、3月31日までに使用人の全員に支給額が通知されますので、
夏季賞与の額は3月31日までに確定しているといえますが、実際の支給日を
恒常的に支給予定日から2月以上も経過した日とするのは、当該支給予定日
が名目的なものにすぎず、第1号の賞与に該当するといえません。

（599）

使用人に対する賞与支給額の通知の方法

> 【問10-5】 使用人に対する賞与の支給額の通知は、どのような方法で行うべきですか。支給額や支給率が全使用人一律の場合、掲示するとか労働組合が配布するビラに記載するだけでは不十分ですか。その他この通知について注意すべき事項を教えてください。

【答】 法人税法施行令第72条の3の第1号の賞与、第2号の賞与とも、事業年度終了の日までに使用人に支給額を通知していることを損金算入の要件としています。その場合、文書での通知が必要なのか、口頭による通知でよいのかですが、通知したことを明らかにするため、文書で通知すべきでしょう。

例えば、11月下旬に支給する11月度給料の明細書にあわせて、年末賞与の明細書を各使用人に手渡すというような方法です。

賞与の額が、使用人一律に基本給月額の何倍とか使用人全員について何万円とかに決まっている場合、各使用人に文書で通知しないで、支給率又は支給額を掲示するだけでもよいのか、あるいは労使間での賞与支給額交渉の結果を掲載したビラを労働組合が配布している場合、当該ビラの配布をもって通知に代わるものとすることはできないのかという点ですが、使用人に対する賞与の支給額の通知は使用者から使用人各人に直接行われるべきもので、掲示とかビラの配布のような方法では、通知したことにはなりません。

次に、第2号の賞与については、使用人に対する賞与の支給額の通知について、法人税基本通達に次の2点が示されています。

① 支給日に在職する使用人のみに賞与を支給することとしている場合のその支給額の通知は、第2号の賞与の支給額の通知に該当しません。（基通9-2-43）第2号の賞与は、通知した使用人に必ず支給すべきものですので、通知した日の属する事業年度終了の日の翌日から1月以内の支給日までに退職した使用人には支給しないというものは、確定債務といえず、損金算入することはできません。

② 使用人に対する賞与の支給について、いわゆるパートタイマー又は臨時雇い等の身分で雇用している者（雇用関係が継続的なものであって、他の使用人と同様に賞与の支給対象としている者を除きます。）とその他の使用人を区分している場合には、その区分ごとに、第2号の賞与の支給額の

（600）

第10章　使用人給与、賞与、退職給与

通知を行ったかどうかを判定することができます。（基通9-2-44）法人税法施行令第72条の3の第2号のイに、「その支給額を、各人別に、かつ、同時期に支給を受けるすべての使用人に対して通知していること。」と規定されているからで、正規職員と臨時職員とで賞与支給日が異なる場合、正規職員に対してだけ通知して未払費用に計上するが、臨時職員には通知しないで未払費用に計上しないとすることも、税務では認められます。

使用人に支給額の通知をした賞与の一部を支給カットした場合

【問10-6】　法人税法施行令第72条の3の第1号又は第2号の規定により使用人に支給額の通知をした賞与の一部を支給カットした場合、前事業年度終了の時に未払費用に計上した賞与のうち損金不算入となるのは、その全額ですか。それとも支給しなかった部分の金額だけですか。

【答】　法人税法施行令第72条の3の第1号及び第2号は、「事業年度終了の日までの債務の確定」（法22③二かっこ書）のための要件を、使用人賞与について定めたものです。事業年度終了の日までに使用人の全員に賞与の支給額の通知をしたが、翌事業年度以後にその一部を支給しなかった場合は、支給しなかった金額だけでなく、未払費用計上額の全額が確定債務といえないとの理由で、損金不算入となります。

　翌事業年度以後における資金事情の悪化とか業績のダウンによって、事業年度終了の日までに使用人に支給額の通知をした賞与の一部の支給をカットせざるを得なくなった場合、支給カットした金額を未払費用に計上しない処理をしても、使用人に支給すると通知した金額の訂正はできませんので、支給額の通知という第1号の賞与又は第2号の賞与の要件を満たさず、未払費用に計上した支給額の損金算入もできないことになります。

　次に、支給日までに退職した使用人に対して賞与を支給しなかった場合は、上記のように第1号及び第2号によって未払費用の計上が認められた賞与は確定債務であり、支給日までに使用人が退職しても当然支給すべきですので、未払費用に計上した額の全額が確定債務でないとの理由で、損金不算入となります。（基通9-2-43、【問10-5】の①参照）

（601）

しかし、翌事業年度開始の日から支給日までに発覚した不祥事等によって使用人が支給日までに懲戒処分等を受け、当該使用人に賞与が支給されないこととなった場合は、支給されないことに相当の理由があるといえます。したがって、未払費用計上額の確定債務性には影響がなく、懲戒処分等を受けた者に支給しないこととした賞与相当額は、当該使用人からの不祥事等に対する弁償金に類するものとして、支給しないことが確定した翌事業年度に益金の額に算入すればよいでしょう。

法人税法施行令第72条の3の第2号の賞与の一部の支給が遅延した場合

> 【問10-7】　法人税法施行令第72条の3の第2号の賞与は、使用人に支給額の通知をした日の属する事業年度終了の日の翌日から1月以内に支払っていることが要件とされています。資金繰りの悪化によって、その一部を1月以内に支給することができず、1月経過後に支給することとせざるを得なくなった場合、事業年度終了の時に未払費用に計上した賞与の金額のうち損金不算入となるのはその全額ですか。それとも1月以内に支給できなかった部分の金額だけですか。

【答】　金融機関の貸渋りや得意先の予期しない倒産等によって資金繰りが悪化し、御質問のような事例が生ずることがあり得ると思います。

その場合、使用人に事情を説明して、支給額の通知をした賞与の一部の支給を繰り延べるしかありませんが、第2号の賞与に該当しないことになるのは前事業年度終了の時に未払費用に計上した賞与の全額なのか、資金事情の悪化によって事業年度終了の日の翌日から1月以内に支給することができないこととなった部分の金額だけなのかという問題が生じます。

この場合、賞与の一部の支給時期を繰り延べても、後日当該繰り延べた金額を必ず支給するのであれば、企業会計の立場からは、前事業年度終了の時に計上した未払費用の確定債務性の判断に影響しません。

しかし、税法は、「通知をした金額を当該通知をしたすべての使用人に対し当該通知をした日の属する事業年度終了の日の翌日から1月以内に支払っていること。」と規定していますので（法政令72の3二ロ）、御質問のように

（602）

第10章　使用人給与、賞与、退職給与

通知した金額の一部の支給が遅延するときは、この要件を満たさないことになり、未払費用計上額全額の損金算入ができないことになります。

定例払い賞与の支給方法を変更することの可否

【問10-8】　3月31日決算の法人です。夏季賞与（7月上旬支給）の支給対象期間である前年12月1日から当年5月31日までを、前年12月1日から当年2月末日までと当年3月1日から5月31日までに2分し、前者の期間の賞与を4月上旬に、後者の期間の賞与を7月上旬に支給することに変更しますと、税法上、前者の期間に係る賞与を事業年度終了の日に未払費用に計上することができると思いますが、いかがでしょうか。

【答】　3月31日決算の法人の場合、夏季賞与を4月に支給することは通常ありませんので、当該夏季賞与を法人税法施行令第72条の3第2号の賞与として未払費用に計上することはできません。これに対処して、御質問のように夏季賞与を分割支給することとし、その一部を4月に支給することとした場合、税法上4月に支給する賞与の未払費用計上が認められるのかどうかが問題になります。

　この方法は、換言すれば賞与を年3回払いとする方法ですが、第2号の賞与の損金算入時期は、決算賞与、臨時賞与等の不定期の賞与だけを対象にして規定されているのでありませんので、御質問のような方法をとられることは税法上問題ないと考えられます。支給方法を変更するための労使間の交渉、年3回払いとすることによる手数の増加という問題はありますが、第2号の賞与として事業年度終了の日後1月以内に支払う賞与を未払費用に計上して損金算入するには、このような方法をとるか、決算日を賞与支給月の前月末に変更するしかないと思われます。

　本問の場合、夏季賞与は支給対象期間を2分するのに、年末賞与の支給対象期間は6か月間のままとするのは税務対策だけを意図したもので不自然だともいえますが、税法の規定には適合しており、税務上の問題は生じません。

（603）

簿外預金から支給した使用人賞与の損金算入は認められるのか

> **【問10-9】** 簿外預金から支給した使用人賞与は、税務調査によって当該事実が発覚して更正されるとき、損金算入扱いされますか。

【答】 使用人賞与には、役員給与のように、事実の隠蔽又は仮装経理により支給するものを損金不算入とするという規定（法34③）はありませんが、不正行為等に係る費用等の損金不算入の規定（法55）が問題になります。この規定の第１項に、「内国法人が、その所得の金額若しくは欠損金額又は法人税の額の計算の基礎となるべき事実の全部又は一部を隠蔽し、又は仮装すること（以下「隠蔽仮装行為」という。）によりその法人税の負担を減少させ、又は減少させようとする場合には、当該隠蔽仮装行為に要する費用の額又は当該隠蔽仮装行為により生ずる損失の額は、損金の額に算入しない。」と定められています。

御質問の簿外預金が隠蔽仮装行為により貯えられたものである場合、当該預金を取崩して支給した使用人賞与は、「隠蔽仮装行為に要する費用の額」には該当しないが、「隠蔽仮装行為により生ずる損失の額」に該当しないのかが問題になります。しかし、この損失の額は、例えば隠蔽仮装行為で得た資産で行った投機取引で失敗した場合の損失をいうのであり、使用人賞与は費用であって損失でありませんので、これにも該当しないと考えられます。

仮に、御質問のような使用人賞与をこの規定によって損金不算入にすることができるのならば、役員給与についても同じであり、役員給与についての上記の法人税法第34条第３項の規定は、不要ということになります。

以上により、簿外預金から支給したことを理由にして、使用人賞与を損金不算入とすることはできず、役員給与が仮装経理等により支給された場合に損金不算入になるのとは、異なることになります。

要するに、簿外預金から支給された使用人賞与でも、明らかに労務提供の対価の支払と認められるものは損金の額に算入され、簿外資産の発覚に伴う増額更正額の一部と相殺されます。しかし、その実質判断をする前に、取引の全部又は一部の隠蔽又は仮装に伴う青色申告の承認の取消し（法127①）が行われ、推計による更正（法131）が行われることがあるでしょう。

第10章　使用人給与、賞与、退職給与

第2節　特殊関係使用人に対する過大給与

特殊関係使用人に対する過大な給与の損金不算入の規定の概略

【問10-10】　法人税法第36条の「過大な使用人給与の損金不算入」の規定は、どのような理由で設けられているのですか。

【答】　法人の役員が配偶者や子供などの親族を当該法人の役員にしますと、税法上、当該親族に支給する給与は役員給与として法人税法第34条の規定の適用対象となり、損金の額に算入されるためには、定期同額給与、事前確定届出給与又は損金算入の要件を満たす利益連動給与のいずれかに該当するもので、かつ、不相当に高額な部分の金額以外の金額であることが必要になります。

　一方、当該親族を役員にせず、かつ、当該親族等が経営に従事していないため「みなし役員」の規定が適用されない場合、同人に支給する給与のなかに不相当に高額で実質的に剰余金の分配に等しいと思われるものがあっても全額損金算入されることになりますと、これを利用した法人税の負担軽減が図られるおそれが生じます。

　御質問にある規定は、この問題に対処して設けられているもので、その条文は次のとおりです。

　「内国法人がその役員と政令で定める特殊の関係のある使用人に対して支給する給与（債務の免除による利益その他の経済的な利益を含む。）の額のうち不相当に高額な部分の金額として政令で定める金額は、その内国法人の各事業年度の所得の金額の計算上、損金の額に算入しない。」

（注1）　役員と政令で定める特殊の関係のある使用人の範囲等についての説明は、【問10-11】に記載しています。

（注2）　不相当に高額な部分の金額として政令で定める金額についての説明は、【問10-12】に記載しています。

（605）

特殊関係使用人の範囲と同族会社に該当しない法人での取扱い

> **【問10-11】** 過大な使用人給与の損金不算入の規定が適用される「役員と特殊の関係のある使用人」とは、どのような使用人ですか。この規定は、同族会社に該当しない法人にも適用されますか。

【答】 「過大な使用人給与の損金不算入」の規定（法36）が適用される「役員と特殊の関係のある使用人」（以下「特殊関係使用人」といいます。）は、法人の役員と次に掲げる関係のある使用人とされています。（法政令72）

① 役員の親族……当該役員の、㋑六親等内の血族、㋺配偶者、㋩三親等内の姻族です。（民法725参照）

② 役員と事実上婚姻関係と同様の関係にある者……当該役員のいわゆる内縁の夫又は内縁の妻です。

③ ①及び②に掲げる者以外の者で、役員から生計の支援を受けているもの……役員から給付を受ける金銭その他の財産又は給付を受けた金銭その他の財産の運用によって生ずる収入を、生活費に充てている者をいいます。（基通9-2-40）

  (注) 同族会社の判定に当たっての「特殊の関係のある個人」として掲げられている「個人である株主等から受ける金銭その他の資産によって生計を維持しているもの」は、上記の「生活費に充てている」を「日常生活の資の主要部分としている」とされており（基通1-3-3、【問22-1】(1)の④参照）、上記③の「生計の支援を受けているもの」の方が少し範囲が広くなります。

④ ②及び③に掲げる者と生計を一にするこれらの者の親族

  (注) 「生計を一にする」こととは、有無相助けて日常生活の資を共通にしていることをいいますので、必ずしも同居していることを必要としません。（基通9-2-41、同1-3-4参照）

このような特殊関係使用人に過大な給与を支給するのは、同族会社のワンマン社長が多いと思います。しかし、上記の規定は、同族会社に該当しない法人すなわち非同族会社のほか、会社以外の普通法人や、協同組合等など普通法人以外の法人にも適用されます。同族会社だけならば、特殊関係使用人に対する過大給与のうちの不相当に高額な部分の額は、同族会社等の行為又は計算の否認の規定（法132）によって損金不算入にすることができますが、

（606）

第10章　使用人給与、賞与、退職給与

法人全般に適用される規定ですので、同族会社に該当しない法人にも適用されます。

特殊関係使用人に支給する給与の額のうち不相当に高額な部分の金額

> 【問10-12】　法人税法第36条の過大な使用人給与の損金不算入の規定が適用される「特殊関係使用人に支給する給与の額のうち不相当に高額な部分の金額」とは、どのような給与の額ですか。

【答】　法人税法第36条の規定によって損金不算入となる特殊関係使用人に対して支給する給与のうちの不相当に高額部分の金額は、「内国法人が各事業年度においてその使用人に対して支給した給与の額が、当該使用人の職務の内容、その内国法人の収益及び他の使用人に対する給与の支給の状況、その内国法人と同種の事業を営む法人でその事業規模が類似するものの使用人に対する給与の支給の状況等に照らし、当該使用人の職務に対する対価として相当であると認められる金額を超える場合におけるその超える部分の金額」と規定されています。(法政令72の２)この規定は、「役員」と「使用人」が異なるだけで、過大な役員給与のうちの損金不算入となる不相当に高額な部分の金額(法34②)を規定している法人税法施行令第70条第１号のイと同じです。

　法人税法第36条の規定の対象になる使用人給与には、特殊関係使用人に毎月支給される給与だけでなく、夏季、年末等に支給される賞与、その退職に当たって支給される退職給与も含まれます。しかし、使用人給与は役員給与でありませんので、損金算入されるために定期同額給与、事前確定届出給与又は損金算入の要件を満たす業績連動給与のいずれか(以下「定期同額給与等」といいます。)である必要はなく、賞与のような毎月支給されない給与でも、そのうちの不相当に高額な部分の金額だけが損金不算入となります。

　ただし、同族会社の使用人で所有割合が一定割合以上の者が、経営に従事していることによってみなし役員になった場合、同人に支給する給与は、役員給与として法人税法第34条の規定の対象になりますので、退職給与、新株予約権によるもの及び使用人兼務役員に支給する使用人分給与を除いて、不相当に高額な部分の金額だけでなく、定期同額給与等に該当しないものも損金不算入となります。

(607)

特殊関係使用人に対する過大な退職給与のうちの高額な部分の金額

> 【問10-13】 特殊関係使用人に支給する退職給与にも、法人税法第
> 36条の規定が適用されますか。適用される場合、特殊関係使用人
> が、厚生年金基金からの給付、確定給付企業年金からの給付等を
> 受ける場合の給付金は、どのように取り扱われますか

【答】 【問10-12】で述べたように、法人税法第36条の規定の対象になる使用人給与には、特殊関係使用人にその退職に当たって支給する退職給与も含まれます。

この規定が適用される退職給与について、【問10-12】に記載した法人税法施行令第72条の2はそのかっこ書で、「当該使用人のその法人の業務に従事した期間、その退職の事情、その内国法人と同種の事業を営む法人でその事業規模が類似するものの使用人に対する退職給与の支給の状況等に照らし、その退職した使用人に対する退職給与として相当であると認められる金額」と規定していますので、特殊関係使用人に対する退職給与の額がこの金額を超える場合におけるその超える部分の金額は、損金不算入となります。

この規定も、「役員」と「使用人」が異なるだけで、過大な役員退職給与のうちの損金不算入となる不相当に高額な部分の金額（法34②）を規定している法人税法施行令第70条第2号と同じです。

御質問の後段ですが、特殊関係使用人に支給する退職給与の額のうちの不相当に高額な部分の額を判定する場合、当該特殊関係使用人が、退職した法人から退職給与の支給を受けるのとは別に、厚生年金基金からの給付、確定給付企業年金に係る規約に基づく給付、確定拠出企業型年金規約に基づく給付若しくは適格退職年金契約に基づく給付又は独立行政法人勤労者退職金共済機構若しくは特定退職金共済団体が行う退職金共済契約に基づく給付等を受ける場合には、当該給付を受ける金額（厚生年金基金からの給付額については、旧効力厚生年金保険法第132条第2項《年金給付の基準》に掲げる額を超える部分の金額に限ります。）をも勘案して、不相当に高額な部分の金額であるかどうかの額の判定を行うものとされています。（基通9-2-42）

これは、これらの給付金等は法人が本来支給すべき退職給与に代えて支給されるものであり、その原資を法人が負担しているからです。

（608）

第11章 租税公課

法人税、地方法人税及び住民税が損金の額に算入されない理由

> **【問11-1】** 法人の所得の金額を計算するに当たって、法人税、地方法人税及び住民税は原則として損金の額に算入されませんが、その内容と理由を詳しく説明してください。

【答】 内国法人が納付する法人税及び地方法人税（いずれも延滞税、過少申告加算税、無申告加算税及び重加算税の額を除きます。）の額は、損金の額に算入されませんが、下記の法人税の額は、損金の額に算入されます。（法38①）

> **（注）** 延滞税、過少申告加算税、無申告加算税及び重加算税は、法人税法第55条第3項で国税に係るもの全般が損金不算入と規定されています。（【問16-1】参照）

① 退職年金等積立金に対する法人税及びそれに係る地方法人税……退職年金業務を行う法人に対して、各事業年度の退職年金積立金の額の1％の金額を税額として課せられる法人税（法7、87）及びそれに係る地方法人税は、損金の額に算入されます。（法38①一、四）

> **（注）** 退職年金積立金に対する法人税の課税は、平成11年4月1日から令和8年3月31日までの間に開始する各事業年度については、行わないとされています。（措法68の5）

② 修正申告又は更正により納付すべき金額のうち還付加算金相当額……還付加算金は還付税金に対する利息相当額で、受取り時に益金の額に算入されます。税金の還付を受けたのち、当該還付が過大であったことにより修正申告又は更正により過大還付税金と併せて過大還付加算金相当額を納付する場合、還付加算金は受取り時に益金の額に算入されていますので、過大還付加算金に相当する法人税及び地方法人税は損金の額に算入されます。（法38①二、五）

③ 利子税……確定申告書の提出期限の延長及びその特例（法75、75の2、地法法19④）の規定により納付する利子税は、損金の額に算入されます。

（609）

（法38①三、六）

　したがって、損金の額に算入されない法人税及び地方法人税は、各事業年度の所得に対する法人税（特定同族会社の特別税率の規定による法人税、土地の譲渡等がある場合の特別税率の規定による法人税及び使途秘匿金の支出額に係る法人税を含みます。）及び地方法人税、清算所得に対する法人税並びに利子税以外の附帯税（延滞税、過少申告加算税、無申告加算税及び重加算税）となります。

（注1） 土地の譲渡等がある場合の特別税率の規定は、法人が平成10年１月１日から令和８年12月31日までの間にした土地の譲渡等について、適用しないとされています。（措法62の３⑮、63⑧）

（注2） 清算所得に対する法人税の課税は、平成22年10月１日前に解散した法人に対して行われます。（平22改所法等附則10②）

　次に住民税（地方税法の規定による道府県民税及び市町村民税、都民税）も損金の額に算入されませんが、退職年金等積立金に対する法人税に係る住民税は、損金の額に算入されます。（法38②二）また、地方税法の規定による延滞金、過少申告加算金、不申告加算金及び重加算金も損金の額に算入されませんが、住民税及び事業税の納期限の延長の場合の延滞金は、損金の額に算入されます。（法55③二）

　各事業年度の所得に対する法人税、地方法人税及び法人税を課税標準とする住民税（均等割及び利子割を含みます。）が損金の額に算入されないのは、これらの税金が法人に対して課される人税で、法人の所得の金額から納付されるものだからです。

　これに対して事業税の課税標準は、電気供給業、ガス供給業、保険業を行う法人は各事業年度の収入金額（一部の例外あり）、その他の法人は各事業年度の所得（事業年度終了の日における資本金の額又は出資金の額が１億円を超える法人（公益法人等、特別法人、人格のない社団等、投資法人及び特定目的法人を除きます。）は付加価値額、資本金等の額及び所得）とされ【問11-4】～【問11-8】参照）、特別法人事業税の課税標準は基準法人所得割額又は基準法人収入割額とされています。（【問11-9】参照）課税標準がどのようなものでも、事業税及び特別法人事業税は、事業という物に対して課される物税ですので、損金の額に算入されます。（損金算入される事業年度は【問11-3】参照）

（610）

第11章　租税公課

　法人税及び地方法人税に係る附帯税のうち利子税と、住民税及び事業税の延滞金のうち納期限の延長の場合のものが損金の額に算入されるのは、確定申告書の提出期限の延長期間中等の支払利子という性格があるからです。これに対して、延滞税及び延滞金（延滞金のうち納期限の延長の場合のものを除きます。）は、国税又は地方税を法定納期限までに納付しない場合に課されるもので、支払利子というよりも、法定納期限までに納付しないことに対する制裁的なものです。諸加算税及び地方税に係る諸加算金も、同様に制裁的なものであり、損金算入によって制裁の効果が税率を乗じた金額だけ減殺されるのは好ましくないため、損金不算入とされています。

(注)　事業税の外形標準課税の課税標準の1つである付加価値額の算式（【問11-4】参照）にでてくる純支払利子の計算に当たり、利子税及び地方税の延滞金のうち住民税及び住民税の納期限の延長の場合のものは支払利子に含め、還付加算金は受取利子に含めます。

未払法人税等に関する申告調整方法

【問11-2】　次の場合の申告調整方法を教えてください。
①　貸借対照表の負債の部に当該事業年度の確定申告によって納付する法人税、地方法人税、住民税、事業税及び特別法人事業税の額を未払法人税等として計上した場合
②　翌事業年度この未払法人税等を取り崩して納付した場合

【答】　①の場合……国税である法人税及び地方法人税は、事業年度終了の時に納税義務が成立します。（国通法15②三）特別法人事業税については、国税通則法に規定がなく、地方税である住民税及び事業税には国税通則法の規定が適用されませんが、会計処理に当たり債務として計上すべき時期は法人税と同じと考えるべきです。したがって、当事業年度の確定申告に係る法人税等の額は、貸借対照表の流動負債の部に未払法人税等として計上し、損益計算書では税引前当期純損益金額から当該事業年度に係る法人税等を減じて得た額を、当期純損益金額として表示しなければなりません。（会社計規94①、財表規則49①七、③、95の5①一、②）

(注)　外形標準課税による事業税の損益計算書での計上箇所は、【問11-4】に記載

（611）

しています。

　未払法人税等を計上したときは、申告書では別表四の「損金経理をした納税充当金④」の欄に記載して加算し、別表五(一)のＩの「納税充当金㉖」の③欄と④欄に記載します。また、別表五(二)の下欄の「納税充当金の計算」の「損金経理をした納税充当金㉛」の欄に記載します。

　この未払法人税等は、概算額で計上することが多いのですが、これとは別に別表五(一)のＩの「未納法人税及び未納地方法人税㉗」「未納道府県民税㉙」「未納市町村民税㉚」の③の「確定」の欄に、当該事業年度の法人税、地方法人税及び住民税の確定申告による要納付税額を記載します。これは、利益積立金額の定義を規定する法人税法第２条第18号及び法人税法施行令第９条において、「法人税（法人税法第38条第１項第１号及び第２号に掲げる法人税並びに附帯税を除く。）及び地方法人税（法人税法第38条第１項第４号及び第５号に掲げる地方法人税並びに付帯税を除く。）として納付することとなる金額、地方税法の規定により当該法人税に係る道府県民税及び市町村民税（都民税及びこれらの税に係る均等割を含む。）として納付することとなる金額（以下、省略）」（法政令９一、カの額）は、利益積立金額の算定に当たり、「法人の各事業年度の所得の金額のうち留保した金額（法政令９一、イからヲまでに掲げる金額の合計額)」から減算すると規定されているからです。

　しかし、事業税及び特別法人事業税は、【問11-3】で説明するように、確定申告書を提出する翌事業年度において損金の額に算入され、利益積立金額から控除されますので、別表五(一)のＩに上記のような記載をしません。

　②の場合……翌事業年度にこの確定申告書を提出して税額を納付したとき、

　　　　　未払法人税等／預預金

という仕訳をして未払法人税等を取り崩しますので、まず、別表五(一)のＩの「納税充当金㉖」の②欄に、当該取崩額を記載します。そして、法人税、地方法人税及び住民税の確定申告による納付額は、「未納法人税及び未納地方法人税㉗」、「未納道府県民税㉙」及び「未納市町村民税㉚」のそれぞれの②欄に記載します。これによって、法人税、地方法人税及び住民税は納付しても損金の額に算入されず、別表五(一)のＩでは当該納付税額が「納税充当金㉖」の②欄にプラス、「未納法人税及び未納地方法人税㉗」等の②欄にマ

（612）

第11章　租税公課

イナスで記載され、利益積立金額には異動が生じません。

　一方、事業税及び特別法人事業税の確定申告による納付税額は、別表四の「納税充当金から支出した事業税等の金額⑬」の欄に記載して損金の額に算入し、別表五(一)のⅠでは「納税充当金㉖」の②欄に記載して、利益積立金額を減少させます。

　なお、未払法人税等を取り崩して附帯税等を納付したときは、当該附帯税等が損金の額に算入されるもの、すなわち法人税の利子税及び地方税の納期限の延長の場合の延滞金の場合は、別表四「納税充当金から支出した事業税等の金額⑬」の欄に記載して損金の額に算入し、別表五(一)のⅠでは「納税充当金㉖」の②欄に記載します。一方、損金の額に算入されない附帯税等すなわち延滞税、諸加算税、地方税法の規定による延滞金（延滞金のうち納期限の延長の場合のものを除きます。）及び諸加算金の場合は、別表四で「納税充当金から支出した事業税等の金額⑬」欄での減算（処分は留保）と「損金経理をした附帯税（利子税を除く。）、加算金、延滞金（延納分を除く。）及び過怠税⑤」の欄での加算（処分は社外流出）を行い、別表五(一)のⅠでは「納税充当金㉖」の②欄に記載します。

　いずれも、別表四の⑬欄での減算と別表五(一)のⅠの㉖の②欄の記載によって、未払法人税等の取崩しによる利益積立金額の減少をさせますが、損金の額に算入されない附帯税等の場合は、別表四の⑤欄で処分を社外流出とする加算調整をするわけです。

事業税及び特別法人事業税が損金算入される事業年度

【問11-3】　事業税及び特別法人事業税が損金の額に算入される事業年度について、説明してください。

【答】　申告納税方式による租税の納税申告書に記載された税額の損金算入時期は、債務確定基準によって、当該納税申告書が提出された日の属する事業年度、更正又は決定に係る税額については当該更正又は決定があった日の属する事業年度とされています。（基通９-５-１(1)）

　事業税及び特別法人事業税についても基本的にはこの取扱いが適用されますが、法人税基本通達９-５-２でその損金算入時期の特例が認められていま

（613）

す。基本的な取扱いによるものと特例が認められているものの内容を説明しますと、次のとおりです。

① 基本的な取扱いによるもの

　イ　確定申告書に記載された事業税及び特別法人事業税の税額……基本的取扱いのとおり当該確定申告書を提出する事業年度において損金の額に算入されます。したがって、事業税及び特別法人事業税の課税標準である所得金額等が発生し、これに係る事業税及び特別法人事業税を未払法人税等に計上した事業年度では損金の額に算入されず、当該税額を記載した確定申告書を提出するその翌事業年度に損金の額に算入されます。

　　　　(注)　企業会計上、外形標準課税法人の付加価値額及び資本金等の額を課税標準とする事業税の額は、合理的な基準に基づき売上原価に配分することができます。(【問11-4】参照)これにより、当該事業税が製造原価、工事原価等に算入されることがありますが、「未払事業所税のうち製造原価、工事原価等に算入されたものの取扱い(【問11-11】参照)に準じて当該事業税に係る未払法人税等相当額を付加価値額の生じた事業年度に損金算入する」ことは、認められていません。製造原価に算入しないことができる費用として事業税の額が掲げられていますので(基通5-1-4(7))、上記の事業税の売上原価への配分は、現在のところ企業会計基準第27号(【問11-4】参照)での処理となり、発生事業年度において損金不算入となった事業税が製造費用等に算入されることによって生ずる重複課税の問題は、基通5-3-9の申告調整できる貸方原価差額(【問4-36】参照)によって処理することになります。

　ロ　中間申告書に記載された事業税及び特別法人事業税の税額……当該中間申告に係る事業年度中に中間申告書を提出しますので、基本的取扱いにより当該事業年度において損金の額に算入されます。当該事業年度末までに納付ずみかどうかは関係ありませんので、当該事業年度終了の日現在未納付の場合でも、未払法人税等に計上した場合はその金額を損金の額に算入することができ、計上しなかった場合は未納事業税等として申告減算することができます。また、納付した金額の全部又は一部を仮払税金等として資産に計上した場合でも、当該計上額を申告減算することができますので、例えば、中間申告に係る事業税及び特別法人事業税のうち確定申告によって還付される金額を未収還付税金に計上した場合

第11章　租税公課

には、当該額を申告減算することができます。

② 法人税基本通達9-5-2による特例が認められるもの

　当該事業年度の直前の事業年度分の事業税及び特別法人事業税の額は、当該事業年度終了の日までにその全部又は一部につき申告、更正又は決定（以下「申告等」といいます。）がされていない場合であっても、当該事業年度の損金の額に算入することができるものとされ（基通9-5-2前段）、債務確定基準についての例外取扱いが認められています。これは、法人税についていわゆる2期以上の連年修正申告又は連年更正が行われた場合における法人の担税力等を考慮した取扱いです。

　例えば、年1回3月決算法人が令和6年9月に令和5年3月期と令和6年3月期の2事業年度分の修正申告をする場合、当該修正申告による事業税及び特別法人事業税の額が確定するのは修正申告書提出の日の属する令和7年3月期ですが、令和5年3月期の事業税及び特別法人事業税の額は、その翌事業年度である令和6年3月期に損金の額に算入することができますので、令和6年3月期の修正申告において令和5年3月期の事業税の修正申告による事業税と特別法人事業税の増差額を申告減算して、所得金額の計算をすることができます。

　なお、税務署長が2事業年度以上の連年更正又は決定をする場合、この特例によって損金算入する事業税の額は、直前事業年度の所得金額又は収入金額等の課税標準に標準税率を乗じて計算し、特別法人事業税の額は、当該事業税の額（外形標準課税法人は直前事業年度の所得金額に標準税率を乗じて計算した額）に特別法人事業税の税率を乗じて計算するものとされています。その後に当該事業税及び特別法人事業税の申告等があったことにより、損金の額に算入した事業税及び特別法人事業税の額に過不足額が生じたときは、その過不足額は、当該申告等又は納付のあった日の属する事業年度の益金の額又は損金の額に算入します。（基通9-5-2後段）

　一方、法人が修正申告をするときは、直前事業年度分の事業税及び特別法人事業税の額は、直前事業年度の所得金額又は収入金額等の課税標準に実際税率を乗じて計算して、損金の額に算入することができます。

　また、直前事業年度分の事業税及び特別法人事業税の額の損金算入だけを内容とする減額更正は、原則として行わないものとするとされています。

（615）

（基通9-5-2（注）2）この場合は、基本的取扱いに戻りますが、「原則として」とされていますので、税務署長の裁量によって減額更正を行う余地があるとされています。

(注) 上記のとおり、事業税及び特別法人事業税は申告書を提出する事業年度に損金算入されますが、残余財産確定事業年度については、翌年度が存在しませんので、その年度に損金算入されます。【問28-7】を参照してください。

事業税の外形標準課税制度の概略

> **【問11-4】** 事業年度終了の日における資本金の額又は出資金の額が1億円を超える法人等一定の法人の事業税には、外形標準課税が行われていますが、その概略を説明してください。また、所得課税法人の場合、この事業税の損金算入時期、損益計算書での計上箇所は、所得の金額を課税標準とする事業税の場合と同じと考えてよろしいですか。

【答】 事業税の外形標準課税の概要は以下のとおりです。

Ⅰ　適用される法人……次の(1)～(3)の法人です。（地法72の2①②）

(1)　電気供給業、ガス供給業、保険業並びに貿易保険業を行う法人以外の法人で、事業年度終了の日における資本金の額又は出資金の額が1億円を超える法人（非収益事業に係る所得の非課税法人、特別法人、人格のない社団等、みなし課税法人、投資法人、特定目的会社並びに非営利型法人に該当しない一般社団法人及び一般財団法人を除きます。）

(2)　電気供給業のうち小売電気事業等、発電事業等及び特定卸供給事業を行う法人で、事業年度終了の日における資本金の額又は出資金の額が1億円を超える法人

(3)　ガス供給業のうち特別一般ガス導管事業者の供給区域内でガス製造事業を行うガス製造事業者が行うもの（導管ガス供給業を除きます。）の事業を行う法人

　(注1)　特別法人とは、農業協同組合、消費生活協同組合、信用金庫、労働金庫、中小企業等協同組合、漁業協同組合、医療法人等、地法第72条の24の7第6項に掲げられている法人です。

（616）

第11章　租税公課

(注2)　(2)の事業を行う法人で、事業年度終了の日における資本金の額又は出資金の額が1億円以下の法人は、収入割と所得割が課税されます。

Ⅱ　課税標準……Ⅰの(1)の法人は、付加価値割、資本割及び所得割に対して、(2)及び(3)の法人は、収入割、付加価値割及び資本割に対して、それぞれ課税され（地法72の2①一イ、三イ、四）、付加価値割は各事業年度の付加価値額、資本割は各事業年度の資本金等の額、所得割は各事業年度の所得、収入割は各事業年度の収入金額とされています。（地法72の12）それぞれの算定方法は、以下のとおりです。

(1)　付加価値額……次の算式によって計算される金額です。（地法72の14）

$$\begin{array}{l}付\ 加 \\ 価値額\end{array} = \begin{array}{l}収\ 益 \\ 配分額\end{array}\left(\begin{array}{l}報\ 酬 \\ 給与額\end{array} + \begin{array}{l}純支払 \\ 利\ 子\end{array} + \begin{array}{l}純支払 \\ 賃借料\end{array}\right) + \begin{array}{l}単年度 \\ 損\ 益\end{array}$$

ただし、報酬給与額＞収益配分額×70％の法人の付加価値割の課税標準の算定については、上記の付加価値額から、雇用安定控除額（報酬給与額－収益配分額×70％）を控除するものとされています。（地法72の20①②）

雇用安定控除額の控除は、報酬給与額の比率の高い法人の課税標準を低くして、雇用、給与水準を維持することを目的に設けられているもので、例えば、収益配分額が140百万円（報酬給与額が120百万円、純支払利子が10百万円、純支払賃借料が10百万円）、単年度損益が60百万円の場合、付加価値額は140百万円＋60百万円＝200百万円となりますが、雇用安定控除額が120百万円（報酬給与額）－140百万円（収益配分額）×0.7＝22百万円生じますので、付加価値割の課税標準は、200百万円－22百万円＝178百万円となります。

報酬給与額の内容及び計算方法は【問11-7】で、純支払利子、純支払賃借料及び単年度損益の内容及び計算の方法は【問11-8】で、説明します。

(注)　令和4年4月1日から令和9年3月31日までに開始する事業年度について、給与等の支給額が増加した場合の法人税額の特別控除（【問25-22】参照）の適用がある場合、一定の要件を満たせば、給与等支給増加額のうち一定額が、付加価値割の課税標準である付加価値額から控除されます。（地法附則9⑬～⑯、令和7年4月1日以後は地法附則9⑬～⑰）

(2)　資本金等の額……各事業年度終了の日における法人税法第2条第16号

（617）

に規定する資本金等の額ですが、清算中の法人については、ないものと
みなします。なお、法人が資本金又は資本準備金を欠損のてん補に充て
ても、法人税法上資本金等の額は変わりませんが、当該法人の税負担の
軽減を図るため、欠損のてん補に充てた額を控除し、逆に剰余金又は利
益準備金を資本金としても法人税法上資本金等の額は変わりませんが、
資本金とした金額を加算して、事業税の課税標準となる資本金等の額を
算定します。（地法72の21①）

　　　ただし、$\dfrac{\text{下記②の金額}}{\text{下記①の金額}} > 50\%$ となる内国法人は、

　　　資本金等の額 − 資本金等の額 × $\dfrac{\text{下記②の金額}}{\text{下記①の金額}}$

とするという特例が定められています。（地法72の21⑥）

① 　当該内国法人の当該事業年度及びその前事業年度の確定した決算に
　　基づく貸借対照表に計上されている総資産の帳簿価額
② 　当該内国法人の当該事業年度終了の時又はその前事業年度終了の時
　　における特定子会社（当該内国法人が発行済株式又は出資の総数又は
　　総額の50％を超える数の株式又は出資を直接又は間接に保有している
　　法人）の株式又は出資で、それぞれの時において当該内国法人が保有
　　するものの株式の帳簿価額の合計額

　　さらに、資本金等の額（上記のただし書により控除すべき金額がある
ときは、これを控除した後の金額）が1,000億円を超える法人の資本割の
課税標準は、1,000億円を超え5,000億円以下の金額に50％、5,000億円を超
え1兆円以下の金額に25％、1兆円を超える金額に0をそれぞれ乗じて
計算した金額の合計額とします。（地法72の21⑦）

(注)　資本割の課税標準である資本金等の額が資本金と資本準備金の合計額を下
　　回るときは、資本金と資本準備金の合計額が課税標準となります。（地法72
　　の21②）

(3) 所得……各事業年度の所得の金額で、算定方法は外形標準課税が行わ
　　れない法人の所得の算定方法と同じです。（地法72の23）
(4) 収入金額……各事業年度の収入金額で、算定方法は外形標準課税が行
　　われない法人の収入金額の算定方法と同じです。（地法72の24の2）

（618）

第11章　租税公課

Ⅲ　税率……標準税率は次のとおりとされ、制限税率は標準税率の1.2倍（所得割は1.7倍）と定められています。（地法72の24の7①一、③④⑨）

(1)　Ⅰの(1)の法人

区　分	税　率
付加価値割	1.2%
資本割	0.5%
所得割	1.0%

(2)　Ⅰの(2)の法人

区　分	税　率
収入割	0.75%
付加価値割	0.37%
資本割	0.15%

(3)　Ⅰの(3)の法人

区　分	税　率
収入割	0.48%
付加価値割	0.77%
資本割	0.32%

(注)　令和6年4月1日現在、宮城県、東京都、神奈川県、静岡県、愛知県、京都府、大阪府及び兵庫県の8都府県において、超過税率が適用されています。

　次に、御質問の後段ですが、外形標準課税によるものについても、事業税の損金算入時期は【問11-3】で説明したとおりであり、所得を課税標準とするものと変わりません。

　しかし、損益計算書での計上箇所は、税引前当期純利益金額又は税引前当期純損失金額に加減する項目は、「当該事業年度に係る法人税、住民税及び事業税（利益に関連する金額を課税標準として課される事業税をいう。）」と規定されていますので（財表規則95の5①一）、所得を課税標準とする所得割はこの箇所に計上しますが、付加価値額及び資本金等の額を課税標準とする付加価値割及び資本割は、原則として販売費及び一般管理費（合理的な基

（619）

準に基づき売上原価に配分することができます。）に計上します。（企業会計基準委員会、企業会計基準第27号「法人税、住民税及び事業税等に関する会計基準」10）付加価値割の課税標準のなかに単年度損益がありますが、その他の付加価値要素と相関関係にあり、例えば、当期損失は他の付加価値要素と相殺され、所得割の課税標準と計算構造が違いますので、単年度損益に係る税額を抽出して、所得を課税標準とする税額と同じ箇所に計上することはしません。

(注) 特別法人事業税は、基準法人所得割額を課税標準として課されますので、損益計算書での計上箇所は事業税の所得割と同じになります。

資本金を1億円以下に減資した場合の外形標準課税の適用の有無

【問11-5】 当社（3月31日決算）の資本金は12億円で、事業税の外形標準課税の対象となっています。外形標準課税の税負担が大きいため、令和7年3月期中に、無償減資により11億円を資本金からその他資本剰余金へ振り替え、資本金を1億円とすることを検討しています。この場合、外形標準課税の対象外となるでしょうか。また、無償減資でなく、有償減資の場合はどうですか。

【答】 事業税の外形標準課税の負担を逃れるため、資本金又は出資金（以下「資本金」といいます。）を1億円以下に減資する法人が増加し、外形標準課税適用法人が大幅に減少してきました。これに対応して、令和6年度の税法改正で以下の改正が行われました。

(1) 令和7年4月1日以後に開始する事業年度から、事業年度末の資本金の額が1億円以下であっても、次の①と②の両方を満たす法人は外形標準課税の対象となります。（令7.4.1施行地法附則8の3の3、地政令附則6（令和8年4月1日以後は地政令附則5の7）、地規則附則2の6の3）

① 前事業年度が外形標準課税の対象法人であること

② 事業年度末の資本金と資本剰余金の合計額が10億円を超えていること

(2) (1)にかかわらず、令和7年4月1日以後最初に開始する事業年度（以下「最初事業年度」といいます。）については、最初事業年度末の資本金の額が1億円以下であっても、次の①と②の両方を満たす法人は外形標準課

(620)

第11章　租税公課

税の対象となります。（令6改地法等附則7②）

① 改正法の公布日（令和6年3月30日）を含む事業年度の前事業年度から最初事業年度の前事業年度までのいずれかの事業年度が外形標準課税の対象法人であること

② 最初事業年度末の資本金と資本剰余金の合計額が10億円を超えていること

ただし、次のイ～ハのすべてを満たす法人は、外形標準課税の対象となりません。

イ 改正法の公布日（令和6年3月30日）を含む事業年度の前事業年度が外形標準課税の対象法人であること

ロ 改正法の公布日の前日（令和6年3月29日）の資本金の額が1億円以下であること

ハ 改正法の公布日（令和6年3月30日）以後に終了した各事業年度が外形標準課税の対象外であること

貴社の場合、令和7年3月期中に減資されるとのことですので、令和7年3月期末の資本金の額は1億円となります。令和7年3月期には上記の(1)も(2)も適用がありませんので、外形標準課税の対象外となります。

次に、令和8年3月期ですが、上記(1)については、①の要件を満たしていませんので該当しませんが、上記(2)については、①と②の両方を満たし、また、ただし書の条件を満たしませんので、外形標準課税の対象となります。令和9年3月期以後は、上記(1)の①と②の両方を満たしますので、外形標準課税の対象となります。

御質問の後段の有償減資の場合ですが、有償減資をしますと、減資額だけ株主に金銭を交付しますので、資本剰余金が増加することはありません。したがって、貴社の場合、2億円の有償減資を行えば、資本金の額と資本剰余金の額の合計額が10億円以下となり、外形標準課税の対象から外れることとなります。

（621）

資本金と資本剰余金の合計が50億円超の会社の100%子会社に対する外形標準課税

> **【問11-6】** 当社はA社（資本金と資本剰余金の合計が60億円）の100%子会社で、資本金は1億円です。令和6年度の税法改正で、資本金が1億円以下でも、一定の条件を満たせば、大会社の100%子会社について外形標準課税が適用されることとなったとのことですが、その内容を説明してください。

【答】 事業税の外形標準課税の対象は資本金又は出資金（以下「資本金」といいます。）の額が1億円を超える法人ですが、組織再編等の際に子会社の資本金の額を1億円以下に設定し外形標準課税の対象外とすることに対応するため、令和6年度の税法改正で、外形標準課税の対象範囲が拡大されました。その内容は以下のとおりです。

令和8年4月1日以後に開始する事業年度から、以下の①と②の両方の要件を満たす法人は、資本金の額が1億円以下であっても、外形標準課税の適用対象となります。（令8.4.1施行地法72の2①一ロ、地政令10の2〜10の5、地規則3の13の4）

① 特定法人との間にその特定法人による完全支配関係がある法人又は100%グループ内の複数の特定法人に発行済株式等の全部を保有されている法人であること。ここでの特定法人とは、資本金と資本剰余金の合計額が50億円を超える法人（外形標準課税の対象外の法人を除きます。）及び保険業法に規定する相互会社（外国相互会社を含みます。）をいいます。

② 事業年度末の資本金と資本剰余金の合計額が2億円を超えること。改正法の公布日（令和6年3月30日）以後に、親会社に対して資本剰余金の配当や出資の払戻しを行うことにより資本金又は資本剰余金を減少させた場合、その減少額を加算します。つまり、配当や出資の払戻しにより資本金と資本剰余金の合計額を2億円以下にする行為は認めないということです。

貴社の場合、100%親会社の資本金と資本剰余金の合計額が60億円ですので、上記の①を満たしています。したがって、貴社の資本金と資本剰余金の合計額が2億円を超えていれば、②を満たし、外形標準課税の対象となります。

なお、上記の規定により新たに外形標準課税の対象となった法人の税負担

第11章　租税公課

の急増を軽減するため、以下の経過措置が設けられています。（令6改地法等附則8②③）なお、以下で、「令和8年度分基準法人事業税額」とは、令和8年4月1日から令和9年3月31日までの間に開始する各事業年度分の事業税について新法の規定により申告納付すべき事業税額を、「比較法人事業税額」とは、外形標準課税の対象外であったとした場合の申告納付すべき事業税額を、「令和9年度分基準法人事業税額」とは、令和9年4月1日から令和10年3月31日までの間に開始する各事業年度分の事業税について新法の規定により申告納付すべき事業税額を、それぞれいいます。

・令和8年4月1日から令和9年3月31日までに開始する各事業年度……令和8年度分基準法人事業税額が比較法人事業税額を超える場合、その超える金額の3分の2相当額が軽減されます。

・令和9年4月1日から令和10年3月31日までに開始する各事業年度……令和9年度分基準法人事業税額が比較法人事業税額を超える場合、その超える金額の3分の1相当額が軽減されます。

(注)　新たな事業の創出及び産業への投資を促進するための産業競争力強化法等の一部を改正する法律の施行日（令和6年9月2日）から令和9年3月31日までの間に、産業競争力強化法に規定する特別事業再編計画に基づいて行われる事業再編により100%子会社となった法人等については、上記の条件を満たしても、一定期間、外形標準課税の対象外とされます。（令8.4.1施行地法附則8の3の4、地政令附則6）

外形標準課税の課税標準を算定するに当たっての報酬給与額

> **【問11-7】**　事業税の外形標準課税の課税標準の1つである付加価値額の算式にでてくる報酬給与額の内容と、その計算方法を説明してください。

【答】　報酬給与額は、法人の各事業年度における下記①、②及び③の金額の合計額です。（地法72の15）

①　役員又は使用人（アルバイト、パートタイマー、臨時雇いを含みます。）に対する報酬、給料、賃金、賞与、退職手当その他これらの性質を有する給与として支出する金額の合計額

（623）

どのようなものが報酬給与額となるかについては、次の事項に注意してください。

イ　所得税において給与所得又は退職所得とされるものをいい、事業所得、一時所得、雑所得又は非課税所得とされるものは報酬給与額となりません。ただし、企業内年金制度に基づく年金や、死亡した者に係る給料・退職金等で遺族に支払われるものは、その性格が給与としての性質を有すると認められるため、所得税において給与所得又は退職所得とされない場合でも、報酬給与額として取り扱われます。（県通3-4の2の3）

通勤手当のうち所得税が非課税となる額（【問9-39】参照）は、実費弁償的なものですので、報酬給与額に含まれませんが（県通3-4の2の8）、現物給与（食事代、自社製品の低廉販売、保険料の負担等）として所得税が課税されるものは、報酬給与額に含まれます。借上社宅に係る賃貸借料は、付加価値額算定の別の要素である純支払賃借料を算定するに当たって支払賃借料となり、入居する役員又は使用人から支払を受ける賃借料は受取賃借料となりますので（県通3-4の4の9(1)）、受取賃借料が低い等のために支払賃貸料の全部又は一部が現物給与として課税される場合でも、重複課税を避けるため、報酬給与額に含めないものとされています。（県通3-4の2の6(2)）

（注） 労働基準法第20条（解雇の予告）の規定により使用者が予告をしないで解雇する場合に支払う予告手当は、退職手当等に該当しますので（所基通30-5）、報酬給与額に含まれますが、同法第114条（付加金の支払）の規定により支払を受ける付加金は、一時所得に該当しますので（所基通34-1(3)）、予告手当、休業手当、時間外・休日・深夜労働の割増賃金の支払をしなかった者が支払う付加金は、報酬給与額に含まれません。

ロ　原則として法人税の所得の金額の計算上損金の額に算入されるものに限られます。（県通3-4の1の2）

（注） 上記に「原則として」とあるのは、例えば給与が製造原価に算入されてその一部が期末棚卸資産として支給した事業年度に損金算入されない場合でも、給与の支払額により報酬給与額の計算をするという意味のものです。

退職一時金についての退職給付引当金を計上しているときは、当該引当金を取り崩して退職給与を支給したとき、賞与引当金を計上しているとき

は、当該引当金を取り崩して賞与を支給したときに、支給額が報酬給与額になります。一方、役員給与や特殊関係使用人に支給する給与のうちの損金不算入額は、報酬給与額に含まれません。

ハ　出向者、転籍者に係るものは、給与はその実質的負担者の報酬給与額とし、退職給与その他これに類するものはその形式的負担者の報酬給与額とします。その具体的取扱いは、次のとおりです。(県通3-4の2の14本文)

　　出向元法人が出向者に対する給与を支給することとしているため、出向先法人が出向元法人に支出する給与負担金(経営指導料等の名義で支出する金額を含みます。)は、出向先法人における報酬給与額とし、出向元法人が出向先法人との給与条件の較差を補てんするため出向者に支給する給与(出向先法人を経て支給する金額を含みます。)は、出向元法人における報酬給与額とします。

　　一方、退職給与負担金は、出向先法人が出向元法人にあらかじめ定めた負担区分に基づいて定期的に支出している場合、その支出額は出向先法人の報酬給与額とせず、出向元法人において出向者の退職時に退職給与を支払ったときに、当該退職給与を出向元法人の報酬給与額とします。ただし、出向元法人が確定給付企業年金契約等を締結している場合、出向先法人が出向元法人にあらかじめ定めた負担区分に基づいて出向者に係る掛金、保険料等の額を支出したときは、その支出額は出向先法人の報酬給与額とします。

　　以上の取扱いは、出向先法人又は出向元法人のいずれかが外形標準課税の対象外である場合でも同じです。したがって、例えば出向元法人(親会社)が外形標準課税の対象法人、出向先法人(子会社)が外形標準課税の対象外の法人という場合、給与については、子会社の給与負担金を多くして、親会社の給与較差負担金を減らすのが有利になります。また、退職給与については、出向者を退職直前に親会社から子会社へ転籍させ、親会社から子会社へ退職給与負担金を支払って、子会社で同人に退職給与を支給しますと、親会社の報酬給与額が減少して企業グループ単位での節税ができることになりますが、道府県知事の調査による法人事業税の課税標準額又は税額の更正又は決定についての同族会社の行為又は計算の否認規定(地法72の43)があることに、注意する必要があります。

②　確定給付企業年金契約の掛金等

報酬給与額となる確定給付企業年金契約の掛金等は、地方税法施行令第20条の2の3第1項に、7個のものが列記されています。

　他の年金制度への移行に伴う積立金の移管に係る金額は、新たに掛金等を拠出するのではありませんので報酬給与額となりません。（県通3-4の2の11）また、事務費掛金等も、年金給付及び一時金等の給付に充てるための支出でありませんので、報酬給与額に含めません。（県通3-4の2の12）一方、退職給付信託財産は、企業会計では簿外資産となりますが（【問20-3】参照）、当該信託財産から拠出される確定給付企業年金契約の掛金等は、当該退職給付信託を設定した法人により掛金等の支払いが行われたものとして取り扱われます。（県通3-4の2の13）

③　労働者派遣法の規定に基づき、労働者派遣の役務の提供を受けた法人がその対価として派遣をした者に支払う派遣契約料（当該派遣労働者に係る旅費等を含みます。）の75％の金額（地法72の15②、県通3-4の2の15）

　下請先に支払う請負料は、派遣契約料に該当しません。派遣と請負の違いは、「労働者派遣事業と請負により行われる事業との区分に関する基準」（昭和61年労働省告示第37号、最終改正：平成24年厚生労働省告示第518号）に示されています。

外形標準課税の課税標準を算定するに当たっての純支払利子、純支払賃借料及び単年度損益

> 【問11-8】　付加価値額の算式にでてくる純支払利子、純支払賃借料及び単年度損益の内容と、その計算方法を説明してください。

【答】　純支払利子、純支払賃借料及び単年度損益の内容とその計算方法は、次のとおりです。

(1) 純支払利子……各事業年度の支払利子の額（法人税の所得の金額の計算上損金の額に算入されるものに限ります。）の合計額から、当該合計額を限度として、各事業年度の受取利子の額（法人の所得の金額の計算上益金の額に算入されるものに限ります。）の合計額を控除した金額です。（地法72の16①）受取利子の合計額が支払利子の合計額を超える場合には、純支払利子はマイナスとせず、ゼロとします。（県通3-4の1の1）

（626）

第11章　租税公課

　支払利子について法人税基本通達2−2−14（短期の前払費用）の後段の取扱い【問2−27】参照）を、受取利子について同2−1−24（貸付金利子等の帰属の時期）のただし書及び同2−1−25（相当期間未収が継続した場合等の貸付金利子等の帰属時期の特例）の取扱いを適用しているときは、純支払利子の計算にもそのまま適用されます。

　支払利子及び受取利子に該当するものの主なものは、次のとおりです。

イ　支払利子に該当するものの主なもの……①借入金の利息、②社債の利息、③金銭債務に係る債務者の償却差損として損金の額に算入される金額、④手形の割引料、⑤コマーシャル・ペーパーの券面価額から発行価額を控除した金額、⑥従業員預り金、営業保証金、敷金等の預り金の利息、⑦信用取引に係る利息、⑧利子税、住民税及び事業税の納期限延長の場合の延滞金（①〜⑧は県通3−4の3の1）、⑨リース譲渡契約により商品を購入した場合の割賦代金のうちの支払利子（県通3−4の3の4）、⑩リース料のうち利息相当額として合理的に区分された額（県通3−4の3の5）、⑪リース取引が金銭の貸借として取り扱われる場合のリース料のうちの利息相当額（県通3−4の3の6）、⑫損害遅延金のうち遅延期間に応じて一定の利率により算定して支払われる額（県通3−4の3の8）

　売掛金等を支払期日前に支払を受けたことにより支払う売上割引料は、法人が有する負債に対する支払利子でなく、期限前支払に対する報奨金的なものですので、支払利子として取り扱いません。（県通3−4の3の9）

　公社債を利息の計算期間の中途に購入したときに支払う経過利息相当額は、支払利子として取り扱わず、購入後最初に到来する利払期の受取利息は、①経過利息を公社債の取得価額に含めているときは、その全額を、②経過利息を前払金として経理したときは、当該前払金額を差引いた金額を受取利子とします。（県通3−4の3の10）

ロ　受取利子に該当するものの主なもの……①貸付金の利息、②公社債の利息、③償還有価証券（コマーシャル・ペーパーを含みます。）の調整差益、④金融機関等の預貯金利息及び給付補てん備金、⑤合同運用信託、公社債投資信託及び公募公社債等運用投資信託の収益の分配金、⑥還付加算金（①〜⑥は県通3−4の3の2）、⑦金銭債権を債権金額未満の価額で取得した場合の金利の調整差金（県通3−4の3の11）

（627）

買掛金等を支払期日前に支払うことにより受け入れる仕入割引料は、受取利子として取り扱いません。（県通3-4の3の9）

(2) 純支払賃借料……各事業年度の支払賃借料（法人税の所得の金額の計算上損金の額に算入されるものに限ります。）の合計額から、当該合計額を限度として、各事業年度の受取賃借料（法人税の所得の金額の計算上益金の額に算入されるものに限ります。）の合計額を控除した金額です。（地法72の17①）受取賃借料の合計額が支払賃借料の合計額を超える場合には、純支払賃借料はマイナスとせず、ゼロとします。（県通3-4の1の1）

支払賃借料について法人税基本通達2-2-14の後段の取扱いを適用しているときは、純支払賃借料の計算にもそのまま適用されます。

賃借料の意義、賃借料に含まれるもの及び賃借料に含まれないものは、次のとおりです。

賃借料の意義（地法72の17②③）……土地又は家屋（これらと一体となって効用を果たす構築物又は付属設備を含みます。）の賃借権、地上権、永小作権その他の土地又は家屋の使用又は収益を目的とする権利で、その存続期間が1月以上であるものの対価として支払う金額（支払賃借料）又は支払を受ける金額（受取賃借料）です。

賃借料に含まれるもの……駐車場代（フェンス、区画、建物の設置等をしているもの、立体式のものを含みますが、機械使用料等が明確に区分されているときはこれを除きます。）貸倉庫の賃借料（契約等で入出庫サービス料が明確に区分されているときはこれを除きます。）、国、地方公共団体に支払う道路占用料、連続して1月以上利用するホテルの宿泊料、売上高に応じて連動する賃借料は、賃借料に含まれます。

賃借料に含まれないもの……機械、車両等の動産の賃借料、土地又は建物の賃貸借契約に伴って支払う権利金、更新料、共益費（契約書等で明確かつ合理的に区分されている場合に限ります。）は、賃借料に含まれません。

(3) 単年度損益

法人税の課税標準である所得の金額ですが、法人税法第57条（欠損金の繰越し）及び第57条の2（特定株主等によって支配された欠損等法人の欠損金の繰越しの不適用）の規定を適用しないで計算した金額とします。（地法72の18）法人税法第59条（会社更生等による債務免除等があった場合の

欠損金の損金算入）の規定は適用しますが、第57条の規定を適用しないことによる調整を要します。その他、一定の調整を行います。

　単年度損益がマイナスのときはゼロとせず、マイナスの額を収益配分額から減算して付加価値額を計算します。単年度損益のマイナスの方が大きい場合、付加価値額はゼロになりますが、次年度への繰越しをすることはできません。

特別法人事業税の概要

【問11-9】 特別法人事業税について、その概要を説明してください。

【答】　特別法人事業税は、地方税の税収が大都市部に集中するため、その偏在性を是正するために創設された国税で、徴収した税は国が特別法人事業譲与税として地方に再分配します。同様の趣旨で、暫定的に平成20年に事業税の一部を分離して地方法人特別税が創設されましたが、令和元年度の税法改正での恒久的な措置としての特別法人事業税の創設により、地方法人特別税は廃止されました。特別法人事業税は、事業税額を課税標準として課税されますが、その概要は次のとおりです。

① 　課税標準……基準法人所得割額又は基準法人収入割額です。（特別法人事業税及び特別法人事業譲与税に関する法律6）基準法人所得割額とは、地方税法の規定（各都道府県の判断で行う課税免除、不均一課税、減免等の規定を適用せず、標準税率によります。）によって計算した所得割額であり（同法2五）、基準法人収入割額とは、地方税法の規定によって計算した収入割額です。（同法2六）

② 　税額……下表のとおり計算します。（同法7）

課される法人事業税による法人の区分	税　　額
㋑　付加価値割額、資本割額及び所得割額の合算額により課される法人	基準法人所得割額×260%
㋺　所得割額により課される特別法人	基準法人所得割額×34.5%
㋩　所得割額により課される法人 　　（㋺を除きます。）	基準法人所得割額×37%
㊁　収入割額により課される法人	基準法人収入割額×30%

（629）

㋭　収入割額及び所得割額の合算額により課される法人	基準法人収入割額×40%
㋬　収入割額、付加価値割額及び資本割額の合算額により課される法人	【問11-4】のⅠの(2)の法人…… 基準法人収入割額×40% 【問11-4】のⅠの(3)の法人…… 基準法人収入割額×62.5%

③　申告及び納付……この税は国税ですが（同法5）、賦課徴収は都道府県が事業税の賦課徴収と併せて行います。（同法8）したがって、事業税に係る申告書を提出する義務のある法人は、この税の申告書を、事業税の申告書と併せて都道府県知事に提出し（同法9）、事業税の納付と併せて都道府県にこの税を納付しなければなりません。（同法10）

地方法人税の概要

> 【問11-10】　地方法人税について、その概要を説明してください。

【答】　地域間の税源の偏在性を是正するため、平成26年度の税法改正で、法人住民税の法人税割の税率を引き下げ、その引下げにあわせて地方法人税（国税）を創設し、国から地方へ配分することとされました。この改正は、平成26年10月1日以後に開始する事業年度から適用されていますが、令和元年10月1日以後に開始する事業年度から、税率が変更されました。（地法法10①、地法51①、314の4①）税率の推移は次のとおりです。

税　目	平成26年9月30日以前開始事業年度	平成26年10月1日～令和元年9月30日開始事業年度	令和元年10月1日以後開始事業年度
道府県民税法人税割 （標準税率）	5.0%	3.2%	1.0%
市町村民税法人税割 （標準税率）	12.3%	9.7%	6.0%
地方法人税	－	4.4%	10.3%

地方法人税の内容は以下のとおりです。

①　納税義務者……法人税を納める義務のある法人は、地方法人税の納税義務がありますから（地法法4）、地方法人税の納税義務者は法人税の納税

（630）

義務者と同じ範囲になります。したがって、収益事業を行っている場合、公益法人等や人格のない社団等も納税義務者になります。

② 税額の計算……課税標準は各課税事業年度（法人税での事業年度と同じです。（地法法7①））の課税標準法人税額であり、課税標準法人税額は各課税事業年度の基準法人税額です。（地法法9①）基準法人税額は次の法人税の額（附帯税を除きます。）です。（地法法6①）

イ 法人税の確定申告書を提出すべき内国法人の場合は、所得税額控除、外国税額控除、分配時調整外国税相当額の控除及び仮装経理に基づく過大申告の場合の更正に伴う法人税額の控除に関する規定を適用しないで計算した法人税の額

ロ 法人税の確定申告書を提出すべき外国法人で、恒久的施設を有する外国法人の場合は、外国法人に係る所得税額の控除、外国法人に係る外国税額の控除及び外国法人に係る分配時調整外国税相当額の控除に関する規定を適用しないで計算した法人税の額。恒久的施設を有しない外国法人の場合は、外国法人に係る所得税額控除に関する規定を適用しないで計算した法人税の額

ハ 法人税の退職年金等積立金確定申告書を提出すべき法人の場合は、各事業年度の退職年金等積立金の額に対する法人税の額

　上記イの場合、所得金額に対する法人税額から法人税額の特別控除額を差し引き、税額控除超過額相当額等の加算額、課税土地譲渡利益金額に対する法人税額、課税留保金額に対する法人税額及び使途秘匿金の支出に対する法人税額を加算した額が、課税標準法人税額となります。

　地方法人税の税率は10.3％ですので、税額は次の算式で計算することになります。（地法法10①）

　　　地方法人税の額＝課税標準法人税額×10.3％

　(注) 法人税の留保金課税の適用を受ける場合は、地方法人税の額は次の①と②の合計になります。（地法法10②、11）これは、留保金課税で、当期留保所得金額を計算する際に留保所得金額から①の地方法人税額相当額を差し引く必要があるためです。

　　　① （課税標準法人税額－課税留保金額に対する法人税額）×10.3％

　　　② 課税留保金額に対する法人税額×10.3％

なお、各課税事業年度の控除対象外国法人税の額が法人税の控除限度額を超える場合には、その超過額を、その課税事業年度の国外所得に対応する地方法人税の額を限度として、地方法人税の額から控除します。（地法法12）

③　申告及び納付……法人は、各課税事業年度の終了の日の翌日から２か月以内に、税務署長に対して地方法人税の確定申告書を提出し、納税することが必要です。なお、法人税の確定申告書の提出期限の延長の特例の適用を受けている場合、地方法人税の確定申告書の提出期限も延長されます。（地法法19①④⑤、21）また、法人税の中間申告書を提出すべき法人は、課税事業年度開始日以後６か月を経過した日から２か月以内に、税務署長に対して地方法人税の中間申告書を提出し、納税することが必要です。（地法法16①⑥、17①、20）こうした手続や期限は法人税と同様です。法人税と地方法人税は同一の申告書（別表一）で申告することになっています。

法人の行う事業に課される事業所税の概要とその損金算入時期

> 【問11-11】　法人の行う事業に課される事業所税の概要と、この税の損金算入される時期について説明してください。

【答】　事業所税は、指定都市等が都市環境の整備及び改善に関する事業に要する費用に充てるため、事業所等において法人又は個人の行う事業に対し、当該事業所等所在の指定都市等により課されるものです。（地法701の30、701の31①）法人の事業に課されるものの概要は、次のとおりです。

①　指定都市等……東京都23区と下記の76の都市です。（地法701の31①一）

イ　政令指定都市20都市……大阪、名古屋、京都、横浜、神戸、北九州、札幌、川崎、福岡、広島、仙台、千葉、さいたま、静岡、堺、新潟、浜松、岡山、相模原、熊本

ロ　イに掲げる市以外の市で、首都圏整備法第２条第３項に規定する既成市街地を有する３都市……武蔵野、三鷹、川口

ハ　イに掲げる市以外の市で、近畿圏整備法第２条第３項に規定する既成都市区域を有する５都市……守口、東大阪、尼崎、西宮、芦屋

ニ　イ、ロ及びハに掲げる市以外の市で、人口30万以上の48都市（地政令56

第11章　租税公課

の15）……旭川、秋田、郡山、いわき、宇都宮、前橋、高崎、川越、所沢、越谷、市川、船橋、松戸、柏、八王子、町田、横須賀、藤沢、富山、金沢、長野、岐阜、豊橋、岡崎、一宮、春日井、豊田、四日市、大津、豊中、吹田、高槻、枚方、姫路、明石、奈良、和歌山、倉敷、福山、高松、松山、高知、久留米、長崎、大分、宮崎、鹿児島、那覇

② 課税標準（地法701の40）、税率（地法701の42）、免税点（地法701の43）……それぞれ次表のとおりです。

	課税標準	税率	免税点
資産割	算定期間の末日現在における事業所床面積	1㎡につき600円	事業所床面積の合計面積が1,000㎡以下の場合
従業者割	算定期間中に支払われた従業者給与総額	0.25%	従業者の数の合計数が100人以下の場合

（注1） 資産割の課税標準について、例えば勤労者の福利厚生施設等についての用途による非課税等の規定があります。

（注2） 上表の従業者給与総額は、従業者（役員を含み、障害者及び年齢65歳以上の者（役員を除きます。）を除きます。）に対して支払われる給与等（俸給、給料、賃金及び賞与並びにこれらの性質を有する給与）の総額ですが、年齢55歳以上65歳未満の者のうちに雇用改善助成対象者がある場合には、その者の給与等の額の$\frac{1}{2}$相当額を除きます。（地法701の31①五）

（注3） 免税点の判定は、指定都市等の区域内のすべての事業所の合計によります。

③ 徴収の方法……各事業年度終了の日から2月以内に法人が申告納付する方法によります。（地法701の45、701の46①）

以上からわかるように、事業所税は物税で、事業所の床面積、従業者給与総額という所得金額以外のものを課税標準にしていますし、大都市への事業所の集中に伴う都市環境の整備及び改善に要する費用の支出に充てるために課税されるものですので、応益原則からも、営業費用（事業所が工場等の場合は製造原価）として処理します。

次に、御質問の後段にある事業所税が損金算入される時期ですが、事業所税は申告納付の方法をとっていますので、申告書が提出された日の属する事業年度が損金算入の時期となりますので（基通9-5-1(1)本文）、事業所税の計上を発生基準で行った場合は、事業年度末における「未払事業所税」の申告加算調整が必要になります。

（633）

ところが、発生基準による計上額を製造原価、工事原価等に算入した場合、その一部が期末棚卸資産の取得価額に加わって一時的に二重課税になりますので、申告期限未到来の事業所税に相当する金額が製造原価、工事原価その他これらに準ずる原価のうちに含まれている場合において、法人が当該金額を損金経理により未払金に計上したときの当該金額については、当該損金経理をした事業年度における損金算入を認めることとしています。(基通9－5－1(1)ただし書イ)したがって、事業年度末における「未払事業所税」のうち製造原価、工事原価等の原価に算入した事業所税相当額については、申告加算調整は不要です。

固定資産税の損金算入時期

> **【問11-12】**　10月31日決算の法人ですが、固定資産税の第3、4期分(納付期限は当年12月末日及び翌年2月末日)を事業年度末に未払金に計上して、損金の額に算入することができますか。

【答】　固定資産税のような賦課課税方式をとっている租税公課は、賦課決定のあった日の属する事業年度において損金の額に算入されます。ただし、法人がその納付すべき税額について、その納期の開始の日(納期が分割して定められているものについては、それぞれの納期の開始の日)の属する事業年度又は実際に納付した日の属する事業年度において損金経理をした場合は、その事業年度において損金の額に算入されます。(基通9－5－1(2))

　固定資産税は、毎年4月ごろに納税通知書(賦課決定通知書)が発せられ、納期を年4回に分割し、通常同年の4月、7月、12月及び翌年の2月の各月末がそれぞれの納期限とされています。

　(注)　東京都の場合、令和6年の固定資産税については、6月3日に納税通知書を発送し、6月、9月、12月、翌年2月の各月末(6月末日は休日のため7月1日)が納期限です。

　御質問の場合、事業年度末の10月31日にはその年の納税通知書が既に発せられていますので、同年12月と翌年2月の各月末を納期限とする第3、4期分の税額相当額を損金経理により未払金に計上し、当該事業年度において損金の額に算入することができます。

(634)

第11章　租税公課

　なお、固定資産税は賦課期日（毎年1月1日）に所在する固定資産の価額を課税標準として、同日現在の固定資産の所有者に賦課されるため、暦年ベースで月割費用計上をすることがあります。この場合、納税通知書が発せられる前すなわち1月から3月までは通常見積額によって月割額を未払金に計上しますが、1月から3月までを事業年度終了の日とする法人は、事業年度終了の日現在まだその年度の固定資産税の納税通知書が発せられていませんので、1月から事業年度終了の月までの月割額を見積って未払金に計上した金額は、申告加算調整が必要になります。

書式表示による申告及び納付の特例を受けている印紙税の損金算入時期

> 【問11-13】　印紙税について、印紙税法第11条の書式表示による申告及び納付の特例を受けている場合、その損金算入時期はどのようになりますか。

【答】　印紙税の課税文書のうち、その様式又は形式が同一であり、かつ、その作成の事実が後日においても明らかにされているものを毎月継続して作成しようとする場合又は特定の日に多量に作成しようとする場合には、当該課税文書を作成しようとする場所の所在地の所轄税務署長の承認を受け、相当印紙のはり付けに代えて、金銭をもって当該課税文書に係る印紙税を納付することができます。（印紙税法11①）この承認を受けた者は、その月中又は特定の日に作成した当該課税文書の課税標準数量（号別及び種類並びに当該種類ごとの数量及び当該数量を税率区分の異なるごとに合計した数量）、これに対する印紙税額とその合計額を記載した申告書を、その翌月末日までに、その承認をした税務署長に提出し、当該申告書に記載した納付すべき税額に相当する印紙税を納付しなければなりません。（同11④⑤）

　これが印紙税の書式表示による申告及び納付の特例ですが、この場合の印紙税は申告納税方式による租税となりますので、その損金算入時期は、上記の申告書が提出された日の属する事業年度となります。（基通9-5-1(1)）

　手形や領収書を多量に発行する場合、印紙をはり付ける手数を省くためにこの特例の適用を受けることがありますが、例えば3月末日決算法人の場合、3月中に発行した手形や領収書を課税文書とする印紙税の額は、4月に申告

（635）

書が提出されるため、翌事業年度に損金の額に算入されることになります。
当該税額は、企業会計上３月末決算において未払金に計上すべきですが、税
務上は、当該未払金計上額を申告加算（処分は留保）しなければなりません。

消費税等の経理処理——税抜経理方式と税込経理方式の内容と特色

> 【問11-14】　消費税等の経理処理には税抜経理方式と税込経理方式
> とがあるそうですが、その内容と特色を教えてください。

【答】　税抜経理方式は、消費税及び地方消費税（以下「消費税等」といいま
す。）について、仕入れ等に係る税額を仮払消費税等、売上げ等に係る税額
を仮受消費税等として処理し、課税期間に係る仮受消費税等と仮払消費税等
を相殺してその差額について納付し又は還付を受けるもので、企業の損益計
算に消費税等の額を影響させない方式です。一方、税込経理方式は、仕入れ
等に係る消費税等を資産の取得原価又は費用に含め、売上げ等に係る消費税
等を収益に含める方式で、納付税額は租税公課等に計上し、還付税額は雑収
入等に計上する方式です。

　簡単な事例で、税抜経理方式と税込経理方式の仕訳を示してみましょう。な
お、消費税の税額は課税取引額の7.8％で、地方消費税は消費税額の$\frac{22}{78}$とさ
れていますので、消費税と地方消費税の合計は課税取引額の10％$\left(7.8\% + 7.8\% \times \frac{22}{78}\right)$となります。

　(注)　一定の飲食品の譲渡等、軽減税率が適用されるものについては、消費税の税
額は課税取引額の6.24％です。なお、軽減税率が適用される場合、次の計算に
より、消費税と地方消費税の合計は課税取引額の８％となります。

　　　　$6.24\% + 6.24\% \times \frac{22}{78} = 8\%$

損益項目	税抜き額	消費税等の額	税込み額
売 上 高	1,000(万円)	100(万円)	1,100(万円)
仕 入 高	700	70	770
経費(非課税)	100	0	100
同 （課税）	100	10	110
消費税等	—	20	20
利 　益	100	0	100

第11章　租税公課

時　期	税抜経理方式	税込経理方式
売　上 計上時	売掛金等　1,100／売上　　　　1,000 　　　　　　　／仮受消費税等　　100	売掛金等 1,100／売上 1,100
仕　入 計上時	仕入　　　　・700／買掛金等　　　770 仮払消費税等 70／	仕入　770／買掛金等　770
経費(非課 税又は不課 税)発生時	経費　　　　100／未払金等　　　100	経費　100／未払金等　100
経費(課税) 発生時	経費　　　　100／未払金等　　　110 仮払消費税等 10／	経費　110／未払金等　110
事　業 年度末	仮受消費税等100／仮払消費税等　80 　　　　　　　／未払消費税等　20	租税公課20／未払消費税等20 (消費税等)／

　税抜経理方式、税込経理方式それぞれの長所は、次のとおりです。

(1)　税抜経理方式の長所

①　消費税等は取引によって転嫁され、企業が負担しない税金ですので、取引額に含めない税抜経理方式がその本来の性格に即した方式です。

②　仕入れ等に係る消費税等を棚卸資産、減価償却資産等の取得価額に算入しませんので、税込経理方式に比べて資産の価額が低く、利益が少なく計上され、保守主義の原則に適合したものとなります。

(2)　税込経理方式の長所

①　取引の都度売上高、仕入高等に含まれる消費税等の額を区分する必要がなく、日々の取引処理は税抜経理方式に比べて簡単です。

②　控除対象外消費税等（【問11-22】参照）が生じた場合でも、仕入れ等に係る消費税等がすべて取引額に含めて処理されていますので、特に調整を要しません。税抜経理方式のときは、仮受消費税等と相殺できない仮払消費税等について調整が必要になります。(税法上の処理方法は、【問11-23】を参照してください。)

　以上の長所のうち、(1)税抜経理方式の①が主なものと考えられます。したがって、消費税等の経理処理は税抜経理方式を基本とし、不課税取引又は非課税取引が主要な部分を占める事業体、簡易課税制度を選択する事業体等、

（637）

その業種業態からみて合理性がある事業体に限り、税込経理方式を適用することができると考えるべきです。

　なお、収益認識会計基準では、取引価格とは、財又はサービスの顧客への移転と交換に企業が権利を得ると見込む対価の額（ただし、第三者のために回収する額を除く。）とされており（収益認識会計基準8、47）、消費税及び地方消費税は第三者（国及び都道府県）のために回収するものなので、取引価格に含まれません。したがって、収益認識会計基準では、税抜経理方式が強制されることとなります。（収益認識会計基準161）

税務における税抜経理方式と税込経理方式の選択適用方法

> **【問11-15】**　税務では、税抜経理方式と税込経理方式の選択適用は、どのように取り扱われていますか。両方式の併用はできますか。併用できるとした場合、①売上げ等の収益に係る取引、②棚卸資産の取得に係る取引、③固定資産及び繰延資産の取得に係る取引、④経費等の支出に係る取引のそれぞれについて、どのような選択をすることができますか。

【答】　消費税関連通達2及び3は、消費税等の税抜経理方式と税込経理方式の選択適用について、次のとおり示しています。

イ　税抜経理方式又は税込経理方式のいずれかの方式に統一していない場合には、すべての取引について税抜経理方式又は税込経理方式のいずれかの方式を適用して法人税の課税所得金額を計算するものとします。

ロ　ただし、売上げ等の収益に係る取引につき税抜経理方式で経理している場合に、固定資産等（固定資産、繰延資産、棚卸資産）の取得に係る取引又は経費等（販売費及び一般管理費等）の支出に係る取引のいずれかの取引について税込経理方式で経理をしたときは、その取引については税込経理方式を、その取引以外の取引については税抜経理方式を適用して法人税の課税所得金額を計算します。

ハ　ロの適用に当たり、固定資産等のうち棚卸資産の取得に係る取引について、固定資産及び繰延資産と異なる方式を適用した場合には、継続して適用した場合に限り、その方式によります。

（638）

第11章　租税公課

ニ　売上げ等の収益に係る取引について税込経理方式で経理をしている場合には、固定資産等の取得に係る取引又は経費等の支出に係る取引の全部又は一部について税抜経理方式で経理している場合であっても、税込経理方式を適用して法人税の課税所得金額を計算します。

　これにより、御質問にある4種類の取引について異なる方式が選択できるのは、①の売上げ等の収益に係る取引について税抜経理方式を適用する場合に限られ、①の取引について税込経理方式を適用するときは、②、③及び④の取引のすべてについて税抜経理方式を適用することはできません。これは、①の売上げ等の収益に係る取引について税込経理方式を適用した場合、貸方に仮受消費税等が計上されないにもかかわらず、②、③又は④の取引について税抜経理方式を適用して借方に仮払消費税等を計上するのは、消費税等を通過勘定として処理するという税抜経理方式の本質からみて、不合理だからです。

　しかし、①の売上げ等の収益に係る取引について税抜経理方式を適用するときは、②、③又は④の取引ごとに税込経理方式と税抜経理方式を選択適用することができます。②の棚卸資産の取得に係る取引及び③の固定資産等の取得に係る取引に比べて、④の経費等の支出に係る取引は税抜処理に手数がかかりますので、④の取引についてのみ税込経理をすることがあるかと思いますが、この逆の方法をとることもできます。更に②と③の取引のうちで②にある棚卸資産は、回転が早く早期に売上原価となって費用化されるものですので、継続適用を条件に、②の取引と③の取引とで異なる方式を適用することも認められています。

　以上によって、消費税等の税務での処理方法の組合せを表示しますと、次のとおりになります。

	原則的方法		例外的方法					
	イ		ロ		ハ			
①　売上げ等の収益に係る取引	込	抜	抜	抜	抜	抜	抜	抜
②　棚卸資産の取得に係る取引	込	抜	抜	込	込	抜	込	抜
③　固定資産及び繰延資産の取得に係る取引	込	抜	抜	込	抜	込	抜	込
④　経費等の支出に係る取引	込	抜	込	抜	込	込	抜	抜

（639）

(注) 課税仕入取引について税抜経理方式と税込経理方式が混合していますと、消費税等の納付税額の算定に手数がかかりますので、上表の例外的方法を採用している法人は少ないでしょう。

　なお、税抜経理方式による経理処理は、原則として取引の都度行うべきですが、事業年度中は税込処理をしておき、事業年度終了の時、中間決算作成の時、月次決算作成の都度等に一括して税抜処理に修正することもできます。（消費税関連通達4）

(注) 令和5年10月1日以後の課税仕入れから、帳簿積上げ計算（消政令46②、課税仕入れの都度、課税仕入れの対価の額に$\frac{10}{110}$又は$\frac{8}{108}$を乗じて算出した金額を仮払消費税等として帳簿に記載して、その合計額に$\frac{78}{100}$を乗じて算出した金額を課税仕入れに係る消費税額とする方法）を採用する場合は、当然、決算時や月次での一括税抜処理は認められません。（消費税関連通達4）

免税事業者、簡易課税制度選択事業者における税抜経理方式選択の可否

> **【問11-16】** 税抜経理方式は、消費税等の免税事業者、簡易課税制度選択事業者のいずれについても選択適用することができますか。

【答】 基準期間及び特定期間の課税売上高が1,000万円以下である事業者は、「消費税課税事業者選択届出書」を所轄税務署長に提出した場合（消法9④）を除いて、消費税等の納税義務が免除されます。（消法9①、9の2①）基準期間とは、法人の場合、その事業年度の前々事業年度ですが、前々事業年度が1年未満のときは、その事業年度開始の日の2年前の日の前日から同日以後1年を経過する日までの間に開始した各事業年度を合わせた期間です。（消法2①十四）なお、基準期間が1年でないときは、その期間の課税売上高の12か月相当額が基準期間の課税売上高になります。（消法9②）特定期間とは、法人の場合、その事業年度の前事業年度開始の日以後6か月の期間をいいます（前事業年度の期間が7か月以下である場合等は、別途定められている期間になります）。（消法9の2④）

　この免税事業者で、その事業年度の基準期間がない法人のうち、当該事業年度開始の日における資本金の額又は出資の金額が1,000万円以上である法人（社会福祉法人を除きます。）は、基準期間がない事業年度における課税

（640）

資産の譲渡等について、消費税等の納税義務免除の規定（消法9①）は適用されません。（消法12の2、消政令25①）新設法人の新設事業年度及びその翌事業年度には基準期間がありませんが、資本金の額又は出資金の額が1,000万円以上の場合、消費税等の納税義務は免除されないことになります。

(注) 新規に設立された法人で、資本金が1,000万円未満であっても、新規設立法人の基準期間に相当する期間の課税売上高が5億円を超える事業者が直接又は間接に支配している場合等は、基準期間がない事業年度における課税資産の譲渡等について、消費税等の納税義務免除の規定（消法9①）は適用されません。（消法12の3）

免税事業者は、納付すべき消費税等がないため、売上げ又は仕入れ等に係る消費税額等をその基因となった取引の額と区分して経理する意味がありません。したがって、税抜経理方式で経理している場合であっても、税込経理方式を適用して法人税の課税所得金額を計算することとされています。（消費税関連通達5）このように、税抜経理方式を選択することはできませんから、税込経理方式を適用して売上げに係る消費税等は益金算入し、仕入れ等に係る消費税等は損金算入又は資産の取得価額等に算入する処理をしなければなりません。

免税事業者に該当しないが、基準期間における課税売上高が5,000万円以下である事業者は、「消費税簡易課税制度選択届出書」を所轄税務署長に提出することにより、課税期間の課税売上高についてみなし仕入率を適用してみなし仕入控除税額を計算することができます。（消法37①）これが簡易課税制度で、この制度の適用を受ける事業者（簡易課税制度選択事業者）は、消費税額を次の算式によって計算することができます。

消費税額＝課税期間の課税売上高×（1－みなし仕入率）×7.8%

なお、地方消費税が、上記の消費税額の$\frac{22}{78}$相当額課せられます。

(注1) 法人の消費税等の課税期間は、「消費税課税期間特例選択届出書」を提出したとき（消法19①四、四の二）を除いて、その事業年度です。（消法19①二）

(注2) みなし仕入率は、第1種事業（卸売業）90%、第2種事業（小売業、農業・林業・漁業のうち軽減税率が適用される飲食料品の譲渡を行う部分）80%、第3種事業（農業、林業、漁業、鉱業、建設業、製造業、電気業、ガス業、熱供給業及び水道業。ただし、第2種事業とされるものを除きます。）70%、

（641）

第4種事業（第1種、第2種、第3種、第5種及び第6種以外の事業で、飲食店業など）60％、第5種事業（運輸通信業、サービス業（飲食店業に該当するものを除きます。）、金融・保険業）50％、第6種事業（不動産業）40％です。（消政令57①⑤）これらの事業の2以上を営む場合は、みなし仕入率は原則として加重平均法で計算しますが、1種類の事業の課税売上げが75％以上の場合等のときは、特例計算が認められています。（消政令57③）

簡易課税制度の適用は、上記からもわかるように、課税売上げに対する課税仕入れの割合がみなし仕入率未満の場合には通常の課税の場合に比べて有利になり、超える場合には不利になります。したがって、税抜経理方式を適用しているときは、課税期間終了の時における仮受消費税等の金額から仮払消費税等の金額を控除した金額と当該課税期間に係る消費税等の要納付額の間に通常差額が生じますが、免税事業者と異なり、消費税等の納付額がありますので、税抜経理方式の適用が認められます。なお、上記の差額は当該課税期間を含む事業年度において益金の額又は損金の額に算入するものとされています。（消費税関連通達6）

(注) 免税事業者が、適格請求書等保存方式（いわゆるインボイス制度）の実施にともない、適格請求書発行事業者として登録した場合、令和5年10月1日から令和8年9月30日までの日の属する課税期間については、課税売上高（対価の返還等の額を控除後の額）に係る消費税額の20％相当額を消費税の納税額とする特例（いわゆる2割特例）が設けられています。（平28改所法等附則51の2①②）この特例を適用する法人は、免税事業者ではありませんから、税抜経理方式を選択することができます。この場合、仮受消費税等の金額から仮払消費税等の金額を控除した金額より消費税等の納税額の方が少なくなると思われますが、その差額は、その課税期間を含む事業年度に益金の額に算入されます。

（消費税関連通達6）

第11章　租税公課

適格請求書発行事業者以外の者との取引の経理処理（Ⅰ）

【問11-17】　当社は、消費税等の経理処理に税抜経理方式を採用しています。令和６年に、適格請求書発行事業者以外の者（消費税の免税事業者）との間に次の取引がありました。経理処理はどのように行えばよいでしょうか。なお、いずれの取引も消費税の課税対象となる資産の譲渡等に該当します。

① 備品の購入代　支払金額は33万円

② 得意先接待のための飲食代　支払金額は11万円

【答】　消費税については、令和５年10月１日から、適格請求書等保存方式（いわゆるインボイス制度）が導入され、仕入税額控除を行うためには、取引の相手先から交付された適格請求書等の保存が必要となりました（消費税の法令で定める一定の取引は除きます）。消費税の免税事業者等、適格請求書発行事業者以外の者**(注)**との取引では、支払対価に消費税等が含まれていないものとして、消費税等の計算をする必要がありますが、以下の経過措置が設けられています。

・令和５年10月１日から令和８年９月30日までの取引については、本来の消費税額の80％相当額が支払対価の額に含まれているものとみなします。(平28改所法等附則52①)

・令和８年10月１日から令和11年９月30日までの取引については、本来の消費税額の50％相当額が支払対価の額に含まれているものとみなします。(平28改所法等附則53①)

(注)　適格請求書発行事業者以外の者は、免税事業者、消費者、適格請求書発行事業者の登録を受けていない課税事業者です。

　御質問の取引は、上記の経過措置により、本来の消費税等の額の80％相当額を消費税の額とみなしますから、備品の購入代33万円には、24,000円（330,000円×$\frac{10}{110}$×80％）の消費税等の額が、得意先接待の飲食代11万円には、8,000円（110,000円×$\frac{10}{110}$×80％）の消費税等の額が、それぞれ含まれていることになります。したがって、税抜経理方式を採用している場合の会計処理は次のとおりです。

（643）

① 備品の購入代

備　品　　　306,000円　　／　　未払金　330,000円
仮払消費税等　24,000円　　／

② 得意先接待の飲食代

交際費　　　102,000円　　／　　未払金　110,000円
仮払消費税等　8,000円　　／

(注)　簡易課税適用事業者又はいわゆる２割特例適用事業者（課税売上高に係る消費税額の20％相当額を消費税の納税額とする特例を受ける事業者。【問11-16】の文末の**(注)**参照）は、課税仕入れに係る消費税額に関わらず、課税売上高に基づいて消費税の納税額を計算します。したがって、適格請求書等の保存は不要ですし、仕入れ等の取引の相手先が適格請求書発行事業者であるかどうかの確認も不要です。そこで、上記の事業者が税抜経理方式を採用している場合、事務負担を軽減するため、取引相手先が適格請求書発行事業者かどうかを問わず、すべての課税仕入れについて支払対価の$\frac{10}{110}$（軽減税率の対象は$\frac{8}{108}$）相当額を仮払消費税等として、法人税の課税所得金額を計算することが認められます。（消費税関連通達１の２）

適格請求書発行事業者以外の者との取引の経理処理（Ⅱ）

【問11-18】　当社は消費税等の経理処理に税抜経理方式を採用しています。消費税の免税事業者との取引では、取引価格に消費税等が含まれていないものとして会計処理を行い、【問11-17】で説明のあった経過措置で消費税等とみなされる額を雑収入に計上する方法は認められないでしょうか。

【答】　御質問の趣旨は、消費税の免税事業者は消費税等を納税しないのであるから、取引価格に消費税等相当額が含まれていないと考えるのが適当であり、経過措置は、インボイス制度を円滑に導入するための特例で、支払っていない消費税等を支払ったものとして仕入税額控除できるので、いわばラッキーな利益として雑収入に計上することが妥当であるということと思います。

【問11-17】の取引について御質問の会計処理を行えば、次のとおりになります。

第11章　租　税　公　課

① 備品の購入代
備　品　　　330,000円　　／　　未払金　　330,000円
仮払消費税等　24,000円　　／　　雑収入　　24,000円
② 得意先接待の飲食代
交際費　　　110,000円　　／　　未払金　　110,000円
仮払消費税等　8,000円　　／　　雑収入　　8,000円

　この会計処理が認められるかどうかということですが、消費税等の税抜経理方式は、消費税等の額とこれに係る取引の対価の額とを区分して経理する方法であり、仮払消費税等の額とは課税仕入れ等に係る消費税額等をいい、経過措置で消費税額等とみなされる額も含みます（消費税関連通達1(7)、(13)、令3.2.9改正時経過的取扱い(2)）ので、取引金額から消費税額等とみなされる額を仮払消費税等として区分する必要があります。したがって、【問11-17】で示した会計処理を行う必要があり、上記の会計処理のように、取引金額の全額を備品や交際費に計上することはできません。

　上記の会計処理のように、仮払消費税等の額に満たない金額を取引の対価の額から区分して経理している場合、その満たない部分の金額を固定資産の取得に係る取引や経費の支出に係る取引の対価の額から控除して、法人税の課税所得金額を計算します。（消費税関連通達3の2）

　上記の会計処理を行った場合の申告調整は以下のとおりになります。なお、備品は、耐用年数が5年、定率法で償却（償却率は0.400）、当期の償却月数は4か月で、減価償却費を44,000円（330,000円×0.400×$\frac{4}{12}$）計上しているものとします。

　①の取引について……備品の過大計上24,000円減算（処分は留保）、償却超過額3,200円(注)加算（処分は留保）

　(注)　備品の償却限度額は40,800円（306,000円×0.400×$\frac{4}{12}$）です。

　②の取引について……申告調整による加減算は不要です。交際費等の損金不算入額の計算では、接待飲食費の額を102,000円とします。

　なお、以上が原則的な取扱いですが、令和5年12月27日の消費税関連通達の改正で設けられた経過的取扱い(3)によれば、適格請求書発行事業者以外の者との取引について、消費税等の額を対価の額と区分して経理しなかったときは、仮払消費税等の額がないものとして法人税の課税所得金額の計算がで

(645)

きるものとされています。この取扱いによれば、取引金額総額に基づいて法人税の所得金額の計算をすればよいことになりますので、上記①の備品は取得価額が330,000円となり、上記の申告調整は不要になります。また、②の取引については、交際費等の損金不算入額の計算上、接待飲食費の額を110,000円とすることになります。

税込経理方式・税抜経理方式で処理している場合それぞれの消費税等の損金算入及び益金算入時期

> **【問11-19】** 消費税等を税込経理方式で処理している場合及び税抜経理方式で処理している場合のそれぞれについて、納付すべき消費税等の額の損金算入時期及び還付を受ける消費税等の額の益金算入時期は、どのようになりますか。

【答】 消費税等を税抜経理方式で処理しているときは、下記①及び②の場合を除き、納付すべき消費税等の額又は還付を受ける消費税等の額は仮受消費税等と仮払消費税等の差額として計算されますので、法人の所得の金額の計算には関係がなく、その損金算入又は益金算入時期は問題になりません。

① 課税期間における課税売上高が5億円を超える場合
② 課税売上割合が95％未満の場合

　(注) 簡易課税制度の適用を受ける事業年度において生ずる仮受消費税等から仮払消費税等を控除した金額と消費税等の要納付額との間の差額の益金算入又は損金算入の時期は【問11-16】を、課税売上割合が95％未満の事業年度において生ずる控除対象外消費税等の金額の損金算入時期は、【問11-23】を参照してください。

　一方、税込経理方式で処理しているときは、売上高、仕入高等に消費税等の額が含まれるため、納付すべき消費税等の額又は還付を受ける消費税等の金額は別途計算し、それぞれ益金の額又は損金の額に算入しなければなりません。この場合、消費税等は申告納税方式による租税ですので、法人税基本通達9-5-1の(1)によって、確定申告書、修正申告書等に記載された税額については当該申告書が提出された日の属する事業年度、更正又は決定に係る税額については当該更正又は決定があった日の属する事業年度の損金の額に算入し（消費税関連通達7本文）、還付を受ける消費税等は還付に係る納

（646）

第11章　租　税　公　課

税申告書が提出された日の属する事業年度、更正により還付される税額については当該更正があった日の属する事業年度の益金の額に算入します。（同通達8本文）

(注)　国税通則法では、消費税等は課税資産の譲渡等をした時に納税義務が成立すると規定されていますが（国通法15②七）、損金算入時期は納税義務が成立する時でなく、租税債務が確定する時となります。（法22③二）

ただし、法人が申告期限未到来の申告書に記載すべき消費税等の額を損金経理により未払金に計上したときの当該金額については、当該損金処理をした事業年度の損金の額に算入し（同通達7ただし書）、還付を受ける消費税等の額を収益の額として未収入金に計上したときの当該金額については、当該収益に計上した事業年度の益金の額に算入します。（同通達8ただし書）これは、消費税等の要納付額又は還付額とその原因取引との間の収益費用の対応関係に配慮した取扱いです。

消費税等の修正申告による増差額の法人税での取扱いと納付時の処理方法——税抜経理方式を適用している場合

【問11-20】　卸売業を営む法人で、消費税等は税抜経理方式による処理をしています。税務調査で前事業年度末の棚卸資産に計上した商品のうち800万円が前事業年度中に出荷済みのため、その売上高（消費税等抜きの売上高1,000万円）を前事業年度に計上すべきであると指摘されました。これに伴い消費税等についても課税標準額を1,000万円、税額を100万円増額する修正申告を行いますが、前事業年度の法人税の修正申告においてこの消費税等の増差額100万円は、どのように取り扱われますか。

　　この消費税等の修正申告により、当事業年度において納付する消費税等100万円は、どのように処理すればよいのですか。

(注)　消費税等の税率は10％としています。

【答】　御質問の場合、税務調査で指摘された事項について、前事業年度末の修正仕訳をしますと、次のとおりになります。

（647）

① 売 掛 金	1,100万円	／	売 上 高	1,000万円
		／	未払消費税等	100万円
② 売上原価	800万円	／	商 品	800万円

　前事業年度の法人税の修正申告では、別表四で売上高1,000万円（処分は留保）の加算と売上原価800万円（処分は留保）の減算をしますので、増差所得の金額は200万円となります。別表五（一）のⅠでは、③欄と④欄に売掛金1,100万円、未払消費税等△100万円及び商品△800万円を記載します。未払消費税等100万円に係る消費税等の修正申告は、法人税の修正申告をする当事業年度に行うため、前事業年度（修正申告に係る事業年度）終了の時には債務として確定していませんが、税抜経理方式では消費税等は費用に計上されませんので、法人税法第22条第3項の規定の適用がなく、債務確定の時期は問題になりません。

　御質問の後段ですが、前事業年度の消費税等の修正申告によって当事業年度に納付する消費税等100万円は、納付した時に行う「仮受消費税等／現預金」の仕訳によって、仮受消費税等の借方に計上されます。税務調査で否認された前事業年度の売上高1,000万円とこれに係る仮受消費税等100万円を貸方に計上する会計処理は当事業年度に行われ、仮受消費税等100万円は納付時に借方に計上する金額と相殺されますので、修正申告によって納付済みの当該売上高に係る消費税等は、当事業年度末には仮受消費税等として残らないことになります。

　なお、簡易課税制度を選択しているときは、売上高1,000万円に対する消費税等の額が1,000万円×（1－0.9）×10％＝10万円（0.9は卸売業の場合のみなし仕入税率です。）となるため、前記の修正仕訳の①は次のとおりになります。

売 掛 金	1,100万円	／	売 上 高	1,000万円
		／	未払消費税等	10万円
		／	雑 収 入	90万円

　したがって、法人税の修正申告では、別表四での加算に雑収入90万円（処分は留保）が加わり、増差所得の金額は290万円になります。別表五（一）のⅠでは、③欄と④欄に記載する未払消費税等の金額が、簡易課税制度を選択しない場合の△100万円から、△10万円に変わります。

第11章　租税公課

(注)　売上原価に振り替える商品の仕入れに係る消費税等は、仕入税額控除済みですので、法人税及び消費税等のいずれの修正申告にも影響しません。

消費税等の修正申告による増差額の法人税での取扱いと納付時の処理方法 ——税込経理方式を適用している場合

【問11-21】　【問11-20】の卸売業を営む会社が、消費税等を税込経理方式で処理していて、前事業年度中に出荷済みだった商品の棚卸資産に計上した金額が880万円だったときは、どのようになりますか。

【答】　税務調査で指摘された事項について、前事業年度末の修正仕訳をしますと次のとおりになり、仕訳の上での利益の増加額は120万円（1,100万円－（100万円＋880万円））となります。

①′　売 掛 金　　　1,100万円　／　売 上 高　　　　1,100万円

　　　租税公課　　　　100万円　／　未払消費税等　100万円

②′　売上原価　　　　880万円　／　商 　品　　　　　880万円

　この場合、法人税の修正申告では、確定決算において消費税等100万円が損金経理により未払金に計上されていないため減算調整ができず、修正申告書を提出した日の属する事業年度において損金算入されます。（消費税関連通達7）法人税の修正申告では、別表四で売上高1,100万円（処分は留保）の加算と売上原価880万円（処分は留保）の減算をしますので、増差所得の金額は220万円となり、上記の仕訳の上での増加利益の額120万円に比べて100万円多くなります。別表五(一)のⅠでは、③欄と④欄に売掛金1,100万円と商品△880万円を記載します。

　次に、消費税等の納付時の処理ですが、消費税等の処理を税込経理方式によっていますので、納付した100万円を租税公課に計上すればよいことになり、その額は当期（修正申告書を提出した事業年度）に損金算入されます。

　なお、簡易課税制度を選択しているときは、上記の①′の仕訳が次のとおりになりますが、法人税の修正申告に当たって加算及び減算調整する金額は変わりません。

　　　　　売 掛 金　　　1,100万円　／　売 上 高　　　　1,100万円

（649）

租税公課　　　10万円　／　未払消費税等　　10万円

税抜経理方式を適用しているときの控除対象外消費税額等

> **【問11-22】**　課税期間における課税売上高が5億円を超える場合又
> は課税期間における課税売上割合が95％未満の場合、消費税等を
> 税抜経理方式で処理していると仮払消費税等が残るとのことです
> が、どうしてですか。

【答】　消費税では、課税期間における課税売上高が5億円以下で、かつ、課
税売上割合が95％以上の場合は、課税売上げに係る消費税等の額から課税仕
入れ等（課税仕入れ及び保税地域からの課税貨物の引取り）に係る消費税等
の全額を控除することができますが、課税売上高が5億円を超える場合又は
課税売上割合が95％未満の場合に控除することができるのは、課税資産の譲
渡等（課税売上）に対応する部分の消費税等の額だけです。（消法30②）

(注1)　消費税法第30条第2項に「〜課税期間における課税売上高が5億円を超え
　　　るとき、又は当該課税期間における課税売上割合が95％未満のときは、〜」
　　　と規定されていますので、課税期間の課税売上高が5億円を超える場合は、
　　　課税売上割合が95％以上であっても、課税仕入れ等に係る消費税等として控
　　　除できるのは、課税資産の譲渡等に対応する部分の消費税等の額だけです。

(注2)　課税売上割合とは、下記の割合をいいます。（消法30⑥、消政令48）

$$\text{課税売上割合} = \frac{\text{課税期間中に国内において行った課税資産の譲渡等の対価の額の合計額}}{\text{課税期間中に国内において行った資産の譲渡等の対価の額の合計額}}$$

「課税資産の譲渡等に対応する部分の消費税等の額」は、次の①又は②の
いずれかの方法によって計算します。

① 　個別対応方式……課税仕入れ等に係る消費税等の額が、㋑課税資産の譲
渡等のみに要するもの、㋺課税資産の譲渡等以外の資産の譲渡等（非課税
売上）のみに要するもの、㋩㋑と㋺の両者に共通して要するものにその区
分が明らかにされている場合（消法30②一）

$$\begin{array}{l}\text{課税資産の譲渡等のみに} \\ \text{要する課税仕入れ等に係} \\ \text{る消費税等の合計額㋑}\end{array} + \begin{array}{l}\text{両者に共通して要する} \\ \text{課税仕入れ等に係る消} \\ \text{費税等の合計額㋩}\end{array} \times \text{課税売上割合}$$

(注)　税務署長の承認を受けたときは、この算式の「課税売上割合」に代えて、

（650）

第11章　租　税　公　課

「課税売上割合に準ずる割合」によることができます。（消法30③）

② 　一括比例配分方式……①以外の場合（消法30②二）

課税仕入れ等に係る消費税等の合計額（イ＋ロ＋ハ）×課税売上割合

（イ、ロ及びハは上記①個別対応方式に記載した金額）

> （計算例）　課税仕入れ等に係る消費税等の額が、イ課税資産の譲渡等のみに要するもの60、ロ課税資産の譲渡等以外の資産の譲渡等のみに要するもの20、ハイとロの両者に共通して要するもの20で、合計額が100、課税売上割合が70％としますと、課税資産の譲渡等に要する消費税等の額から控除することができる消費税等の額は、次のとおりになります。
>
> 個別対応方式の場合………イ＋ハ×0.7＝60＋20×0.7＝74
>
> 一括比例配分方式の場合…（イ＋ロ＋ハ）×0.7＝100×0.7＝70

　この結果、課税売上割合が95％未満のときは、課税仕入れ等に係る消費税等の額の一部が、消費税等の納付額の計算に当たって控除対象外となります。上記の計算例では、個別対応方式の場合100－74＝26が、一括比例配分方式の場合100－70＝30が、それぞれ控除対象外消費税額等になります。

　ところで、消費税等の経理処理に税込経理方式を適用しているときは、課税仕入れ等に係る消費税等は仕入高、経費、固定資産の取得価額等に含まれますから、控除対象外消費税額等の処理方法は特に問題になりません。しかし、税抜経理方式を適用しているときは、控除対象外消費税等は仮受消費税等と相殺できない仮払消費税等として残ります。

　この控除対象外消費税額等の処理方法は、【問11-23】で説明します。

> （計算例）　上記の計算例で、課税売上げに係る消費税等の額が120であった場合、税抜経理方式を適用しているときの期末修正仕訳は下表の上欄のとおりになり、控除対象外消費税額等が仮払消費税等として下表の下欄のとおり残ります。
>
> | | 個別対応方式の場合 | 一括比例配分方式の場合 |
> |---|---|---|
> | 期末修正仕訳 | 仮受消費税等　120／仮払消費税等　74　未払消費税等　46 | 仮受消費税等　120／仮払消費税等　70　未払消費税等　50 |
> | 仮払消費税等の残高 | 100－74＝26 | 100－70＝30 |

（651）

税抜経理方式を適用しているときの資産に係る控除対象外消費税額等の処理方法

> 【問11-23】 税抜経理方式を適用していて仮払消費税等として残った控除対象外消費税額等は、一括して損金の額に算入することができますか。

【答】 課税期間における課税売上高が5億円を超えること又は課税売上割合が95％未満であることによって仕入税額控除の対象外となった消費税等は、課税資産の譲渡等以外の資産の譲渡等に対応する課税仕入れ等についての消費税等ですので、その対象となった仕入高、経費、固定資産の取得価額等に個別に配賦します。これによって、経費に配賦された金額はそのまま費用に計上することができますが、棚卸資産、固定資産等の資産に配賦された金額（以下「資産に係る控除対象外消費税額等」といいます。）は、売上原価、減価償却費等に振替えられたときに、費用に計上することができることになります。

(注) 控除対象外消費税等が交際費等に配賦された場合には、当該配賦額を加えた金額を交際費等として、損金不算入額の計算をしなければなりません。（消費税関連通達12（注）2、【問13-10】参照）

　しかし、控除対象外消費税額等を事業年度末に個々の資産の取得価額等に配賦するのは実務上煩雑ですので、税法では個別配賦に代えて、次のようにまとめて費用化する方法を認めています。

Ⅰ　控除対象外消費税額等が生じた事業年度

① 課税売上割合が80％以上のとき

　資産に係る控除対象外消費税額等は、損金経理することを条件に、当該事業年度において損金の額に算入することができます。（法政令139の4①）なお、課税売上割合が80％以上のため、この①の処理ができるにもかかわらず損金経理しなかった資産に係る控除対象外消費税額等は、その翌事業年度以後一括して損金算入することはできず、損金算入が認められるのは、後記Ⅱに記載する損金算入限度額までとなります。

② 課税売上割合が80％未満のとき

　資産に係る控除対象外消費税額等のうち、棚卸資産に係るものと個々

第11章　租税公課

の資産（棚卸資産を除きます。）に係る金額が20万円未満のものは、損金経理することを条件に、当該事業年度において損金の額に算入することができます。（法政令139の4②）

(注)　特定課税仕入れ（【問11-24】、【問11-25】参照）に係る控除対象外消費税額等も損金の額に算入することができます。（法政令139の4②二）

③　①及び②によって損金の額に算入されなかった資産に係る控除対象外消費税額等（以下「繰延消費税額等」といいます。）は、損金経理することを条件に、次の金額を限度として損金の額に算入することができます。（法政令139の4③）

$$繰延消費税額等 \times \frac{当該事業年度の月数}{60} \times \frac{1}{2}$$

(注)　個々の資産への配賦額が20万円未満かどうかをみるためには、控除対象消費税額等の個々の資産への配賦計算が必要ですが、個々の資産の税抜取得価額cと課税売上割合rとによって、次のように配賦計算の結果を判定することができます。なお、消費税等の税率は10％としています。

(1) 控除対象外消費税額等を個別対応方式で計算している場合

　㋑　消費税等の課税取引にのみ使用される資産……控除対象外消費税等が生じませんので、損金算入できない配賦額は生じません。

　㋺　消費税等の課税取引と非課税取引に共用される資産……控除対象外消費税等の額は、$c \times 0.10 \times (1 - r)$ ですから、この額が20万円未満となるcの額は、$c \times 0.10 (1 - r) < 20万円$　$c < \dfrac{200万円}{1 - r}$ となります。例えば、rが60％のときは、cが200万円÷（1 - 0.6）= 500万円の場合、500万円×0.10×（1 - 0.6）= 20万円となります。

　㋩　非課税取引にのみ使用される資産……控除対象消費税等の額は、$c \times 0.10$ ですから、この額が20万円未満となるcの額は、$c \times 0.10 < 20万円$、$c < 200万円$ となります。

(2) 控除対象外消費税額等を一括比例配分方式で計算している場合……すべての資産について、上記(1)の㋺と同じ方法で判定します。

Ⅱ　その後の事業年度

前事業年度から繰り越された繰延消費税額等は、損金経理することを条件に、次の金額を限度として損金の額に算入することができます。（法政令139の4④）

（653）

$$繰延消費税額等 \times \frac{当該事業年度の月数}{60}$$

要するに、事業年度の期間が1年の法人の場合、繰延消費税額等は、これが生じた事業年度の下半期の期首月から60か月の間に、均分に損金算入することができるわけです。

(注1) 適格組織再編成（適格合併、適格分割、適格現物出資又は適格現物分配）により被合併法人等（被合併法人、分割法人、現物出資法人又は現物分配法人）から引継ぎを受けた当該被合併法人等の各事業年度において生じた繰延消費税額等については、適格組織再編成の日の属する事業年度は、上記の算式の「当該事業年度の月数」は「適格組織再編成の日から当該事業年度終了の日までの期間の月数」となります。（法政令139の4④かっこ書）

(注2) 適格分割等（適格分割、適格現物出資又は適格現物分配（適格現物分配については残余財産の全部の分配を除きます。））により分割承継法人等（分割承継法人、被現物出資法人又は被現物分配法人）に適格分割等の日の属する事業年度前の各事業年度において生じた繰延消費税額等（当該適格分割等により分割承継法人等に移転する資産に係るものであり、かつ、これを明らかにする書類を保存している場合に限ります。）を引き継ぐ場合には、当該繰延消費税額等についての期中損金経理額は、上記の算式の「当該事業年度の月数」を「当該事業年度開始の日から当該適格分割等の日の前日までの期間の月数」として計算します。（法政令139の4⑦、法規則28の2）この規定は、適格分割等の日以後2月以内に法人税法施行規則第28条の3で定める事項を記載した書類を納税地の所轄税務署長に提出した場合に限り、適用されます。（同139の4⑧）

(注3) 上記Ⅰ、Ⅱともに月数は、暦に従って計算し、1月未満の端数が生じたときは、1月とします。（法政令139の4⑪）

(注4) 法人が適格合併に該当しない合併により解散した場合又は残余財産が確定した場合（残余財産の分配が適格現物分配に該当する場合を除きます。）には、当該合併の日の前日又は当該残余財産の確定の日の属する事業年度終了の時の繰延消費税額等は、当該事業年度の損金の額に算入します。（法政令139の4⑨）

なお、この法人税法施行令第139条の4の規定の適用に当たっては、次の点に注意してください。（消費税関連通達13）

第11章　租税公課

イ　資産に係る控除対象外消費税額等についてこの規定の適用を受けるかど
　うかは任意ですが、適用を受けるときは当該事業年度に取得した全部の資
　産について受けなければなりません。一部の資産についてだけこの規定の
　適用を受け、残りを個別配賦したときは、個別配賦した金額についてもこ
　の規定が適用されますので、個別配賦によって資産の取得価額に算入した
　控除対象外消費税額等は、資産の取得価額から減額することになります。
ロ　イにより個別配賦した金額にこの規定が適用された場合、資産の取得価
　額に算入した金額は繰延消費税額等として経理していませんので、取得事
　業年度にはこの規定による繰延消費税額等の損金算入が認められず、税法
　上当該資産の取得価額にも含まれませんので減価償却計算の対象にもなり
　ません。その翌事業年度以後において繰延消費税額等として経理すること
　により、前記Ⅱに記載した限度額までの損金算入が認められることになり
　ます。

リバースチャージ方式による消費税の課税

> 【問11-24】　インターネット等を介して海外から役務の提供を受け
> 　た場合、その対価を役務の提供を受けた事業者の課税売上げに加
> 　算して消費税が課税されることになっていますが、その概要につ
> 　いて説明してください。

【答】　最近、インターネット等を介して、国境を越えて役務の提供が行われ
るケースが増加してきていますが、消費税の課税対象となる国内取引かどう
かの判断は、役務の提供を行う者の事務所等の所在地によりますから、役務
の提供者が国内事業者の場合は消費税が課税され、役務の提供者が国外事業
者の場合は消費税が課税されない結果となります。しかし、同様のサービス
について課税関係が異なることは適当ではありませんので、国境を越えて行
われるデジタルコンテンツの配信等の役務の提供に係る消費税の課税につい
ては、以下のとおりに取り扱うこととされています。
(1)　電気通信利用役務の提供に係る内外判定基準
　電気通信回線を介して行われる著作物の提供その他の電気通信回線を介し
て行われる役務の提供を「電気通信利用役務の提供」と定義し（消法２①八

（655）

の三）、「電気通信利用役務の提供」について、国内取引に該当するかどうかの判定は、その電気通信利用役務の提供を受ける者の住所等（個人の場合は住所又は居所、法人の場合は本店又は主たる事務所の所在地）によるものとされます。（消法4③三）電気通信利用役務には、インターネット等を介して行われる電子書籍、音楽、ソフトウェアの提供、広告の配信、クラウドサービス、一定のコンサルティング業務等が含まれますが、これらのサービスの提供を受ける者が国内事業者や国内の消費者であれば、国内取引とされ、消費税の課税対象となります。

(2) 課税方式（リバースチャージ方式）

上記のとおり、電気通信利用役務の提供については、役務の提供を受ける者の住所等が国内であれば、役務の提供者が国外事業者であっても、国内取引として消費税の課税対象となります。しかし、国外事業者に対して消費税の申告納税義務を課すのは実際上困難ですので、次のとおり課税することとしています。電気通信利用役務の提供について、「事業者向け電気通信利用役務の提供」と「その他（消費者向け電気通信利用役務の提供）(注)」に区分し、「事業者向け電気通信利用役務の提供」については、その役務の提供を受ける事業者に納税義務が課せられます。これがリバースチャージ方式といわれるものです。「消費者向け電気通信利用役務の提供」については、通常の資産の譲渡等と同様、その役務の提供者である事業者に納税義務が課せられます。

> **(注)** 「消費者向け電気通信利用役務の提供」の文言は法令上の用語ではありませんが、電気通信利用役務の提供のうち「事業者向け電気通信利用役務の提供」以外のものの意味で使用しています。

リバースチャージ方式の対象となる「事業者向け電気通信利用役務の提供」とは、国外事業者が行う電気通信利用役務の提供のうち、その電気通信利用役務の提供に係る役務の性質又はその役務の提供に係る取引条件等からその役務の提供を受けるものが通常事業者に限られるものをいいます。（消法2①八の四）そして、「事業者向け電気通信利用役務の提供」は「特定資産の譲渡等」に該当するものとし（消法2①八の二）、事業として他の者から受けた「特定資産の譲渡等」を「特定仕入れ」といい、この「特定仕入れ」には消費税を課すものとし（消法4①）、事業者は、特定課税仕入れ（課税

第11章　租税公課

仕入れのうち特定仕入れに該当するもの）について納税義務があることとされ（消法5①）、リバースチャージ方式によることが定められています。

(3)　消費税の計算等

　リバースチャージ方式での消費税の申告が必要な事業者は、一般課税により申告する事業者で、その課税期間の課税売上割合が95％未満の事業者に限られます。簡易課税制度を適用している事業者及び課税売上割合が95％以上の事業者は、当分の間、特定課税仕入れがなかったものとされますので、リバースチャージ方式での申告は不要です。（平27改所法等附則42、44②）

　消費税の計算では、特定課税仕入れに係る支払対価の額を課税標準額に算入するとともに、特定課税仕入れに係る支払対価の額に基づいて控除仕入税額の計算を行うことになります。

(注1)　国外事業者から受ける「消費者向け電気通信利用役務の提供」については、登録国外事業者（一定の条件を満たす国外事業者で、国税庁長官の登録を受けた事業者）からの仕入れについて仕入税額控除が認められてきましたが、インボイス制度の導入により、令和5年10月1日からは、国内事業者間での取引と同様に、適格請求書発行事業者からの仕入れについて仕入税額控除が受けられます。なお、登録国外事業者制度は廃止され、登録の取消しの届出をしない限り、登録国外事業者は適格請求書発行事業者に移行しています。

(注2)　国内で外国人タレント等が行う役務の提供のうち一定のものについても、リバースチャージ方式が採用されています。映画若しくは演劇の俳優、音楽家その他の芸能人又は職業運動家の役務の提供を主たる内容とする事業として行う役務の提供のうち、国外事業者が他の事業者に対して行う役務の提供（その国外事業者が不特定かつ多数の者に対して行う役務の提供を除きます。）を「特定役務の提供」と定義し（消法2①八の五、消政令2の2）、「特定役務の提供」を「特定資産の譲渡等」に含めています。（消法2①八の二）

（657）

リバースチャージ方式の課税がある場合の会計処理

> **【問11-25】** リバースチャージ方式で消費税が課税される場合、会計処理はどのようにすればいいでしょうか。また、法人税の取扱いはどうなっていますか。なお、消費税の経理処理は税抜経理方式によっています。

【答】 【問11-24】で御説明しましたように、事業者向け電気通信利用役務の提供を受けた場合、リバースチャージ方式で、その役務の提供を受けた事業者に消費税の納税義務が課されます。したがって、事業者向け電気通信利用役務の提供を受けた額を特定課税仕入れとして消費税の課税標準に加算し、同額を仕入税額控除の対象とします。ただし、課税売上割合が95％以上の事業者については、当分の間、特定課税仕入れがなかったものとされますので（平27改所法等附則42）、納税義務は生じません。

　例えば、広告の配信サービスとして事業者向け電気通信利用役務の提供を受け、100万円を支払った場合、消費税等の支払はありませんから、一般的には、次の①の会計処理になります。

①　広告宣伝費　1,000,000円　／　現金　1,000,000円

　課税売上割合が95％以上の事業者については、この取引に関する消費税等の計算は不要ですから、決算時に会計処理をすることもありません。

　一方、課税売上割合が95％未満の事業者の場合、100万円を特定課税仕入れとして消費税の課税標準額に加算するとともに、100万円を控除仕入税額の計算の対象とする必要があります。課税売上割合が80％で、控除対象仕入税額の計算に一括比例配分方式を採用しているとすれば、この取引で納税すべき消費税等の額は、次のとおり20,000円と計算されます。

- ・消費税の課税標準額　1,000,000円
- ・課税標準額に対する消費税額　1,000,000円×7.8％＝78,000円
- ・特定課税仕入れに係る消費税額　1,000,000円×7.8％＝78,000円
- ・控除対象仕入税額　78,000円×80％＝62,400円
- ・納税すべき消費税額　78,000円－62,400円＝15,600円
- ・納税すべき地方消費税額　$15,600円 \times \dfrac{22}{78} = 4,400円$
- ・消費税額と地方消費税額の合計　15,600円＋4,400円＝20,000円

（658）

第11章　租税公課

　したがって、決算時に、次の②の会計処理により、未払消費税等を計上することになります。

　②　租税公課（又は他の費用科目）　20,000円　／　未払消費税等　20,000円

　この例では、特定課税仕入れに係る消費税額等のうち20,000円（100,000円×（1－0.8））が控除対象外消費税額等となり、経費に係る控除対象外消費税額等ですので、全額が損金の額に算入されます。なお、特定課税仕入れから生じた資産に係る控除対象外消費税額等については、課税売上割合が80％未満のときも、その全額の損金算入が認められます。（法政令139の4②）

　リバースチャージ方式での課税がある場合の会計処理に関して、消費税関連通達では、特定課税仕入れの取引では、消費税等に相当する金額の受払いがないので、税抜経理方式による場合でも特定課税仕入れの取引の対価の額と区分すべき消費税等の額はないことに留意するものとしています。（消費税関連通達5の2本文）この通達どおりに会計処理をしますと、上記①の仕訳になります。なお、同通達では、法人が特定課税仕入れの取引の対価の額に対して課されるべき消費税等に相当する額を、例えば、仮受金及び仮払金等としてそれぞれ計上するなど仮勘定を用いて経理している場合には、これらの仮勘定の金額はそれぞれ仮受消費税等の額又は仮払消費税等の額に該当するものとして、法人税の課税所得金額を計算することに留意することとしています。（同通達5の2ただし書）この方法によれば、取引時に、消費税等を認識して、①の仕訳に代えて、次の③の仕訳を行い、決算時に④の仕訳で、仮払消費税等と仮受消費税等を相殺して未払消費税等を計上するとともに、控除対象外消費税額等を費用処理することになります。

　③　広告宣伝費　　　1,000,000円　／　現金　　　　　　1,000,000円
　　　仮払消費税等　　100,000円　／　仮受消費税等　　　100,000円
　④　仮受消費税等　　100,000円　／　仮払消費税等　　　　80,000円
　　　　　　　　　　　　　　　　／　未払消費税等　　　　20,000円
　　　租税公課（又は他の費用科目）　20,000円　／　仮払消費税等　20,000円

（659）

第12章 寄 附 金

寄附金の損金算入限度額（公益法人等でない法人の場合）

> 【問12-1】 会社が、一般寄附金、国又は地方公共団体に対する寄附金、指定寄附金、特定公益増進法人及び認定特定非営利活動法人等に対する寄附金、国外関連者に対する寄附金を支出した場合、それぞれの損金算入限度額は、どのように規定されていますか。

【答】 法人（公益法人等を除きます。）の寄附金の損金算入限度額は、次のとおりです。

① 一般寄附金

イ 普通法人、協同組合等及び人格のない社団等のうち資本又は出資を有するもの（法政令73①一）

$$\left\{ \begin{array}{l} 事業年度終了の時に \\ おける資本金の額及び \\ 資本準備金の額の合 \\ 計額又は出資金の額 \end{array} \times \frac{事業年度の月数}{12} \times \frac{2.5}{1,000} + \begin{array}{l} 当該事業年 \\ 度の寄附金 \\ 支出前の所 \\ 得 の 金 額 \end{array} \times \frac{2.5}{100} \right\} \times \frac{1}{4}$$

(注) 「当該事業年度の寄附金支出前の所得の金額」は、法人税申告書別表四の仮計（㉖の①欄）の金額に支出した寄附金の額を加算した金額で、マイナスの場合は0とします。

ロ 普通法人、協同組合等及び人格のない社団等のうち資本又は出資を有しないもの、公益法人等のうち一般社団法人及び一般財団法人並びに法人税法施行規則第22条の4で定める法人（法政令73①二）

$$当該事業年度の寄附金支出前所得の金額 \times \frac{1.25}{100}$$

(注1) 「当該事業年度の寄附金支出前の所得の金額」は、法人税申告書別表四の仮計（㉖の①欄）の金額に支出した寄附金の額を加算した金額で、マイナスの場合は0とします。

(注2) 法人税法施行規則第22条の4で定める法人は、㋑地方自治法第260条の2第7項に規定する認可地縁団体、㋺建物の区分所有等に関する法律第47条第2項に規定する管理組合法人及び同法第66条の規定により読み替えられた同項に規定する団地管理組合法人、㋩政党交付金の交付を受ける政党等に対する法人格の付与に関する法律第7条の2第1項に規定する法人で

（660）

第12章　寄　附　金

ある政党等、㈡密集市街地における防災街区の整備の促進に関する法律第133条第1項に規定する防災街区整備事業組合、㈥特定非営利活動促進法第2条第2項に規定する特定非営利活動法人（同条第3項に規定する認定特定非営利活動法人を除きます。）及び㈦マンションの建替え等の円滑化等に関する法律第5条第1項に規定するマンション建替組合、同法第116条に規定するマンション敷地売却組合及び同法第164条に規定する敷地分割組合です。これらの法人は、それぞれの設立根拠法で法人税法その他法人税に関する法令の規定の適用について公益法人等とみなすとされていますが、寄附金の損金算入限度額は、寄附金支出前の所得の金額の$\frac{1.25}{100}$とされ、公益法人等についての規定（【問12-15】）の適用対象から除かれています。

② 　国又は地方公共団体に対する寄附金及び指定寄附金（法37③一、二）……全額損金の額に算入されます。

③ 　特定公益増進法人及び認定特定非営利活動法人に対する寄附金（法37④、法政令77の2、措法66の11の3②）

イ　①イの法人等

$$\left(\begin{array}{c}\text{事業年度終了の時に}\\\text{おける資本金の額及び}\\\text{資本準備金の額の合}\\\text{計額又は出資金の額}\end{array}\times\begin{array}{c}\text{事業年度}\\\text{の月数}\\\hline 12\end{array}\times\frac{3.75}{1,000}+\begin{array}{c}\text{当該事業年}\\\text{度の寄附金}\\\text{支出前の所}\\\text{得の金額}\end{array}\times\frac{6.25}{100}\right)\times\frac{1}{2}$$

(注)　「当該事業年度の寄附金支出前の所得の金額」は、法人税申告書別表四の仮計（㉖の①欄）の金額に支出した寄附金の額を加算した金額で、マイナスの場合は0とします。

ロ　①ロの法人等

　　当該事業年度の寄附金支出前の所得の金額$\times\frac{6.25}{100}$

(注)　「当該事業年度の寄附金支出前の所得の金額」は、法人税申告書別表四の仮計（㉖の①欄）の金額に支出した寄附金の額を加算した金額で、マイナスの場合は0とします。

　損金算入限度額を超える金額は、前記①の一般寄附金に含まれますので、その他の一般寄附金と合算して損金算入限度額を超えるかどうかを計算し、損金算入限度額を超える金額は損金の額に算入されません。（法37④）

(注1)　法第37条第4項には、特定公益増進法人だけが掲げられていますが、措法第66条の11の3第2項で認定特定非営利活動法人が追加されています。

(注2)　特定公益増進法人及び認定特定非営利活動法人の内容は、【問12-3】に記載しています。

（661）

④ 完全支配関係（法人による完全支配関係に限ります。）がある他の内国法人に対して支出した寄附金（法人税法第25条の2（受贈益）の規定の適用がないものとした場合に、当該他の内国法人において益金の額に算入されることとなる同条第2項に規定する受贈益の額に対応するものに限ります。）……全額損金の額に算入されません。（法37②）

⑤ 国外関連者に対する寄附金（外国法人に該当する国外関連者に対する寄附金で、当該国外関連者において益金の額に算入されるものを除きます。）……損金算入限度額に関係なく、全額損金の額に算入されません。（措法66の4③、【問12-17】参照）

なお、①のイ及び③のイに記載した算式中の「事業年度の月数」は、暦に従って計算し、1月未満の端数を生じたときは、これを切り捨てます。（法政令73⑤、77の2④）

寄附金の支出額と損金算入限度額の関係の具体的事例

> 【問12-2】 会社が【問12-1】の①、②、③及び⑤の寄附金を支出した場合、それぞれの寄附金の額と損金算入限度額との関係を、具体的な事例で説明してください。

【答】 事業年度終了の時における資本金の額及び資本準備金の額の合計額が20,000千円、寄附金支出前の所得の金額が4,000千円である会社（普通法人）の令和6年4月1日から令和7年3月31日までの事業年度における寄附金の支出の状況が、下記の表の例Ⅰ、例Ⅱ、例Ⅲのとおりだったとします。

（単位：千円）

	一般寄附金	国、地方公共団体に対する寄附金及び指定寄附金	特定公益増進法人及び認定特定非営利活動法人等に対する寄附金	国外関連者に対する寄附金	計
例 Ⅰ	100	70	200	30	400
例 Ⅱ	250	70	50	30	400
例 Ⅲ	30	70	270	30	400

損金算入限度額は一般寄附金について37.5千円（下記①）、特定公益増進

（662）

第12章　寄　附　金

法人及び認定特定非営利活動法人等に対する寄附金について162.5千円（下記②）となりますので、例Ⅰから例Ⅲについての損金算入額及び損金不算入額は、下記の表のとおりになります。

①　一般寄附金の損金算入限度額

$$\left(20{,}000千円 \times \frac{12}{12} \times \frac{2.5}{1{,}000} + 4{,}000千円 \times \frac{2.5}{100} \right) \times \frac{1}{4} = 37.5千円$$

②　特定公益増進法人及び認定特定非営利活動法人に対する寄附金の損金算入限度額

$$\left(20{,}000千円 \times \frac{12}{12} \times \frac{3.75}{1{,}000} + 4{,}000千円 \times \frac{6.25}{100} \right) \times \frac{1}{2} = 162.5千円$$

（単位：千円）

	損　金　算　入　額				損金不算入額
	一般寄附金	国、地方公共団体に対する寄附金及び指定寄附金	特定公益増進法人及び認定特定非営利活動法人等に対する寄附金	計	
例　Ⅰ	100＞37.5のため 37.5	70	200＞162.5のため162.5	270	130
例　Ⅱ	250＞37.5のため 37.5	70	50＜162.5のため 50	157.5	242.5
例　Ⅲ	30＜37.5のため 30（損金算入限度余裕額7.5は、最右欄の法人等に対する寄附金の損金算入限度超過額107.5のうち7.5を認容）	70	270＞162.5のため162.5超過額107.5のうち一般寄附金として7.5	270	130

それぞれについて申告書別表十四(二)（寄附金の損金算入に関する明細書）は、次ページ及び次々ページに記載するとおりです。

なお、指定寄附金等に関する明細並びに特定公益増進法人及び認定特定非営利活動法人等に対する寄附金の明細は記載を省略していますが、この明細での記載額が特例適用の限度額となりますので、特例適用を受けるためにはこの明細の記載を要します。（法37⑨）また、特定公益増進法人に対する寄附金が、【問12-3】の(1)①の独立行政法人、③の自動車安全運転センターなどの５法人、④の公益社団法人及び公益財団法人、⑥の社会福祉法人又は⑦の更生保護法人に対するものであるときは、当該寄附金が当該法人の主たる目的である業務に関連する法37④に規定する寄附金である旨を当該法人が証する書類を、(1)②の地方独立行政法人又は⑤の学校法人に該当するときは

（663）

同様の証する書類と当該法人が特定公益増進法人に該当する旨の地方独立行政法人法第６条第３項に規定する設立団体又は私立学校法第４条に規定する所轄庁が証明した書類（当該寄附金を支出する日以前５年内に発行されたものに限ります。）の写しとして当該法人から交付を受けたものを、また、法政令77の４③の規定による認定を受けた特定公益信託の信託財産とするために金銭の支出をした場合は、当該認定に係る書類の写し（当該書類に記載されている認定の日が当該金銭を支出する日以前５年内であるものに限ります。）を、それぞれ保存していなければなりません。（法37⑨、法規則24）

なお、申告書別表十四（二）の「特定公益増進法人等に対する寄附金の損金算入額⑰」の欄にある「(14)又は(16)」について「⑭」によることとなるのは、資本又は出資を有しない法人であり、「同上のうち損金の額に算入されない金額㉑」の欄にある「(9)又は(13)」について「⑨」によることとなるのも、資本又は出資を有しない法人です。

【例Ⅰ】

寄附金の損金算入に関する明細書

	公益法人等以外の法人の場合		
一般寄附金の損金算入限度額の計算	指定寄附金等の金額 (41の計)	1	70,000円
	特定公益増進法人等に対する寄附金額 (42の計)	2	200,000
	その他の寄附金額	3	130,000
	計 (1)+(2)+(3)	4	400,000
	完全支配関係がある他人に対する寄附金額	5	0
	計 (4)+(5)	6	400,000
	所得金額仮計 (別表四「26の①」)	7	3,600,000
	寄附金支出前所得金額 (6)+(7) (マイナスの場合は0)	8	4,000,000
	同上の 2.5/100 相当額	9	100,000
	期末の資本金の額及び資本準備金の額の合計額又は出資金の額 (別表五(一)「32の④」)	10	20,000,000
	同上の月数換算額 (10)×月数/12	11	20,000,000
	同上の 2.5/1,000 相当額	12	50,000
	一般寄附金の損金算入限度額	13	37,500
特定公益増進法人等に対する寄附金の特別損金算入限度額の計算	寄附金支出前所得金額の 6.25/100 相当額 (8)×6.25/100	14	250,000
	期末の資本金の額及び資本準備金の額の合計額又は出資金の額の月数換算額の 3.75/1,000 相当額 (11)×3.75/1,000	15	75,000
	特定公益増進法人等に対する寄附金特別損金算入限度額 ((14)+(15))×1/2	16	162,500
特定公益増進法人等に対する寄附金の損金算入額 ((2)又は(16)のうち少ない金額)		17	162,500
指定寄附金等の金額		18	90,000
国外関連者に対する寄附金額及び本店等に対する内部寄附金額		19	30,000
(4)の寄附金額のうち同上の寄附金以外の寄附金額 (4)-(19)		20	370,000
損金不算入額	同上のうち損金の額に算入されない金額 (20)-((9)又は(13))-(17)-(18)	21	100,000
	国外関連者に対する寄附金額及び本店等に対する内部寄附金額 (19)	22	30,000
	完全支配関係がある法人に対する寄附金額 (5)	23	0
	計 (21)+(22)+(23)	24	130,000

第12章　寄　附　金

【例Ⅱ】

寄附金の損金算入に関する明細書

公益法人等以外の法人の場合 （単位：円）

	項目	No.	金額
一般寄附金の損金算入限度額の計算	支出した寄附金の額	指定寄附金等の金額（41の計）	1	70,000
		特定公益増進法人等に対する寄附金額（42の計）	2	50,000
		その他の寄附金額	3	280,000
		計 (1)+(2)+(3)	4	400,000
		完全支配関係がある法人に対する寄附金額	5	0
		計 (4)+(5)	6	400,000
	所得金額仮計（別表四「26の①」）	7	3,600,000
	寄附金支出前所得金額 (6)+(7)（マイナスの場合は0）	8	4,000,000
	同上の 2.5/100 相当額	9	100,000
	期末の資本金の額及び資本準備金の額の合計額又は出資金の額（別表五(一)「32の④」+「33の④」）	10	20,000,000
	同上の月数換算額 (10)×12/12	11	20,000,000
	同上の 2.5/1,000 相当額	12	50,000
	一般寄附金の損金算入限度額 (9)+(12)×1/4	13	37,500
特定公益増進法人等に対する寄附金の特別損金算入限度額の計算	寄附金支出前所得金額の 6.25/100 相当額 (8)×6.25/100	14	250,000
	期末の資本金の額及び資本準備金の額の合計額又は出資金の額の月数換算額の 3.75/1,000 相当額 (11)×3.75/1,000	15	75,000
	((14)+(15))×1/2	16	162,500
	特定公益増進法人等に対する寄附金の損金算入額 ((2)と((14)又は(16))のうち少ない金額)	17	50,000
	指定寄附金等の金額 (1)	18	70,000
	国外関連者に対する寄附金額及び本店等に対する内部寄附金額	19	30,000
損金不算入額	(4)の寄附金額のうち同上の寄附金以外の寄附金額 (4)-(19)	20	370,000
	同上のうち損金の額に算入されない金額 (20)-((9)又は(13))-(17)-(18)	21	212,500
	国外関連者に対する寄附金額及び本店等に対する内部寄附金額 (19)	22	30,000
	完全支配関係がある法人に対する寄附金額 (5)	23	0
	計 (21)+(22)+(23)	24	242,500

【例Ⅲ】

寄附金の損金算入に関する明細書

公益法人等以外の法人の場合 （単位：円）

	項目	No.	金額
一般寄附金の損金算入限度額の計算	支出した寄附金の額	指定寄附金等の金額（41の計）	1	70,000
		特定公益増進法人等に対する寄附金額（42の計）	2	270,000
		その他の寄附金額	3	60,000
		計 (1)+(2)+(3)	4	400,000
		完全支配関係がある法人に対する寄附金額	5	0
		計 (4)+(5)	6	400,000
	所得金額仮計（別表四「26の①」）	7	3,600,000
	寄附金支出前所得金額 (6)+(7)（マイナスの場合は0）	8	4,000,000
	同上の 2.5/100 相当額	9	100,000
	期末の資本金の額及び資本準備金の額の合計額又は出資金の額（別表五(一)「32の④」+「33の④」）	10	20,000,000
	同上の月数換算額 (10)×12/12	11	20,000,000
	同上の 2.5/1,000 相当額	12	50,000
	一般寄附金の損金算入限度額 (9)+(12)×1/4	13	37,500
特定公益増進法人等に対する寄附金の特別損金算入限度額の計算	寄附金支出前所得金額の 6.25/100 相当額 (8)×6.25/100	14	250,000
	期末の資本金の額及び資本準備金の額の合計額又は出資金の額の月数換算額の 3.75/1,000 相当額 (11)×3.75/1,000	15	75,000
	((14)+(15))×1/2	16	162,500
	特定公益増進法人等に対する寄附金の損金算入額 ((2)と((14)又は(16))のうち少ない金額)	17	162,500
	指定寄附金等の金額 (1)	18	70,000
	国外関連者に対する寄附金額及び本店等に対する内部寄附金額	19	30,000
損金不算入額	(4)の寄附金額のうち同上の寄附金以外の寄附金額 (4)-(19)	20	370,000
	同上のうち損金の額に算入されない金額 (20)-((9)又は(13))-(17)-(18)	21	100,000
	国外関連者に対する寄附金額及び本店等に対する内部寄附金額 (19)	22	30,000
	完全支配関係がある法人に対する寄附金額 (5)	23	0
	計 (21)+(22)+(23)	24	130,000

特定公益増進法人及び認定特定非営利活動法人の内容

> 【問12-3】　【問12-1】の③に掲げられている特定公益増進法人及び
> 認定特定非営利活動法人とは、どのような法人ですか。

【答】　(1) 特定公益増進法人……公共法人、公益法人等（非営利型法人に該
当する一般社団法人及び一般財団法人を除きます。）その他特別の法律に
より設立された法人のうち、教育又は科学の振興、文化の向上、社会福祉
への貢献その他公益の増進に著しく寄与するものとして、法人税法施行令
第77条に限定列挙された下記①〜⑦の法人です。（法37④）

① 独立行政法人通則法第2条第1項に規定する独立行政法人

② 地方独立行政法人法第2条第1項に規定する地方独立行政法人で、
同法第21条第1号又は第3号から第6号までに掲げる業務を主たる目
的とするもの

（665）

③　自動車安全運転センター、日本司法支援センター、日本私立学校振興・共済事業団、日本赤十字社及び福島国際研究教育機構

④　公益社団法人及び公益財団法人

⑤　私立学校法第３条に規定する学校法人で、学校（学校及び就学前の子どもに関する教育、保育等の総合的な提供の推進に関する法律に規定する幼保連携型認定こども園をいいます。）の設置若しくは学校及び専修学校若しくは各種学校の設置を主たる目的とするもの又は私立学校法第64条第４項の規定により設立された法人で専修学校若しくは各種学校の設置を主たる目的とするもの

⑥　社会福祉法第22条に規定する社会福祉法人

⑦　更生保護事業法第２条第６項に規定する更生保護法人

　なお、出資に関する業務に充てられることが明らかなものは、特定公益増進法人に対する寄附金から除かれます。（法37④）「出資に関する業務に充てられることが明らかなもの」とは、例えば、次のようなものが該当します。（基通９−４−７の２）

　イ　寄附金の使途を出資業務に限定して募集されたもの

　ロ　出資業務に使途を指定して行われたもの

(2)　認定特定非営利活動法人（認定ＮＰＯ法人）……以下の①、②の法人です。（措法66の11の３②）

①　認定特定非営利活動法人……運営組織及び事業活動が適正であって公益の増進に資するものとして、特定非営利活動促進法第44条第１項の認定を受けた特定非営利活動法人をいいます。

②　特例認定特定非営利活動法人……運営組織及び事業活動が適正であって特定非営利活動の健全な発展の基盤を有し公益の増進に資すると見込まれるものとして、特定非営利活動促進法第58条第１項の特例認定を受けた特定非営利活動法人をいいます。

第12章　寄　附　金

経営不振の子会社に対する貸付金の利息免除又は切捨て

> **【問12-4】**　子会社甲社に対して貸付金がありますが、甲社は経営
> 　不振で利息負担能力がありません。当分の間利息の免除をせざる
> 　を得ませんが、税務上問題ありませんか。また、貸付金の一部を
> 　債権放棄したときは、いかがですか。

【答】　法人が金銭その他の資産又は経済的な利益の贈与又は無償の供与をし
た場合は、その贈与又は供与の時における価額を寄附金の額とし、他の寄附
金の額と合算して計算した損金算入限度額を超える部分の金額が損金不算入
となります。(法37①⑦⑧)

　親会社が子会社に対して貸付金の利息を免除した場合又は貸付金の一部を
債権放棄した場合は、原則として利息免除額又は貸付金の一部切捨額だけ子
会社に経済的な利益の供与をしたことになります。これは、会社という営利
法人が特別の理由なく無利息の融資をしたり債権を放棄したりするのは経済
的合理性がなく、利息免除額や債権放棄額は、事業活動上の必要経費といえ
ないからです。

　また、子会社が赤字のときは、支払利息の免除による利益や債務免除益が
あっても、子会社は課税されない場合が多いと思われますが、親会社の方で
贈与した経済的な利益の額相当額の損金算入が認められますと、両者を合算
したところで租税の回避が行われることになります。親会社が子会社に利息
を免除したり、貸付金の一部を債権放棄したりすることは、私法上問題がな
い場合であっても、それによって税の負担を不当に回避したり減少させたり
することになるときは、同族会社等の行為又は計算の否認の規定(法132)に
よってその行為が否認されることがあります。この点からも、親会社が子会
社に与えた経済的な利益の供与の価額は、原則として寄附金の額とされます。

　要するに、子会社の業績不振を理由にして、漫然と当該子会社に対する利
息の免除とか債権の一部の放棄をしますと、これにより供与した経済的利益
の価額は、当該子会社に対する寄附金の額になります。

　(注)　甲社が貴社の完全子会社である場合のように、貴社と甲社の間に法人による完
　　　全支配関係がある場合は、貴社が甲社に与えた経済的利益として寄附金となっ
　　　た金額は、全額損金不算入となり(【問12-1】④参照)、甲社が貴社から受けた経

(667)

済的利益に係る受贈益は、益金不算入となります。(法25の2①、基通4-2-6)

ただし、子会社に対する貸付金の利息免除又はその一部の債権放棄等でも、【問12-5】で説明するような相当の理由があるものは、寄附金になりません。

子会社を再建するに当たっての貸付金の利息免除又は切捨て

> **【問12-5】** 【問12-4】の場合、子会社甲社に対する貸付金の利息免除や債権放棄が相当の理由があるものとして税法上寄附金とされないためには、どのような要件が必要ですか。

【答】 子会社等に対して金銭の無償若しくは通常の利率よりも低い利率での貸付け又は債権放棄等(以下「無利息貸付け等」といいます。)をした場合でも、その無利息貸付け等が、例えば業績不振の子会社等の倒産を防止するためにやむを得ず行われるもので合理的な再建計画に基づくものである等その無利息貸付け等をしたことについて相当な理由があると認められるときは、その無利息貸付け等により供与する経済的利益の額は、寄附金の額に該当しないものとされています。(基通9-4-2)

業績不振の子会社等に無利息貸付け等をしないと当該子会社が倒産し、親会社に取引上又は信用上の多大な損失が生ずるおそれがある場合は、親会社は自らの経営の維持のために当該子会社に無利息貸付け等をすることが必要といえますので、これにより当該子会社に供与する経済的利益は寄附金に該当しません。ただし、漫然とした無利息貸付け等でなく、当該子会社の合理的な再建計画に基づくものであることを要します。

この場合の「子会社等」は、法人が経済的利益を供与することについて合理的な経済関係にある者をいいますので、当該法人と資本関係を有する者のほか、取引関係、人的関係、資金関係等において事業関連性を有する者が含まれます。(基通9-4-1(注)) 例えば、業界の上部団体にとって当該団体に加盟している個々の業者は、資本関係が親子会社とは逆になりますが、上部団体が業界の信用維持のために当該業者に支援を行う場合は、上部団体にとって個々の業者はこの取扱いの適用に当たり、子会社等に該当します。

なお、合理的な再建計画かどうかは、支援額の合理性、支援者による再建管理の有無、支援者の範囲の相当性及び支援割合の合理性等について、個々

(668)

第12章　寄　附　金

の事情に応じ、総合的に判断しますが、例えば、利害の対立する複数の支援者の合意により策定されたものと認められる再建計画は、原則として、合理的なものとして取り扱われます。（基通9-4-2（注））支援額の合理性等については、次のような点を総合的に検討して、判断すべきでしょう。

① 支援額の合理性……支援額が、被支援者の財務内容、営業状況の見通し等からみて的確に算定されているかどうか。被支援者の自己努力が加味されているかどうか。

② 支援者による再建管理の有無……支援者が被支援者の再建状況を把握していて再建が順調に進行した場合、支援予定期間の経過前でも支援を打切るなどの手当てがされることになっているかどうか。

③ 支援者の範囲の相当性……被支援者との事業関連性の強弱、支援規模、支援能力等からみて、支援者の範囲が相当であるかどうか。

④ 支援割合の合理性……出資割合、経営参加状況、融資状況等の事業関連性の強弱や支援能力等からみて、支援割合が合理的に決定されているかどうか。

　(注)　子会社甲社と貴社との間に法人による完全支配関係がある場合でも、甲社に与えた経済的利益が合理性があって寄附金に該当しないときは、法人税法第37条第2項の「完全支配関係がある他の内国法人は支出した寄附金の全額損金不算入の規定」（【問12-1】④参照）は適用されず、甲社が貴社から受けた経済的利益に係る受贈益の益金不算入の規定（法25の2①）も適用されません。（基通4-2-5）

経営不振の子会社を解散した場合の貸付金等の貸倒損失

> 【問12-6】　経営不振の子会社を解散して清算する場合、同社に対する貸付金や他の債権者に対する同社の債務の肩代わり額が回収不能になりますが、貸倒損失として損金算入が認められますか。

【答】　法人の有する貸金等について、その債務者の資産状況、支払能力等からみてその全額が回収できないことが明らかになった場合には、その明らかになった事業年度において貸倒れとして損金経理することができます。（基通9-6-2）また、特別清算に係る協定の認可の決定により切り捨てられる

（669）

こととなった部分の金額は、その事実の発生した日の属する事業年度におい
て、貸倒れとして損金の額に算入されます。(基通9-6-1(2))

　ところで、子会社を解散させる場合、親会社はその社会的責任及び体面か
ら、子会社の他の債権者に対する債務を肩代わりをすることが多いと思いま
す。この場合、「親会社は子会社の有限責任社員だから、子会社の債務を負
担しなければならない法的理由がない。」ということを判断の論拠にしますと、
親会社による債務の肩代わりは子会社の債権者に対する道義的責任の履行に
すぎず、債務引受額は寄附金の額になります。

　しかし、経営不振の子会社は、解散、経営権の譲渡等をしないでいますと
傷が大きくなり、親会社は将来より大きな損失を蒙るおそれがあります。例
えば、当該子会社の解散に当たって、親会社は同社の従業員を雇用せざるを
得なくなるのを避けるため、当該従業員の退職金の支給原資を子会社に支出
しなければならないことがありますし、子会社の経営権の譲渡に当たって譲
渡先から当該子会社の累積損失額の圧縮を条件にされた場合、親会社は子会
社に対する債権の一部を放棄せざるを得ないことがあります。また、子会社
の解散等に当たり、企業グループのイメージ・ダウンを避けるため、親会社
による当該子会社の債務の引受け、債権放棄等の支援が行われることもあり
ます。これらはいずれも、相当な理由があると考えられますので、これらに
より子会社に供与する経済的利益の額は、寄附金の額になりません。

　このように、経営不振の子会社の解散に伴い債権の放棄や債務の引受けを
した場合の損失は、その負担をすることについて相当な理由があると認めら
れるときは、寄附金の額に該当しないものとされます。(基通9-4-1)

　なお、親会社の子会社に対する貸付金のなかには、子会社に対する投資的
なものがあり、子会社の事業の成功が親会社にとってもプラスになることを
期待して貸し付けられたものがあります。このように、貸付けの動機に「経
済的合理性」があった場合、意に反して子会社を解散しなければならなくな
り貸倒れになったとしても、投資の失敗ですので、その貸倒れによる損失額
は上記の法人税基本通達9-4-1の取扱いを適用するまでもなく、寄附金の
額に該当しません。

(注1)　基通9-4-1の取扱いは、【問12-5】で説明した基通9-4-2の取扱いと
　　　同様に、「子会社等」を対象に適用されます。「子会社等」の範囲は、【問12-5】

第12章　寄　附　金

に記載した基通9-4-1（注）を参照してください。

(注2)　経営不振によって解散して清算する子会社と貸付金等の債権放棄等をする
親会社との間に法人による完全支配関係がある場合でも、貸付けの動機に
「経済的合理性」があったが当該投資が失敗したもので債権放棄損失等が寄
附金の額に該当しないときは、親会社における法人税法第37条第2項の規定
（完全支配関係のある法人間の寄附金の損金不算入）の適用及び子会社にお
ける法人税法第25条の2第1項（完全支配関係のある法人間の受贈益の益金
不算入）の規定の適用はありません。（基通4-2-5）

業務上の都合によって下請先に対する債権の一部を放棄した場合

【問12-7】　当社が発注した部品を生産するための金型の購入資金
について下請先から融資の申込みがあり、1,000万円を貸し付け、
現在400万円が残っています。当社の製品のモデルチェンジによ
って、今後その金型を使用して生産する部品を発注しないことに
なり、下請先にその旨を通知したところ、金型購入のための債務
の残額を免除してほしいという申出がありました。協議の結果、
覚書を交わしてその半額の200万円を債権放棄することにしまし
たが、この債権放棄額は税法上当該下請先に対する寄附金の額と
されますか。

【答】　法人税法第37条の規定の対象となる寄附金での寄附とは、法人の金銭
又はその他の資産又は経済的な利益の贈与又は無償の供与です。（法37⑦）
これは、贈与者、受贈者のいずれにとっても、反対給付のない一方的な金銭
又は資産等の移転です。

　御質問の場合、債務免除を受ける下請先には、それを受ける業務上の合理
的な理由があると考えられます。つまり、取得した金型が納入先の一方的な
事情で使えなくなったため廃棄しなければならなくなったという損失があり、
この廃棄損の補償を債務免除という方法で貴社に要求してきたわけです。貴
社も下請先に業務の都合で迷惑をかけたという気持があるため、債権の一部
を放棄されたのであり、一種の違約損失補償といえるものでしょう。

　したがって、当該債権放棄額のうち違約損失補償額として相当と認められ

（671）

る部分の金額は、寄附金の額になりません。補償の仕方として、下請先から金型を未償却残額等で買い取り、貴社で廃棄することもあり得ると思います。

震災等で被災した取引先に対する復旧支援

【問12-8】 震災、風水害等で被災した取引先に対する経済的援助は、一定の条件をみたす場合寄附金とされないそうですが、具体的に説明してください。

【答】 御質問の件は、法人税基本通達9-4-6の2と9-4-6の3に、次のとおり示されています。

① 被災した得意先等の取引先に対してその復旧を支援することを目的として、災害発生後相当の期間内に売掛金、未収請負金、貸付金その他これらに準ずる債権の全部又は一部を免除した場合には、その免除したことによる損失の額は、寄附金の額に該当しないものとされています。既に契約で定められたリース料、貸付利息、割賦販売に係る賦払金等で災害発生後に授受するものの全部又は一部の免除を行うなど契約で定められた従前の取引条件を変更する場合、及び災害発生後に新たに行う取引につき従前の取引条件を変更する場合も、同じです。（基通9-4-6の2）

「災害発生後相当の期間」は、災害を受けた取引先が通常の営業活動を再開するための復旧過程にある期間をいいますので、店舗等の損壊により仮店舗で営業している期間は含まれますが、店舗が復旧した後の期間は、たとえ災害による取引規模の縮小等により当該取引先の債務超過状態が続いていても、この期間には含まれません。また、「得意先等の取引先」には、得意先、仕入先、下請工場、特約店、代理店等のほか、商社等を通じた取引であっても価格交渉等を直接行っている商品納入先など、実質的な取引関係にあると認められる者が含まれます。（同通達(注)1）

なお、これらの事項は、口頭でなく書面（公正証書以外のものでも差し支えありません。）で明らかにしておくべきですが、法人が個別に判断して行えばよろしいので、被災された取引先の全部について、横ならびで行う必要はありません。

　(注)　この復旧支援のための費用は、交際費等にも該当しません。（措通61の4

（672）

第12章　寄　附　金

(1)-10の2)

②　被災した取引先に対してその復旧を支援することを目的として災害発生後相当の期間内に低利又は無利息による融資をした場合、当該融資は正常な取引条件に従って行われたものとされ、その融資に伴う経済的利益の供与は寄附金とされません。（基通9-4-6の3）その融資期間や融資額は、当該取引先の被災程度、取引の状況等を勘案して定められたものであれば、融資期間の長短や融資額の多寡は問題にされません。

　(注)　被災した取引先に対する災害見舞金等の取扱いは、【問13-24】を参照してください。

寄附金と福利厚生費、広告宣伝費等との区分

【問12-9】　次のような支出金は、税法上寄附金に該当しますか。
　①　労働組合主催の従業員の運動会に、組合の要請によって支出した協賛金
　②　台風被災地区の住民のために、会社の製品を配布した費用

【答】　寄附金、拠出金、見舞金等その名義のいかんを問わず、法人が金銭その他の資産又は経済的な利益の贈与又は無償の供与をした場合の当該金銭の額若しくはその他の資産のその贈与の時又は経済的な利益のその供与の時の価額は、税法上寄附金の額となりますが、広告宣伝及び見本品の費用や、交際費、接待費及び福利厚生費とされるべきものは除かれます。（法37⑦）

　御質問の①は、実質的に従業員の福利厚生のための費用であり、労働組合に対する寄附金には該当しないと考えられます。ただし、支出した協賛金が明らかに運動会のための費用として使用されていることが必要で、労働組合によって他の目的に使用された場合は、寄附金に該当します。

　労働組合法第7条第3号は、使用者が労働組合に対してその運営のための経費の支払につき経理上の援助を与えることを、不当労働行為として禁じています。税法上寄附金に該当するような労働組合に対する支出は不当労働行為になるおそれがありますので、御質問の場合この疑いを避けるためにも、運動会を会社と労働組合との共催にされるのが望ましいと思います。

　御質問の②は、災害という緊急事態に対応しての拠出であり、人道的、社

（673）

会的要請に基づいてのものですし、広告宣伝費に準ずる性格も有しています。このため、その配布が国、地方公共団体、日本赤十字社を経由したものでなくても、不特定又は多数の被災者を救援するために緊急に行う自社製品等の提供に要する費用の額は、寄附金の額に該当しないものとされています。(基通9-4-6の4)

　なお、この場合の自社製品等には、次のようなものを含むことができます。

① 法人名が表示されていない物品や他から購入した物品であっても、その提供に当たり、企業のイメージアップなど実質的に宣伝効果を生じさせるもの

② 法人の業務がサービス業である場合の役務の提供、法人の社宅、研修所等を緊急避難所として被災者に提供した場合の費用

　(注) 　この自社製品等の提供が不特定又は多数の被災者を救済するために緊急に行われるものの場合、その提供に要する費用は交際費等にも該当しません。(措通61の4(1)-10の4)

社長の出身高等学校に対する寄附金

> **【問12-10】** 　同族会社ですが、今般社長の出身高等学校の後援会から校舎増築のための寄附の要請を受けました。同高等学校は市立ですので、校舎は完成後市に帰属します。地方公共団体に対する寄附金として、全額損金の額に算入することができますか。

【答】 　国又は地方公共団体に対する寄附金の額は、全額損金の額に算入されます。(法37③一)この場合「国又は地方公共団体等に対する寄附金」とは、国又は地方公共団体(以下「国等」といいます。)において採納されるものをいいますが、国立又は公立の学校等の施設の建設又は拡張等の目的をもって設立された後援会等に対する寄附金であっても、その目的である施設が完成後遅滞なく国等に帰属することが明らかなものは、これに該当します。(基通9-4-3)

　しかし、御質問の場合、寄附の相手先が同族会社の社長の出身校であるため、本来社長個人が負担すべき寄附金を会社が負担したのではないかという疑義が生じます。法人の役員等が個人として負担すべきものの場合は、その

(674)

負担すべき者に対する給与となりますので（基通9-4-2の2）御質問の場合社長に対する給与となり、定期同額給与、事前確定届出給与又は損金算入の要件を満たす業績連動給与のいずれにも該当しないと思われますので、損金の額に算入されないことになります。その場合、社長にとっては特定寄附金の支出に該当しますので、所得税の確定申告において所得控除である寄附金控除の規定（所法78）又は税額控除である公益社団法人等寄附金特別控除の規定（措法41の18の3）の適用を受けることができます。

なお、社長個人が負担すべきものかどうかですが、社長の出身校であっても例えば毎年同校の卒業生を採用していて会社との間に密接なつながりがあるというような場合には、会社が負担しても相当と認められるでしょう。

市に対して公道用の土地を寄附した場合

【問12-11】 当社工場の敷地の一角（時価300万円、帳簿価額10万円）を、市の公道拡張のために寄附しました。税務上地方公共団体に対する寄附金として、全額損金算入することができますか。

【答】 法人税法での寄附金の対象になる寄附には、金銭による支出だけでなく、その他の資産又は経済的な利益の贈与又は無償の供与も含まれ、資産を贈与した場合は、その贈与の時における価額が寄附金の額とされます。（法37⑦）

御質問の場合は、市に対して300万円の寄附をしたことになりますが、相手方が市であり、かつ、当該土地が市の公道として利用され、寄附をした貴社が専属的に利用することによる特別の利益を受けるものでないのであれば、地方公共団体に対する寄附金として、その全額が損金の額に算入されます。

（注1） 寄附をした者がその寄附によって設けられた設備を専属的に利用することその他特別の利益がその寄附をした者に及ぶと認められるものは、税法上寄附金でなく（法37③一かっこ書）、繰延資産とされます。（【問7-10】参照）

（注2） 法人が専らその有する土地の利用のために設置されている私道を地方公共団体に寄附した場合には、当該私道の帳簿価額を当該土地の帳簿価額に振り替えるものとし、その寄附をしたことによる損失はないものとされます。（基通7-3-11の5）

（675）

この場合、申告書別表十四（二）では国又は地方公共団体に対する寄附金は、その内訳を「指定寄附金等に関する明細」に記載しますが（告示番号は記載する必要はありません。）、国又は地方公共団体に対する寄附金としてその特例の適用される金額は、この明細の「寄附金額㊶」に記載した金額が限度になります。（法37⑨）したがって、御質問の場合、当該欄の金額は時価によって300万円と記載すべきで、帳簿価額によって10万円と記載しますと、寄附をした金額の一部しか確定申告書に記載されていないことになります。しかし、法人が金銭以外の資産をもって指定寄附金等に該当する寄附を行い、その支出した金額を帳簿価額によって計算し、かつ、確定申告書に記載した場合には、法人の計上した寄附金の額が当該資産の価額よりも低いためその一部につき当該確定申告書に記載がないこととなるときであっても、その記載がなかったことについてやむを得ない事情があると認めて、当該資産の価額により指定寄附金等の支出が行われたものとすることができるとされています。（基通9-4-8）

支出済みの寄附金を仮払処理した場合の取扱い

> **【問12-12】** 当事業年度に支出した政治献金100万円のうち50万円を寄附金に計上し、残りの50万円は仮払金に計上して翌事業年度に寄附金勘定に振替えようと思います。当事業年度と翌事業年度に50万円ずつ寄附金として損金経理することになりますが、税法の損金算入限度額との関係も、当事業年度と翌事業年度に50万円ずつ区分してみればよいのですか。

【答】 法人が各事業年度において支払った寄附金の額を仮払金等として経理しても、当該寄附金はその支払った事業年度において支出したものとして、寄附金の損金算入限度額との関係をみます。（基通9-4-2の3）これは、寄附金の損金算入限度額は、各事業年度ごとに【問12-1】に記載した算式で計算した金額とされているため、仮払経理による繰延べを認めますと、寄附金を支出した事業年度以後の各事業年度の損金算入限度額相当額に分割して計上して損金算入限度額に対する過不足の調整をするという税の遇税が可能になるからです。このため、支出した寄附金のうち損金算入限度額までの

（676）

第12章　寄　附　金

金額が損金算入されるための条件として、当該寄附金の額が損金経理されていなければならないという規定は、税法にはありません。

　御質問の場合は、当事業年度の申告書別表四で仮払寄附金50万円を申告減算（処分は留保）し、これと他の寄附金との合計額について損金算入限度額との関係をみます。翌事業年度に仮払寄附金を寄附金勘定に振り替えても、前事業年度に申告減算した金額を申告加算すべきことになりますので、損金の額に算入されません。したがって、翌事業年度には、この仮払寄附金から寄附金勘定への振替額を除外した寄附金の額について、寄附金の損金算入限度額との関係をみることになります。

手形で支払った寄附金の取扱い

> 【問12-13】　手形で支払った寄附金が、事業年度終了の日までに支払期日が到来せず決済されていなかった場合、未払寄附金として損金不算入になりますか。

【答】　寄附金の支出は、その支払がされるまでの間、なかったものとされます。（法政令78）

　寄附金は、たとえ事業年度終了の日までに相手先に寄附をすることを申し出ていても、一般の債務と異なり支払をするまでなかったものとされますので、未払金に計上した寄附金の額は、その全額を申告書別表四で加算（処分は留保）しなければなりません。この点は、寄附金の支払のために手形の振出し（裏書譲渡を含みます。）をしたときでも同じですので（基通9－4－2の4）、御質問の場合は、寄附金の支払のために振り出した支払手形の期末残高を未払寄附金として、申告書別表四で加算（処分は留保）します。

　翌事業年度以後当該手形が決済されたときに寄附金の支払があったことになりますので、申告書別表四で減算（処分は留保）し、この金額を加えた寄附金の額について、寄附金の損金算入限度額との関係をみることになります。申告書別表十四(二)の「支出した寄附金の額」の①〜③及び⑤の各欄には、この別表四で減算した金額と他の寄付金との合計額を当該各欄それぞれに区分して記入します。

　このように未払寄附金をなかったものとするのは、寄附という贈与行為に

（677）

ついて、確定債務性だけを問題にして損金算入限度額との関係をみますと、寄附金の計上額を操作して、損金算入限度額に対する過不足額の調整をするという税の逋脱が可能になるからです。

政党主催のパーティーへの参加費

> **【問12-14】** 政党主催のパーティーや国会議員○○君を励ます会に役員が出席した場合の参加費は、税法上交際費等、寄附金のいずれになりますか。それとも参加者個人が負担すべきものとして、出席した役員の給与になりますか。

【答】 御質問の政党主催のパーティー等への参加費は、その実態からみてかなり高額のものが多いようです。参加費が高額なのは、パーティーに藉口して主催者が政党の資金づくりをするためですので、法人が当該参加費を支出した場合、現実にはその相当部分は政治献金であるといえます。

この場合、政党と法人の親睦を目的にしたパーティーが現に行われていますので、税務上は参加費のうちパーティーの実費相当額を交際費等とし、残りの金額を寄附金として処理するのが適正と考えられます。しかし、政党主催のパーティー券には、法人の出席者数に関係なく相当の枚数を半強制的に売り付けられるものがあること、交際費等に該当する部分は僅少で、その区分計算をするのが困難なことから、全額を寄附金とする処理も認められているようです。

次に、法人の負担した参加費がパーティーに出席した当該法人の役員の給与になるのかどうかですが、政党からの要請は法人に行われ、法人自体に政党とのつながりを持とうという目的があるのが通常ですので、政党主催パーティー等の参加費を役員が個人的に負担すべき事由は乏しいと思います。役員の給与とすべき事例は少ないでしょう。

(678)

第12章 寄 附 金

寄附金の損金算入限度額（公益法人等の場合）及びみなし寄附金

> 【問12-15】 公益法人等が支出する寄附金の額の損金算入限度額は、どのように規定されていますか。公益法人等に認められているみなし寄附金とは、どのようなものですか。

【答】 公益法人等の寄附金の損金算入限度額は、次のとおりです。

イ 公益社団法人又は公益財団法人（法政令73①三イ、73の２①）……当該事業年度の寄附金支出前の所得の金額×50％。みなし寄附金がある場合は、次のａとｂのいずれか多い金額

  ａ 当該事業年度の寄附金支出前の所得の金額×50％

  ｂ 公益法人特別限度額

  「公益法人特別限度額」とは、当該事業年度の公益目的事業の実施のために必要な金額で、一定の方法で計算した額（みなし寄附金の金額を限度とします。）です。（法政令73の２①、法規則22の５①）なお、この特例は、確定申告書に公益法人特別限度額の金額及びその計算に関する明細の記載があることが適用の要件です。（法政令73の２②）

ロ 私立学校法第３条に規定する学校法人《同法第64条第４項の規定により設立された法人で専修学校を設置しているものを含みます。》、社会福祉法第22条に規定する社会福祉法人、更生保護事業法第２条第６項に規定する更生保護法人又は医療法第42条の２第１項に規定する社会医療法人（法政令73①三ロ）……当該事業年度の寄附金支出前の所得の金額×50％と年200万円のうちいずれか多い金額

ハ その他の公益法人等（法政令73①三ハ）……当該事業年度の寄附金支出前の所得の金額×20％

（注１） 「当該事業年度の寄附金支出前の所得の金額」は、法人税申告書別表四の仮計（㉖の①欄）の金額に支出した寄附金の額を加算した金額で、マイナスの場合は０とします。

（注２） 公益法人等のうち非営利型法人に該当する一般社団法人及び一般財団法人は、寄附金の損金算入限度額について公益法人等から除かれていますので（法政令73①三かっこ書）、当該法人の寄附金の損金算入限度額は、資本又は出資を有しない普通法人等と同じで、当該事業年度の寄附金支出前の所得

（679）

の金額 $\times \dfrac{1.25}{100}$ となります。（法政令73①二、【問12-1】①ロ参照）また、当該法人には、みなし寄附金の規定（法37⑤、下記参照）の適用はありません。

　御質問の後段にある公益法人等のみなし寄附金とは、公益法人等（前記（注2）に掲げた法人を除きます。以下本問において同じ。）が、その収益事業に属する資産のうちからその収益事業以外の事業である公益目的事業のために支出した金額で、その収益事業に係る寄附金の額とみなされるものです。（法37⑤）この場合、その一方で収益事業以外の事業から収益事業へその支出金額に見合う金額相当額の元入れがあったものとして区分経理するなど実質的に収益事業から収益事業以外の事業への金銭の支出がなかったと認められるときは、当該区分経理した金額について、「みなし寄附金」の規定は適用されません。（基通15-2-4）なお、事実を隠蔽し、又は仮装して経理することにより支出した金額については、みなし寄附金とはされません。（法37⑤ただし書）

（注） 法第37条第5項の規定は、上記の公益法人等に限って適用されますので、人格のない社団等及び前記の**（注2）**に掲げた法人が収益事業に属する資産を収益事業以外の事業に属するものとして区分経理をしても、その区分経理した金額は「みなし寄附金」とならず、元入金の返還等として取り扱われます。（基通15-2-4（注））

第12章　寄　附　金

公益法人の「みなし寄附金」

> 【問12-16】　当宗教法人は、収益事業部門から本部（収益事業以外
> の部門）へ下記のような方法で金銭の支出をしようと考えていま
> すが、税法上「みなし寄附金」として問題ありませんか。
> ①　本部にいったん金銭の支出をしたのち、収益事業部門が同額
> 　を元入金として本部から受け取る場合
> ②　本部に支出した金銭で収益事業部門が使用する固定資産を購
> 　入し、収益事業部門へ引き渡す場合
> 　また、本部では収益事業部門から受け入れた金銭を当分使用す
> る必要がありませんので、本部名義の定期預金にしようと思いま
> すが、その場合でも、「みなし寄附金」とすることができますか。
> 本部の定期預金としますと、その受取利息は収益事業に係る収益
> とならず、課税されないと思いますが、いかがでしょうか。

【答】　まず御質問の①ですが、【問12-15】の後段で説明したように、収益事
業に属する資産のうちから収益事業以外の事業への金銭の支出があっても、
その一方でその支出金額に見合う金額相当額の元入れがある場合は、「みな
し寄附金」とすることはできません。（基通15-2-4）御質問の②のように、
本部に支出した金銭で収益事業部門が使用する固定資産を購入して収益事業
部門へ引き渡す場合でも、同じです。

　御質問の後段ですが、公益法人等が収益事業から生じた所得を預金、有価
証券等に運用する行為は、法人税法施行令第5条第1項かっこ書に掲げられ
ている収益事業の付随行為に該当します。（基通15-1-6(5)）しかし、収益
事業の運営のために通常必要と認められる金額に見合うもの以外のものを収
益事業以外の事業に属する資産として区分経理をしたときは、その区分経理
した資産を運用する行為は、収益事業の付随行為に含めないことができます。
（基通15-1-7）したがって、当該預金、有価証券等から生ずる利子、配当
等には課税されません。

　貴法人のような公益法人では、その資産は本来の宗教事業のために管理運
用されるべきで、収益事業のための資産は、その活動のため通常必要と認め
られる範囲に限られるべきです。つまり、収益事業から生じた所得によって

（681）

得た資産でも、収益事業の活動のために必要な範囲を超えるものは、本来の事業のための資産として管理運用されるべきで、当該資産が定期預金や有価証券として管理、運用され、直ちに本殿の改修など貴法人の本来の事業の用に使用されなくても、そのような管理、運用方法が公益法人の採るべき方法だといえます。したがって、御質問の定期預金を収益事業以外の事業に属する資産として区分経理されたときは、その受取利息も当然収益事業以外の事業についての収益となり、課税されません。

なお、収益事業以外の事業に属する資産として区分経理した金額は、法人税法第37条第5項の規定による「みなし寄附金」となり、元入金の返還にはなりません。(基通15-1-7(注))この場合、元入金の返還又は剰余金の振替えとして経理しているか、寄附金として経理しているかに関係なく、「みなし寄附金」の規定を適用するとされています。

公益法人等は、収益事業から生ずる所得に関する経理と収益事業以外の事業から生ずる所得に関する経理とを区分して行わなければならず(法政令6)、収益及び費用に関する経理だけでなく、資産及び負債に関する経理も区分しなければなりません。(基通15-2-1)御質問の場合、仮に収益事業に属する資産としたままの経理をしているときは、定期預金の全部が収益事業の運営のために通常必要と認められる範囲内のものとされ、その利子は収益事業の付随行為として課税されます。

国外関連者に対する寄附金

> **【問12-17】** 国外関連者に対する寄附金は、寄附金の損金算入限度額に関係なく全額損金不算入と規定されていますが、この規定の趣旨を説明してください。

【答】 法人の国外関連者とは、外国法人で、当該法人との間に次に掲げる特殊の関係のあるものをいいます。(措法66の4①、措政令39の12①)

① 当該法人と外国法人との間にいずれか一方の法人が他方の法人の発行済株式又は出資(当該他方の法人が有する自己の株式又は出資を除きます。)の総数又は総額(以下「発行済株式等」といいます。)の50％以上の数又は金額の株式又は出資を直接又は間接に保有する関係

(682)

第12章　寄　附　金

② 　二の法人が同一の者（当該者が個人である場合には、当該個人及びこれと法人税法施行令第４条第１項に規定する特殊の関係《【問22-1】参照》のある個人）によってそれぞれその発行済株式等の50％以上の数又は金額の株式又は出資を直接又は間接に保有される場合における当該二の法人の関係（①に掲げる関係に該当するものを除きます。）

③ 　次に掲げる事実その他これに類する事実が存在することにより二の法人のいずれか一方の法人が他方の法人の事業の方針の全部又は一部につき実質的に決定できる関係（①及び②に掲げる関係に該当するものを除きます。）

イ 　当該他方の法人の役員の$\frac{1}{2}$以上又は代表する権限を有する役員が、当該一方の法人の役員若しくは使用人を兼務している者又は当該一方の法人の役員若しくは使用人であった者であること

ロ 　当該他方の法人がその事業活動の相当部分を当該一方の法人との取引に依存して行っていること

ハ 　当該他方の法人がその事業活動に必要とされる資金の相当部分を当該一方の法人からの借入れにより、又は当該一方の法人の保証を受けて調達していること

(注) 　措政令39の12①には、１号から３号である上記の①～③のほかに、４号及び５号として、一の法人と他の法人の間に【問22-1】の図Ⅰ及び図Ⅱのようなつながりで50％以上の株式又は出資を直接又は間接に所有し、又は特定の事実が存在することによって、その事業の方針の全部若しくは一部につき実質的に決定できる関係が規定されています。

　このような国外関連者との取引を、独立企業間価格に比べて低価又は高価で行ったことにより法人の所得の金額が減少するときは、当該取引は独立企業間価格で行われたものとみなして所得の金額を計算するという、移転価格税制が規定されています。（措法66の４①）

(注) 　独立企業間価格とは、独立した企業者間（非関連者間）における取引価格をいい、国外関連者との取引が次の①又は②のいずれに該当するかに応じ、それぞれに掲げる方法により算定した金額をいいます。（措法66の４②、措政令39の12⑥～⑧）

① 　棚卸資産の販売又は購入……⑦独立価格比準法、⑥再販売価格基準法、⑧原価基準法、⑤その他の方法（⑤の方法は、⑦～⑧の方法を用いることができない場合に限ります。）

（683）

②　①以外の取引……①の㋑〜㊁に掲げる方法と同等の方法

　しかしこの移転価格税制は、取引価格を通じての所得の移転にだけ適用され、金銭贈与や債権放棄等による所得の移転には適用されませんので、その抜け道を塞ぐため、国外関連者に対する寄附金は全額損金不算入とすることとされています。(措法66の4③)

　なお、国外関連者に対する寄附金でも、国外関連者が国内に支店等を有しており、受取った寄附金の額が国内源泉所得としてその所得の金額の計算上益金の額に算入されるものは、国外関連者の側で課税されますので、支出した法人において国外関連者に対する寄付金の損金不算入の規定は適用されず、一般の寄附金として取り扱われます。

　また、海外子会社を整理する場合の損失負担等、再建する場合の無利息貸付け等、災害の場合の売掛債権の免除等、災害の場合の無利息融資等に係る法人税基本通達9-4-1、9-4-2、9-4-6の2及び9-4-6の3の適用（【問12-4】〜【問12-6】、【問12-8】参照)は、国外関連者に対する寄附金の損金不算入の規定に関係なく行われます。

(684)

第13章　交際費等

交際費等の損金不算入制度の概略

【問13-1】　交際費等は税法上その全部又は一部が損金不算入となるとされていますが、その概略を説明してください。

【答】　法人が平成26年４月１日から令和９年３月31日までの間に開始する事業年度に支出する交際費等の損金算入限度額は、下表の右欄のとおりで、交際費等の額のうち損金算入限度額を超える額は損金不算入となります。（措法61の４①②）

事業年度終了の日における資本金の額又は出資金の額	損金算入限度額
①１億円以下である法人（下記③の法人を除きます。）	次の④と回のうち多い方の金額 ④　接待飲食費の額の50％相当額 回　800万円×$\dfrac{事業年度の月数^{(注)}}{12}$ **(注)**　１か月未満の端数が生じたときは切り上げます。（措法61の４④）
②１億円を超える法人（④の法人を除きます。）	接待飲食費の額の50％相当額
③１億円以下であるが、事業年度終了の日において大法人による完全支配関係がある普通法人	
④100億円を超える法人	なし（交際費等の額の全額が損金不算入）

上記の表の「接待飲食費」とは、交際費等のうち飲食その他これに類する行為のための費用（専らその法人の役員若しくは従業員又はこれらの親族に対する接待等のために支出するものを除きます。）であって、その飲食費であることについて帳簿書類に次に掲げる事項が記載されているものをいいます。（措法61の４⑥、措規則21の18の４）

イ　飲食その他これに類する行為（以下「飲食等」といいます。）のあった年月日

ロ　飲食等に参加した得意先、仕入先その他事業に関係のある者等の氏名

（685）

又は名称及びその関係

ハ　飲食費の額並びにその飲食店、料理店等の名称及びその所在地（店舗を有しないことその他の理由によりその名称又はその所在地が明らかでないときは、領収書等に記載された支払先の氏名若しくは名称、住所若しくは居所又は本店若しくは主たる事務所の所在地）

ニ　その他飲食費であることを明らかにするために必要な事項

この接待飲食費の詳細は、【問13-2】以下を参照してください。

また、上記の表の③にある大法人とは、次に掲げる法人です。（法66⑤二）

イ　資本金の額又は出資金の額が5億円以上の法人

ロ　相互会社（外国相互会社を含みます。（法政令139の6））

ハ　法人課税信託の受託者である法人

なお、この表の③の普通法人には、複数の大法人に発行済株式等の全部を所有されている法人（法66⑤三）が含まれます。

上記の表の事業年度終了の日における資本金の額又は出資金の額は、法人の種類により、次表のとおりとします。（措法61の4①、措政令37の4①）

（686）

第13章　交際費等

区分			期末日における資本金の額又は出資金の額
内国法人	普通法人又は協同組合等	資本又は出資を有するもの（イ）	期末日における資本金の額又は出資金の額
		資本又は出資を有しないもの（ロ）	$\left\{\begin{array}{l}\text{期末日にお} \\ \text{ける総資産} \\ \text{の帳簿価額}\end{array} - \begin{array}{l}\text{期末日にお} \\ \text{ける総負債} \\ \text{の帳簿価額}\end{array}\right\}$ $-\begin{array}{l}\text{当該事業} \\ \text{年度の利} \\ \text{益の額}\end{array} + \begin{array}{l}\text{当該事業} \\ \text{年度の損} \\ \text{失の額}\end{array} \times \dfrac{60}{100}$
	公益法人等又は人格のない社団等	資本又は出資を有するもの（ハ）	$\begin{array}{l}\text{期末日における} \\ \text{資本金の額又は} \\ \text{出資金の額}\end{array} \times \dfrac{\text{分母のうち収益事業に係る資産の価額}}{\begin{array}{l}\text{期末日における} \\ \text{総資産の価額}\end{array}}$
		資本又は出資を有しないもの（ニ）	$\begin{array}{l}\text{（ロ）に準じて計算} \\ \text{した金額}\end{array} \times \dfrac{\text{分母のうち収益事業に係る資産の価額}}{\begin{array}{l}\text{期末日における} \\ \text{総資産の価額}\end{array}}$
外国法人		資本又は出資を有するもの（ホ）	$\begin{array}{l}\text{期末日における} \\ \text{資本金の額又は} \\ \text{出資金の額}\end{array} \times \dfrac{\begin{array}{l}\text{分母のうち国内にある} \\ \text{資産及び国外にある} \\ \text{資産（注2）の価額}\end{array}}{\begin{array}{l}\text{期末日における} \\ \text{総資産の価額}\end{array}}$
		資本又は出資を有しないもの（ヘ）	$\begin{array}{l}\text{（ロ）に準じて計算} \\ \text{した金額}\end{array} \times \dfrac{\begin{array}{l}\text{分母のうち国内にある} \\ \text{資産及び国外にある} \\ \text{資産（注2）の価額}\end{array}}{\begin{array}{l}\text{期末日における} \\ \text{総資産の価額}\end{array}}$

（注1） 上記の表では、「事業年度終了の日」を「期末日」と略しています。

（注2） 国外にある資産は、恒久的施設を通じて行う事業に係るものに限ります。

（注3） 外国法人が人格のない社団等のときは、分子の「分母のうち国内にある資産及び国外にある資産の価額」は、収益事業に係るものだけについて計算します。

（注4） （ロ）の算式での「期末日における総資産の帳簿価額」及び「期末日における総負債の帳簿価額」は、事業年度終了の日における貸借対照表に計上されている金額によりますので、税務計算上の否認金があっても、当該否認金の額は、これらの額に関係させません。（措通61の4(2)-2）

（687）

交際費等から除外される飲食費、50％損金算入の対象となる接待飲食費

> 【問13-2】　得意先等の接待のための飲食費のうち、1人当たり
> 10,000円以下のものは交際費等から除外され、それを超えるもの
> は支出額のうち50％が損金算入されますが、この対象となる飲食
> 費の要件を説明してください。また、交際費等から除外される飲
> 食費と50％損金算入となる飲食費は、金額を除いて、同じ内容で
> しょうか。

【答】　交際費等から除外される飲食費は、飲食その他これに類する行為（以
下「飲食等」といいます。）のために要する費用（専らその法人の役員若し
くは従業員又はこれらの親族に対する接待等のために支出するものを除きま
す。）であって、その飲食等のために要する費用として支出する金額を当該
費用に係る飲食等に参加した者の数で除して計算した金額が、10,000円以下
の費用と規定されており（措法61の4⑥二、措政令37の5①）、社外の者と
の飲食等の費用で、1人当たり10,000円以下のものが該当します。この規定
の適用を受けるには、次の事項を記載した書類を保存していることが必要で
す。（措法61の4⑧、措規則21の18の4）

イ　飲食等のあった年月日

ロ　飲食等に参加した得意先、仕入先その他事業に関係のある者等の氏名又
　は名称及びその関係

ハ　飲食等に参加した者の数

ニ　飲食費の額並びに飲食店、料理店等の名称及びその所在地（店舗を有し
　ないことその他の理由により名称又は所在地が明らかでないときは、領収
　書等に記載された支払先の氏名若しくは名称、住所若しくは居所又は本店
　若しくは主たる事務所の所在地）

ホ　その他飲食費であることを明らかにするために必要な事項

　50％損金算入される接待飲食費は、飲食等のために要する費用（専らその
法人の役員若しくは従業員又はこれらの親族に対する接待等のために支出す
るものを除きます。）であり、その飲食費であることについて帳簿書類に次
の事項が記載されているものをいいます。（措法61の4⑥、措規則21の18の4）

イ　飲食等のあった年月日

第13章　交際費等

ロ　飲食等に参加した得意先、仕入先その他事業に関係のある者等の氏名又は名称及びその関係

ハ　飲食費の額並びに飲食店、料理店等の名称及びその所在地（店舗を有しないことその他の理由により名称又は所在地が明らかでないときは、領収書等に記載された支払先の氏名若しくは名称、住所若しくは居所又は本店若しくは主たる事務所の所在地）

ニ　その他飲食費であることを明らかにするために必要な事項

　上記の両者を比較しますと、交際費等から除外される飲食費については、飲食等に参加した人数を明らかにする書類を保存しておく必要がありますが、その他の要件は同じです。したがって、得意先等の社外の者との飲食費で、上記の書類を保存している場合、1人当たり10,000円以下であれば、交際費等から除外し、1人当たり10,000円を超えれば、交際費等に含めて50%相当額を損金不算入とすればよいこととなります。

（注1）　条文上、交際費から除外される飲食費は「飲食費」と、50%損金算入される飲食費は「接待飲食費」と、それぞれ定義されていますが（措法61の4①、⑥二）、これは、交際費の定義に接待費が含まれているため文言上区分しており、両者の内容に違いはありません。

（注2）　期末の資本金の額又は出資金の額が100億円を超える法人は、交際費等の全額が損金不算入ですから（措法61の4①）、飲食費の50%損金算入の適用はありません。

（注3）　令和6年3月31日以前の社外の者との飲食費については、1人当たり5,000円以下のものが交際費等から除外されます。（令6改措令附則16）

飲食費の範囲

> **【問13-3】**　交際費等から除かれる1人当たり10,000円以下の飲食費や50%損金算入となる飲食費は「飲食その他これに類する行為のために要する費用」と定義されていますが、どのような費用が飲食費に含まれますか。また、どのような費用が含まれませんか。海外での飲食費はどうですか。

【答】　国税庁から公表された飲食費Q&A及び接待飲食費FAQ等に基づい

（689）

て、飲食費の範囲を示しますと次のとおりです。

(1) 飲食費に含まれるもの

① 得意先、仕入先等を接待して飲食するための飲食代

② 同業者同士の懇親会に出席した場合や得意先等と共同で開催する懇親会に出席した場合に支出する自己負担分の飲食費相当額（飲食費Ｑ＆Ａ・Ｑ６、接待飲食費ＦＡＱ・Ｑ４、措通64の４(1)-23参照）

③ 得意先、仕入先等の業務の遂行や行事の開催に際して、得意先、仕入先等の従業員等によって飲食されることが想定される弁当の差入れを行うための弁当代（措通61の４(1)-15の２、飲食費Ｑ＆Ａ・Ｑ３、接待飲食費ＦＡＱ・Ｑ２）

④ 飲食店等での飲食後、その飲食店等で提供されている飲食物の持ち帰りに要するお土産代。（飲食費Ｑ＆Ａ・Ｑ３、接待飲食費ＦＡＱ・Ｑ２）例えば、寿司屋での寿司や中華料理店での中華菓子のお土産等が該当します。

⑤ 飲食等のためにテーブルチャージ料やサービス料等として飲食店等に対して直接支払うもの（飲食費Ｑ＆Ａ・Ｑ４、接待飲食費ＦＡＱ・Ｑ２）

⑥ 飲食等のために支払う会場費（接待飲食費ＦＡＱ・Ｑ２）

(2) 飲食費に含まれないもの

① ゴルフや観劇、旅行等の催事に際しての飲食等に要する費用。これは、その飲食等が催事の一環として実施されるものであり、飲食等が催事と一体不可分なものと考えられるため、飲食等のみを切り離して判断することは妥当でないからです。なお、旅行等のすべての行程が終了して解散した後、一部の取引先を誘って飲食を行った場合のように、飲食等が催事とは別に単独で行われている場合は、その食事代は飲食費に含まれます。（措通61の４(1)-16(注)、飲食費Ｑ＆Ａ・Ｑ７、接待飲食費ＦＡＱ・Ｑ３）

② 接待等を行う飲食店等への得意先等の送迎費（飲食費Ｑ＆Ａ・Ｑ４、接待飲食費ＦＡＱ・Ｑ３）

③ 飲食物の詰め合わせを贈答するための費用。（措通61の４(1)-15の２(注)、飲食費Ｑ＆Ａ・Ｑ３、接待飲食費ＦＡＱ・Ｑ３）飲食店であらかじめ贈答用として箱詰めされているお土産は、これに該当します。

第13章　交際費等

　なお、①のゴルフや観劇、旅行等の招待費用（その一連の行為としての飲食費を含みます。）、②の送迎費、③の贈答費用は、交際費等に該当します。

　次に、海外での飲食費ですが、飲食費の規定の趣旨が消費の拡大を通じての経済活性化にあることからすれば、海外での飲食費を国内の飲食費と同様の取扱いをすることに疑問はあります。しかし、法令上、飲食費の範囲は国内に限定されていませんので、海外での取引先の接待のための飲食費もここでの飲食費に含まれます。なお、得意先等を海外旅行に招待した際の飲食費は、旅行招待の一環ですので、ここでの飲食費に含まれず、全額が通常の交際費等となります。（上記(2)の①参照）

社内飲食費か社外飲食費かの判定

> 【問13-4】　交際費等から除かれる1人当たり10,000円以下の飲食費や50％損金算入となる飲食費は「専らその法人の役員若しくは従業員又はこれらの親族に対する接待等のために支出するものを除く」とされ、いわゆる社内飲食費が除外されていますが、次のようなケースでは、社内飲食費と社外飲食費のどちらになりますか。
>
> (1)　参加者が、得意先が1人で、当社が複数の場合
>
> (2)　接待する相手先が親会社等のグループ会社の役員や従業員の場合
>
> (3)　接待する相手先が当社から他社への出向者である場合
>
> (4)　接待する相手先が社外役員である場合

【答】　(1)　相手先である得意先等が1人であっても、貴社の従業員等が複数参加する必要があるのであれば、社内飲食費に該当しません。なお、実際は社内の懇親等であるのに、形式的に得意先等の従業員等を参加させているだけであれば、社内飲食費と判断されます。（飲食費Q＆A・Q5）

(2)　社内飲食費は、措法61の4⑥かっこ書で「専ら当該法人の役員若しくは従業員又はこれらの親族に対する接待等のために支出するもの」と規定されていますから、相手先がこれら以外のものは社内飲食費になりません。したがって、親会社（100％親会社を含みます。）等のグループ会社の役員

（691）

や従業員に対する接待のための飲食費は、社内飲食費とはなりません。（飲食費Ｑ＆Ａ・Ｑ６、接待飲食費ＦＡＱ・Ｑ４）

(3) 出向者については、出向元法人と出向先法人の両方に雇用関係（役員の場合は委任関係）がありますので、飲食への出席者が、出向先法人の立場で出席したか、出向元法人の立場で出席したかにより判断することになります。したがって、出向先法人の役員や従業員を接待する会合に、出向先法人の役員や従業員として出席している場合の飲食代は、社内飲食費に該当しないことになります。一方、貴社の役員や従業員の懇親の会合に、貴社の役員や従業員の立場で出席している場合の飲食代は、社内飲食費に該当します。（接待飲食費ＦＡＱ・Ｑ５）

(4) 社外役員も、名称は「社外」ですが、自社の役員ですので、社内飲食費になります。なお、顧問契約等をしている事務所や法人に所属する弁護士や税理士が社外役員に就任しているケースもありますが、その場合に、顧問等の弁護士や税理士の立場として接待しているので社外飲食費であるといっても認められないでしょう。

1人当たりの飲食費が10,000円以下かどうかの判断

> 【問13-5】 次のような場合、1人当たりの飲食費が10,000円以下であるかどうかは、どのように判断すればよいでしょうか。
> (1) 飲食が1次会と2次会等の複数にわたって行われた場合
> (2) 他社と共同して得意先等を接待して、負担金を支払った場合
> (3) 同業者団体の懇親会で会費を支払った場合
> (4) 得意先等を接待して、飲食代のほかにお土産代（飲食費に該当するもの）を支払った場合

【答】 (1) 1次会と2次会など連続して飲食が行われた場合でも、それぞれの飲食が単独で行われていると認められるとき（例えば、まったく別の業態の飲食店を利用しているときなど）には、それぞれの飲食に係る飲食費ごとに1人当たり10,000円以下であるかどうかを判定してもよいこととされています。（飲食費Ｑ＆Ａ・Ｑ10）

(2)(3) 飲食費の費用の総額を参加者の人数で除した金額で、10,000円以下か

（692）

第13章　交際費等

どうかの判定をします。ただし、飲食費の総額について通知がなく、かつ、飲食等に要する１人当たりの費用がおおむね10,000円程度に止まると想定される場合は、自社の負担額で判定してもよいことになっています。（措通61の4(1)-23(注)）

(4)　飲食費には、【問13-3】の(1)の④に該当するお土産代も含まれますが、１人当たり10,000円以下の判定では、このお土産代は含めても含めなくてもよいと考えられます**(注)**。したがって、お土産代を含めても１人当たり10,000円以下となるときは、お土産代を飲食費に含めて判定し、お土産代を含めると１人当たり10,000円を超えるときは、お土産代を飲食費に含めずに判定すればよいと思います。なお、飲食費に含めなかったお土産代は交際費等となります。

(注)　飲食費Ｑ＆Ａ・Ｑ３では、お土産代は飲食等のために要する費用とすることができるとされていますので、飲食費に含めないこともできると考えます。

飲食費に係る消費税等の取扱い

> **【問13-6】**　飲食費に係る消費税等（消費税及び地方消費税）の額は飲食費の額に含まれますか。また、１人当たり10,000円以下であるかどうかの判定の際、どのように取り扱われますか。

【答】　飲食費に係る消費税等が飲食費の額に含まれるかどうかは、法人が適用する消費税等の経理方式により異なります。税込経理方式を適用している場合は、飲食費に係る消費税等は全額が飲食費の額に含まれます。税抜経理方式を適用している場合は、飲食費に係る仮払消費税等の額のうち、控除対象外消費税額等に相当する額が飲食費の額に含まれることになります。（消費税関連通達12(注)１、２、３）

　なお、飲食費の額が１人当たり10,000円以下であるかどうかは、その法人が適用している経理方式により算定した金額で判定することとされていますので、税込経理方式を適用しているときは消費税等を含めた金額（税込み額）で、税抜経理方式を適用しているときは消費税等を含めない金額（税抜き額）で、それぞれ10,000円以下かどうかを判定することになります。（飲食費Ｑ＆Ａ・Ｑ11）この場合、飲食費に配賦される控除対象外消費税額等を考慮す

（693）

る必要はありません。

　1人当たり10,000円を超える飲食費は交際費等に該当し50％相当額が損金算入されますが、飲食費に係る控除対象外消費税額等も50％相当額が損金算入されます。この場合、「その他飲食費であることを明らかにするために必要な事項」（措規則21の18の4五）として、飲食費に配賦した控除対象外消費税額等の合理的な計算根拠書類を保存しておく必要があります。（接待飲食費FAQ・Q10）

インボイス発行事業者でない飲食店での飲食費の10,000円基準の判定

> 【問13-7】　当社は消費税等の経理処理に税抜経理方式を採用しています。適格請求書発行事業者でない飲食店で飲食をした場合、税抜き額が10,000円以下かどうかはどのように判定すればいいでしょうか。

【答】　【問13-6】で御説明したように、消費税等について税抜経理方式を採用している場合、税抜き額で1人当たりの飲食費の額が10,000円以下かどうかの判定をしますが、適格請求書発行事業者以外の者との取引では、支払対価に消費税等が含まれていないものとして計算する必要があります。ただし、以下の経過措置が設けられています。

①　令和5年10月1日から令和8年9月30日までの取引については、本来の消費税額の80％相当額が支払対価の額に含まれているものとみなします。（平28改所法等附則52①）

②　令和8年10月1日から令和11年9月30日までの取引については、本来の消費税額の50％相当額が支払対価の額に含まれているものとみなします。（平28改所法等附則53①）

　したがって、税抜き額が10,000円以下となる支払額は次のように計算されます。以下の算式では、その支払額をXとしています。

①　令和6年4月1日から令和8年9月30日までの取引

$$X - X \times \frac{10}{110} \times 80\% \leqq 10,000円$$

$$X \leqq 10,784円$$

　　1人当たりの支払額が10,784円以下であれば、税抜き額は10,000円以下

第13章　交際費等

となり、交際費等から除外されます。

②　令和8年10月1日から令和11年9月30日までの取引

$$X - X \times \frac{10}{110} \times 50\% \leqq 10,000円$$

$$X \leqq 10,476円$$

　1人当たりの支払額が10,476円以下であれば、税抜き額は10,000円以下となり、交際費等から除外されます。

③　令和11年10月1日以後の取引

　消費税等の額は0ですから、1人当たりの支払額が10,000円以下であれば、交際費等から除外されます。

(注)　上記①や②の経過措置期間中の会計処理については、【問11-17】を参照してください。

飲食費での帳簿書類の参加者の記載

> **【問13-8】**　交際費から除外される飲食費と50%損金算入される飲食費は、「飲食等に参加した得意先、仕入先その他事業に関係のある者等の氏名又は名称及びその関係」を書類に記載して保存しておくことが要件になっていますが、これに関して次の点を教えてください。
>
> (1)　当社の参加者の氏名等の記載は必要ありませんか。
>
> (2)　パーティに取引先を多数招待した場合でも、参加者全員の氏名等を記載しなければなりませんか。

【答】　(1)　【問13-2】で御説明したように、交際費から除外される1人当たり10,000円以下の飲食費及び50%損金算入される飲食費のいずれも、社外の参加者の氏名等を帳簿や書類に記載して保存しておくことが要件になっていますが、当社の参加者の記載は必要とされていません。ただ、1人当たり10,000円以下かどうかは、飲食費の総額を参加者の人数で除した金額で判定しますから、当然、当社の参加者も明らかになっているはずですし、50%損金算入される飲食費も、当社の役員や従業員が参加していることが前提ですので、当社の参加者も把握しておく必要があり、何らかの形で記録しておくべきであると思われます。

（695）

（注） 上記に関して、飲食費Q＆A・Q13では、「通常の経理処理等に当たって把握していると思われる自己の役員や従業員等の氏名等までも記載を求めているものではありません。」とされています。

(2) 飲食等への参加者の氏名等の記載は、「○○会社・□□部、△△◇◇（氏名）、卸売先」というように記載する必要があります（氏名の一部又は全部が相当の理由があることにより明らかでないときには、記載を省略しても差し支えありません。）。このように、原則として、参加者全員の氏名等の記載が必要ですが、参加者の氏名について、その一部が不明の場合や多数参加したような場合には、その参加者が真正である限りにおいて、「○○会社・□□部、△△◇◇（氏名）部長他10名、卸売先」という記載でも差し支えないものとされています。（飲食費Q＆A・Q13、Q14、接待飲食費ＦＡＱ・Q7）

入湯税、ゴルフ場利用税を租税公課とし、接待に要したタクシー代を交通費として交際費等から除外することができるか

> 【問13-9】 取引先を接待した温泉旅館への支払額のなかにある入湯税を租税公課、帰途のタクシー代を旅費交通費と経理して、それぞれを交際費等から除外することができますか。

【答】 交際費等とは、法人がその得意先、仕入先その他事業に関係のある者等に対する接待、供応、慰安、贈答その他これらに類する行為のために支出するものをいいます。（措法61の4⑥）したがって、支出する費用が交際費等に該当するのかどうかは、費用をその支出目的によって判断し、その形態によって判断しません。御質問の場合、入湯税もタクシー代もすべて取引先を接待、供応するのに伴って支出した費用ですから、たとえ交際費以外の経費科目で処理していても、交際費等に含めなければなりません。

取引先を料亭に送迎するためのタクシー代は、料亭の勘定書についてくるものだけでなく、会社がタクシー会社に支払うものも交際費等に含めなければなりません。形態上租税公課に該当するもので税務上交際費等になるものには、御質問にある入湯税のほかに、接待、供応に伴って支出するゴルフ場利用税、接待に伴って被接待者をホテルに宿泊させた場合の宿泊税がありま

第13章　交際費等

す。（消費税及び地方消費税については【問13-10】参照）

（注1） 取引先を接待するに当たって支出するタクシー代は、接待費用の一環として上記のように交際費等に含めなければなりませんが、取引先等が主催するレセプションとか取引先の冠婚葬祭に列席するに当たって支出するタクシー代は、自らが接待、供応するための費用でありませんので、交際費等に含める必要はないと考えられます。

（注2） タクシー代ではありませんが、会社の車等で取引先を料亭等に招待し、飲食したあとの帰宅に当たって代行運転を依頼した場合の費用も、接待、供応に伴って支出する費用ですので、交際費等に含めなければなりません。

消費税及び地方消費税は交際費等から除外することができるか

> **【問13-10】** 接待や贈答等を行った場合、支払額に含まれる消費税
> 及び地方消費税は交際費等に含まれますか。

【答】 御質問の消費税及び地方消費税（以下本問で「消費税等」といいます。）も、接待、供応、贈答等の行為に伴って支出する費用です。

しかし、法人が消費税等の経理処理方式として、税込経理方式と税抜経理方式のいずれの方式を選択適用しているかにより、交際費等に係る消費税等の額が交際費等に含まれるのかどうかが、次のように異なります。（消費税関連通達12）

① 税込経理方式を適用している場合……消費税等を含めた金額で費用に計上しますので、交際費等に含まれます。

② 税抜経理方式を適用している場合……消費税等は仮払消費税等として処理し、費用に計上しませんので、交際費等に含まれません。ただし、控除対象外消費税等に相当する金額は、仮払消費税等から費用等へ振り替えますので、交際費等に係る消費税等のうちで控除対象外消費税額等となった金額は、交際費等に含まれます。

（697）

事業用資産、少額物品の交付

> **【問13-11】** 得意先に交付しても交際費等に該当しないとされる事業用資産や少額物品とは、どのような資産ですか。

【答】 事業用資産とは、その物品が得意先である事業者において棚卸資産若しくは固定資産として販売し若しくは使用されることが明らかな物品です。（措通61の4(1)-3(注)2）例えば、医薬品の卸売業者が得意先の病院に寄贈する待合室用のテレビや椅子で、受け入れた側でその受贈益を計上しますので、交付する側では交際費等に該当しないものとすることができます。（措通61の4(1)-3(注)2、61の4(1)-7本文）交付する事業用資産が少額の減価償却資産であるため、受け入れた側で受贈益の計上をしない場合でも同じです。

次に少額物品とは、その購入単価が少額（おおむね3,000円以下）の物品ですが、事業用資産と異なり、相手方の事業者において棚卸資産若しくは固定資産として販売若しくは使用されることを条件にしていません。得意先の従業員により個人的に消費又は使用される洗剤、タオル等日用雑貨品がその例ですが、ゴルフボールやビール券、図書券のようなものも含まれます。この程度の簡素なものを売上割戻しと同一の算定基準によって交付したり、景品引換券付販売等の景品として交付するのは販売促進策であり、得意先の従業員に対する接待、供応を目的にしたものでないと考えられますので、その交付に要する費用は交際費等に該当しないものとすることができるとされています。（措通61の4(1)-3(注)2、61の4(1)-5）

なお、景品として交付する場合は、交付する側で少額物品の種類及び金額が確認できるものであることを要しますので、御注意ください。

（698）

第13章　交際費等

広告宣伝費と交際費等の区分に当たっての一般消費者の範囲

> **【問13-12】**　広告宣伝費と交際費等の区分が示されている租税特別
> 措置法通達61の4(1)-9にでてくる「一般消費者」の範囲を教え
> てください。例えば、化粧品メーカーが理髪店や美容院に対して
> 金品引換券付販売を行った場合、当該景品を交付するために要す
> る費用を広告宣伝費とすることができますか。

【答】　製造業者又は卸売業者が、金品引換券付販売に伴い、一般消費者に対
し金品を交付するために要する費用は、広告宣伝費とし、交際費等に含めな
いことができます。(措通61の4(1)-9(2)) この通達での「一般消費者」と
は、通達の冒頭にある「不特定多数の者」です。この場合の金品の額には、【問
13-11】の少額物品と異なり、おおむね3,000円以下という制限はありません。

　御質問の場合、化粧品メーカーにとって理髪店や美容院は継続的な取引で
の最終の業者であり、一般消費者には該当しません。したがって、当該金品
を交付する費用について上記の通達の適用はなく、その金品が【問13-11】の
少額物品に該当しない限り、交際費等に該当します。

　御質問にある理髪店や美容院と同様に、製造業者又は販売業者にとって一
般消費者に該当しないものには、例えば次のものがあります。(措通61の4
(1)-9(注))

イ　医薬品の製造業者又は販売業者にとっての医師又は病院

ロ　建築材料の製造業者又は販売業者にとっての大工、左官等の建築業者

ハ　飼料、肥料等の農業用資材の製造業者又は販売業者にとっての農家

ニ　機械又は工具の製造業者又は販売業者にとっての鉄工業者

(699)

代理店に支払う販売奨励金

> **【問13-13】** 九州地区の販売を促進するため、従来の代理店に販売
> 奨励金を支出するとともに、新しく代理店契約を結ぶ相手先にも
> 販売助成金を支出する計画を立てています。この販売奨励金は、
> 税務上どのように取り扱われますか。

【答】 法人が販売促進の目的で特定の地域の得意先である事業者に対して販売奨励金等として金銭又は事業用資産を交付する場合の費用は、交際費等に該当しません。(措通61の4(1)-7) ただし、小売業者等を旅行、観劇等に招待する費用の全部又は一部の負担額として交付する金銭は、交際費等に該当します。(措通61の4(1)-15(5))

また、新たに取引関係を結ぶために相手方である事業者に対して金銭又は事業用資産を交付する場合の費用は、交際費等に該当しません。(措通61の4(1)-15(2)(注))

したがって、御質問の販売奨励金は税務上交際費等に該当せず、販売促進費として処理することができます。

交際費等の損金不算入制度には、企業の冗費抑制のほかに、交際費等の支出によって経済的利益を受ける個人に対する所得税の代替課税という目的があるといわれています。販売奨励金等が相手方の事業者に受け入れられて益金算入される場合には、所得税の代替課税を考える必要がありませんが、販売奨励金が相手方の事業者の役員や従業員に受け入れられているときは、これらの者に対する所得税の代替課税という目的もあって交際費等に該当します。したがって、交際費等に該当しない処理をするためには、相手方の事業者に受け入れられたことを確認し、当該事業者から領収書をとっておくことが必要です。

(注) 法人が被災前の取引関係の維持、回復を目的として災害発生後相当の期間内にその取引先に支出する災害見舞金は、交際費等としない旨が示されていますが(措通61の4(1)-10の3)、上記の販売奨励金と同様に取引先において益金算入されることが必要です。ただし、取引先において販売奨励金の受領後直ちに福利厚生の一環として被災した従業員等に物品又は少額の減価償却資産(【問6-5】参照)が供与される場合は、販売奨励金の益金と物品等の購入費用の損

第13章　交際費等

金が同時に計上されますので、取引先において販売奨励金の益金算入をする必要はありません。（同通達（注）３）無償供与した救援活動等のための人的役務等に係る費用も、同様に取り扱われます。（【問13-24】参照）

建設業者が仕事の紹介者に対して支払う謝礼金

> 【問13-14】　建設会社です。以前に建築を請け負った施主甲からたまたまその友人乙が建築する予定の物件を紹介され、請負契約を締結することができました。甲に若干の謝礼金を支出しようと思いますが、この謝礼金は交際費等に該当しますか。それとも情報提供料とし、交際費等に該当しない処理をしてもよろしいですか。

【答】　租税特別措置法第61条の４第６項にいう「得意先、仕入先その他事業に関係のある者等」には、直接法人の営む事業に取引関係のある者だけでなく、間接に法人の利害に関係のある者も含まれますので（措通61の４(1)-22）、御質問にある甲は事業に関係のある者に該当します。事業に直接関係のない者に対する金銭の贈与は、寄附金になりますが（措通61の４(1)-２）、御質問の謝礼金はこれに該当しません。

　問題は、甲に支払う謝礼金が交際費等に該当しないとされる情報提供料なのか、接待、供応等を目的にした交際費等なのかです。

　甲のように情報の提供を行うことを業としていない者（当該取引に係る相手方の従業員等を除きます。）に対して情報提供の対価として金品を交付した場合でも、その金品の交付につき例えば次の要件の全てを満たしている等その金品の交付が正当な対価の支払であると認められるときは、その交付に要した費用は交際費等に該当しないとされています。（措通61の４(1)-８）

①　その金品の交付があらかじめ締結された契約に基づくものであること。

②　提供を受ける役務の内容が当該契約において具体的に明らかにされており、かつ、これに基づいて実際に役務の提供を受けていること。

③　その交付した金品の価額がその提供を受けた役務の内容に照らし相当と認められること。

　この契約は必ずしも文書であることを要しませんが、御質問の場合はあらかじめ定められた契約に基づくものでなくたまたまの情報提供であり、上記

（701）

①の要件を満たしていません。

(注) 顧客を紹介してくれた場合に謝礼金を支払う旨をあらかじめ店頭などに掲示するとか広告するとかの方法で非事業者から情報を募る場合や、建売業者が分譲住宅等を販売した顧客の会をつくり、その会で上記の旨を示しているような場合は、上記①の要件を満たすと考えられます。

一方、法人の行う接待、供応とは、それによって相手の歓心を買い、後日その見返りを期待するものだという考えがあります。この意味で、得意先、仕入先等の従業員等に対して取引の謝礼等として支出する金品の費用は交際費等に該当しますし（措通61の4(1)-15(9)）、ドライブインの経営者が当該ドライブインに駐車する観光バスの運転手、バスガイド、添乗員に交付するチップも、運転手等の歓心を買うことによって今後も乗客を誘致してくれることを期待した支出金ですから交際費等に該当します。（昭51.7.20東京高裁判決）この点、御質問の甲が新しい施主乙を紹介したのはたまたまのもので、甲に対する謝礼金には甲の歓心を買って今後も続けて顧客を紹介してもらおうという目的がなく、交際費等に該当しないともいえます。

しかし、交際費等はその支出の目的のみで判断すべきでなく、いわゆる社交儀礼的な費用は交際費等に該当します。（昭38.4.9長野地裁判決）御質問の甲に対する謝礼金は、社交儀礼的な費用として、交際費等に該当します。

第13章　交際費等

専ら会社の製品の外交販売を行う特約店の従業員に対する慶弔見舞金

> **【問13-15】**　製造業者又は販売業者が、自己の製品等の外交販売を
> 行う特約店等に専属するセールスマンに慶弔見舞金を支出した場
> 合、交際費等に該当しない旨が示されています。外交販売を行う
> 者が特約店等の従業員であるときでも、同じですか。

【答】　租税特別措置法関係通達61の４(1)-13の「特約店等のセールスマンの
ために支出する費用」と同61の４(1)-14の「特約店等の従業員等を対象とし
て支出する報奨金品」を対比しますと、次のとおりの異同がみうけられます。

① 　両方の通達に交際費等に該当しない旨が示されているもの……会社の製
　　品等の外交販売に係る報酬。ただし、その算定基準が取扱数量又は取扱金
　　額に応じてあらかじめ定められており、外交員報酬に係る所得税の源泉徴
　　収（所法204①四）をしていることが必要です。

② 　前者の通達にのみ交際費等に該当しない旨が示されているもの……セー
　　ルスマンの慰安のために行われる運動会、演芸会、旅行等のために通常要
　　する費用及びセールスマン又はその親族等の慶弔、禍福に際して一定基準
　　に従って交付する金品の費用

　　従業員の慰安のために行われる運動会、演芸会、旅行等のために通常要す
る費用は、福利厚生費であり、交際費等に該当しません。（措法61の４⑥一）
特約店等に専属するセールスマンは、特約店等との間に販売委託契約はあり
ますが雇用契約がありませんので、特約店等が当該セールスマンの福利厚生
を目的としてこれらの費用を支出することは通常あり得ず、これらの費用は
当該セールスマンが専属的に業務に従事する製造業者又は販売業者が負担し
て支出するものと考えられます。

　　一方、特約店等の従業員については、これらの費用はその雇用主である特
約店等が支出すべきものですので、製造業者又は販売業者が支出した場合は、
一種の贈答費として、交際費等に該当します。

(注)　レクリエーション費用、慶弔見舞金、製品の外交販売に係る報酬が交際費等
　　に該当するのかどうかを支出の相手先によって区分しますと、下記の表のとお
　　りになります。なお、専属下請企業の従業員に対して支出する場合の取扱いは、
　　【問13-16】を参照してください。

（703）

費用の内容／支出の相手先	レクリエーション費用	慶弔見舞金	製品の外交販売に係る報酬
自己又は特約店等に専属するセールスマン	○	○	○
専ら自己の製品を取り扱う特約店等の従業員	×	×	○
専属下請企業の従業員	○	○	該当なし

×：交際費等に該当する　　○：交際費等に該当しない

法人の工場、工事現場等で業務を行う下請企業の従業員等に対して支出する慶弔見舞金等

> 【問13-16】　専ら委託法人の工場、工事現場等で業務を行う下請企業の従業員等に対して、当該委託法人が本人又は親族等の慶弔、禍福に際して一定の基準に基づいて支出する慶弔見舞金や新年に贈呈する自社の従業員と同額のお年玉は、福利厚生費、交際費等のいずれに該当しますか。

【答】　専ら委託法人の工場、工事現場等で業務を行う下請企業の従業員等（役員及び従業員）のために当該委託法人が支出する費用のうち、交際費等に該当しないものが租税特別措置法関係通達61の4(1)-18に列記されていますが、その(4)に「法人が自己の従業員と同等の事情にある専属下請先の従業員等又はその親族等の慶弔、禍福に際し一定の基準に従って支給する金品の費用」が掲げられています。したがって、御質問にある慶弔見舞金は、税務では業務委託費用の一環とされ、交際費等に該当しません。

　(注1)　上記の措通61の4(1)-18の(1)に示されている業務の遂行に関連して災害を受けた下請企業の従業員等に対する見舞金品を支給するための費用、(2)に示されている無事故等の記録が達成されたことに伴い、下請企業の従業員等に対し、自己の従業員等とおおむね同一の基準により表彰金を支給するための費用は、業務の遂行に関連して生ずるものです。また、その(3)に示されている当該従業員等を対象にするレクリエーション費用は、そのモラルをたかめることを目的とするもので、いずれも業務委託費用の一環といえます。

（704）

第13章　交際費等

(注2)　新型インフルエンザ等対策特別措置法の規定の適用を受ける同法第2条第
1号に規定する新型インフルエンザ等が発生し、入国制限又は外出自粛の要
請など自己の責めに帰すことのできない事情が生じたことにより、売上の減
少等に伴い資金繰りが困難となった下請企業に対する支援として、その従業
員等に対し支出する見舞金品の費用は交際費等に該当しないものとされてい
ます。(措通61の4(1)-18(注)、措通61の4(1)-10の2(注)2)

　新年のお年玉についてこの通達は特にふれていませんが、専属下請企業の
従業員は自己の従業員と同様に取り扱うのですから、交際費等に該当しない
ものとすることができます。なお、金銭で支出するお年玉は、自己の従業員
の場合、給与として課税されますが、専属下請企業の従業員とは雇用関係が
なく、同人の雑所得となるものですので、所得税の源泉徴収は不要です。

専属下請工場とするために支出する引抜き料

> **【問13-17】**　A社は従来当社のライバルメーカーの下請けをしてい
> ましたが、技術力、生産力がすぐれているため当社の専属の下請
> 工場となるように働きかけ、同社に対して「引抜き料」を支払い
> ました。この「引抜き料」は、交際費等に該当しますか。

【答】　税法上交際費等とは、法人がその得意先、仕入先その他事業に関係の
ある者等に対する接待、供応、慰安、贈答その他これらに類する行為のため
に支出するものをいいます。(措法61の4⑥)　御質問にある「引抜き料」は、
A社に対する一種の贈答といえるかもしれません。

　しかし、交際費等の一部又は全部を損金不算入とするのは、接待、供応等
による奢侈を戒めるという目的のほかに、接待、供応を受ける相手先に対す
る代替課税という目的があるといわれています。得意先に販売奨励金等とし
て交付する金銭又は事業用資産が交際費等に該当しないとされている（措通
61の4(1)-7）のは、相手方で販売奨励金等の受取り額として益金の額に算
入されるため、代替課税の必要がないからです。(【問13-13】参照)

　御質問にある「引抜き料」は、受け入れた相手先で益金の額に算入される
ものですし、その支出に当たって相手方に対する接待、供応という目的もあ
りません。このため、取引関係を結ぶために相手方である事業者に対して金

（705）

銭を交付する場合の費用は、交際費等に該当しないとされています。(措通61の4(1)-15(2)(注))

工場新築のための起工式、落成式などの費用

> **【問13-18】** 工場の新築に当たっての起工式、棟上式、落成式等の
> 費用は、税法上のどのように取り扱われますか。

【答】 まず、これらの式典の費用が、交際費等に該当するのかどうかですが、

① 新社屋落成式のような社内の行事に際して役員及び従業員におおむね一律に社内において供与される通常の飲食に要する費用は、福利厚生費であり、交際費等に該当しません。(措通61の4(1)-10(1))

② 新社屋落成式等の式典の祭事のために通常要する費用(神主さんの御祈祷、祭壇のお供えなどの費用)は、交際費等に該当しません。(措通61の4(1)-15(1)(注))

③ 当該式典に取引先等を招待した場合の宴会費、交通費及び記念品代などは、交際費等に該当します。(措通61の4(1)-15(1))ただし、招待客1人当たりの飲食等の額が10,000円以下となる場合は、交際費等に該当しません。(措法61の4⑥二、措政令37の5①、【問13-2】参照)

次に、これらの費用を減価償却資産(工場の建物等)の取得価額に算入すべきかどうかですが、減価償却資産の取得価額には取得に要した一切の費用が含まれますので、上記の費用のうち起工式、棟上式の費用は、建物の取得価額に算入しなければなりません。しかし、落成式の費用は、建物の取得後に生ずる附随費用ですので、その取得価額に算入しないことができます。(基通7-3-7)

一般に交際費等が発生するのは、落成式の場合だろうと思います。しかし、起工式や棟上式の費用のなかに交際費等に該当するものがありますと、建物の取得価額に加えられてその支出事業年度に費用処理していない交際費等の全部又は一部を、さらに損金不算入として申告加算しなければならないことが生じます。租税特別措置法関係通達61の4(2)-7にこの問題を解消するための取扱いが定められており、【問13-32】、【問13-33】にその計算例を示していますので、御参照ください。

(706)

第13章　交際費等

新社屋落成式に招待した取引先から受領したお祝い金

> **【問13-19】**　新社屋落成の記念パーティーに招待した取引先からお祝い金をいただきました。記念パーティーへの招待費用は交際費等に該当しますが、会社が受け入れたお祝い金を、この交際費等から差し引く処理をすることはできますか。

【答】　新社屋落成の記念パーティーに取引先等を招待した費用（宴会費、交通費、記念品代など）は交際費等に該当します。（措通61の４(1)-15(1)）ただし、招待客１人当たりの飲食等の額が10,000円以下となる場合は、交際費等に該当しません。（措法61の４⑥二、措政令37の５①、【問13-２】参照）

　この記念パーティーに招待した取引先から受領したお祝い金は、会社の主催する記念行事に当たって会社に祝意を表していただいたもので、会社の収益に計上すべきものです。お祝い金の額と記念パーティーへの招待費用の金額には関連性がなく、両者は切り離して処理すべきものですから、お祝い金は雑収入勘定等で受け入れることが必要で、交際費勘定を減額処理することはできません。

　お祝い金は招待先の好意によって受け取るもので、その金額は種々でしょうし、金銭でなく品物でお祝いをされる招待先もあるでしょう。したがって、記念パーティーへの招待費用の実費を負担してもらった、という見解はとることができません。

社長の叙勲祝賀会を会費制で開催した場合

> **【問13-20】**　社長が業界に多年尽くした功績によって叙勲を受けました。取引先を招待して祝賀会を催すに当たり、有志から会費制にしてはどうかとの提案があり、出席者から１人１万円の会費をいただくことになりました。祝賀会開催のための総費用から会費の受入合計額を差し引いた金額を会社が負担しますが、会社の負担額だけを交際費等とする処理をして、差し支えありませんか。

【答】　社長の業界への功績に対する叙勲の祝賀会ですから、この祝賀会に取引先を招待することによって会社及び社長の声価があがり、会社の事業の進

（707）

展に寄与することが期待できると思いますので、祝賀会を会社の行事として行うことは税務上問題ありません。したがって、祝賀会の費用を会社が負担しても、当該祝賀会が会社の事業に関係のない例えば社長の親族とか友人だけを招待して行われたものでなければ、税務上社長に対する経済的利益の供与と認定されることはありません。

(注) 会社の取引先と社長の親族、友人など個人的な関係者を招待して祝賀会を開催したときは、それぞれの人数の比によって、会社の負担すべき費用の額と社長の負担すべき費用の額を計算すればよいでしょう。

次に、祝賀会の出席者から会費を徴収するとのことですが、一般に祝賀会は主催者が出席者を招待して行うもので、費用の一部を会費によって回収し、不足額を主催者が負担するというようなものではないと思います。会費制の会合は、例えばクラス会、同好会等参加者に主客がない場合に行われ、通常会費によって費用の全額が回収されるものでしょう。御質問の叙勲祝賀会を会費制にされたのは、出席者にお祝いの金額等について余計な心配をしていただかないようにという配慮だと思いますが、主催者が会社であること、社長の叙勲の祝賀会で本来会社が出席者を招待して行うべき催しであることを考えますと、祝賀会の費用の全額を会社の交際費等とし、会費受領額は当該交際費等から差し引かずに、雑収入とすべきものです。

祝賀会の主催者を例えば有志の集りである「○○君の叙勲を祝福する会」等へ移し、費用のほとんどを回収できる会費制の祝賀会としたときは、会社が負担する僅少な不足額だけを交際費等とすることができるでしょう。

温泉旅館を会場にして行った代理店の研修会の費用

> **【問13-21】** 代理店の販売担当者を対象にして、会社の新製品の説明を兼ねた研修会を某温泉旅館で１泊して行います。夜には宴会を行いますが、支出する費用の全額が交際費等に該当しますか。この研修会のために出張する当社の社員の旅費は、いかがですか。

【答】 研修会を行う場所が温泉旅館であり、夜には親睦のための宴会も行われるとのことですので、宴会のための費用や観光に招待した場合の費用は、当然交際費等に該当します。しかし、研修会を行うための費用は、研修会を

（708）

第13章　交際費等

当該温泉旅館で行う場合でも、宴会のための費用と明確に区分されており、かつ、研修会がその実体を備えたものであれば、そのために通常要すると認められる費用は、交際費等に含めないことができます。（措通61の4(1)-16）この場合、研修会のスケジュール・講師の講話等研修会の内容の報告書、参加者に対するアンケート等を整備して、研修会が実体を備えたものであったことを説明できるようにしておくのが望ましいと思います。

　温泉旅館に支払う費用のうち研修会のために通常要する費用には、研修会場の借上料、研修会の席で提供する飲物代や食事代のほか、これらの費用に係るサービス料等があります。旅行、観劇等に際しての飲食等は、旅行、観劇等と不可分かつ一体的なものとして、飲食費の取扱いの対象となりませんが（【問13-3】参照）、研修会に際しての飲食等は、1人当たり10,000円以下であれば交際費等から除外されますし、10,000円を超えた場合は50％損金算入の対象となります。（措通61の4(1)-16(注)ただし書）

　宿泊料は、研修会が会議として実体を備えたものであれば会議費部分と交際費部分に配分する必要はなく、すべて会議のために要した費用として差し支えありません。（東京審、昭46.5.10裁決参照）参加者の会場までの交通費や、貴社の随行社員の出張費についても、同様に処理してよいと思います。

　(注)　接待、供応だけを目的にした招待旅行に世話役等として随行する社員（役員を含みます。）の出張費は、その日当も含めて交際費等に該当します。

特約店、消費者などを旅行、観劇等に招待する費用

> **【問13-22】**　下記のような旅行、観劇等への招待の費用は、交際費等に該当しますか。
> ①　一定の商品を購入する一般消費者を旅行、観劇等に招待することをあらかじめ広告宣伝し、その購入した者を招待する費用
> ②　特約店に対する売上割戻金（売上高に比例して算定されています。）を預り金として積み立てておき、一定の金額に達した後これを取り崩した資金で旅行、観劇等に招待する費用

【答】　①について……取引先を旅行、観劇等に招待する費用は、接待、供応のために支出する費用として交際費等に該当しますが、御質問の場合は招待

（709）

の対象者が一般消費者ですので、接待、供応よりも、製品販売に当たっての広告宣伝という目的の方が強いと思われます。このため税務では広告宣伝費とされ、交際費等に含まれないとされています。(措通61の4(1)-9(3))

　②について……特約店への売上高に比例して算定されている売上割戻しは、支出した金銭若しくは交付した事業用資産が相手方で収益に計上される場合又は少額物品を交付する場合は交際費等に該当しませんが、その他の物品を交付するために要する費用又は旅行、観劇等に招待するために要する費用は、たとえその物品の交付又は旅行、観劇への招待が売上割戻し等と同様の基準で行われるものであっても、交際費等に該当します。(措通61の4(1)-4、61の4(1)-3(注)2)

　この売上割戻金を預り金として積み立てておき、一定の金額に達した後これを取り崩した資金で旅行、観劇等に招待するとのことですが、売上割戻金を預かるのは通常売掛債権の担保(取引保証金)としてであり、その場合得意先は当該取引保証金に対して支払請求権を有し、他の資産と差しかえることができ、利息を受け取るといった利益を享受します。このため、所要の要件を満たしている場合は、売上割戻金を支払う側で未払金に計上することが認められていますが(基通2-1-1の13、2-1-1の14、【問2-3】参照)、御質問の場合は旅行、観劇等への招待費用への充当しかできないという制約があり、得意先が実質的に利益を享受するものに該当しません。

　したがって、預り金として積み立てた売上割戻金の金額は、その積み立てた日を含む事業年度において別表四で加算調整(処分は留保)して損金不算入とし、預り金を取り崩して旅行、観劇等への招待費用に充当した事業年度において取崩した預り金の額を別表四で減算調整(処分は留保)しますが、旅行、観劇等への招待費用は交際費等として支出したものとします。(措通61の4(1)-6)

　(注)　売上割戻しに該当する費用を旅行、観劇等への招待費用に充てるために積み立てた場合、たまたまその旅行、観劇等に参加しなかった得意先にその預り金として積み立てた金額の全部又は一部を支払ったとしても、その支払った金額は交際費等に該当します。(措通61の4(1)-6(注))

(710)

第13章　交際費等

販売店の親睦会のために負担した会費の取扱い

> **【問13-23】**　電気器具のメーカーです。代理店及びその傘下の販売店で親睦会をつくり、会費を当社、代理店及び販売店がそれぞれ負担した場合、この会費は税務上どのように取り扱われますか。

【答】　この問題はメーカーだけでなく、会費を負担する代理店、販売店のすべて（以下「会費を負担する法人等」といいます。）に関係するものです。

　まず、親睦会が中間法人（税法上普通法人に該当します。）や販売協同組合のように法人格を有するものならば、会費を負担する法人等が会費を損金の額に算入しても、受け入れる側で会費収入が益金の額に算入されますので、課税上不都合は生じません。しかし、御質問の親睦会は、このような法人格を有するものではないと思います。

　次に、当該親睦会が税法上の人格のない社団等に該当するのかどうかですが、会長などの世話役はおられても、その指示によって統一された意志の下に構成員の個性を超越して活動するような組織体ではないと思いますので、これにも該当しないでしょう。仮に人格のない社団等に該当しても、会費の収入は収益事業に係るものでありませんので、課税されません。

　このため税務では、会費を負担する法人等は会費を支出した時点では当該会費を前払費用とし、後日親睦会において当該会費が使用されたときに交際費等その他の費用に振り替えます。したがって、親睦会が集めた会費の未使用残高及びその使途が適正に会費を負担する法人等の所得の金額の計算に反映されるように、親睦会が当該法人等にその会計報告をすべきです。

　親睦会という以上、会費はほとんどが会員相互の親睦のために支出されますので、法人の会費負担額は交際費等に該当しますが（措通61の4(1)-23(3)）、講師を招いての業務の研修費用、業界の調査費用、寄附金等に支出されたものは、交際費等に該当しません。また、共同的施設を購入した場合には、会費を負担する法人等において、当該法人等の税務上の繰延資産となります。

　（注）　同業団体等の会費のうち「通常会費」は、原則として会費を支出した日の属する事業年度の損金の額に算入することができますが（基通9-7-15の3(1)）、この「通常会費」には、会員相互の懇親を目的とするもの（当該同業団体の業

（711）

務運営の一環として通常要すると認められる程度のものを除きます。）は含まれません。御質問にある親睦会の会費は、この通達では「その他の会費」に該当しますので、支出時に前払費用に計上し、後日親睦会での使用に応じて交際費等に振り替えることになります。（基通9-7-15の3(2)、【問16-11】参照）

取引先に対する災害見舞金等

> 【問13-24】　震災、風水害等の被災者である取引先に対する被災前の取引関係の維持、回復を目的とした災害見舞金の支出又は事業用資産の供与若しくは役務の提供のために要した費用は、災害発生後相当の期間内に支出等される場合交際費等に該当しないそうですが、これについて説明してください。

【答】　震災、風水害等の被災者である取引先に対する災害見舞金については、被災前の取引関係の維持、回復を目的として災害発生後相当の期間内に支出するものは、交際費等に該当しないとされています。当該取引先に対する事業用資産の供与若しくは役務（例えば救援活動）の提供ために要した費用についても、同じです。（措通61の4(1)-10の3）

　この通達の適用に当たっての留意点は、次のとおりです。

①　被災者である取引先……得意先、仕入先、下請工場、特約店、代理店等のほか、商社等を通じた取引であっても価格交渉等を直接行っている場合の商品納入先など、実質的な取引関係にあると認められる者が含まれます。（措通61の4(1)-10の2(注)1）

②　災害発生後相当の期間……災害を受けた取引先が通常の営業活動を再開するための復旧過程にある期間をいいます。（措通61の4(1)-10の2かっこ書）具体的には、店舗等の損壊によりやむなく仮店舗で営業している期間は含まれますが、店舗等の営業拠点が復旧した後は、災害による取引規模の縮小等により債務超過状態が継続していても、この期間に含まれません。

　　(注)　上記の①及び②は、「災害の場合の取引先に対する売掛債権等の免除等」について、寄附金に該当しない旨を示した基通9-4-6の2（【問12-8】参照）、交際費等に該当しない旨を示した措通61の4(1)-10の2に掲げられて

（712）

第13章　交際費等

おり、取引先に対する災害見舞金についても、同様に取り扱われています。

③　事業用資産……供与する法人が製造した製品及び他から購入した物品で、災害により滅失又は損壊した商品と交換又は無償補てんするもののほか、取引先の福利厚生の一環として被災した従業員等に供与されるものも含みます。（措通61の4⑴-10の3（注）2）

④　取引先での受入れ処理……受領した取引先で、災害見舞金及び事業用資産の価額に相当する金額を益金の額に算入する処理が必要ですが、受領後直ちに福利厚生の一環として被災した従業員等に供与する物品及び少額の減価償却資産（【問6-5】参照）については、この処理は不要です。（措通61の4⑴-10の3（注）3）また、取引先から災害見舞金の領収証をとることがむずかしい場合、法人の帳簿書類に支出先の所在地、名称、支出年月日を記録しておけばよいとされています。

⑤　取引先の役員や使用人等の個人（個人事業主を除きます。）に対する災害見舞金……交際費等に該当します。

(注)　新型インフルエンザ等対策特別措置法の規定の適用を受ける同法第2条第1号に規定する新型インフルエンザ等が発生し、入国制限又は外出自粛の要請など自己の責めに帰すことのできない事情が生じたことにより、売上の減少等に伴い資金繰りが困難となった取引先に対する支援として行った金銭の支出又は事業用資産の供与若しくは役務の提供のために要した費用は、交際費等に該当しないものとされています。（措通61の4⑴-10の3（注）4、措通61の4⑴-10の2（注）2）

（713）

得意先から割当てを受けて購入した観劇入場券等の費用

> 【問13-25】　次のような切符の購入費用は、税務上どのように取り扱われますか。
>
> ①　得意先である電鉄会社から同電鉄の沿線のレジャー施設への割引入場券付き乗車券を割り当てられて購入した費用
>
> ②　得意先の社長が某歌舞伎役者の後援会長をしている関係で観劇券を割り当てられて購入した費用
>
> なお、購入後これらの切符は、無償又は値引きをして従業員、取引先等に配布し、期限切れになったものは廃棄しています。

【答】　交際費等は、得意先、仕入先その他事業に関係のある者に対する接待、供応等のために支出する費用ですが、御質問の①と②とでは切符の割当てをした得意先に対する支出の目的が異なります。

　まず、①の場合、乗車券の購入のために貴社が支払われた対価はそのまま電鉄会社で営業収入に計上されますので、得意先である電鉄会社の営業収入の増加に協力した支出です。この支出は、得意先である電鉄会社との取引関係を円滑にするためのものだから、その支出額の全額が交際費等であるというのは、接待、供応等の意義の拡張解釈と思われます。

　この乗車券の購入には、得意先である電鉄会社に対する接待、供応、贈答等の意図がありませんので、その購入費用が交際費等に該当するのかどうかは貴社で当該乗車券が購入後どのように使用されたかによります。例えば、他の取引先に無償で贈与した場合は、その時点で他の取引先に対する交際費等になりますが、従業員に無償で頒布した場合は福利厚生費若しくは現物給与となり、有償で頒布した場合は当初の支出額のマイナス処理を行い、期限切れで廃棄した場合は雑費として費用処理することになります。したがって、貴社での当該乗車券の使途を明らかにしておくべきです。

　(注)　電鉄会社からの割当てでなく、当初から他の取引先に無償配布する目的で購入したときは、購入費用の全額が交際費等に該当します。

　一方、②の場合は、観劇券の割当てを受けて購入すること自体が得意先の社長に対する供応に類似した行為です。したがって、①の乗車券と異なり、その使途を問うまでもなく交際費等に該当し、例えば有償で頒布した場合で

第13章　交際費等

もそれに伴う収入額を当初の購入費用から差し引くことはできません。

得意先の海外招待旅行に同伴した役員、従業員の海外渡航費

> **【問13-26】**　得意先の海外招待旅行に専務と営業部長（役員ではあ
> りません。）が同伴した場合、両人の渡航費用は観光目的の海外
> 渡航のため、両人に対する給与になりますか。

【答】　役員又は使用人に支給する海外渡航費は、法人の業務の遂行上必要な
ものであり、かつ、当該渡航のため通常必要と認められる部分の金額に限り
旅費として認められますが（基通９-７-６）、観光渡航の許可を得て行う旅
行は、原則として業務の遂行上必要なものに該当しないとされています。(基
通９-７-７(1)、【問16-9】参照)

　得意先の海外招待旅行が観光目的のものであるため、同伴者の渡航費が旅
費でなく給与になるのでないかという点ですが、招待旅行の同伴は業務の遂
行上必要なものですので、観光渡航の許可を得て行うものであっても同伴者
に対する給与にはなりません。業務の遂行上必要な海外渡航は、海外の取引
先との商談、契約の締結等のために行うものだけに限られないのです。

　一方、得意先を旅行に招待する費用は交際費等に該当しますが、その費用
には当該招待旅行のために要した一切の費用が含まれますので、御質問の同
伴者の旅費はすべて交際費等に該当します。例えば、専務の同伴旅費を交際
費等とし、営業部長の同伴旅費を給与としますと、後者は損金の額に算入す
ることができますので法人にとって有利になりますが、そのような使い分け
をすることはできません。

（715）

自社店舗の開店の景気づけのために花輪等を自ら購入する場合の費用

> **【問13-27】** 自社の店舗の開店の景気づけのために、自ら購入した花輪や装飾品に有名芸能人の名前を入れて店頭に飾り、名前を借りた芸能人に若干の謝礼を贈呈する場合の費用は、交際費等、広告宣伝費のいずれに該当しますか。

【答】 御質問の花輪や装飾品の購入費用は、接待、供応等のためのものでなく、自社の店舗の開店の景気づけのためのものですので、広告宣伝費又は消耗品費に該当し、交際費等には該当しません。ただし、装飾品は少額の減価償却資産（【問6-5】参照）又は中小企業者等の少額減価償却資産（【問6-8】参照）に該当しない場合、資産計上を要しますので御注意ください。

次に、名前を借りた芸能人に対する謝礼は、一種の社交儀礼ですので交際費等に該当します。装飾品が減価償却資産に該当するときでも、この謝礼はその取得に要した費用とはいえませんので、その取得価額に算入する必要はありません。

接待用のみに使用する固定資産の購入費用

> **【問13-28】** 得意先の接待にのみ使用する目的でモーターボートを購入した場合、購入した時にその取得価額の全額が交際費になりますか。それとも、各事業年度の減価償却費が交際費になりますか。

【答】 まず御質問にあるモーターボートの購入ですが、たとえ接待用にだけ使用される減価償却資産であっても、資産の取得を租税特別措置法第61条の6第3項の「接待、供応、慰安、贈答その他これらに類する行為」ということはできません。これは、資産を取得しただけでは、まだ接待行為を行っていないからで、その取得価額が交際費に該当することはありません。

(注) 建物の取得に当たっての起工式の後のパーティ費用とか、高層ビル、マンション等の建設に当たって周辺の住民の同意を得るための接待費用（措通61の4(1)-15(7)）のように、交際費が固定資産の取得価額に含まれる場合がありますが、これらはいずれも支出の段階で接待、供応等の行為が行われており、御質問の

（716）

第13章 交際費等

モーターボートのように資産の取得行為だけがあったのとは異なります。

一方、モーターボートを現に接待用に使用している事業年度には、当該モーターボートについて租税特別措置法第61条の4の規定にいう「支出」がなく、当該事業年度に計上する減価償却費は「支出」によって計上する費用でありませんので、交際費に該当しません。当該モーターボートを処分した事業年度に計上される当該モーターボートの処分損失についても、同じです。

まとめますと、モーターボートの購入という支出のあった事業年度には接待、供応等の行為がなく、モーターボートを接待用に使用した事業年度には支出がないことになります。したがって、取得の時期及び減価償却費の計上時期のいずれにおいても、交際費の認識をする必要はありません。

なお、当該モーターボートの維持管理費用は、交際費に該当しますので御注意ください。

ゴルフクラブ会員権の売却損は交際費等に該当するか

> 【問13-29】 資産に計上していたゴルフクラブの会員権を売却したところ、取得時よりも値下りしていて売却損を計上することになりました。この売却損の金額は、税法上交際費等に該当しますか。

【答】 法人が支出したゴルフクラブの入会金は、法人会員として入会する場合、及び無記名式の法人会員制度がないため個人会員として入会し、その入会が法人の業務の遂行上必要と認められる場合、資産に計上することとされています。(基通9-7-11)資産に計上した入会金は、時の経過によって減価するものでありませんので、償却をすることはできません。(基通9-7-12前段)

一方、ゴルフクラブの年会費、年ぎめロッカー料、プレーする場合に直接要する費用のうち法人の業務の遂行上必要と認められるものは、得意先、仕入先等事業に関係のある者に対する接待、供応のための費用として、交際費等に該当します。(基通9-7-13、【問16-6】参照)

ところで、ゴルフクラブの会員権の取得は取引先の接待、供応を目的としたものだから、御質問のように会員権の売却損の金額も交際費等に該当するのでないのかという疑問が生じますが、会員権の売却損は固定資産の売却損

(717)

又はこれに準ずるもので、特定の取引先を接待、供応する行為により生じた
ものでありません。固定資産の取得に要した費用やその譲渡に伴う損失を交
際費等に該当するとするのは、税法の解釈として無理ですので、ゴルフクラ
ブの会員権の譲渡損失相当額はその譲渡をした日の属する事業年度において
損金の額に算入するとされています。（基通9-7-12後段）会員権の譲渡を
認めていないゴルフクラブの脱退によって生ずる脱退損失相当額についても
同じです。

(**注1**)　特定の取引先に対してゴルフクラブの会員権を時価よりも低い価額で譲渡
　　　　　した場合の時価と譲渡額の差額は、その取引先に対する一種の贈答ですので、
　　　　　交際費等に該当します。

(**注2**)　ゴルフ会員権の評価損については、【問16-26】を参照してください。

接待ゴルフの日程を変更した場合のキャンセル料

> **【問13-30】**　取引先を接待する目的で企画したゴルフコンペの日程
> を変更せざるを得なくなり、ゴルフクラブにキャンセル料を支払
> った場合、当該キャンセル料は交際費等に該当しますか。

【答】　取引先を接待する目的で行うゴルフコンペの費用は、交際費等に該当
します。（基通9-7-13(注)、【問16-6】参照）

　当該接待ゴルフの日程変更によりゴルフクラブに支払うキャンセル料は、
接待ゴルフの企画に関連して生じた費用ですが、取引先を接待、供応するた
めに直接要した費用ではありません。日程変更によって、ゴルフクラブに与
えた損失を補償する一種の違約補償金ですので、交際費等には該当しません。

　取引先を旅行、観劇等に招待する企画を何らかの事情でキャンセルした場
合のキャンセル料についても、同じです。

（718）

第13章　交際費等

自社の製品を贈答用に用いて販売価額で交際費に計上した場合

> 【問13-31】　会社の製品を贈答用に使用した場合、販売価額で、交
> 際費／売上高　という処理をしています。このままではこの製品
> の売上利益相当額が交際費等に加わりますので、申告書別表十五
> の「交際費等の額から控除される費用の額⑦」の欄で、売上利益
> 相当額を控除しようと思いますが、差し支えありませんか。

【答】　交際費等は、得意先等に対する贈答等のために支出する費用ですので、
御質問のように会社の製品を贈答のために使用した場合は、その原価で交際
費勘定に計上すべきです。したがって、販売価額で交際費勘定に計上しても、
売上利益相当額は交際費等に該当しません。

　御質問の場合は、会社の製品を贈答したのであり、販売したのでありませ
んので、その会計処理は次の①でなく、②とすべきです。

①　交際費／売上高（金額は販売価額ベース）

②　交際費／製品（又は売上原価）（金額は原価ベース）

　②の場合、損益計算書では、売上原価のマイナス項目として「諸費用等へ
の振替高」を原価で記載します。（財表規則76、財表規則ガイドライン76）

　①の処理をしたため、交際費が製品の販売価額で計上されたときは、税務
申告に当たってその計算内容を明らかにして、御質問のように申告書別表十
五の⑦の欄で売上利益相当額を控除しても差し支えないと思います。次の事
業年度から、②の処理をすることに変更すべきです。

（719）

棚卸資産等の原価に算入された交際費等

> 【問13-32】 交際費等のなかに棚卸資産等の取得原価となるものが
> ある場合、当該交際費等の全額又は一部が租税特別措置法第61条
> の４の規定により損金不算入となりますと、一時的にせよ二重課
> 税が生じます。この二重課税を避ける方法が通達に示されている
> とのことですが、その内容を説明してください。

【答】 御質問の事項は、租税特別措置法関係通達61の４(2)-7に次の取扱い
が示されています。

① 租税特別措置法第61条の４の適用に当たっては、棚卸資産若しくは固定
資産の取得価額又は繰延資産の金額（以下「棚卸資産の取得価額等」とい
います。）に含めたため支出した事業年度において費用に計上されていな
い交際費等（以下「原価算入の交際費等」といいます。）も含めて、交際
費等の損金不算入額の計算をします。

② しかし、「原価算入の交際費等」のうち損金不算入額から成る部分の金
額は、一時的に二重課税になりますので、当該額だけ当該事業年度終了の
時における棚卸資産の取得価額等を減額することができます。この減額は、
棚卸資産の取得価額等を申告調整によって減算（処分は留保）する方法、
決算調整によって減額する方法のいずれの方法でも差し支えありません。

(注１) 税務では申告調整による減算、決算調整による減額のいずれもできると
されていますが、製造原価等を構成する費用の一部を除外して棚卸資産等
の取得価額を算定する決算調整による減額は、適正な会計処理といえませ
んので、申告調整による減算の方法を採るべきです。製造費用のなかに償
却超過額や退職給付費用のような損金不算入となるものがあった場合、基
通5-3-9「申告調整できる貸方原価差額」（【問4-36】参照）に申告調整
することを前提にした取扱いが示されていますが、上記②の取扱いは損金
不算入費用を交際費等とし、申告調整する資産を棚卸資産以外の資産にも
敷衍したものといえます。

(注２) 税務上申告減算調整は確定申告でしか認められていませんので、修正申
告での申告減算調整や、申告減算調整を前提にした更正の請求はすること
ができません。

③ 申告減算調整したときは、その翌事業年度に、当該減算額を申告加算（処分は留保）しなければなりません。申告減算したのが棚卸資産の場合は通常翌事業年度に売上原価に算入されますので、申告減算額を１事業年度限りとして申告加算しても不合理は生じませんが、固定資産の場合は翌事業年度には減価償却費に対応する金額しか費用に計上されないため、当事業年度の申告減算額を翌事業年度申告加算した段階で、再度二重課税の問題が生じます。このため、申告加算に当たっては、当該固定資産の帳簿価額を決算上減額するものとされています。（措通61の４(2)-7（注））

　　(注)　本件に係る企業会計上の問題は、【問13-33】を参照してください。

④ 交際費等の損金不算入額は、「原価算入の交際費等」と「費用計上の交際費等」（販売費及び一般管理費として費用に計上した交際費等と棚卸資産の取得価額等に含めたが当該事業年度中に売上原価、減価償却費等として費用に計上した交際費等の合計額）とがその割合に応じて含まれているものとして、上記の②により申告減算調整する金額の計算をすることができます。したがって、交際費等の損金不算入額が生じた事業年度において「原価算入の交際費等」があるときは、必ず上記②の取扱いの適用を受けることができます。

　簡単な計算例で説明しましょう。事業年度終了の日の資本金が１億円以下の法人で、交際費等の額が1,000万円の場合、800万円が損金算入額、200万円が損金不算入額となります。交際費等の額1,000万円のうち「原価算入の交際費等」が100万円、「費用計上の交際費等」が900万円の場合、それぞれについての損金算入額及び損金不算入額は、次表のとおりになり、◎印の20万円が、上記の②により申告調整又は決算調整のできる金額となります。

（単位：万円）

	損金算入額	損金不算入額	計
原価算入の交際費等	$100 \times \dfrac{800}{1,000} = 80$	◎ $100 \times \dfrac{200}{1,000} = 20$	100
費用計上の交際費等	$900 \times \dfrac{800}{1,000} = 720$	$900 \times \dfrac{200}{1,000} = 180$	900
計	800	200	1,000

減価償却資産の原価に算入された交際費等の申告調整後の処理

> **【問13-33】** **【問13-32】**の③で説明していただいた租税特別措置法関係通達61の４(2)-７の(注)についてお尋ねします。
> ① 減価償却資産について原価算入した交際費等を申告減算した場合、翌事業年度に当該減価償却資産の帳簿価額を決算調整するときの仕訳はどのようになりますか。
> ② 二重課税の排除を申告減算で調整するのは、会計処理の基準と税法の調整を図るためと思います。１事業年度限りでこの申告減算額の全額を戻すのでは、せっかくの調整処理が中途半端になると思いますが、いかがでしょうか。

【答】 ①について……簡単な計算例で説明しましょう。

減価償却資産（その取得価額は1,000万円で、そのうち交際費等の額が60万円）を取得した事業年度における当該資産の減価償却費が50万円、交際費等の合計額が1,000万円（そのうち200万円が損金不算入額）だったとします。当該減価償却資産についての当該事業年度の仕訳と、申告減算することができる金額は、次のとおりになります。

（仕訳）　減価償却資産　1,000万円　/　現預金　　　　1,000万円

　　　　　減価償却費　　　50万円　/　減価償却資産　　50万円

（当該減価償却資産について申告減算することができる金額）

$$\underset{\substack{\text{減価償却資産の}\\\text{取得価額のうち}\\\text{の交際費等}}}{60万円} \times \underset{\text{(交際費等の合計額)}}{\frac{\overset{\text{(交際費等の損金不算入額)}}{200万円}}{1,000万円}} \times \underset{\text{(減価償却費等の取得価額)}}{\frac{\overset{\text{(減価償却費)}}{1,000万円 - 50万円}}{1,000万円}} = 11.4万円$$

翌事業年度にこの11.4万円を申告加算するに当たって当該減価償却資産の帳簿価額を決算調整で修正する場合の仕訳は、下記のとおりその取得価額に交際費等の損金不算入額対応額12万円（次の仕訳の**(注１)**）が含まれないようにする仕訳となります。

（仕訳）　交際費**(注１)**　　12万円　|　減価償却資産　　　11.4万円

　　　　　　　　　　　　　　　　　　|　減価償却費**(注２)**　　0.6万円

(注１)

$$\underset{\substack{\text{減額償却資産の取得価}\\\text{額のうちの交際費等}}}{60万円} \times \underset{\text{(前事業年度における交際費等の合計額)}}{\frac{\overset{\text{(前事業年度における交際費等の損金不算入額)}}{200万円}}{1,000万円}} = 12万円$$

第13章　交際費等

　なお、この12万円は、前事業年度において措法61の4の交際費等に含めていますので、その翌事業年度に上記の仕訳により交際費に計上しても、措法61の4の交際費等に含める必要はありません。

（注2）

$$12万円 \quad \times \quad \frac{\overset{（取得事業年度の減価償却費）}{50万円}}{\underset{（当該減価償却資産の取得価額）}{1,000万円}} = 0.6万円$$

（**注1**）の金額

　②について……減価償却資産を取得した事業年度に申告減算した11.4万円は、税務上マイナスの利益積立金額となります。翌事業年度にその帳簿価額の決算調整をしないときは、当該マイナスの利益積立金額のうち当該減価償却資産についてその後の各事業年度に計上される減価償却費に対応する金額だけが申告加算されますが、残りの金額は当該減価償却資産が除却されるまでマイナスの利益積立金額として残ります。このようなマイナスの利益積立金額が残る処理を避けようというのが、租税特別措置法関係通達61の4(2)-7の(注)の趣旨と思われます。

　しかし、交際費等の損金不算入額となった金額でも、減価償却資産の取得価額の一部ですので、上記①に記載した翌事業年度での仕訳のように決算調整で当該損金不算入となった金額だけ減価償却資産の取得価額を減額するのは、会計処理の基準に照らして適正でありません。申告調整には、御質問にあるように会計処理の基準と税法の調整を図るという機能がありますので、通達においても、せっかくの申告調整を中途半端で終わらせない配慮がほしいと思います。

　企業会計の基準に反しない処理をするためには、翌事業年度に①に記載したような仕訳をせず、当事業年度に申告減算した11.4万円に対応する翌事業年度の減価償却費相当額だけを申告加算して、当該減価償却資産が消滅するまで、下記の算式で計算される金額をマイナスの利益積立金額として、別表五(一)のIに残す方法を採るべきです。この方法を採っても、税務調査において否認されることはありません。

$$当該減価償却資産の未償却残額 \quad \times \quad \frac{\overset{\substack{（分母の額のうちの交際費等の額 \\ 60万円のうち、損金不算入額）}}{12万円}}{\underset{（当該減価償却資産の取得価額）}{1,000万円}}$$

（723）

減価償却資産の取得価額に算入された交際費等がある場合の当該資産の税法上の取得価額

> **【問13-34】**　【問13-33】の①の計算例での減価償却資産の税法上の取得価額は、1,000万円からそのうちの交際費等の損金不算入額に対応する12万円を差し引いた988万円となり、取得した事業年度における11.4万円の申告減算調整は、減価償却超過額0.6万円の申告加算と税法上の取得価額に算入されない原価算入された交際費等12万円の申告減算を両建して行うことにならないのでしょうか。

【答】　減価償却資産の取得価額を御質問のように解しますと、【問13-33】の①の事例では取得した事業年度における減価償却資産の償却限度額は988万円 $\times \dfrac{50万円}{1,000万円} = 49.4万円$ となりますので、50万円（減価償却費）－49.4万円（償却限度額）＝0.6万円の償却超過額が生じ、申告調整の結果は変わらないにしても、御質問のような両建ての申告調整をすべきことになります。

　しかし、減価償却資産の取得価額は、例えば購入した減価償却資産の場合「当該資産の購入の代価と当該資産を事業の用に供するために直接要した費用の額の合計額」と規定されており（法政令54①一）、「租税特別措置法関係通達61の4（2）-7の取扱いがあることによりその「購入の代価」に交際費等の損金不算入額が含まれないことになる。」という解釈はできません。

　同通達では、申告減算できる金額を「当該原価算入額のうち損金不算入額からなる部分の金額」としているだけですので、【問13-33】の①の計算例での減価償却資産の取得価額は、税法上も1,000万円です。したがって、御質問にあるような減価償却超過額0.6万円の申告加算と減価償却資産の取得価額12万円の申告減算の両建てでなく、【問13-33】で説明したように、減価償却資産の事業年度終了の時の帳簿価額のうちの損金不算入部分相当額11.4万円を、申告減算調整すればよいのです。

第14章　使途秘匿金、費途不明の交際費等

使途秘匿金と費途不明の交際費等の関係

> **【問14-1】**　租税特別措置法第62条の「使途秘匿金の支出がある場合の課税の特例」の規定が適用される「使途秘匿金」と、法人税基本通達9-7-20において損金不算入とされている「費途不明の交際費等」は、その内容は同じですか。

【答】　租税特別措置法第62条の「使途秘匿金の支出がある場合の課税の特例」の規定が適用される「使途秘匿金の支出」は、同条第2項にその内容が下記①のとおり規定されていますが、この「使途秘匿金」を御質問にある法人税基本通達9-7-20の「費途不明の交際費等」と比べますと、次のような相違があります。

① 　使途秘匿金は、「法人がした金銭の支出（贈与、供与その他これらに類する目的のためにする金銭以外の資産の引渡しを含む。）のうち、相当の理由がなく、その相手先の氏名等（相手方の氏名又は名称及び住所又は所在地並びにその事由）を当該法人の帳簿書類に記載していないもの」ですが、この記載をしているかどうかの判定時期は、次のとおりとされています。
　イ 　当該支出をした事業年度終了の日（中間申告書を提出すべき法人の当該事業年度開始の日から同日以後6月を経過する日までの間の金銭の支出については、当該6月を経過する日）の現況によります。(措政令38①)
　ロ 　ただし、金銭の支出の相手方の氏名等が、法人の各事業年度に係る確定申告書の提出期限（仮決算をした場合の中間申告書を提出する場合には、当該中間申告書の提出期限）において法人の帳簿書類に記載されている場合には、上記イの日においてその記載があったものとみなされます。(措政令38②)
　　このため、確定申告書の提出後、例えば税務調査を受けたときに使途を明らかにして帳簿書類に記載しても、使途秘匿金であることに変わりがなく、その支出に係る追加課税が行われます。

（725）

一方、費途不明の交際費等にはこのような判定時期についての限定がありませんので、税務調査によってその費途が明らかになったときは、費途不明の交際費等としての損金不算入は行われません。

② 赤字法人でも、使途秘匿金はその支出があれば、所得課税とは別枠で追加課税され納付税額が生じますが、費途不明の交際費等はこれを損金不算入としても所得の金額が生じないときは、納付税額は生じません。

③ 使途秘匿金の支出がある場合の課税の特例（支出額に対する追加課税）制度は、当該支出は違法支出又は不正支出の隠れ蓑になり、公正な取引を阻害することになるので、税制面からこれを抑制する目的で設けられたものです。一方、費途不明の交際費等を損金不算入とする取扱いは、「税法上損金不算入となる費用の支出がその費途を不明とすることによって損金算入となる。」という課税上の弊害を防止する目的で設けられたものであり、制度又は取扱いを設けた目的が異なります。

使途秘匿金、費途不明の交際費等の支出をして資産に計上した場合

> 【問14-2】 使途秘匿金には、機密費等の費用に計上したものだけでなく、仮払金等の資産に計上したものも含まれるが、費途不明の交際費等は費用に計上したものに限られ、資産に計上したものには法人税基本通達9-7-20の取扱いは適用されないと考えてよろしいですか。

【答】 使途秘匿金は「法人がした金銭の支出」（措法62②）と規定されているのに対して、費途不明の交際費等は「交際費、機密費、接待費等の名義をもって支出した金銭」（基通9-7-20）とされていることから、御質問にあるような疑問が生じたものと思われます。

上記の租税特別措置法第62条第2項の規定から明らかなように、使途秘匿金には機密費、交際費等の費用に計上したものだけでなく、金銭の支出をして仮払金、貸付金、前払金等の資産に計上したものも含まれます。一方、費途不明の交際費等について、上記の法人税基本通達9-7-20は費用として支出した金銭に限定しているようにも読めますが、交際費等の名義というのは例示であり、仮払金等として経理したり、棚卸資産、固定資産の取得価額に

第14章　使途秘匿金、費途不明の交際費等

含めたものもその費途が明らかでないものは、これに該当します。

　要するに、使途秘匿金、費途不明の交際費等のいずれも、その支出をして資産に計上したものを含みます。この場合の税務での処理方法は、次のとおりです。

〔事例１〕　支出した事業年度に仮払金に計上し、翌事業年度に費用又は損失に振り替えた場合

　イ　支出した事業年度……仮払金という資産でなく費途不明の交際費等ですので、別表四で「仮払金」を減算（留保）し、「費途不明の交際費等」として加算（社外流出）するとともに、使途秘匿金として、当該額の40％の法人税の追加課税をします。

　ロ　翌事業年度……会計帳簿上当該「仮払金」が消滅しますので、支出した事業年度に減算（留保）した「仮払金」を別表四で加算（留保）して、費用又は損失への振替額を損金不算入とします。

〔事例２〕　支出した事業年度に減価償却資産の取得価額に含め、翌事業年度以後も当該取得価額に基づく価償却費の計上を続ける場合

　イ　支出した事業年度……費途不明の交際費等であり、減価償却資産の取得価額に含まれませんので、別表四で当該額を減算（留保）し、「費途不明の交際費等」として加算（社外流出）するとともに、使途秘匿金として、当該額の40％の法人税の追加課税をします。

　ロ　翌事業年度以後……取得価額に含まれなかった金額についての減価償却費計上額は、減価償却費に該当しませんので、別表四で加算（留保）して損金不算入とします。別表五(一)のⅠでマイナスされている減価償却資産の取得価額の調整額は、逐年減価償却費計上額ずつ減少していくことになります。

使途秘匿金の支出額に対する追加課税制度の概略と申告書での記載の方法

【問14-3】　使途秘匿金の支出がある場合の課税の特例の概略を説明してください。申告書ではどのように記載して、追加課税に係る税額を納付するのですか。

【答】　使途秘匿金の支出額に対する追加課税制度は、企業が相手先等を秘匿

（727）

するような支出は、違法支出又は不正支出の隠れ蓑になり、公正な取引を阻害することになるので、税制面からその支出を抑制するために設けられている制度であり、法人が平成6年4月1日以後に使途秘匿金の支出をした場合、当該事業年度の所得に対する法人税の額に、当該使途秘匿金の支出の額に40%を乗じて計算した金額の法人税を加算するというものです。(措法62①)

使途秘匿金は、費用又は損失に計上しても通常費途不明の交際費等として損金の額に算入されません。(基通9-7-20)このため、法人税の税率が23.2%、地方法人税の税率が10.3%、地方税の税率が標準税率であり、事業税について外形標準課税が適用されない法人の場合、使途秘匿金の支出額に対する法人税等の実効税率は、次のとおり80.5%になります。

① 費途不明交際費等として損金不算入となることによるもの

$$\frac{\overset{(税の税率)}{0.232} + \overset{(地方法人税の税率)}{0.232 \times 0.103} + \overset{(住民税の税率)}{0.232 \times 0.07} + \overset{\left(\begin{array}{c}事業税及び特別法\\人事業税の税率\end{array}\right)}{0.07 \times (1 + 0.37)}}{\underset{(事業税及び特別法人事業税の税率)}{1 + 0.07 \times (1 + 0.37)}} = 0.3358$$

② 使途秘匿金の追加課税によるもの

$$\overset{(法人税の税率)}{0.4} + \overset{(地方法人税の税率)}{0.4 \times 0.103} + \overset{(住民税の税率)}{0.4 \times 0.07} = 0.4692$$

① + ② = 0.805

使途秘匿金の支出があった場合、申告書別表一では、「法人税額計⑨」の欄の上段に外書として記載し、「控除税額⑫」及び「差引所得に対する法人税額⑬」の欄の記載に当たっては、これらの欄の金額の計算式の中の(9)に、上記の外書した金額を含めて計算します。

また、使途秘匿金は税務調査によってその費途が明らかになったときを除き、費途不明の交際費等(基通9-7-20)として損金不算入になりますので、確定申告書又は仮決算をした場合の中間申告書を作成する段階では、別表四において加算調整をします。支出した使途秘匿金が仮払金、減価償却資産等の資産に計上されている場合の別表四の記載方法は【問14-2】を参照してください。

なお、特定同族会社の留保金額に対する税額の計算に当たり、留保金額から控除する法人税額にはこの追加法人税額が含まれますので、別表三(一)の

(728)

第14章　使途秘匿金、費途不明の交際費等

記載に当たり、別表一の⑨欄に外書した金額を「法人税額及び地方法人税額の合計額⑫」及び「住民税額の計算の基礎となる法人税額㉒又は㉓」の金額に含めます。

(注) 使途秘匿金の支出日、支出金額を記載する申告書の別表は、特に設けられていません。

他の者を通じて行った使途秘匿金の支出

> **【問14-4】** 使途秘匿金の支出を取引先を通じて行った場合、当社の帳簿には支出の相手方として当該取引先の名称、所在地が記載されますので、使途秘匿金の支出に係る追加課税は当社でなく、当該取引先で行われると考えてよろしいですか。

【答】 法人が金銭の支出の相手方の氏名等をその帳簿書類に記載している場合でも、その金銭の支出がその記載された者を通じてその記載された者以外の者にされたと認められるものは、その相手方の氏名等が当該法人の帳簿書類に記載されていないものとされ（措政令38③）、当該法人での使途秘匿金の支出とされます。

　相手先の氏名等を秘匿した取引謝礼金、裏金、談合金、政治ヤミ献金等を取引先、仲介業者等を通じて支出した場合は、この規定が適用されるとともに、その支出額を情報提供料、特別リベート等として処理しているときは、取引の仮装として重加算税が課され、青色申告の承認取消しが行われることもありますので、十分注意してください。

使途秘匿金の使途に対する税務調査での追究について

> **【問14-5】** 使途秘匿金の支出に対する追加課税制度は、企業の不明朗な支出に対する制裁課税であり、利益享受者に対する課税の代替であるとしますと、この制度があることによって、税務調査での使途秘匿金の使途とその享受者に対する課税の追究は、厳しく行われないことになると考えてよいのでしょうか。

【答】 利益享受者に対する課税は税務執行の基本であり、法人税基本通達

（729）

9-7-20の費途不明の交際費等についてであろうと、租税特別措置法第62条の使途秘匿金であろうと変わりません。

これについて、租税特別措置法第62条第9項に「第1項の規定は、法人がした金銭の支出について同項の規定の適用がある場合において、その相手方の氏名等に関して、国税通則法第74条の2（当該職員の所得税等に関する調査に係る質問検査権）の規定による質問、検査又は提示若しくは提出の要求をすることを妨げるものではない。」という規定があります。

【問14-1】で説明したように、使途秘匿金の支出に対する追加課税は、税務調査で使途が解明されても取り消されませんが、その使途の追究は積極的に行われ、利益享受者が判明したときは、同人に対する課税は当然行われます。したがって、使途秘匿金の支出に対する追加課税は、制裁課税ですが、利益享受者に対する課税の代替ではありません。

追加課税の対象とならない使途秘匿金の支出

> 【問14-6】 法人の帳簿書類に相手方の氏名等の記載がなくても、使途秘匿金の支出に係る追加課税が行われない場合があるそうですが、どのような場合ですか。

【答】 次のようなものは、法人の帳簿書類に相手方の氏名等の記載がなくても、使途秘匿金の支出に係る追加課税が行われないこととされています。

(1) 相手方の氏名等を法人の帳簿書類に記載していないことについて、相当の理由があるもの（措法62②）……相当の理由の有無はこの制度の趣旨と社会通念に照らして判断しますが、例えば小口の金品の贈与のように相手先の住所、氏名まで帳簿書類に記載しないのが通例となっているものがこれに該当します。具体的には、多数の者へのカレンダー、手帳等の広告宣伝物品の贈与、チップ等の小口の謝金の支出は、使途秘匿金の支出から除かれます。しかし、相手方の氏名等を帳簿書類に記載することによって、刑事上の訴追を受けるおそれがあるとか取引上の不利益を蒙るおそれがあるというのは、相当の理由に該当しません。

(2) 資産の譲受けその他の取引の対価の支払としてなされたもの（支出した金銭又は金銭以外の資産が当該取引の対価として相当であると認められる

（730）

第14章　使途秘匿金、費途不明の交際費等

ものに限ります。）（措法62②かっこ書）……使途秘匿金の支出には、金銭の支出だけでなく、贈与、供与その他これらに類する目的のためにする金銭以外の資産の引渡しが含まれますが、商品の引渡しのように販売する目的で引き渡されるものは、取引の対価として相当な金額で引き渡されている限り、相手先の氏名等の記載がなくても使途秘匿金の支出に該当しません。小売店や飲食店の場合、日常の取引では、売上の相手先をいちいち記帳しないからです。また、金銭の支出でも、原材料、商品等の仕入れや固定資産の購入等取引の対価の支払いに係るものは除かれます。ただし、相手先の氏名等が記載されていない取引で、取引の対価として不相当に高額であると認められるものは、使途秘匿金の支出と認定されます。

(3)　法人が支出した金銭の支出のうちに、その相手先の氏名等を当該法人の帳簿書類に記載していないものがある場合でも、相手方の氏名等を秘匿するためのものでないと税務署長が認めたもの（措法62③）……相手先の氏名等を帳簿書類に記載しないことが相手方の氏名等を秘匿するためでないと認められるものは、使途秘匿金に含めないことができます。

相手方の氏名等を記載すべき帳簿書類と記載の方法

> 【問14-7】　金銭の支出が使途秘匿金の支出とされないためには、相手方の氏名等を法人の帳簿書類に記載しなければなりませんが、会計帳簿に相手先の氏名又は名称、住所又は所在地、支出の事由を個々に記載しなければなりませんか。

【答】　法人の帳簿書類には、元帳、補助簿等の会計帳簿だけでなく、領収証、請求書等の書類も含まれます。

　領収証や請求書には、通常相手先の氏名又は名称、住所又は所在地が記載されていますので、これらを整理保存して、会計帳簿の記載事項との関係を明らかにしておけばよいのです。支出の事由は、通常当該支出にあたっての経費伝票等に記載するでしょうが、領収証又は請求書に追加記載しておいてもよいでしょう。

（731）

相手方の氏名等を仮装して会計帳簿に記載した場合の取扱い

> **【問14-8】** 金銭の支出につき相手方の氏名等を仮装して会計帳簿に記載した場合、使途秘匿金の支出として取り扱われますか。

【答】 使途秘匿金の支出とされないためには、法人の帳簿書類に相手方の氏名等を記載しなければなりませんが（措法62②）、この相手方の氏名等は、当然真実のものであるべきです。

したがって、御質問のように金銭の支出について相手方の氏名等を仮装して記載したときは、相手方の氏名等の記載がないものとして、当該金銭の支出は使途秘匿金の支出とされます。さらに、取引の仮装として重加算税の対象になり、青色申告の承認取消しが行われることもあります。

また、帳簿に相手方の氏名等が記載されていても、反面調査や資料化を拒否すると、使途秘匿金の支出として取り扱われることがあるとされています。

役員等に対する渡切交際費と使途秘匿金の関係

> **【問14-9】** 他の者を通じて間接的に支出したものも使途秘匿金に該当するとなりますと、役員等に対するいわゆる渡切交際費も使途秘匿金になるのでしょうか。

【答】 役員等（役員及び役員と特殊の関係のある使用人）に対する渡切交際費とは、「役員等に対して機密費、接待費、交際費、旅費等の名義で支給したもののうち、その法人の業務のために使用したことが明らかでないもの」（基通9-2-9(9)）をいいますが、税務では役員等に支給したという点に着目し、役員等に供与した経済的利益として役員等に対する給与とし、毎月定額により支給されるものは定期同額給与とします。（基通9-2-11(3)）したがって、使途秘匿金にはなりません。

この場合、【問14-4】で説明したように、他の者を通じて行ったものでも使途秘匿金の支出に係る追加課税の適用がありますので（措政令38③）、役員等が渡切交際費を取引先等に対する接待、贈答に使用している場合、役員等を通じて行った使途秘匿金の支出となるのではないかという疑問が生じます。しかし、租税特別措置法施行令第38条第3項の規定は、仲介業者、取引

（732）

第14章　使途秘匿金、費途不明の交際費等

先、関係会社等を通じて間接的に使途秘匿金を支出した場合についての規定であり、役員等に対する給与となるものには適用されません。

　なお、渡切交際費のため役員等に対する給与として処理すべきものを役員等に対する仮払金として処理しますと、使途秘匿金の支出は、損金経理をしたものに限られませんので（【問14-1】参照）、当該仮払金が使途秘匿金と認定され、その金額の40％相当額の法人税が追加課税されるおそれがあります。したがって、役員等に対する給与として費用処理（通常、定期同額給与、事前確定届出給与等に該当しないため、損金算入されず、申告加算する必要があります。）し、所得税の源泉徴収を行っておくことが必要です。

使途秘匿金の支出額に係る追加法人税と他の税法上の規定との関係

> 【問14-10】　使途秘匿金の支出額に係る追加法人税の額は、法人税
> 　　　法又は租税特別措置法の他の規定とどのように関係するのですか。

【答】　御質問にある税法の他の諸規定との関係では、使途秘匿金の支出額に係る追加法人税の額は、次のとおり取り扱われます。（措法42の4①⑲二、62⑥⑧、措政令38⑤ほか）

①　特定同族会社の特別税率の規定との関係……留保金額から控除する法人税額には、この追加法人税の額を含めます。

②　租税特別措置法第42条の4（試験研究を行った場合の法人税額の特別控除）から同法第42条の12の7（事業適応設備を取得した場合等の特別償却又は法人税額の特別控除）までの法人税額の特別控除の控除限度額の計算の基礎になる法人税額との関係……この追加法人税の額を含めません。

③　中間申告による納付税額との関係……予定申告をする場合の前事業年度の確定法人税額には、前事業年度における追加法人税の額を含めませんが、仮決算による中間申告をする場合の当該中間申告に係る法人税額は、当該中間申告に係るみなし事業年度において支出した使途秘匿金に係る法人税の額を加算します。

④　欠損金の繰戻し還付をする場合の還付所得事業年度の法人税額との関係……還付所得事業年度の法人税額にこの追加法人税額が加算されていても、欠損金の繰戻し還付の対象となる法人税額から除かれます。

（733）

⑤ 仮装経理に基づく過大申告の更正に伴う還付法人税額との関係……更正のあった事業年度開始の日前１年以内の事業年度の法人税額にこの追加法人税額が加算されていても、還付の対象となる法人税額から除かれます。

費途不明の交際費等と租税特別措置法第61条の４の交際費等の相違

> 【問14-11】 費途不明の交際費等は法人税基本通達９-７-20によって損金不算入とされていますが、これと租税特別措置法第61条の４の規定によりその全額又は一部の金額が損金不算入とされる交際費等とは、どのように相違しますか。

【答】 費途不明の交際費等は、事業との関連性つまり必要経費性を認めることができないこと、税法上損金不算入となる費用が費途不明とすることによって損金算入される課税上の弊害を防止する必要があることにより、その全額が損金不算入とされています。（基通９-７-20）したがって、事業年度終了の日における資本金の額又は出資金の額が１億円以下の法人（大法人による完全支配関係がある普通法人を除きます。）が、交際費等の額が800万円未満で交際費等の額について損金算入される余裕が残っている場合でも、費途不明の交際費等は、その全額が損金不算入となります。

　事業年度終了の日における資本金の額又は出資金の額が１億円を超える法人、又は大法人による完全支配関係がある法人であるため、交際費等のうち接待飲食費の額の50％相当額以外が損金不算入となる法人では、費途不明の交際費等は、仮に租税特別措置法第61条の４に規定されている交際費等としてみてもその全額が損金不算入となり、当該事業年度の所得の金額には影響が生じません。また、事業年度終了の日における資本金の額又は出資金の額が100億円を超える法人であるため、交際費等の全額が損金不算入となる法人も同様です。しかし、費途不明の交際費等は、同条に規定されている交際費等とは異なるものです。したがって、法人税申告書では別表十五の「交際費等の損金算入に関する明細書」に記載せず、別表四においても「交際費等の損金不算入額⑧」の欄でなく、空白の欄で加算調整（処分は「その他社外流出」とします。）しなければなりません。

（734）

第14章　使途秘匿金、費途不明の交際費等

費途不明の交際費等が損金不算入とされる理由

> **【問14-12】**　費途不明交際費等は、なぜ損金不算入とされるのですか。現実の利益享受者がわからず、同人に対する課税ができないので、支出した法人に代替課税するためですか。このような課税強化の取扱いが、法律でなく、通達で定められてよいのでしょうか。

【答】　法人税基本通達９－７-20において費途不明の交際費等が損金不算入とされているのは、御質問にあるような現実の利益享受者に対する課税の代替をその支出した法人に求めるためのものではありません。この点は、【問14-5】で説明したように、租税特別措置法第62条の「使途秘匿金の支出がある場合の課税の特例」についても同じで、真実の利益享受者に対する課税の追究は、厳しく行われます。

役員給与のうちの不相当に高額な部分の金額、仮装経理等により支出した役員給与、特殊関係使用人に対する給与のうち不相当に高額な部分の金額、寄附金の損金算入限度超過額、交際費等の損金算入限度超過額、罰金、科料、過料など法令によって所得の金額の計算上損金不算入になるものが、費途を明らかにしないことによって損金算入されるとしますと、費途を明らかにしない方が有利という問題が生じます。費途不明の交際費等を損金不算入とするのは、このような課税上の弊害を防止するためです。

このような取扱いを法律でなく通達で定めることの可否ですが、損金不算入とする理由が上記のように万人が納得し得るものならば、租税法律主義に反しないという考えもあるでしょう。しかし、法人の所得の金額の増加を法律によらずに決めているには違いがないので、租税法律主義に反しないとは言いきれず、「使途秘匿金の支出がある場合の課税の特例」が租税特別措置法に制定されたときに、あわせて使途秘匿金の支出額を所得の金額の計算上損金不算入とすることを法令化できなかったのか、釈然としません。

(注)　平成22年７月６日最高裁第三小法廷において、年金払い型の生命保険の受給権に相続税を課し、支払われた年金に所得税を課すのは、同一の経済価値に対する二重課税で、所得税法第９条第１項第16号の「相続により取得するものには所得税を課さないという規定に違反する。」という判決が言い渡されました。遺産である既得権と遺族が受取るその成果は別のものという通達に示されてい

（735）

た法解釈が、誤りとされたのですが、通達は税法の解釈の手ほどきであるにしても、課税の強化には立入らない姿勢が必要でないかと思われます。

費途不明の交際費等は役員給与と認定されることがあるのか

> 【問14-13】 費途不明の交際費等は、法人が費途を税務当局に説明しないことによって役員が個人費消したと推測され、役員給与と認定されることはありませんか。

【答】 法人が費途を説明しないために、費途不明の交際費等が役員給与と認定されるのかどうかについては、そのような認定をするには課税庁において代表者が個人費消したという事実を積極的に立証すべきであるとされた判決（昭44熊本地裁判決）、逆に、同族会社が首肯するに足る合理的な使途の説明をせず、代表者が経理、営業等経営の一切について実権を握っているときは役員給与と認定されるとされた判決（昭52.9.29福岡高裁判決）等があり、ケース・バイ・ケースです。強引な推定課税が行われないために、上記の熊本地裁判決のような保証が必要であると思いますが、代表者といえども一定の手続を経なければ自由に金銭の出し入れができないように内部統制制度を整備し、やむを得ず費途不明の交際費等を支出するときは所定の手続を経て支出することとすべきで、例えば裏勘定を作って当該勘定から費途不明の交際費等を支出するようなことは、絶対に行ってはなりません。

ただし、使途秘匿金の支出がある場合の追加課税制度の下では、費途不明の交際費等が役員給与と認定されますと使途秘匿金でなくなり、当該支出に係る法人税の追加課税が行われないことになりますので、御質問のような認定が行われることは、少ないのではないかと思われます。

第15章　貸倒損失

金銭債権の一部の金額を貸倒処理することができるか

> 【問15-1】　当社が500万円の貸付金を有する相手先が経営不振で、その資産状況等からみて、そのうちの300万円が回収不能と判断されます。この300万円を貸倒処理することは、税務上認められますか。

【答】　法人の有する売掛金、貸付金等の金銭債権について、税務上貸倒れとして損金算入することが認められる場合が、以下のとおり三つに分けて、法人税基本通達9-6-1から9-6-3に示されています。

(1)　①更生計画認可の決定又は再生計画認可の決定があった場合において、これらの決定により切り捨てられることとなった部分の金額、②特別清算に係る協定の認可の決定があった場合において、この決定により切り捨てられることとなった部分の金額、③⑦債権者集会の協議決定で合理的な基準により債務者の負債整理を定めているもの、若しくは⑤行政機関又は金融機関その他の第三者のあっせんによる当事者間の協議により締結された契約でその内容が⑦に準ずるものにより、切り捨てられることとなった部分の金額、④債務者の債務超過の状態が相当期間継続し、その金銭債権の弁済を受けることができないと認められる場合において、その債務者に対し書面により明らかにされた債務免除額（基通9-6-1）……これらの事実が発生しますと法的に債権が消滅しますので、法人が貸倒れとして損金経理しているか否かにかかわらず、その発生した日の属する事業年度において貸倒れとして損金の額に算入されます。したがって、損金経理していなくても、申告減算して損金の額に算入することができます。

(2)　債務者の資産状況、支払能力等からみて、法人の有する金銭債権の全額が回収できないことが明らかになったとき（基通9-6-2）……実質的に金銭債権が回収不能となった場合ですので、その全額が回収できないことが明らかになった事業年度において貸倒れとして損金経理をすることによ

（737）

り、損金の額に算入することができます。この場合、当該金銭債権について担保物があるときは、その担保物を処分した後でなければ、貸倒れとして損金経理をすることはできません。

(3) ①売掛債権（売掛金、未収請負金その他これらに準ずる債権をいい、貸付金その他これに準ずる債権を含みません。以下同じ。）の相手方である債務者との取引を停止した時（最後の弁済期又は最後の弁済の時が当該停止をした時以後である場合には、これらのうち最も遅い時）以後1年以上経過した場合（当該売掛債権について担保物のある場合を除きます。）、②同一地域の債務者について有する売掛債権の総額がその取立てのために要する旅費その他の費用に満たない場合において、当該債務者に対して支払を督促したにもかかわらず弁済がないとき（基通9-6-3）……当該売掛債権の額から備忘価額を控除した残額を貸倒れとして損金経理をしたときは、その損金算入が認められます。

御質問では、貸付金額500万円のうち相手先の資産状況等からみて回収不能と判断される300万円を貸倒処理したいとのことですが、上記(2)の法人税基本通達9-6-2の取扱いの適用を受けるためには、その全額が回収できないことが明らかになったことが必要で、貸付金額の一部の金額の貸倒処理は、税務では認められていません。

(注) このような事例に対して、個別評価金銭債権に係る貸倒引当金のなかに、第2号として実質基準に係るものが規定されていますので（法52①、法政令96①二）、この規定が適用できないかどうか検討すべきでしょう。【問20-7】参照）

もし、事業年度終了の日までに債務者に対して書面で300万円の債権放棄が通知されており、上記(1)法人税基本通達9-6-1の④の「債務者に対し書面により明らかにされた債務免除額」に該当するならば、貸倒れとして損金算入することが認められます。ただし、相手先（債務者）の債務超過の状態が相当期間継続し、貸付金の弁済を受けることができないと認められる場合であることが必要で、回収可能と判断される債権を放棄したときは、債務者に対する贈与として、税務では寄附金とされます。

（738）

第15章　貸倒損失

破産債権について貸倒処理ができる事実

> 【問15-2】　法人税基本通達9-6-1の①には、貸倒処理のできる
> 事実が更生債権と再生債権について示されているにもかかわらず、
> 破産債権について示されていないのはなぜですか。破産債権は破
> 産手続上どのような段階になれば、貸倒処理をすることができる
> のですか。

【答】　法人税基本通達9-6-1の①に破産債権について貸倒処理のできる事
実が示されていないのは、破産法には更生債権や再生債権のような切捨てと
いう制度がなく、破産手続が終結しても配当により弁済されなかった部分の
金額は裁判所による免責許可の決定（破産法252）があるまで債権が消滅し
ないこと、免責許可の決定があっても、破産債権者が破産者の保証人その他
破産者と共に債務を負担する者に対して有する権利及び破産者以外の者が破
産債権者のために供した担保に影響を及ぼさないこと（同253②）が、規定
されているからです。

　ところで破産手続の終結には、次のとおりの態様があります。

①　破産手続開始の決定の取消し……破産手続開始の申立てについての裁判
　に対する即時抗告を受けて、裁判所が当該開始決定を取消した場合です。
　（破産法33③）

②　廃止決定

　イ　同意廃止……破産債権者全員の同意を得て行われる廃止（破産法218）
　　です。

　ロ　費用不足による廃止……破産財団が破産手続の費用すら償えないよう
　　な費用不足を原因とする廃止です。このなかには、同時廃止（破産手続
　　の開始と同時に決定される廃止（破産法216①））と、異時廃止（破産手
　　続の開始後に費用不足が判明した場合に決定される廃止（破産法217
　　①））とがあります。

③　終結の決定

　　最後配当、簡易配当又は同意配当が終了した後、債権者集会の終結又は
　　破産債権者よりの異議の申立期間の経過後に、裁判所が行う破産手続終結
　　の決定です。（破産法220）

（739）

これについての貸倒損失の計上時期について、平成20年6月26日国税不服審判所裁決に、下記のような判断が示されています。

　「このうち、②のロの費用不足による廃止決定又は③の終結の決定が行われると、法人の登記が閉鎖され、その時点で破産法人は消滅するので、当然破産法人には分配可能な財産はないことになる。したがって、破産債権者が破産法人に対して有する金銭債権もその全額が滅失したと考えるのが相当であり、貸倒処理をすることができると考えられる。

　なお、③の終結の手続前であっても、破産管財人から配当金額が0であることの証明がある場合や、その証明が受けられない場合でも、債務者の資産の処分が終了し、今後の回収が見込まれないまま終結の決定までに相当な期間がかかるときは、法人税基本通達9-6-2を適用して貸倒損失として損金経理を行い、損金の額に算入することも認められる。」

　上記の裁決の前段にある貸倒処理は、損金経理を要件とされていませんので、法人税基本通達9-6-1と同等の事実に該当するという判断と考えられます。

　一方、①の破産手続開始の決定の取消しがあった場合及び②のイの同意廃止があった場合は、破産の効力を消滅させただけで、破産債権者は別の手続によって回収を図ることになります。したがって、これらによる破産手続の終結を理由とする貸倒処理をすることはできません。

第15章　貸倒損失

保証債務の履行により取得した求償債権の貸倒処理

【問15-3】　取引先甲社の銀行借入金について債務保証していたところ、同社の倒産によって当該保証債務の履行（代位弁済）をせざるを得なくなりました。Ａ銀行に対する保証債務1,000万円は、甲社の倒産直後の令和７年２月に履行しましたが、Ｂ銀行に対する保証債務500万円は即時に履行を求められず、令和７年４月に履行しました。甲社には資産はまったくなく、保証債務の履行によって取得した求償債権は、全額回収の見込みがありません。このような場合、当社の令和７年３月期決算において、
①　Ａ銀行に対する保証債務の履行により取得した甲社に対する求償債権1,000万円を、貸倒処理することができますか。
②　更にＢ銀行に対する未履行の保証債務について、求償債権（甲社）500万円／未払金（Ｂ銀行）500万円という期末修正仕訳をした上で、求償債権500万円を貸倒処理することができますか。

【答】　甲社の資産状態や支払能力からみて貴社の令和７年３月期末には同社に対する求償債権が全額回収不能と判断できること、及び同社の銀行借入金について貴社が債務保証されたのは業務上の必要性によるもので、かつ、合理的なものであったことを前提にして、お答えします。

　①について……保証債務の履行によって取得した求償債権でも、債務者の資産状況、支払能力等からみてその全額が回収不能であることが明らかなものは、回収不能であることが明らかになった事業年度において貸倒れとして損金経理することができます。（基通９-６-２）したがって、Ａ銀行に対して保証債務の履行により取得した甲社に対する求償債権1,000万円は、貸倒処理することができます。この場合、Ｂ銀行に対する保証債務500万円が未履行なのは同行の方針によるものですから、Ａ銀行に対する保証債務の履行により取得した求償債権1,000万円の貸倒処理の可否には、関係がありません。

　②について……貸倒処理が認められるのは事業年度終了の日に有する金銭債権に限られます。Ｂ銀行に対する保証債務は同日現在未履行で、まだ求償債権を取得していませんので、御質問のような仕訳をしてまだ取得していない求償債権を計上しても、当該債権を貸倒処理することはできません。その

（741）

貸倒処理は、保証債務の履行によって求償債権を取得する翌事業年度に行うことになります。（基通9-6-2（注））

債務者から担保物の受入れ、担保物による代物弁済があった場合

【問15-4】　得意先A社が倒産しました。同社に対する売掛債権600万円の回収は、同社から受け入れた担保物を処分するしか方法がなく、これによっても回収できない残額は、事実上回収不能です。
① 　当該担保物の処分可能額を見積もり、売掛債権600万円から当該見積額を控除した金額を貸倒処理することができますか。
② 　取引停止後1年以上経過したときに、備忘価額を残して貸倒処理することができますか。
③ 　担保物が上場有価証券等でない株式で容易に処分できない場合、どのようにすればよろしいですか。
④ 　担保物である上場有価証券等でない株式を代物弁済で受け入れた場合、どのように処理すべきですか。

【答】　①について……A社に対する売掛債権については、法人税基本通達9-6-1に列記されている事実が発生していませんので、まず同9-6-2の取扱いによる貸倒損失の計上をすることができるのかどうかが問題になります。

　この貸倒損失の計上をするためには、債務者に対する金銭債権の全額が回収できないことが明らかになることが必要で、当該金銭債権について担保物があるときは、その担保物を処分した後でなければ貸倒れとして損金経理をすることができません。（【問15-1】（2）参照）これは、担保物件を処分しなければ、貸倒損失となる金額が決まらないからです。

　②について……売掛債権について取引停止後1年以上経過した場合の備忘価額を残しての貸倒れの取扱いは、当該売掛債権について担保物の受入れがある場合には、適用されません。（基通9-6-3（1）かっこ書）

　③について……担保物の処分以外に売掛債権を回収する方法がないにもかかわらず、その担保物の処分に日時を要すると認められるときは、回収できないことが明らかになった金額について、個別評価金銭債権に係る貸倒引当金のうちの第2号の実質基準に係るものの規定（法52①、法政令96①二）を

（742）

第15章　貸倒損失

適用することができます。（基通11-2-8(1)、【問20-7】参照）

　④について……代物弁済の受け入れによって金銭債権の回収をしたときは、当該代物弁済物の時価だけ弁済があったことになりますので、御質問の場合は代物弁済物である上場有価証券等でない株式の時価によって有価証券／売掛債権　の処理をして売掛債権の金額を減額し、残額を貸倒損失とします。残額を貸倒損失とするのは、貴社が不利を承知のうえで代物弁済契約を結んだ以上、残額を改めて得意先Ａ社に請求することはできないと解されるからです。逆に、当該株式の時価の方が売掛債権の金額よりも高いときは、代物弁済契約が得意先Ａ社の窮状に乗じて結んだものであった場合、残額をＡ社に返済することが必要になります。

割賦売掛金について備忘価額を控除しての貸倒処理

> 【問15-5】　割賦販売会社です。割賦売掛金が焦げついて１年以上経過した場合、法人税基本通達9-6-3の(1)の取扱いを適用して、備忘価額を控除した残額を貸倒れとして損金経理することができますか。

【答】　債務者との取引を停止した時（最後の弁済期又は最後の弁済の時が当該停止をした時以後である場合には、これらのうち最も遅い時）以後１年以上経過した場合、債務者に対して有する売掛債権の額から備忘価額を控除した残額を貸倒れとして損金経理することが認められています。ただし、当該売掛債権について担保物がある場合を除きます。（基通9-6-3(1)）

　ここで取引の停止とは、継続的な取引を停止したことをいいます。これは法人税基本通達9-6-3の(1)が、日々の営業活動によって発生する少額の売掛金等は焦付きになっても特に法的手段をとらないまま貸倒れとなることが多いので、取引を停止した時以後１年以上経過した場合に特例的に貸倒れとして損金経理することを認めるという趣旨のものだからです。したがって、１回限りの取引について取引停止後１年以上経過しても、この通達の適用による貸倒処理をすることはできません。

　一般消費者向けの割賦販売は、通常同一人に対して継続的に行われるものでありませんので、同9-6-3の(1)の適用による貸倒損失の計上は認めら

（743）

れません。請負工事、不動産取引、特別注文取引等にも継続取引でないものがありますので、御注意ください。(基通9-6-3(注))

貸倒損失の損金経理について

> 【問15-6】 貸倒懸念債権について、法人税法の繰入限度額を超えて貸倒引当金を設定していましたが、当該債権が法人税基本通達9-6-2に示された状況に該当することになり、回収不能となりました。その貸倒処理に当たり、貸倒引当金設定部分の金額について、貸倒引当金／売掛金 という仕訳をした場合、当該部分の金額は貸倒れとして損金経理していませんが、この仕訳によって取り崩した貸倒引当金のうちの利益積立金額の部分の金額を申告減算することにより、損金の額に算入することができますか。

【答】 金銭債権についての法人税基本通達9-6-1による貸倒処理は、「当該通達に列記された事実の発生した日の属する事業年度において貸倒れとして損金の額に算入する」とされていますが、同9-6-2による貸倒処理は、「債務者の資産状況、支払能力等からみてその全額が回収できないことが明らかになった場合には、その明らかになった事業年度において貸倒れとして損金経理することができる」とされています。この相違は、9-6-1の場合は、当該通達に掲げられている事実が生じたことにより法的に債権が消滅したので、損金経理していなくても申告減算により損金の額に算入することを認めるが、9-6-2の場合はそのような法的事実が生じておらず、税務上貸倒れとして損金算入することを認めるのかどうかについて、法人が損金経理をしているかどうかがその判断基準の一つになるということによるものです。

「損金経理」とは「法人がその確定した決算において費用又は損失として経理すること」と規定されています。(法2二十五)これは確定決算の作成過程において「貸倒損失」が費用又は損失として経理されているべきだということであり、損益計算書に「貸倒損失」という費用又は損失科目が計上されることまでは要求していません。したがって、貸倒引当金／売掛金(貸倒懸念債権)という引当金の目的使用処理でなく、貸倒損失／売掛金(貸倒懸念債権)、貸倒引当金／貸倒引当金取崩額、という両建仕訳を行い、この両

(744)

第15章　貸倒損失

建仕訳の損益科目をいずれも販売費又は特別損失として損益計算書の表示では消去し、税務署へ提出する損益計算書にその旨の注記をしておけば、損金経理はしていますので、税務上問題は生じません。

　この場合、「法人税基本通達9-6-2にいう損金経理は、当該貸倒懸念債権を法人の帳簿上資産勘定から消去することであり、この点が法的に債権が消滅しておれば当該債権が帳簿上資産勘定から消去されていなくても申告減算が認められるという同9-6-1との違いである。」という見解をとりますと、貸倒引当金／売掛金（貸倒懸念債権）という引当金の目的使用処理をすれば、当該売掛金が資産勘定から消去され、上記のような企業会計上意味のない両建仕訳は不要になります。しかし、損金経理すなわち「費用又は損失としての経理」という税法の要件を満たすためには、両建経理をしておくことが必要です。

売掛債権を貸倒処理するに当たっての消費税の処理

> 【問15-7】　①売掛債権が回収不能となり貸倒処理する場合、貸倒処理する金額に係る消費税額を課税標準額に対する消費税額から控除することができるとのことですが、事例で説明してください。
> 　　②一括評価金銭債権に係る貸倒引当金の繰入限度額を計算する場合の貸倒実績率は、当該消費税額控除前、控除後のいずれの貸倒損失額によって計算するのですか。

【答】　御質問の①にある貸倒れに係る消費税額の控除は、消費税法第39条第1項に、次のとおり規定されています。（かっこ書の部分を省略しています。）

　「事業者が国内において課税資産の譲渡等を行った場合において、当該課税資産の譲渡等の相手方に対する売掛金その他の債権につき更生計画認可の決定による債権の切捨てその他これに準ずるものとして政令（消政令59及び消規則18）で定める事実が生じたため、当該課税資産の譲渡等の税込価額の全部又は一部の領収をすることができなくなったときは、当該領収をすることができなくなった日の属する課税期間の課税標準額に対する消費税額から、当該領収することができなくなった課税資産の譲渡等の税込価額に係る消費税額の合計額を控除する。」

（745）

消費税法施行令第59条及び消費税法施行規則第18条には、売掛債権等が貸倒れとなる事実として、法人税基本通達9－6－1から同9－6－3までに掲げられた事項と同じ事項（【問15-1】参照）が規定されており、貸倒れとなる事実の判定は、法人税と消費税とで変わりません。

例えば、令和元年10月1日以後の資産の販売で生じた5,500千円の売掛債権が貸倒れになった場合、当該売掛債権に係る売上高（課税資産の譲渡等）の税込価額に係る消費税等の額は5,500千円×$\frac{10}{110}$＝500千円ですので、下記の仕訳をして、借方の仮払消費税等500千円のうちの390千円（国税である消費税の額。500千円×$\frac{78}{100}$）を消費税申告書の「貸倒れに係る税額⑥」欄に記載し、課税標準額に対する消費税額から控除します。

貸倒損失	5,000千円	売掛債権	5,500千円
仮払消費税等	500千円		

（注1） 地方消費税は、消費税額を課税標準として計算しますので、貸倒れに係る税額として消費税額から控除された390千円×$\frac{22}{78}$である110千円が、地方消費税額から控除されることとなります。

（注2） 上記の例は、貸倒れとなった債権に係る課税資産の譲渡等が令和元年10月1日以後に行われた場合です。課税資産の譲渡等が令和元年9月30日以前に行われた場合は、売掛債権の額の$\frac{8}{108}$が消費税等の額になります。

なお、貸倒処理をするのが貸付債権のようなその発生基因である取引が課税資産の譲渡等でないものの場合は、上記の規定は適用されませんが、滞留した売掛債権を相手方との金銭準消費貸借契約によって貸付債権に振替えたものは、当該債権の発生基因である当初の取引が課税資産の譲渡等ですので、上記の規定が適用されます。

（注） 売掛債権から振り替えられた貸付債権については、貸倒れとなったのは貸付債権なので、貸倒れによる消費税額の控除の対象とならないとの見解もありますが、貸倒れとなった債権はもともと売掛債権であり、債権額には消費税等の額が含まれていますので、貸倒れによる消費税額の控除の対象になると考えます。

次に、御質問の②ですが、一括評価金銭債権に係る貸倒引当金の繰入限度額を計算する場合の貸倒実績率は、分母が「当該事業年度開始の日前3年以内に開始した各事業年度終了の時における一括評価金銭債権の帳簿価額の平均額」、分子が「当該各事業年度において生じた売掛債権等の貸倒損失の合

第15章　貸倒損失

計額と個別評価金銭債権に係る貸倒引当金の増減額の平均額」とされています。（法政令96⑥、【問20-16】参照）分母の一括評価金銭債権の帳簿価額が税込価額であるにもかかわらず、分子の貸倒損失の額を上記のように税抜価額としますと、貸倒実績率が低く算定されるという不合理が生じるように思えます。しかし、貸倒実績率が乗じられる期末の一括評価金銭債権の帳簿価額の合計額は税込価額ですので、計算の結果としての貸倒引当金繰入限度額は税抜価額となり、不合理ではありません。

貸倒損失の計上を遅らせて利益操作した場合

【問15-8】　金銭債権について回収不能であることが明らかになった事業年度に貸倒処理をせず、その後の事業年度において貸倒処理をすると、税務上どのように取り扱われますか。

【答】　明らかに回収不能と判断される金銭債権を貸倒処理をせず、資産に計上したまま計算書類を作成するのは一種の粉飾決算で、会社法及び企業会計の基準に反するものです。法人がこのような利益操作をするのは、税務上も好ましくありませんので、法人税基本通達9-6-2において「金銭債権につきその全額が回収できないことが明らかになった場合には、その明らかになった事業年度において貸倒れとして損金経理をすることができる。」とされています。したがって、その後の事業年度において貸倒処理をしても損金算入が認められず、申告加算（処分はその他社外流出）すべきことになります。

　税務がこのような取扱いを示したのは、利益操作を防止するためだけでなく、欠損金の繰越制度（法57①）との関係にもよるものと思われます。これは、欠損金の生じた事業年度において回収不能であることが明らかになった金銭債権の貸倒処理をせず、その後の事業年度において貸倒処理をしてもその損金算入が認められるとしますと、法人の恣意によって欠損金の繰越期間を延長させることが可能になるからです。金融機関や取引先に対する配慮から回収不能債権の貸倒処理を繰り延べる事例があるようですが、税務のこの取扱いに十分注意すべきです。

　この取扱いは、法人の粉飾決算を防止するという点で評価できるものですが、回収不能債権の貸倒処理が認められる時期が厳しく判定されますと、減

（747）

価償却費の計上を見合わせてでも回収不能債権は厳格に貸倒処理しようという、別の面での会社法及び企業会計の基準に反する処理が生じかねません。税法では、減価償却費の損金算入について損金経理を要件としているため、その計上時期を繰り延べることによって、欠損金の繰越期間を延長させることが可能になるからです。

また、金銭債権が回収不能になった時期の判定がむつかしく、この取扱いの適用をめぐって課税庁と納税者の間でトラブルが生ずることがあり得ると思われます。判定のしかたによって、必要経費とされるべき貸倒損失が損金不算入とされるおそれがあるというのは、納税者サイドからみて問題でしょう。したがって、私見では、この取扱いは利益操作であることが明らかで、目に余る場合に限定して適用されるべきものと思います。

なお、個別評価金銭債権に係る貸倒引当金の繰入れについて、「確定申告書に別表十一(一)「個別評価金銭債権に係る貸倒引当金の損金算入に関する明細書」が添付されていない場合であっても、それが貸倒損失を計上したことに基因するものであり、かつ、当該確定申告書の提出後に当該明細書が提出されたときは、法人税法第52条第4項の規定（当該明細書の記載がない確定申告書の提出があった場合においても、税務署長がやむを得ない事情があると認めるときは、当該引当金の損金算入を認めるという規定）を適用し、当該貸倒損失の額を当該債務者についての個別評価金銭債権に係る貸倒引当金の繰入れに係る損金算入額として取り扱うことができるものとする。」という取扱いが示されています。(基通11-2-2) 税務調査で貸倒損失の計上が時期尚早とされても、要件を充たせばこの通達によって個別評価金銭債権に係る貸倒引当金への切換えが認められますので、貸倒損失の計上を遅らせる利益操作はすべきでありません。

（748）

第15章　貸倒損失

売掛債権の額から備忘価額を控除した残額を貸倒処理することができる事業年度

> 【問15-9】　法人税基本通達9−6−3の(1)の取扱いによって、売掛債権の額から備忘価額を控除した残額を貸倒処理することができるのは、取引停止後1年を経過した事業年度に限られますか。

【答】　御質問にある売掛債権の貸倒処理が認められる場合について、法人税基本通達9−6−3の(1)には、「債務者との取引を停止した時（最後の弁済期又は最後の弁済の時が当該停止をした時以後である場合には、これらのうち最もおそい時）以後1年以上経過した場合」とあるだけで、同9−6−2による貸倒れについて「金銭債権についてその全額が回収できないことが明らかになった事業年度」とされているような、その処理ができる事業年度についての限定が示されていません。これは、当該通達による貸倒処理は、備忘価額を残しての処理であることからもわかるように、最終的な貸倒処理でなく、同9−6−2での貸倒処理と違って、その後においても貸倒処理をした売掛債権の回収活動を続けることがあり得るものだからです。

　しかし、貸倒処理の繰延べが恣意的に行われた場合、法人税法第57条第1項の規定による繰越欠損金の控除期間に関係する点は変わりませんので、【問15-8】で御説明したような課税上の弊害が明らかに生じると認められるときは、【問15-8】と同じ理由により、貸倒れの損金算入が否認されることがあるでしょう。

（749）

破産手続開始の決定のあった取引先から売掛債権の一部を分配金として受けたとき

【問15-10】 ３月決算の会社です。前事業年度（令和６年３月期）中に破産手続開始の決定のあった取引先に対する売掛債権の50％について、個別評価金銭債権に対する貸倒引当金のうちの第３号の引当金の繰入れをしました。当事業年度（令和７年３月期）終了の時には、当該売掛債権に係る取引の停止後１年以上が経過しますので、法人税基本通達９－６－３の(1)による貸倒処理をしようと思っていたところ、債権額の10％相当額について第１回目の分配があり受領しました。このような分配も取引の一種とされ、取引停止後の期間の算定が中断されることになりますか。

【答】 法人税基本通達９－６－３(1)による貸倒処理に当たり、取引停止後１年以上経過したかどうかの判定は、最後の弁済期又は最後の弁済の時が当該取引を停止した時以後である場合これらのうち最も遅い時を基準にして行います。御質問にある破産手続開始の決定のあった取引先からの分配も弁済に違いありませんので、これによって取引停止後の期間の算定は中断されます。

　いいかえれば、一部分配がある以上破産手続の終結までにまだ配当が行われる余地があり、貸倒処理をするのは早過ぎるというわけです。したがって、令和７年３月期には、法人税基本通達９－６－３の(1)による貸倒処理をすることはできず、引続き個別評価金銭債権に対する貸倒引当金の繰入れをすることになります。

　この場合の貸倒引当金の繰入限度額について、法人税法施行令第96条第１項に第１号から第４号までの４項目が規定されていますが、御質問の場合は、当該取引先の資産状態等が明らかになり、残りの配当見込額からみて第３号の規定による貸倒引当金では過少と判断される場合は、第２号の実質基準による貸倒引当金に変更すべきです。第３号の規定による貸倒引当金の繰入れを続ける場合は、第１回の分配によって前事業年度終了の時に比べて債権額の10％相当額が減少していますので、貸倒引当金の繰入限度額は、当該減少額の50％相当額だけ減りますので、御注意ください。

（750）

第15章　貸 倒 損 失

貸倒処理をした債権の一部の金額の弁済があった場合

> 【問15-11】　法人税基本通達９-６-３(1)を適用して備忘価額を控除
> した金額を貸倒処理した売掛債権について、翌事業年度以後その
> 一部の金額の弁済があった場合、過年度に計上した上記の通達に
> よる貸倒損失を取消さなければなりませんか。

【答】　御質問にある貸倒処理をした売掛債権の一部の金額の弁済が、法人税
基本通達９-６-３(1)のかっこ書にある最後の弁済であるとしますと、当該
弁済のあった事業年度終了の時には、当該債権はこの通達の要件を満たさな
いことになり、御質問のような疑義が生じます。しかし、償却済み債権の一
部回収には、倒産した債務者の元役員からの道義的弁済等によるものもあり
ますので、「償却債権取立益」として受入れますが、過年度に計上した貸倒
損失を取消して、残っている債権を再計上するような処理は通常行いません。
　御質問の場合、過年度においていったん上記の通達の要件を満たしていた
のですから、一部弁済により受入れた金額を「償却債権取立益」として益金
算入するだけでよく、過年度に計上した貸倒損失をその一部の弁済のあった
事業年度において取り消す処理は不要です。

（751）

第16章　その他の費用等

不正行為等に係る費用等の損金不算入の規定の内容

> **【問16-1】** 法人税法第55条に規定されている不正行為等に係る費
> 用等の損金不算入について、その内容を説明してください。

【答】 法人税法第55条の規定により、損金の額に算入しないとされている費用等は、次のとおりです。

(1) 隠蔽仮装行為に要する費用の額又は当該隠蔽仮装行為により生ずる損失の額（法55①）……法人が、その所得の金額若しくは欠損金額又は法人税の額の計算の基礎となるべき事実の全部又は一部を隠蔽し、又は仮装すること（以下「隠蔽仮装行為」といいます。）によりその法人税の負担を減少させ、又は減少させようとする場合における、当該隠蔽仮装行為に要する費用の額（例えば交通費、消耗品費、手数料など）又は当該隠蔽仮装行為により生ずる損失の額（例えば当該行為で取得した簿外資金で財テク活動した場合の投資損失）

   この規定は、法人が隠蔽仮装行為によりその納付すべき法人税以外の租税の負担を減少させ、又は減少させようとする場合についても準用されます。（法55②）

(2) 隠蔽仮装行為に基づき確定申告書を提出した場合又は確定申告書を提出していなかった場合の原価の額、費用の額及び損失の額（法55③）……法人が、隠蔽仮装行為に基づき確定申告書（その申告に係る法人税の調査があったことにより決定があるべきことを予知して提出された期限後申告書を除きます。）を提出した場合、又は確定申告書を提出していなかった場合には、これらの確定申告書に係る事業年度の原価の額**(注1)**、費用の額及び損失の額**(注2)**は、所得の金額の計算上損金の額に算入されません。ただし、以下の①又は②に該当する場合は損金の額に算入されます。

(注1) 資産の販売又は譲渡におけるその資産の取得に直接に要した額及び資産の

第16章　その他の費用等

引渡しを要する役務の提供におけるその資産の取得に直接要した額として政令（法政令111の4①）で定める額を除きます。

（注2）　その事業年度の確定申告書を提出していた場合には、これらの額のうち、確定申告書に記載した所得金額又は欠損金額、若しくはその確定申告書に係る修正申告書（調査があったことにより更正があるべきことを予知した後に提出されたものを除きます。）に記載した課税標準等の基礎とされていた金額を除きます。

① 　次に掲げるものにより、原価の額、費用の額又は損失の額の基因となる取引が行われたこと及びこれらの額が明らかである場合（災害その他やむを得ない事情により、イに掲げる帳簿書類を保存することができなかったことを法人が証明した場合を含みます。）

　イ　法人が法126①（青色申告法人の帳簿書類）又は法150の2①（帳簿書類の備付け等）に規定する財務省令で定めるところにより保存する帳簿書類

　ロ　法人が納税地、原価の額、費用の額又は損失の額の基因となる取引に係る国内の事務所、事業所その他これらに準ずる所在地（法規則25の10）に保存する帳簿書類その他の物件

② 　①のイ又はロにより、原価の額、費用の額又は損失の額の基因となる取引の相手方が明らかである場合その他取引が行われたことが明らかであり、又は推測される場合（①の場合を除きます。）であって、相手方に対する調査その他の方法により税務署長が、取引が行われ、これらの額が生じたと認める場合

(3) 　法人が納付する次に掲げる租税公課（法55④、法政令111の4②）

　イ　国税に係る延滞税、過少申告加算税、無申告加算税、不納付加算税及び重加算税並びに印紙税法の規定による過怠税

　ロ　地方税法の規定による延滞金（住民税及び事業税に係る納期限の延長の場合の延滞金を除きます。）、過少申告加算金、不申告加算金及び重加算金

　ハ　森林環境税及び森林環境贈与税に関する法律の規定による森林環境税に係る延滞金

　ニ　特別法人事業税及び特別法人事業譲与税に関する法律の規定による特

（753）

別法人事業税に係る延滞金（事業税に係る納期限の延長の場合の延滞金を除きます。）、過少申告加算金、不納付加算金及び重加算金

ホ　地方税法に規定する貨物割に係る延滞税及び加算税、譲渡割に係る延滞税、利子税及び加算税（消費税法第45条の２第４項の規定の例により徴収されるものを除きます。）

(注)　社会保険料の延滞金は、上記に該当しませんので、損金算入されます。

(4)　罰金及び科料並びに過料、諸課徴金及び延滞金（法55⑤）

その内容は、【問16-2】で説明します。

(5)　賄賂等に当たる費用又は損失の額（法55⑥）……法人が供与をする刑法に規定する賄賂又は不正競争防止法に規定する金銭その他の利益に当たるべき金銭の額及び金銭以外の資産の価額並びに経済的な利益の額の合計額に相当する費用又は損失の額（その供与に要する費用の額又はその供与により生ずる損失の額を含みます。）

罰金、科料、過料、諸課徴金などの損金不算入

> 【問16-2】　法人税法第55条第５項は、罰金、科料、過料などを損金不算入と規定していますが、その内容を説明してください。

【答】　法人税法第55条第５項は、法人が納付する次に掲げるものの額は、損金の額に算入しないと規定しています。（法55⑤）

①　罰金及び科料（通告処分による罰金又は科料に相当するもの及び外国又はその地方公共団体が課する罰金又は科料に相当するものを含みます。）並びに過料

②　国民生活安定緊急措置法の規定による課徴金及び延滞金

③　私的独占の禁止及び公正取引の確保に関する法律の規定による課徴金及び延滞金（外国若しくはその地方公共団体又は国際機関が納付を命ずるこれらに類するものを含みます。）

④　金融商品取引法第６章の２の規定による課徴金及び延滞金

⑤　公認会計士法の規定による課徴金及び延滞金

⑥　不当景品類及び不当表示防止法の規定による課徴金及び延滞金

⑦　医薬品、医療機器等の品質、有効性及び安全性の確保等に関する法律の

第16章　その他の費用等

規定による課徴金及び延滞金

　罰金及び科料は、刑法の定める財産刑で、罰金は1万円以上、科料は1,000円以上1万円未満のものをいいますが、上記①のかっこ書にあるように税法では通告処分による罰金又は科料に相当するものを含みますので、例えば交通反則通告制度によって科される交通反則金も損金不算入となります。

　一方、過料は、行政上の義務を強制する手段若しくは法令違反に対する制裁又は懲戒として科される金銭罰で、商業登記を過怠した場合に科される過料がその例です。

　罰金及び科料並びに過料は、その損金算入を認めますと実効税率を乗じた金額だけその効果が減殺されますので、損金不算入とされています。

　上記①のかっこ書にある外国又はその地方公共団体が課する罰金又は科料に相当するものには種々のものがありますが、裁判手続（刑事訴訟手続）を経て外国又はその地方公共団体により課されるものをいい、いわゆる司法取引によって支払われたものも、裁判手続を経て課された罰金又は科料に相当するものに該当することとされています。（基通9-5-13）ただし、外国又はその地方公共団体により課されたことによって損金不算入となるのは、罰金又は科料に限られますので、これらにより課された過料は、損金不算入となりません。

　また、上記③のかっこ書にある「外国若しくはその地方公共団体又は国際機関が納付を命ずるこれらに類するもの」とは、外国若しくはその地方公共団体又は国際機関が、法令等（市場における公正で自由な競争の実現を目的とするものに限ります。）に基づいて納付を命ずるもの（上記①の罰金及び科料を除きます。）をいい、EUによるカルテル等違反への制裁金は、これに該当します（基通9-5-14）

　わが国の企業が外国で罰金等を科された場合、その損金算入を認めますと国がその一部を負担することになり、外国政府の行った制裁の効果が減殺されますので、わが国での罰金等と同様に損金不算入とされているわけです。

（755）

交通反則金の取扱い

> 【問16-3】 従業員が業務の遂行中に交通違反を起こし、交通反則金を課せられました。この反則金を会社が負担した場合、若しくは従業員が納付しないために会社が放置違反金を納付した場合、どのように取り扱われますか。

【答】 法人がその役員又は使用人に対して課された罰金若しくは科料、過料又は交通反則金を負担したときは、その課せられたときの事情により、次の二つに区分して取り扱われます。(基通9-5-12)

① 法人の業務の遂行に関連してされた行為等に対して課されたもの……その役員又は使用人に対する給与とせず、法人の費用としますが、所得の金額の計算上損金の額に算入されませんので(法55⑤一)、別表四で加算(処分はその他社外流出)します。法人の費用と認めながら損金不算入とするのは、損金算入を認めると実効税率を乗じた金額だけ罰金の効果が減殺されるからです。その役員又は使用人に対する給与としませんので、御質問の場合、交通違反を起こした従業員に対する所得税は課されません。

交通違反をした運転者が反則金を納付しない場合に放置車両の使用者(車検証に記載された使用者)に課される放置違反金は、会社が納付した場合会社に課された過料に該当し、損金不算入となります。

② その他のもの……その役員又は使用人に対する給与とします。したがって、その役員又は使用人に対する所得税の源泉徴収の対象になるとともに、役員に対するものは役員給与となり、定期同額給与、事前確定届出給与、損金算入の要件を満たす業績連動給与のいずれにも該当しませんので、損金不算入となります。

第16章　その他の費用等

従業員が起こした交通事故の損害賠償金

【問16-4】　従業員が起こした交通事故の損害賠償金を会社が支払
いました。金額が大きく、当該従業員には弁済能力がありません。
会社の損金として処理した場合、税務上認められるでしょうか。
損金算入が認められる場合、その時期はいつでしょうか。

【答】　役員又は使用人がした行為等によって他人に与えた損害につき法人が
支払った損害賠償金は、損害賠償金の対象となった行為等によって、税務で
は次の二つに分けて処理することとされています。(基通9-7-16)

①　損害賠償金の対象となった行為等が法人の業務の遂行に関連するもので
あり、かつ、故意又は重過失に基づかないものである場合……給与以外の
損金の額に算入します。交通事故の場合、このような行為等によって損害
賠償が生じるのは法人の業務の遂行上ある程度不可避ですので、法人の固
有の費用として認められます。

②　損害賠償金の対象となった行為等が、法人の業務の遂行に関連するもの
であるが故意又は重過失に基づくものである場合又は法人の業務の遂行に
関連しないものである場合……交通事故の場合、当該事故を起こした役員
又は使用人に対する債権とします。当該役員又は使用人の支払能力等から
みて求償できない事情にあるため、その債権の全部又は一部に相当する金
額を貸倒れとして損金経理したときは、これが認められますが、貸倒れと
した金額のうち、その役員又は使用人の支払能力等からみて回収が確実で
あると認められる部分の金額は、当該役員又は使用人に対する給与としま
す。この場合の貸倒れの損金経理には、損害賠償金相当額を役員又は使用
人に対する債権に計上してから貸倒損失に計上した場合のほか、損害賠償
金の支払時に直接損金の額に算入した場合も含まれます。(基通9-7-17)

御質問の場合、従業員が交通事故を起こしたときの事情が、①に該当する
ときは、給与以外の損金の額に算入できますし、②に該当するときでもその
従業員に弁済能力がないと認められる部分の金額は、損害賠償金相当額を当
該従業員に対する給与として損金の額に算入することができます。

次に、自動車による人身事故(死亡又は傷害事故をいいます。)に係る損
害賠償金(上記②により役員又は使用人に対する債権となるものを除きま

(757)

す。）は、示談の成立等により支払額が確定する前に支出した場合でも、その支出の日の属する事業年度の損金の額に算入することができます。被害者の治療費、休業補償金などは、損害賠償金の一部として示談の成立前に内払いされることが多く、いったん内払いされたものは示談の成立による損害賠償確定額のいかんにかかわらず、通常加害者に返還されないからです。示談の成立前に加害者側が損害賠償金として呈示した金額も、示談の成立前の支出額に準じて、未払金に計上して損金の額に算入することができます。

　この場合、損金の額に算入した損害賠償金の額に相当する金額（その人身事故について既に益金の額に算入した保険金がある場合には、その累積額を当該人身事故に係る保険金見積額（法人が自動車損害賠償保険契約又は任意保険契約を締結した保険会社に対して、保険金の請求をしようとする額）から控除した残額を限度とします。）の保険金を、益金の額に算入しなければなりません。（基通9-7-18）

第16章　その他の費用等

金品引換券付販売に要する費用の損金算入時期

> 【問16-5】　顧客に対する謝恩販売期間中、特定商品を購入した顧客に売上額の10%相当額の金券を交付します。顧客はこの金券をその引換期間中当店での他の商品の購入代金に充当することができますが、この金券は税務上どのように取り扱われますか。

【答】　金品引換券付販売については、次の２通りの処理方法があります。

①　当初の商品の販売時の受取額のうち交付した引換券に対応する部分は収益計上せずに、負債に計上し、引換えのあった時点で収益計上する方法

②　当初の商品の販売時に受取額の全額を収益計上し、引換えに要する額を費用計上する方法

　①の方法を採用する場合の税法の取扱いは【問２-20】と【問２-21】で説明していますので、ここでは、②の方法を採用する場合の税法の取扱いを説明します。

　金品引換券付販売については、金品引換券と引換えに金銭又は物品が交付された日の属する事業年度において、その金銭又は物品の代価に相当する額が損金の額に算入されます。（基通９-７-２）しかし、その金品引換券が販売価額又は販売数量に応ずる点数等で表示されており、かつ、たとえ１枚の呈示があっても金銭又は物品と引き換えることとしているものであるときは、次の算式によって計算した金品引換費用を、その販売の日の属する事業年度において損金経理により未払金に計上することができます。（基通９-７-３）

$$\left[\begin{array}{l}１枚又は１点について\\交付する金銭の額_{(A)}\end{array}\right] \times \left[\begin{array}{l}その事業年度において発\\行した枚数又は点数_{(B)}\end{array}\right]$$

　(A)……物品だけの引換えをすることとしている場合には、１枚又は１点について交付する物品の購入単価（２以上の物品のうちその一つを選択できることとしている場合は、その最低購入単価）によります。

　(B)……その事業年度において発行した枚数又は点数のうち、その事業年度終了の日までに引換えの済んだもの及び引換期間の終了したものは含めません。

　この未払金の額は毎事業年度洗い替えることになっていますが、引換期間の定めのあるものでその期間が終了していないものの未払金の額は、その引

（759）

換期間の末日の属する事業年度の益金の額に算入します。（基通9-7-4）引換期間の定めがない場合は、毎事業年度洗替えとなりますので、販売の日の属する事業年度において未払金に計上することができる金額は、その事業年度に発行した金券のうちその事業年度終了の日までに引換えの済んでいないものの金額だけとなります。したがって、引換期間の定めをして、引換期間の変わるごとに金券の種類を変え、引換期間終了時における未引換券の残高を計算できるようにしておくのが望ましいといえます。

この未払金の計上を行う場合は、その計上を行う事業年度の確定申告書に未払金の額の計算の基礎及び金品引換券の引換条件等に関する事項を記載した明細書を添付しなければなりません。（基通9-7-5）

御質問の場合も、以上の要件を満たすのであれば、金券発行高のうち事業年度終了の日現在の未引換額を未払金に計上することができます。

なお、未払金に計上するためには、1枚の呈示があっても金品との引換えができるものであることを要します。（基通9-7-3）一定枚数を台紙に貼り合わせることによって金品との引換えができるものは、1枚の金券発行ごとに債務が成立していないため未払金に計上することはできません。小売店、飲食店等で採用されているポイントカード制度には、即時使用型のものと蓄積型のものとがあります。即時使用型のものは、1枚の呈示があっても金品との引換えに応じるため発行時に金品引換費用の未払金計上をすることができますが、蓄積型のものは、ポイントが一定数に達しないと金品との引換えに応じませんので、金品引換費用の未払金計上をすることはできません。

(注) 消費税では、金品引換券は物品切手等に該当しますので、その有償譲渡は非課税取引ですが、御質問にある金品引換券の交付は無償譲渡で不課税取引です。この金品引換券を顧客が物品と引き換えたときに、「売上げに係る対価の返還等」になります。

ゴルフクラブ及びレジャークラブの入会金、会費の取扱い

> **【問16-6】** ゴルフクラブ及びレジャークラブの入会金、会費等を法人が支払った場合の税務での取扱いを教えてください。

【答】 法人税基本通達9-7-11から9-7-13の2までに示された取扱いを表

（760）

第16章　その他の費用等

にしますと、下記のとおりです。

　なお、役員に対する給与となった場合は、会費、ロッカー料などで定期同額給与に該当するものは損金算入されますが、その他のものは通常事前確定届出給与等に該当しないと思われますので、損金の額に算入されません。

		ゴルフクラブ (基通9-7-11〜13)	レジャークラブ (基通9-7-13の2)
入会金（入会する費用を含みます。入会するために支出）	法人会員として入会する場合	資産計上 (注1)	資産計上 (注2)
	個人会員として入会する場合	給　与	給　与
	無記名式の法人会員制度がないため個人会員として入会し、その入会が法人の業務の遂行上必要であるため法人の負担すべきものであると認められる場合	資産計上 (注3)	資産計上 (注4)
年会費、ロッカー料、年決めなど（プレーする場合の直接費用）	入会金が資産として計上されている場合	交際費 (注5)	その使途に応じて、交際費等、福利厚生費、給与のいずれかとします。　(注6)
	入会金が給与とされている場合	給　与	
	法人の業務の遂行上必要なものと認められる場合	交際費 (注5)	
	その他の場合	給　与	

(注1)・(注2)　記名式の法人会員で、名義人たる特定の役員又は使用人が専ら法人の業務に関係なく利用するため、これらの者が負担すべきものであると認められるときは、これらの者に対する給与とします。(所基通36-34(1)、36-34の3(1)参照)

(注1)・(注3)　資産に計上したゴルフクラブの入会金は、通常固定資産の投資その他の資産の部に計上しますが、脱退時に返還を受けることができない場合とか、権利を他人に譲渡することができない場合でも、償却をすることはできません。ゴルフクラブを脱退しても返還を受けられない場合の入会金相当額及び会員たる地位を他に譲渡したことにより生じた当該入会金に係る譲渡損失相当

（761）

額は、その脱退又は譲渡をした日の属する事業年度の損金の額に算入します。（基通9-7-12）また、預託金制ゴルフクラブの会員権は、退会の届出、預託金の一部切捨て、破産手続開始の決定等の事実に基づき預託金返還請求権の全部又は一部が顕在化した場合、当該顕在化した部分を金銭債権として、貸倒損失及び貸倒引当金の対象とすることができます。（同通達（注）、【問16-26】参照）

(注2)・(注4) 資産に計上したレジャークラブの入会金は、原則としてゴルフクラブの入会金と同じ取扱いになりますが、会員としての有効期間が定められており、かつ、その脱退に際して入会金相当額の返還を受けることができないものとされている場合は、繰延資産（自己が便益を受けるために支出する費用（法政令14①六ホ））として有効期間を償却期間とする償却をすることができます。

(注3)・(注4) たとえ個人会員として入会していても、役員又は使用人が受ける経済的利益はないものとされます。（所基通36-34(2)、36-34の3(1)参照）

(注5) 役員又は使用人が受ける経済的利益はないものとされます。（所基通36-34の2(2)ただし書）

(注6) 役員又は使用人に対する給与になるのは、①入会金が給与とされている場合の年会費その他の費用（②の費用を除きます。）、②レジャークラブの利用に応じて支払われる費用のうち、特定の役員又は使用人が負担すべきであると認められるものです。（所基通36-34の3(2)(3)）

ゴルフクラブの名義書換料

> **【問16-7】** ゴルフクラブの名義書換料は税務上どのように取り扱われますか。①新たに取得した会員権の名義書換料と、②会社が以前から所有している会員権についてその登録名義を例えば社長の交代に伴って変更する場合の名義書換料とで異なりますか。

【答】 ①について……ゴルフクラブの入会金には、入会するための一切の費用が含まれますので、御質問の名義書換料も入会金に含まれます。（基通9-7-11(注)、所基通36-34(注)）

②について……御質問の名義書換料は、ゴルフクラブに入会するために支出する費用でなく、会員権を維持するための費用ですので、年会費、年ぎめロッカー料等と同様に取り扱われます。したがって、資産に計上する必要はなく、【問16-6】で説明したように入会金が資産として計上されている場合

（762）

第16章　その他の費用等

は交際費とされ、入会金が給与とされている場合は、会員である特定の役員又は使用人に対する給与とされます。（基通9-7-13、所基通36-34の2(1)）

社交団体、ロータリークラブ及びライオンズクラブの入会金、会費の取扱い

> **【問16-8】**　社交団体、ロータリークラブ及びライオンズクラブの入会金、会費等を法人が支払った場合の税務での取扱いを教えてください。

【答】　法人税基本通達9-7-14から9-7-15の2までに示された取扱いを表にしますと、下記のとおりです。

		社交団体（基通9-7-14～15）	ロータリークラブ ライオンズクラブ（基通9-7-15の2）
入会金	法人会員として入会する場合	交際費	交際費
	個人会員として入会する場合	給与	
	法人会員制度がないため個人会員として入会した場合において、その入会が法人の業務の遂行上必要であると認められるとき	交際費	
経常会費	入会金が交際費に該当する場合	交際費	交際費
	入会金が給与に該当する場合	給与	
その他の費用	その費用が法人の業務の遂行上必要と認められる場合	交際費	支出の目的に応じ寄附金又は交際費
	その費用が会員である特定の役員又は使用人の負担すべきものと認められる場合	給与	給与

　一般の社交団体は、会員相互の親睦を目的にしていますので、当該団体への入会金及び経常会費は、法人会員として入会する場合及び法人会員制度がないため個人会員として入会したがその入会が法人の業務の遂行上必要と認められる場合は交際費とし、その他の場合は会員である特定の役員又は使用人に対する給与とします。役員に対する給与となったときは、経常会費は定

（763）

期同額給与に該当するものは過大役員給与に該当することとなる部分の額を除いて損金算入されますが、その他のものは、通常事前確定届出給与等に該当しないと思われますので、損金算入されません。

(注) 所得税については所基通36-35に「使用者が負担する社交団体の入会金等」の取扱いが示されており、上表で交際費又は寄附金となる場合は、役員又は使用人が受ける経済的利益はないものとされています。

一方、ロータリークラブ及びライオンズクラブは、その会則でみる限り、会員相互の親睦よりも社会奉仕等を主たる目的としていますので、経常会費以外の会費にはその支出目的からみて交際費でなく寄附金又は会員である役員等の給与（通常、定期同額給与、事前確定届出給与等に該当しないために損金不算入となるものがあると思われます。）となります。しかし、入会金や経常会費は大半が定期的に会合する際の食事代等に費消され、これらの会合に参加して各方面の業界関係者と懇親を深めるのが法人の主たる加入目的と思われますので、入会金及び経常会費はすべて交際費とするとされています。

(注) 所得税については所基通36-35の２に「使用者が負担するロータリークラブ及びライオンズクラブの入会金等」の取扱いが示されており、前ページの表で寄附金又は交際費となる場合は、役員又は使用人が受ける経済的利益はないものとされています。

業務と観光を併せて行った海外渡航費の取扱い（Ⅰ）

> **【問16-9】** 社長がロサンゼルスの取引先との商談のために渡米した折に、グランドキャニオンへ観光旅行をしました。渡米のために要した費用は、どのように取り扱われますか。

【答】 法人の負担する海外渡航費のうち、業務の遂行上必要と認められない海外渡航のための旅費の額と、業務の遂行上必要と認められる海外渡航であっても通常必要と認められる金額を超える部分の金額は、原則として役員又は使用人に対する給与となり（基通９-７-６）、定期同額給与、事前確定届出給与等に該当せず、損金不算入となります。

役員又は使用人の海外渡航が法人の業務の遂行上必要なものであるかどう

（764）・

第16章　その他の費用等

かは、その旅行の目的、旅行先、旅行経路、旅行期間等を総合勘案して実質的に判定するものとされていますが、①観光渡航の許可を得て行う旅行、②旅行あっせんを行う者等が行う団体旅行に応募してする旅行、③同業者団体その他これに準ずる団体が主催して行う団体旅行で主として観光目的と認められるものは、原則として法人の業務の遂行上必要な海外渡航に該当しないものとされます。（基通９−７−７）

　御質問のように業務の遂行上必要と認められる旅行と認められない旅行とを併せて行った場合は、海外渡航費を業務の遂行上必要と認められる部分の金額と認められない部分の金額とにそれぞれの旅行期間の比等によってあん分し、必要と認められない旅行の期間に係る部分の金額は、社長に対する給与とします。（基通９−７−９本文）ただし、海外渡航の直接の動機が特定の取引先との商談、契約の締結等法人の業務の遂行のためであり、その海外渡航を機会に観光を併せて行うものである場合には、当該取引先の所在地等その業務を遂行する場所までの往復の旅費は、法人の業務の遂行上必要なものと認められますので（基通９−７−９ただし書）、御質問の場合、ロサンゼルスまでの往復の旅費は、損金の額に算入されます。

　一方、グランドキャニオンの観光に行かれた場合の費用は、ロサンゼルス以遠の旅費であり、会社の業務に関係のないものですので、その間の滞在費を含めて全額社長に対する給与とされます。

業務と観光を併せて行った海外渡航費の取扱い（Ⅱ）

> 【問16-10】　【問16−9】の場合ですが、往復の航空便にビジネスクラスを利用した場合、また、ロサンゼルス以遠に行くのをやめて、ロサンゼルスの観光と帰路ハワイに立ち寄って観光に数日を費した場合は、税務上それぞれどのように取り扱われますか。

【答】　【問16−9】で説明したように、ロサンゼルスまで渡航した直接の動機が取引先との商談のためですので、その際に併せて観光を行う場合であっても、ロサンゼルスまでの往復の旅費は、全額法人の業務の遂行上必要なものと認められます。この場合、往復の航空便でのビジネスクラスの利用は、社長の年齢等からみて渡航途上での事故防止等のため必要ですので、税務でも

（765）

認められますが、社内の海外旅費規程等で、ビジネスクラスを利用できる資格者等を明確にしておくのが望ましいと思います。

　一方、ロサンゼルスに滞在中に業務の遂行を行うとともに、同地の観光をされた場合及び帰路観光のためにハワイに立ち寄られた場合は、海外渡航の旅行期間中に法人の業務の遂行上必要と認められる旅行と認められない旅行とを併せて行われたことになりますので、滞在費等を旅行の期間の比等によってあん分して、それぞれの旅費の額を計算します。（基通9-7-9本文）したがって、社長の日程表により、社長に対する給与とすべき金額を計算しますが、土曜日、日曜日等の休日は業務旅行中でも一般に旅行地において業務を休み休養又は観光をすると思われますので、期間あん分の計算に当たり、除外してもよいと思います。

　計算例を示しますと、次のとおりです。

(旅費)Ⓐ	往復旅費（ビジネス・クラス代を含みます。）支度金等	4,300ドル
Ⓑ	業務のため個別に要した費用	2,100ドル
Ⓒ	観光のため個別に要した費用	800ドル
Ⓓ	業務、観光いずれにも区分できない共通費用	400ドル
	合　計	5,700ドル

(日程)㋑	業務遂行のために要した日数	8.5日
㋺	観光に充てた日数	3.5日
㋩	往復及び移動のための旅行日数	3日
	合　計	15日

　　（㊁　㋺のうち日曜休日等を充てた日数　　2日）

旅費として認められる金額

$$Ⓐ+Ⓑ+Ⓓ×\frac{㋑}{㋑+㋩-㊁}=4,300+2,100+400×\frac{8.5}{10}=6,740ドル$$

役員給与とされる金額

$$Ⓒ+Ⓓ×\frac{㋺-㊁}{㋑+㋺-㊁}=800+400×\frac{1.5}{10}=860ドル$$

第16章　その他の費用等

同業団体等に対して支出した加入金及び会費の取扱い

【問16-11】　法人の所属する同業団体等のために支出した加入金及び会費は、加入金、通常会費、特別会費のいかんを問わず、すべて支出時に損金の額に算入することができますか。

【答】　法人の所属する協会、連盟その他の同業団体等は、一般に法人格がないものと思われます。同業団体等が法人税法上の人格のない社団等に該当するときでも、会員から徴収する加入金や会費の収入は収益事業に係るものでないため、課税されません。したがって、会員の支出する加入金や会費が支出時に無条件で損金算入されますと、課税上弊害が生ずることがあります。

(1) 加入金……同業団体等の構成員としての地位を他に譲渡することができないことになっているかどうかにより、次のとおり取り扱われます。

① 他に譲渡することができない場合……加入後同業団体等から会員としてのサービスの提供を受けることになるため、「自己が便益を受けるために支出する費用」として繰延資産（法政令14①六ホ）に該当します。（基通8-1-11）この繰延資産の償却期間は5年です。（基通8-2-3）

② 他に譲渡することができる場合……出資の性質を有する加入金と同様に、その地位を他に譲渡し又は当該同業団体等を脱退するまで損金の額に算入することはできません。（基通8-1-11(注)）

(2) 会費……通常会費とその他の会費とに分けて、次のとおり取り扱われます。（基通9-7-15の3）

① 通常会費（同業団体等がその構成員のために行う広報活動、調査研究、研修指導、福利厚生その他同業団体としての通常の業務運営のために経常的に要する費用の分担額として支出する会費）……その支出をした日の属する事業年度の損金の額に算入します。ただし、当該同業団体等においてその受け入れた通常会費につき不相当に多額の剰余金が生じていると認められる場合には、当該剰余金が生じた時以後に支出する通常会費については、当該剰余金の額が適正な額になるまでは、前払費用として損金の額に算入しないものとされます。

　この場合、当該同業団体等の役員又は使用人に対する賞与又は退職給与の支給に充てるために引き当てられた金額で適正と認められるものは、剰

（767）

余金の額に含めないことができます。（基通９−７−15の３（注）２）

② その他の会費（同業団体等が下記イ～ニのような目的のために支出する費用の分担額として支出する会費）……前払費用とし、同業団体等がこれらの支出をした日にその費途に応じて法人がその支出をしたものとします。

イ 会館その他特別な施設の取得又は改良……繰延資産（自己が便益を受ける共同的施設の設置又は改良のために支出する費用。）

ロ 会員相互の共済……貸付金

ハ 会員相互又は業界の関係先等との懇親等……交際費

ニ 政治献金その他の寄附……寄附金

イ～ニのそれぞれに記載した科目は、法人がその費途に応じて支出したものとされるときの税務での処理科目です。

なお、通常会費として支出したものでも、上記イ～ニのような目的のための支出に充てられた場合には、当該部分の金額は②のその他の会費に該当するものとして処理しなければなりません。ただし、通常会費の一部がたまたま懇親費や寄附金として支出されることがあっても、同業団体等の業務運営の一環として通常要すると認められる程度のものである場合には、通常会費とすることができます。（基通９−７−15の３（注）１）

従業員の福利厚生団体のために負担した費用の処理方法

> 【問16-12】 従業員の福利厚生事業を行う団体に会社が毎月定額の助成金を支出し、従業員もその費用の一部を負担しています。会社の支出する助成金は、税務上どのように取り扱われますか。

【答】 法人（公共法人及び公益法人等を除きます。）の役員又は使用人をもって組織したこれらの者の親睦、福利厚生に関する事業を主として行う団体に対して、その事業経費の相当部分を当該法人が負担しており、かつ、次に掲げる事実のいずれか一の事実があるときは、原則として、当該事業に係る収益、費用等については、その全額を当該法人の収益、費用等に係るものとして計算するとされています。（基通14−１−４）

① 法人の役員又は使用人で一定の資格を有する者が、その資格において当然に当該団体の役員に選出されることになっていること。

（768）

第16章　その他の費用等

②　当該団体の事業計画又は事業の運営に関する重要案件の決定について、当該法人の許諾を要する等当該法人が業務の運営に参画していること。

③　当該団体の事業に必要な施設の全部又は大部分を当該法人が提供していること。

　法人の役員又は使用人で組織したクラブ活動、親睦旅行等の福利厚生事業を行う団体の収益、費用等は、税務では、その全額を法人のものとして計算しますので、法人はその事業年度終了の日における当該団体の純資産残高を簿外の純資産として、申告加算しなければなりません。

　ただし、当該団体の損益等が、例えば、法人から拠出された部分と構成員から収入した会費等の部分とであん分する等適正に区分経理されている場合には、その区分されたところにより、法人に帰属すべき収益、費用等の額を計算することができます。（基通14-1-5）この区分経理は、法人税基本通達14-1-2「任意組合等の組合事業から分配を受ける利益等の額の計算」に示された方法に準じて行うこととされていますが、その方法を列記しますと次のとおりです。

①　当該団体の収入金額、支出金額、資産、負債等をその分配割合（法人からの拠出額と構成員からの会費等収入額の割合などの合理的な割合）に応じて配分する方法

②　当該団体の収入金額及び支出金額をその分配割合に応じて配分する方法
　①及び②の方法による場合には、構成員に係るものとして配分された収入金額、支出金額、資産、負債等の額は、課税上弊害がない限り、構成員における固有のこれらの金額に含めないで別個に計算することができますので（基通14-1-2（注）4）、確定申告書に明細書を添付し、法人に帰属するものの剰余金又は損失の額を申告調整すればよいでしょう。この場合は、預金利息等に係る所得税額等、寄附金、交際費等は、法人本体の金額に加えて、税務上の調整をすることになります。

③　当該団体の剰余の額又は損失の額をその分配割合に応じて配分する方法
　この方法による場合、当該団体の支出金額のなかに寄附金又は交際費等の額があるときは、当該団体を資本又は出資を有しない法人とみなして寄附金又は交際費等の損金不算入額を計算した場合の剰余の額又は損失の額を基として、所得の金額の計算をします。（基通14-1-2（注）5）ただし、受取配

（769）

当等の益金不算入、所得税額の控除、引当金の繰入れ、準備金の積立て等の規定の適用はありませんので、例えば預金利息等の配分があっても、これに係る所得税額の控除の規定の適用をすることはできません。

匿名組合営業について生じた損益の帰属者とその計上の時期

> **【問16-13】** 匿名組合は、税法ではどのように取り扱われますか。
> 匿名組合営業について生じた損益は、匿名組合員と営業者にどのように帰属し、それぞれでの益金算入又は損金算入の時期は、どのようになりますか。

【答】 ① 匿名組合契約の性格……匿名組合契約は、当事者の一方（匿名組合員）が相手方（営業者）の営業のために出資をし、相手方がその営業から生ずる利益を分配することを約束する契約です。（商法535）匿名組合員の出資は、営業者の財産に帰属しますので（商法536①）、匿名組合員は、当該財産に対する持分を有しません。匿名組合契約は、私募投資ファンド等で、数多く利用されています。

出資といっても、営業者が法人の場合、営業者に出資金として受け入れられるものではありませんので、匿名組合員は出資した額を「長期預け金」に、営業者は受け入れた額を「長期預り金」に計上します。

（注） 匿名組合契約であって投資事業有限責任組合契約に基づく権利は、金融商品取引法上有価証券とみなされますので（金融商品取引法2②五）、これに該当する場合は、上記の「長期預け金」は投資その他の資産の部の「匿名組合出資金」とし、「長期預り金」は純資産の部の「匿名組合出資金」とします。

② 匿名組合営業について生じた損益の帰属者と、その益金算入又は損金算入の時期……匿名組合自体は単なる契約関係であって、課税主体でありませんので、匿名組合契約に基づく損益は、所得税法及び法人税法上パス・スルー課税（構成員である匿名組合員及び営業者に対する課税）となります。（所基通36・37共-21、21の2、基通14-1-3）

匿名組合員は、匿名組合契約に基づく営業により利益が生じたときは契約により計算される金額の分配を受け、損失が生じたときは契約により計算される金額の負担をしますが、分配を受ける額の益金算入時期又は損失を負担

（770）

第16章　その他の費用等

する額の損金算入時期は、匿名組合営業の契約による計算期間の末日の属する事業年度とされています。一方、営業者は、営業を行うことによって生じた利益の額から匿名組合員に分配すべき額を控除した残額、又は損失の額から匿名組合員に負担させるべき額を控除した残額を、自らの所得の金額の計算に当たって益金の額又は損金の額に算入します。（基通14-1-3）

③　租税特別措置法第67条の12の規定について……匿名組合の特定組合員に該当する法人組合員の組合損失について、次の措置がとられています。

イ　組合契約に係る組合事業につきその債務を弁済する責任の限度が実質的に組合事業に係る財産の価額とされている場合等には、その組合損失額のうち調整出資金額を超える部分の金額は、損金の額に算入しません。

ロ　組合事業に係る損失補てん契約が締結されていること等により実質的に組合事業が欠損にならないことが明らかな場合は、その組合損失額の金額を損金の額に算入しません。

　上記の特定組合員とは、組合契約に係る組合員のうち、次に掲げる組合員以外のものをいいます。（措法67の12①、措政令39の31②）

a　組合事業に係る重要な財産の処分若しくは譲受け又は組合事業に係る多額の借財に関する業務の執行の決定に関与し、かつ、当該業務のうち契約を締結するための交渉その他の重要な部分を自ら執行する組合員

b　その組合員の全てが組合契約が効力を生ずる時から組合契約に定める計算期間で既に終了したもののうち最も新しいものの終了の時まで組合事業と同種の事業を主要な事業として営んでいる場合におけるこれらの組合員

　特定組合員に該当する匿名組合員は、組合事業についてのリスクを負わず、その損失負担額は出資金の範囲に限定されるため、設けられている措置です。これにより、航空機や船舶のリース事業を営む営業者に匿名組合員が出資した場合、契約期間の初期に出資額を超える損失が計上され、終期近くになって回復するといういわゆるレバレッジドリース取引による課税繰延べは、できないことになります。

（771）

中小企業倒産防止共済掛金の損金算入制限

> **【問16-14】** 中小企業倒産防止共済（経営セーフティ共済）の掛金が損金に認められない場合があるとのことですが、どのような場合に損金算入が制限されるのでしょうか。

【答】 御質問の中小企業倒産防止共済は、独立行政法人中小企業基盤整備機構が行っている制度で、取引先が倒産した際に中小企業が連鎖倒産や経営難に陥ることを防止するためのものです。掛金は月額5,000円から20万円までの範囲内で選択でき（増額、減額も可）、支出した掛金の額は損金の額に算入できます。取引先が倒産し、売掛金等が回収困難となったときは、無担保・無保証で納付した掛金の総額の10倍（最高8,000万円。回収困難となった売掛金等の額を限度とします。）の借入れが受けられます。共済契約を解約した場合は、解約手当金が受け取れ、12か月以上掛金を納めていれば掛金総額の80%以上が戻り、40か月以上掛金を納めていれば掛金の総額が戻ってきます。

　上記のとおり、この制度は取引先の倒産に備えるためのものですが、掛金が自由に変更できることや前納制度があることにより、利益の生じている事業年度に多額の掛金を支払い、損失の生じている事業年度に解約する等により、節税のために利用される事例が多くなっています。そこで、令和6年度の税法改正により、令和6年10月1日以後に共済契約を解約し、その後共済に再加入した場合、解約の日から同日以後2年を経過する日までの間に支払った掛金の額は損金の額に算入しないこととされました。（措法66の11②、令6改所法等附則53）

(注)　上記の掛金を損金算入するには、別表十(七)「Ⅲ　特定の基金に対する負担金等の損金算入に関する明細書」を記載して法人税申告書に添付することが必要です。（措法66の11③）また、「租税特別措置の適用額明細書」を法人税申告書に添付することも必要です。（租特透明化法3①、【問27-27】参照）

(772)

第16章　その他の費用等

社会保険料と企業年金掛金等の損金算入時期の違い

> **【問16-15】**　健康保険料、厚生年金保険料のような社会保険料の額のうちの法人負担額は、事業年度終了の時の未払額を未払費用に計上して損金算入することが認められるのに、企業年金掛金等の法人負担額は、納付時に損金算入することとされ、事業年度終了の時の未払額の損金算入が認められていません。この違いは、どのような理由によるのでしょうか。

【答】　健康保険料、厚生年金保険料等の社会保険料の額のうち法人が負担すべき部分の金額は、当該保険料の額の計算の対象となった月の末日にその納付義務が確定しますので、同日の属する事業年度に損金算入することができます。（基通9－3－2）したがって、期末月を計算対象月とする社会保険料の額が期末日に未払いの場合は、当該期末日の属する事業年度に未払費用に計上して、損金の額に算入することができます。

　（注）　平成25年改正前厚生年金保険法第138条第5項（設立事務所の減少に係る掛金の一括徴収）又は同条第6項（解散時の掛金の一括徴収）の規定により徴収される掛金については、計算対象月がありませんので、納付義務の確定した日の属する事業年度に損金の額に算入することができます。（基通9－3－2（注））

　一方、法人が、法人税法施行令第135条各号に掲げられている確定給付企業年金契約等に基づき加入者のために支出する掛金等は、現実に納付又は払込みをした日の属する事業年度に損金の額に算入され、事業年度終了の日までに期間を経過しているものがあっても、未払金に計上して損金の額に算入することはできません。（基通9－3－1）すなわち、納付基準により損金の額に算入することとされ、社会保険料のように債務確定基準により損金の額に算入をすることはできないとされています。

　このように、社会保険料の法人負担額と企業年金掛金等の法人負担額の損金算入時期が異なるのは、前者はその納付をしなかった場合国税徴収の例によって滞納処分されることになるのに対して、後者は納付しなかった場合契約解除になるだけのことであり、前者の未納付額には債務確定性がありますが、後者の未納付額には債務確定性がないという違いがあるためです。

　例えば、3月31日決算の法人が、3月25日の給与支払に当たって控除した

（773）

3月度の社会保険料と企業年金掛金の使用人負担額を預り金に計上し、法人負担額との合計額の納付を4月に行う場合、企業会計ではいずれの法人負担額も事業年度末に未払計上をしますが、企業年金掛金の法人負担額の未払計上額は、申告調整が必要になります。

(注) 退職給付会計基準を適用している場合、退職年金に係る退職給付債務から年金資産の額を控除した金額について退職給付引当金を積み立て、法人負担の退職年金掛金の納付時に退職給付引当金の取崩し処理をしますので、当該掛金の額がその発生時に費用計上されることはありません。しかし、掛金の発生時に引当金を取り崩して未払金に計上し、納付時に未払金を取り崩す処理をするときは、当該未払金の額について申告調整が必要になります。

なお、法人負担額の未払計上が認められる社会保険料には、平成25年改正前厚生年金保険法第138条の規定により徴収される厚生年金基金の掛金が含まれます。このため、法人の退職年金制度が厚生年金基金であるときは、税務上法人負担の掛金の未払計上が認められますが、厚生年金基金の代行部分の返上によって企業年金基金に変わりますと、その未払計上ができなくなります。

労働保険料の処理方法

> 【問16-16】 労働保険の概算保険料を納付したときに納付額の全額を法定福利費として費用に計上し、使用人から使用人負担の雇用保険料を徴収したときに法定福利費のマイナス処理をしていますが、このような経理処理で税務上問題ありませんか。

【答】 労働保険の概算保険料のなかには、全額事業主負担である労災保険料と、事業主と被保険者（使用人）が一定割合 (注) で負担する雇用保険料とがあります。事業主は、保険年度（4月1日から翌年3月31日まで）ごとに、保険年度に使用するすべての労働者に係る賃金総額の見込額に保険料率を乗じて算定した概算保険料を厚生労働省令で定める事項を記載した申告書に添えて、その保険年度の6月1日から40日以内に納付しなければなりません。

（労働保険の保険料の徴収等に関する法律15①）

(注) 令和6年度（令和6年4月1日～令和7年3月31日）の雇用保険料の負担割合は次のとおりとなっています。

（774）

第16章　その他の費用等

一般の事業：事業主9.5、被保険者（使用人）6.0

農林水産・清酒製造の事業：事業主10.5、被保険者（使用人）7.0

建設の事業：事業主11.5、被保険者（使用人）7.0

　この概算保険料のうち事業主負担額は、申告書を提出した日又はこれを納付した日の属する事業年度において損金の額に算入することができます。したがって、概算保険料として納付済みの金額だけでなく、上記の法律の第18条の規定によって延納している金額のうちの事業主負担額も、事業年度末に未払計上して損金の額に算入することができます。

　一方、雇用保険料のうちの使用人負担額は立替金に計上し、使用人から徴収したとき立替金の戻入れの処理をします。（基通９−３−３(1)）

　例えば概算保険料を41万円納付し、その内容が労災保険料10万円、雇用保険料31万円（うち使用人負担額12万円）であったとしますと、次の処理をすることになります。

立替金	12万円	現　金	41万円
法定福利費	29万円		

　なお、事業主負担額の損金算入について、上記の通達は損金経理を要件にしていません。概算保険料のなかに期間対応の点からみて前払部分があるため、これを前払費用に計上した場合でも、当該前払費用の額を申告減算（処分は留保）して損金の額に算入することができます。

　次に、使用人から徴収した雇用保険料が立替金の額を超えることとなったときですが、超過額は預り金として負債に計上します。その場合、概算保険料を超える負担額すなわち確定保険料に係る不足額が既に生じているわけですが、当該不足額のうちの事業主負担額（不足額と上記預り金の差額）は、確定保険料に係る申告書を提出した日又は納付した日の属する事業年度において損金の額に算入されます。（基通９−３−３(2)本文）

　ただし、事業年度終了の日以前に確定保険料に係る保険年度（前年４月１日から当年３月31日まで）が終了しているときは、確定保険料に係る申告書（提出期限は当年７月10日です。）の提出前であっても当該不足額が債務確定しているとみる余地がありますので、未払金に計上して損金の額に算入することができます。（基通９−３−３(2)ただし書）３月31日以後７月10日までに事業年度終了の日が到来する法人は、この未払計上をすることができます

（775）

が、3月20日や2月末日を事業年度終了の日とする法人は保険年度が終了していませんので、事業年度終了の日までに既に不足額が生じていても、未払計上をすることはできません。

御質問の会計処理は、簡便な方法なので、中小企業ではよく行われているのではないかと思われます。正確な処理ではありませんが、上記で説明した処理に照らして結果的に大きな差異がなければ容認されるのではないかと思います。

養老保険の保険料を法人が負担した場合の取扱い

> **【問16-17】** 役員又は使用人を被保険者とする養老保険の保険料を法人が負担した場合、税務上どのように取り扱われますか。

【答】 養老保険は、被保険者の死亡又は生存を保険事故とする生命保険です。法人が、自己を契約者とし、役員又は使用人（これらの者の親族を含みます。）を被保険者とする養老保険に加入するのは、貯蓄と万一の場合の保障の二つの目的があると考えられます。このため保険金の受取人によって、その保険料の額は下記のとおり取り扱うものとされています。（基通9-3-4）

なお、この養老保険には、傷害特約等の特約が付されているものを含みますが、当該特約に係る保険料の額は下記の取扱いでなく、【問16-21】で説明する取扱いで処理をします。また、定期付養老保険に係る保険料は、【問16-20】で説明する取扱いで処理をします。

① 死亡保険金及び生存保険金の受取人が法人である場合……支払った保険料は損金の額に算入されませんので、保険事故の発生又は保険契約の解除若しくは失効により保険契約が終了する時まで、固定資産の投資その他の資産の部に「生命保険料積立金」等の科目で資産計上します。したがって、保険料の支払に伴う被保険者に対する給与の支給という問題は生じません。

なお、保険料のなかには積立保険料のほかに危険保険料及び保険会社の費用に充てる付加保険料があり、危険保険料や付加保険料の額を資産に計上するのはおかしいという考えもありますが、税務の取扱いは支払った保険料の全額を資産に計上することとしています。一方、契約者配当は一般にこれを差し引いて保険料を支払うことが多いのですが、現金で受け取る

（776）

第16章　その他の費用等

ときでも、資産に計上した保険料の額から控除することが認められています。（【問16-24】参照）

② 死亡保険金及び生存保険金の受取人が被保険者又はその遺族である場合……保険料の負担によって被保険者である役員又は使用人に経済的利益を供与したことになりますので、同人に対する給与となり、所得税及び復興特別所得税の源泉徴収が必要になります。この場合、生命保険料等の使用者負担額は、月額300円以下のときには源泉所得税の課税をしなくても差し支えないとされていますが（所基通36-32）、役員又は特定の使用人（これらの者の親族を含みます。）のみを対象としているものは課税しなければなりませんので（同通達ただし書）、御注意ください。

役員給与となった場合、定期同額給与、事前確定届出給与又は損金算入の要件を満たす業績連動給与のいずれにも該当しないものは、損金不算入となりますが、法人が経常的に負担するものは、定期同額給与に該当します。（基通9-2-11(5)、【問9-41】参照）また、役員又は使用人は、保険料の額が給与所得の収入金額に加えられますが、生命保険料控除（所法76）の対象にすることができます。

③ 死亡保険金の受取人が被保険者の遺族で、生存保険金の受取人が法人である場合……支払った保険料の額のうち、その$\frac{1}{2}$に相当する金額を上記①により資産に計上し、残額を福利厚生費として期間の経過に応じて（【問16-18】の(注1)参照）損金の額に算入します。ただし、役員又は特定の使用人（これらの者の税額を含みます。）のみを被保険者としている場合には、当該残額は、当該役員又は使用人に対する給与とします。

定期保険や第三分野保険の保険料を法人が負担した場合の取扱い

> 【問16-18】　役員又は使用人を被保険者とする定期保険や第三分野保険の保険料を法人が負担した場合、税務上どのように取り扱われますか。

【答】　定期保険は、一定期間内における被保険者の死亡を保険事故とする生命保険で、第三分野保険は、医療保険、がん保険、介護保険、傷害保険などです。法人が支払ったこれらの保険料の額は掛捨てのため費用に計上します

（777）

が、給与以外の費用とされるのか、被保険者に対する給与とされるのかについて、下記の①及び②のとおり取り扱われています。（基通9-3-5）なお、定期保険や第三分野保険に傷害特約等の特約が付されているものを含みますが、当該特約に係る保険料は下記の取扱いでなく、【問16-21】で説明する取扱いで処理します。また、定期付養老保険に係る保険料は、【問16-20】で説明する取扱いで処理します。

なお、令和元年7月8日以後の契約で、定期保険や第三分野保険の保険料に相当多額の前払部分の保険料が含まれるものについては、取扱いが異なります。これについては【問16-19】で説明しています。

① 保険金又は給付金の受取人が法人である場合……定期保険には貯蓄性がありませんので、一種の金融費用的なものとして、原則として、期間の経過に応じて損金の額に算入します。

② 保険金又は給付金の受取人が被保険者又はその遺族である場合……原則として福利厚生費として、期間の経過に応じて損金の額に算入します。保険金等の受取人が被保険者又はその遺族であるため給与に該当しないのかという点ですが、保険期間中に被保険者の死亡等一定の事実の発生したときにのみ保険金等を受け取れる保険に係る保険料の額を給与とするのは実情に即しませんし、被保険者にとって可処分所得でもありません。ただし、役員又は部課長その他特定の使用人（これらの者の親族を含みます。）のみを被保険者としている場合は、当該役員又は使用人に対する給与とします。役員給与となる場合、定期同額給与、事業確定届出給与又は所定の要件を満たす業績連動給与のいずれにも該当しないものは、損金の額に算入されません。

(注1) ①、②ともに、保険料の額が法人で損金算入される場合「期間の経過に応じて」とされています。生命保険料が一時払い又は相当期間の前払いの場合を想定してのものですので、通常の年払いや月払いのときは、基通2-2-14（短期の前払費用）後段の取扱いによって、支払の都度損金の額に算入することができます。

(注2) 令和元年10月8日以後の契約については、法人が、保険期間を通じて解約返戻金相当額のない定期保険又は第三分野保険（ごく少額の払戻金のある契約を含み、保険料の払込期間が保険期間より短いものに限ります。）に加入

第16章　その他の費用等

した場合において、その事業年度に支払った保険料の額（一の被保険者につき2以上の上記の保険に加入している場合には、それぞれについて支払った保険料の額の合計額）が30万円以下のものについては、期間の経過に応じて損金算入する必要がなく、支払った事業年度の損金とすることができます。（基通9-3-5（注）2）

解約返戻金等が多額の定期保険や第三分野保険の保険料の取扱い

> **【問16-19】**　定期保険や第三分野保険で、保険料は支払ったときに損金となり、解約時には多額の返戻金があるといった節税型の保険があるとのことですが、これに関する取扱いを説明してください。

【答】　定期保険や第三分野保険は、基本的にいわゆる掛捨てですので、保険料は期間の経過に応じて又は支払時に損金算入されますが、定期保険や第三分野保険で多額の解約返戻金等がある節税型の保険が販売されています。そこで、行き過ぎた節税に歯止めをかけるため、令和元年6月に、法人税基本通達が改正され、以下のとおりの取扱いが定められました。（基通9-3-5の2）なお、この取扱いは、令和元年7月8日以後の契約から適用されます。

　法人が、自己を契約者とし、役員又は使用人（これらの者の親族を含みます。）を被保険者とする保険期間が3年以上の定期保険又は第三分野保険（以下「定期保険等」といいます。）で最高解約返戻率が50％を超えるものに加入して、その保険料を支払った場合、以下の表のとおり取り扱います。したがって、以下の表の区分に従い、資産計上期間に保険料の一部を前払保険料として資産に計上し、その後、取崩期間でそれを費用化していくことになります。ただし、最高解約返戻率が70％以下で、かつ、年換算保険料相当額（一の被保険者につき2以上の定期保険等に加入している場合は、それぞれの年換算保険料相当額の合計額）が30万円以下の保険に係る保険料を支払った場合は、通常の定期保険等の保険料と同様に取り扱われます。（【問16-18】参照）

（779）

区分	資産計上期間	資産計上額	取崩期間
最高解約返戻率 50%超70%以下	保険期間開始の日から、保険期間の $\frac{40}{100}$ 相当期間を経過する日まで	当期分支払保険料の額の40%	保険期間の $\frac{75}{100}$ 相当期間経過後から、保険期間の終了の日まで
最高解約返戻率 70%超85%以下		当期分支払保険料の額の60%	
最高解約返戻率 85%超	保険期間の開始の日から、最高解約返戻率となる期間（当該期間経過後の各期間において、その期間における解約返戻金相当額からその直前の期間における解約返戻金相当額を控除した金額を年換算保険料相当額で除した割合が70%を超える期間がある場合には、その超えることとなる期間）の終了の日まで(**注1**)	当期分支払保険料の額に最高解約返戻率の70%（保険期間の開始の日から、10年を経過する日までは90%）を乗じた額	解約返戻金相当額が最も高い金額となる期間（資産計上期間が下記(**注1**)に該当する場合には、(**注1**)による資産計上期間）経過後から、保険期間の終了の日まで

(**注1**)　この資産計上期間が5年未満となる場合、保険期間の開始の日から5年を経過する日まで（保険期間が10年未満の場合には、保険期間の開始の日から、保険期間の $\frac{50}{100}$ 相当期間を経過する日まで）とします。

(**注2**)　上表の「最高解約返戻率」、「当期分支払保険料の額」、「年換算保険料相当額」及び「保険期間」とは、それぞれ次のものをいいます。

　　イ　最高解約返戻率とは、保険期間を通じて解約返戻率（保険契約時において契約者に示された解約返戻金相当額について、それを受けることとなるまでの間に支払うこととなる保険料の額の合計額で除した割合）が最も高い割合となる期間におけるその割合をいいます。

　　ロ　当期分支払保険料の額とは、支払った保険料の額のうちその事業年度に対応する部分の金額をいいます。

　　ハ　年換算保険料相当額とは、保険料の総額を保険期間の年数で除した金額

第16章　その他の費用等

をいいます。

　ニ　保険期間とは、保険契約に定められている契約日から満了日までをいい、保険期間の開始の日以後１年ごとに区分した各期間で構成されているものとして、この取扱いを適用します。

(注３)　保険期間が終身である第三分野保険については、保険期間の開始の日から被保険者の年齢が116歳に達する日までを計算上の保険期間とします。

定期付養老保険の保険料を法人が負担した場合の取扱い

> **【問16-20】**　役員又は使用人を被保険者とする定期付養老保険の保険料を法人が負担した場合、税務上どのように取り扱われますか。

【答】　定期付養老保険は、養老保険に定期保険が付されたものです。税務では、【問16-17】から【問16-19】で説明したように、養老保険に係る保険料と定期保険に係る保険料とで異なる取扱いが示されていますので、定期付養老保険についても原則としてそれぞれの保険料について、これらに準じて下記のとおりの取扱いをします。（基通９-３-６）なお、この定期付養老保険も傷害特約等の特約の付いたものを含みますが、当該特約に係る保険料は下記の取扱いでなく、【問16-21】で説明する取扱いで処理します。

①　保険料の額が生命保険証券等において養老保険に係る保険料の額と定期保険に係る保険料の額とに区分されている場合……養老保険に係る保険料の額については法人税基本通達９-３-４により（【問16-17】参照）、定期保険に係る保険料の額については同９-３-５又は９-３-５の２により（【問16-18】、【問16-19】参照）処理します。

②　①以外の場合……その保険料の額のすべてを養老保険に係る保険料として、同９-３-４の例により（【問16-17】参照）処理します。

（781）

傷害特約等に係る保険料を法人が負担した場合の取扱い

> **【問16-21】** 養老保険、定期保険又は定期付養老保険に傷害特約等の特約（解約返戻金等はありません。）が付されている場合、当該特約に係る保険料を法人が負担すると、税務上どのように取り扱われますか。

【答】 その特約の内容に応じて、法人税基本通達9-3-4、9-3-5又は9-3-5の2により（【問16-17】、【問16-18】、【問16-19】参照）処理します。（基通9-3-6の2）一般的な傷害特約等は御質問のようないわゆる掛捨てですので、この場合、【問16-18】の定期保険の保険料と同様の取扱いとなり、以下のとおりとなります。

① 保険金の受取人が法人である場合……支払った保険料の額は、期間の経過に応じて損金の額に算入されます。

② 保険金の受取人が被保険者である場合……支払った保険料の額は、期間の経過に応じて損金の額に算入されます。ただし、役員又は部課長その他特定の使用人（これらの者の親族を含みます。）のみを被保険者としている場合には、支払った保険料の額は、その役員又は使用人に対する給与となります。したがって、所得税の源泉徴収を要します。

長期平準定期保険の保険料を法人が負担した場合の取扱い（令和元年7月7日以前の契約のもの）

> **【問16-22】** 長期平準定期保険の保険料を法人が負担した場合、保険期間の開始の時からその60%に相当する期間の支払保険料は、その$\frac{1}{2}$相当額を前払金として資産に計上しなければならないそうですが、具体例で説明してください。

(注) 本問の回答は、令和元年7月7日以前の契約に関するものです。令和元年6月の法人税基本通達の改正により、令和元年7月8日以後の契約については、【問16-19】で示した取扱いによります。

【答】 長期平準定期保険とは、定期保険（傷害特約付のものを含みます。）のうち、保険期間満了時における被保険者の年齢が70歳を超え、かつ、当該

（782）

第16章　その他の費用等

保険に加入した時における被保険者の年齢に保険期間の２倍に相当する数を加えた数が105を超えるもの（【問16-23】で説明する逓増定期保険を除きます。）をいいます。

　保険期間が長期にわたる定期保険契約で各年の保険料の額が平準化されていますと、若年のときに支払う保険料のなかに、高齢になってからの保険料が含まれていることになります。これは、被保険者が若年のときは保険事故発生率が低いため保険料を低くし、高齢になるに従って保険料を高くすべきところ、保険料の額の平準化によって、高齢になってからの保険料の一部を、若年のときに支払うことになるからです。

　このため、法人が自己を契約者とし、役員又は使用人（これらの者の親族を含みます。）を被保険者とする長期平準定期保険に加入してその保険料を支払った場合（当該保険料の額が役員又は使用人に対する給与となる場合を除きます。）は、法人税基本通達９-３-５（【問16-18】参照）及び９-３-６（【問16-20】参照）にかかわらず、次のとおり取り扱うものとされています。（昭62.6.16直法２-２〔最終改正 平20.2.28課法２-３、廃止 令元.6.28課法２-13〕「法人が支払う長期平準定期保険等の保険料の取扱いについて」）

① 　保険期間の開始の時から当該保険期間の60％に相当する期間（１年未満の端数がある場合には、その端数を切り捨てます。）を前払期間として、当該期間の支払保険料の$\frac{1}{2}$に相当する金額を前払金として資産に計上し、残りの金額を損金の額に算入します。

② 　前払期間を経過した後の期間においては、各年の支払保険料の額と、①により資産に計上した前払金の累計額のうちその期間の経過に対応する金額を、損金の額に算入します。

〔事例〕

　保険加入年齢35歳、保険期間36年、保険料年額120千円の定期保険に加入しました。この定期保険は、保険期間満了時における被保険者の年齢が71歳で70歳を超え、かつ、35（保険加入時における被保険者の年齢）＋36（保険期間）×２＝107で105を超えますので、長期平準定期保険に該当します。

イ 　前払期間である36年×0.6＝21年（１年未満の端数を切捨てた期間）間に毎年支払う保険料120千円は、その$\frac{1}{2}$に相当する金額60千円を前払金として資産に計上し、残りの60千円を損金の額に算入します。したがって、

（783）

前払期間経過時における前払金の累計額は、60千円×21＝1,260千円となります。

ロ　前払期間経過後の15年間は、毎年支払う保険料の額120千円と、上記前払金の累計額の期間経過に対応する金額1,260千円÷15＝84千円の合計額204千円を、毎年損金の額に算入します。

逓増定期保険の保険料を法人が負担した場合の取扱い（令和元年７月７日以前の契約のもの）

> **【問16-23】**　逓増定期保険の保険料を法人が負担した場合の税務での取扱いを、具体例で説明してください。

(注)　本問の回答は、令和元年７月７日以前の契約に関するものです。令和元年６月の法人税基本通達の改正により、令和元年７月８日以後の契約については、【問16-19】で示した取扱いによります。

【答】　逓増定期保険とは、保険期間の経過により保険金額が５倍までの範囲で増加する定期保険のうち、その保険期間満了の時における被保険者の年齢が45歳を超えるものをいいます。

　この保険は、保険期間の経過によって保険金額が増加しますので、若年のときに支払う保険料の前払金的性格が【問16-22】の長期平準定期保険以上に強いといえます。このため、当該保険を「保険期間満了時における被保険者の年齢」と「保険に加入した時における被保険者の年齢に保険期間の２倍に相当する数を加えた数」とによって下記の表のＡ、Ｂ、Ｃの三つに区分し、前払期間（保険期間の開始の時から当該保険期間の60％に相当する期間（１年未満の端数がある場合には、その端数を切り捨てます。）で、【問16-22】の長期平準定期保険の場合と同じです。）の支払保険料のうち前払金として資産に計上すべき金額を、Ａについてはその$\frac{1}{2}$に相当する金額、Ｂについてはその$\frac{2}{3}$に相当する金額、Ｃについてはその$\frac{3}{4}$に相当する金額として、保険期間が長くなるのに伴いその割合を高くすることとしています。（昭62.6.16直法２-２〔最終改正 平20.2.28課法２-３、廃止 令元.6.28課法２-13〕「法人が支払う長期平準定期保険等の保険料の取扱いについて」）

（784）

第16章　その他の費用等

| 区　　　分 | | 前払期間の支払保険料のうち資産に計上すべき金額 |
	① 保険期間満了時における被保険者の年齢	② 保険に加入した時における被保険者の年齢＋保険期間×2	
A	45歳超（60歳超）	— （ 90超）	支払保険料の $\frac{1}{2}$ に相当する金額
B	70歳超	95超 （105超）	支払保険料の $\frac{2}{3}$ に相当する金額
C	80歳超	120超	支払保険料の $\frac{3}{4}$ に相当する金額

（注1）　区分欄の①と②の要件は、Aについては①だけですが、BとCは①と②の両方の要件を満たしていることが必要です。

（注2）　AについてはB及びCに該当するものが、BについてはCに該当するものが除かれます。

（注3）　区分欄のAの①、②及びBの②のかっこ書は、平成20年2月27日以前の契約に係るものについてのものです。（昭62.6.16直法2-2、経過的取扱い）

　なお、前払期間経過後の期間においては、【問16-22】の長期平準定期保険の場合と同様に、各年の支払保険料の額と資産に計上した前払金の累計額のうちその期間の経過に対応する金額を、損金の額に算入します。

　【問16-22】に記載した事例が逓増定期保険であった場合、上表の区分では、①の年齢が71歳、②の数が107ですので、Bに該当することになり、支払保険料の税務での取扱いは、次のとおりになります。

①　前払期間21年間に毎年支払う保険料120千円は、その $\frac{2}{3}$ に相当する金額80千円を前払金として資産に計上し、残りの40千円を損金の額に算入します。したがって、前払期間経過時における前払金の累計額は、80千円×21＝1,680千円となります。

②　前払期間経過後の15年間は、毎年支払う保険料の額120千円と、上記前払金の累計額の期間経過に対応する金額1,680千円÷15＝112千円の合計額232千円を、毎年損金の額に算入します。

（注）　養老保険等に付された長期平準定期保険及び逓増定期保険に係る保険料が、

主契約である養老保険等に係る保険料と区分されている場合には、当該特約に係る保険料は、【問16-22】及び本問で説明した処理をします。

生命保険の契約者配当の支払を受けたときの処理方法

【問16-24】　生命保険契約では満期近くになりますと支払保険料の額よりも契約者配当の方が多くなり、差額を保険会社から現金で支払を受けることがあります。この場合の受領額は、以前に資産に計上してきた生命保険料積立金から差し引くことができますか。

当該契約者配当がいわゆる「増加保険」の保険料に充当されたときや、「据置配当」として保険会社が預かったままとしているときは、どのようになりますか。

【答】　生命保険契約に係る契約者配当の財源は、一般に次の三つから成っており、①と②から成る部分は保険料の割戻しし、③から成る部分は運用益の分配ということができます。

① 　死差益……死亡率（保険事故発生率）の予定と実際の差から生ずる剰余
② 　費差益……保険会社の費用率の予定と実際の差から生ずる剰余
③ 　利差益……保険会社における運用利率の予定と実際の差から生ずる剰余

　このため、契約者配当金の額は、原則としてその通知（据置配当については、その積立てをした旨の通知）を受けた日の属する事業年度に益金の額に算入しなければなりません。（基通9-3-8前段）

　しかし、生命保険契約が養老保険で、その死亡保険金及び生存保険金の受取人が法人であるため、法人税基本通達9-3-4の(1)によって支払保険料の額が法人の資産に計上されている場合（【問16-17】で説明した①の場合）は、契約者配当の額のうち①の死差益及び②の費差益から成る部分の金額は、理論上資産に計上している保険料の額から控除すべきことになります。定期付養老保険で保険料の額が養老保険料に係る額と定期保険料に係る額とに区分されていないため、法人税基本通達9-3-6の(2)によってこれに準じた処理をしている場合（【問16-20】で説明した②の場合）でも、同じです。

　また、③の利差益から成る部分の金額は、理論上は益金の額に算入すべきでしょうが、【問16-17】①のなお書で説明したように法人税基本通達9-3-

（786）

第16章　その他の費用等

4の(1)の場合危険保険料の額や付加保険料の額まで資産に計上されていることを勘案し、③の利差益から成る部分の金額についても、資産に計上している保険料の額から控除することが認められています。(基通9-3-8後段)

　この取扱いが認められるのは、保険料の全額を資産に計上しているときだけです。法人税基本通達9-3-4の(3)によって養老保険の支払保険料の額の$\frac{1}{2}$相当額を資産に計上しているとき(【問16-17】で説明した③の場合)及び法人税基本通達9-3-6の(1)によって定期付養老保険の養老保険に係る保険料の額だけを資産に計上しているとき(【問16-20】で説明した①の場合)は、契約者配当は、原則どおり、支払通知を受けた日の属する事業年度において益金の額に算入しなければなりません。

　この取扱いは、契約者配当を支払保険料と相殺して受け取る場合のほか、御質問のように現金で受け取る場合にも適用されます。当該契約者配当が「増加保険」又は「買増し保険」として養老保険に係る保険金の増額又は保険の買増しに充当されたときは、資産に計上されている既支払の保険料の額を減額するとともに増額保険金に係る保険料の額を資産に計上する処理をすることになります。(基通9-3-8(注)1)

　一方、当該契約者配当が「据置配当」として保険契約終了時まで保険会社で預かることとされたときは、資産に計上されている既支払の保険料の額を減額し、未収入金として未収の契約者配当の額を計上します。この未収の契約者配当に付される利子の額は、その通知のあった日の属する事業年度に益金の額に算入しなければなりません。(基通9-3-8(注)2)

(注)　定期保険だけの場合にも、契約者配当を保険契約の継続が終わるまで保険会社で預かっておく契約があります。この場合、定期保険の保険料は期間の経過に応じて損金の額に算入されていますので、資産計上額の減額ということがなく、未収の契約者配当の額を益金の額に算入すべきことになります。

暗号資産（仮想通貨）に係る損益等

> **【問16-25】**　暗号資産（仮想通貨）について法人税ではどのように規定されていますか。その概要を説明してください。

【答】　暗号資産に関する法人税の取扱いの概要は以下のとおりです。

（787）

1 暗号資産の定義

資金決済に関する法律第2条第14項に規定する暗号資産を、法人税法上の暗号資産として取り扱い、短期売買商品等に含めて規定されています。（法61①）資金決済に関する法律第2条第14項では、暗号資産とは次の①又は②に該当するもの（金融商品取引法第29条の2第1項第8号に規定する権利を表示するものを除きます。）と規定されています。

① 物品等を購入し、若しくは借り受け、又は役務の提供を受ける場合に、これらの代価の弁済のために不特定の者に対して使用することができ、かつ、不特定の者を相手方として購入及び売却を行うことができる財産的価値（電子機器その他の物に電子的方法により記録されているものに限り、本邦通貨及び外国通貨、通貨建資産並びに電子決済手段（通貨建資産に該当するものを除きます。）を除きます。②においても同じです。）であって、電子情報処理組織を用いて移転することができるもの

② 不特定の者を相手方として①に掲げるものと相互に交換を行うことができる財産的価値であって、電子情報処理組織を用いて移転することができるもの

2 暗号資産の譲渡損益

法人が暗号資産を譲渡した場合、その譲渡利益額又は譲渡損失額は、合併等による資産の譲渡の規定（法62から62の5まで）の適用がある場合を除き、その譲渡に係る契約をした日の属する事業年度の益金の額又は損金の額に算入されます。（法61①）なお、この場合の譲渡原価の額は、移動平均法又は総平均法のうち法人が選定した方法（法人が選定しなかった場合は移動平均法）により算出した1単位当たりの帳簿価額に譲渡した数量を乗じた金額によります。（法61①二、法政令118の6①⑧）

3 期末の評価

法人が事業年度終了の時に有する暗号資産については、下表のとおり評価することとされています。時価法で評価する場合、評価益又は評価損は、その事業年度の益金の額又は損金の額に算入します。（法61③）なお、その事業年度の益金の額又は損金の額に算入された評価益又は評価損は、翌事業年度の損金の額又は益金の額に算入されます。（法政令118の10①）つまり、洗替え処理をします。

第16章　その他の費用等

● 令和６年３月31日以前に終了する事業年度（旧法61②）

区　分		評価方法
市場暗号資産	特定自己発行暗号資産	原価
	上記以外	時価法
上記以外		原価

● 令和６年４月１日以後に終了する事業年度（法61②、令６改所法等附則９①）

区　分				評価方法
市場暗号資産	自己発行暗号資産	特定譲渡制限付暗号資産		原価法
		上記以外	特定自己発行暗号資産	原価法
			上記以外	時価法
	上記以外	特定譲渡制限付暗号資産		時価法又は原価法（注）
		上記以外		時価法
上記以外				原価法

（注） いずれかの評価方法を選定し、所定の方法により、納税地の所轄税務署長への届出が必要です。（法令118の９①）

「市場暗号資産」とは、法人が有する暗号資産のうち、次の要件のすべてに該当するものをいいます。（法61②一、法政令118の７①）

① 継続的に売買価格等（売買の価格又は他の暗号資産との交換比率）の公表がされ、かつ、その公表がされる売買価格等がその暗号資産の売買の価格又は交換の比率の決定に重要な影響を与えているものであること

② 継続的に①の売買価格等が公表されるために十分な数量及び頻度で取引が行われていること

③ 次の要件のいずれかに該当すること

イ ①の売買価格等の公表がその法人以外の者によりされていること

ロ ②の取引が主としてその法人により自己の計算において行われた取引でないこと

「自己発行暗号資産」とは、法人が発行し、かつ、その発行の時から継続して有する暗号資産をいいます。（法61②一ロ）

（789）

「特定譲渡制限付暗号資産」とは、譲渡についての制限等が付されているもので、次の①と②の両方の要件を満たすものをいいます。(法61②一イ、法政令118の7②、法規則26の10①②)

① その暗号資産に、暗号資産交換業者に関する内閣府令（平成29年内閣府令第7号）第23条第1項第9号に規定する移転制限が付されていること

② 暗号資産を保有する法人が、その暗号資産につき、暗号資産交換業者が認定資金決済事業者協会を通じて移転制限が付されていることを公表するためのその暗号資産交換業者に対する要請又は通知等の手続を行っていること

「特定自己発行暗号資産」とは、自己発行暗号資産であって、発行の時から継続して譲渡についての制限等が付されているもので、次の①又は②の要件のいずれかに該当するものをいいます。(法61②一ロ、法政令118の7③、法規則26の10③)

① 暗号資産を他の者に移転できないようにする次のイとロの要件に該当する技術的措置がとられていること

イ 移転することができない期間が定められていること

ロ その技術的措置が、暗号資産の発行法人の役員及び使用人等一定の者のみによって解除することができないものであること

② 暗号資産が次の要件のすべてに該当する信託の信託財産とされていること

イ 受益者等課税信託であること（受益者等課税信託については【問1-30】参照）

ロ 受託者が信託会社又は信託銀行のみであり、かつ、受益者等がその法人のみであること

ハ 信託契約で、受託者が信託財産を受託者等以外の者に譲渡しない旨が定められていること

ニ 信託契約で、その法人によって受益権の譲渡及び受益者等の変更をすることができない旨が定められていること

4 暗号資産信用取引のみなし決済損益

法人が暗号資産信用取引を行った場合、その取引のうち事業年度終了の時に決済されていないものがあるときは、その時に決済したものとみなして算

第16章　その他の費用等

出した利益の額又は損失の額を、その事業年度の益金の額又は損金の額に算入します。（法61⑦、法規則26の12）

　なお、その事業年度の益金の額又は損金の額に算入されたみなし決済損益は、翌事業年度の損金の額又は益金の額に算入されます。（法政令118の12①）つまり、洗替え処理をします。

ゴルフ会員権の評価損等

> 【問16-26】　500万円で購入したゴルフ会員権の時価が200万円程度に下落しています。会計上は評価損を計上することが妥当と聞きましたが、税務上は評価損の損金算入が認められますか。また、株主会員制のゴルフ会員権と預託金会員制のゴルフ会員権で取扱いが異なるでしょうか。

【答】　会計上、ゴルフ会員権のうち株式又は預託保証金から構成されるものは、金融商品会計基準の対象とされ（金融商品会計実務指針12）、取得価額で計上しますが、次の①又は②の場合には、有価証券に準じて減損処理（評価損の計上）を行うこととされています。（同135）

①　市場価格があるものについて、著しい市場価格の下落が生じた場合

②　市場価格のないものについて、その株式の発行会社の財政状態が著しく悪化した場合

　また、預託保証金の回収可能性に疑義が生じた場合には、債権の評価勘定として貸倒引当金を設定することとされています。（同135）

　一方、税法上は以下のとおり取り扱われます。

(1)　株主会員制のゴルフ会員権

　ゴルフ会員権が株式ですから、有価証券として取り扱われ、また、市場有価証券等以外の有価証券に該当しますので、帳簿価額と時価との差額の評価損が認められるのは、株式を発行する法人の資産状態が著しく悪化したため、株式の価額が著しく低下した場合です。（法政令68①二ロ）株式を発行する法人の財政状態が著しく悪化したとは、次の①又は②の事実が該当します。（基通9-1-9）

①　株式を取得して相当期間を経過した後に、発行法人について次に掲げる

（791）

事実が生じたこと

イ　特別清算開始の命令があったこと

ロ　破産手続開始の決定があったこと

ハ　再生手続開始の決定があったこと

ニ　更生手続開始の決定があったこと

②　事業年度終了の日における株式の発行会社の1株当たりの純資産価額が、株式を取得した時の1株当たりの純資産価額に比して、おおむね50％以上下回ることとなったこと

また、株式の価額が著しく低下したとは、次の①と②の両方の条件を満たすこととされています。（基通9-1-11、9-1-7）

①　事業年度終了の時における価額が帳簿価額のおおむね50％相当額を下回ることとなったこと

②　近い将来、価額の回復が見込まれないこと

したがって、御質問のように単にゴルフ会員権の時価が下落しただけでは、評価損は認められません。

(2)　預託金会員制のゴルフ会員権

預託金は、ゴルフ場の優先施設利用権及び預託金返還請求権の二つの性格を併せ持ち、ゴルフ場を利用できる間は優先的施設利用権が顕在化し、非減価償却資産である無形固定資産（法2二十二、法政令12、基通9-7-12）として取り扱われ、退会やゴルフ場の閉鎖等により会員資格に基づく優先的な利用ができなくなった場合に、預託金返還請求権が顕在化し、金銭債権になるものと解されています。

法人税法上、資産の評価損の計上は原則として認められず（法33①）、固定資産については、次の①～⑤のいずれかの事実により期末の時価が帳簿価額を下回ることとなった場合は評価損の計上が認められますが（法33②、法政令68①三）、ゴルフ会員権がこれらの事実に該当するケースはほとんどないものと思われます。

①　その資産が災害により著しく損傷したこと

②　その資産が1年以上にわたり遊休状態にあること

③　その資産が本来の用途に使用することができないため、他の用途に使用されたこと

第16章　その他の費用等

④　その資産の所在する場所の状況が著しく変化したこと

⑤　上記①～④に準じる事実

　次に退会があった場合等ですが、退会の届出、預託金の一部切捨て、破産手続開始の決定等の事実に基づき預託金返還請求権の全部又は一部が顕在化した場合において、当該顕在化した部分については、金銭債権として貸倒損失及び貸倒引当金の対象とすることができるものとされています。(基通9-7-12（注）)

　したがって、御質問のようにゴルフ会員権の時価が下落した事実だけでは、評価損等が損金として認められる余地はありません。

（793）

第17章　外貨建取引の換算等

外貨建取引の換算に係る税法の規定と円換算に用いる外国為替の売買相場

> **【問17-1】**　内国法人が外貨建取引を行ったときの外貨建取引の金額の円換算方法は、税法ではどのように規定されていますか。また、この円換算に用いる外国為替の売買相場は、T.T.S.、T.T.M.、T.T.B.のいずれによるのでしょうか。

【答】　外貨建取引の換算等については、税法では法人税法第61条の8から第61条の10までに次のとおりの規定が設けられ、それぞれについての政令（法人税法施行令第122条から第122条の11まで）及び省令（法人税法施行規則第27条の10から第27条の13まで）が定められています。

　第61条の8　　外貨建取引の換算

　第61条の9　　外貨建資産等の期末換算差益又は期末換算差損の益金又は損金算入等

　第61条の10　　為替予約差額の配分

　御質問は第61条の8についてのものですが、その第1項に、「内国法人が外貨建取引を行った場合には、当該外貨建取引の金額の円換算額は、当該外貨建取引を行った時における外国為替の売買相場により換算した金額とする」と規定されています。

（注1）　「外貨建取引」とは、外国通貨で支払が行われる資産の販売及び購入、役務の提供、金銭の貸付け及び借入れ、剰余金の配当その他の取引をいいます。（法61の8①かっこ書）

（注2）　「円換算額」とは、外国通貨で表示された金額を本邦通貨表示の金額に換算した金額をいいます。（同）

　次に、外貨建取引を行った日の外国為替の売買相場は、T.T.S.（電信売相場）とT.T.B.（電信買相場）の仲値であるT.T.M.（電信売買相場の仲値）によります。ただし、継続適用を条件として、売上その他の収益又は資産については取引日のT.T.B.、仕入その他の費用（原価及び損失を

（794）

含みます。）又は負債については取引日のＴ．Ｔ．Ｓ．によることができるものとされています。（基通13の２−１−２）

　この場合のＴ．Ｔ．Ｍ．、Ｔ．Ｔ．Ｂ．、Ｔ．Ｔ．Ｓ．は、原則として、法人の主たる取引金融機関のものによることとしますが、法人が、同一の方法により入手等をした合理的なものを継続して使用することも認められます。（同通達(注)１）また、その円換算に当たっては、継続適用を条件として、当該外貨建取引の内容に応じてそれぞれ合理的と認められる次のような為替相場（外国為替の売買相場）も使用することができます。（同通達(注)２）

① 　取引日の属する月若しくは週の前月若しくは前週の末日又は当月若しくは当週の初日のＴ．Ｔ．Ｂ．、Ｔ．Ｔ．Ｓ．又はＴ．Ｔ．Ｍ．

② 　取引日の属する月の前月又は前週の平均相場のように１か月以内の一定期間におけるＴ．Ｔ．Ｍ．、Ｔ．Ｔ．Ｂ．又はＴ．Ｔ．Ｓ．の平均値

　また、円換算に係る当該日（為替相場の算出の基礎とする日）に為替相場がないときは、同日前の最も近い日の為替相場によります。当該日に為替相場が２以上あるときは、その当該日の最終の相場（当該日が取引日のときは、取引発生時の相場）によりますが、取引日の相場については、取引日の最終の相場によることもできます。（同通達(注)３）

(注1) 　外国通貨を購入して直ちに当該外国通貨で購入する資産とか、外国通貨による借入れ（社債の発行を含みます。）をして直ちに当該外国通貨を売却して本邦通貨を受け入れる場合の当該借入金については、現に支出し又は受け入れた本邦通貨の額をその円換算額とすることができます。（同通達(注)４）

(注2) 　外貨建資産等（【問17−３】参照）の取得又は発生に係る取引は、その取得又は発生の時における支払が本邦通貨で行われている場合でも、本問で説明した方法で当該外貨建資産等の円換算を行います。（同通達(注)５）

　なお、多通貨会計（外貨建取引を取引発生時には外貨で記録し、各月末、各事業年度終了の時等一定の時点において本邦通貨に換算する会計）を採用している場合の外貨建取引は、各月末等の規則性を有する１か月以内の一定期間ごとの一定の時点を当該外貨建取引の取引発生時であるものとして、本邦通貨への換算をすることができます。この場合、円換算に係る為替相場として、当該一定期間を基礎として計算した平均値を使用することができます。（基通13の２−１−３）

先物外国為替契約等がある場合の外貨建取引の換算方法

> 【問17-2】 先物外国為替契約等がある場合の外貨建取引の換算方法は、税法ではどのように規定されていますか。

【答】 Ⅰ 外貨建資産・負債の発生時の外国通貨の円換算額を確定させる先物外国為替契約の場合

内国法人が、先物外国為替契約により、外貨建資産の取得に伴って支払う外国通貨の金額の円換算額、又は外貨建負債の発生に伴って受け取る外国通貨の金額の円換算額を確定させ、かつ、その先物外国為替契約の締結の日にその旨、その外貨建資産・負債の取得又は発生の基因となる外貨建取引の種類・金額その他参考となるべき事項を帳簿書類に記載した場合には、その確定させた円換算額をもって、その外貨建資産又は外貨建負債の円換算額とします。（法政令122①、法規則27の10②）この場合の先物外国為替契約とは、外貨建取引に伴って受け取り、又は支払う外国通貨の金額の円換算額を確定させる契約をいいます。（法政令122①かっこ書、法規則27の10①）

この規定は、外貨建資産の取得又は外貨建負債の発生時のキャッシュフローの円換算額を、先物外国為替契約によって確定させた場合のものです。

(注) 内国法人が、適格合併等（適格合併、適格分割又は適格現物出資）により被合併法人等（被合併法人、分割法人又は現物出資法人）から外貨建資産・負債の取得又は発生の基因となる外貨建取引に伴って支払い又は受け取る外国通貨の金額の円換算額を確定させるために当該被合併法人等が行った先物外国為替契約等の移転を受け、かつ、当該適格合併等により当該外貨建取引を行うこととなったときは、当該内国法人が当該外国通貨の金額の円換算額を確定させるために当該先物外国為替契約等を締結していたものとみなされます。（法政令122②）

Ⅱ 外貨建資産等の決済時の円換算額を確定させる先物外国為替契約等の場合

次に、内国法人が先物外国為替契約等により外貨建取引（短期売買商品等又は売買目的有価証券の取得及び譲渡を除きます。）によって取得する資産又は発生する負債の金額の円換算額を確定させた場合において、当該先物外国為替契約等の締結の日にその旨、先物外国為替契約等の契約金額、締結の

（796）

第17章　外貨建取引の換算等

日、履行の日その他参考となるべき事項を帳簿書類に記載したときは、その確定させた円換算額をもって、当該外貨建資産又は外貨建負債の円換算額とすることとされています。（法61の8②、法規則27の11②）この場合の先物外国為替契約等とは、外貨建取引によって取得する資産又は発生する負債の金額の円換算額を確定させる契約のうち、次の(1)又は(2)の契約をいいます。（法規則27の11①）

(1)　先物外国為替取引に係る契約のうち、当該契約により外貨建取引によって取得し又は発生する資産又は負債の決済によって受け取り、若しくは支払う外国通貨の金額の円換算額を確定させる契約

(2)　スワップ取引に係る契約のうち、その取引の当事者が元本及び利息として定めた外国通貨の金額について、その当事者間で取り決めた外国為替の売買相場に基づき金銭の支払を相互に約する取引に係る契約で、次の①と②のいずれかの要件を満たすもの

　①　その契約の締結に伴って支払い、又は受け取ることとなる外貨元本額の円換算額が、満了時円換算額（その契約期間の満了に伴って受け取り、又は支払うこととなる外貨元本額の円換算額）と同額となっていること……いわゆる「直先フラット型」のものです。

　②　その契約に係る満了時円換算額が、その契約の期間の満了の日を外国為替の売買の日とする先物外国為替契約に係る外国為替の売買相場により外貨元本額を円換算額に換算した金額に相当する金額となっていること……いわゆる「為替予約型」のものです。

　Ⅰの先物外国為替契約が、外貨建資産の取得又は外貨建負債の発生時のキャッシュフローの円換算額を当該先物外国為替契約によって確定させる場合のものであるのに対して、Ⅱの先物外国為替契約等は、決済時のキャッシュフローの円換算額を当該先物外国為替契約等によって確定させる場合のものです。

　(注)　内国法人が、適格合併等により被合併法人等から外貨建取引によって取得する資産又は発生する負債の金額の円換算額を確定させるために当該被合併法人等が行った先物外国為替契約等の移転を受け、かつ、当該適格合併等により当該外貨建取引を当該内国法人が行うことになったときは、当該内国法人が当該先物外国為替契約等を締結していたものとみなされます。（法61の8③）

（797）

外貨建資産等の期末換算方法

> 【問17-3】　税法では、外貨建資産等の期末換算方法はどのように
> 定められていますか。外貨会計基準での外貨建金銭債権債務の期
> 末換算方法と、どのように相違しますか。

【答】　税法での外貨建資産等の期末換算方法は、次のとおり定められていま
す。（法61の9①）

(注)　「外貨建資産等」とは、①外貨建債権（外国通貨で支払を受けるべきことと
されている金銭債権）及び外貨建債務（外国通貨で支払うべきこととされてい
る金銭債務）、②外貨建有価証券（イその償還が外国通貨で行われる債券、ロ
残余財産の分配が外国通貨で行われる株式、ハイ及びロに準ずる有価証券（法
規則27の12））、③外貨預金及び④外国通貨、をいいます。

① 　外貨建債権及び外貨建債務……発生時換算法又は期末時換算法

② 　外貨建有価証券

 a 　売買目的有価証券……期末時換算法

 b 　売買目的外有価証券（償還期限及び償還金額の定めのあるものに限り
ます。）……発生時換算法又は期末時換算法

 c 　a及びb以外の有価証券……発生時換算法

③ 　外貨預金……発生時換算法又は期末時換算法

④ 　外国通貨……期末時換算法

(注1)　「発生時換算法」とは、期末時に有する外貨建資産等を、その取得又は発
生の基因となった外貨建取引の金額の円換算額への換算に用いた外国為替の
売買相場により換算した金額（先物外国為替契約等により円換算額を確定さ
せた外貨建資産等については、当該円換算額）をもって当該外貨建資産等の
当該期末時における円換算額とする方法です。（法61の9①一イかっこ書）

(注2)　「期末時換算法」とは、期末時に有する外貨建資産等を、当該期末時にお
ける外国為替の売買相場により換算した金額（先物外国為替契約等により円
換算額を確定させた外貨建資産等については、当該円換算額）をもって、当
該外貨建資産等の当該期末時における円換算額とする方法です。（法61の9
①一ロかっこ書）

　なお、期末時換算法により円換算する外貨建資産等については、為替換算
差額（期末時換算法により円換算した金額とその時の帳簿価額との差額に相

（798）

第17章　外貨建取引の換算等

当する金額）は、当該事業年度の益金の額又は損金の額に算入します。（法
61の9②）この為替換算差額の処理は、毎期洗替えとなりますが（法政令
122の8①）、個々の外貨建資産等の額に加算又は減算しないで、いわゆる洗
替方式により売掛金、借入金等のそれぞれの科目に一括して加算又は減算し
ている場合でも、その計算が認められます。この場合、貸倒引当金の計算の
基礎となる金銭債権の額は、当該金銭債権の額に対応する為替差損益に相当
する金額を加算又は減算して計算することになります。（基通13の2-2-9）

　また、期末時換算法により円換算をする場合（先物外国為替契約等により
円換算額を確定させた場合を除きます。）の為替相場は、事業年度終了の日
のT．T．M．によりますが、継続適用を条件に、外国通貨の種類の異なるご
とに当該外国通貨に係る外貨建資産等の全てについて、外貨建ての資産につ
いてはT．T．B．により、外貨建ての負債についてはT．T．S．によることが
できます。（基通13の2-2-5）この場合の事業年度終了の日のT．T．M．、T．
T．B．又はT．T．S．は、継続適用を条件に、事業年度終了の日を含む1月
以内の一定期間におけるそれぞれの平均値によることができます。（同通達
（注）1）また、事業年度終了の日のT．T．B．又はT．T．S．が異常に高騰し、
又は下落しているため、これらの相場又はその仲値によることが適当でない
と認められる場合も、上記の平均値を使用することができます。（同通達（注）
2）

（注1）　適格分割等（適格分割、適格現物出資又は適格現物分配（残余財産の全部
　　　の分配を除きます。））により分割承継法人、被現物出資法人又は被現物分配
　　　法人に外貨建資産等を移転する場合には、当該適格分割等の日の前日を事業
　　　年度終了の日とした場合の当該外貨建資産等に係る為替換算差額は、当該適
　　　格分割等の日の属する事業年度の益金の額又は損金の額に算入します。（法
　　　61の9③）この規定の適用を受ける場合、適格分割等により移転する外貨建
　　　資産等の当該適格分割等の直前の帳簿価額は、当該為替換算差額を計算する
　　　場合の期末時換算法により換算した金額とします。（法政令122の8②）

（注2）　適格合併若しくは適格現物分配（残余財産の全部の分配に限ります。）又
　　　は適格分割等により外貨建資産等の移転を受けたときは、当該適格合併に係
　　　る被合併法人の最後事業年度若しくは当該適格現物分配に係る現物分配法人
　　　の当該残余財産確定の日の属する事業年度又は当該適格分割等に係る分割法
　　　人等の当該適格分割等の日の属する事業年度において当該移転を受けた外貨

（799）

建資産等につき益金の額又は損金の額に算入された金額に相当する金額は、当該適格合併の日の属する事業年度若しくは当該残余財産確定の日の翌日の属する事業年度又は当該適格分割等の日の属する事業年度において戻入れ処理をします。(法政令122の8③)

　御質問の後段にある外貨会計基準での期末換算方法との相違は、次表のとおりです。

税法（法61の9①）			外貨会計基準	
外貨建資産等の区分		換算方法	外貨建資産負債の区分	換算相場
① 外貨建債権及び外貨建債務		発生時換算法又は期末時換算法	外貨建金銭債権債務 転換請求期間満了前の自社発行転換社債(注)	決算時の為替相場 発行時の為替相場
② 外貨建有価証券	売買目的有価証券	期末時換算法	売買目的有価証券	決算時の為替相場
	売買目的外有価証券　償還期限及び償還金額の定めのあるもの	発生時換算法又は期末時換算法	満期保有目的の外貨建債券	決算時の為替相場
	売買目的外有価証券　上記以外のもの	発生時換算法	その他有価証券	決算時の為替相場
			子会社株式及び関連会社株式	取得時の為替相場
③ 外貨預金		発生時換算法又は期末時換算法	外貨預金	決算時の為替相場
④ 外国通貨		期末時換算法	外国通貨	決算時の為替相場

　(注)　転換請求の可能性がないと認められるものを除きます。

第17章　外貨建取引の換算等

外貨建資産等の期末換算方法の選定と法定の換算方法

【問17-4】　外貨建資産等のなかに、期末換算方法が発生時換算法
又は期末時換算法と規定されているものがありますが、その選定
はどのようにして行いますか。また、この選定をしていない場合
の期末換算方法は、どのようになりますか。

【答】　(1)　期末換算方法の選定区分

　外貨建資産等の期末換算方法について、発生時換算法と期末時換算法のい
ずれかの選定が認められているのは、①外貨建債権及び外貨建債務、②外貨
建有価証券のうちの売買目的外有価証券で償還期限及び償還金額の定めのあ
るもの及び③外貨預金です。(【問17-3】参照)

　これらについて、発生時換算法と期末時換算法のいずれかの選定は、外貨
の種類ごとに、かつ、次に掲げる外貨建資産等の区分　(①の㋑、㋺、②の㋑、
㋺、③の㋑、㋺の6区分)　ごとに行わなければなりません。なお、2以上の
事業所を有する内国法人は、事業所ごとに換算方法を選定することができま
す。(法政令122の4)

①　外貨建債権及び外貨建債務

　㋑　短期外貨建債権及び短期外貨建債務

　　(注)　「短期外貨建債権」とは、外貨建債権のうちその決済により外国通貨を受
け取る期限が当該事業年度終了の日の翌日から1年を経過した日の前日まで
に到来するものをいい、「短期外貨建債務」とは、外貨建債務のうちその決
済により外国通貨を支払う期限が当該事業年度終了の日の翌日から1年を経
過した日の前日までに到来するものをいいます。(法政令122の4一かっこ書)

　㋺　㋑以外のもの

②　売買目的外有価証券で償還期限及び償還金額の定めのあるもの

　㋑　償還期限まで保有する目的で取得し、かつ、その取得の日にその旨を
帳簿書類に記載したもの　(適格合併、適格分割、適格現物出資又は適格
現物分配により被合併法人、分割法人、現物出資法人又は現物分配法人
から移転を受けた有価証券で、これらの法人においてこれに該当する有
価証券とされていたものを含みます。)　(法政令119の2②一)

　㋺　㋑以外のもの

(801)

③ 外貨預金

　イ　満期日が当該事業年度終了の日の翌日から１年を経過した日の前日までに到来するもの

　ロ　イ以外のもの

(2) 期末換算方法の選定手続

　期末換算方法を選定できる新たな外貨建資産等の取得（適格合併又は適格分割型分割による被合併法人又は分割法人からの引継ぎを含みます。）をした場合には、その取得をした日の属する事業年度の確定申告書の提出期限（仮決算による中間申告書を提出する場合には、その中間申告書の提出期限）までに、その外貨建資産等と外国通貨の種類及び(1)に記載した選定区分を同じくする外貨建資産等の期末換算方法として選定する方法を、納税地の所轄税務署長に届け出なければなりません。（法政令122の５）

　　(注)　この届出をした後に、届出をしたいずれかの区分に属する外貨建資産等を有しないこととなっても、当該区分に属する外貨建資産等の換算方法に係る届出は引き続きその効力を有します。（基通13の２-２-14）

(3) 期末換算方法の変更手続

　期末換算方法として選定した方法を変更しようとするときは、新たな換算方法を採用しようとする事業年度の開始の日の前日までに、その旨、変更しようとする理由等を記載した申請書を納税地の所轄税務署長に提出しなければなりません。（法政令122の６①②）税務署長はこの申請につき承認又は却下の処分をするときは、その申請をした法人に書面でその旨を通知しますが（同④）、新たな換算方法を採用しようとする事業年度の終了の日（中間申告書を提出すべき法人は当該事業年度開始の日以後６月経過した日の前日）までにその申請につき承認又は却下の処分がなかったときは、その日において承認があったものとみなされます。（同⑤）

　　(注)　外貨建資産等の換算方法は、特別の事情がない限り一旦採用した換算方法を継続して適用すべきものですので、現によっている換算の方法を採用してから３年を経過していないときは、その変更が合併や分割に伴うものである等その変更をすることについて特別な理由があるときを除き、却下されます。（基通13の２-２-15）

(802)

第17章　外貨建取引の換算等

(4) 期末換算方法を選定しなかった場合の法定の期末換算方法

　　期末換算方法を選定しなかった場合は、次に掲げる方法により期末換算することとされています。(法61の9①かっこ書、法政令122の7)

① 外貨建債権及び外貨建債務

　　イ　短期外貨建債権及び短期外貨建債務……期末時換算法

　　ロ　イ以外のもの……発生時換算法

② 売買目的外有価証券で償還期限及び償還金額の定めのあるもの

　　イ　償還期限まで保有する目的で取得し、取得の日に
　　　　その旨を帳簿書類に記載したもの　　　　　　　　……発生時換算法

　　ロ　イ以外のもの

③ 外貨預金

　　イ　満期日が事業年度終了の日後1年以内に到来するもの……期末時換算法

　　ロ　イ以外のもの……発生時換算法

　　なお、選定した方法で換算しなかった場合、法定の期末換算方法で換算することとしますと、例えば外貨建債権及び外貨建債務の期末換算方法として期末時換算法を選定している法人が、短期以外の外貨建債権について円安の状況のもとで故意に法定の期末換算方法である発生時換算法で換算して、為替差益の計上を回避することが想定されます。このため、法定の期末換算方法で換算するのは「期末換算方法を選定しなかった場合」とされており（法61の9①かっこ書）、選定した方法で換算しなかったときは、法定の期末換算方法でなく、選定している期末換算方法により換算すべきことになります。

　　(注)　棚卸資産を法定評価方法で評価すべきこととなるのは、「棚卸資産の評価の方法を選定しなかった場合又は選定した評価の方法で評価しなかった場合」（法29①かっこ書）とされているのに対して、減価償却資産の償却限度額を法定償却方法で算定すべきこととなるのは、「償却の方法を選定しなかった場合」（法31①かっこ書）とされています。外貨建資産等の期末換算を法定の期末換算方法ですべきことになるのは、減価償却資産の償却限度額の算定と同様に、「期末換算方法を選定しなかった場合」だけであり、棚卸資産の評価の方法と異なり、「選定した方法で換算しなかった場合」は除外されていることに御注意ください。

（803）

外貨建債権と外貨建債務の期末換算方法

> **【問17-5】** 短期外貨建債権と短期外貨建債務の換算方法について、次の点をお尋ねします。
> ① 債権と債務とで換算方法を変えることができますか。
> ② 外国通貨の種類の異なるごとに換算方法を変えることができますか。
> ③ 支払期限が経過して支払が延滞している不良債権は、短期外貨建債権に該当しますか。

【答】 ①について……同一の外国通貨に係る短期外貨建債権と短期外貨建債務は、同一の換算方法を適用しなければなりません。

②について……外国通貨の種類を異にするものは、種類の異なるごとに換算方法を選定することができます。(法政令122の4) 例えば、ドル建ての短期外貨建債権債務は期末時換算法を選定し、ユーロ建ての短期外貨建債権債務は発生時換算法を選定することができます。このように外貨の種類の異なるごとに換算方法を選定しているときは、新たな種類の外国通貨に係る短期外貨建債権の取得又は短期外貨建債務の発生の都度、その換算方法の選定をすることができます。

③について……外貨建債権は、外国通貨で支払を受けるべきこととされている金銭債権 (法61の9①一)、短期外貨建債権は、外貨建債権のうちその決済により外国通貨を受け取る期限が事業年度終了の日の翌日から1年を経過した日の前日までに到来するもの (法政令122の4一) と規定されています。

御質問にある支払期限が経過して支払が延滞している不良債権は、法律上いつでも請求し得る状態にあるとはいえ、支払期限が明定されていませんので、文理上上記の短期外貨建債権に該当しません。(基通13の2-2-12)

短期外貨建債権に該当しなくても、外貨建債権ですから、短期外貨建債権と同様に、期末換算方法として発生時換算法又は期末時換算法を選定することができますが (法61の9①一)、この選定をしなかった場合は、短期外貨建債権と異なり、法定の換算方法は発生時換算法となります。【問17-4】参照) そして、期末換算方法を発生時換算法としたときは、取得時の円換算額への換算に用いた外国為替相場に戻るのでなく、その支払期限を経過した時

(804)

第17章　外貨建取引の換算等

点での換算に用いた外国為替相場により換算することになります。

短期外貨建債権以外の外貨建債権を決算時の為替相場で換算している場合の申告調整

【問17-6】　短期外貨建債権以外の外貨建債権について、期末換算方法の届出をしていないため、税法での期末換算方法は発生時換算法となっています。外貨会計基準により、決算時の為替相場による円換算額を付した場合、税法での換算額との間に差異が生じますが、税法での円換算額の方が低い場合、申告減算調整をすることができますか。

【答】　外貨会計基準は、外貨建取引等の会計処理についての一般に公正妥当と認められた企業会計の基準に該当するものですので（財表規則1②）、この基準と異なる方法を税務上外貨建資産等の期末換算方法として選定したり、選定していないために法定の期末換算方法が基準と異なるものとなるのは、好ましくありません。

　税法では、外貨建債権及び外貨建債務と外貨預金は、発生時換算法と期末時換算法のいずれかを選定することができますが、外貨会計基準に適合するように、期末時換算法を選定すべきです。

　御質問の場合は、当事業年度に初めて、短期外貨建債権債務以外の外貨建債権債務で外国通貨の種類が異なるものを取得されたのであれば、期末換算方法を期末時換算法とする旨の選定届出を確定申告書提出期限までに行うことにより、税務上の換算方法を法定の換算方法である発生時換算法でなく、期末時換算法とすることができます。（法政令122の4、122の5、【問17-4】参照）

　しかし、短期外貨建債権債務以外の外貨建債権債務について、前事業年度までに外国通貨の種類が同じものを取得したことがあるにもかかわらず、御質問のように期末換算方法の届出をしていないため、税法での期末換算方法が法定の換算方法である発生時換算法となっているときは、期末換算方法の変更手続をしてもその効力が生ずるのは翌事業年度からであり、当事業年度の期末換算方法は、発生時換算法のままとなります。そして、法人が事業年

（805）

度終了の時に有する外貨建資産等について、よるべきものとされている方法による円換算をしていないときは、よるべきものとされている方法により換算した金額とその帳簿価額の差額は、当該事業年度の所得の金額の計算上益金の額又は損金の額に算入されます。（基通13の2-2-11）

したがって、例えば、決算時の為替相場が発生時換算法での為替相場よりも円高になりますと、短期外貨建債務以外の外貨建債務の決算での円換算額（外貨会計基準により決算時の為替相場で円換算した額）が税法で適用される発生時換算法による円換算額よりも低くなりますが、この差額相当額は申告減算することができます。

外国為替の売買相場が著しく変動した場合の外貨建資産等の期末換算（Ⅰ）

> 【問17-7】　外国為替の売買相場が著しく変動したときには、発生時換算法を期末時の換算方法とする外貨建資産等についても、期末時の為替相場で換算し直すことができるそうですが、これについて説明してください。

【答】　事業年度終了の時に有する外貨建資産等について、当該事業年度にその外貨建資産等に係る外国為替の売買相場が著しく変動した場合には、その外貨建資産等と通貨の種類を同じくする外貨建資産等のうち外国為替の売買相場が著しく変動したもののすべてについて、これらの取得又は発生の基因となった外貨建取引を当該事業年度終了の時に行ったものとみなして、法人税法第61条の8第1項（外貨建取引の換算）の規定（【問17-1】参照）及び同第61条の9第1項（外貨建資産等の期末換算）の規定（【問17-3】参照）を適用することができます。（法政令122の3①）

ただし、外貨建資産等でも、当該事業年度において法人税法施行令第122条の2（外貨建資産等の評価換えをした場合のみなし取得による換算）の規定を適用したものと、特殊関係株主等が発行済株式又は出資の20％以上を所有する株式（【問5-4】参照）については、この規定は適用されません。（法政令122の3①かっこ書）

この規定を適用できるのは、期末時の換算方法として発生時換算法を適用している外貨建資産等について、当該外貨建資産等の外貨に係る為替相場が

（806）

第17章　外貨建取引の換算等

著しく変動した場合です。この場合の「著しい変動」の程度については、次の算式により計算した割合がおおむね15％に相当する割合以上となるものがあるときと、通達に示されています。（基通13の2-2-10)

$$\frac{当該外貨建資産等の額を当該事業年度終了の日の為替相場により円換算した額 - 当該事業年度終了の日における当該外貨建資産等の帳簿価額}{当該外貨建資産等の額を当該事業年度終了の日の為替相場により円換算した額}$$

(注1)　「当該事業年度終了の日の為替相場」は、基通13の2-2-5に定めるところ（【問17-3】参照）によります。（基通13の2-2-10(注) 1)

(注2)　「当該事業年度終了の日における当該外貨建資産等の帳簿価額」は、法政令122の3①の規定を適用する前の帳簿価額です。

なお、外貨会計基準は、外貨建金銭債権債務（外貨預金を含みます。）の決算時の換算方法を短期、長期とも決算時の為替相場と定めていますので、同基準には税法のこの規定に該当するものの定めはありません。

外国為替の売買相場が著しく変動した場合の外貨建資産等の期末換算（Ⅱ）

> **【問17-8】**　長期の外貨建債権及び外貨建債務の期末換算方法として発生時換算法を選定しています。外国為替相場が著しく変動した場合の期末換算について、次の点をお尋ねします。
>
> ①　円安が進行する状況の下で、長期の外貨建債権だけを有している場合でも、換算による差益の計上が強制されますか。
>
> ②　外国為替相場が著しく変動した状態が続いている場合、変動した事業年度に外貨建資産等の期末換算をしなかったときは、その後の事業年度において期末換算することはできないことになりますか。
>
> ③　個々の債権債務ごとに換算するのですか。外貨の種類ごとに換算するのですか。
>
> ④　例えば米ドル相場、ユーロ相場とも著しく円高に変動している場合、米ドル建て債権には適用し、ユーロ建て債務には適用しないことができますか。

【答】　①について……外国為替相場が著しく変動した場合、法人税法施行令

（807）

第122条の3第1項の規定を適用して長期の外貨建債権債務を事業年度終了の日の為替相場で換算するのかどうかは任意です。これは、同項の規定が、「その基因となった外貨建取引を当該事業年度終了の時において行ったものとみなして、法人税法第61条の8第1項（【問17-1】参照）及び第61条の9第1項（【問17-3】参照）の規定を適用することができる」とされているからです。短期の外貨建債権及び外貨建債務の期末換算方法として、発生時換算法を選定しているときでも、同じです。

(注)　外貨建資産等の期末換算方法として期末時換算法を選定している場合は、事業年度終了の日の為替相場での換算は任意でなく、強制です。

　したがって、御質問のように長期の外貨建債権だけを有する場合は、円安が進行する状況の下では事業年度終了の日の為替相場で換算すると換算差益を計上することになりますので、発生時換算法を続けても税務では問題ありません。債権債務の双方を有していて、両者を換算した結果、換算差益の方が多くなるときでも同じです。

　②について……法人税法施行令第122条の3第1項に「当該事業年度においてその外貨建資産等に係る外国為替の売買相場が著しく変動した場合には」と規定されていることから、著しく変動した事業年度に限り外貨建資産等の期末換算ができるように読めます。しかし、法人税基本通達13の2-2-10では、「外貨建資産等につき前問に記載した算式により計算した割合がおおむね15％に相当する割合以上となるものがあるときは、当該規定に基づく円換算を行うことができる。」とされており、換算のし直しの時期を固定するという考えがとられていません。すなわち、事業年度終了の日の為替相場による円換算額と帳簿価額との間におおむね15％以上の開差があるならば、いつでも換算のし直しをすることができます。また、特定の事業年度中に外国為替の売買相場が著しく変動して、おおむね15％以上の開差が生じなければならないのではなく、長期にわたってなだらかな変動が続くときは、おおむね15％以上の開差が生ずることとなった事業年度において、換算のし直しをすることができます。

　③について……期末換算は個々の外貨建資産等ごとに行うのが原則です。この場合、同一の種類の外貨に係るものは、おおむね15％以上の開差の生じている外貨建資産等のすべてについて期末換算することが必要で、いわゆる

（808）

第17章　外貨建取引の換算等

つまみ食いはできません。（基通13の２－２-10（注）３）

　なお、多数の外貨建資産等を有するため、個々の外貨建資産等ごとに前問に記載した算式による計算をするのが困難な場合には、外貨の種類を同じくする外貨建債権、外貨建債務、外貨建有価証券、外貨預金又は外国通貨のそれぞれの合計額を基礎としてその計算をすることができます。（基通13の２－２-10（注）２）その場合は、個別的にみれば開差がおおむね15％未満のものも、換算の対象に含まれることがおこり得ます。

　④について……法人税法施行令第122条の３第１項は、「その外貨建資産等と通貨の種類を同じくする外貨建資産等のうち外国為替の売買相場が著しく変動したもののすべてにつき」と規定されていますので、同条の規定の適用は、外貨の種類の異なるごとに行うことになります。したがって、御質問のように米ドル相場、ユーロ相場もともに著しく円高に変動している場合、米ドル建て債権には同条の規定を適用して換算差損を計上し、ユーロ建て債務には適用しないで換算差益の計上を見合わせることができます。

メーカーズリスク特約が付されている外貨建債権債務の換算

> **【問17-9】**　「商社を通じて物品の輸出又は輸入を行うメーカーが為替差損益の負担を行う」といういわゆるメーカーズリスク特約が付されている取引の場合、商社とメーカーそれぞれの為替差損益の計上時期、計上方法は、どのようになりますか。

【答】　税法では、外貨建債権とは外国通貨で支払を受けるべきこととされている金銭債権、外貨建債務とは外国通貨で支払を行うべきこととされている金銭債務と規定されています。（法61の９①一）御質問のメーカーズリスク特約の付されている取引は、外国通貨で決済するのは商社ですので、商社には外貨建ての債権又は債務がありますが、メーカーには商社に対する円建ての債権又は債務があるにすぎません。

　ところが、商社とメーカーとの特約によって、外貨建債権債務につき商社の受ける為替差損益の全部又は一部をメーカーに負担させ又は帰属させる契約を締結しているときは、次のとおり取り扱われます。（基通13の２－１-11）
(1) 商社では、外貨建債権又は外貨建債務につき期末時換算法を選定してい

（809）

る場合（発生時換算法を選定しているが、事業年度中に外国為替相場の著しい変動があったため、法人税法施行令第122条の３の規定によって事業年度終了の時の為替相場で換算した場合を含みます。）は、当該契約に係る外貨建債権債務につき、当該事業年度終了の時にその決済が行われたものと仮定した場合にメーカーに負担させ又は帰属させることとなる金額（当該外貨建債権債務に係る換算差額又は法人税法第61条の10第１項から第３項まで（為替予約差額の配分）に規定する各事業年度に配分すべき金額に相当する金額のうち、負担させ又は帰属させることとなる金額に限ります。）を、当該事業年度において益金の額又は損金の額に算入します。(同通達(1)）為替差損益の負担の実情からみて、メーカーに帰属することとなる損益を商社の損益に計上したままとするのは不合理だからで、これにより商社では、為替差損益が損益計算上消去されます。

(2) メーカーでは、すべての商社に対する当該契約に係る金銭債権及び金銭債務について、事業年度終了の時にその決済が行われたものと仮定した場合に自らが負担し又は自らに帰属することとなる金額（当該金銭債権及び金銭債務につき外貨建債権債務を有するとした場合の当該外貨建債権債務に係る換算差額又は法人税法第61条の10第１項から第３項まで（為替予約差額の配分）に規定する各事業年度に配分すべき金額に相当する金額のうち、負担し又は帰属することとなる金額に限ります。）を当該事業年度において損金の額又は益金の額に算入しているときは、継続適用を条件として、これが認められます。（同通達(2)）

（注1） 外貨会計基準は、その注１（外貨建取引の範囲について）のなお書で、メーカーズリスクの特約があるため実質的に取引価額が外国通貨で表示されている取引と同等とみなされるものは、メーカーにとって外貨建取引に該当するとしています。しかし、税法は、外貨建債権又は外貨建債務を「外国通貨で支払を受け又は支払を行うべきこととされている金銭債権又は金銭債務」に限定し（法61の９①）、メーカーが商社との間で行う取引でメーカーズリスクの特約のあるもののように、たとえ債権債務の金額が外国通貨で表示されていてもその支払が本邦通貨により行われることとされているものは、外貨建取引に該当しないこととしています。（基通13の２－１－１）したがって、メーカーの有する外貨建て円払いの取引に係る金銭債権

（810）

第17章　外貨建取引の換算等

又は金銭債務は、税務上外貨建債権債務の換算規定が適用されませんが、金銭債権又は金銭債務の見積りの方法として、上記の基通13の2-1-11の(2)の取扱いが示されています。

(注2)　外貨建て円払いの取引は、外貨建取引に該当しませんが、当該取引の円換算額を外貨建取引の円換算の例に準じて見積るものとされています。この場合の決済差額は、本文で説明した基通13の2-1-11が適用される場合を除いて、当該取引に係る債権債務の決済をした日（同日前にその決済額が確定する場合には、その確定した日）の属する事業年度において益金算入又は損金算入されますので（基通13の2-1-2(注)6）、事業年度終了の日の為替相場での換算をすることはできません。

為替予約差額の配分方法

> **【問17-10】**　事業年度終了の時に有する外貨建資産等について先物外国為替契約等を行っている場合、為替予約差額はどのような方法で予約期間中の各事業年度に配分するのですか。

【答】　事業年度終了の時に有する外貨建資産等（売買目的有価証券を除きます。）に先物外国為替契約等を行っているときは、当該先物外国為替契約等の締結の日（その日が当該外貨建資産等の取得又は発生の基因となった外貨建取引を行った日前のときは、当該外貨建取引を行った日）の属する事業年度から当該外貨建資産等の決済による円貨の受取り又は支払をする日の属する事業年度までの各事業年度に為替予約差額を配分し、その配分額を各事業年度において益金の額又は損金の額に算入することとされています。（法61の10①）

(注)　「為替予約差額」とは、外貨建資産等の金額を先物外国為替契約等により確定させた円換算額と、当該金額を当該外貨建資産等の取得又は発生の基因となった外貨建取引を行った時における外国為替の売買相場により換算した金額との差額をいいます。（法61の10①かっこ書）

為替予約差額を各事業年度に配分すべき金額は、次表のとおりです。（法政令122の9①）

先物外国為替契約等の締結の時期	為替予約差額の配分額		為替予約差額を益金算入又は損金算入すべき事業年度
外貨建取引を行った時以後にその外貨建取引に係る先物外国為替契約等を締結した場合	AとBの差額（直直差額）		先物外国為替契約等の締結の日の属する事業年度
	BとCの差額（直先差額）**(注2)**	×　当該事業年度の日数**(注1)** / 先物外国為替契約等の締結日から決済日までの期間の日数	先物外国為替契約等の締結の日の属する事業年度から決済日の属する事業年度までの各事業年度
先物外国為替契約等を締結した後に外貨建取引を行った場合	AとCの差額（直先差額）**(注4)**	×　当該事業年度の日数**(注3)** / 外貨建取引を行った日から決済日までの期間の日数	外貨建取引を行った日の属する事業年度から決済日の属する事業年度までの各事業年度

A：外貨建取引を行った時の為替相場による円換算額

B：先物外国為替契約等を締結した時の為替相場による円換算額

C：先物外国為替契約等により確定させた円換算額

(注1)　先物外国為替契約等の締結の日（外貨建資産等が適格合併等により被合併法人等から移転を受けたものである場合は、当該適格合併等の日）の属する事業年度においては、同日から当該事業年度終了の日までの期間の日数とします。

(注2)　決済日の属する事業年度においては、BとCの差額（直先差額）から前事業年度までに配分された金額（外貨建資産等が適格合併等により被合併法人等から移転を受けたものである場合は、被合併法人等で配分された金額を含みます。）を控除した金額とします。

(注3)　外貨建取引を行った日（外貨建資産等が適格合併等により被合併法人等から移転を受けたものである場合は、当該適格合併等の日）の属する事業年度においては、同日から当該事業年度終了の日までの日数とします。

(注4)　決済日の属する事業年度においては、AとCの差額（直先差額）から前事業年度までに配分された金額（外貨建資産等が適格合併等により被合併法人等から移転を受けたものである場合は、被合併法人等で配分された金額を含みます。）を控除した金額とします。

（812）

第17章　外貨建取引の換算等

上表のなかの「日数」は「月数」（月数は暦に従って計算し、1月未満の端数は1月とします。）とすることができます。（法政令122の9③）

短期外貨建資産等に係る為替予約差額の一括計上

> **【問17-11】**　短期外貨建資産等に係る為替予約差額は、期間配分せずに一括計上することができるそうですが、これについて説明してください。

【答】　為替予約差額は、【問17-10】で説明した方法で期間配分しなければなりませんが、外貨建資産等が短期外貨建資産等であるときは、為替予約差額は期間配分せず、その発生した事業年度において一括して益金の額又は損金の額に算入することができます。（法61の10③）

ただし、【問17-10】で説明した方法で為替予約差額の期間配分を行った外貨建資産等は、短期外貨建資産等に該当することとなった場合においても、為替予約差額を一括計上することはできず、引き続き期間配分をしなければなりません。（法政令122の9②）

(注)　「短期外貨建資産等」とは、外貨建資産等のうち、その決済による本邦通貨の受取又は支払の期限が当該事業年度終了の日（当該外貨建資産等が適格分割等により分割承継法人等に移転するものである場合は、当該適格分割等の日の前日）の翌日から1年を経過した日の前日までに到来するものをいいます。（法61の10③かっこ書）なお、適格分割等（適格分割又は適格現物出資）により分割承継法人等（分割承継法人、被現物出資法人）に外貨建資産及びその円換算額を確定させた先物外国為替契約等を移転する場合には、分割法人等において当該適格分割等の日の前日を事業年度終了の日とした場合に計算される当該先物外国為替契約等に係る為替予約差額の配分計算をすることとされています。（法61の10②）

この短期外貨建資産等の為替予約差額の一括計上は、外国通貨の種類を異にする短期外貨建資産等ごとに選定することができます。（法政令122の10①）この方法を選定しようとするときは、選定しようとする事業年度の確定申告書の提出期限（仮決算による中間申告書を提出するときはその中間申告書の提出期限）までに、その旨を記載した書面を納税地の所轄税務署長に届

（813）

け出なければなりません。（同②）また、上記により選定した方法を変更し
ようとするときは、納税地の所轄税務署長の承認が必要です。（法政令122の
11①）この為替予約差額の一括計上方法の変更手続は、【問17-4】の(3)で、
外貨建資産等の期末換算方法の変更手続について説明したのと同じです。（同
②）

外貨会計基準注7に示されている為替予約等の振当処理と税法の関係

> 【問17-12】　外貨会計基準の注7に、外貨建金銭債権債務等に係る
> 為替予約等の振当処理の方法が示されていますが、税法での処理
> もこれと同じですか。

【答】　為替予約に伴う差損益は、金利平衡理論（下記(注)参照）で説明され
ているように、円建債権債務と外貨建債権債務の金利差によって生ずるもの
と考えられますので、予約時又は決済時の一時の損益としてではなく、予約
日から決済日までの間に合理的に配分して認識すべきものです。

(注)　外国為替市場では、2国間の金利が相違する場合、金利裁定取引（低金利国
　　の資金を高金利国に移動させて運用益を得ようとする取引）が行われますので、
　　外貨についての直物為替相場と先物為替相場の開きは、理論的に2国間の金利
　　差に一致するというのが金利平衡理論の考えです。この関係を算式で示します
　　と、次のとおりになります。

　　　S：直物為替相場　F：先物為替相場　R：わが国の利率　r：外国の利率

$$\frac{S-F}{S}\left(\begin{matrix}直物為替相場と先物為\\替相場の開差の割合\end{matrix}\right)=\frac{r-R}{1+r}\left(\begin{matrix}2国間の金\\利差の割合\end{matrix}\right)$$

　　この算式は変型すると、$S(1+R)=F(1+r)$となります。

　このため、外貨会計基準の注7では、「外貨建金銭債権債務等に係る為替
予約等の振当処理（為替予約等が物品の売買又は役務の授受に係る外貨建金
銭債権債務等に対して、取引発生時以前に締結されたものである場合を除き
ます。）においては、当該金銭債権債務等の取得時又は発生時の為替相場に
よる円換算額と為替予約等による円換算額の差額は、そのうちの直々差額を
予約日の属する期の損益として処理し、残額（直先差額）を予約日の属する
期から決済日の属する期までの期間にわたって合理的な方法により配分し、
各期の損益として処理する。ただし、当該残額について重要性が乏しい場合

（814）

第17章　外貨建取引の換算等

には、予約日の属する期の損益として処理することができる。」としています。

　これに伴い、翌事業年度以後に配分される金額は、金融上の収益又は費用に係る未経過額として、貸借対照表上長期前払費用又は長期前受収益に計上されます。また、損益計算書では、各期に配分された為替予約差額は為替差損益に含めて表示しますが、合理的な方法により配分された直先差額は、償却原価法に準じて利息法又は定額法により利息の調整項目として処理することができます。（外貨会計実務指針９）

　この点は、為替予約差額の配分方法を規定した法人税法第61条の10第１項のうち、「外貨建取引を行った時以後にその外貨建取引に係る先物外国為替契約等を締結した場合」の処理方法と同じです。（【問17-10】参照）

　ただし、税法は、同条同項に、「先物外国為替契約等を締結した後に外貨建取引を行った場合」の直先差額についても、期間配分を規定していますが、外貨会計基準にはこの場合の規定はありません。前記の金利平衡理論によれば、この場合も期間配分すべきことになりますが、外貨建取引時には将来の支払又は受取り円貨額が確定していますので、実務の煩雑性を勘案し、外貨建取引及び金銭債権債務等に為替予約相場による円換算額を付すことができるとしています。（外貨会計実務指針８、53）

短期外貨建債権の取得後に先物外国為替契約をしたときの計算とその仕訳

> 【問17-13】　短期外貨建債権の取得後に先物外国為替契約を行い、法人税法施行令第122条の９第１項の規定によって換算差額を直直差額と直先差額に区分して処理する場合の仕訳の方法を、事例で説明してください。なお、直先差額の配分は、同条第３項の規定により月数によるものとします。

【答】　３月31日決算とする会社が、令和６年９月１日に令和７年８月31日を満期日とする外貨預金100万ドルを１ドル当たり143円の為替相場で預け入れ、令和６年12月１日（同日の為替相場は１ドル当たり141.9円）に１ドル当たり141円の先物外国為替契約をしたとします。（為替相場は架空のレートです。また、預金利息に関する事項は省略します。）

　この場合、次の時点での当該外貨預金の円換算額は、それぞれ次のとおり

（815）

になります。

A　当該外貨預金100万ドルの取得時の為替相場143円での円換算額

　　1,000,000×143円＝143,000千円

B　先物外国為替契約締結時の為替相場での円換算額

　　1,000,000×141.9円＝141,900千円

C　先物外国為替契約による円換算額

　　1,000,000×141円＝141,000千円

　法人税法施行令第122条の9第1項及び第3項の規定によれば、AとBの差額（直直差額）1,100千円は、令和7年3月期（先物外国為替契約の締結日である令和6年12月1日の属する事業年度）に損金の額に算入し、BとCの差額（直先差額）900千円は、先物外国為替契約締結日である令和6年12月1日から外貨預金の満期日である令和7年8月31日までの期間に、月数あん分して損金の額に算入することになります。

　したがって、仕訳は次のとおりになります。

6.9.1（預入日）　外貨定期預金　143,000千円／預　　金　143,000千円

6.12.1（先物外国為替契約の締結日）

　　　　　　　　　為替差損　1,100千円　　／外貨定期預金　2,000千円
　　　　　　　　　前払費用　　900千円　／

7.3.31（決算日）　為替差損　400千円／前払費用　400千円

$$900千円 \times \frac{4月（令6.12.1～令7.3.31）}{9月（令6.12.1～令7.8.31）} = 400千円$$

7.8.31（満期日）　預　　金　141,000千円／外貨定期預金　141,000千円
　　　　　　　　　為替差損　　500千円／前払費用　　500千円

$$900千円 \times \frac{5月（令7.4.1～令7.8.31）}{9月（令6.12.1～令7.8.31）} = 500千円$$

第18章　圧 縮 記 帳

第1節　圧縮記帳の経理方法

税法に規定された圧縮記帳の経理方法

【問18-1】　税法上の圧縮記帳には、損金経理により圧縮対象資産の帳簿価額を減額する方法と確定決算又は決算の確定の日までに剰余金の処分により圧縮積立金の積み立てをする方法との選択ができるものと、この選択ができないものとがあります。また、特別勘定を計上しておく場合等規定が複雑ですが、税法上の経理のしかたを整理して説明してください。

【答】　税法の圧縮記帳は、国庫補助金の受入益、保険差益、特定の資産の譲渡益など法人の所得の金額の計算上益金の額に算入すべきものを、その課税時期を繰り延べるため、これらの利益相当額について補助金の対象資産や買換資産等の帳簿価額を減額して、記帳する制度です。

　税法において圧縮記帳が認められている項目にはバラエティがあり、圧縮記帳の経理のしかたもそれぞれの圧縮記帳のもととなる取引の性質によって区分して規定されていて複雑ですが、法令どおりの経理を行わなかった場合、圧縮記帳が否認されることがありますので、注意を要します。

　一般的な圧縮記帳について、経理のしかたを区分しますと、次のとおりです。

Ⅰ　交換、換地処分等取得資産のために原則として金銭の支払をしない場合

　　譲渡資産の帳簿価額を取得資産に付け替えるという考えですので、確定決算又は剰余金の処分により圧縮積立金を積み立てる方法を採ることはできません。つまり、取得資産の帳簿価額を直接減額することになります。

　　交換により取得した資産の圧縮記帳（法50）、換地処分等に伴い取得した資産の圧縮記帳（措法65）等がこれに該当します。

Ⅱ　取得資産のために金銭の支払をするとき

　⑴　取得資産を期末までに取得済みのとき

（817）

取得資産の帳簿価額を直接減額する方法のほか、取得資産を貸借対照表の資産の部に取得価額で計上し、確定決算又は剰余金の処分により圧縮積立金を積み立てる方法も認められています。

　国庫補助金等で取得した固定資産等の圧縮記帳（法42）、工事負担金で取得した固定資産等の圧縮記帳（法45）、非出資組合が賦課金で取得した固定資産等の圧縮記帳（法46）、保険金等で取得した固定資産等の圧縮記帳（法47）、収用等に伴い代替資産を取得した場合の圧縮記帳（措法64）、特定の資産の買換えの場合の圧縮記帳（措法65の7）等がこれに該当します。なお、企業会計上は、【問18-2】で説明するように、確定決算又は剰余金の処分により圧縮積立金を積み立てる方法が原則とされています。

(2)　取得資産を期末までにまだ取得していないとき

　受け入れた補助金、負担金の額、保険差益の額、譲渡資産の譲渡益の一定割合等を特別勘定に経理しておくことができます。この経理方法として税務では次の①と②の方法が認められていますが、翌期以後圧縮記帳の対象資産を取得した段階で、特別勘定を取り崩し、改めて上記(1)の処理をします。

①　特別勘定（預り金）として負債の部に計上する方法

②　決算確定の日までに剰余金の処分により積立金として積み立てる方法

　なお、株式会社が②の方法で積立金として特別勘定の積立てをするときは、繰越利益剰余金を積立金へ振り替え、株主資本等変動計算書に記載します。

　上記のうち、①の方法によって特別勘定を負債の部に計上できるのは、日本公認会計士協会監査第一委員会報告第43号「圧縮記帳に関する監査上の取扱い」によれば、次の2つの場合とされています。

イ　収用等法人の意思に基づかない資産の譲渡に伴い譲渡資産と同一種類、同一用途の代替資産を取得して直接減額する予定のとき

ロ　国庫補助金、工事負担金等で取得する資産のように企業会計原則注解24によって直接減額が認められている資産を取得する予定のとき

　したがって、通常は②の方法で処理をすべきです。この場合、翌期以後圧縮対象資産を取得したときには、積立金を取り崩して、圧縮対象資産に係る圧縮積立金を積み立て、株主資本等変動計算書に記載します。

（818）

第18章　圧縮記帳

（注）　圧縮記帳が法人税法でなく租税特別措置法の規定によるものの場合、本問で説明した経理のしかたに関係なく、「租税特別措置の適用額明細書」を法人税申告書に添付することが必要です。（租特透明化法３①、【問27-27】参照）

圧縮記帳の会計処理は積立金方式が原則とされている理由

> **【問18-2】**　圧縮記帳の会計処理の仕方は積立金方式が原則とされていますが、その理由を説明してください。

【答】　税法には、圧縮記帳の経理方法として、損金経理により圧縮対象資産の帳簿価額を減額する直接減額方式と、決算の確定の日までに剰余金の処分により圧縮積立金を積み立てる積立金方式の二つが規定されています。

　このうち、直接減額方式は、会社計算規則第５条第１項及び企業会計原則に定める固定資産についての取得原価主義に反しますが、積立金方式ですと取得原価主義に適合した処理ができます。このため、日本公認会計士協会監査第一委員会報告第43号「圧縮記帳に関する監査上の取扱い」は、積立金方式で処理すべきこととしています。ただし、以下の資産については、直接減額方式によっても、監査上妥当なものとして取り扱うこととされています。

イ　交換により取得した資産で譲渡資産と同一種類、同一用途のもの……連続意見書の第一の四の４に、交換取得資産の取得価額は交換に供した資産の適正な簿価とする旨が示されています。税法上も、直接減額方式しか採ることができません。

ロ　収用等法人の意思に基づかない社会的要請による資産の譲渡に伴い、新たに取得した資産が譲渡資産と同一種類、同一用途の場合の当該取得資産……交換に準ずるものとの考えにより、取得資産の帳簿価額を減額することも妥当とされています。この社会的要請による資産の譲渡には、収用によるもののほかに、租税特別措置法第65条の７の特定資産の買換えのうちの航空機騒音障害区域内にある土地等、建物又は構築物の移転（同条第１項の表の第１号）及び地域社会の環境保全のための住民の集団的要請による固定資産の移転があります。（日本公認会計士協会審理室情報No.5）

ハ　国庫補助金、工事負担金等で取得した資産……企業会計原則注解24の趣旨に照らして、国庫補助金、工事負担金等に相当する金額を資産の取得価額から控除します。

（819）

圧縮積立金の積立てに関係する会社法の規定

> **【問18-3】** 株式会社では、圧縮積立金の積立ては繰越利益剰余金からの振替えによって行い、株主資本等変動計算書に記載することになりますが、この振替えはいつ行うのですか。剰余金の処分として、株主総会の承認決議を要しますか。

【答】 圧縮限度額の範囲内の金額を損金算入するための経理方法は、税法に次のとおり規定されていますが（法42①、法政令80ほか）、【問18-2】で説明したように、企業会計では圧縮積立金を積み立てる方法が固定資産の取得原価主義に適合した方法で、原則的方法とされています。

　「圧縮限度額の範囲内で圧縮記帳対象資産の帳簿価額を損金経理により減額し、又はその圧縮限度額以下の金額を当該事業年度の確定した決算において積立金として積み立てる方法（決算の確定の日までに剰余金の処分により積立金として積み立てる方法を含む。）」

　株式会社では、御質問にあるように、圧縮積立金の積立ては繰越利益剰余金からの振替えで行いますが、会社法第452条はその前段において、「株式会社は、株主総会の決議によって、損失の処理、任意積立金の積立てその他の剰余金の処分（資本金の額の増加等に係るもの及び剰余金の配当その他株式会社の財産を処分するものを除く。）をすることができる。」と規定しており、繰越利益剰余金からの振替えでの圧縮積立金の積立ても、この規定での「剰余金の処分」に該当します。

　したがって、税法の規定による圧縮積立金や租税特別措置法上の準備金の積立てを繰越利益剰余金からの振替えで行う場合、株主総会の決議が必要ということになりますが、同条の後段にある法務省令に該当する会社計算規則第153条第1項は、そのかっこ書で、「当該株主総会の決議を経ないで剰余金の項目に係る額の増加又は減少をすべき場合における剰余金の処分を除く。」と除外事項を掲げ、これに該当する項目の一つとして、「法令又は定款の規定により剰余金の項目に係る額の増加又は減額をすべき場合」を、同条第2項第1号に規定しています。

　この規定での法令には、税法が含まれますので、税法の規定による圧縮積立金や準備金の繰越利益剰余金からの振替えによる積立ては、株主総会の決

議がなくても行うことができます。

　なお、協同組合等の法人では、剰余金処分案を定時総代会に付議し、その決議を得る方法がとられます。この場合、決算確定の日は当該総代会の開催の日となりますので、税法の規定は「決算の確定の日までに」が付されており、剰余金処分案で圧縮積立金を積み立てる法人に対する配慮が行われています。

圧縮積立金の初年度の積立て方法

> 【問18-4】　買換資産が減価償却資産のとき、買換えをした事業年度の圧縮積立金の積立ては、次のいずれの方法によるべきですか。なお、実際の取得価額に基づいて減価償却費を計上します。
> ①　圧縮限度額からその事業年度の減価償却費対応額を控除した金額を圧縮積立金として積み立てる方法
> ②　圧縮限度額相当額を圧縮積立金として積み立て、その事業年度の減価償却費対応額を圧縮積立金取崩額とする方法
> ③　圧縮限度額相当額を圧縮積立金として積み立て、その事業年度の減価償却費対応額を申告加算する方法

【答】　御質問の趣旨を事例によって検討してみましょう。

　３月31日決算の会社で、特定の資産の買換えの場合の圧縮記帳（措法65の7）の規定の適用を受ける買換えが下記のとおりであるとします。なお、圧縮割合が80％となる地域での買換えとします。

・譲渡資産／土地（令和６年６月に譲渡しました。）　譲渡対価／24,000千円　譲渡直前の帳簿価額／5,500千円　譲渡に要した費用／500千円

・買換資産／建物（令和６年10月に取得して事業の用に供しています。耐用年数20年、定額法の償却率は0.050です。）　取得価額／20,000千円

イ　圧縮限度額……買換資産の取得価額20,000千円が譲渡資産の譲渡対価24,000千円以下ですから、その取得価額20,000千円が圧縮基礎取得価額になり、差益割合と圧縮限度額の計算は次のとおりになります。

（821）

$$差益割合 = \frac{譲渡資産の譲渡対価 - \left[\begin{array}{c}譲渡資産の譲\\渡直前簿価\end{array} + \begin{array}{c}譲渡に要\\した費用\end{array}\right]}{譲渡資産の譲渡対価}$$

$$= \frac{24,000千円 - (5,500千円 + 500千円)}{24,000千円} = 0.75$$

圧縮限度額 ＝ 圧縮基礎取得価額 × 差益割合 × 0.8

$$= 20,000千円 × 0.75 × 0.8 = 12,000千円$$

ロ　買換えをした事業年度（令和7年3月期）の圧縮限度額12,000千円についての減価償却費対応額……建物の減価償却費として計上する金額は、$20,000千円 × 0.050 × \frac{6}{12} = 500千円$ですが、税務上の買換資産の取得価額は、その建物に係る圧縮積立金を控除した金額ですので、償却限度額は、$(20,000千円 - 12,000千円) × 0.050 × \frac{6}{12} = 200千円$となります。

　　　したがって、償却超過額が500千円 － 200千円 ＝ 300千円生じますが、この金額は圧縮限度額についての当事業年度の減価償却費対応額、すなわち$12,000千円 × 0.050 × \frac{6}{12} = 300千円$です。

　御質問の①、②及び③のそれぞれについて、株主資本等変動計算書での圧縮積立金の当期変動額の部分の記載をしますと、次のとおりになります。

（単位：千円）

	①の方法	②の方法	③の方法
圧縮積立金の積立て	11,700	12,000	12,000
圧縮積立金の取崩し		300	

　まず、①の方法は、圧縮限度額12,000千円に対して11,700千円しか株主資本等変動計算書で積み立てていないため、圧縮記帳に係る損金算入額は11,700千円となりますが、一方で、当該積立額についての減価償却費対応額$11,700千円 × 0.050 × \frac{6}{12} = 292,500円$を減価償却超過額として益金の額に算入すべきことになります。

　(注)　基通11－1－1及び措通55〜57の8（共）－1に示された差額繰入れ又は差額積立ての特例は、貸倒引当金及び準備金についてのもので、圧縮記帳積立金には適用されないと解されます。

　これに対して②の方法は、圧縮限度額相当額の12,000千円について圧縮積立金の積立てを行い、これに対応する減価償却費相当額300千円について圧縮積立金の取崩しを行うもので、妥当な処理です。

（822）

第18章　圧 縮 記 帳

③の方法は、買換資産の圧縮積立金12,000千円の積立てをする令和7年3月期には買換資産の減価償却費に対応する圧縮積立金300千円の取崩しをせず、減価償却超過額として300千円を申告加算するというものですが、その事業年度に買換資産の減価償却費500千円が計上されるのですから、これに対応する圧縮積立金300千円を取り崩さないのは不合理です。

したがって、②の方法を採るべきです。

(注)　①の方法による積立てを行い、11,700千円の積立額が圧縮限度額どおりの12,000千円の積立てとこれに係る減価償却費対応額300千円の差額である旨を確定申告書に添付する明細書及び株主資本等変動計算書の注記で明らかにしておけば、認めることとされているケースもあるようですので、この方法を採用したい場合、あらかじめ当局に確認しておくのがよいと思います。

取崩額と積立額の差額で積み立てることの可否

【問18-5】　次のような場合、圧縮積立金を積立額と取崩額の差額で積み立て、株主資本等変動計算書にも差額を圧縮積立金の積立てとして記載してもよろしいですか。
①　前期以前に積み立てた減価償却資産に係る圧縮積立金の取崩額と、当期に取得した買換資産に係る圧縮積立金の積立額
②　前期末に買換資産をまだ取得していなかったため積み立てた圧縮特別勘定積立金の取崩額と、当期に買換資産を取得したことによる圧縮積立金の積立額

【答】　①について……租税特別措置法上の準備金についていわゆる差額積立てを認める旨の通達がありますが（措通55～57の8（共）－1）、この差額積立ては、損金経理による積立てだけでなく、株主資本等変動計算書に記載して行う積立てにも適用されます。しかし、準備金についてのもので、圧縮積立金には適用されないと解されますので、御質問の場合は相殺せず、両建処理をすることが必要です。

(注)　積立額と取崩額の差額で積み立てた場合でも、相殺前の金額による積立て及び取崩しであることを確定申告書に添付する明細書及び株主資本等変動計算書の注記で明らかにしておけば、認めることとされているケースもあるようですので、この方法を採用したい場合、あらかじめ当局に確認しておくのがよいと思います。

（823）

②について……圧縮特別勘定積立金は、買換資産を取得する前の事業年度において翌事業年度以後に圧縮積立金の積立てに充当する固定資産売却益等を留保したものであり、買換資産等の取得に伴って積み立てる圧縮積立金とは税法上の規定が異なるものです。したがって、この両者の取崩額と積立額を相殺して、その差額を積み立てることはできません。

(注) ②の場合、圧縮特別勘定積立金と圧縮積立金は税法上の規定は異なりますが、積立ての起因となった固定資産の売却は①の場合と違って同じものです。この意味で、差額積立てをするのは相当であるという考えもあり、確定申告書に添付する明細書及び株主資本等変動計算書の注記で明らかにしておけば、相殺して積み立てても認めることとしているケースもあるようですので、この方法を採用したい場合、あらかじめ当局に確認しておくのがよいと思います。

資産を譲渡するための経費について

> 【問18-6】 圧縮記帳の計算に当たり資産を譲渡する等のために要した経費の額は、取得した補償金等から差し引いて計算する場合と譲渡資産の帳簿価額に加える場合とがありますが、なぜこのような違いがあるのですか。また、これによって、圧縮記帳の計算はどのように変わりますか。

【答】 圧縮記帳が適用される場合、資産の譲渡等によって受け取る代金には、保険差益の圧縮記帳の場合の保険金とか、収用等に伴う代替資産の圧縮記帳の場合の収用補償金のような補償金的なものと、特定の資産の買換えの圧縮記帳の場合の譲渡代金のような譲渡資産の対価そのものとがあります。

前者のような補償金的なものの場合は、その補償金等はまず資産の譲渡経費に充てられ、その後の金額が譲渡資産の対価であるとして差益割合の計算をします。一方、後者のような譲渡資産の対価そのものの場合は、譲渡経費は譲渡資産の帳簿価額に加えて差益割合の計算をします。交換とか収用換地のように譲渡代金を受け取らない場合は、後者と同様に、譲渡経費は譲渡資産の帳簿価額に加えて差益割合の計算をします。

具体的な事例で説明しましょう。譲渡資産の帳簿価額が3,800千円、譲渡経費が500千円、譲渡による受取金額が10,000千円とします。

（824）

第18章　圧　縮　記　帳

① 受取金額10,000千円が収用補償金の場合

（取得した収用補償金の額）　　（譲渡経費）　　（差引譲渡資産の対価）
　　10,000千円　　－　　500千円　　＝　　9,500千円

$$差益割合 = \frac{\overset{（譲渡資産の対価）}{9,500千円} - \overset{（譲渡資産の帳簿価額）}{3,800千円}}{\underset{（譲渡資産の対価）}{9,500千円}} = 0.6$$

② 受取金額10,000千円が特定資産の買換えに当たり譲渡する資産の譲渡対
価の場合

$$差益割合 = \frac{\overset{（譲渡資産の譲渡対価）}{10,000千円} - (\overset{（譲渡資産の帳簿価額）}{3,800千円} + \overset{（譲渡経費）}{500千円})}{\underset{（譲渡資産の譲渡対価）}{10,000千円}} = 0.57$$

いずれの場合も資産の譲渡による利益は5,700千円ですが、差益割合は上記のように異なります。この場合、譲渡による受取金額である10,000千円以上の代替（買換）資産を取得するときは、圧縮限度額はそれぞれ次のとおりになり、②についての圧縮限度額4,560千円は、①についての圧縮限度額5,700千円に80％（特定資産の買換えについての圧縮割合(注)）を乗じた額となります。

(注)　圧縮割合は80％以外の場合もありますが、ここでは原則的な割合である80％としています。

①についての圧縮限度額　　$\overset{（圧縮基礎取得価額）}{9,500千円}$　×　$\overset{（差益割合）}{0.6}$　＝5,700千円

②についての圧縮限度額　　$\overset{（圧縮基礎取得価額）}{10,000千円}$　×　$\overset{（差益割合）}{0.57}$　×0.8＝4,560千円

しかし、代替（買換）資産の取得価額が例えば9,000千円で、10,000千円未満のときは、次のように、②についての圧縮限度額は、①についての圧縮限度額5,400千円の80％である4,320千円よりも少なくなります。

①についての圧縮限度額　　$\overset{（圧縮基礎取得価額）}{9,000千円}$　×　$\overset{（差益割合）}{0.6}$　＝5,400千円

②についての圧縮限度額　　$\overset{（圧縮基礎取得価額）}{9,000千円}$　×　$\overset{（差益割合）}{0.57}$　×0.8＝4,104千円

①についての圧縮限度額5,400千円の80％である4,320千円と、②についての圧縮限度額4,104千円の差額216千円（9,000千円×（0.6－0.57）×0.8）は、両者の差益割合の差によるもので、譲渡による受取金額の一部を代替（買換）資産の取得に充てないときは、圧縮限度額にこのような差異が生じます。

（825）

租税特別措置法上の圧縮記帳の適用を受けた資産に対する特別償却の規定の適用の可否

> 【問18-7】 特定の資産の買換えの場合の買換資産として圧縮記帳の特例を受ける予定の工場用建物に、租税特別措置法の特別償却の規定の適用を受けることができますか。

【答】 特定の資産の買換えの場合の課税の特例の規定（措法65の7）の適用を受けた買換資産には、租税特別措置法に規定された特別償却の規定は適用されません。（措法65の7⑦）

したがって、御質問にある工場用建物を買換資産としているときは、この工場用建物に特別償却の規定は適用されません。同じ資産に特定の資産の買換えの場合の圧縮記帳と特別償却を重複して適用するのは優遇しすぎになるためですが、圧縮記帳した資産の税法上の取得価額は低いため、特別償却の適用を受けてもメリットは少ないと思われます。したがって、他に特別償却に関係のない資産で買換資産とすることができるものがあれば、御質問にある工場用建物を買換資産としない方が有利です。

なお、買換資産の取得価額が譲渡資産の譲渡対価を超えているときでも、その買換資産の全部について、特別償却の規定を適用することはできません。（措通65の7(3)-11）例えば、譲渡資産の譲渡価額が1,500万円（帳簿価額300万円）、買換資産の取得価額が2,000万円、圧縮割合が80％の場合、買換資産の取得価額と譲渡資産の譲渡価額の差額の500万円は譲渡代金以外の資金で取得しているため圧縮記帳の対象にならず、買換資産の取得価額は次のとおりになります。

$$\underset{\substack{\text{〔圧縮の対象とな〕} \\ \text{らない取得価額}}}{500\text{万円}} + \underset{\substack{\text{〔圧縮基礎〕} \\ \text{取得価額}}}{1{,}500\text{万円}} \times (1 - \underset{\text{（差益割合）}}{\frac{1{,}500\text{万円} - 300\text{万円}}{1{,}500\text{万円}}} \times 0.8) = 1{,}040\text{万円}$$

この場合、圧縮記帳の対象になっていない500万円も、特別償却の規定を適用することができませんので、この点も考慮に入れて、買換えの場合の課税の特例の規定の適用を受けるかどうかをきめられるのがよいと思います。

（826）

第18章 圧縮記帳

法人税法上の圧縮記帳の適用を受けた資産に対する特別償却の規定の適用の可否

> 【問18-8】 法人税法上の圧縮記帳の規定の適用を受けた資産について、特別償却の規定を適用することができますか。

【答】 【問18-7】で説明したように、租税特別措置法第65条の7等同法の規定による圧縮記帳の適用を受けた資産については、特別償却の規定は適用されません。

しかし、法人税法の規定による圧縮記帳の適用を受けた資産には、このような「特別償却の規定を適用しない」とする規定はありません。したがって、国庫補助金等や工事負担金で取得した固定資産の圧縮記帳の規定の適用を受けた資産、保険金等で取得した固定資産の圧縮記帳の規定の適用を受けた資産、交換により取得して圧縮記帳の規定の適用を受けた資産等は、特別償却の規定を適用することができます。

この場合、圧縮記帳の適用を受けた資産については、実際の取得価額から圧縮記帳により損金の額に算入された金額を控除した金額を、償却限度額の計算の基礎となる取得価額とみなしますから（法政令54③）、特別償却限度額の計算の基礎になる金額は、圧縮記帳後の金額です。

また、特別償却の適用対象資産になるのかどうかについて取得価額基準が設けられているものの取得価額の判定は、取得価額基準が特別償却対象資産の下限として定められているものは、圧縮記帳後の金額に基づいて行うこととされています。（措通42の6-3ほか）

（827）

第2節　法人税法の規定による圧縮記帳

国庫補助金等の交付前に資産を取得した場合

> **【問18-9】** 当社（3月31日決算）が令和5年10月に取得し事業の用に供した機械装置を対象とした県からの補助金が、令和6年10月に交付され、返還不要が確定しています。機械装置の取得価額は1,000万円、補助金の額は600万円です。令和7年3月期に、この補助金について圧縮記帳できるでしょうか。また、できるとすれば、圧縮限度額はいくらになりますか。なお、この機械装置の耐用年数は8年で、定率法（償却率は0.250）で減価償却しています。

【答】 国庫補助金等の交付前の事業年度に、その交付の目的に適合した固定資産を取得した場合も、国庫補助金の交付を受け返還不要が確定した事業年度に圧縮記帳することができます。（法42①）この場合、圧縮限度額は次の算式で計算します。（法政令79の2）

$$\text{圧縮限度額} = \frac{\text{返還を要しないことが確定した}}{\text{日における固定資産の帳簿価額}} \times \frac{\text{返還不要の国庫補助金等の額}}{\text{固定資産の取得価額}}$$

御質問の事例では、圧縮限度額は以下のとおり計算されます。

機械装置の令和6年3月期の減価償却費は125万円（1,000万円×0.250×$\frac{6月}{12月}$）ですから、帳簿価額は875万円（1,000万円−125万円）です。したがって、圧縮限度額は次の計算で525万円となります。

$$875\text{万円} \times \frac{600\text{万円}}{1,000\text{万円}} = 525\text{万円}$$

なお、国庫補助金等の額600万円と圧縮限度額525万円の差額の75万円は、次の①と②の差額です。

① 取得年度に600万円を圧縮記帳した場合の令和6年3月期の償却限度額
　（1,000万円−600万円）×0.250×$\frac{6月}{12月}$＝50万円

② 実際の令和6年3月期の償却限度額　125万円

つまり、当初に圧縮記帳しなかったため増加している償却限度額の分だけ、圧縮限度額を減額していることになります。

（828）

第18章　圧縮記帳

国庫補助金等で取得した固定資産の圧縮記帳の会計処理と消費税の取扱い

> 【問18-10】　商店街振興組合ですが、アーケードに付設する防犯カメラの設置費用2,640万円（消費税込みの額）に対して、国及び地方公共団体から合計額でその$\frac{5}{6}$、2,200万円の補助金の交付を受けました。
>
> ①　剰余金処分で圧縮積立金2,200万円を積立てる方法を採りますと、補助金の交付を受けた事業年度に国庫補助金等受入益2,200万円が特別利益に計上され、以後の事業年度に取得価額を2,640万円とする当該防犯カメラの減価償却費が計上されて、各事業年度の損益計算に変動が生じます。圧縮記帳損2,200万円を特別損失に計上する直接簿価減額方式を採れば、この変動は生じませんが、会計処理方法として認められるでしょうか。
>
> ②　防犯カメラの設置費用のうちの消費税額240万円（2,640万円×$\frac{10}{110}$）は、控除対象仕入税額になりますが、交付を受けた補助金2,200万円は、消費税の申告に当たり全額不課税収入と考えてよろしいですか。なお当組合は、消費税を税込処理方式で処理しています。

【答】　①について……【問18-2】で説明したように、圧縮記帳の会計処理は積立金方式が原則とされ、原則外の処理である簿価減額方式を採ることができる資産が、日本公認会計士協会監査第一委員会報告第43号「圧縮記帳に関する監査上の取扱い」に限定列挙されていますが、御質問にある防犯カメラは限定列挙された資産に該当しません。

　しかし、当該委員会報告は会計監査人設置会社を対象に示されているものです。商店街振興組合のような協同組合等では、圧縮記帳の会計処理は、補助金の交付を受けた事業年度には多額の特別利益が計上され、その後の事業年度は減価償却費の増加によって事業損失が計上されることとなる積立金方式でなく、簿価減額方式によることとし、御質問の場合は、防犯カメラの取得価額を貴組合が実質負担される440万円（2,640万円－2,200万円）として、減価償却費を計上することとするのが望ましいといえるでしょう。

　②について……圧縮記帳を簿価減額方式で処理されても、消費税において

（829）

課税仕入額となる防犯カメラの取得価額は2,400万円（2,640万円×$\frac{100}{110}$）です。一方、交付を受けた補助金2,200万円は、資産の譲渡等の対価に該当せず（消通5－2－15）、全額不課税収入となります。したがって、補助金2,200万円のうちの消費税に対応する金額200万円（2,200万円×$\frac{10}{110}$）が手許に残るにもかかわらず、当該補助金を充当して取得した防犯カメラの取得価額2,400万円に係る消費税240万円は、仕入税額控除されることになります。

　補助金の対象になる取得資産に係る消費税が仕入税額控除されるのに、交付される補助金の額が消費税込みの額をベースに算定されているのは、補助金の受領者が消費税の納税義務が免除される小規模事業者（【問11-16】参照）で、取得資産に係る消費税が仕入税額控除されないことがあることを考慮されてのものと思われます。このため、免税事業者に該当しない者が、交付された補助金のうちの消費税に対応する金額について仕入税額控除の適用を受け、消費税の納付額が減額され若しくはその還付を受けたときは、交付をした国等にその返還をすべきこととされているものがあるようです。

(注)　公益法人等が交付を受ける国庫補助金等は、特定収入（資産の譲渡等の対価以外の収入）となり、特定収入割合が5％を超える場合、当該補助金の使途となる資産の取得又は費用の支出は、消費税において課税仕入取引になりません。（消法60④、消政令75③）しかし、商店街振興組合は協同組合等であり、公益法人等に該当しませんので、この規定は適用されません。

支出時期が翌事業年度となる損害賠償金の仮受経理

> 【問18-11】　公道に面している当社の工場が自動車事故による被害を受け、塀と建物の一部が損壊しました。加害者から損害賠償金を受け取りましたが、復旧工事は翌事業年度に行う予定です。当事業年度の計算書類で、損害賠償金を預り金として経理しておくことができますか。なお、塀は除却して建て直さなければなりませんが、建物は部分的な修繕をすれば原状回復することができます。

【答】　固定資産の滅失又は損壊によって受ける損害賠償金で、滅失又は損壊のあった日から3年以内に支払の確定したものは、税法上法人税法第47条の規定が適用される保険金等に含まれますので（法政令84）、当該損害賠償金

（830）

によって取得する代替資産について、保険金等で取得した固定資産の圧縮記帳の規定を適用することができます。（法47）この代替資産の取得の時期が、御質問のように損害賠償金の支払を受けた事業年度後となるときは、原則として翌事業年度の開始の日から２年間、次の算式によって計算した金額を、特別勘定として経理しておくことができます。（法48、法政令89）

$$\text{保険差益}\atop\text{金 の 額} \times \frac{\text{代替資産の取得に充てようとする損害賠償金の額}}{\text{損害賠償金の額} - \text{滅失又は損壊により支出する経費の額}}$$

（注） $\text{保険差益}\atop\text{金 の 額} = \left(\text{損害賠償}\atop\text{金 の 額} - \text{滅失又は損壊により}\atop\text{支出する経費の額}\right) - \text{被害資産の被害}\atop\text{部分の帳簿価額}$

御質問の場合、塀は滅失して建て直しますので、代替資産の取得となります。したがって、当事業年度の確定した決算において、保険差益金の額のうち上記の算式によって計算した代替資産の取得に充てようとする部分の金額を、特別勘定として経理しておくことができます。

（注） 翌事業年度に代替資産を取得したときの圧縮限度額は、次の算式のとおりです。（法政令85）

$$\text{保険差益}\atop\text{金 の 額} \times \frac{\text{代替資産の取得に充てた損害賠償金の額}}{\text{損害賠償金の額} - \text{滅失又は損壊により支出する経費の額}}$$

例えば、損害賠償金の額が390万円、損壊による支出経費の額が30万円、被害を受けた塀の帳簿価額が90万円、代替資産の取得に充てようとする損害賠償金の額が320万円であるとしますと、下記のとおり保険差益金の額㋑は270万円、特別勘定として経理することができる金額㋺は240万円となり、損害賠償金390万円のうち手許に残すことになる40万円（390万円から支出経費の額30万円と代替資産の取得に充てようとする額320万円を差し引いた額）に対して課税される金額㋩は、㋑－㋺の額30万円となります。

㋑ 保険差益金の額 （390万円 － 30万円） － 90万円 ＝ 270万円

㋺ 特別勘定として経理することができる金額 $270万円 \times \dfrac{320万円}{390万円 - 30万円} = 240万円$

㋩ 課税される金額（手許に残る40万円に係る差益の額） 270万円 － 240万円 ＝ 30万円

翌事業年度に代替資産を312万円で取得したときは、圧縮限度額は下記㋥の234万円となり、代替資産の取得価額は下記㋭の78万円になります。

㋥ $270万円 \times \dfrac{312万円}{390万円 - 30万円} = 234万円$

（831）

㋭　代替資産の取得価額　　　　　312万円−234万円＝78万円

　代替資産を予定よりも 8 万円（320万円−312万円）少ない額で取得したことにより、手許に残る損害賠償金が同額増えて48万円となり、これに対して課税される金額は、㋑−㊁の額36万円（270万円−234万円）となります。

　　(注)　この事例では、保険差益の割合は $\frac{270万円}{390万円−30万円}=0.75$ ですので、圧縮限度額は312万円（代替資産の取得費）×0.75＝234万円、課税される額は48万円（損害賠償金のうち手許に残る額）×0.75＝36万円という検算ができます。

　一方、建物は、原状回復のための部分的な補修ですむため、その補修は代替資産の取得に該当せず、当事業年度末に損害賠償金のうち建物の補修に充てようとする金額を特別勘定として経理できるという規定はありません。御質問の場合は、加害者から建物を補修するための損害賠償金を受け取った当事業年度に損害賠償金の額を益金の額に算入することになりますが、その請求の基因となった建物の一部損壊による損失の額は、損害の発生した日の属する事業年度である当事業年度に損金の額に算入することができます。（基通 2 - 1 -43(注)）

　　(注)　建物の補修が原状回復程度のものである場合は、建物の一部損壊に係る損失の額を損金の額に算入せず、翌期損害賠償金により支出する補修費用を全額修繕費とすることができるでしょう。

交換により取得した資産の圧縮記帳の規定とその適用要件

> **【問18-12】**　固定資産を交換した場合の圧縮記帳は、どのような制度ですか。これが適用されるための要件を教えてください。

【答】　資産を交換した場合の圧縮記帳の制度は、交換譲渡資産（交換によって譲渡する資産）の帳簿価額を交換取得資産（交換によって取得する資産）に付け替えるというものです。本来ならば、交換譲渡資産を時価で譲渡したとみなして譲渡益に課税し、当該譲渡代金で交換取得資産を購入したとするのですが、譲渡益相当額だけ交換取得資産の取得価額を圧縮記帳することによって、交換譲渡資産のみなし譲渡益に課税しないこととしています。

　この圧縮記帳の規定の適用を受けるためには、取引の実態が交換といえるものでなければなりませんので、税法は次の要件をすべて満たしていること

第18章　圧縮記帳

を条件にしています。(法50①②)

① 交換譲渡資産は１年以上有していた固定資産（適格組織再編成により被
合併法人等から移転を受けたもので、当該被合併法人等の有していた期間
との合計が１年以上であるものを含みます。）であること。

　(注)　交換譲渡資産が現に事業の用に供していない固定資産、例えば投資目的で
　　　所有する固定資産の場合でも、この規定の適用を受けることができます。(基
　　　通10-6-1)

② 交換取得資産もその相手方が１年以上有していた固定資産（相手先が適
格組織再編成により被合併法人等から移転を受けたもので、当該被合併法
人等の有していた期間との合計が１年以上であるものを含みます。）で、
かつ、交換のために取得したものでないこと。

　(注)　①、②ともに１年以上所有していたかどうかの判定に当たり、建物等の建
　　　設中の期間はその所有期間に含めません。(基通10-6-1の2)

③ 交換資産は、土地（借地権及び耕作権を含みます。）、建物（これに附属
する設備及び構築物を含みます。）、機械及び装置、船舶、鉱業権（租鉱権
及び採石権その他土石を採掘し又は採取する権利を含みます。）のいずれ
かであって、交換取得資産は交換譲渡資産と同じ種類の資産(注1)であり、
かつ、原則として交換の日の属する事業年度の確定申告書の提出期限（法
人税法第75条の２による確定申告書の提出期限の延長の特例の規定の適用
を受けているときは、その延長された期限）までに、交換譲渡資産の譲渡
直前の用途(注3)と同一の用途に供すること(注4)。(基通10-6-8)

　なお、相手方が同一の用途に供した場合は、相手方においても交換の特
例規定が適用されますが、当方にとっての要件ではなく、相手方が別の用
途に供していても、当方は交換の特例規定を適用することができます。

　(注1)　同じ種類の資産であることは、土地、建物、機械及び装置、船舶、鉱業
　　　権という五つの区分での同じ区分の資産であることをいいますので、例え
　　　ば、借地権と土地の交換は土地と土地の交換に該当し、この条件を満たし
　　　ます。また、自己の有する土地に新たに借地権を設定し（借地権の設定に
　　　より地価が著しく低下する場合の土地等の帳簿価額の一部損金算入の規定
　　　（法政令138①、【問21-14】参照）が適用される場合に限ります。）、その設
　　　定の対価として相手方から土地等を取得するような場合も、この条件を満
　　　たします。(基通10-6-3の2)

(833)

（注2）　建物に附属する設備及び構築物は、その建物と一体となって交換される場合に限り建物として上記の条件を満たしますが、それぞれ単独では上記の条件を満たしません。（基通10-6-3）

（注3）　譲渡資産の譲渡直前の用途は、法人が当該譲渡資産を他の用途に供するために改造に着手している等改造して他の用途に供することとしている場合には、その改造後の用途をいいます。（基通10-6-6）

（注4）　同一の用途に供したかどうかは、その資産の種類に応じ、おおむね次に掲げる区分により判定します。（基通10-6-7）

　　　　土地……その現況により、宅地、田畑、鉱泉地、池沼、山林、牧場又は原野、その他の区分

　　　　建物……居住の用、店舗又は事務所の用、工場の用、倉庫の用、その他の用の区分。なお、店舗又は事務所と住宅とに併用されている家屋は、居住専用又は店舗専用若しくは事務所専用の家屋とすることができます。

　　　　機械及び装置……平成20年改正前の耐用年数省令別表第二に掲げる設備の種類の区分

　　　　船舶……漁船、運送船（貨物船、油槽船、薬品槽船、客船等をいいます。）、作業船（しゅんせつ船及び砂利採取船を含みます。）、その他の区分

④　交換の時における交換取得資産の価額と交換譲渡資産の価額との差額（交換差金として決済される金額）が、これらの価額のうちいずれか多い価額の20％に相当する金額を超えないこと。

（注1）　一体となって同じ効用を有する同種の資産のうち、その一部については交換とし、他の部分については譲渡としているときは、当該他の部分を含めて交換があったものとし、その譲渡代金は交換差金等とします。（基通10-6-5）

（注2）　通常の取引価額が異なる2以上の固定資産を相互に等価であるものとして交換した場合でも、その交換がその交換をするに至った事情に照らし正常な取引条件に従って行われたものであるものと認められるときは、法人税法第50条の規定の適用上、これらの資産の価額は当該当事者間において合意されたところによるものとします。（基通10-6-5の2）

法人税法第50条第1項は、交換取得資産の帳簿価額を損金経理により減額

第18章　圧縮記帳

することを損金算入の条件としています。これによれば、みなし譲渡益と圧縮記帳損の両建処理が必要になりますが、交換には資金の受渡しがありませんので、交換する資産の間での帳簿価額の付け替え処理をすればよく、譲渡益と圧縮記帳損の両建処理は意味がありません。このため、交換取得資産の帳簿価額を損金経理によって減額しないで、交換譲渡資産の帳簿価額と交換取得資産の取得のために要した経費の合計額に相当する金額を下らない金額を交換取得資産の取得価額としたときは、これが認められます。この場合、別表十三(三)「交換により取得した資産の圧縮額の損金算入に関する明細書」を記載して、確定申告書に添付することが必要です。(基通10-6-10)

(注) 交換の場合の会計処理は、交換譲渡資産の帳簿価額の交換取得資産への付替えとするという考えは、連続意見書第三「有形固定資産の減価償却について」の第一の四の4にも次のとおり示されています。

「自己所有の固定資産と交換に固定資産を取得した場合には、交換に供された自己資産の適正な簿価をもって取得原価とする」

交換による圧縮記帳の計算例（Ⅰ）

【問18-13】 令和6年6月30日に下記の資産（ともに土地）を交換し、当方から相手方に交換差金150万円を支払いました。当方の圧縮限度額の計算と、申告書の掲載方法を教えてください。また、法人税基本通達10-6-10に示された方法（帳簿価額の付替え処理）による仕訳は、当方ではどのようになりますか。

	取得年月日	価　額	帳簿価額	譲渡経費
譲渡資産	平14.4.1	1,350万円	500万円	20万円
取得資産	平16.9.1	1,500万円	800万円	50万円

【答】 交換差金150万円は、交換資産の多い方の価額1,500万円の20%である300万円を超えていません。その他についても、交換により取得した資産の圧縮額の損金算入の規定（法50）が適用されるための要件（【問18-12】参照）を、満たしているものとします。

圧縮限度額は次の算式で計算します。（法政令92）

（835）

① 交換差金等がない場合

圧縮限度額＝取得資産の価額－（譲渡資産の譲渡直前の帳簿価額＋譲渡経費）

② 交換差金等を取得した場合

$$圧縮限度額＝取得資産の価額－\left(譲渡資産の譲渡直前の帳簿価額＋譲渡経費\right)×\frac{取得資産の価額}{取得資産の価額＋交換差金等}$$

③ 交換差金等を支払った場合

$$圧縮限度額＝取得資産の価額－\left(譲渡資産の譲渡直前の帳簿価額＋譲渡経費＋交換差金等\right)$$

(注) 法人税法施行令第92条では、上記の算式で取得資産の価額から控除する金額を「譲渡資産の譲渡直前の帳簿価額」としています。

御質問の場合は、上記③に該当しますから、圧縮限度額は次のとおりとなります。

1,500万円－（500万円＋20万円＋150万円）＝830万円

法人税基本通達10－6－10に示された方法で仕訳をしますと、次のとおりになります。

土　地　670万円（取得資産）	土　地　500万円（譲渡資産）
	現　金　150万円（交換差金）
	現　金　　20万円（譲渡経費）

申告書別表十三(三)を記載すると、次ページのとおりです。

第18章　圧縮記帳

交換により取得した資産の圧縮額の損金算入に関する明細書

事業年度	・　・	法人名		別表十三(三)

項目	No.	金額	項目	No.	金額
交換により譲渡した資産の種類及び用途	1	土地　工場用	資産の帳簿価額を減額した金額	13	円
交換の相手先の氏名又は名称	2	△△△△	譲渡直前の帳簿価額 (12)	14	
交換の年月日	3	令6・6・30	取得資産の価額 (7)	15	
譲渡資産を取得した年月日	4	平14・4・1	取得資産とともに取得した交換差金等の額	16	
交換取得資産を交換の相手先が取得した年月日	5	平16・9・1	取得資産の価額に対応する帳簿価額 $(14) \times \dfrac{(15)}{(15)+(16)}$	17	
譲渡資産の価額	6	円 13,500,000	圧縮限度額 $((15)-(17))$又は$((15)-(17)-1円)$	18	
取得資産の価額	7	15,000,000	圧縮限度超過額 (13)－(18)	19	
(6)と(7)の差額	8	1,500,000	資産の帳簿価額を減額した金額	20	8,300,000
(6)と(7)のうち多い金額の $\dfrac{20}{100}$ 相当額	9	3,000,000	取得資産の価額 (7)	21	15,000,000
譲渡資産の帳簿価額	10	5,000,000	譲渡直前の帳簿価額 (12)	22	5,200,000
譲渡資産の譲渡に要した経費の額	11	200,000	譲渡資産とともに交付した交換差金等の額	23	1,500,000
計 (10)＋(11)	12	5,200,000	計 (22)＋(23)	24	6,700,000
			圧縮限度額 (21)－(24)	25	8,300,000
			圧縮限度超過額 (20)－(25)	26	0

取得資産と交換差金等のみを取得した場合又は合　圧縮限度額の計算

譲渡資産と交換差金等を交付した場合合　圧縮限度額の計算

（837）

交換による圧縮記帳の計算例（Ⅱ）

> **【問18-14】** 【問18-13】で、交換の相手方も交換の特例の適用を受けるとした場合、その圧縮限度額の計算と申告書の記載方法を教えてください。また、法人税基本通達10-6-10に示された方法（帳簿価額の付替え処理）による仕訳は、相手方ではどのようになりますか。

【答】 相手方は【問18-13】の②に該当しますから、圧縮限度額は次のとおりとなります。

$$1,350万円 - (800万円 + 50万円) \times \frac{1,350万円}{1,350万円 + 150万円} = 585万円$$

相手方は、交換によって交換差金150万円を取得しましたが、この交換差金に対応する譲渡益の金額は次のとおり65万円で、課税の対象となります。

$$\overset{\substack{譲渡資産\\の価額}}{1,500万円} - (\overset{\substack{譲渡資産の\\帳簿価額}}{800万円} + \overset{譲渡経費}{50万円}) = 650万円$$

$$\underset{圧縮限度額}{650万円 - 585万円} = 65万円$$

(注) 譲渡益は次のように計算もできます。

$$(800万円 + 50万円) \times \frac{150万円}{1,350万円 + 150万円} = 85万円$$

（譲渡資産の譲渡直前の帳簿価額のうち交換差金に対応する部分の金額）

$$\overset{交換差金}{150万円} - 85万円 = 65万円$$

法人税基本通達10-6-10に示された方法で仕訳をしますと、次のとおりになります。

土　地	765万円（取得資産）	土　地	800万円（譲渡資産）
現　金	150万円（交換差金）	現　金	50万円（譲渡経費）
		土地譲渡益	65万円

申告書別表十三(三)を記載すると、次ページのとおりです。

（838）

第18章　圧縮記帳

| 交換により取得した資産の圧縮額の損金算入に関する明細書 | | 事業年度 | ・　・ | 法人名 | | | | 別表十三(三) |

交換により譲渡した資産の種類及び用途	1	土地 工場用	取得資産のみを取得した場合又は合	資減	産の帳簿価額を額した金額	13	5,850,000 円
交換の相手先の氏名又は名称	2	×××		圧縮限度額の計算	譲渡直前の帳簿価額 (12)	14	8,500,000
交換の年月日	3	令6・6・30			取得資産の価額 (7)	15	13,500,000
譲渡資産を取得した年月日	4	平16・9・1			取得資産とともに取得した交換差金等の額	16	1,500,000
交換取得資産を交換の相手先が取得した年月日	5	平14・4・1			取得資産の価額に対応する帳簿価額 (14) × (15)/((15)+(16))	17	7,650,000
譲渡資産の価額	6	15,000,000 円			圧縮限度額 ((15)-(17))又は((15)-(17)-1円)	18	5,850,000
取得資産の価額	7	13,500,000		圧縮限度超過額 (13)-(18)		19	0
(6)と(7)の差額	8	1,500,000	譲渡資産と交換差金等を交付した場合又は合	取得資減	資産の帳簿価額を額した金額	20	
(6)と(7)のうち多い金額の 20/100 相当額	9	3,000,000		圧縮限度額の計算	取得資産の価額 (7)	21	
譲渡直前の帳簿価額	譲渡資産の帳簿価額	10	8,000,000		譲渡資産の帳簿価額	譲渡直前の帳簿価額 (12)	22	
	譲渡資産の譲渡に要した経費の額	11	500,000			譲渡資産とともに交付した交換差金等の額	23	
	計 (10)+(11)	12	8,500,000			計 (22)+(23)	24	
						圧縮限度額 (21)-(24)	25	
					圧縮限度超過額 (20)-(25)		26	

(839)

第3節　租税特別措置法の規定による圧縮記帳

特定の資産の買換えの場合の譲渡資産と取得資産

> **【問18-15】**　特定の資産の買換えの場合の圧縮記帳について、譲渡
> する資産と買換えで取得する資産の組み合わせを説明してくださ
> い。

【答】　特定の資産の買換えの場合の圧縮記帳は、令和8年3月31日までに下
表の「譲渡資産」を譲渡し、原則として譲渡をした事業年度に下表の「買換
資産」を取得して、取得日から1年以内に事業の用に供したとき又は供する
見込みのときは、圧縮記帳により買換資産の帳簿価額の減額が認められる制
度です。（措法65の7①）これにより、譲渡資産の譲渡益のうち圧縮記帳額
相当額の課税が繰り延べられることになります。

	譲渡資産	買換資産
①	航空機騒音障害区域（**注1**）内の土地等（**注2**）、建物、構築物で、一定の場合（**注1**）に譲渡されるもの	航空機騒音障害区域以外の地域内にある土地等、建物、構築物、機械及び装置（農業又は林業の用に供されるものは、都市計画法第7条第1項の市街化区域以外の地域内にあるものに限ります。）
②	既成市街地等（**注3**）内にある土地等、建物、構築物	既成市街地等内にある土地等、建物、構築物、機械及び装置で、都市再開発法による市街地再開発事業に関する都市計画の実施に伴い取得されるもの（一定のものを除きます。）（措政令39の7④）
③	国内にある土地等、建物、構築物で、取得日から引き続き所有されていたもので、所有期間が10年を超えるもの（**注4**）	国内にある土地等、建物、構築物（**注4**）
④	船舶法第1条に規定する日本船舶（漁業の用に供されているものを除きます。）で一定のもの（**注5**）	船舶法第1条に規定する日本船舶（漁業の用に供されているものを除きます。）で一定のもの（**注6**）

（注1）　航空機騒音障害区域とは次の区域をいいます（イとロについては、令和2
年4月1日前にその区域となった区域を除きます）。また、一定の場合とは、
区域ごとにそれぞれ次の場合をいいます。

（840）

第18章　圧縮記帳

　　ロ　特定空港周辺航空機騒音対策特別措置法第４条第１項に規定する航
　　　　空機騒音障害防止特別地区……同法第８条第１項若しくは第９条第２
　　　　項の規定により買い取られ、又は同条第１項の規定により補償金を取
　　　　得する場合

　　ロ　公共用飛行場周辺における航空機騒音による障害の防止等に関する
　　　　法律第９条第１項に規定する第二種区域……同条第２項の規定により
　　　　買い取られ、又は同条第１項の規定により補償金を取得する場合

　　ハ　防衛施設周辺の生活環境の整備等に関する法律第５条第１項に規定
　　　　する第二種区域……同条第２項の規定により買い取られ、又は同条第
　　　　１項の規定により補償金を取得する場合

（注２）　平成26年４月１日又はその土地等のある区域が航空機騒音障害区域となっ
　　　　た日のいずれか遅い日以後に取得（贈与による取得を除きます。）されたも
　　　　のを除きます。

（注３）　既成市街地等とは次の区域をいいます。なお、イ～ハについては、譲渡の
　　　　あった日の属する年の10年前の年の翌年１月１日以後に公有水面埋立法の規
　　　　定による竣功認可のあった埋立地の区域を除きます。（措政令39の７③前段）

　　イ　首都圏整備法第２条第３項に規定する既成市街地

　　ロ　近畿圏整備法第２条第３項に規定する既成都市区域

　　ハ　首都圏、近畿圏及び中部圏の近郊整備地帯等の整備のための国の財政上
　　　　の特別措置に関する法律第２条第３項に規定する政令で定める区域

　　ニ　都市計画法第４条第１項に規定する都市計画に都市再開発法第２条の３
　　　　第１項第２号に掲げる地区若しくは同条第２項に規定する地区の定められ
　　　　た市又は道府県庁所在の市の区域の都市計画法第４条第２項に規定する都
　　　　市計画区域のうち最近の国勢調査の結果による人口集中地区の区域（上記
　　　　イ～ハを除きます。）（措政令39の７③後段）

（注４）　詳細な要件等は【問18-17】で説明しています。

（注５）　建設業又はひき船業の事業用に供されているものは、平成23年１月１日以
　　　　後に建造されたものを除きます。また、進水の日から譲渡の日までの期間が
　　　　次の期間に満たないものに限ります。（措政令39の７⑥）

　　イ　海洋運輸業の用に供されている船舶は20年

　　ロ　沿海運輸業の用に供されている船舶は23年

　　ハ　建設業又はひき船業の用に供されている船舶は30年

（注６）　譲渡した船舶と同一の事業の用に供されるもので、次のものに限ります。
　　　　（措政令39の７⑦）

（841）

ロ　建造の後事業の用に供されたことのない船舶のうち、環境への負荷
　　　の低減に資する船舶として国土交通大臣が財務大臣と協議して指定す
　　　るもの
　　ロ　船舶で、その進水の日から取得の日までの期間が耐用年数以下であ
　　　り、かつ、その期間が譲渡した船舶の進水の日からその譲渡の日まで
　　　の期間に満たないもののうち、環境への負荷の低減に資する船舶とし
　　　て国土交通大臣が財務大臣と協議して指定するもの

　この特定の資産の買換えの場合の圧縮記帳の特例は、かつて数多くの買換
えパターン（譲渡資産と買換資産の組み合わせ）がありましたが、近年、徐々
に縮減され、令和5年税制改正後は上記の4パターンのみになっています。

特定の資産の買換えの場合の課税の特例の適用要件、圧縮限度額

> **【問18-16】**　特定の資産の買換えの場合の課税の特例について、そ
> の適用要件、圧縮限度額を説明してください。

【答】　(1)　適用要件は、次のとおりです。
① 　棚卸資産については、この特例は適用されません。ただし、不動産売
　買業を営む法人の有する土地又は建物で、当該法人が使用し若しくは他
　に貸し付けているもの（販売の目的で所有しているもので、一時的に使
　用し又は他に貸し付けているものを除きます。）又は当該法人が具体的
　な使用計画に基づいて使用することを予定し相当の期間所有しているこ
　とが明らかであるものは、棚卸資産に該当しません。(措通65の7(1)-1)
② 　譲渡資産の譲渡には、借地権の設定等により地価が著しく低下する場
　合の土地等の帳簿価額の一部の損金算入の規定（法政令138①、【問21-
　11】参照）に該当するものを含みますが、以下のものは含みません。（措
　法65の7⑯一、措政令39の7⑯）
　　イ　収用等に伴い代替資産を取得した場合の課税の特例（措法64①一〜
　　　四及び八）並びに換地処分等に伴い資産を取得した場合の課税の特例
　　　（措法65①一及び三〜七）に規定する収用、買取り、換地処分、権利
　　　変換又は買収による譲渡
　　ロ　贈与、交換、出資、現物分配又は代物弁済による譲渡
　　ハ　合併又は分割による資産の移転

（842）

第18章　圧　縮　記　帳

③　買換資産の取得には、建設及び製作を含みますが、以下のものは含み
ません。（措法65の７⑯二、措政令39の７⑯）

イ　合併、分割、贈与、交換、出資、現物分配又は代物弁済による取得

ロ　所有権移転外リース取引によるもの

（注）　買換えの特例の対象となる譲渡資産と買換資産を交換した場合は、特定
の資産を交換した場合の課税の特例が受けられます。（措法65の９）

④　買換資産が土地等のときは、譲渡資産である土地等の面積に対して５
倍以内の部分についてだけ特例が適用されます。（措法65の７②、措政
令39の７⑧）

⑤　令和６年４月１日以後に資産を譲渡して、同日以後に買換資産を取得
する場合、譲渡資産の譲渡日又は買換資産の取得日のいずれか早い日を
含む四半期（事業年度を期首から３月ごとに区分した各期間）の末日の
翌日から２か月以内に、特例の適用を受ける旨及び次の事項を記載した
届出書を納税地の所轄税務署長に提出する必要があります。（措法65の
７①⑨、措政令39の７②、令５改所法等附則46③）

１　届出者の名称、納税地及び法人番号

２　次のイ又はロの区分に応じて、それぞれ次に定める事項

イ　先行取得以外の場合

(1)　譲渡資産及びその四半期に取得した資産の種類、構造又は用途、
規模（土地等については面積）、所在地並びに譲渡年月日及び取
得年月日（船舶は、種類、構造又は用途、規模並びに譲渡年月日
及び取得年月日）

(2)　譲渡資産の価額及び譲渡直前の帳簿価額

(3)　その四半期の末日の翌日以後に取得する見込みである資産の種
類、所在地及び取得予定年月日（船舶は、種類及び取得予定年月
日）

ロ　先行取得の場合

(1)　その四半期に譲渡した資産及び取得資産の種類、構造又は用途、
規模（土地等については面積）、所在地並びに譲渡年月日及び取
得年月日（船舶は、種類、構造又は用途、規模並びに譲渡年月日
及び取得年月日）

（843）

(2)　取得資産の取得価額

　　(3)　その四半期の末日の翌日以後に譲渡する見込みである資産の種
　　　　類、所在地及び譲渡予定年月日（船舶は、種類及び譲渡予定年月
　　　　日）

　3　適用を受ける区分（【問18-15】の表の区分）

　4　その他参考となるべき事項

　なお、土地等とは、土地及び土地の上に存する権利をいいます。また、建
物には、その附属設備が含まれます。

　(注)　譲渡資産の譲渡時期と買換資産の取得時期に関する要件は、【問18-19】に記
　　　載しています。

(2)　圧縮限度額は、次の算式のとおりです。（措法65の7①）

　　　　圧縮限度額＝圧縮基礎取得価額×差益割合×80%**(注)**

　(注)　【問18-15】の表①の買換えのうち、譲渡資産が防衛施設周辺の生活環境の
　　　　整備等に関する法律第5条第1項に規定する第二種区域内にあるものは、70%
　　　　になります。（措法65の7①）また、【問18-15】の表③の買換えで一定のものは、
　　　　60%、70%、75%又は90%になります。（措法65の7⑭、詳細は【問18-18】参照）

　圧縮基礎取得価額は、次の①又は回のいずれか少ない金額です。（措法65
の7⑯三、措政令39の7⑰）

　①　買換資産の取得価額

　回　譲渡資産の譲渡対価の額（既に他の買換資産の取得に充てた金額があ
　　　る場合は、当該他の買換資産の取得に充てた金額を控除します。）

　先行取得をした減価償却資産を買換資産とする場合、過年度に減価償却費
の損金算入が行われていますので、損金算入の重複を避けるため、圧縮基礎
取得価額を次の算式によって調整計算することになります。

$$\frac{①又は回のいず}{れか少ない金額} \times \frac{買換資産の前期末の帳簿価額}{買換資産の前期末の取得価額} = \frac{圧縮基礎}{取得価額}$$

　差益割合は、次の算式により計算される割合です。（措法65の7⑯四）

$$\frac{譲渡対価の額－（譲渡資産の帳簿価額＋譲渡経費の額）}{譲渡資産の譲渡対価の額}$$

　差益割合は少数点以下何位までかの定めはありません。また、原則として
譲渡した資産のそれぞれごとに計算しますが、一括して計算できる場合が、

（844）

第18章　圧縮記帳

通達（措通65の7(3)-1）に掲げられています。（【問18-22】参照）

　なお、譲渡経費には、次に掲げるようなものが含まれます。(措通65の7(3)-5)

- ㋑　譲渡に要したあっせん手数料、謝礼
- ㋺　譲渡資産が建物である場合の借家人に対して支払った立退料
- ㋩　譲渡資産の測量、所有権移転に伴う諸手続、運搬、修繕等の費用で譲渡資産を相手方に引き渡すために支出したもの

長期所有土地等からの買換えの場合の譲渡資産と買換資産の要件

> **【問18-17】**　当社は約30年保有している土地と建物を売却することとなり、特定の資産の買換えの圧縮記帳を検討しています。この特例を受けるための譲渡資産と買換資産の要件について説明してください。

【答】　御質問の買換えは、長期所有土地等からの買換えで、特定の資産の買換えの特例のうち最も適用事例の多いものです。以下で譲渡資産と買換資産の要件を説明します。

(1)　譲渡資産の要件

　譲渡資産は、国内にある土地等、建物（その附属設備を含みます。）又は構築物で、その法人により取得された日から引き続き所有されていたこれらの資産のうち所有期間が10年を超えるものです。（措法65の7①表三上欄）なお、ここでの所有期間は、取得日の翌日から譲渡日の属する年の1月1日までの期間をいい（同かっこ書）、実際の所有期間と異なりますから、御注意ください。

　譲渡資産が次に該当する場合には、それぞれ次に掲げる日を取得日とみなして所有期間を計算します。（措政令39の7㉔）

① 　適格合併、適格分割、適格現物出資又は適格現物分配により移転を受けた資産……適格合併等に係る被合併法人、分割法人、現物出資法人又は現物分配法人がその資産を取得した日

② 　特別の法律に基づく承継により受け入れた資産……承継に係る被承継法人がその資産を取得した日

（845）

③ 交換により取得した資産の圧縮記帳（法50①⑤）の適用を受けた資産
……交換により譲渡した資産を取得した日

④ 収用換地等により取得した代替資産（措法64①⑨、64の2⑦⑧、65③）
……収用換地等により譲渡した資産を取得した日

⑤ 換地処分等による交換取得資産（措法65①⑤）……換地処分等により譲
渡した資産を取得した日

⑥ 特定の交換分合による交換取得資産（措法65の10①④）……交換分合に
より譲渡した資産を取得した日

(2) 取得資産の要件

買換えによる取得資産は、国内にある土地等で次のイ～ハに該当するもの、
建物又は構築物です。なお、土地は面積が300㎡以上のものに限ります。（措
法65の7①表三下欄）

イ 事務所、事業所その他一定の施設（以下「特定施設」といいます。）の
敷地の用に供されるもの

ロ イの特定施設に係る事業の遂行上必要な駐車場の用に供されるもの

ハ 駐車場の用に供されるもの（建物又は構築物の敷地の用に供されていな
いことに一定のやむを得ない事情があるものに限ります。）

上記イの特定施設とは、事務所、工場、作業場、研究所、営業所、店舗、
倉庫、住宅その他これらに類する施設をいい、福利厚生施設に該当するもの
を除きます。（措政令39の7⑤前段）また、上記ハでの一定のやむを得ない
事情とは、次に掲げる手続その他の行為が進行中であることにつき租税特別
措置法施行規則第22条の7第1項で定める書類により明らかにされた事情を
いいます。（措政令39の7⑤後段）

・都市計画法第29条第1項又は第2項の規定による許可の手続

・建築基準法第6条第1項に規定する確認の手続

・文化財保護法第93条第2項に規定する発掘調査

・建築物の建築に関する条例の規定に基づく手続（建物又は構築物の敷地の
用に供されていないことがその手続理由とするものであることにつき国
土交通大臣が証明した者に限ります。）

第18章　圧縮記帳

長期所有土地等からの買換えの場合の圧縮割合

> **【問18-18】**　当社は、租税特別措置法第65条の７第１項第３号の規定を適用し、所有期間が10年を超える資産を譲渡して、東京23区内に所在する資産に買い換える予定ですが、東京23区等大都市圏にある資産に買い換える場合、圧縮割合が縮小されると聞きました。これについて説明してください。

【答】　租税特別措置法第65条の７第１項第３号で定める長期所有土地等からの買換えは、【問18-17】でも説明しましたように、特定の資産の買換えの規定のうち、最も多く利用されているものです。これに関して、大都市への過度の集中を防止し、地方の活力を向上させる観点から、一定地域への買換えについては圧縮割合が通常の80％から縮小されます。逆に、本店の移転を伴う地方への買換えについては圧縮割合が拡大されます。この内容は以下のとおりです。

　租税特別措置法第65条の７第１項第３号を適用する場合で、譲渡資産が地域再生法第５条第４項第５号イに規定する集中地域（以下「集中地域」といいます。）以外の地域内にあるもので、次の①～③に該当する場合は、圧縮割合がそれぞれ示した割合になります。（措法65の７⑭）

①　買換資産が地域再生法第17条の２第１項第１号に規定する地域内にある資産の場合（譲渡資産及び買換資産のいずれもが本店資産に該当する場合）……60％

②　買換資産が地域再生法第17条の２第１項第１号に規定する地域内にある資産の場合（①の場合を除きます。）……70％

③　買換資産が集中地域（地域再生法第17条の２第１項第１号に規定する地域を除きます。）内にある資産の場合……75％

　上記①の本店資産とは、法人の本店又は主たる事務所として使用される建物及び構築物並びにこれらの敷地の用に供される土地等をいいます。

　また、譲渡資産が地域再生法第17条の２第１項第１号に規定する地域内にあるもので、買換資産が集中地域以外の地域にあり、譲渡資産及び買換資産のいずれもが本店資産に該当するときは、圧縮割合は90％となります。（措法65の７⑭）

（847）

集中地域とは、産業及び人口の過度の集中を防止する必要がある地域及び
その周辺の地域であって政令で定めるものをいい（地域再生法5④五イ）、
具体的には、(イ)首都圏整備法の既成市街地及び近郊整備地帯、(ロ)近畿圏整
備法の既成都市区域、(ハ)首都圏、近畿圏及び中部圏の近郊整備地帯等の整
備のための国の財政上の特別措置に関する法律施行令別表に掲げる地域です。
（地域再生法施行令5①）また、地域再生法第17条の2第1項第1号に規定
する地域とは、集中地域のうち特定業務施設の集積の程度が著しく高い地域
として政令で定めるものをいい、具体的には、東京23区です。（地域再生法
施行令11）

　これに基づいて、譲渡資産及び買換資産の所在地ごとに圧縮割合をまとめ
ますと、下表のとおりとなります。

譲渡資産の所在地	買換資産の所在地	圧縮割合
集中地域以外の地域	集中地域以外の地域	80%
	集中地域（東京23区以外）	75%
	東京23区	60%又は70%（注1）
集中地域（東京23区含む）	集中地域以外の地域	80%又は90%（注2）
	集中地域（東京23区以外）	80%
	東京23区	80%

（注1） 本店又は主たる事務所の所在地の移転を伴う場合は60%になります。

（注2） 譲渡資産が東京23区内にあるもので、本店又は主たる事務所の所在地の移
　　　　転を伴う場合は90%になります。

　圧縮割合が縮減されるのは、集中地域以外の地域から集中地域への買換え
ですので、集中地域から集中地域への買換えのときは圧縮割合は80%となり
ます。したがって、御質問の場合、譲渡資産が集中地域にある資産であれば、
東京23区にある資産に買い換えた場合でも、圧縮割合は80%となり、譲渡資
産が集中地域以外の地域にある資産の場合は、圧縮割合は70%（本店移転を
伴う場合は60%）となります。

　（注） 令和5年3月31日以前に資産を譲渡した場合の圧縮割合は以下のとおりです。
　　　　（旧措法65の7⑭、令5改所法等附則46①）

（848）

第18章　圧　縮　記　帳

譲渡資産の所在地	買換資産の所在地	圧縮割合
集中地域以外の地域	集中地域以外の地域	80%
	集中地域（東京23区以外）	75%
	東京23区	70%
集中地域（東京23区含む）	集中地域以外の地域	80%
	集中地域（東京23区以外）	
	東京23区	

譲渡資産の譲渡時期と買換資産の取得時期の関係

> 【問18-19】　特定の資産の買換えの場合の課税の特例を受けるに当
> たって、譲渡資産の譲渡事業年度と買換資産の取得時期との関係
> は、どのように規定されていますか。

【答】　特定の資産の買換えの場合の圧縮記帳の特例は、譲渡をした日を含む
事業年度（以下「譲渡事業年度」といいます。）に買換資産を取得して取得
の日から１年以内に事業の用に供することが原則とされていますが（措法65
の７①）、買換資産の取得時期については、弾力的な規定が定められています。

　譲渡資産の譲渡事業年度と買換資産の取得時期の関係は、次の３つに分類
できます。

⑴　譲渡事業年度において、買換資産を取得するとき……取得の日が譲渡の
　日前であっても差し支えありません。

　(注)　令和６年４月１日以後に資産を譲渡して、同日以後に買換資産を取得する場
　　　合、届出書の提出が必要です。これについては、【問18-16】の⑴の⑤を参照し
　　　てください。

⑵　譲渡事業年度の翌事業年度開始の日から１年以内（工場等の建設や宅地
　造成等の特別な事情があって、税務署長の承認を受けたときは３年まで延
　長できます。）に買換資産を取得するとき……譲渡事業年度において、下
　記の金額を特別勘定として経理することにより、この金額相当額の損金算
　入が認められます。（措法65の８①⑱）

　　譲渡資産の譲渡対価のうち買換
　　資産の取得に充てようとする額 ×差益割合×80％（注)

　(注)　圧縮割合が80％以外の割合の買換えでは、その圧縮割合によります。（措政

（849）

令65の8①⑱、【問18-16】、【問18-18】参照）

　なお、当該特別勘定を設けるときは、翌事業年度以後に取得する見込みの資産について次の事項を記載した書類を作成し、確定申告書等に添付しなければなりません。（措法65の8⑯、措規則22の7⑦）

㋑取得をする見込みである資産の種類、構造、規模（土地等についてはその面積）、所在地及び取得予定年月日（船舶については、種類、構造、規模及び取得予定年月日）／㋺特別勘定として経理した金額並びに特別勘定に係る譲渡資産の種類、構造又は用途、規模（土地等についてはその面積）、所在地及び譲渡年月日（船舶については、種類、構造又は用途、規模及び譲渡年月日）／㋩取得をする見込みである資産について適用を受けることとしている買換えの区分（【問18-15】の表の区分）／㋥その他参考となるべき事項

　事例によって経理処理の方法を示すと、次のとおりです。

〔事例〕　譲渡資産／土地　譲渡価額／24,000千円　譲渡直前の帳簿価額／
　　　　5,500千円　譲渡に要した費用／500千円（令和6年6月譲渡）

　　　　　買換資産／建物　取得価額／20,000千円（耐用年数30年、償却方法定額法、償却率は0.034）

　　　　　圧縮割合は80%とします。また、3月31日決算の会社とします。

　まず、資産譲渡時及び譲渡経費支払時の仕訳は、次のとおりです。

　　　　　　　　現　　　金　24,000千円　／　土　　　地　　5,500千円
　　　　　　　　　　　　　　　　　　　　／　土地売却益　18,500千円

　　　　　　　　譲渡費用　　500千円　／　現　　　金　　500千円

㋑　翌期に買換資産を24,000千円以上で取得することとし、令和7年3月期に剰余金の処分で圧縮特別勘定積立金を積み立てて、株主資本等変動計算書に記載したとき

　　繰延利益剰余金　14,400千円　／　圧縮特別勘定積立金　14,400千円

　期末現在買換資産をまだ取得していませんので、圧縮特別勘定積立金を積み立てますが、その積立限度額は次のとおりになります。

$$差益割合 = \frac{24,000千円 - （5,500千円 + 500千円）}{24,000千円} = 0.75$$

$$圧縮特別勘定積立限度額 = 24,000千円 × 0.75 × 0.8 = 14,400千円$$

第18章　圧縮記帳

(ロ)　翌期に買換資産として20,000千円の建物を取得したとき

　　　建　　物　20,000千円　／　現　　　金　20,000千円

(ハ)　令和8年3月期に前期に積み立てた圧縮特別勘定積立金を取り崩し、当期に取得した買換資産に係る圧縮積立金を剰余金の処分で積み立てて、株主資本等変動計算書に記載したとき

　　　圧縮特別勘定積立金　14,400千円　／　繰越利益剰余金　14,400千円

　　　繰越利益剰余金　　　12,000千円　／　圧縮積立金　　　12,000千円

　　　圧縮積立金の計算は次のとおりになります。

　　　　圧縮積立金積立限度額＝20,000千円×0.75×0.8＝12,000千円

(注)　上記のように、翌期に買換資産を20,000千円しか取得しなかった場合、圧縮特別勘定積立金の取崩額14,400千円は圧縮積立金の積立額12,000千円よりも多くなりますが、通常の場合、買換資産の取得指定期間が切れますので、その全額を取り崩さなければなりません。

(3)　譲渡事業年度の開始の日前1年以内（工場等の建設や宅地造成等の特別な事情があるときは3年以内）に買換資産を取得し、かつ、取得の日から1年以内に事業の用に供したとき又は供する見込みであるとき……この場合の買換資産を先行取得資産といい、当該資産が減価償却資産のときは、圧縮基礎取得価額の計算に当たって譲渡事業年度の直前事業年度までの減価償却費対応額を減額しなければなりません。（措法65の7③、⑯三、措政令39の7⑨⑰）

　　なお、この場合は、先行取得資産の取得の日を含む事業年度終了後2か月以内に、買換え特例の適用を受ける旨及び次の事項を記載した届出書を所轄税務署長に提出することとされています。（措法65の7③、措政令39の7⑩）

　　①届出者の名称、納税地及び法人番号／ロ取得資産の種類、構造又は用途、規模（土地等については面積）、所在地、取得年月日及び取得価額（船舶は、種類、構造又は用途、規模、取得年月日及び取得価額）／ハ譲渡する見込みの資産の種類、所在地及び譲渡予定年月日（船舶は、種類及び譲渡予定年月日）／ニ適用を受ける買換えの区分（【問18-15】の表の区分）／ホその他参考となるべき事項

(注)　令和6年3月31日以前に買換資産を取得した場合は、上記の届出事項の一部

（851）

が異なります。

事例により説明すると、次のとおりです。

(イ) (2)の事例で令和5年10月に20,000千円の建物を取得して、事業の用に供していたとき

〈先行取得資産取得時〉

建　物　20,000千円　／　建　物　20,000千円

〈令和6年3月期末〉

減価償却費　340千円　／　建　物　340千円

$$20,000千円 \times 0.034 \times \frac{6}{12} = 340千円$$

したがって、買換資産の帳簿価額は、令和6年3月末日において、20,000千円 － 340千円 ＝ 19,660千円になっています。

(ロ) 資産譲渡時及び譲渡経費支払時の仕訳は、(2)に記載したのと同じです。

(ハ) 令和7年3月期に圧縮積立金を積み立て、株主資本等変動計算書に記載したとき

繰越利益剰余金　11,796千円　／　圧縮積立金　11,796千円

この金額の計算は、次のように行います。

$$\frac{圧縮基礎}{取得価額} = \frac{買換資産の取得価額又は譲渡資産}{の譲渡対価のいずれか少ない額} \times \frac{買換資産の帳簿価額}{買換資産の取得価額}$$

$$20,000千円 \times \frac{19,660千円}{20,000千円} = 19,660千円$$

圧縮限度額 ＝ 圧縮基礎取得価額 × 差益割合 × 0.8

19,660千円 × 0.75 × 0.8 ＝ 11,796千円

　(1)及び(2)の場合に比べて圧縮限度額が204千円（12,000千円 － 11,796千円）少ないのですが、これによって先行取得資産についての前期末までの減価償却費340千円のうち、その差益割合×80％相当額（340千円×0.75×0.8＝204千円）が取り戻されるわけです。

（852）

第18章 圧縮記帳

借地権の返還に当たって立退料を受けた場合の圧縮記帳

> 【問18-20】 昭和50年代からの借地について地主から立退きを要求
> され、借地上の工場を収去して移転することになりました。新工
> 場の土地建物は、地主から受領する立退料で取得する予定です。
> 特定の資産の買換えの場合の圧縮記帳の特例が適用されますか。

【答】 国内にある土地等、建物又は構築物で所有期間が10年を超えるものを
譲渡資産とし、国内にある土地等、建物又は構築物を買換資産とするときは、
租税特別措置法第65条の7第1項第3号の買換えに該当し、この規定による
特定資産の買換えの場合の圧縮記帳の特例を適用できます。(【問18-15】、【問
18-17】参照)

　ここでの、土地等には借地権が含まれますので、御質問のように借地権を
地主に返還し、地主から立退料の支払を受けた場合も借地権の譲渡に該当し
ます。ただし、借地権の譲渡の対価は、立退料のうち借地権の価額に相当す
る金額に限られます。(措通65の7(1)-7) 立退料のなかには、通常、①借地
権の価額相当額、②立退きに当たって収去する建物の買取価額、③移転に伴
う諸費用並びに営業上の損失の補償等が含まれていますが、圧縮記帳の計算
に当たって譲渡資産の譲渡の対価となるのは、①借地権の価額相当額と②建
物の買取価額であり、③の移転費用等の金額は、これに該当しません。

(853)

資本的支出の額を買換資産として圧縮記帳の適用が受けられるか

【問18-21】 租税特別措置法第65条の7第1項に買換資産として掲げられた建物、構築物等の減価償却資産の取得には、
① 法人が所有する建物の改造費で資本的支出となるものも該当しますか。建物の増築工事をしたときは、どうですか。
② 新たに賃借する建物に資本的支出をしたときは、どうですか。

【答】 特定の資産の買換えの場合の課税の特例が適用できる買換資産のなかに、建物、構築物、機械及び装置等の減価償却資産が掲げられています。

まず、これらの資産に係る資本的支出も買換資産の取得に該当するのかという点ですが、取得する買換資産は新しい独立した資産であることが必要で、既に所有している資産の改造、改良は、それが資本的支出となるものであっても、買換資産の取得に該当しません。(措通65の7(1)-12前段) したがって、①の場合、既に所有している建物の改造にすぎないときは、資本的支出の部分を買換資産として圧縮記帳の適用を受けることはできません。ただし、既に所有している建物の増築、構築物の拡張又は延長等のように、その改良、改造等により実質的に新たな資産を取得したと認められるものであるときは、買換資産として圧縮記帳の適用を受けることができます。(措通65の7(1)-12(2))

一方、新たに取得した買換資産を事業の用に供するために改良、改造等を行ったときは、新しい資産の取得に要した費用に該当しますので、その取得の日から1年以内に行ったものであれば、買換資産の取得価額に含めて圧縮記帳の適用を受けることができます。(措通65の7(1)-12(1)) 新たに賃借する資産についての資本的支出は新たな資産の取得に該当しますから、②の場合はその資本的支出部分を買換資産として、圧縮記帳の規定の適用を受けることができます。

第18章　圧縮記帳

譲渡資産が２以上ある場合の差益割合の計算

【問18-22】　３月31日決算の会社ですが、当期（令和７年３月期）中に譲渡した土地が下記の表のように３件あります。当期中に本社ビルを１億円で建築しましたので、これを買換資産として租税特別措置法第65条の７第１項第３号の規定による特定の資産の買換えの特例を受けたいと思います。この表の①の土地譲渡代金だけで１億円以上ありますので、この差益割合だけで圧縮限度額を計算してもよろしいですか。期中に譲渡した②、③の土地譲渡の差益割合も通算しなければなりませんか。

本社ビルの取得価額が２億円のときは、どのようになりますか。

なお、買換資産はこの本社ビルのみであり、翌事業年度以後においても、買換資産に該当するものを取得する予定はありません。

また、圧縮割合が80％とされる地域内での買換えです。

（単位：万円）

譲渡資産	取得年月	譲渡価額 Ⓐ	譲渡直前帳簿価額 Ⓑ	譲渡必要経費 Ⓒ	差益割合 $\dfrac{Ⓐ-(Ⓑ+Ⓒ)}{Ⓐ}$
	① 昭和57.4	12,000	1,000	200	0.9
	② 昭和61.3	4,000	1,900	100	0.5
	③ 平成9.2	5,000	4,050	100	0.17

【答】　譲渡資産についての差益割合は、原則として譲渡した資産のそれぞれごとに計算することとされていますが、次のような場合は、それぞれに掲げる資産ごとに一括して計算することもできます。（措法65の７⑯四、措通65の７(3)-1）

(1)　土地等と当該土地等の上に存する建物又は構築物を同時に譲渡した場合……同時に譲渡した土地等及び建物又は構築物

(2)　同一事業年度中に【問18-15】に記載した譲渡資産の区分を同じくする２以上の資産を譲渡した場合……当該区分を同じくする２以上の資産

(3)　譲渡した一団の土地に取得時期又は取得価額の異なるものが含まれている場合……当該一団の土地

（855）

御質問の場合ですと、①だけの差益割合は0.9であり、また、買換資産とされる予定の本社ビルの取得価額1億円は①の譲渡代金だけで十分ですので、本社ビルの圧縮限度額は1億円×0.9×0.8＝7,200万円となります。

仮に、買換資産の取得価額が2億円のときは、①、②、③のすべて（譲渡価額合計2億1,000万円）を譲渡資産とすることにより、本社ビルの圧縮限度額は、2億円×0.65**(注)**×0.8＝1億400万円となります。

(注) ①、②、③の全部を通算した場合の差益割合は、次のとおり0.65になります。

$$\frac{(12,000+4,000+5,000)-(1,000+200+1,900+100+4,050+100)}{12,000+4,000+5,000}$$

$$=\frac{13,650}{21,000}=0.65$$

御質問にはありませんが、買換資産の取得価額が1億5,000万円の場合、①と②（譲渡価額合計1億6,000万円）を譲渡資産とすることができれば、差益割合が下記のように0.8になり、本社ビルの圧縮限度額を1億5,000万円×0.8×0.8＝9,600万円とすることができます。

$$\frac{(12,000+4,000)-(1,000+200+1,900+100)}{12,000+4,000}=\frac{12,800}{16,000}=0.8$$

しかし、差益割合は、譲渡した資産ごとか、譲渡資産の全部についてかのいずれかでしか計算することが認められませんので、買換資産の取得価額が1億5,000万円の場合でも、差益割合は譲渡資産の全部を通算した0.65とすべきことになり、圧縮限度額は1億5,000万円×0.65×0.8＝7,800万円となります。

なお、買換資産が2以上ある場合にそのいずれの資産から買換資産として特例の適用を受けるかは、法人の任意とされています。（措通65の7(3)-3）御質問のように、減価償却資産を買換資産とされる場合は、法人にとって有利なように、耐用年数の長い資産から先に買換資産とすることができます。

（856）

第19章　収用等の場合の課税の特例

収用等の場合の圧縮記帳の適用と特別控除の適用との関係

【問19-1】　3月31日決算の会社ですが、土地収用法の規定に基づき、令和6年7月に工場用地の一部が道路用地として収用され、補償金7,650万円を受け取りました。譲渡に要した経費は150万円、収用された土地の帳簿価額は750万円です。この補償金で、当期中に別の土地を6,000万円で購入した場合、収用の場合の課税の特例の適用は、どのようになりますか。

【答】　土地収用法等の規定に基づいて、法人の意思によらない強制的な資産の買収が行われて補償金を取得し、その補償金によって代替資産を取得した場合、税法には次の2つの特例が規定されています。

① 収用等（土地収用法等の規定に基づく収用、買取り、換地処分、権利変換、買収又は消滅をいいます。以下同じ。）のあった日以後2年以内に代替資産を取得する場合……代替資産について圧縮記帳の特例を適用することができます。（措法64①、64の2①、65③）

代替資産の圧縮限度額の算式は、次のとおりです。

$$補償金のうち代替資産の取得に充てた額 \times \frac{分母の金額 - 譲渡資産の譲渡直前の帳簿価額}{収用等により取得した補償金の額 - 補償金等の額から支出したとみなされる譲渡に要した経費の額}$$

御質問の場合、圧縮限度額は次のとおりになります。

$$6,000万円 \times \frac{(7,650万円 - 150万円) - 750万円}{7,650万円 - 150万円} = 5,400万円$$

したがって、この特例の適用を受けるときは、代替資産の税務上の帳簿価額は、圧縮記帳後の金額である600万円（6,000万円－5,400万円）となります。また、収用により譲渡した土地の譲渡益6,750万円（7,650万円－150万円－750万円）のうち1,350万円（6,750万円－5,400万円）は課税されますが、これはこの収用により取得した補償金のうち譲渡経費及び代替資産の

(857)

取得に充てられなかった1,500万円（7,650万円－150万円－6,000万円）に係る譲渡益相当額です。

② 「収用資産の譲渡益」と「一暦年につき5,000万円」のいずれか低い金額について、特別控除の特例（当該譲渡の日を含む事業年度において損金の額に算入するという特例）を適用することができます。（措法65の2①②⑦）御質問の場合譲渡益が6,750万円ですから、特別控除の額は5,000万円となります。

(注) 土地等について土地区画整理事業、土地整理、土地改良事業又は住宅街区整備事業が施行された場合において、当該土地等に係る換地処分により土地等を取得するとき（措法65①三）、第一種市街地再開発事業が施行された場合において当該資産に係る権利変換により施設建築物の一部を取得する権利若しくは施設建築物の一部についての借家権を取得する権利及び施設建築敷地若しくはその共有持分若しくは地上権の共有持分等を取得するとき（措法65①四）、防災街区整理事業が施行された場合において、当該資産に係る権利変換により防災施設建築物の一部を取得する権利等を取得するとき（措法65①五）、マンションの建替え等の円滑化に関する法律（以下「マンション建替法」といいます。）に規定するマンション建替事業が施行された場合において、当該資産に係る権利変換により施行再建マンションに関する権利を取得する権利又は当該施行再建マンションに係る敷地利用権を取得するとき（措法65①六）及びマンション建替法に規定する敷地分割事業が実施された場合において、敷地権利変換により除却敷地持分、非除却敷地持分等又は敷地分割後の団地共有部分の共有持分を取得するとき（措法65①七）は、上記①の圧縮記帳の特例は適用されますが（措法65③）、②の特別控除の特例は適用されません。（措法65の2①）

ところで、同一事業年度のうちの同一の暦年中に収用等により譲渡した資産が2以上あるときは、当該譲渡資産の全部について①又は②の特例のいずれかを選択しなければなりません。また、②の特例は、一暦年において5,000万円を限度として適用されます。

(注) 完全支配関係のある法人がある場合、完全支配関係のあるグループ全体で特別控除額は5,000万円が限度になります。したがって、同一暦年において、法人及びその法人との間に完全支配関係のある法人の特別控除額の合計が5,000万円を超えますと、その超過額は損金不算入となります。（措法65の6）

収用等により譲渡した2以上の資産について、収用等のあった日が暦年又

（858）

第19章　収用等の場合の課税の特例

は事業年度を異にする場合、貴社のような３月31日決算の法人では、①と②
の特例の選択適用のしかたは、次のようになります。

イ　同一の事業年度中に甲、乙２つの資産を収用等により譲渡したが、甲と
　　乙の収用等のあった日の暦年が異なるとき……収用等のあった日が甲は４
　　月１日から12月31日までの間、乙はその翌年の１月１日から３月31日まで
　　の間というときは、甲と乙とで①と②の特例の選択を変えても差し支えあ
　　りません。仮に、甲、乙とも②の特例を選択適用するときは、特別控除の
　　額は、それぞれの暦年中の他に②の特例の適用を受けるものの特別控除の
　　額との合計額で、それぞれについて5,000万円が限度になります。

ロ　同一の暦年中に丙、丁２つの資産を収用等により譲渡したが、丙と丁の
　　収用等のあった日の事業年度が異なるとき……収用等のあった日が丙は１
　　月１日から３月31日までの間、丁は同じ年の４月１日から12月31日という
　　ときも、丙と丁とで①と②の特例の選択を変えても差し支えありません。
　　仮に、丙、丁とも②の特例を選択適用するときは、特別控除の額は両者の
　　合計額で5,000万円が限度になります。

　　御質問の場合、①の特例の適用を受けた場合は1,350万円が課税され、②
の特例の適用を受けた場合は1,750万円（6,750万円－5,000万円）が課税され
ますから、①の特例の適用を受けた方が有利です。しかし、①の特例は圧縮
記帳ですから譲渡益に対する課税の繰延べであり、前記のように圧縮記帳後
の金額600万円を代替資産の税務上の帳簿価額としますから、将来代替資産
を譲渡したときに、今回の圧縮記帳額5,400万円が改めて課税されます。こ
れに対して②の特例では、特別控除額5,000万円が免税され放しになります
から、この点も考えて、いずれの方法を選択するのかを検討すべきです。

　(注)　収用等の場合の課税の特例の適用により法人税額又は所得の金額の減少とな
　　　　るときは、「租税特別措置の適用額明細書」を法人税申告書に添付することが
　　　　必要です。(租特透明化法３①、【問27-27】参照)

（859）

土地収用法等により収用又は使用される場合の特例の適用

> 【問19-2】 土地収用法等の規定に基づいて土地が収用された場合の課税の特例は、収用委員会の裁決を経て強制収用された場合に限りますか。また、強制収用でなく、強制使用の方法をとられたときはいかがでしょうか。

【答】 法人の有する資産が土地収用法等の規定に基づいて収用され補償金を取得する場合には、収用の場合の課税の特例が適用されますが、現実に土地収用法等の規定に基づく強制収用にまで及ぶ事例は限られています。これは、起業者の側でも権力行政の執行を極力避け、強制収用に至る前の段階で、資産の所有者との話合いによる買取りに努めるからです。

したがって、強制収用でなくても、当該資産について買取りの申出を拒むときは土地収用法等の規定に基づいて収用されることとなる場合において、当該資産が買い取られ、対価を取得するときは、収用の場合の課税の特例が適用されます。(措法64①二)

次に、土地及び土地の上に存する権利(以下「土地等」といいます。)については、起業者によって収用される場合のほか、使用されることとなって補償金を取得する場合にも、収用等の場合の特例が適用されます。(措法64②一) この場合も、前記と同様に、土地等について使用の申出を拒むときは土地収用法等の規定に基づいて使用され、対価を取得することとなる場合を含みます。(措法64②一かっこ書) ただし、土地等を使用させたことによってその土地(借地権の転貸の場合は借地権)の価額が使用直前の価額の$\frac{1}{2}$以下(地下権又は空中権の場合は$\frac{3}{4}$以下、大深度地下の場合は一定割合以下。以下同じ。)となる場合に限られます。(措政令39⑯)起業者による土地の使用は土地の譲渡ではありませんが、その使用によって土地等の価額が$\frac{1}{2}$以下に減少するような場合の土地の使用は、実質的に土地の上土部分の譲渡と考えられるからです。このように、この特例は、借地権の設定によって土地の価額が$\frac{1}{2}$以下になり土地の帳簿価額の一部が損金算入される場合(法政令138①、【問21-11】参照)に適用されますので、次の金額について、土地を使用させることによる土地等の帳簿価額の一部を損金算入することができます。

(860)

第19章　収用等の場合の課税の特例

$$
\begin{array}{l}
\text{土地等の帳} \\
\text{簿価額の一} \\
\text{部損金算入} \\
\text{額}
\end{array}
=
\begin{array}{l}
\text{使用させる時} \\
\text{の直前の土地} \\
\text{等の帳簿価額}
\end{array}
\times
\dfrac{\text{使用させた時の借地権の価額}}{\text{使用させる時の直前の土地等の価額}}
$$

(**注**)　「使用させた時の借地権の価額」は、「土地等の使用に係る対価補償金の額」と同額であるものとして計算することができます。（措通64(3)-2(注)2）

　したがって、土地等を使用させることにより取得した補償金によって代替資産を取得する場合の差益割合は、次のとおりになります。（措通64(3)-2）

$$
\text{差益割合} =
\dfrac{
\begin{array}{l}
\text{土地等の使用に係} \\
\text{る対価補償金の額}
\end{array}
-
\begin{array}{l}
\text{土地等の帳簿価額} \\
\text{の一部損金算入額}
\end{array}
}{
\text{土地等の使用に係る対価補償金の額}
}
$$

　なお、土地等を使用させることによって当該土地等の価額が$\frac{1}{2}$以下になるかどうかは、起業者から交付を受けた対価補償金の額が借地権の設定等の直前における土地等の価額に比して$\frac{1}{2}$以上であるかどうかにより判定しても差し支えないものとされています。（措通64(1)-8）

収用の場合の収益補償金について課税の特例が適用される場合

> 【問19-3】　収用によって起業者から受ける収益補償金、経費補償金、移転補償金等には課税の特例が適用されないそうですが、なぜですか。このうち収益補償金について、特に課税の特例が適用されるのは、どのような場合ですか。

【答】　収用によって起業者から受ける補償金は、課税上の取扱いに関して、対価補償金、収益補償金、経費補償金、移転補償金及びその他対価補償金たる実質を有しない補償金に分類されます。（措通64(2)-1、64(2)-2）

　補償金のなかには、その交付の目的が明らかでないものもありますが、その場合には、当該法人が交付を受ける他の補償金等の内容及びその算定の内訳、同一事業につき起業者が他の収用等をされた者に対してした補償の内容等を勘案して、上記の補償金のいずれに属するかを判定します。ただし、その判定が困難なときは、課税上弊害がない限り、起業者（その補償を行った公共事業者）が証明するところによって、区分判定をすることができるものとされています。（措通64(2)-3）起業者の側で、補償金の算定根拠につき、

（861）

十分な認識があるはずだからです。

　ところで、収用等の場合の課税の特例の適用があるのは、資産収用等の対価たる金額に限られ、上記の補償金のなかでは、原則として対価補償金だけが特例の適用対象になります。(措通64(2)-1、64(2)-2) これは、交付を受ける対価補償金は収用による資産の強制譲渡の対価であり、その受入れによって法人の意思に基づかない所得の金額の増加が生じますので、代替資産取得の場合の課税の特例措置等を設けておかないと、資産の譲渡益に対する税額部分について法人が規模の縮小を余儀なくされるからです。

　対価補償金以外の補償金は、通常これらの交付を受ける一方で、収用に伴う収益の減少若しくは費用又は損失の増加が生じます。収益補償金の場合ですと、収用に伴う休業等による売上げの減少という機会損失が生じますので、所得の金額の増加がなく、課税の特例措置を設ける必要がないわけです。

　ところが、対価補償金以外の補償金でも、その実質からみて対価補償金として取り扱うのが適当なものがあり、いくつかの特例的取扱いが租税特別措置法関係通達に示されています。御質問の収益補償金については、法人が建物の収用等に伴い建物の対価補償金の交付を受けた金額（建物の譲渡に要した経費の額を控除する前の額とし、特別措置等の名義で交付を受けた補償金で対価補償金と判定する金額があるときは、当該金額を含む額とします。）が、収用等をされた建物の再取得価額（収用された建物と同じ建物を取得するものと仮定した場合のその取得価額）に満たないときは、当分の間、法人が、当該収益補償金の名義で受けた補償金のうち当該満たない金額に達するまでの金額を、当該建物の対価補償金として計算したときに限り、これを認めるとされています。(措通64(2)-5)

〔事例〕 ㋑収益補償金の名義で交付を受けた補償金3,000万円、㋺建物の再取得価額8,000万円、㋩建物の対価補償金として交付を受けた金額7,000万円の場合、㋺＞㋩のため、㋩の建物の対価補償金7,000万円だけでは㋺の建物8,000万円を再取得することができませんので、㋑の収益補償金3,000万円のうちの1,000万円を対価補償金として計算することができます。

　なお、上記の場合の建物の再取得価額は、起業者が買取対価の算定基礎とした当該建物の再取得価額によりますが、その額が明らかでないときは、当該建物について適正に算定した再取得価額によります。(措通64(2)-5(1))

第19章　収用等の場合の課税の特例

収用によって借家人補償金の交付を受けた場合

【問19-4】　賃借している建物が収用を受け、起業者から家主に建物の対価補償金が交付され、借家人である当社には、借家人補償金が交付されました。当社は、転居先を物色中で、転居先の土地又は建物を従来どおり賃借にするのか、それとも買い取ることにするのかを考慮中です。収用の場合の課税の特例の適用は、どのようになりますか。

【答】　御質問の場合、収用を受ける物件は建物ですので、収用等の場合の課税の特例の適用を受けることができるのは、厳密には家主の受け取る対価補償金だけですが、借家権の実情を考慮して、次のように取り扱われます。(措通64(2)-21)

　まず、賃借している建物が収用されたことに伴い、借家人がその建物の使用を継続することが困難になった場合、公共事業者から支払われる借家人補償金は、対価補償金とみなして取扱われます。この借家人補償金には、転居先の建物の賃借に要する権利金に充てられるものとして交付を受ける補償金のほか、従来の家賃と転居先の家賃との差額に充てるものとして交付を受ける補償金も含まれます。したがって、法人がこの借家人補償金を転居先の建物の賃借に要する権利金に充てたときは、税法上の繰延資産（法政令14①六ロ、【問7-2】参照）となる当該賃借権利金を代替資産として、圧縮記帳をすることができます。

　一方、御質問のように転居先の土地又は建物を賃借でなく買い取るときも、買取資産が事業の用に供されるものである場合は、これを代替資産とすることができます。(措政令39④、措通64(2)-21(注))

　また、借家人補償金を対価補償金とみなしますので、代替資産の取得にかえて5,000万円までの収用換地等の場合の所得の特別控除の規定の適用を受けることもできます。(措法65の2①)

　なお、借家人補償金は、公共事業者から借家人が直接交付を受ける場合だけでなく、家主に対して一括して交付されたのち、家主からその一部が借家人に立退料等の名義で支払われた場合を含みますので、そのような方法で家主から受領する立退料についても、収用等の場合の課税の特例の適用を受け

(863)

ることができます。（措通64(2)-27(1)）

> **(注)** 家主については、一括して受け取る対価補償金から前記の立退料を差し引いた部分の金額が、収用等の場合の課税の特例が適用される対価補償金となります。

家主が受け取った借家人補償金を借家人に支払わなかった場合

> **【問19-5】** 関係会社Ａ社が土地建物を所有するビルを、当社が賃借しています。このビルが収用され、起業者から対価補償金がＡ社へ、経費補償金が当社へ交付されました。対価補償金のうちの借家人補償金部分をＡ社が当社に支払わなかった場合、Ａ社、当社それぞれが受け取った補償金の額についての収用等の場合の課税の特例の適用は、どのようになりますか。

【答】 御質問の場合、対価補償金のうち、建物の収用によるもののうちの借家人補償金部分は、本来借家人である貴社に支払われるべきものを、Ａ社が代理受領したものとみなされます。

資産の収用による対価補償金は、家主と借家人が同族関係者のような場合、家主に対して一括して支払われ、収用証明書も家主に交付されることがありますが、家主は借家人が起業者から通常交付を受けるべきであったと認められる借家人補償金を借家人に支払わなければなりません。この場合、借家人が起業者から通常交付を受けるべきであったと認められる借家人補償金の金額は、同一の事業について起業者が他の借家人に対してした補償の状況等を基礎として算定します。（措通64(2)-27(2)）

御質問のように、家主が借家人に借家人補償金の支払をしなかったときは、借家人が受取るべき借家人補償金相当額を、借家人から贈与されたものとされます。したがって家主であるＡ社において、起業者から一括して受け取った対価補償金のうち収用等の場合の課税の特例を受けることができるのは、貴社から贈与を受けたとみなされる金額を除いた金額となり、貴社から贈与を受けたとみなされる金額は、益金の額に算入されます。

次に、貴社では、借家人補償金相当額を起業者から交付を受け、Ａ社に贈与したとみなされますので、当該額が一般寄附金となります。貴社はＡ社に

（864）

第19章　収用等の場合の課税の特例

当該額を贈与しているため、代替資産の取得が行われていないことがありますが、収用等の場合の課税の特例として租税特別措置法第65条の2の規定による5,000万円までの特別控除の適用は受けることができます。また、借家人補償金相当額をＡ社から受け取っていなくても、貴社の資金で代替資産を取得されているときは、当該代替資産について圧縮記帳の特例の適用を受けることができます。いずれの場合も、家主が交付を受けた収用証明書の写しを、確定申告書に添付しなければなりません。

　最後に貴社の受けられる経費補償金は、収用に伴う休廃業等によって生ずる事業上の費用とか、収用の目的となった資産以外の資産について生じた損失の補てんに充てられるものです。このように、一方で費用又は損失が発生しますので、収用等の場合の課税の特例の規定は適用されません。（措通64(2)-1(2)、64(2)-2）

収用等の場合の課税の特例が適用される経費補償金

> 【問19-6】　収用等に伴い起業者から交付を受ける経費補償金のなかで、収用等の場合の課税の特例が適用されるものには、どのようなものがありますか。

【答】　経費補償金には原則として収用等の場合の課税の特例が適用されませんが、次の場合は特例が適用されます。（措通64(2)-2③経費補償金）

　土地、建物、漁業権その他の資産の収用等に伴い、売却を要することとなった機械装置等の売却による損失の補償として起業者から交付を受ける補償金は経費補償金に該当しますが、当該収用等に伴い事業のすべてを廃止した場合又は従来営んできた業種の事業を廃止し、かつ、当該機械装置等を他に転用することができない場合に交付を受ける当該機械装置等の売却損の補償金は、対価補償金として取り扱われます。この場合、当該機械装置等の帳簿価額のうち当該対価補償金に対応する部分の金額は、次の算式により計算した金額によるものとします。ただし、この算式中の「ロ－ハ」の額を当該対価補償金に対応する部分の帳簿価額として経理している場合には、これを認めるとされています。（措通64(2)-7）

（865）

$$
\text{㋺}\begin{array}{l}\text{当該機械装置}\\\text{等の帳簿価額}\end{array}\times\frac{\text{㋑当該対価補償金等の額}}{\text{㋑}\begin{array}{l}\text{当該対価補}\\\text{償金の額}\end{array}+\text{㋩}\begin{array}{l}\text{当該機械装置等の処分}\\\text{価額又は処分見込価額}\end{array}}
$$

〔事例〕

㋑　機械装置等の対価補償金の額　900万円

㋺　機械装置等の帳簿価額　600万円

㋩　機械装置等の処分価額又は処分見込価額　100万円

　なお、機械装置等の処分に要した経費はありません。

　上記の通達の本文による場合は、㋺機械装置等の帳簿価額600万円のうち㋑対価補償金の額900万円に対応する部分の金額は、$600\text{万円}\times\dfrac{900\text{万円}}{900\text{万円}+100\text{万円}}$＝540万円となります。㋺の金額600万円との差額の60万円（600万円－540万円）は、㋩の処分価額又は処分見込価額100万円に対応する金額ですので、その差額100万円－60万円＝40万円は機械装置等の処分に係るものであり、特例の対象になりません。したがって、収用等の場合の課税の特例が適用される金額は、900万円－540万円＝360万円となります。

　上記の通達のただし書による場合は、㋺の600万円のうち㋑の900万円に対応する金額は「㋺－㋩」の額である600万円－100万円＝500万円となり、差額の100万円（600万円－500万円）が㋩に対応する金額になりますので、収用等の場合課税の特例が適用される金額は、900万円－500万円＝400万円となります。

（注）　機械装置等の売却損の補償金は、一般に「Ⓐ（当該機械装置等の再取得価額）－（Ⓐを基として計算した償却額累計額）－（当該機械等を現実に売却し得る価額）」として計算されますので、上記の事例のように、㋑の額（900万円）＞㋺の額－㋩の額（500万円）となることがあります。

収用等の場合の課税の特例が適用される移転補償金

> **【問19-7】**　収用に伴い起業者から交付を受ける移転補償金のなかで、収用等の場合の課税の特例が適用されるものには、どのようなものがありますか。

【答】　移転補償金は原則として収用等の場合の課税の特例が適用されませんが、次のような場合は特例が適用されます。（措通64(2)-2④移転補償金）

（866）

第19章　収用等の場合の課税の特例

① 　ひき家補償等の名義で起業者から移転補償金の交付を受けたが、収用された土地の上の建物又は構築物をひき家しないで、当該建物又は構築物を取り壊したときは、当該移転補償金（当該建物又は構築物の一部を構成していた資産で、そのもの自体としてそのまま又は修繕若しくは改良を加えた上他の建物又は構築物の一部を構成することができると認められる部分を除きます。）は、当該建物又は構築物の対価補償金に当たるものとして取り扱われます。（措通64(2)-8）ひき家補償の名義で交付を受ける移転補償金は、建物又は構築物のひき家に伴って発生する費用を補償するもので、これによって利益が生ずるものでなく、収用等の場合の課税の特例の適用がないものですが、当該建物又は構築物を取り壊したときは、補償金は実質的に当該建物又は構築物の買取対価的な性格を有することになりますので、当該補償金は対価補償金に当たるものとされるわけです。

② 　機械装置の移転に要する経費の補償として受ける補償金は、対価補償金に該当しませんが、機械装置等の移転補償の名義のものであっても、例えば、製錬設備の溶鉱炉、公衆浴場設備の浴槽のように、その物自体を移設することが著しく困難であると認められる資産について交付を受ける取壊し等の補償金は、対価補償金として取り扱われます。（措通64(2)-9本文）

　　これに該当しない場合であっても、機械装置の移転のための補償金の額が当該機械装置の新設のための補償金の額を超えること等の事情により、移設経費の補償に代えて当該機械装置の新設費の補償を受けた場合には、その事情が起業者の算定基礎等に照らして実質的に対価補償金の交付に代えてされたものであることが明確であるとともに、法人が現にその補償の目的に適合した資産を取得し、かつ、旧資産の全部又は大部分を廃棄又はスクラップ化しているものであるときに限り、当該補償金は対価補償金に該当するものとして取り扱うことができます。（措通64(2)-9なお書）

　　なお、上記の①、②ともに、当該補償金に係る資産の売却又は取壊しにより生じた損失の額が当該補償金の額を超えるときは、当該補償金受取りに関する一連の取引によって利益が計上されませんので、対価補償金として収用等の場合の課税の特例の適用を受けるメリットがありません。したがって、移転補償金は対価補償金として取り扱われず、当該取引によって発生した損失の額は、収用をされた資産の譲渡に要した経費の額とすることになります。（措通64(2)-9の2）

（867）

収用を受けた建物の取壊しが遅れる場合の特別勘定の計算

> **【問19-8】** 土地の収用に伴い、その土地の上にある建物の移転補
> 償金の交付を受けましたが、当該建物は移転させずに取り壊して、
> 代わりの建物を新築する予定です。建物を取壊して代わりの建物
> を新築する事業年度が、土地の収用があった日を含む事業年度後
> の事業年度となる場合、移転補償金について特別勘定に経理する
> 金額はどのように計算すればよろしいですか。

【答】 収用を受けた土地の上の建物について起業者から移転補償金の交付を
受けても、当該建物を移転しないで取り壊すときは、当該補償金は当該建物
の対価補償金として取り扱われます。(【問19-7】の①参照)したがって、代
替資産を取得する場合には、当該代替資産について圧縮記帳をすることがで
きますし、代替資産の取得が収用があった日を含む事業年度後の事業年度
(原則として収用等のあった日以後2年を経過する日までの期間に限りま
す。)となる場合には、当該補償金の交付を受けた事業年度の確定した決算
において次の算式によって計算される金額以下の金額を特別勘定として経理
して、損金の額に算入することができます。(措法64の2①)

$$
\begin{pmatrix} \text{補償金の額(既に代替資産} \\ \text{の取得に充てられた部分を} \\ \text{除きます。)のうち代替資産} \\ \text{の取得に充てようとするも} \\ \text{のの金額} \end{pmatrix} \times \frac{\left\{ \begin{pmatrix} \text{補償金} \\ \text{の額} \end{pmatrix} - \begin{pmatrix} \text{補償金の額から} \\ \text{支出する取壊し} \\ \text{費用等の額} \end{pmatrix} \right\} - \begin{pmatrix} \text{建物の取壊} \\ \text{し直前の帳} \\ \text{簿価額} \end{pmatrix}}{\begin{pmatrix} \text{補償金} \\ \text{の額} \end{pmatrix} - \begin{pmatrix} \text{補償金の額から支出す} \\ \text{る取壊し費用等の額} \end{pmatrix}}
$$

  (注) この特別勘定は、【問18-1】に記載した日本公認会計士協会監査第一委員会
    報告第43号「圧縮記帳に関する監査上の取扱い」によりますと、負債の部に計
    上できるものに該当します。

ところが、御質問のように建物の取壊しも翌事業年度以後となりますと、
補償金の交付を受けた事業年度終了の時には、上記の算式のうち「補償金の
額から支出する取壊し費用等の額」は、未確定です。また、上記の算式の金
額以下の金額を特別勘定として経理するためには、取り壊す予定の建物の「取
壊し直前の帳簿価額」の除却処理が必要ですが、当該事業年度終了の時にま
だ取り壊していない建物を除却処理することはできません。このため、補償
金の額のうち代替資産の取得に充てようとするものについて、その全額を特
別勘定として計算することが認められています。(措通64(3)-10ただし書)

（868）

第19章　収用等の場合の課税の特例

土地の一部が収用されたときの残地補償金

> 【問19-9】　土地収用法の適用を受けて収用された土地の残地につ
> いて残地補償金の交付を受けた場合、これについても収用の場合
> の課税の特例の適用が受けることができますか。

【答】　御質問の残地補償金は、土地収用法第74条第１項の次の規定によって
支払われるものです。

> 土地収用法第74条　同一の土地所有者に属する一団の土地の一部を収用し、又は使
> 　用することに因って、残地の価格が減じ、その他残地に関して損失が生ずると
> 　きは、その損失を補償しなければならない。

これは、公共事業の施行によって土地の必要部分だけを起業者が買収しま
すと、残地の形状、利用度等が悪化し、その価値が減少することがあります
ので、その損失を補償するというものです。その場合、残地は直接収用の対
象になった資産ではありませんが、残地補償金は土地の必要部分の収用によ
って付随的に発生した補償金ですので、収用された部分の土地の対価補償金
とみなして取り扱うことができるとされています。（措通64(2)-10）

したがって、収用等の場合の課税の特例が適用される対価補償金は、収用
された部分の対価補償金と残地補償金の合計額となりますが、収用等をされ
た部分の土地等の収用等の直前の帳簿価額は、次の算式によって計算した金
額によります。

$$\left(\begin{array}{l}\text{収用等の直前}\\\text{の当該土地の}\\\text{帳簿価額Ⓐ}\end{array}\right) \times \frac{\left(\begin{array}{l}\text{収用等の直前の当}\\\text{該土地の価額Ⓑ}\end{array}\right) - \left(\begin{array}{l}\text{収用等をされた}\\\text{後の残地価額Ⓒ}\end{array}\right)}{\left(\text{収用等の直前の当該土地の価額Ⓑ}\right)}$$

〔事例〕

法人の所有する面積1,000㎡、帳簿価額1,000万円（１㎡当たり１万円）、時
価１億円（１㎡当たり10万円）の土地のうち900㎡が収用され、その対価補
償金9,000万円を受け取りましたが、残地100㎡は形状が悪くなり、700万円
（１㎡当たり７万円）の価額に低落したため、別に残地補償金300万円の支
払を受けました。この場合、下記のとおり、対価補償金の額は9,300万円、
収用された部分の土地の収用の直前の帳簿価額は930万円となりますので、
土地900㎡について収用等の場合の課税の特例が適用できる金額は9,000万円

（869）

$-1,000$万円$\times \dfrac{900}{1,000} = 8,100$万円でなく、$9,300$万円$-930$万円$=8,370$万円となります。

対価補償金の額

　$9,000$万円（収用された部分の対価補償金）＋300万円（残地補償金）＝$9,300$万円

収用された部分の土地の収用の直前の帳簿価額

　$1,000$万円Ⓐ$\times \dfrac{10,000\text{万円Ⓑ}-700\text{万円Ⓒ}}{10,000\text{万円Ⓑ}} = 930$万円

土地の一部が収用されたときの残地の買収の対価

> 【問19-10】　【問19-9】の場合ですが、残地を起業者に頼んで買い取ってもらったときはどのようになりますか。

【答】　御質問の残地の買収については、土地収用法第76条第1項に次の規定があります。

> 土地収用法第76条　同一の土地所有者に属する一団の土地の一部を収用することに因って、残地を従来利用していた目的に供することが著しく困難となるときは、土地所有者は、その全部の収用を請求することができる。

　これは、残地収用の請求権といわれるものですが、この請求権を行使するには、残地を従来利用していた目的に供することが著しく困難になったという事情がなければなりません。この請求権が行使できるような状況のもとで起業者に残地を買い取られたときは、その残地の買取りの対価は、当該収用があった日を含む事業年度の対価補償金として取り扱うことができます。(措通64(2)-11)

　一方、この請求権が行使できるような状況でないにもかかわらず、起業者に頼んで残地を買い取ってもらったときは、土地の収用に付随して不可避的に発生した資産の譲渡とは認められませんので、残地買取りの対価は対価補償金とならず、収用等の場合の課税の特例は適用されません。

　ただし、その場合でも要件が満たされておれば、租税特別措置法第65条の7の特定の資産の買換えの場合の課税の特例の規定は適用されます。(措通64(2)-11(注))

（870）

第19章　収用等の場合の課税の特例

土地の一部が収用されたときの残地保全経費の補償金

> **【問19-11】** 【問19-9】の場合ですが、残地に通路、溝、垣、柵等の
> 工作物の新築が必要となり、起業者からそのための費用を補償し
> てもらったときはどのようになりますか。

【答】　御質問の残地保全経費の補償金については、土地収用法第75条に次の
規定があります。

> 土地収用法第75条　同一の土地所有者に属する一団の土地の一部を収用し、又は使
> 用することに因って、残地に通路、みぞ、かき、さくその他の工作物の新築、
> 改築、増築若しくは修繕又は盛土若しくは切土をする必要が生ずるときは、こ
> れに要する費用を補償しなければならない。

　この補償金は対価補償金には該当しませんので、その受入金はそのまま益
金の額に算入されます。この補償金による工作物等の新築等が、資本的支出
と認められるものであっても、それが残地の従来の機能を保全するために必
要なものであると認められる場合に限り、当該補償金の額に相当する金額ま
での金額を修繕費として損金経理したときは、その計算を認めることとされ
ています。（措通64(2)-12)

特定の長期所有土地等の所得の特別控除制度の概略

> **【問19-12】** 「特定の長期所有土地等の所得の特別控除」について、
> その概略を説明してください。

【答】　御質問の「特定の長期所有土地等の所得の特別控除」は、平成21年及
び平成22年に取得した土地を5年超所有した後に譲渡した場合の譲渡益につ
いて、所得の特別控除を認めるものです。

　この制度の概略は次のとおりです。（措法65の5の2①)

(1) この特例の適用対象となる土地等……法人（清算中の法人を除きま
　　す。）が、平成21年1月1日から平成22年12月31日までの期間内に取得し
　　た国内にある土地又は土地の上に存する権利（以下「土地等」といいま
　　す。）で、その取得をした日から引き続き所有し、かつ、その所有期間（そ
　　の取得をした日の翌日から当該土地等の譲渡をした日の属する年の1月1

（871）

日までの所有していた期間）が５年を超えるものです。

(注) その法人と一定の関係のある個人又は法人から取得した土地等は、この特例の対象となりません。（措法65の５の２⑦一、措政令39の６の２②③④）

(2) この特例を受けることができる場合……適用対象土地等（上記(1)の土地等）を譲渡して、「その譲渡により取得した対価の額又は交換取得資産（譲渡により取得した資産）の価額 **(注1)**」が「譲渡をした土地等の譲渡直前の帳簿価額」＋「その譲渡に要した経費 **(注2)**」を超える場合、すなわち適用対象土地等を譲渡して、譲渡益がある場合であって、かつ、譲渡事業年度のうちの同一の年に属する期間中に譲渡をした土地等のいずれについても、租税特別措置法第65条の７から第65条の９まで又は第66条の規定の適用を受けていない場合です。

(注1) ㋑交換取得資産の価額が、㋺譲渡をした土地等の価額を超える場合において、その差額相当額すなわち㋑＞㋺となる場合の交換差額相当額を譲渡に際して支出したときは、当該差額相当額を控除します。

(注2) 適用対象土地等の譲渡に要した経費の金額の合計額が、その譲渡に要する経費に充てるべきものとして交付を受けた金額を超える場合のその超える金額のうち、その譲渡を適用対象土地等に係るものとして政令（措政令39の６の２①、39の４①）で定める方法で計算した金額に限ります。

(3) 譲渡事業年度に損金の額に算入できる所得控除限度額……下記①と②のいずれか低い金額です。

① 「適用対象土地等の譲渡によって取得した対価の額又は交換取得資産の価額」－｛「当該適用対象土地等の譲渡直前の帳簿価額」＋「その譲渡に要した経費の額」｝

② 1,000万円（譲渡の日の属する年における他の譲渡について、この特例制度により損金算入した又は損金算入する金額があるときは、当該金額を控除した金額）

なお、この特例制度の適用を受けるためには、確定申告書等にこの制度により損金の額に算入される金額の損金算入に関する申告（別表十(五)のうちの48～52欄「特定の長期所有土地等を譲渡した場合の特別控除額の計算」に記載します。）の記載があり、かつ、その損金の額に算入される金額の計算に関する明細書の添付があることが必要です。（措法65の５の２②）

(872)

第19章　収用等の場合の課税の特例

(**注**)　この特例制度の適用を受ける場合、「租税特別措置の適用額明細書」を法人税申告書に添付することが必要です。(租特透明化法3①、【問27-27】参照)

複数の特別控除の適用を受ける場合の損金算入額の制限

【問19-13】　複数の所得の特別控除を受ける場合、損金算入額に制限があるとのことですが、その内容を説明してください。

【答】　以下の特別控除について、譲渡の日の属する年におけるこれらの特別控除額の合計額が5,000万円を超える場合、その超過額は損金の額に算入されません。(措法65の6)

①　収用換地等の場合の所得の特別控除(措法65の2)……特別控除額は最高5,000万円

②　特定土地区画整理事業等のために土地等を譲渡した場合の所得の特別控除(措法65の3)……特別控除額は最高2,000円

③　特定住宅地造成事業等のために土地等を譲渡した場合の所得の特別控除(措法65の4)……特別控除額は最高1,500万円

④　農地保有の合理化のために農地等を譲渡した場合の所得の特別控除(措法65の5)……特別控除額は最高800万円

⑤　特定の長期所有土地等の所得の特別控除(措法65の5の2)……特別控除額は1,000万円

　なお、上記の限度額は完全支配関係のあるグループ全体で判定され、同一年において法人及びその法人との間に完全支配関係のある法人の上記の特別控除額の合計が5,000万円を超える場合、その超過額は損金不算入となります。(措法65の6)

(873)

第20章　引当金、準備金

第1節　税法の引当金制度、準備金制度の概要

税法の引当金制度と準備金制度の対比

【問20-1】　税法の引当金制度と準備金制度を対比した場合、どのような点が違いますか。主要な項目について説明してください。

【答】　税法の引当金制度と準備金制度について、主要な相違点を表にして示しますと、次のとおりです。

	引　当　金	準　備　金
根拠法規	法人税法 （第52条） 租税特別措置法 （第57条の9）(注1)	租税特別措置法 （第52条の3、第55条、第56条、第57条の4～第57条の8、第58条、第61条の2）
種類	貸倒引当金 (注2)	特別償却準備金、海外投資等損失準備金ほか合計で11の準備金 (注3)
適用法人	青色申告法人であることを要しません。	青色申告法人に限ります。
計上することができる事業年度	解散の日を含む事業年度及び清算中の各事業年度でも計上することができます。	解散の日を含む事業年度及び清算中の各事業年度には計上することができません。解散したときは、特別償却準備金以外の準備金は全額取り崩さなければなりません。
損金算入のための経理方法	損金経理方式だけです。	損金経理方式、剰余金の処分により積み立てる方式のいずれかを採ることができます。
明細書の記載を失念した場合 （注4）	税務署長がやむを得ないと認めるときのゆうじょ規定があります。	ゆうじょ規定はありません。
企業会計の	企業会計上認められた引当金で、	利益留保性ですので、剰余金の処

（874）

第20章　引当金、準備金

| 基準との関係 | 企業会計原則注解18に例示されています。 | 分により純資産の部に積み立てる方式によることが妥当です。 |

（注1）　中小法人等の貸倒引当金の特例は、法人税法でなく、租税特別措置法に規定されています。

（注2）　旧法人税法第53条で規定されていた返品調整引当金は、平成30年度の改正で廃止されましたが、経過措置事業年度（平成30年4月1日以後に終了する事業年度で、令和12年3月31日以前に開始する事業年度）は、一定額の繰入れができます。（詳細は【問20-27】参照）

（注3）　特別償却準備金、海外投資等損失準備金、中小企業事業再編投資損失準備金、特定原子力施設炉心等除去準備金、保険会社等の異常危険準備金、原子力保険又は地震保険に係る異常危険準備金、関西国際空港用地整備準備金、中部国際空港整備準備金、特定船舶に係る特別修繕準備金、探鉱準備金又は海外探鉱準備金、農業経営基盤強化準備金

（注4）　租税特別措置法第3章の規定により税額を軽減される法人税関係特別措置に係るものは、「租税特別措置の適用額明細書」を法人税申告書に添付することが必要です。（租特透明化法3①）上表の引当金、準備金では、準備金のすべてと、措法57の9の規定の適用を受ける中小法人等の貸倒引当金がその対象になりますが、法人税申告書への添付がなかった場合又は虚偽がある明細書の添付があったときは、誤りのない明細書を提出することによって故意の不添付又は虚偽記載をしたと認められる場合を除き、法人税関係特別措置の適用を認めるというゆうじょ規定があります。（租特透明化法3③、【問27-27】参照）

税法上の引当金が貸倒引当金と返品調整引当金だけであることについて

【問20-2】　税法は引当金として貸倒引当金と返品調整引当金の二つだけの繰入れを認めていますが、企業会計原則注解18「引当金について」には11の引当金が例示列挙されています。この相違の理由と、これに対する企業の対応方法を教えてください。

【答】　企業会計原則注解18「引当金について」は、「①将来の特定の費用又は損失であること、②その発生が当期以前の事象に起因し、発生の可能性が高いこと、③その金額を合理的に見積ることができることという三つの条件

（875）

を具備する場合、当期の負担に属する金額を当期の費用又は損失として引当金に繰入れ、当該引当金の残高を貸借対照表の負債の部又は資産の部に記載するものとする。」とし、製品保証引当金、売上割戻引当金、返品調整引当金、賞与引当金、工事補償引当金、退職給与引当金、修繕引当金、特別修繕引当金、債務保証損失引当金、損害補償損失引当金、貸倒引当金の11の引当金を例示列挙しています。

(注)【問2-23】に、未払費用に計上できる場合の三つの条件と引当金との相違点を記載していますので、上記の①〜③の三つの条件と比べてください。

　法人税法で繰入れが認められる引当金は、貸倒引当金と返品調整引当金の二つだけですが、平成10年改正前には賞与引当金、製品保証等引当金及び特別修繕引当金が、平成14年改正前は退職給与引当金が規定されていました。法人税率の引下げに対処しての法人課税ベース拡大のなかで、引当金制度が縮少され、平成23年12月の税法改正では、貸倒引当金を計上できる法人を中小法人等、銀行、保険会社等に限定するという改正が行われています。

　要するに、税法の引当金制度が企業会計原則が掲げる引当金に比べて稀薄なのは、課税ベース拡大のために縮減の一途を辿ってきたからであり、会計処理の基準に照らして適正なものでありません。したがって、企業会計原則注解18が掲げる指針に従い、企業会計上必要な引当金を計上し、税法に規定のない引当金はその全額を、規定のある引当金は計上額のうち税法の繰入限度額を超える金額を、申告加算調整することが必要です。

　なお、平成30年3月に企業会計基準委員会から企業会計基準第29号「収益認識に関する会計基準」が公表され、同基準で返品調整引当金の計上が認められなくなったことにともない、平成30年度の税法改正で税法上も返品調整引当金が廃止されましたが、経過措置により、段階的に縮減され、令和12年3月31日以前に開始する事業年度では繰入れができます。（平30改所法等附則25）（返品調整引当金の廃止と経過措置については【問20-27】参照）

（876）

第20章　引当金、準備金

保有している上場株式を退職給付信託に拠出した場合

> 【問20-3】　保有している上場株式を退職給付信託に拠出した場合、税務ではどのように取り扱われますか。

【答】　退職給付会計適用指針では、事業主の保有財産を退職給付信託に拠出した場合は、時価で拠出されたものとして会計処理を行うこととされています。（退職給付会計適用指針19）

〔事例〕

甲社は、令和7年3月期に、帳簿価額10,000千円、時価30,000千円の上場株式を退職給付信託に拠出しました。なお、当期首の退職給付引当金は45,000千円です。

この場合、甲社の企業会計での仕訳は、次のとおりになります。

退職給付引当金　30,000千円　／　有価証券　　　　　　　10,000千円
　　　　　　　　　　　　　　　　退職給付信託設定益　20,000千円

この場合の退職給付信託は、退職給付に当てるために設定したものですが、法人が受託者となる退職年金等信託の信託財産に属する資産及び負債並びに当該信託財産に帰せられる収益及び費用は、当該法人の資産及び負債並びに収益及び費用でないものとみなして、法人税法の規定が適用されます。（法12③）　この退職給付信託の受託者は信託銀行等法人ですので、上記の仕訳の取引はなかったものとして、法人税法の規定が適用されます。また、信託収益は、受益者に分配されたとき（退職給付信託の場合は、退職給付金として受益者に支給されたとき）に受益者に課税されますが、それに至る前は、委託者である甲社に課税されます。

以上により、甲社の税務では、上記の仕訳による退職給付引当金の取崩し30,000千円はなく、退職給付信託に拠出した有価証券は、委託者である甲社が拠出前の帳簿価額10,000千円のままで引き続き保有しており、退職給付信託設定益20,000千円もないことになります。このため、甲社は、別表四で退職給付信託設定益20,000千円を減算（処分は留保）し、「退職給付信託財産（有価証券）」として10,000千円、退職給付引当金として△30,000千円を別表五（一）のⅠの③欄と④欄にそれぞれ記載します。

退職給付信託は他益信託ですので、信託財産に係る収益（配当）を事業主

（877）

に帰属させることはできませんが、税法では上記の「また」以下に記載したように、当該配当は委託者である甲社に帰属したものとして、所得の金額の計算をします。さらに当該信託の受託者に対する信託報酬が信託財産から支払われた場合においても、税務では委託者である甲社が負担したものとして、所得の金額の計算をします。

　このため、令和7年3月期中に退職給付信託財産に所得税及び復興特別所得税153.15千円差引で846.85千円の配当金の受入れがあり、当該事業年度に信託財産から信託報酬330千円（消費税等込みの額）が受託者に支払われたときは、甲社は税務では下記のとおりの処理をしたこととして別表四で所得税差引後の受取配当金846.85千円を加算、信託報酬330千円を減算（処分はいずれも留保）し、加算額846.85千円と減算額330千円を別表五(一)のⅠの「退職給付信託財産」の③欄と②欄に記載します。税務では、委託者である甲社が当該配当金を受け取ったことになりますので、甲社において受取配当等益金不算入や所得税額控除の規定の適用を受けることができますし、信託報酬を負担したことになりますので、消費税額等の算定に当たり、信託報酬に係る消費税額を仕入税額控除することもできます。

　　　信託財産　　　846.85千円／受取配当金　1,000千円
　　　法人税等　　　153.15千円／
　　　支払手数料　　300千円／信託財産　330千円
　　　仮払消費税等　30千円／

　また、この退職給付信託財産から退職一時金規定による退職者への退職給与400千円が支給されたときも、会計上の仕訳は行いませんが、税務では、退職給付引当金400千円／信託財産400千円という処理をしたことになります。

　令和7年3月期における甲社の退職給付引当金の取崩額がこの400千円だけだったとし、退職給付費用を1,500千円を計上した（「退職給付費用1,500千円／退職給付引当金1,500千円」の処理をした）ものとして、以上の事項をまとめますと、次ページの表のとおりになります。この表の④〜⑪は退職給付引当金について、④は会計帳簿上の金額、⑪は税務計算上追加されるものの金額、⑪はその合計額であり、⑤と⑪は退職給付信託財産について、⑤はその金額、⑪は⑤のうち税務において委託者である甲社が有するとされるものの金額を示しており、当該事業年度での異動をそれぞれの事由ごとに記載

しています。

　また、次ページに、令和7年3月期の別表四と別表五(一)のIのうち、本問に関係のある箇所を掲げており、そのなかの○印中の番号は、それぞれ下記の表の異動理由の①～⑤に対応します。また、別表五(一)のIにおいて「退職給付引当金③」欄は下記の表の㈠を、「退職給付引当金④」欄は下記の表の㈡を、「退職給付信託財産⑤」欄は下記の表の㈥の金額を、それぞれ記載しています。

(単位：千円)

異　動　事　由	退　職　給　付　引　当　金			信　託　財　産	
	会計帳簿 ㋑	税務上追 加分　㋺	合計　㈠ =㋑+㋺	退職給付 信託残㈡	㈡のうち 税務上委 託者分㋭
期　首　の　額	45,000		45,000		
①退職給付信託への 　拠出	△30,000	30,000	0	30,000	10,000
②退職給付費用	1,500		1,500		
③退職給付信託への 　配当金の受入れ				846.85	846.85
④信託報酬の支払				△330	△330
⑤退職給付信託より 　の退職金支給		△400	△400	△400	△400
期　　末　　残	16,500	29,600	46,100	30,116.85	10,116.85

(879)

（単位：千円）

所得の金額の計算に関する明細書（簡易様式）　事業年度 6・4・1／7・3・31　法人名 甲社　別表四（簡易様式）

区　分		総　額 ①	処　分 留　保 ②	社　外　流　出 ③
当期利益又は当期欠損の額	1	円	円	配　当 円／その他
損金経理をした法人税及び地方法人税(附帯税を除く。)	2			
損金経理をした道府県民税及び市町村民税	3			
損金経理をした納税充当金	4			
損金経理をした附帯税（利子税を除く。）、加算金、延滞金（延納分を除く。）及び過怠税	5			その　他
減価償却の償却超過額	6			
役員給与の損金不算入額	7			その　他
交際費等の損金不算入額	8			その　他
通算法人に係る加算額（別表四付表「5」）	9			外※
退職給付引当金	10	② 1,500	1,500	
受取配当金		③ 846.85	846.85	
小　計	11			外※
減価償却超過額の当期認容額	12			
納税充当金から支出した事業税等の金額	13			
受取配当等の益金不算入額（別表八(一)「5」）	14			※
外国子会社から受ける剰余金の配当等の益金不算入額（別表八(二)「26」）	15			※
受贈益の益金不算入額	16			※
適格現物分配に係る益金不算入額	17			※
法人税等の中間納付額及び過誤納に係る還付金額	18			
所得税額等及び欠損金の繰戻しによる還付金額等	19			※
通算法人に係る減算額（別表四付表「10」）	20			※
退職給付信託設定益	21	① 20,000	20,000	
信託報酬		④ 330	330	
退職給付引当金		⑤ 400	400	

（単位：千円）

利益積立金額及び資本金等の額の計算に関する明細書　事業年度 6・4・1／7・3・31　法人名 甲社　別表五（一）

I　利益積立金額の計算に関する明細書

区　分		期首現在利益積立金額 ①	当期の増減 減 ②	当期の増減 増 ③	差引翌期首現在利益積立金額 ①-②+③ ④
利益準備金	1	円	円	円	円
積立金	2				
退職給付引当金	3	45,000	⑤ 400	② 1,500	46,100
退職給付引当金	4		⑤ △400	① △30,000	△29,600
退職給付信託財産	5		⑤ 330／400	③ 846.85／10,000	10,116.85
	6				

（880）

第20章　引当金、準備金

第2節　貸倒引当金

第1款　貸倒引当金全般に係る事項

貸倒引当金の財務諸表での表示方法

> 【問20-4】　税法上の貸倒引当金の財務諸表での表示方法について
> お尋ねします。
> ①　会社計算規則第78条は、貸倒引当金の貸借対照表での表示方
> 　法として、間接控除方式のほかに直接控除方式を認めています
> 　が、税法ではいかがでしょうか。
> ②　税法では貸倒引当金は毎期洗替えとなっていますが、いわゆ
> 　る洗替え差額を損益計算書に計上しても問題ありませんか。

【答】　①について……会社計算規則第78条は、貸倒引当金等の表示について、次のとおり規定しています。

　「各資産に係る引当金は、次項の規定による場合のほか、当該各資産の項目に対する控除項目として、貸倒引当金その他当該引当金の設定目的を示す名称を付した項目をもって表示しなければならない。ただし、流動資産、有形固定資産、無形固定資産、投資その他の資産又は繰延資産の区分に応じ、これらの資産に対する控除項目として一括して表示することを妨げない。

②　各資産に係る引当金は、当該各資産の金額から直接控除し、その控除残高を各資産の金額として表示することができる。」

　上記の規定の第2項により、資産に係る引当金を直接控除した場合における各資産の資産項目別の引当金の金額は、貸借対照表等に関する注記事項とされており（会社計規103二）、注記表での記載項目となります。しかし、会計監査人設置会社でない株式譲渡制限会社の個別注記表では、貸借対照表等に関する注記の表示を要しないとされていますので（会社計規98②一）、当該会社の計算書類では、この注記が行われないことがあり得ます。

　税法上は、間接控除方式、直接控除方式のいずれで表示しても差し支えありませんが、直接控除方式で表示したときは、上記により当該引当金の金額が個別注記表にも記載されないことがおこり得ます。しかし、法人税基本通達

（881）

11-2-1に「取立不能見込額の表示が財務諸表の注記等により確認でき、かつ、貸倒引当金勘定への繰入れであることが総勘定元帳及び確定申告書において明らかにされているときは、当該取立不能見込額は、貸倒引当金勘定への繰入額として取り扱う。」と示されていますので、直接控除方式で表示している場合には、税務では貸倒引当金の金額の注記が必要です。

　②について……税法上貸倒引当金の繰入額が損金算入されるためには損金経理が必要と規定されていますので（法52①②）、税法の規定による洗替え（法52⑩）をする場合、税法の条文からは前事業年度末計上額の取崩しと当事業年度末計上額の繰入れの両建計上が必要になります。しかし、このような両建計上は、会計上損益計算書の表示として無意味ですので、確定申告書等に添付する明細書にその相殺前の金額に基づく繰入れ等であることを明らかにしているときは、税務上もその相殺前の金額によりその繰入れ及び取崩しがあったものとして取り扱うこととされています。（基通11-1-1）具体的には、相殺前の金額を別表十一（一）及び別表十一（一の二）の当期繰入額に記載すればよいことになります。

貸倒引当金を繰入れできる法人

> **【問20-5】**　貸倒引当金繰入額を損金算入できる法人は、中小法人等に限定されているとのことですが、貸倒引当金の繰入れが認められる法人の範囲について説明してください。

【答】　貸倒引当金の適用される法人及び貸倒引当金の対象となる金銭債権は、以下のとおりです。（法52①②⑨、法政令96④⑤⑨）

適用法人	対象となる金銭債権
①　中小法人等 ②　銀行法第2条第1項に規定する銀行 ③　保険業法第2条第2項に規定する保険会社 ④　②又は③に準ずる政令（法政令96④）で定める内国法人	金銭債権（注3）
⑤　金融に関する取引に係る金銭債権を有する政令（法政令96⑤）で定める内国法人	法政令96⑨で定める一定の金銭債権（注3）

（注1）　中小法人等は、事業年度終了の時において、下記に該当する法人です。（法52①一）

（882）

第20章　引当金、準備金

　イ　普通法人（投資法人及び特定目的会社を除きます。）のうち、資本金の
　　額若しくは出資金の額が１億円以下であるもの又は資本若しくは出資を有
　　しないもの。ただし、大法人（資本金の額又は出資金の額が５億円以上の
　　法人、保険業法に規定する相互会社、法人課税信託の受託法人）との間に
　　当該大法人による完全支配関係がある普通法人（法66⑤二に掲げる法人）
　　及び普通法人との間に完全支配関係がある複数の大法人に株式又は出資の
　　全部を所有されている法人及び法人課税信託の受託法人（法66⑤三に掲げ
　　る法人）を除きます。
　ロ　公益法人等又は協同組合等
　ハ　人格のない社団等
（注２）　法政令96④で定める内国法人には無尽会社、証券金融会社等が、法政令96
　　　⑤で定める内国法人にはリース資産の売買があったものとされる場合の当該
　　　リース資産の対価の額に係る金銭債権（法64の２①）を有する内国法人等が
　　　掲げられ、法政令96⑨で定める金銭債権には上記のリース資産の対価に係る
　　　金銭債権等が掲げられています。
（注３）　債券に表示されるべきものを除きます。

（883）

適格組織再編成があった場合の貸倒引当金の引継ぎ

> **【問20-6】** 法人が適格組織再編成を行った場合、貸倒引当金の新設法人又は承継法人への引継ぎはどのようになりますか。適格組織再編成の区分別に説明してください。

【答】 法人が適格組織再編成を行った場合には、下記の表の適格組織再編成の区分に応じ、同表の右欄に掲げる貸倒引当金勘定の金額を、当該適格組織再編成に係る合併法人等（合併法人、分割承継法人、被現物出資法人又は被現物分配法人）へ引継ぐものとされています。(法52⑧)

適格組織再編成の区分	合併法人等へ引継ぐ貸倒引当金勘定の金額
(1) 適格合併又は適格現物分配（残余財産全部の分配に限ります。）	適格合併の日の前日又は残余財産の確定の日の属する事業年度において損金の額に算入された個別貸倒引当金勘定の金額又は一括貸倒引当金勘定の金額
(2) 適格分割等（適格分割、適格現物出資又は適格現物分配（残余財産全部の分配を除きます。）	適格分割等の日の属する事業年度において損金の額に算入された期中個別貸倒引当金勘定の金額又は期中一括貸倒引当金勘定の金額

　上記の表の(2)の右欄にある「期中個別貸倒引当金勘定の金額」は、法人が適格分割等により分割承継法人、被現物出資法人又は被現物分配法人に「個別評価金銭債権」を移転する場合に当該「個別評価金銭債権」について設けた法人税法第52条「第１項」の貸倒引当金のうち、当該適格分割等の直前の時を事業年度終了の時とした場合に同項の規定により計算される「個別貸倒引当金」として損金算入された金額です。(法52⑤) この説明のうち、「個別評価金銭債権」を「一括評価金銭債権」、「第１項」を「第２項」、「個別貸倒引当金」を「一括貸倒引当金」と読み替えた金額が、「期中一括貸倒引当金勘定の金額」です。(法52⑥)

> **(注)** 同一の債務者に対する個別評価金銭債権のうちの一部が適格分割等によって分割承継法人、被現物出資法人又は被現物分配法人に移転する場合には、当該個別評価金銭債権のうち移転する一部の金額以外の金額はないものとみなして、上記法52⑤の規定を適用します。(法政令98)

　なお、適格分割等をする法人が上記法人税法第52条第５項又は第６項の規定の適用を受けようとするときは、適格分割等の日以後２月以内に、次の事

（884）

第20章　引当金、準備金

項を記載した書類を納税地の所轄税務署長に提出することが必要です。（法
52⑦、法規則25の6）

イ　法人の名称、納税地及び法人番号並びに代表者の氏名
ロ　適格分割等に係る分割承継法人、被現物出資法人又は被現物分配法人の
　　名称及び納税地並びに代表者の氏名
ハ　適格分割等の日
ニ　期中個別貸倒引当金勘定の金額又は期中一括貸倒引当金勘定の金額に相
　　当する金額及び個別貸倒引当金繰入限度額又は一括貸倒引当金繰入限度額
　　に相当する金額並びにこれらの金額の計算に関する明細
ホ　その他参考となるべき事項

（885）

第2款　個別評価金銭債権に係る貸倒引当金

個別評価金銭債権に係る貸倒引当金のあらまし

> 【問20-7】　税法の個別評価金銭債権に係る貸倒引当金について、
> そのあらましを説明してください。

【答】　個別評価金銭債権に係る貸倒引当金は、法人税法第52条第1項に規定されています。

個別評価金銭債権とは、内国法人が更生計画認可の決定に基づいてその有する金銭債権の弁済を猶予され、又は賦払いにより弁済されること等により、その一部につき貸倒れその他これに類する事由による損失が見込まれる金銭債権（当該金銭債権に係る債務者に対する他の金銭債権がある場合は、当該他の金銭債権を含みます。）をいい、その発生事由を次の四つに区分して、それぞれの事由に該当する個別評価金銭債権について、それぞれに掲げるとおりの貸倒引当金の繰入限度額が定められています。なお、その法人との間に完全支配関係がある法人に対して有する金銭債権は個別評価金銭債権に含まれません。（法52⑨二）したがって、100％子会社や100％親会社等に対する債権は貸倒引当金の対象となりません。

　(注)　「貸倒れその他これに類する事由」には、売掛金、貸付金その他これらに類
　　　する金銭債権の貸倒れのほか、例えば、保証金や前渡金等について返還請求を
　　　行った場合における当該返還請求債権が回収不能となったときが含まれます。
　　　（基通11-2-3）

(1)　法人が事業年度終了の時において有する個別評価金銭債権につき、当該個別評価金銭債権に係る債務者について生じた次に掲げる事由に基づいてその弁済を猶予され、又は賦払により弁済される場合……当該個別評価金銭債権の額のうち当該事由が生じた日の属する事業年度終了の日の翌日から5年を経過する日までに弁済されることとなっている金額以外の金額（担保権の実行その他によりその取立て又は弁済（以下「取立て等」といいます。）の見込みがあると認められる部分の金額を除きます。）（法政令96①一、法規則25の2）

　イ　更生計画認可の決定

（886）

第20章　引当金、準備金

ロ　再生計画認可の決定

ハ　特別清算に係る協定の認可の決定

ニ　法人税法施行令第24条の２第１項に規定する事実（再生計画認可の決定があったことに準ずる事実）が生じたこと……内容については【問８-１】の④を参照してください。

ホ　法令の規定による整理手続によらない関係者の協議決定で次に掲げるもの（ニに掲げる事由を除きます。）

　　a　債権者集会の協議決定で合理的な基準により債務者の負債整理を定めているもの

　　b　行政機関、金融機関その他第三者のあっせんによる当事者間の協議により締結された契約でその内容が上記のaに準ずるもの

(2) 法人が事業年度終了の時において有する個別評価金銭債権に係る債務者につき、債務超過の状態が相当期間継続し、かつ、その営む事業に好転の見通しがないこと、災害、経済事情の急変等により多大な損害が生じたことその他の事由により、当該個別評価金銭債権の一部の金額につきその取立て等の見込みがないと認められる場合（(1)に掲げる場合を除きます。）……当該一部の金額に相当する金額（法政令96①二）

　　(注)　「その他の事由が生じていることにより、当該金銭債権の一部の金額につきその取立て等の見込みがないと認められる場合」には、次に掲げる場合が含まれます。この場合、取立て等の見込みがないと認められる金額とは、当該回収できないことが明らかになった金額又は当該未収利息として計上した金額をいいます。（基通11-2-8）

　　　①　法人の有するその金銭債権の額のうち、担保物の処分によって得られると見込まれる金額以外の金額につき回収できないことが明らかになった場合において、その担保物の処分に日時を要すると認められること

　　　②　貸付金又は有価証券に係る未収利息を資産に計上している場合において、当該計上した事業年度終了の日（未収利息を２以上の事業年度において計上しているときは、そのうちの最終の事業年度終了の日）から２年を経過した日の前日を含む事業年度終了の日までの期間に、各種の手段を活用した支払の督促等の回収の努力をしたにもかかわらず、当該期間内に当該貸付金又は有価証券に係る未収利息（当該資産に計上している未収利息以外の利息の未収金を含みます。）につき、債務者が債務超過の状態に陥って

（887）

いる等の事由からその入金が全くないこと

(3) 法人が事業年度終了の時において有する個別評価金銭債権に係る債務者につき次に掲げる事由が生じている場合（(1)に掲げる事実が生じている場合及び(2)に掲げる事実が生じていることにより個別貸倒引当金の規定の適用を受けた場合を除きます。）……当該個別評価金銭債権の額（当該個別評価金銭債権の額のうち、当該債務者から受け入れた金額があるため実質的に債権とみられない部分の金額及び担保権の実行、金融機関又は保証機関による保証債務の履行その他により取立て等の見込みがあると認められる部分の金額を除きます。）の50％に相当する金額（法政令96①三、法規則25の３）

イ　更生手続開始の申立て

ロ　再生手続開始の申立て

ハ　破産手続開始の申立て

ニ　特別清算開始の申立て

ホ　手形交換所（手形交換所のない地域にあっては、当該地域において手形交換業務を行う銀行団を含みます。）による取引停止処分

ヘ　電子記録債権法第２条第２項に規定する電子債権記録機関（一定の要件を満たすものに限ります。）による取引停止処分

　(注)　実質的に債権とみられない部分の金額には、債務者に対して振出した支払手形の残高は含まれません。中小法人等が措法第57条の９の規定により法定繰入率による貸倒引当金の繰入れを行う場合の一括評価金銭債権についても、実質的に債権とみられない部分の金額を除くとされていますが（措政令33の７②）、この場合は債務者に対する金銭債権と相殺適状にあるものだけでなく、相殺的な性格をもつものも含まれますので（措通57の９−１）、支払手形の残高も含まれます。（【問20-25】参照）

(4) 法人が事業年度終了の時において有する金銭債権に係る債務者である外国の政府、中央銀行又は地方公共団体に対する個別評価金銭債権につき、これらの者の長期にわたる債務の履行遅滞によりその経済的な価値が著しく減少し、かつ、その弁済を受けることが著しく困難であると認められる場合……当該個別評価金銭債権の額（当該個別評価金銭債権の額のうち、これらの者から受け入れた金額があるため実質的に債権とみられない部分

（888）

第20章　引当金、準備金

の金額及び保証債務の履行その他により取立て等の見込みがあると認められる部分の金額を除きます。）の50％に相当する額（法政令96①四）

個別評価金銭債権に係る貸倒引当金の繰入れをするための手続

【問20-8】　個別評価金銭債権に係る貸倒引当金は、その繰入れに当たって、所轄税務署長等に対する事前承認申請などの手続が必要ですか。

【答】　個別評価金銭債権に係る貸倒引当金は、その繰入れに当たって、所轄税務署長等に対する事前承認申請は不要ですが、【問20-7】で説明した法人税法施行令第96条第1項各号に規定されている事実が生じている場合でも、次に掲げる書類の保存がされていないときは、当該事実は生じていないものとみなされますので、これらの書類を保存しておくことが必要です。（法政令96②、法規則25の4）

①　法人税法施行令第96条第1項各号に掲げる事実が生じていることを証する書類

②　担保権の実行、保証債務の履行その他により取立て又は弁済の見込みがあると認められる部分の金額がある場合には、その金額を明らかにする書類

　なお、税務署長は、上記の書類の保存がない場合でも、その書類の保存がなかったことについてやむを得ない事情があると認めるときは、その書類の保存がなかった金銭債権に係る金額について、上記の法人税法施行令第96条第2項の規定を適用しないことができるという、ゆう恕規定があります。（法政令96③）

（889）

過年度に繰入事由が発生している場合の個別評価金銭債権に係る貸倒引当金など

> 【問20-9】 個別評価金銭債権に係る貸倒引当金についてですが、
> ① 法人税法施行令第96条第1項に規定されている事由が生じた事業年度に計上しなかった場合、その後の事業年度において計上することができなくなりますか。
> ② 甲社に対する貸倒引当金繰入額が税法の繰入限度額を超過しており、乙社に対する貸倒引当金繰入額が税法の繰入限度額に不足している場合、この過不足額を通算して、税法の繰入限度額との関係をみることができますか。

【答】 ①について……個別評価金銭債権に係る貸倒引当金は、【問20-7】で説明した繰入れできる事由が事業年度終了の時に生じているならば、当該事由の生じた時期に関係なく繰入れすることができます。前事業年度以前に当該事由が生じていた場合、これに係る貸倒引当金が前事業年度まで継続して計上されていることが、当事業年度において繰入れができる要件とされていません。

貸倒引当金は、一括評価金銭債権に係るものだけでなく個別評価金銭債権に係るものも毎事業年度洗替えとされていますので（法52⑩）、その事由の発生した事業年度と関係なく、各事業年度終了の時における個別評価金銭債権の状況により、貸倒引当金の繰入限度額がきまることになります。

②について……個別評価金銭債権に係る貸倒引当金は、個別評価金銭債権ごとに損金経理により繰り入れた金額のうち、個別貸倒引当金繰入限度額に達するまでの金額を損金算入すると規定されていますので（法52①）、御質問にある甲社と乙社の貸倒引当金繰入額のそれぞれの繰入限度額に対する過不足額の通算はすることができません。一括評価金銭債権に係る貸倒引当金の繰入額のその繰入限度額に対する過不足額との通算や、ゴルフ会員権の預託保証金のような一括評価金銭債権に該当しない債権に設定した貸倒引当金との通算なども、することはできません。

(注) 個別評価金銭債権に係る貸倒引当金と一括評価金銭債権に係る貸倒引当金との間での繰入額の繰入限度額に対する過不足額の通算ができない旨は、基通

（890）

第20章　引当金、準備金

11－2－1の2に示されています。ただし、例えば、甲社に対する債権を個別評価金銭債権とする貸倒引当金が、繰入れができる事実が生じていないとして税務調査で否認された場合、当該債権を一括評価金銭債権とし、当該貸倒引当金を一括評価金銭債権に係るものとしてその繰入限度額までの損金算入をすることができます。

割引手形を個別評価金銭債権とする貸倒引当金の繰入れの可否

【問20-10】　取引先Ａ社が手形交換所において取引停止処分を受けましたので、同社に対する個別評価金銭債権に対して貸倒引当金の繰入れをしようと思います。ところが事業年度終了の日における同社に対する金銭債権は、割引手形だけですので、この貸倒引当金の繰入れ対象となる個別評価金銭債権が貸借対照表に資産として計上されていません。どのようにすればよろしいですか。

【答】　個別評価金銭債権に係る貸倒引当金の対象となる債権には、法人の有する金銭債権について取得した受取手形で、当該金銭債権に係る債務者が振り出し又は引き受けたものを裏書譲渡（割引を含みます。）した場合の当該受取手形に係る既存債権が含まれます。この取扱いは、その裏書譲渡された受取手形の金額が財務諸表の注記等において確認できる場合に適用されますので（基通11－2－4（注））、御質問のように事業年度終了の日における金銭債権が割引手形だけの場合でも、その残高について貸倒引当金の繰入れをすることができます。

（注1）　上記の取扱いは、一括評価金銭債権に係る貸倒引当金の対象となる金銭債権についても同じです。（基通11－2－17）

（注2）　第三者が振り出し又は引き受けた手形を債務者から受け取ってこれを裏書譲渡（割引を含みます。）した場合は、既存債権は当該第三者によって担保されていることになりますので、「担保権の実行等により取立て等の見込みがあると認められる部分の金額」に該当することとなり、個別評価金銭債権に係る貸倒引当金のうちの1号及び3号のものの繰入れの対象となる金銭債権から除外されます。

通常は、取引先Ａ社が手形交換所において取引停止処分を受けますと、銀行から貴社に対してＡ社提出の割引手形の買戻しが請求されます。したがっ

（891）

て、御質問のようにＡ社の割引手形がなお残るという事例は少ないと思いますが、貴社に信用力がある場合、銀行が直ちに買戻しを要求せず、手形の支払期日まで猶予することもあるようです。しかし、前記のように貸倒引当金の繰入れの対象になるのは割引手形残高でなく既存債権ですので、当該割引手形を買い戻したかどうかは貸倒引当金の繰入れの可否に関係しません。

なお、貸倒引当金の繰入れをするのに、その対象になる金銭債権が貸借対照表の資産の部に計上されていないのは不合理ですので、銀行に支払うこととなる買戻し金額を未払金に計上し、その相手勘定として長期滞留債権(注)を資産の部に計上すればよいでしょう。

> **(注)** 会社計算規則は、受取手形、売掛金及び前渡金は流動資産に属するが、それぞれに係る債権のうち破産債権、再生債権、更生債権その他これらに準ずる債権で１年内に弁済を受けることができないことが明らかなものは、流動資産に属するものから除外すると規定しており（会社計規74③一ロ、ハ、ワ）、除外された債権は、投資その他の資産に属することになります。（会社計規74③四チ）なお、財務諸表等規則は、投資その他の資産の区分表示について、「破産更生債権等」を別科目掲記すべきであると規定しています。（財表規則32①十）

年賦弁済の決定に伴う個別評価金銭債権に係る貸倒引当金の繰入れ

> **【問20-11】** 債権者集会の協議により、得意先甲社に対する売掛金500万円について、抵当権により担保されている200万円を除いた300万円は、そのうちの50万円を切り捨てたうえで20万円の弁済を受け、残りの230万円は当該協議決定の日の１年後から９年間に20万円ずつ合計180万円の年賦弁済を受けて、当該年賦弁済が完了することを条件に残りの50万円を切り捨てることが決定しました。この場合、当該売掛金についての個別評価金銭債権に係る貸倒引当金の繰入限度額は、どのようになりますか。

【答】 御質問の場合は、個別評価金銭債権に係る貸倒引当金のうちの１号による繰入れをすることができますが、担保権の実行その他により取立て又は弁済（以下「取立て等」といいます。）の見込みがあると認められる部分の金額200万円は、この場合の貸倒引当金の対象となる金銭債権から除かれま

（892）

第20章　引当金、準備金

す。（法政令96①一かっこ書）この「取立て等の見込みがあると認められる部分の金額」とは、質権、抵当権、所有権留保、信用保険等によって担保されている部分の金額をいいます。（基通11-2-5）

次に、債権者集会の協議決定で定められた売掛金の切捨て額50万円は、法人税基本通達9-6-1の(3)のイの金額に該当しますので（【問15-1】参照）、貸倒損失として損金の額に算入されます。

また、債権者集会の決定によって、年賦弁済されることとなった金額及び年賦弁済完了を条件に切り捨てられることとなった金額の合計230万円は、その決定があった日の属する事業年度終了の日の翌日から5年を経過する日までに弁済されることとなった金額とその他の金額とに区分し、後者の金額について個別評価金銭債権に係る貸倒引当金のうちの1号による繰入れをすることができます。（法政令96①一ニ、法規則25の2一）御質問の場合、売掛金の残額230万円のうち、当事業年度終了の日の翌日から5年を経過する日までに弁済されることになる金額100万円（20万円×5）を除いた130万円が、これに該当します。

(注)　年賦弁済の完了を条件に切り捨てられることとなる金銭債権50万円は、5年経過後に弁済されることとなる債権80万円（20

【別表十一(一)】

個別評価金銭債権に係る貸倒引当金の損金算入に関する明細書

債務者	住　所　又　は　所　在　地		1	×××
	氏　名　又　は　名　称（外国政府等の別）		2	甲社
個　別　評　価　の　事　由			3	令第96条第1項第1号該当
同　上　の　発　生　時　期			4	○・○・○
当　期　繰　入　額			5	1,300,000
繰入限度額	個別評価金銭債権の額		6	4,300,000
	(6)のうち5年以内に弁済される金額（令第96条第1項第1号に該当する場合）		7	1,000,000
	(6)のうち取立て等の見込額	担保権の実行による取立て等の見込額	8	2,000,000
		他の者の保証による取立て等の見込額	9	
		その他による取立て等の見込額	10	
		(8)+(9)+(10)	11	2,000,000
	(6)のうち実質的に債権とみられない部分の金額		12	
	(6)-(7)-(11)-(12)		13	1,300,000
繰入限度額の計算	令第96条第1項第1号該当(13)		14	1,300,000
	令第96条第1項第2号該当(13)		15	
	令第96条第1項第3号該当(13)×50%		16	
	令第96条第1項第4号該当(13)×50%		17	
繰　入　限　度　超　過　額(5)-((14)、(15)、(16)又は(17))			18	0
貸倒実績率の計算の基礎となる金額の明細	貸倒れによる損失の額等の合計額に加える金額((6)の個別評価金銭債権が売掛債権等である場合の(5)と((14)、(15)、(16)又は(17))のうち少ない金額)		19	1,300,000
	前期の個別評価金銭債権の額（前期の(6)）		20	
	(20)の個別評価金銭債権が売掛債権等である場合の当該個別評価金銭債権に係る貸倒引当金繰入額（前期の(19)）		21	
	(21)に係る売掛債権等が当期において貸倒れとなった場合のその貸倒れとなった金額		22	
	(21)に係る売掛債権等が当期においても個別評価の対象となった場合のその対象となる金額		23	
	(22)又は(23)に金額の記載がある場合の(21)の金額		24	

（893）

万円×４）よりも不良債権としての度合いが高いので、当該貸倒引当金の繰入れの対象になります。

これについて、別表十一（一）「個別評価金銭債権に係る貸倒引当金の損金算入に関する明細書」を記載しますと、前ページのようになります。

損失見込みの発生事由が２以上ある個別評価金銭債権に係る貸倒引当金

> 【問20-12】　３月31日決算の中小法人等に該当する法人です。得意先Ａ社に対して1,000万円の債権を有していますが、Ａ社は令和６年５月に再生手続開始の申立てを行いました。その後、同年10月に再生計画認可の決定があり、債権額1,000万円のうち400万円が切り捨てられ、残りの600万円はその１年後から６年間に100万円ずつ賦払いにより弁済されることが決まりました。令和７年３月期における個別評価金銭債権に係る貸倒引当金の繰入限度額は、法人税法施行令第96条第１項の３号による場合は300万円、１号による場合は100万円となりますが、繰入限度額の多い３号による繰入れをしても問題ありませんか。

【答】　個別評価金銭債権に係る貸倒引当金は、【問20-7】で説明したように損失見込みの発生事由を四つに分けて、１号から４号まで４種類のものが規定されています。この場合、同一の金銭債権に対する１号から３号までの適用順序は、①１号、②１号に該当する場合を除いて２号、③１号に該当する場合と２号に定める金額を個別貸倒引当金繰入限度額として２号の規定の適用を受けた場合を除いて３号と規定されています。（法政令96①）

　御質問の場合は、令和６年10月に再生計画認可の決定によって債権額600万円についての賦払いによる弁済が決まっていますので、１号に該当することになり、個別評価金銭債権に係る貸倒引当金の繰入限度額は、事業年度終了の日の翌日から５年を経過する日までに弁済されない100万円となります。この場合、１号の規定の適用がある債権の額は600万円全額であり、１号の規定の適用によって貸倒引当金に繰入れできる100万円ではありません。いいかえれば、当該債権の額600万円のうち１号の規定の適用によって引当金の繰入れができない500万円は、当事業年度終了の日の翌日から５年以内に

（894）

第20章 引当金、準備金

弁済されることになっているため税法では貸倒れによる損失の発生が見込まれず、2号又は3号の規定を適用して個別評価金銭債権に係る貸倒引当金の繰入れをすることはできないことになります。

（注） 当該債権の金額600万円は、個別評価金銭債権として1号の規定を適用して貸倒引当金100万円の繰入れをした以上、残額の500万円は一括評価金銭債権にも該当せず（法52②かっこ書）、一括評価金銭債権に係る貸倒引当金（中小法人等に対する特例により法定繰入率による繰入限度額を計算する場合を含みます。）の繰入れをすることもできません。

なお、1号の規定の適用のあるものは、1号の規定の適用を受けないで2号又は3号の規定の適用を受けることはできませんが、2号の規定は適用を受けるかどうかは任意ですので、2号の規定の適用を受けないで3号の規定の適用を受けることはできます。

人的保証を受けている金銭債権に対する個別評価金銭債権に係る貸倒引当金の繰入れ

> **【問20-13】** 人的保証を受けている金銭債権に対する個別評価金銭債権に係る貸倒引当金の繰入れは、1号、2号及び3号のいずれの規定によるものもできないのですか。連帯保証かどうかで異なりますか。

【答】 人的保証を受けている金銭債権は、仮に債務者が債務不履行となっても連帯保証人に対して代位弁済を求めることができますので、その回収可能性は保証人の信用力によって左右されます。したがって、個別評価金銭債権に係る金銭債権の貸倒引当金の繰入れの対象になるかどうかは、保証人の弁済能力を検討したうえで、判断することになります。

御質問にある1号、2号及び3号の規定による貸倒引当金について、担保権の実行等により取立て又は弁済（以下「取立て等」といいます。）の見込みがあるとして繰入れの対象となる金銭債権から除外される金額は、次のとおり規定されています。

・1号の規定によるもの……担保権の実行その他により取立て等の見込みがあると認められる部分の金額

（895）

・2号の規定によるもの……特に規定されていません。

・3号の規定によるもの……担保権の実行、金融機関又は保証機関による保証債務の履行その他により取立て等の見込みがあると認められる部分の金額

　まず、2号の規定による貸倒引当金について特に規定されていないのは、2号の規定が適用される金銭債権のうちの取立て等の見込みのない金額は、1号の規定によるものや3号の規定によるもののようにそのうちの一定部分の金額でなく、実質算定をした金額であり、人的保証の有無とか当該保証の履行による取立て等の見込みは、その算定に当たって当然考慮するからです。

（注）　人的保証による回収可能額の算定に当たって、次に揚げる場合は、回収可能額を考慮しないことができます。（基通11-2-7）

① 　保証債務の存否に争いのある場合で、そのことにつき相当の理由のあるとき。

② 　保証人が行方不明で、かつ、当該保証人の有する資産について評価額以上の質権、抵当権（以下「質権等」といいます。）が設定されていること等により当該資産からの回収が見込まれない場合。

③ 　保証人について、更生手続開始の申立て、手形交換所による取引停止処分など法政令96①三に掲げられている事由（【問20-7】の(3)参照）が生じている場合。

④ 　保証人が生活保護を受けている場合（それと同程度の収入しかない場合を含みます。）で、かつ、当該保証人の有する資産について評価額以上の質権等が設定されていること等により当該資産からの回収が見込まれないこと。

⑤ 　保証人が個人であって、その有する資産について評価額以上の質権等が設定されていること等により、当該資産からの回収が見込まれず、かつ、当該保証人の年収額（当該事業年度終了の日の直近1年間における収入金額をいいます。）が当該保証人に係る保証債務の額の合計額（当該保証人の保証に係る金銭債権に担保物がある場合には、当該金銭債権の額から当該担保物の価額を控除した金額）の5％未満であること。

　次に、1号の規定による貸倒引当金と3号の規定による貸倒引当金についての上記の表現を対比しますと、「金融機関又は保証機関による保証債務の履行」という表現は、3号の規定による貸倒引当金にのみついています。

　したがって、3号の規定による貸倒引当金については、金銭債権のうち金

第20章　引当金、準備金

融機関又は保証機関によって保証されている部分の金額は繰入れの対象とすることはできませんが、その他の者によって保証されている部分の金額は、たとえその保証人の資力等が十分と認められる場合でも、繰入れの対象にすることができます。要するに、3号の規定による場合は、金融機関又は保証機関以外の保証人についてその弁済能力を検討するのは実際的でないので、当該保証人による人的保証は考慮しないという割切りをしているわけです。

　一方、1号の規定による貸倒引当金については、担保権の実行という物的保証についての表現があるだけで、人的保証についての表現がありません。したがって、人的保証の有無は無視することができます。

　次に、人的保証が連帯保証かどうかで異なるのかどうかですが、取立て見込額の判断には影響がありません。保証人が連帯保証をしている場合、保証人に催告の抗弁権（民法第452条《債権者から保証債務の履行を請求されたとき、まず主たる債務者に催告すべき旨を請求する権利》）及び検索の抗弁権（民法第453条《主たる債務者に弁済の資力があり、かつ、執行が容易であることを証明して、まず主たる債務者の財産について執行することを請求する権利》）がありませんので（民法454）、連帯保証でないときに比べて代位弁済を受けるのが容易になります。しかし、手続上のものであり、連帯保証人であっても同人に弁済能力がない場合は回収不能ですので、保証の種類でなく、保証人の弁済能力によって判断することになります。

法人税基本通達11-2-9の(2)の意味

> 【問20-14】　法人税基本通達11-2-9はその(2)で、「同一人に対する売掛金又は受取手形と買掛金とがある場合において、当該買掛金の支払のために他から取得した受取手形を裏書譲渡したときのその売掛金又は受取手形の金額のうち当該裏書譲渡した手形（支払期日の到来していないものに限る。）の金額に相当する金額」は、実質的に債権とみられない部分の金額に該当すると示しています。これはどういうことですか。

【答】　個別評価金銭債権の額のうち、債務者から受け入れた金額があるため実質的に債権とみられない部分の金額は、個別評価金銭債権に係る貸倒引当

（897）

金のうちの３号の規定によるものの繰入れの対象とすることができません。
　（法政令96①三かっこ書）

　実質的に債権とみられない部分の金額に該当するものとして、法人税基本通達11-2-9に(1)から(9)までに九つの事例が掲げられています。御質問はそのうちの(2)の金額についてのものですが、その内容は次のとおりです。

　売掛金と買掛金のある相手先に対して、当該買掛金の支払のために他から取得した受取手形を裏書譲渡しても、当該受取手形が期日に決済されるまで買掛金に係る既存債務が残ります。例えば、A社に対して売掛金30万円と買掛金10万円があり、別にB社から同社に対する売掛金について受領した受取手形10万円があるとします。この段階でのA社に対する貸倒引当金の設定の対象となる金銭債権の額は、30万円（売掛金）－10万円（買掛金、実質的に債権とみられない額）＝20万円です。

　ここで、A社に対する買掛金10万円を、B社から受領した受取手形10万円の裏書譲渡によって決済し、

　　　　買掛金　（A社）　10万円／受取手形　（B社）　10万円

という仕訳をしますと、A社に対する買掛金10万円は会計帳簿から消滅します。しかし、裏書譲渡した受取手形が期日に決済されるまでは、A社に対する既存債務10万円が残りますので、A社について貸倒引当金の設定の対象となる金銭債権の額は、受取手形の裏書譲渡後においても、30万円（売掛金）－10万円（既存の支払債務）＝20万円となります。

　なお、この事例で、B社に対する貸倒引当金の設定の対象となる金銭債権の額は、受取手形の裏書譲渡前は受取手形として10万円、裏書譲渡後は当該手形が期日に決済されるまで裏書手形（実際は当該受取手形に係る既存債権）として10万円であり、変わりません。

　(注)　中小法人等が措法第57条の９の規定により法定繰入率による貸倒引当金の繰入れを行う場合の一括評価金銭債権に係る実質的に債権とみられないものについても、上記と同じ取扱いが示されています。(措通57の９-1 (2))

第20章　引当金、準備金

手形交換所での取引停止処分により個別評価金銭債権に係る貸倒引当金の繰入れができる事業年度

【問20-15】　【問20-7】に掲げられた(3)の事由のホに、「手形交換所による取引停止処分」が掲げられていますが、得意先から受領した手形が事業年度終了の日までに不渡りになったが手形交換所による取引停止処分が翌事業年度以後にずれた場合、どのように取り扱われますか。

【答】　個別評価金銭債権に係る貸倒引当金のうちの「3号の規定」による貸倒引当金の繰入れができる事由の一つに、「手形交換所（手形交換所のない地域にあっては、当該地域において手形交換業務を行う銀行団を含みます。）による取引停止処分」が掲げられています。（法政令96①三ホ、法規則25の3一）

　これについて、事業年度終了の日までに債務者の振り出した手形が不渡りとなり、当該事業年度に係る確定申告書の提出期限（法人税法第75条の2の規定により確定申告書の提出期限が延長されているときは、その延長された期限）までに当該債務者について手形交換所による取引停止処分が生じた場合には、当該事業年度において「3号の規定」による個別評価金銭債権に係る貸倒引当金の繰入れをすることができることとされています。（基通11-2-11前段）

　したがって、御質問の場合は、当事業年度の確定申告書の提出期限までに手形交換所による取引停止処分があれば、当事業年度において、当該得意先に対する金銭債権（当該得意先から受け入れた金額があるため実質的に債権とみられない部分の金額及び担保権の実行、金融機関又は保証債務の履行等により取立て等の見込みがあると認められる部分の金額を除きます。）の50％に相当する金額を、損金経理により貸倒引当金勘定に繰り入れることができます。

　なお、事業年度終了の日までに支払期日の到来した電子記録債権について債務者から支払が行われず、その事業年度に係る確定申告書の提出期限までにその債務者について電子債権記録機関による取引停止処分が生じた場合も、上記と同様に取り扱われます。（基通11-2-11後段）

第3款　一括評価金銭債権に係る貸倒引当金

一括評価金銭債権に係る貸倒引当金のあらまし

> 【問20-16】　税法の一括評価金銭債権に係る貸倒引当金について、
> そのあらましを説明してください。

【答】　御質問にある一括評価金銭債権に係る貸倒引当金は、法人税法第52条第2項に、「内国法人が、その有する売掛金、貸付金その他これらに準ずる金銭債権（個別評価金銭債権を除く。以下「一括評価金銭債権」という。）の貸倒れによる損失の見込額として、各事業年度（被合併法人の適格合併に該当しない合併の日の前日の属する事業年度及び残余財産の確定の日の属する事業年度を除く。）において損金経理により貸倒引当金勘定に繰り入れた金額」と規定されているものです。

- **（注1）**　「その他これらに準ずる金銭債権」は、基通11-2-16に例示列挙されています。

- **（注2）**　上記のかっこ書にあるように、個別評価金銭債権は、重ねてこの一括評価金銭債権に係る貸倒引当金の対象とすることはできませんので、別表十一（一の二）「一括評価金銭債権に係る貸倒引当金の損金算入に関する明細書」では、「個別評価の対象となった売掛債権等の額及び非適格合併等により合併法人等に移転する売掛債権等の額⑲」の欄に記載して、当該債権を除外します。この場合、当該債権について設定している貸倒引当金相当額だけでなく、その算定の基礎となった金額の全額を除外しなければなりません。

　一括評価金銭債権に係る貸倒引当金の繰入限度額を算式で示しますと、次のとおりです。（法52②、法政令96⑥）

$$
貸倒引当金繰入限度額 = \begin{array}{c}当該事業年度終了の時において有する\\一括評価金銭債権の帳簿価額の合計額\end{array} \times 貸倒実績率
$$

$$
貸倒実績率 = \cfrac{\left(\begin{array}{c}当該事業年度開始の日前3年以内に開始した各事業\\年度における「売掛債権等の貸倒れにより生じた損\\失の額＋損金の額に算入された個別評価貸倒引当金\\繰入額－益金の額に算入された個別評価貸倒引当金\\戻入額」の合計額\end{array}\right) \times \cfrac{12}{左の各事業年度の月数の合計数}}{\begin{array}{c}当該事業年度開始の日前3年以内に開始し\\た各事業年度終了の時における一括評価金\\銭債権の帳簿価額の合計額\end{array} \div 左の各事業年度の数}
$$

- **（注1）**　貸倒実績率の算式の「個別評価貸倒引当金繰入額」は、売掛債権等に係る

（900）

第20章　引当金、準備金

金額に限りますので（法政令96⑥二ロかっこ書）、売掛債権等以外の金銭債権（例えば保証金や前渡金等について返還請求を行った場合の当該返還請求債権（基通11-2-3参照））に係る金額を除きます。

（注2）　貸倒実績率の算式の「個別評価貸倒引当金戻入額」は、引当金の対象となった債権が次の①又は②に該当する場合の戻入額に限ります。

①　当事業年度で貸倒れとなった場合

②　当事業年度で個別評価貸倒引当金の繰入れの対象となった場合

（注3）　貸倒実績率の算式の月数は、暦に従って計算し、1月未満の端数を生じたときは、これを1月とします。（法政令96⑦）

（注4）　貸倒実績率に小数点以下4位未満の端数があるときは、これを切り上げます。（法政令96⑥かっこ書）

なお、その法人との間に完全支配関係がある法人に対して有する金銭債権は一括評価金銭債権に含まれません。（法52⑨二）したがって、100％子会社や100％親会社等に対する債権は貸倒引当金の対象となりません。

未収収益及び未収入金についての一括評価金銭債権に係る貸倒引当金の繰入れ

> **【問20-17】**　未収収益及び未収入金のなかには一括評価金銭債権に係る貸倒引当金の設定対象になるものとならないものとがあるようですが、その区分について説明してください。

【答】　未収収益とは、一定の契約に従い継続して役務の提供を行う場合、既に提供した役務に対してまだその対価の支払を受けていないものをいいます。例えば、賃貸借契約等の継続的役務提供契約に基づいて期末日までに収益が発生し、その対価が未受領の場合の未収利息、未収地代、未収家賃、未収手数料等がこれに該当します。（企業会計原則注解5(4)）

一括評価金銭債権は、売掛金、貸付金その他これらに準ずる金銭債権（以下「売掛債権等」といいます。）と規定されていますが（法52②）、未収収益は原則としてこれに含まれ、法人税基本通達ではこれに該当するものとして、未収保管料、未収地代家賃又は貸付金の未収利子で益金の額に算入されたものが例示されています。（基通11-2-16(1)）

（901）

一方、預貯金の未収利子、公社債の未収利子、未収配当その他これらに類する債権は、売掛債権等に該当しないとされています。(基通11-2-18(1))これは、未収利子は貸付金に係るものか預貯金、公社債に係るものかを問わず未収収益ですが、貸付金に係るものはその元本である貸付金が売掛債権等であるのに対して、預貯金、公社債に係るものはその元本である預貯金、公社債が売掛債権等に該当しないので、その果実に係る未収収益もこれに準ずることになるからです。所有株式に係る未収配当、差入保証金に係る未収利息も、同じ理由で一括評価金銭債権である売掛債権等に該当しません。

次に、未収入金とは継続的役務提供契約以外の契約に基づいて発生したものをいい、原則として一括評価金銭債権である売掛債権等に該当します。法人税基本通達ではこれに該当するものとして、未収の譲渡代金、未収加工料、未収請負金、未収手数料、未収の損害賠償金で益金の額に算入されたもの及び保証債務を履行した場合の求償権が、売掛債権等として例示されています。(基通11-2-16(1)(3)(4))

　(注)　法人が他の者から支払を受ける損害賠償金は、支払を受けることが確定した
　　　　事業年度において未収入金に計上するのが原則ですが、実際に支払を受けるま
　　　　で益金の額に算入しないことも認められています。(基通2-1-43)

しかし、未収入金に該当するものでも、次に掲げるものは売掛債権等に該当しません。

① 雇用保険法、労働施策の総合的な推進並びに労働者の雇用の安定及び職業生活の充実等に関する法律、障害者の雇用の促進等に関する法律等の法令の規定に基づき交付を受ける給付金等の未収金(基通11-2-18(7))……これらの給付金等は、その給付の原因となった休業、就業、職業訓練等の事実があった日の属する事業年度の益金の額に算入すべきものとされていますが(基通2-1-42)、その給付の原因となった休業手当、職業訓練費等の経費と相殺関係にある一種の受贈益に係るものであり、売掛債権等に該当しません。

② 仕入割戻しの未収金(基通11-2-18(8))……仕入割戻しは仕入代金の返戻ですので、売掛債権等に該当しません。

(902)

第20章　引当金、準備金

一括評価金銭債権に係る貸倒引当金の設定の対象になるものとならないもの

> **【問20-18】**　次のような債権は、一括評価金銭債権に係る貸倒引当金の設定の対象になりますか。
> ①敷金／②手付金、前渡金／③前払費用／④未決済デリバティブ取引に係る差金勘定等の金額／⑤簿外貸付金／⑥政府機関に対する売掛金／⑦確実な担保又は保証人のある貸付金／⑧立替金

【答】　一括評価金銭債権に係る貸倒引当金の設定の対象となる一括評価金銭債権は、売掛金、貸付金その他これらに準ずる金銭債権、すなわち売掛債権等ですが（法52②）、御質問にある債権のうち①、②、③及び④は、これに該当しません。

① 　敷金とは、不動産を賃借するに当たり、賃借人が賃借料の支払その他賃貸借契約上の債務を担保するために賃貸人に交付した金銭です。すなわち営業取引に基づいて発生した金銭債権でなく、用役の提供を受けるための担保として提供したものですので、売掛債権等に該当しません。借地権、借家権等の取得に関連して無利息又は低利率で提供した建設協力金等についても同じです。（基通11−2−18(2)）

② 　手付金、前渡金等は、資産の取得の代価又は費用の支出に充てるものとして支出した金額で、金銭債権でなく、売買の対象物の引渡請求権又は費用の前払勘定です。したがって、売掛債権等に該当しません。（同通達(3)）

③ 　前払費用（前払給料、概算払旅費、前渡交際費等のように将来精算される費用の前払いとして一時的に仮払金、立替金等として経理されている金額）も、売掛債権等に該当しません。（同通達(4)）

④ 　未決済デリバティブ取引に係る差金勘定等の金額は、事業年度終了の時に未決済となっているデリバティブ取引を、その時に決済したものとみなして算出される差益又は差損の額であり（【問5-23】参照）、一種の未決算勘定で翌事業年度に洗替え処理されるものです。したがって、当該差益の金額が資産に計上されても、売掛債権等に該当しません。（同通達(10)）

　一方、御質問にある債権のうち⑤、⑥、⑦及び⑧は、いずれも売掛債権等に該当します。

⑤は、簿外貸付金として別表五(一)のⅠの「差引翌期首現在利益積立金額④」欄に記載されますので、別表十一(一の二)において、「一括評価金銭債権の明細」の「売掛債権等とみなされる額及び貸倒否認額⑰」の欄に記載して、売掛債権等の額に加えます。

(注) 「不正行為等に係る費用等の損金不算入」の規定(法55、【問16-1】参照)により、例えば売上除外金を貯めた資金によって投機的な貸付けを行うことによって生じた簿外貸付金が貸倒損失となっても、「隠蔽仮装行為により生ずる損失の額」として損金不算入になります。したがって、この類いの簿外貸付金は、一括評価金銭債権に係る貸倒引当金の設定対象になりません。

⑥は、相手が国であるため回収不能になることが考えられません。しかし、一括評価金銭債権はその相手先ごとの回収不能のおそれの有無の判断をせず、売掛金は相手先のいかんにかかわらず、すべて一括評価金銭債権とします。一流会社に専属する下請会社では、営業上の金銭債権について貸倒損失の発生する可能性はほとんどないと思われますが、一括評価金銭債権として貸倒引当金の繰入れをすることができます。

⑦も確実な担保又は保証人があれば、当該貸付金が回収不能になることは考えられませんが、⑥と同様に債権の回収可能性について実質判定をしませんので、一括評価金銭債権として貸倒引当金の繰入れをすることができます。

⑧の立替金は、一種の金銭消費貸借債権に準ずる債権ですので、売掛債権等に該当します。例えば、旅館業者が顧客のために立て替えた交通費、土産物代等がこれに該当します。(基通11-2-16(2))

(注) 概算払旅費のように一時的に立替金として経理している将来精算される費用は、売掛債権等に該当しません。(基通11-2-18(4))

第20章　引当金、準備金

事業年度終了の日までに現金化されていない小切手に対する一括評価金銭債権に係る貸倒引当金

> 【問20-19】　売掛金を事業年度終了の日までに小切手で回収しましたが、小切手の現金化が翌事業年度になった場合、当該小切手の金額を一括評価金銭債権として貸倒引当金の繰入れをすることができますか。その小切手のなかに、先日付小切手があったときはいかがですか。

【答】　小切手は、小切手法第28条第１項によって一覧払いに限られており、銀行に提示するといつでも現金化することができます。つまり実質的に現金と変わりませんので、売掛金を小切手で回収したのは現金で回収したのと同じです。このため、会計上も「手元にある当座小切手」は現金に含めることとされており（財表規則ガイドライン15-１１）、小切手の回収時に、現金／売掛金という処理をします。したがって、事業年度終了の日に銀行に提示していない未取立ての小切手があっても、その金額を一括評価金銭債権として貸倒引当金の繰入れをすることはできません。

　一方、いわゆる先日付小切手についても、小切手法第28条第２項に「振出ノ日附トシテ記載シタル日ヨリ前ニ支払ノ為呈示シタル小切手ハ呈示ノ日ニ於テ之ヲ支払フベキモノトス」と規定されていますので、先日付小切手の所持人は、小切手に記載された振出しの日を待たずに支払のための提示をすることができます。したがって、法的には、一般の小切手を受け取った場合と変わりませんので、先日付小切手でもその受領時に売掛債権は消滅したことになり、この意味では先日付小切手を特別扱いする理由はないといえます。

　しかし、先日付小切手について、振出日として記載された日まで提示しない約束は、当事者間でよく守られていると思われます。すなわち、実質的には手形と同様に機能していると考えられますので、売掛金、貸付金等の債権について取得した先日付小切手を一括評価金銭債権に含めている場合、その計算を認めることとされています。（基通11-２-16(注)）

　なお、先日付小切手を受領したときは、実務上次のいずれかの方法で処理されていると思われます。

① 　法的に先日付でない一般の小切手で受領したのと変わらないため、現金

（905）

／売掛金の処理をする方法

② 振出人との約束で小切手に振出日として記載された日まで取立てをしないため、受取手形に準じたものとして受取手形／売掛金の処理をする方法

③ ②の考えをとるにしても、手形法上の権利を有しない小切手を受取手形とするのは正しくないので、先日付小切手の受取りを一種の担保の預りと考え、受領時には何らの処理をせず、振出日として記載された日が到来するまで売掛金のままとする方法

会計処理は、法形式よりも実質を重視して行うことが必要と思われますし、一括評価金銭債権に係る貸倒引当金の設定の対象になるという点からも、③のように売掛金のままとする処理が適切と考えられます。

事業年度終了の日が休日の場合の同日を満期日とする受取手形に対する一括評価金銭債権に係る貸倒引当金の繰入れ

> 【問20-20】 事業年度終了の日が休日の場合、同日を満期日とする受取手形は、事業年度終了の日又は交換日のいずれの日に取立ての処理をすべきですか。また、一括評価金銭債権に係る貸倒引当金の繰入れは、貸借対照表に当該受取手形が計上される交換日に取立ての処理をするときだけ認められ、事業年度終了の日に取立ての処理をする場合は認められないことになりますか。

【答】 事業年度終了の日が日曜日等休日の場合、同日を満期日とする手形の交換日は、下記②に記載のとおり当該満期日の次の取引日となりますが、その取立ての処理には、次の二つの方法があります。

① 期末日処理法……交換日は満期日の次の取引日であっても、満期日である事業年度終了の日には受取人等が実質的に手形を占有しているという「手形占有権取得説」によって、同日に取立ての処理をする方法です。

② 交換日処理法……手形法は第72条第1項において「満期ガ法定ノ休日ニ当ル為替手形ハ之ニ次グ第一ノ取引日ニ至ル迄其ノ支払ヲ請求スルコトヲ得ズ」と規定し、第77条において約束手形にこの規定を準用しています。このため「手形法第72条重視説」によって、満期日の次の取引日に取立ての処理をする方法です。

（906）

第20章　引当金、準備金

受取手形、支払手形のいずれについても①、②いずれかの方法を選択することができると思いますが、②の交換日処理法で処理されている事例が多いようです。なお、割引手形及び裏書譲渡手形は、期末日処理法で処理しますと、交換日にならないと法的に消滅しない手形遡求債務の注記（会社計規103五）が脱漏しますので、必ず交換日処理法で処理すべきです。

ところで受取手形は、期末日処理法で処理しますと、事業年度末日現在の貸借対照表では預金勘定に振替済みとなります。しかし、会計処理をしたことと決済があったこととは別で、手形債権及びその原債権である売掛債権等は決済されるまで残っていますので、たとえ期末日処理法で処理していても、事業年度終了の日を満期日とする受取手形を一括評価金銭債権として貸倒引当金の繰入れをすることができます。

その場合、申告書別表十一（一の二）では、「一括評価金銭債権の明細」の「売掛債権等とみなされる額及び貸倒否認額⒄」の欄に、当該期末日処理をした受取手形の金額を記載することになります。

偶発債務に対する一括評価金銭債権に係る貸倒引当金の繰入れの可否

> 【問20-21】　割引手形や裏書譲渡手形については、一括評価金銭債権に係る貸倒引当金の繰入れをすることができますが、取引先の銀行借入金について連帯保証している場合のいわゆる保証債務については、いかがでしょうか。

【答】　貸倒引当金の繰入れ対象となる金銭債権には、法人の有する金銭債権について取得した受取手形で、当該金銭債権に係る債務者が振り出し又は引き受けたものを裏書譲渡（割引を含みます。）した場合における当該受取手形に係る既存債権が含まれます。（基通11-2-4、【問20-10】参照）

　（注）　法人の有する金銭債権と関係のない手形を取得した場合、その手形を所持している間は既存債権がなくても手形債権があるため、その手形は貸倒引当金の繰入れの対象となる金銭債権に該当しますが、その手形を更に裏書譲渡しますと、貸倒引当金の繰入れ対象の金銭債権に該当しなくなります。（【問20-22】参照）

御質問の保証債務は、会計上は割引手形や裏書譲渡手形と同じように偶発債務ですが、連帯保証しただけでは取引先に対する求償権がまだ生じていま

（907）

せんので、貸倒引当金の繰入れの対象となる金銭債権はありません。

　しかし、貴社が代位弁済をして保証債務を履行し、取引先に対する求償権を取得したときには、当該求償権が主たる債務（取引先の銀行借入金）に係る貸付金（銀行の取引先に対する貸付金）の代替債権として、一括評価金銭債権に係る貸倒引当金の繰入れの対象になります。（基通11-2-16(4)）

　(注)　企業会計原則注解18「引当金について」には、債務保証損失引当金が例示されています。債務保証に係る主たる債務者の資産状態等によって、将来保証債務の履行に伴う損失が発生する可能性が高く、その金額を合理的に見積もることができるときはこの引当金の設定が必要ですが、税法では認められておらず、当該引当金を設定したときは、申告加算調整を要します。

融通手形に対する一括評価金銭債権に係る貸倒引当金の繰入れの可否

> **【問20-22】**　法人税基本通達11-2-17の後段に「裏書により取得した受取手形で、その取得の原因が売掛金、貸付金等の既存債権と関係ないものについて更に裏書譲渡をした場合には、その受取手形の金額は売掛債権等の額に含まれない」と示されています。これはどういうことなのですか。

【答】　手形は売掛金、貸付金等の債権の回収に当たってだけでなく、融資を受けるために受け取ることがあります。

　(注)　借入先の振出す手形を受け取ることによって当該借入先からの融資を受けますと、同一の相手先に対する債権（手形債権）と債務（借入金）がありますので、実質的に債権とみられないものとして、当該受取手形は次に掲げる貸倒引当金の繰入れの対象になりません。

　　①　個別評価金銭債権に係る貸倒引当金のうちの第3号のもの（基通11-2-9(8)）

　　②　中小法人等が措法第57条の9の規定により法定繰入率によって繰入限度額の計算をするもの（措通57の9-1(8)）

　このような融資を受ける手段として受取る手形は、受取り後割引をして換金しやすいように、第三者が振出して借入先が裏書した手形とすることが多いようです。そのときは、手形の振出人と債務勘定の相手先が異なりますので、当該手形を所持している限り手形債権を一括評価金銭債権として貸倒引

（908）

当金の繰入れの対象とすることができます。

　しかし、この手形を割り引きますと手形債権がなくなり、かつ、融資を受ける手段として受け取った手形ですので、売掛金、貸付金等の既存債権もありません。したがって、貸倒引当金を繰入れできる一括評価金銭債権がないことになります。

　このようになるのは、裏書手形や割引手形に係る貸倒引当金は売掛金、貸付金等の既存債権に対して設定するものであり、不渡り等の事故が発生した場合、割引先から買戻しを要求されるといういわゆる手形遡求義務に対して設定するものでないからです。手形遡求義務についての貸倒引当金の繰入れは、【問20-21】で説明した偶発債務についてと同様に、認められていません。

中小法人等に特例として認められている法定繰入率による一括評価金銭債権に係る貸倒引当金の繰入れ

> 【問20-23】　中小法人等に対して特例により認められている一括評価金銭債権に係る貸倒引当金の法定繰入率による繰入れについて、その内容を説明してください。

【答】　御質問の中小法人等に対する特例の内容は、以下のとおりです。

(1) この特例が適用される中小法人等は、事業年度終了の時における資本金の額又は出資金の額が1億円を超える普通法人、保険業法に規定する相互会社及び外国相互会社、特定目的会社並びに投資法人以外の法人です。(措法57の9①、措政令33の7①) ただし、普通法人のうち、事業年度終了の日において㋑資本金の額又は出資金の額が5億円以上の法人、㋺相互会社又は外国相互会社、㋩法人課税信託の受託法人との間に完全支配関係がある法人 (法66⑤二)、及び完全支配関係がある複数の㋑～㋩の法人に株式及び出資の全部を所有されている法人 (法66⑤三) は、事業年度終了の日における資本金の額又は出資金の額が1億円以下であっても、この特例は適用されません。

　(注)　適用除外事業者(【問1-27】参照) に該当する法人は、この特例は適用されません。

(2) 中小法人等が、適格分割等により分割承継法人、被現物出資法人又は被

(909)

現物分配法人に一括評価金銭債権を移転する場合には、当該適格分割等の直前の時における当該適格分割等により移転する一括評価金銭債権の帳簿価額の合計額に法定繰入率を乗じた金額をもって、一括貸倒引当金繰入限度額に相当する金額とすることができます。(措法57の9②)

(3) 事業年度終了の時における一括評価金銭債権の帳簿価額の合計額に乗ずる法定繰入率は、卸売及び小売業(飲食店業及び料理店業を含み、割賦小売販売業を除きます。)は$\frac{10}{1,000}$、製造業(電気業、ガス業、熱供給業、水道業及び修理業を含みます。)は$\frac{8}{1,000}$、金融及び保険業は$\frac{3}{1,000}$、割賦販売小売業並びに包括信用購入あっせん業及び個別信用購入あっせん業は$\frac{7}{1,000}$、その他の事業は$\frac{6}{1,000}$です。(措政令33の7④)

この特例は、一括評価金銭債権に貸倒実績率を乗じて算定する貸倒引当金繰入限度額(【問20-16】参照)との選択適用となっており、法定繰入率を乗ずる一括評価金銭債権は、個別評価金銭債権に係る貸倒引当金の算定の基礎とした金銭債権を除かなければなりません。また、この特例を適用するときは、実質的に債権とみられない部分の金額に相当する金額を控除しなければなりませんので(措法57の9①かっこ書、措政令33の7②)、一括評価金銭債権に貸倒実績率を乗じて貸倒引当金の繰入限度額を算定する場合の金銭債権の額よりも、少ない金額になります。

(注1) 金融商品会計基準は、「一般債権(経営状態に重要な問題が生じていない債務者に対する債権)については、債権全体又は同種・同類の債権ごとに、債権の状況に応じて求めた過去の貸倒実績率等合理的な基準により貸倒見積高を算定する。」と定めていますので(同基準Ⅴ、2(1))、税法の法定繰入率による貸倒引当金には、実質的に利益留保性引当金に該当するものが計上されることがあると思われます。

(注2) 「租税特別措置の適用額明細書」を法人税申告書に添付することが必要です。(租特透明化法3①、【問27-27】参照)

第20章　引当金、準備金

卸売業と製造業を併せて営む場合の主たる事業

> 【問20-24】　資本金の額１億円の法人で、和洋紙の問屋を営んでい
> ます。仕入商品の和洋紙を、加工せずに無地のままで販売する場
> 合と、下請工場で印刷、貼りあわせなどの加工をして包装紙、包
> 装袋等にして販売する場合とがあります。一括評価金銭債権に係
> る貸倒引当金の繰入限度額を法定繰入率で算定するに当たり、主
> たる事業はどのようになりますか。また、売上高等によって、事
> 業年度ごとに主たる事業の見直しをしなければなりませんか。

【答】　中小法人等が一括評価金銭債権に係る貸倒引当金を法定繰入率で算定
する場合、事業年度終了の時における一括評価金銭債権の額（【問20-23】参
照）に、その法人の営む主たる事業ごとに定められた法定繰入率（【問20-
23】参照）を乗じた金額が、その繰入限度額になります。

　ところで、仕入商品をそのまま販売する事業は卸売業ですが、原材料等を
あらかじめ指示した条件に従って下請加工させて完成品として販売するいわ
ゆる製造問屋の事業は、製造業に該当します。（措通57の９-５）

　貴社のように卸売業と製造業を兼営しておられる法人では、主たる事業に
ついて定められた法定繰入率を適用します。この場合、いずれの事業が主た
る事業であるかは、それぞれの事業に属する収入金額又は所得金額の状況、
使用人の数等事業の規模を表わす事実、経常的な金銭債権の多寡等を総合的
に勘案して判定します。（措通57の９-４）

　以上によっていずれか一の事業を主たる事業と判定したときは、その判定
の基礎となった事実に著しい変動がない限り、継続して当該一の事業を主た
る事業とすることができます。（措通57の９-４（注））

（911）

支払手形も実質的に債権とみられないものの計算に当たり控除しなければ
ならないのか

> **【問20-25】** 当社が金銭債権を有する相手先に振り出した支払手形
> は、相手先が割引や裏書譲渡をしていることが多いと思いますが、
> 実質的に債権とみられないものの計算に当たって、控除しなけれ
> ばならないのですか。

【答】 中小法人等が一括評価金銭債権に係る貸倒引当金の繰入限度額を法定
繰入率によって算定する場合の金銭債権は、その債務者から受け入れた金額
があるためその全部又は一部が実質的に債権とみられない金銭債権について
は、その債権とみられない部分の金額に相当する金額を控除した残額とされ
ています。（措政令33の7②）

> **(注)** 一括評価金銭債権に係る貸倒引当金の繰入限度額を貸倒実績率によって算定
> する場合（法52②、法政令96⑥）の金銭債権は、実質的に債権とみられないも
> のを除かないで計算します。

この場合の実質的に債権とみられないものには、債務者から受け入れた金
額がその債務者に対して有する金銭債権と相殺適状にあるものだけでなく、
金銭債権と相殺的な性格をもつものも含まれます。（措通57の9-1）

御質問の支払手形の場合、手形を受け取った相手先が割引又は裏書によっ
て手形を第三者に譲渡しているときは、万一相手先が倒産しても、債権と手
形債務を相殺することはできません。したがって、債権とみられないものの
計算に当たって、支払手形は控除しないのが合理的といえます。

しかし、法的には手形が決済されるまでは既存債務が手形債務と併存して
おり、相手先が割引又は裏書譲渡をしますと当該相手先に対する手形債務は
消滅しますが、既存債務はその手形が決済されるまで残りますので、相手先
に対する債権と相殺的性格を有する債務があることになります。いいかえれ
ば、相手方に対して残っている既存債務が現実に相殺可能なのかどうかとい
うことと、割引又は裏書譲渡された手形の所持者に対して当該手形の振出人
としてその支払に応じなければならないこととは、別だということです。

したがって、支払手形を債務者が所持しているかどうかにかかわりなく、
実質的に債権とみられないものの計算に当たり、支払手形は振り出した相手

（912）

先に対する債権から控除しなければならないとされています。（措通57の9-
1（1））

> **（注）** 個別評価金銭債権に係る貸倒引当金のうちの3号のものも、金銭債権のうち
> 債務者から受け入れた金額があるため実質的に債権とみられない部分の金額は
> 金銭債権から除くこととされていますが（法政令96①三）、相殺適状にあるも
> のに限られ、債権と相殺的な性格をもつものまで除くとされていません。（基
> 通11-2-9）これは、個別評価金銭債権は一括評価金銭債権に比べてより厳密
> に回収不能見込額を算定すべきだからで、このため基通11-2-9の(1)には措
> 通57の9-1(1)と異なり、実質的に債権とみられない部分の金額を算定するに
> 当たっての同一人に対する債務に、支払手形が掲げられていません。

基準年度の実績により実質的に債権とみられないものの額を計算する方法

> **【問20-26】** 基準年度の実績によって、実質的に債権とみられない
> ものの額を計算する方法を説明してください。一度この方法で計
> 算すると、継続する必要がありますか。

【答】 基準年度の実績によって、実質的に債権とみられないものの額を計算
する場合の算式は、次のとおりです。（措法57の9①、措政令33の7③）

$$\begin{array}{l}\text{当該事業年度終了の}\\\text{時における実質的に}\\\text{債権とみられないも}\\\text{のの額}\end{array} = \begin{array}{l}\text{当該事業年度終}\\\text{了の時における}\\\text{一括評価金銭債}\\\text{権の額}\end{array} \times \dfrac{\text{各基準年度終了の時における実質的に}}{\text{債権とみられないものの額の合計額}}\Big/\dfrac{\text{各基準年度終了の時における一括評価金}}{\text{銭債権の額の合計額}}$$

この算式での基準年度は、平成27年4月1日から平成29年3月31日までの
間に開始した各事業年度です。なお、当該各事業年度を基準年度と称してい
るのは法令でなく、申告書別表十一（一の二）ですが、本書は説明文を簡潔に
するため、当該申告書での用語をそのまま用いています。

この規定は、法人の税務計算の簡素化のために設けられたもので、この簡
便計算によって実質的に債権とみられないものの額の計算をするかどうかは
任意であり、一度簡便計算による計算をすると、以後継続して簡便計算によ
る計算をしなければならないというものではありません。簡便計算によると
法人に不利になるのであれば、事業年度終了の日の現状で、実質的に債権と
みられないものの額を計算すればよいわけです。

（913）

なお、この簡便計算することができる法人は、平成27年４月１日に現存する法人に限られますので、その後の新設法人は、簡便計算をすることはできません。ただし、当該法人が平成27年４月１日以後に行われる適格合併に係る合併法人である場合は、当該法人及び当該適格合併法人のすべて（当該適格合併が新設合併のときは、これらに係る被合併法人のすべて）が平成27年４月１日に現存している場合に限り、この簡便計算をすることができます。（措政令33の７③かっこ書）

　この場合、合併法人（新設合併法人を含みます。）が実質的に債権とみられないものの額を計算する上記の算式の分子及び分母の額には、被合併法人に係る金額を加えることになります。

第20章　引当金、準備金

第3節　返品調整引当金

返品調整引当金の廃止と経過措置

> 【問20-27】　当社は製薬業を営む法人で、以前から返品調整引当金
> を計上してきました。平成30年度の税法改正で、返品調整引当金
> が廃止されたとのことですが、なぜ廃止されたのですか。また、
> 今後は、一切、返品調整引当金は繰入れが認められないのでしょ
> うか。

【答】　平成30年の税法改正で、返品調整引当金は廃止されました。ただし、
すぐに繰入れが認められなくなるのではなく、経過措置により、10年間に渡
り繰入額が縮減されていくことになります。以下で、廃止の理由と経過措置
について説明します。

Ⅰ　返品調整引当金廃止の理由

　平成30年3月に収益認識会計基準が公表され、それに対応するかたちで税
法の規定が改正されました。返品調整引当金の廃止もそれによるものです。

　商品等の返品権付き販売について、従来の会計処理と収益認識会計基準に
よる会計処理との相違を、次の設例で説明します。

（例）　当社は、得意先に製品Aを1個当たりの販売価格100,000円で100個販
　　　　売しました。製品Aの売上原価は1個当たり60,000円です。当社と得意
　　　　先との間で、得意先の求めに応じ、販売した商品を当初の販売価格で買
　　　　い戻す旨の特約があり、次期に得意先から製品Aが5個返品されると見
　　　　積っています。

（従来の会計処理）

　現金預金　10,000,000円　　／　　売上　10,000,000円

　売上原価　6,000,000円　　／　　製品　6,000,000円

　返品調整引当金繰入額　200,000円　　／　　返品調整引当金　200,000円

（注1）　返品調整引当金繰入額の計算は、（100,000円－60,000円）×5個＝200,000
　　　　円です。

（注2）　上記の仕訳で、消費税等は考慮していません。

（915）

（収益認識会計基準による会計処理）

　収益認識会計基準では、返品権付きの商品又は製品を販売した場合は、次の(1)～(3)の会計処理を行うこととされています。（収益認識適用指針85、収益認識適用指針〔設例11〕）

(1)　企業が権利を得ると見込む対価の額で収益を認識します。（返品の見込まれる商品又は製品については収益認識しません。）

(2)　返品の見込まれる商品又は製品については収益認識せず、その商品又は製品について受け取った又は受け取る対価の額で返金負債を計上します。

(3)　返金負債の決済時（返品時）に顧客から商品又は製品を回収する権利について、資産を認識します。

　これを、上記の設例に当てはめると、次のとおりの会計処理となります。

```
現金預金　10,000,000円　／　売上　　　9,500,000円
　　　　　　　　　　　　　／　返金負債　　500,000円
売上原価　5,700,000円　／　製品　　　6,000,000円
返品資産　　300,000円　／
```

(注1)　返品が見込まれる製品5個については収益認識しませんから、売上は100,000円×95個＝9,500,000円となります。返品が見込まれる製品5個については、100,000円×5個＝500,000円の返金負債を計上します。一方、返金負債の決済時に得意先から製品を回収する権利60,000円×5個＝300,000円を返品資産に計上します。

(注2)　上記の仕訳で、消費税等は考慮していません。

　このように、収益認識会計基準では、返品が見込まれる商品又は製品については、当初の販売時に収益認識しないこととされ、その結果、返品調整引当金は計上しないこととされました。そして、法人税法では、これに対応して、返品調整引当金を廃止したわけです。しかし、法人税法では、商品や製品の買戻しの可能性がある場合でも、その可能性がないとした場合の価額で収益計上する必要がありますので（法22の2⑤）、返金負債の計上は認められず、上記の例では、10,000,000円を益金の額に算入することが必要です。つまり、法人税では、売上計上額は従来どおりですが、返品調整引当金の計上は認められないこととなります。

（916）

第20章　引当金、準備金

(注)　消費税の課税標準は、課税資産の譲渡等の対価の額（対価として収受し、又は収受すべき一切の金銭又は金銭以外の物若しくはその他経済的な利益の額）ですので（消法28①）、上記の例では、法人税での収益計上額と同額の10,000,000円です。

Ⅱ　経過措置

平成30年4月1日現在で返品調整引当金制度の対象事業を営む法人については、以下のとおりの経過措置が設けられています。（平30改所法等附則25）

①　令和3年3月31日以前に開始する事業年度は、従来どおり返品調整引当金が繰入れできます。

②　令和3年4月1日以後に開始する事業年度から、現行の繰入限度額を毎年10％ずつ縮減した額での繰入れが認められます。この結果、令和12年4月1日以後に開始する事業年度からは繰入れが認められなくなります。

なお、収益認識会計基準に準拠した会計処理を行う会社を考慮して、上記の経過措置期間中に、返金負債勘定を計上している場合、返金負債勘定の金額から返品資産勘定の金額を控除した金額に相当する金額は、損金経理により返品調整引当金勘定に繰入れた金額とみなすこととされています。（平30改法政令附則9③）

返品率の計算に当たっての不良返品及び転送返品の取扱い

> 【問20-28】　返品調整引当金の繰入限度額の算式における返品率の計算に当たって、いわゆる不良返品及び転送返品も返品の実績に加えることができますか。

【答】　返品調整引当金は、平成30年度の税法改正で廃止されましたが、経過措置により、令和12年3月31日以前に開始する事業年度は繰入れをすることができます。（経過措置については【問20-27】参照）なお、本問で記載している条文は、平成30年改正前の条文です。

税法上返品調整引当金の繰入額の損金算入が認められるためには、内国法人が対象事業（①出版業、②出版に係る取次業、③医薬品（医薬部外品を含みます。）、農薬、化粧品、既製服、蓄音機用レコード、磁気音声再生機用レコード又はデジタル式の音声再生機用レコードの製造業、④③に規定する物

（917）

品の卸売業）を営んでおり（旧法53①、旧法政令99）、かつ、次に掲げる事項を内容とする買戻しに関する特約（文書により特約を結んでいない場合でも、慣習により特約があると認められればよいとされています。《旧基通11－3－1の3》）を結んでいなければなりません。（旧法53①、旧法政令100）

① 販売先からの求めに応じ、その販売した棚卸資産を当初の販売価額によって無条件に買い戻すこと。

② 販売先は上記の対象事業を営む法人から棚卸資産の送付を受けた場合、その注文によるものかどうかを問わずこれを購入すること。

返品調整引当金の繰入限度額の計算は、対象業種の種類ごとに、次の(1)売掛金基準又は(2)販売高基準のいずれかで計算し（旧法政令101①）、毎事業年度末に洗い替えます。（旧法53⑦）

$$(1)\ \begin{bmatrix} \text{各事業年度終了の時における} \\ \text{対象事業に係る売掛金の帳簿} \\ \text{価額の合計額} \end{bmatrix} \times \begin{bmatrix} \text{当該対象事業} \\ \text{に係る棚卸資} \\ \text{産の返品率} \end{bmatrix} \times \begin{bmatrix} \text{当該事業年度にお} \\ \text{ける対象事業に係} \\ \text{る売買利益率} \end{bmatrix}$$

$$(2)\ \begin{bmatrix} \text{各事業年度の終了の日以前2月} \\ \text{間における対象事業に係る棚卸} \\ \text{資産の販売の対価の額の合計額} \end{bmatrix} \times \begin{bmatrix} \text{当該対象事業} \\ \text{に係る棚卸資} \\ \text{産の返品率} \end{bmatrix} \times \begin{bmatrix} \text{当該事業年度にお} \\ \text{ける対象事業に係} \\ \text{る売買利益率} \end{bmatrix}$$

この算式での「当該対象事業に係る棚卸資産の返品率」は、買戻事業年度（当該事業年度及び当該事業年度開始の日前1年以内に開始した各事業年度）における下記の割合です。（旧法政令101②）

$$\frac{\text{買戻しに関する特約に基づく当該対象事業に係る棚卸資産の買戻しに係る対価の額の合計額}}{\text{当該対象事業に係る棚卸資産の販売の対価の額の合計額}}$$

この分数の分子の「買戻しに係る対価の額の合計額」に、いわゆる不良返品の額を加えてもよいのかどうかですが、返品調整引当金は、特約に基づく良品返品について設定するものですので、商品等の汚れ、損傷等の物的かしに基づく返品を含めることはできません。しかし、返品が物的なかしに基づくものであるかどうか明らかでない場合において、法人がその返品の額を当該合計額に含めているときは、これを認めるとされています。（旧基通11－3－5）

次に、転送返品とは、例えば得意先甲から注文を受けた製品の在庫品が自社になく、得意先乙にある場合、乙から当該製品の返品を受けて甲に販売する場合の乙からの返品のことと思います。「買戻し」とは得意先からの返品を他へ転売することなく、自社で有効期限切れ等の理由で処分する場合のも

第20章　引当金、準備金

のをいいますので、転送返品はこれには含まれません。返品調整引当金が買
戻し条件付きの製商品の返品に伴う損失に備えるためのものであるという点
からみても、この点はお分かりいただけると思います。

第4節　準備金

中小企業事業再編投資損失準備金

【問20-29】　Ｍ＆Ａによるリスクに備えるための準備金の繰入れが
できるとのことですが、その内容について御説明ください。

【答】　御質問の制度は、令和３年度の税法改正で創設され、令和６年度の税法改正で新たな措置が追加された中小企業事業再編投資損失準備金のことです。一定の条件を満たす法人に適用され、これによりＭ＆Ａでの経営統合後の簿外負債や偶発債務の顕在化等のリスクに備えることができます。その内容は以下のとおりです。

1　令和３年度の税法改正で創設された制度

①　適用対象法人

　青色申告書を提出する中小企業者で、産業競争力強化法等の一部を改正する等の法律の施行日（令和３年８月２日）から令和９年３月31日までの間に中小企業等経営強化法第17条第１項に規定する経営力向上計画（同条第４項第２号に掲げる事項の記載のあるものに限ります。）について認定を受けた法人です。なお、適用除外事業者は対象法人から除かれます。（措法56①一）中小企業者の定義は【問１-25】を、適用除外事業者の定義は【問１-27】をそれぞれ参照してください。

②　適用要件

　適用対象法人が、各事業年度（解散の日を含む事業年度及び清算中の各事業年度を除きます。）に、経営力向上計画に従って行う事業承継等として他の法人の株式等の取得（購入による取得に限ります。）をし、かつ、これを取得の日を含む事業年度終了の日まで引き続き所有している場合に、適用が受けられます。なお、取得した株式等の取得価額が10億円を超える場合は適用されません。また、令和６年４月１日以後の株式等の取得から一定の表明保証保険契約を締結している場合も適用されません。（措法56①一、措規則21の２①、令６改所法等附則49①）

　(注)　事業承継等とは、中小企業等経営強化法第２条第10項に規定する事業承継等（同項第８号に掲げる措置に限ります。）をいいます。

（920）

③　準備金積立ての損金算入限度額

　上記②の株式等の価格の低落による損失に備えるため、その株式等の取得価額の70％相当額以下の金額を損金経理により中小企業事業再編投資損失準備金として積み立てたときは、その積立額を損金の額に算入することができます。（措法56①一）

④　準備金の取崩し

　積み立てた事業年度終了の日の翌日から５年を経過した日を含む事業年度から５年間で均等額を取り崩し、益金の額に算入する必要があります。（措法56②）　つまり、５年間据置き後、５年間での均等取崩しということです。

2　令和６年度の税法改正で追加された制度

①　適用対象法人

　青色申告書を提出する法人で、新たな事業の創出及び産業への投資を促進するための産業競争力強化法等の一部を改正する法律の施行日（令和６年９月２日）から令和９年３月31日までの間に産業競争力強化法第24条の２第１項に規定する特別事業再編計画について認定を受けた同法第46条の２に規定する認定特別事業再編事業者である法人です。（措法56①二）

②　適用要件

　適用対象法人が、各事業年度（解散の日を含む事業年度及び清算中の各事業年度を除きます。）に、特別事業再編計画に従って行う特別事業再編のための措置として他の法人の株式等を取得（購入による取得に限ります。）をし、かつ、これを取得の日を含む事業年度終了の日まで引き続き所有している場合に、適用が受けられます。なお、取得した株式等の取得価額が100億円を超える場合又は１億円未満の場合は適用されません。また、一定の表明保証保険契約を締結している場合も適用されません。（措法56①二、措規則21の２①）

　　（注）　特別事業再編とは、産業競争力強化法第46条の２に規定する措置（同法第２条第18項第６号に掲げる措置に限ります。）をいいます。

③　準備金積立ての損金算入限度額

　上記②の株式等の価格の低落による損失に備えるため、次の金額を損金経理により中小企業事業再編投資損失準備金として積み立てたときは、その積立額を損金の額に算入することができます。（措法56①二）

イ　その認定を受けた特別事業再編計画に従って行う最初の特別事業再編のための措置として取得した株式等については、その取得価額の90％以下の金額

ロ　上記イ以外の株式等については、その取得価額の100％以下の金額

④　準備金の取崩し

積み立てた事業年度終了の日の翌日から10年を経過した日を含む事業年度から5年間で均等額を取り崩し、益金の額に算入する必要があります。（措法56②）つまり、10年据置き後、5年での均等取崩しということです。

3　上記1と2に共通の事項

準備金の積立ては、損金経理に代えて、決算の確定の日までに剰余金の処分により積立金として積み立てる方法によることもできます。（措法56①かっこ書）

株式等を取得した事業年度に、その株式等の帳簿価額を減額し、減額した金額のうちその事業年度の所得の金額の計算上損金の額に算入された金額がある場合、準備金積立ての損金算入限度額は、その損金算入された金額を控除した金額になります。（措法56①かっこ書）

簿外負債の発覚等で株式等の価値が下落し、準備金の対象となった株式等の帳簿価額を減額した場合には、その減額した金額相当額だけ準備金を取り崩す必要がありますし、準備金の対象となった株式等を保有しなくなったり、経営力向上計画の認定又は特別事業再編計画の認定が取り消されたり、一定の場合には、準備金の取崩しが必要となります。（措法56③④）

株主資本等変動計算書で行う準備金の積立てについての税法の規定

【問20-30】　租税特別措置法上の準備金の積立方法は、「積立限度額以下の金額を損金経理の方法により○○準備金として積み立てたとき（当該事業年度の決算の確定の日までに剰余金の処分により積み立てる方法により○○準備金として積み立てた場合を含む。）」と規定されていますが、株主資本等変動計算書での積み立ては、どのようになるのでしょうか。

【答】　準備金の積立方法についての税法の規定は、御質問にあるように、本

（922）

第20章　引当金、準備金

文で「損金経理で積み立てる方法」が、かっこ書で「決算確定の日までに剰
余金の処分により積み立てる方法」が掲げられています。

　株主資本等変動計算書での準備金の積み立ては、繰越利益剰余金の一部を
準備金へ振替える方法で行われますので、本文にある「損金経理の方法によ
る積み立て」ではありません。損金経理の方法で積み立てますと、準備金積
立額は損益計算書に計上され、積み立てられた準備金は貸借対照表上資産の
部で設定対象とした資産の控除科目となるか、負債の部に計上されるかのい
ずれかになりますが、租税特別措置法上の準備金の積み立てをこのような方
法で行うのは、特別な場合を除いて適正な処理でありません。

　ところで、株主資本等変動計算書での積み立てですが、会社法第452条は、
「株式会社は、株主総会の決議によって、損失の処理、任意積立金の積立て
その他の剰余金の処分をすることができる。」と規定し、株主資本等変動計
算書に記載して行う任意積立金の積み立てを、「剰余金の処分」の一つとし
ています。したがって、株主資本等変動計算書での租税特別措置法上の準備
金の積み立ては、税法の規定では、かっこ書にある「当該事業年度の決算の
確定の日までに剰余金の処分により積み立てる方法による○○準備金として
積み立て」に該当します。

　ところで、準備金を当該事業年度の株主資本等変動計算書で積み立てると
きは、上記会社法第452条の規定によれば、期末日までに臨時株主総会を招
集してその承認決議を得ることが必要になりますが、税法の規定による圧縮
積立金、準備金の積立ては、株主総会の決議なしに行うことができます。そ
の詳細は、【問18-3】に記載していますので、参照してください。

(注)　租税特別措置法上のすべての準備金について、「損金経理で積み立てる方法」
　　　か「剰余金の処分により積み立てる方法」かに関係なく、「租税特別措置の適
　　　用額明細書」を法人税申告書に添付しなければなりません。（租特透明化法3①、
　　　【問27-27】参照）

（923）

繰越利益剰余金からの振替えで準備金を積み立てたときの申告調整方法

> **【問20-31】** 繰越利益剰余金からの振替えで準備金を積み立てたときは、どのように申告調整して損金算入するのですか。税効果会計を適用しているときの会計処理及び申告調整方法についても、あわせて説明してください。

【答】 例えば、特別償却準備金140万円（積立限度額相当額）を繰越利益剰余金からの振替えで積み立てた場合、その仕訳は次のとおりで、申告書別表五(一)のⅠの③欄と④欄に特別償却準備金140万円を記載し、②欄で「繰越損益金㉕」を140万円減少させます。

　　　繰越利益剰余金　140万円／特別償却準備金　140万円

　この会計処理による当期純損益への影響はありませんが、特別償却準備金の積立額140万円が損金算入されますので、別表四で「特別償却準備金積立額」として140万円を減算（処分は留保）し、これを受けて別表五(一)のⅠで区分欄を特別償却準備金認容額として③欄と④欄に同額をマイナスで記載します。この場合、別表五(一)のⅠで特別償却準備金のプラス140万円と特別償却準備金認容額のマイナス140万円は、別の行に記載します。

利益積立金額及び資本金等の額の計算に関する明細書	事業年度 ： ：	法人名		別表五(一)

		Ⅰ　利益積立金額の計算に関する明細書			
区　　分	期首現在利益積立金額	当　　期　　の　　増　　減		差引翌期首現在利益積立金額①－②＋③
	①	減 ②	増 ③	④
利　益　準　備　金　1	円	円	円	円
積　　立　　金　2				
特別償却準備金　3			1,400,000	1,400,000
特別償却準備金認容　4			△1,400,000	△1,400,000
5				
6				

　税効果会計を適用しているときは、繰越利益剰余金からの振替えで積み立てる特別償却準備金は税効果相当額を差し引いた金額とし、税効果相当額について、法人税等調整額／繰延税金負債の処理をして、繰延税金負債を貸借対照表の負債の部に計上します。（【問27-22】参照）本問の事例で、法定実効

（924）

税率が30％の場合、税効果相当額である140万円×0.3＝42万円について、法人税等調整額／繰延税金負債、の処理をしますので、繰越利益剰余金からの振替えで積み立てる特別償却準備金の額は、140万円－42万円＝98万円となります。

申告書では、税効果相当額の42万円について、別表四で「法人税等調整額」を加算（処分は留保）し、別表五(一)のⅠで「繰延税金負債」を③欄と④欄にプラスで記入します。別表五(一)のⅠの③欄と④欄に「特別償却準備金」としてプラスで記入する金額は98万円ですが、別表四で減算し別表五(一)のⅠの③欄と④欄にマイナス記入する「特別償却準備金認容額」の額は、税効果会計の適用に関係なく、140万円とします。

繰越利益剰余金からの振替えで積み立てた準備金を取り崩したときの申告調整方法

> **【問20-32】**　【問20-31】の場合、翌事業年度に税法の規定による益金算入額相当額だけ準備金を取り崩したときの計算書類での記載方法と、申告調整方法は、どのようになりますか。税効果会計を適用しているときの会計処理及び申告調整方法についても、あわせて説明してください。

【答】　当事業年度に繰越利益剰余金からの振替えによって積立てて損金算入された特別償却準備金140万円のうち、翌事業年度に税法の規定により20万円が益金算入される場合、益金算入による特別償却準備金の取崩額は、下記の仕訳をして、株主資本等変動計算書にその記載をします。

　　特別償却準備金　20万円／繰越利益剰余金　20万円

申告書での調整方法は、まず、別表五(一)のⅠで特別償却準備金の行（①欄はプラス140万円）の②欄に20万円を記載します。次に、この取崩額は損益計算書上利益に計上されていませんので、別表四で「特別償却準備金取崩額」として20万円を加算（処分は留保）し、これを受けて別表五(一)のⅠで区分欄「特別償却準備金認容額」（①欄はマイナス140万円）の②欄にマイナスで20万円（マイナスの積立金の減少）を記載します。

別表五(一)のⅠの記載方法は、次のとおりです。

（925）

利益積立金額及び資本金等の額の計算に関する明細書		事業年度	・　・	法人名		別表五(一)
Ⅰ　　利益積立金額の計算に関する明細書						

区　　　分		期　首　現　在利益積立金額	当　期　の　増　減		差引翌期首現在利益積立金額①-②+③
			減	増	
		①	②	③	④
利　益　準　備　金	1	円	円	円	円
積　立　金	2				
特別償却準備金	3	1,400,000	200,000		1,200,000
特別償却準備金認容額	4	△1,400,000	△200,000		△1,200,000

　税効果会計を適用しているときは、繰越利益剰余金へ振替える特別償却準備金の取崩額は税効果相当額（この事例では20万円×0.3＝6万円）を差し引いた額20万円－6万円＝14万円とし、税効果相当額6万円について、繰延税金負債6万円／法人税等調整額6万円、の処理をします。

　申告書では、税効果相当額6万円について別表四で「法人税等調整額」を減算（処分は留保）し、別表五(一)のⅠで「繰延税金負債」を②欄に6万円プラスで記入します。別表五(一)のⅠでの「特別償却準備金」の記入は、①欄が98万円、②欄が14万円、④欄が84万円となりますが、別表四で加算し別表五(一)のⅠの②欄にマイナス記入する「特別償却準備金認容額」の額は、税効果会計の適用に関係なく、20万円とします。

（926）

第20章 引当金、準備金

別途積立金を取り崩して準備金を積み立てることができるか

【問20-33】 準備金方式を適用し、特別償却限度額相当額の特別償却準備金を繰越利益剰余金からの振替えで積み立てたいのですが、当期純利益が少なく、繰越利益剰余金の額だけでは特別償却準備金の積立額に足りません。このため、特別償却準備金積立額とほぼ同額の別途積立金を取り崩そうと思いますが、過年度の利益留保である別途積立金を当事業年度の特別償却準備金へ振り替えることになります。税務上差し支えありませんか。

【答】 租税特別措置法上の準備金を剰余金の処分で積み立てる場合、当期純利益の範囲内で積み立てなければならないという規定は税法にありませんので、御質問のように過年度の利益留保である別途積立金を取り崩して積み立てても問題ありません。

なお、特別償却準備金は、別途積立金を取り崩して当事業年度に積み立てなくても、積立不足額を1年間繰り越して翌事業年度に積み立てることができます。しかし、当事業年度は積立不足となって所得の金額の計算上損金の額に算入されませんので、当事業年度の節税にはなりません。

（927）

第21章　借地権に関する取扱い

借地権の対価の支払に代えて相当の地代を支払う場合

> **【問21-1】**　当社が所有する更地を、子会社の工場建設用地として
> 賃貸しようと考えています。権利金の授受をしなくても相当の地
> 代を支払えば税務上は問題がないそうですが、どうしてですか。

【答】　法人が借地権若しくは地役権の設定により土地を使用させる行為をし
た場合、その使用の対価として通常権利金その他の一時金を収受する取引上
の慣行があるときは、借主（借地人）からその対価として権利金を収受する
はずです。権利金の額がゼロ又は低額の場合、税務では、原則として、貸主
（地主）である法人から借主に通常収受すべき権利金相当額（低い価額の権
利金を収受しているときは当該額を控除した額）が贈与され、借主は貸主か
ら無償又は低い価額で借地権の贈与を受けたものとして取り扱われます。

(注1)　借地権の取引慣行のない地域の土地については、本問から【問21-20】まで
に説明する事項は関係がありません。財産評価基本通達でも当該地域の借地
権の価額は評価しないこととされており（評基通27ただし書）、その貸宅地
は自用地価額の80％で評価することとされています。（評基通25(1)かっこ書）

(注2)　定期借地権の設定により土地を賃貸する場合は、権利金の授受が行われな
いことがあると思われます。本章では、定期借地権に関する問題は、【問
21-21】及び【問21-22】に記載しており、本問から【問21-20】までに説明する借
地権は、普通借地権についてのものです。

ところが、一般の取引では権利金と地代の間に逆の相関関係があり、権利
金が高い場合はその後の地代が低く、権利金が低いか無償の場合はその後の
地代が高くなります。これは、高い権利金を収受した場合は土地の上土部分
の譲渡による収入金額が大きく、地代収受権としての底地部分の価値が低く
なりますが、権利金を収受していないときは底地の価値が更地と変わらず、
その後も更地の価額に対応するだけの高い地代を受け取るからです。このた
め、税法では、法人が借地権の設定により他人に土地を使用させて権利金を

(928)

第21章　借地権に関する取扱い

全く収受しない場合とか、低い価額の権利金しか収受しない場合においても、その土地の価額（低い価額の権利金を収受しているときは当該額を控除した額）に照らして相当の地代を収受しているときは、その取引は正常な取引条件でなされたものとしてその法人の所得の金額を計算すると規定しています。（法政令137）

　したがって、御質問の場合、貴社（地主）が子会社（借主）から権利金に代えて相当の地代を収受されるならば、貴社から子会社への借地権の無償贈与の認定や、子会社での貴社からの借地権の受贈益の認定は行われません。

　この場合の相当の地代は、法人税基本通達及び「相当の地代通達」によって、その土地の更地価額（権利金を収受しているとき又は【問21-11】で説明する特別の経済的な利益の額があるときは、これらの金額を控除した金額）に対しておおむね年６％程度のものとされています。（基通13-1-2、相当の地代通達）また、この「土地の更地価額」は、その借地権の設定等の時における当該土地の更地としての通常の取引価額をいいますが、この取扱いを適用する場合は、課税上弊害がない限り、当該土地につきその近傍類地の公示価格等から合理的に算定した価額又は財産評価基本通達第２章「土地及び土地の上に存する権利」の例により計算した価額若しくは当該価額の過去３年間（借地権を設定し、又は地代を改訂する年以前３年間）の平均額によることができるとされています。（基通13-1-2(注)１、相当の地代通達）

　これは、当事者間の合意によって、当該土地の価額の上昇に応じて相当の地代を改訂する方法がとれること（【問21-2】参照）と、将来無償で借地を返還することが明らかにされているときは権利金の認定課税でなく相当の地代と実際に収受している地代との差額の認定課税が行われること（【問21-6】参照）を勘案し、相当の地代の額をできるだけ現実的なものにするために設けられている取扱いです。

　なお、相当の地代を収受することとしたときは、借地権の設定等に係る契約書において、その後当該土地を使用させている期間内に収受する地代の額の改訂方法を次の(1)と(2)のいずれかによることを定め、その旨を借地人と連名の「相当の地代の改訂方法に関する届出書」によって、遅滞なく地主の納税地の所轄税務署長（国税局の調査課所管法人の場合は所轄国税局長）に届け出るものとされており、この届出がないときは、(2)の方法を選択した

（929）

ものとされます。（基通13-1-8）

(1) その借地権の設定等に係る土地の価額の上昇に応じて、順次その収受する地代の額を相当の地代の額（上昇した後の当該土地の価額を基礎として計算した地代の額）に改訂する方法

(2) (1)以外の方法

土地の価額の上昇に応じての相当の地代の改訂

> **【問21-2】** **【問21-1】**の場合ですが、相当の地代は土地の価額が上昇した場合これに応じて改訂し、常におおむね年6％程度の地代率が保たれるようにしなければなりませんか。地代を改訂するかしないかで、今後の子会社との関係、例えば子会社が立ち退くときに当社が支払う立退料の額に、どのような影響が生じますか。

【答】 法人が借地権の設定によって他人に土地を使用させる行為をした後地代を据え置いていますと、その後土地の価額が上昇した場合地代率（土地の価額に対する地代の割合）が低くなり、借地人の側に土地の価額の上昇に伴う借地権の価値の発生又はその上昇が生じたことになります。しかし、借地権の取得は、借地人が建物の所有を目的とする土地の賃借を始めたときに行われていますので、土地の価額がその所有期間中に上昇しても評価益を計上しないのと同様に、借地人の側でその借地期間中に生じてきた借地権の価値やその上昇について、借地権の発生益や評価益を計上する必要はありません。

この場合、土地の価額の上昇に応じて地代を増額改訂しなくても問題ありませんが、借地人は将来の取引において、借地期間中に生じてきた借地権又は価額の上昇した借地権を、その資産として所有していることを念頭においておく必要があります。すなわち、借地人が将来借地上の建物を他に譲渡するときは譲受人から借地権の譲渡対価を、借地を地主に返還するときは地主から立退料を収受すべきことになり、その全部又は一部を収受しないときは、相手方に対して贈与したものとされます。（基通13-1-14前段）

> **(注)** 立退料の授受がない場合、借地人には収受すべき立退料相当額を地主に贈与したという寄附金の認定が行われますが、地主には受贈益の認定は行われず、認定課税は一方通行となります。（基通13-1-16(注)、【問21-3】参照）

（930）

第21章　借地権に関する取扱い

　この論法でいきますと、地主は借地権の設定をしたときに相当の地代を収
受することとして権利金を収受していなくても、将来借地人を立ち退かせる
ときに立退料を支払わなければならないことがおこり得ます。しかし、関係
会社間等の土地の賃貸借では、地主は権利金を収受せず、将来立退料の支払
いもしないという契約があり得ます。そのような場合は、立退時まで借地人
の側に立退料を請求し得るような価値の高い借地権が生じず、逆に地主の側
に価値の高い底地権がありますので、土地の価額が上昇した場合それに応じ
て地代を改訂し、「土地の更地価額」に対しておおむね年６％程度という相
当の地代の地代率を、維持しなければならないとされています。

　(注)　「土地の更地価額」については、【問21-1】を参照してください。

　以上の趣旨により、土地の価額の上昇に対応する地代の見直しの有無によ
って立退時に借地人が受け取るべき立退料の額は、次のとおりに区分されて
います。

(1) 土地の価額の上昇に応じておおむね３年以下の期間ごとに順次相当の
　　地代に改訂する方法（法人税基本通達13-1-8の(1)に掲げる方法（【問
　　21-1】の末尾に掲げた(1)の方法））によっているとき（基通13-1-15(1)）
　　……立退料の額はゼロとします。ただし、借地権の設定等に当たり支払っ
　　た権利金又は供与した特別の経済的な利益がある場合には、当該権利金の
　　額又は特別の経済的な利益の額に相当する金額とします。

(2) (1)以外の方法によっているとき（基通13-1-15(2)）

　イ　地代の額が一般地代の額（通常支払うべき権利金を支払った場合に当
　　　該土地の価額の上昇に応じて通常支払うべき地代の額をいいます。）に
　　　相当する金額となる時前に立退きが行われたとき……立退きの時におけ
　　　る次の算式で計算される金額

$$\left(\begin{matrix}土\ 地\ の \\ 更地価額\end{matrix}\right) \times \left(1 - \dfrac{実際に収受している地代の年額}{相当の地代の年額}\right)$$

　ロ　その他のとき……立退きの時における当該土地の更地価額を基礎とし
　　　て通常取引される借地権の価額

　　(注1)　イ及びロの場合の「土地の更地価額」は、相当の地代の額を算定する場
　　　　　合と異なり、通常の取引価額をいいます。

　　(注2)　立退料の計算例を、【問21-3】に記載しています。

（931）

相当の地代の改訂をしないときの立退料の計算と当事者への課税

> **【問21-3】** 子会社に更地価額2,500万円（財産評価基本通達による評価額2,000万円）、借地権割合60%の土地を貸して建物を取得させるに当たり、権利金を受け取らず年120万円の地代を受け取ることにしました。その後土地の価額が上昇しても地代を改訂しない場合、仮に子会社が立ち退くときの更地価額が4,000万円（財産評価基本通達による評価額3,200万円）に上昇していたときは、立退料の額はいくらになりますか。更地価額が6,250万円（財産評価基本通達による評価額5,000万円）に上昇していたときは、どうですか。この立退料の授受をしない場合、親会社及び子会社にどのような課税が生じますか。

【答】 借地権の設定により土地を使用させるに当たって、権利金の授受に代えて相当の地代を授受しながら、その後土地の価額が上昇してもこれに対応する相当の地代の見直しをしなかった場合、借地人が立退きに当たって受け取るべき立退料の額は、【問21-2】に「(2) (1)以外の方法によっているとき」として記載したとおりです。御質問の事例では、次のとおりになります。

① 立退時の更地価額が上昇して4,000万円（財産評価基本通達による評価額3,200万円）になっていたとき

$$\underset{\text{(土地の更地価額)}}{4,000万円} \times \left(1 - \frac{\overset{\text{(実際に収受している地代の年額)}}{120万円}}{\underset{\text{(相当の地代の年額=3,200万円×0.06)}}{192万円}} \right) = 1,500万円$$

② 立退時の更地価額が上昇して6,250万円（財産評価基本通達による評価額5,000万円）になっていたとき

$$\underset{\text{(土地の更地価額)}}{6,250万円} \times \left(1 - \frac{\overset{\text{(実際に収受している地代の年額)}}{120万円}}{\underset{\text{(相当の地代の年額=5,000万円×0.06)}}{300万円}} \right) = 3,750万円$$

【問21-2】の(2)のイにある「一般地代の額」が、財産評価基本通達による評価額ベースでの底地価額（立退時においても借地権割合60%は変わらないものとします。）に対しておおむね年6%程度であるとしますと、御質問の場合の「一般地代の額」は、それぞれ次のとおりになります。

①のとき　　3,200万円　　×(1−0.6)×0.06＝76.8万円
　　　　　(更地の財産評価基本)　　(借地権割合)
　　　　　(通達による評価額)

②のとき　　5,000万円　　×(1−0.6)×0.06＝120万円
　　　　　(更地の財産評価基本)　　(借地権割合)
　　　　　(通達による評価額)

したがって、①は地代の額120万円が一般地代の額76.8万円になる前の場合（【問21-2】の(2)のイの場合）、②は地代の額120万円が一般地代の額相当額になった場合（【問21-2】の(2)のロの場合）に該当します。

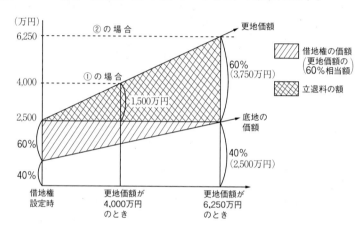

上図はこの関係を示したものです。借地権の価額は更地価額の60％相当額で、立退料は本来この額であるべきですが、借地権の設定時に権利金を収受していないため、地代の額が一般地代の額相当額になるまで、立退料の額が借地権の価額の一部となることを示しています。

この立退料の授受がなかったときは、借地人である子会社には原則として通常収受すべき立退料の額相当額を地主である親会社に贈与したものとして、寄附金の認定が行われます。（基通13-1-14）この場合、相手方の親会社にも、立退料の支払免除益を認定するのが税務の一般の取扱いですが、この取扱いをしますと親会社は税務上、「土地／立退料支払債務免除益」という取引があったものとして、返還を受ける土地の帳簿価額を増額させる申告加算をしなければなりません。しかし、親会社は、貸していた土地が戻ってきただけのことであり、税務においてもその土地の帳簿価額を増額させる取扱いはできませんので、親会社には受贈益の認定課税はなく、子会社に対する寄附金

の認定課税だけが、一方通行的に行われます。(基通13-1-16(注))

(注1) 地主である親会社と借地人である子会社との間に完全支配関係(法人による完全支配関係に限ります。)がある場合、子会社で親会社への寄附金と認定される通常収受すべき立退料の額相当額の親会社への贈与は、全額損金不算入となります。親会社で仮に立退料の支払免除益が認定されても、益金算入されませんが、この認定が行われないわけです。

(注2) 借地権の設定に伴う借地権及び貸宅地の評価額は、地代の額及び権利金等の授受の有無により次のとおりとされており(昭60直資2-58通達)、財産評価基本通達での取扱いが補完されています。

地代の額	権利金等の授受	借地権の評価額	貸宅地の評価額
相当の地代	ない場合	0	自用地価額×80%
	ある場合	調整額	自用地価額−調整額 調整額が自用地価額の20%以下のときは、20%にとどめます。
通常の地代と相当の地代の間	ある場合、ない場合のいずれも		
通常の地代	ある場合、ない場合のいずれも	自用地価額×借地権割合	自用地価額×(1−借地権割合)

$$調整額 = {自用地 \atop 価\ \ \ 額} \times {借地権 \atop 割\ \ \ 合} \times \left(1 - \frac{実際の地代の年額 - 通常の地代の年額}{相当の地代の年額 - 通常の地代の年額}\right)$$

　これによれば、相当の地代の授受が行われているときは調整額はゼロですが、地価の上昇に応じた地代の見直しをしない場合、相当の地代に対する実際の地代の割合が低くなるにつれて調整額が高くなり、地代の額が通常の地代となったときに借地権の評価額が「自用地価額×借地権割合」となります。この評価方法は、本問で説明した立退料の額の計算方法と相通ずるものです。

第21章　借地権に関する取扱い

路線価の引下げにより相当の地代の額を減額した場合

> **【問21-4】**【問21-3】の場合ですが、子会社に土地の貸付けをした
> のち、路線価の引下げによって、当該土地の財産評価基本通達に
> よる評価額が1,500万円になった場合、この評価額によって相当
> の地代の額を算定しますと年額90万円になりますが、地代を減額
> しても問題ありませんか。また、減額しなかった場合、何らかの
> 問題が生じますか。

【答】　地価の下落により路線価が引き下げられた場合、相当の地代の額の見
直しについて、御質問のような疑問が生じますが、借地権設定等により他人
に土地を使用させた時に相当の地代を収受し、その後地代を引き下げたとき
は、その引き下げたことについて相当の理由があると認められるときを除き、
原則として、その引き下げた時における当該土地の価額を基礎にして算定さ
れる権利金の価額相当額を地主が借地人に対して贈与したものとするとされ
ています。（基通13-1-4）しかし、この取扱いは、地主である法人から借
地人への借地権の無償又は低廉譲渡による課税を避けるために借地権の設定
時に相当の地代を授受し、その後に地代を引き下げるという課税回避行為を
防止するためのものです。

　御質問のような路線価の引下げによる地代の引下げは、地価の下落による
もので相当の理由があると認められますので、改訂後の評価額によって算定
される相当の地代の額である年90万円（1,500万円×6％）まで地代を引き下
げても、問題ありません。この場合、路線価の引下げによって土地の評価額
が1,500万円に低下しても、過去3年間の評価額の平均額は1,500万円よりも
高い場合があると思いますが、相当の地代の額の算定の基礎にするのは当該
年度の評価額又は過去3年間の評価額の平均額のいずれかですので（相当の
地代通達）、問題ありません。

　一方、土地の価額が下落したにもかかわらず地代を減額しなかった場合、
高額であっても相当の地代は維持されていますので、借地権設定に係る問題
は生じませんが、高額な部分の額が借地人である子会社から親会社に対する
贈与と認定されるという問題が生じます。路線価の引下げがあっても、相当
の地代の額の見直しはおおむね3年以下の期間ごとに行うものとされていま

（935）

すので（基通13-1-8（注）、同通達13-1-7（注））、その時期が到来するまで地代を減額しなくても問題は生じませんが、路線価の引下げが続く場合は、地代率がおおむね６％となるように、地代の引下げを行うべきです。

相当の地代と一般地代の差額の性格

> 【問21-5】　相当の地代と一般地代（通常の権利金が授受された場合の地代）の差額の性格は、次のいずれでしょうか。
> ①　通常の権利金を授受しなかったことに伴う通常の権利金と実際に授受した権利金の差額についての利息
> ②　通常の権利金相当額の分割払い
> 　また、この差額の性格と相当の地代の改訂との関係は、どのようになるのでしょうか。

【答】　相当の地代と一般地代の差額の性格ですが、御質問の②のように「通常の権利金相当額の分割払い」としますと、当該差額相当額は地代として費用に計上せず、借地権として資産に計上すべきことになります。しかし、税法にはそのような規定はありませんので、②でないことは明らかです。

　一方、地代の額と権利金の額との逆の相関関係を考えますと、相当の地代と一般地代の差額の性格は、御質問の①の「通常の権利金と実際に授受した権利金の差額についての利息」又はそれに近いものといえます。

　次に、御質問の後段にある相当の地代の改訂との関係ですが、法人税基本通達でいう相当の地代の改訂は土地の価額の上昇に応じてのものですから、土地の価額が２倍になれば地代も２倍になるというものです。御質問の①の考えによれば、相当の地代は「一般地代」と「通常の権利金と実際に授受した権利金の差額についての利息」の合計額となりますが、地価が２倍になったときに２倍になるのは、「一般地代」の部分だけであり、「通常の権利金と実際に授受した権利金の差額」は地価の上昇があっても不変ですから、この差額についての利息は、利率の変動がなければ変わらないはずです。したがって、借地権設定後における土地の価額の上昇にスライドした相当の地代の改訂は、一般の取引として現実的でなく、地代率（土地の価格に対する地代の割合）は、地価の上昇に伴って低くなるものだといえます。

（936）

第21章　借地権に関する取扱い

　一般の借地取引では、いったん借地権の設定がありますと、以後は地代の額とか当初の権利金の額とかに関係なく、借地借家法で保護された借地人の立場が強くなって土地の価額の上昇に応じた地代の改訂が困難になり、土地の価額の上昇により地代率が低くなっていきます。

借地権の設定により土地を使用させるに当たりその対価も相当の地代も受け取らない場合

【問21‑6】　法人が地主として、借地権の設定により土地を使用させるに当たって、借地権の対価である権利金も相当の地代も収受しなかった場合、借地人に対する経済的な利益の供与として認定されるのは権利金相当額ですか。それとも、相当の地代の額と実際に収受している地代の額の差額ですか。

【答】　法人が地主として、借地権の設定により当該借地権に係る土地を使用させるに当たり、通常の権利金の収受に代えて相当の地代を収受しているときは、その土地の使用に係る取引は正常な取引条件でされたものとされます。（法政令137）この場合、相当の地代を収受しているかどうかは権利金の認定課税をすべきかどうかの判断基準ですので、御質問のように権利金も相当の地代も収受していないときは、原則として権利金の認定課税が行われ、下記の算式によって計算した金額から実際に収受している権利金の額及び特別の経済的な利益の額を控除した金額を、借地人に対して贈与（借地人が当該法人の役員又は使用人のときは給与の支給）をしたものとされます。（基通13‑1‑3）

$$土地の更地価額 \times \left(1 - \frac{実際に収受している地代の年額}{相当の地代の年額} \right)$$

(注)　この算式の「土地の更地価額」は、相当の地代の額を算定する場合と異なり、通常の取引価額によります。また、「相当の地代の年額」は、実際に収受している権利金の額又は特別の経済的な利益の額がある場合でも、これらの金額がないものとして計算した金額によります。

〔事例〕 法人が更地価額10,000万円（財産評価基本通達による評価額8,000万円）の土地を借地権の設定により他人に使用させることとして権利金を受け取らず、年300万円の地代を収受することとした場合、借地人への贈与として認定される金額は、次のとおりです。

$$10,000万円 \times \left(1 - \frac{300万円}{480万円} \right) = 3,750万円$$
$$(8,000万円 \times 0.06)$$

　しかし、その借地権の設定に係る契約書において将来借地人がその土地を無償で返還することが明らかにされており、かつ、地主と借地人が連名で「土地の無償返還に関する届出書」（以下「無償返還届出書」と略します。）を作成して遅滞なく地主の納税地の所轄税務署長（国税局の調査部所管法人の場合は所轄国税局長）に届け出たときは、権利金の認定課税を行わず、その土地の賃貸借期間中の各事業年度において、相当の地代の額と実際に収受している地代の額の差額相当額を借地人に贈与したものとして取り扱うこととされています。（基通13-1-7前段）この場合、契約後おおむね3年以下の期間ごとに土地の価額の上昇に伴う相当の地代の額の見直しを行い、贈与と認定される差額地代の額の改訂をしなければなりません。（同通達（注））

　使用貸借契約により他人に土地を使用させた場合（【問21-10】で説明するような物品置場、駐車場等として使用させるため通常権利金が授受されないと認められる場合を除きます。）にも、この取扱いが適用されます。（同通達後段）しかし、当該契約に当たって権利金の収受又は特別の経済的な利益を受けた場合は、この取扱いは適用されません。（同通達前段かっこ書）

〔事例〕 前記の事例で、借地人が当該土地を将来無償で返還することが契約で定められており、かつ、「無償返還届出書」が地主の納税地の所轄税務署長に提出されている場合、地主から借地人へ贈与があったものとして取り扱われる金額は、当初の年度の場合年額次のとおりになります。

　　　480万円（8,000万円×0.06）－300万円＝180万円

　借地権の設定に当たり、権利金に代えて相当の地代の授受が行われるのは、通常親子会社間、会社役員間等特殊の関係にある者の間だろうと思います。

（938）

第21章　借地権に関する取扱い

このような特殊関係者の間では、借地契約をめぐるトラブルが生じず、利害
関係も共通するため、権利金の授受をしないとともに、将来借地人が立退料
の請求もしないという土地の賃貸借取引が行われることがあります。その場
合、実際に授受されている地代の額が相当の地代の額に満たない場合でも、
税務では権利金の授受があったものとする認定をせず、差額地代の授受があ
ったものとする認定をするのが、取引の実態に合っているわけです。

(注)　「無償返還届出書」が提出されている場合、借地権の評価額は原則としてゼ
　　　ロとし、貸宅地の評価額は自用地価額×80％（使用貸借に係るものは自用地価
　　　額相当額）とされています。（昭60直資2-58通達）

相当の地代を改訂する届出をしながら地代の改訂をしなかった場合

【問21-7】　子会社に土地を貸すに当たって権利金に代えて相当の
　　地代を収受することとし、かつ、3年ごとに地代の改訂をする旨
　　を定めて「相当の地代の改訂に関する届出書」を提出しました。
　　3年後の地代改訂時期に土地の価額の上昇に応じて相当の地代の
　　増額をすべきところ、子会社の業績が悪いために見送った場合、
　　子会社に対する贈与として認定課税されるのは借地権相当額です
　　か、差額地代ですか。地代を引き下げたときはどうなりますか。

【答】　【問21-2】で説明しましたが、土地の価額の上昇に応ずる相当の地代
の改訂をしなかった場合、借地人の側に土地の価額の上昇に伴う借地権の価
値が自然に生じただけのことで、この段階で借地権の受贈益や評価益の認定
は行われません。この点は、「相当の地代の改訂方法に関する届出書」（以下
「相当地代改訂届出書」と略します。）を提出していたかどうかに関係あり
ませんので、御質問の場合、借地権の認定課税問題は起こりません。

　問題は、相当の地代の改訂をする旨を定めた当初の当事者間の契約及び
「相当地代改訂届出書」の今後の効力です。

　まず、地代の増額を見送った場合ですが、当初の契約が無効になり、改め
て当該時点で相当の地代に満たない地代の契約が行われたとするときは、当
然「相当地代改訂届出書」に記載した「基通13-1-8の(1)により改訂する」
旨も効力を失い、「基通13-1-8の(1)によらない」場合、すなわち当該届出

（939）

をしなかった場合に該当することになります。したがって、相当の地代の改訂はその必要がなくなり、差額地代の認定も行われませんが、【問21-2】の(1)に記載した法人税基本通達13-1-15の(1)の取扱いも適用されなくなり、将来子会社が立ち退くときには、立退料の支払を要することになります。

　一方、当初の契約は継続するが、子会社に対して一時的に地代を安くしたとするときは、差額地代の認定が行われます。したがって、親会社には子会社に対する差額地代相当額の贈与（寄附金）が生じますが、子会社は費用としての差額地代と差額地代支払債務免除益が両建になりますので、課税関係は生じません。この場合、覚書等で当初の契約を継続したまま一時的に地代を安くする旨を定めておき、親会社において差額地代相当額を寄附金に加え、申告書別表十四(二)「寄附金の損金算入に関する明細書」の「その他の寄附金額③」に当該額を含める記載をしておくべきです。

(注)　親会社と子会社との間に完全支配関係（法人による完全支配関係に限ります。）がある場合は、親会社の別表十四(二)では当該子会社に対する寄附金の額を「完全支配関係がある法人に対する寄附金額⑤」に含める記載をして全額損金不算入としますので、子会社から支払を受けるべきであった差額地代全額の益金算入のみが生じます。一方、子会社では、地代支払債務免除益が当該親会社からの受贈益として益金不算入となり、差額地代が費用として損金算入されますので、親会社と子会社を通算してこの取引による所得の金額の増減は生じません。

　次に、地代を引き下げた場合ですが、借地権の設定時に権利金の認定課税を避けるために一時的に相当の地代を授受し、その後折をみて地代を引き下げるという認定課税回避取引が行われることも予想されます。このため、地代を引き下げたことについて相当の理由があると認められる場合を除き、引き下げた時の土地の価額を基礎にして次の算式で計算した金額（既に権利金の一部を収受等している場合は当該額を控除した金額）相当額を、借地人に対する贈与と認定するとしています。（基通13-1-4）

$$
\text{土地の更地価額} \times \left(1 - \frac{\text{実際に収受している地代の年額}}{\text{相当の地代の年額}} \right)
$$

　借地権の設定後における土地の価額の下落は、地代の引下げについての相当の理由に該当します。（【問21-4】参照）最近の地代の引下げは、大部分が

（940）

第21章　借地権に関する取扱い

土地の価額の下落によるものですが、借地権の設定時と地代を引き下げた時の間に土地の価額の上昇があったときは、地代を引下げた時の土地の価額を基礎にして上記の算式による権利金の額の算定をするため、その間の土地の価額の上昇に対応する部分まで借地人である子会社に対する権利金贈与の認定課税が行われることになります。これは、法人税基本通達13-1-4の目的が上記のような認定課税回避取引の防止のためのものであるため、地代を引下げた時に借地権の設定があったという考えがとられているからでしょう。

　以下は私見ですが、地代を引下げた時に新たに借地権の設定があったのではありませんので、この通達は認定課税回避取引の防止と課税所得の認定とを混同したところがあると思います。地代を引き下げた場合、引下げに伴って生じた差額地代を贈与と認定するか、借地権の設定時の土地の価額に遡って借地権利金の認定をするかいずれかとするのが、合理的でしょう。

「無償返還届出書」と「相当地代改訂届出書」の関係

> 【問21-8】　法人税基本通達には「無償返還届出書」と「相当地代改訂届出書」が示されていますが、この二つの届出書の使い分け方法と、届出後の効果の相違について説明してください。

【答】　まず、「無償返還届出書」は、法人が権利金を収受しないで他人に借地権の設定等による土地の使用をさせた場合、収受する地代が相当の地代の額以下であっても、将来借地人がその土地を無償で返還することを契約書に定め、その旨の届出をするものです。

　借地人が将来無償返還するような土地は、借地権の価値が低く地代収受権としての底地権の価値が高い土地といえますので、相当の地代の授受が行われるべきものです。しかし、「無償返還届出書」を提出しますと、【問21-6】で説明したように相当の地代と実際に収受している地代の差額の認定が行われます。これによって、税務上は相当の地代の授受が行われていることになりますので、権利金の額の認定をせず、土地の返還時においても底地権の価値が高いため、地主が借地人に立退料を支払う必要がない無償返還を認めることとしています。（基通13-1-14(1)参照）

　これに対して「相当地代改訂届出書」は、契約書において土地の価額の上

（941）

昇に応じて地代の額を改訂するのかどうかを定めて届け出るものです。借地権の設定に係る土地の価額の上昇に応じて、順次地代の額を相当の地代の額に改訂する旨を契約書に定めて届け出ますと、将来土地の返還時における立退料をゼロとすることができます。（基通13-1-15(1)）

一方、地価の上昇に応じて地代の額を改訂しない旨を届け出たとき、又は「相当地代改訂届出書」を提出しなかったときは、土地の価額の上昇に応ずる地代の額の改訂は不要ですが、「無償返還届出書」を提出して差額地代の認定を行っていないと、借地人の側に借地期間中に権利が生じ、土地の返還時には、地主から借地人へ相当額の立退料の支払が必要になります。

以上により、Ⅰ.借地権設定時に相当の地代が授受されているときは、(1)その後の土地の価額の上昇に応じて地代の改訂をすることとする場合「相当地代改訂届出書」を提出する。(2)改訂しないこととする場合において、①返還時に立退料を支払うこととなってもよいのであれば、何も提出しないか「相当地代改訂届出書」を提出し、②返還時に立退料を支払わないこととするのであれば、「無償返還届出書」を提出をするということになります。

一方、Ⅱ.借地権設定時に相当の地代未満の地代が授受されているときは、借地権の認定課税を避け、かつ、立退時に立退料を支払わないこととするのであれば、「無償返還届出書」を提出することになります。ただし、借地権設定時に権利金又は特別の経済的な利益（【問21-11】参照）を僅かでも受領しているときは、「無償返還届出書」の提出をすることはできませんので、御注意ください。

以上の説明を表にして示しますと、次のとおりになります。

借地権設定時における相当の地代の授受	土地を使用させている期間中の地価の上昇に応ずる地代の改訂	提出する届出書	差額地代の認定	土地の返還時における無償返還の可否
あり	行う	相当地代改訂届出書	なし	可
	行わない			不可
なし		無償返還届出書	あり	可

（942）

第21章　借地権に関する取扱い

借地権と借家権の相違

> **【問21-9】**　当社所有の更地の上に当社が建物を建てて他人に賃貸
> する場合でも、権利金若しくは相当の地代を受け取らなければな
> りませんか。

【答】　法人の所有する更地を他人に建物の建設用地として賃貸する場合は、当該他人が借地権を取得することになりますが、本問のように法人がその所有する更地の上に建物を建てて他人に賃貸する場合は、当該他人は借家権を取得することになります。借地権と借家権は、法的保護の度合が非常に違っており、税法の取扱いにも大きな違いがあります。

　まず、借地権とは、「建物の所有を目的とする地上権又は土地の賃借権」です。（借地借家法2一）地上権は、物権である所有権の一つとして、「地上権者は、他人の土地において工作物又は竹木を所有するため、その土地を使用する権利を有する。」（民法265）と規定されていますので、すべての人にその土地を使用することを主張できる権利です。一方、賃貸借は、債権である契約の一つとして、「賃貸借は、当事者の一方がある物の使用及び収益を相手方にさせることを約し、相手方がこれに対してその賃料を支払うこと及び引渡しを受けた物を契約が終了したときに返還することを約することによって、その効力を生ずる。」（民法601）と規定されていますので、地主に対してのみ土地を賃貸することを要求できる権利であり、契約当事者間にしかその効力がありません。

　借地権は大部分が土地の賃借権で債権ですが、借地借家法によって物権である地上権とほぼ同様の保護が与えられています。例えば、土地の賃借権者が第三者に借地上の建物を譲渡するときは、土地の賃借権も併せて譲渡することになりますが、借地権設定者（地主）が自分に不利になるおそれがないにもかかわらず土地の賃借権の譲渡を承諾しないときは、借地権者の申立てによって、裁判所が借地権設定者（地主）の承諾に代わる許可を与えることができます。（借地借家法19①）

　一方、借家権はすべて債権ですが、同じ債権でも土地の賃借権のような保護が与えられておらず、借家権の譲渡には、必ず家主の承諾が必要です。

　このため、借地権設定による土地の貸付けの場合の権利金の額は、土地の

（943）

上土部分の譲渡の対価といえるほど高額ですが、借家権利金はそれほど高くありません。したがって、御質問のように他人が借家権を取得するにすぎないときは、借地権の取得のときのような高い権利金若しくは相当の地代に準じた相当の家賃の支払いを要するという問題は生じません。この場合借家人は、建物の敷地である土地を建物を利用するために必要な範囲内で利用するにすぎず、建物の所有を目的とした借地権の取得はしていないのです。

遊休地を更地のままで駐車場として賃貸する場合

> 【問21-10】 遊休地を更地のままで駐車場として賃貸する場合でも、権利金又は相当の地代の額を収受しなければなりませんか。

【答】 借地借家法上の借地権は、「建物の所有を目的とする地上権又は土地の賃借権」（借地借家法2一）ですので、御質問の事例はこれに該当せず、同法上の保護が受けられません。一方、権利金の認定を問題とする税法上の借地権は、単に「地上権又は土地の賃借権」と規定され（法政令137）、建物の所有を目的とするという条件が付いていません。このように、税法上の借地権は借地借家法上の借地権よりも範囲が広く、御質問の場合もこれに該当しないのかという疑問が生じます。

　しかし、税法上の借地権には、「その使用の対価として通常権利金その他の一時金を収受する取引上の慣行がある場合」という条件が付されており（法政令137）、建物の所有を目的とするものかどうかという形式でなく、権利金を収受する取引慣行があるかどうかという実質によって、判定することとされています。したがって、御質問のように駐車場として更地のままで土地を使用させる場合とか、建物の所有を目的とするものでも、仮営業所、仮店舗等の簡易な建物の敷地として使用するものなどその土地の使用が通常権利金の授受を伴わないものであると認められるものは、税法上の借地権に該当せず、権利金の認定は行われません。（基通13-1-5）インドアのゴルフ練習場、プレハブの車庫の敷地等として使用するための土地の貸付け、労働組合に対する組合事務所等の貸地の貸付け等も、これに該当します。

　(注)　借地借家法においても、臨時設備の設置その他一時使用のために設定したことが明らかな借地権は、一時使用目的の借地権として、普通借地権の場合のよ

第21章　借地権に関する取扱い

うな保護が与えられないこととされています。（同法25）

　また、このような場合に授受される地代の額は、通常権利金の収受に代えて受け取る相当の地代の額のような高額のものでありませんが、法人が実際に収受している地代の額が、その土地の使用の目的に照らして通常収受すべき地代の額未満のときは、その未満の部分の金額が借地人に対する贈与とされます。（基通13-1-5（注））ただし、例えば空閑地をたまたま短期間使用させるとか、土地の管理を兼ねて駐車場等として適宜利用させる等地主が通常収受すべき地代の額相当額を請求し得ないことにつき相当であると認められるときは、この贈与の認定も行われません。

借地権の設定により土地を賃貸するに当たっての対価とされる特別の経済的な利益の額の計算方法

> 【問21-11】　会社の土地（時価2,000万円、帳簿価額200万円）に借
> 　　　　地権を設定して他人に使用させ、権利金400万円と敷金1,000万円
> 　　　　（30年間無利息）を受領しました。課税関係はどのようになりま
> 　　　　すか。なお、当該借地権設定時における長期（7年以上）の基準
> 　　　　年利率は、1.0%です。

【答】　問題点が二つありますので、分けて説明します。

① 　借地権の設定により地価が著しく低下する場合の土地の帳簿価額の一部の損金算入

　　法人が借地権の設定によって他人に土地を使用させた場合、その土地の価額の下落が借地権設定直前の土地の価額の $\frac{5}{10}$（地上権又は空中権の場合は $\frac{2.5}{10}$、大深度地下の公共的使用の場合は一定の算式で計算した割合）以上になるときは、土地の帳簿価額のうち次の算式によって計算した金額を、損金の額に算入します。（法政令138①）

$$\begin{pmatrix} 借地権設定直前の \\ 土地の帳簿価額 \end{pmatrix} \times \frac{借地権の価額}{借地権設定直前における土地の価額}（借地権割合）$$

　　このような土地の帳簿価額の一部の損金算入を認めるのは、法人がその所有地に借地権（建物の所有を目的とする地上権又は土地の賃借権）を設定して他人に使用させますと、借地借家法によって借地権者の権利が保護

（945）

されるため、法人は土地の所有権者でありながら土地の利用が制限され、その底地を有して地代を得ていく権利しか残らなくなり、その土地の上土部分を譲渡したのに等しくなるからです。

御質問の場合、土地の借地権割合が60％であるとしますと、200万円×0.6＝120万円が、権利金収入原価として損金の額に算入されます。

② 借地権を取得した相手から受けた特別の経済的な利益に対する課税

益金の額に算入される上土部分の譲渡の対価は、御質問の場合、まず権利金の収入額400万円がこれに該当します。敷金1,000万円は、本来賃借人から賃貸借契約によって地主に差し入れられた担保であり、賃貸借契約満了時に賃借人に返済しなければならない地主にとっては負債ですので、益金の額に算入されるものではありません。しかし、地主は権利金として受け取れば課税されるが、敷金として受け取れば課税されず、しかもその敷金を預かる期間が長期にわたっていて、かつ、その利息がゼロ又は低い利率とされていますと、権利金のみを収受した場合との課税の公平が保たれません。このため、借地権の設定に当たり、権利金の収受に代えて借地人から通常の場合に比べて特に有利な条件で金銭の貸付けその他の経済的な利益を受けた場合には、次の算式によって計算した経済的な利益の額を借地権の設定の対価として支払を受けたものとして、課税することとされています。（法政令138②③）

$$\begin{pmatrix} 貸付けを受 \\ けた金額 \end{pmatrix} - \begin{pmatrix} 貸付けを受けた金額についての通常の \\ 利率の\dfrac{5}{10}に相当する利率の複利現価 \end{pmatrix}$$

(注1) 上記の算式の「通常の利率」は基準年利率（金銭の貸付けを受けた日を含む月に適用される基準年利率）とし（基通13-1-11）、当該貸付けを受けた金額について利息を附する旨の約定がある場合には、その利息に係る利率を控除した利率とします。（法政令138③かっこ書）なお、基準年利率の内容は、【問21-22】の**(注)**に記載しています。

(注2) 「複利現価率」の算式は$\dfrac{1}{(1+r)^n}$ですが、小数点以下3位まで計算し、第4位を切り上げます。この算式でのnは「貸付けを受ける期間」で、1年を単位として計算した期間（1年未満の端数があるときは切り捨てて計算した期間）で計算します。（基通13-1-11）

御質問の場合、基準年利率が1.0％で、その$\dfrac{5}{10}$に相当する利率は0.5％で

（946）

第21章　借地権に関する取扱い

すので、貸付けを受ける期間30年の複利現価率は$\dfrac{1}{(1+0.005)^{30}}=0.86103$
→0.862となり、経済的な利益の額は、1,000万円×（1－0.862）＝138万円
となります。したがって、400万円（権利金）と138万円（敷金1,000万円
に係る経済的な利益）の合計額538万円が、借地権設定の対価（上土部分
の譲渡の対価）の額になります。

敷金に係る特別の経済的な利益の額の益金算入方法

> 【問21-12】【問21-11】の敷金1,000万円（30年間無利息）について
> の特別の経済的な利益の額138万円を借地権設定の対価の額とし
> て益金算入するには、実務上どのようにすればよろしいですか。
> また、将来この敷金1,000万円を運用していく過程で生じる果実
> の額と、相殺することができますか。

【答】　敷金1,000万円について【問21-11】で説明した特別の経済的な利益の額
138万円は、権利金収受に関する課税の公平のために計算されたものであり、
現実の経済的な利益について算定された金額ではありません。現実の経済的
な利益は、無利息で預かった敷金1,000万円を今後30年間にわたって運用し
ていく過程で生じるもので、その金額は元金が1,000万円ですから、30年後
の1,000万円の複利現価である1,000万円×0.862＝862万円を元金として計算
した30年間の利息138万円よりも多く、税務では発生する各事業年度において、
益金の額に算入されます。

　要するに、敷金1,000万円のうちの138万円の益金算入は、現実の経済的な
利益の額をその未実現段階において早期に益金の額に算入するのではありま
せんので、敷金1,000万円に対する果実が生じてきても、それと相殺するこ
とはできません。

　このため、権利金400万円と敷金1,000万円を受領したときは、次の仕訳を
して、経済的な利益の額138万円は申告加算調整することになります。

　　現　金　1,400万円　｜　権利金収入　　400万円
　　　　　　　　　　　　｜　預り敷金　　1,000万円

　この場合、申告書別表四において「権利金（経済的な利益の額）」138万円
を加算（留保）し、別表五(一)のⅠでは項目を権利金として③欄と④欄にそ

（947）

れぞれ138万円を記入します。翌事業年度以後敷金に対する現実の果実が収益に計上されてきても、それと引き換えに申告減算をして利益積立金額から差し引くことはできず、敷金1,000万円が負債に計上されている間、利益積立金額にそのまま残ることになります。

権利金400万円と敷金1,000万円の受領時に、下記の仕訳をしますと、経済的な利益の額138万円の申告加算調整は不要ですが、敷金1,000万円のうち138万円が簿外負債になりますので、適正な会計処理でありません。

現 金 1,400万円 ／ 権利金収入 538万円 （400万円＋138万円）
　　　　　　　　／ 預り敷金　 862万円 （1,000万円－138万円）

申告加算した敷金に係る特別の経済的な利益の額の最終処理方法

【問21-13】 【問21-11】及び【問21-12】の説明で申告加算して利益積立金額となった敷金についての特別の経済的な利益の額は、次の場合どのように処理しますか。
① 貸地の返還を受けて敷金を返済したとき
② 地代の値上げを受けて敷金を返済したとき
③ ①、②のような特別の理由なしに敷金を返済したとき

【答】 敷金はどのような場合に返済されるのかですが、御質問①の土地の賃貸借契約を解除して貸地の返還を受ける場合とか、②の賃貸借契約継続の過程で敷金を返済する代わりに地代の値上げをする場合というのが、通常だろうと思います。このいずれの場合も、地主にとっては土地の価値が増加しますので、当初の特別の経済的な利益の額は、税務では土地の帳簿価額に加算することとされています。（法政令138④）したがって、敷金を返済した事業年度の確定申告書において、別表四の「加算」欄に土地、「減算」欄に権利金としてそれぞれ138万円を記載し（処分はいずれも留保とします。）、別表五(一)のⅠはこれに応じた「当期中の増減」欄の記載をします。当初借地権を設定して他人に土地を使用させたとき、権利金収入原価として土地の帳簿価額の一部120万円を損金算入していますが（【問21-11】①参照）、今度は土地の上土部分を138万円で買い戻したことになります。

（注1） 敷金受領時に【問21-12】に記載した仕訳のうちの後者の仕訳をしますと、

第21章　借地権に関する取扱い

敷金の返済時に下記の仕訳をすることができますが、【問21-12】で説明した
理由と、敷金の受領と返済の過程を通じて会計帳簿上土地の評価益18万円
（138万円－120万円）が計上されることにより、正しい処理方法でありません。

預り敷金　　862万円　／　現　金　1,000万円
土　地　　　138万円　／

（注2） 法人が無償で貸地の返還を受けたときは、借地権の設定に当たり土地の帳
簿価額を一部損金算入した金額を土地勘定に加算して、戻さなければならな
いこととされています。（基通13-1-16(1)）しかし、貸地の返還受入れに当
たって特別の経済的利益を受けている敷金を返済するときは、以後当該経済
的利益を受けないことになりますので、貸地の無償返還にはなりません。

　一方、御質問③の敷金を返済したにもかかわらず土地の賃貸借契約が継続
し、かつ、地代の値上げもしないという取引は、営利を目的とする企業とし
て正常なものでありません。借地人の側でみますと、通常の権利金又は相当
の地代を支払わずに借地権を取得した場合に該当しますので、経済的な利益
の額は借地人に対する贈与と認定されるでしょう。したがって、敷金を返済
した事業年度の確定申告書の別表四において権利金138万円を減算（処分は
留保）しますが、同時にその額を借地人に対する寄附金（借地人が役員又は
役員に特殊の関係のある使用人の場合は同人に対する給与）とすべきことに
なります。

借地権割合が50％未満の土地を他人に使用させた場合のその帳簿価額の一部損金算入

> **【問21-14】** 借地権の設定によって他人に使用させた土地の借地権
> 割合が50％未満のときは、どのような場合でも、その土地の帳簿
> 価額の一部損金算入はできないのですか。

【答】 法人が借地権の設定によって他人に土地を使用させた場合の土地の帳
簿価額の一部損金算入は、次の二つの場合に認められています。

① 借地権の設定による地価の値下り額が、借地権設定直前の土地の価額の
$\frac{5}{10}$以上となった場合（法政令138①）

損金算入額の算式、損金算入が認められる理由は、【問21-11】を参照し

（949）

てください。この場合は、借地権設定直前の土地の帳簿価額が低くても、当該帳簿価額の一部損金算入が認められますが、御質問のように借地権割合が50％未満の土地は、借地権の設定により他人に土地を使用させても土地の価額が$\frac{5}{10}$以上値下りしませんので、この規定の適用による土地の帳簿価額の一部損金算入はすることができません。

② 　借地権の設定による土地の賃貸をしても土地の価額は$\frac{5}{10}$以上値下りしないが、その帳簿価額未満の額となった場合（基通9-1-18）

　　法人税法第33条第2項（特定の事実が生じた場合の資産の評価損の損金算入）の規定の適用によるもので、事例で説明しますと、次のとおりです。

　㋑　借地権の設定による賃貸直前の土地の価額　　　　1,000万円

　㋺　帳簿価額　　　　　　　　　　　　　　　　　　800万円

　㋩　借地権の設定による賃貸直後の土地の価額　　　　600万円

　㋥　評価損を計上できる金額　　　800万円－600万円＝200万円（㋺－㋩）

　借地権の設定による賃貸をしたことによる土地の値下り額は1,000万円－600万円＝400万円（㋑－㋩）で、その直前の土地の価額（㋑）1,000万円の$\frac{5}{10}$以上でありません。したがって、上記①の場合には該当しませんが、賃貸直後の土地の価額まで帳簿価額を減額させることができます。この取扱いは、土地の帳簿価額（㋺）が賃貸直後の土地の価額（㋩）よりも低いときには適用されませんので、高度成長期における土地の価額の上昇以前に取得した帳簿価額の低い土地に適用されるケースは、少ないでしょう。

　　(注)　土地の価額がその下落によって、数年前に取得したときの取得価額（帳簿価額）よりも低くなっている場合があります。土地の価額の下落は、上記法人税法第33条第2項の規定の適用対象になりませんが、当該土地を借地権の設定によって他人に使用させたときは、この取扱いの適用による土地の帳簿価額の一部損金算入をすることができます。このため、下記のような事例の場合、Ⓑ－Ⓒの額360万円の評価損を計上することができ、評価損計上後の土地の帳簿価額をⒶ－（Ⓑ－Ⓒ）＝640万円とすることができると考えます。この場合、Ⓐ－Ⓑの額100万円は、土地の価額の下落によるものですので、評価損の計上ができないことに御注意ください。

　　　Ⓐ帳簿価額　　　　　　　　　　　　　　　　　1,000万円

　　　Ⓑ借地権の設定による賃貸直前の土地の価額　　　900万円

　　　Ⓒ借地権の設定による賃貸直後の土地の価額　　　540万円

第21章　借地権に関する取扱い

相当の地代を収受することとした場合の土地の帳簿価額の一部損金算入

【問21-15】　借地権の設定による土地の賃貸に当たって権利金を収受せず、相当の地代を収受することとした場合でも、法人税法施行令第138条第１項の規定による土地の帳簿価額の一部損金算入は認められますか。

【答】　借地権の設定により他人に土地を使用させるに当たって、権利金を収受する代わりに相当の地代を収受することとしたときは、【問21-１】で説明したように底地の価値は、以後も高い地代を収受することができるため低くなっていません。つまり土地の価額は借地権の設定による土地の賃貸によって値下りしていませんので、法人税法施行令第138条第１項の規定による土地の帳簿価額の一部損金算入をすることはできません。

　法人税法施行令第138条第１項の規定にある「借地権設定直後の土地の価額」とは、その土地の収益力をもとに算定される価額です。借地人の建物が地上に建っているという条件は権利金の収受の有無に関係なく同じですので、第三者に当該土地を売却する場合の価額には差異はないでしょうが、地代の額から収益還元して評価される価額には差異があり、高い地代を収受し得る土地の価額は、借地権の設定をしても低くなっていません。「借地権設定直後の土地の価額」として地代の額から収益還元して評価される価額は、借地権設定直前の土地の価額に比べて、$\frac{5}{10}$以上の値下りをしていないわけです。

社長所有の土地に会社が借地権を設定する場合

【問21-16】　社長所有の更地の上に会社が本社事務所を新築する予定です。会社から社長に対して権利金を支払うか、相当の地代を支払うかいずれかをしなければなりませんか。いずれもしなかった場合、会社と社長それぞれに、どのような税務上の問題が生じますか。

【答】　本章での【問21-15】までの説明は、法人が所有する土地を借地権の設定によって地主として他人に使用させる場合のものです。法人税法施行令第137条、第138条は、ともに法人が地主の場合について規定されていますが、

（951）

同族会社等では、御質問のように、会社が社長等役員所有の土地に対する借地権者となる場合が多いと思います。

　ところで、借地権についての税法の考え方は、法人については、地主の場合であろうと借地権者の場合であろうと、基本的に同じです。御質問の場合、会社が借地権者となるに当たって社長に対して権利金を支払うか又は権利金の支払に代えて相当の地代を支払うときは、その借地権設定に係る取引は、税務上正常な取引条件でされたものとされます。（【問21-1】参照）仮に、権利金も相当の地代も支払わず、かつ、「土地の無償返還に関する届出書」の提出もないときは、会社が借地権を無償又は低い価額で取得したことになりますので、会社に借地権の受贈益が認定されます。（【問21-6】参照）

　一方、地主である社長については、権利金を収受しないで会社に借地権の設定による土地の使用をさせても、借地権の無償譲渡についての「みなし譲渡所得」の課税は行われません。これは、所得税法上借地権設定対価の収入額は不動産所得の収入金額であり、その金額が土地の価額の$\frac{5}{10}$相当額を超える場合に譲渡所得の収入金額とみなされますので（所法33①かっこ書、所政令79①）、その設定対価がゼロである借地権の無償譲渡には、「みなし譲渡所得」の認定が行われないからです。したがって、会社に借地権受贈益が認定されても、社長にはみなし譲渡所得の認定課税は行われません。

　ただし、会社が権利金相当額を社長に支払った場合には、社長の側で不動産所得若しくは譲渡所得の収入金額となり、これに対する課税が行われます。

　(注)　借地権設定対価の収入金額が土地の価額の$\frac{5}{10}$相当額以下のときは、社長の不動産所得の収入金額となりますが、土地の賃貸借期間が3年以上で一時に受ける権利金の額（借地権設定対価の収入金額）が地代の年額の2倍以上の場合は、臨時所得の平均課税の規定の適用を受けることができます。（所法2二十四、90、所政令8二）

（952）

第21章　借地権に関する取扱い

社長の所有地を会社が賃借して「無償返還届出書」を提出した場合の効果

【問21-17】　会社が社長所有の土地に権利金を支払わず、かつ、相
当の地代未満の地代しか支払わないで借地権の取得をしました。
この場合「無償返還届出書」を提出しますと、差額地代の認定が
行われますが、会社については費用としての地代と地代支払債務
免除益が相殺されて所得の金額に影響がなく、社長については収
受していない地代についての不動産所得は生じないと思います。
これにより、相当の地代未満の地代を授受しながら差額地代に係
る認定課税を受けず、かつ、土地の返還時に社長は会社に立退料
を支払う必要がないということになると考えてよろしいですか。

【答】　【問21-6】で説明したように、「無償返還届出書」が提出されますと、
権利金の認定課税でなく、差額地代の認定課税が行われます。ところが、借
地人が法人のときは、差額地代相当額について費用としての地代と地代支払
債務免除益が相殺されて所得の金額に影響が生じませんし、地主が個人のと
きは、実際に収受していない地代について不動産所得を認定することは困難
と思われます。これにより、御質問の場合、差額地代の認定に係る課税が借
地人である法人、地主である個人のいずれにも生ずることなく、土地の無償
返還を行い得ることになります。

　したがって、御質問のとおりの見解で誤りありませんが、あえて問題が生
ずるとすれば、社長に対する不動産所得の認定課税でしょう。すなわち、社
長が会社から差額地代を収受したうえで、同額を会社に贈与したとみなされ
ないのかどうかです。

　不動産所得には、譲渡所得についての所得税法第59条（贈与等の場合の譲
渡所得等の特例）のような規定（個人が法人に山林又は譲渡所得の基因とな
る資産を贈与又は低廉譲渡（譲渡の時における価額の$\frac{1}{2}$未満の金額での譲
渡（所政令169））をした場合、時価で譲渡したものとみなすという規定）は
ありませんが、御質問の事例が目に余るときは、同族会社等の行為又は計算
の否認規定（所法157）によって、不動産所得の認定が行われることがある
でしょう。

（953）

建物と借地権を一括して取得した場合の処理

> **【問21-18】** 社長所有の建物（土地の所有者も社長です。）を、社員寮にするために取得しました。当社が建物とあわせて借地権も取得することになりますが、時価は建物が1,500万円、借地権が1,000万円です。社長からの譲受価額は、建物と借地権を個別に計算しないで2,000万円としました。税務では、この2,000万円が建物と借地権の時価の比率3：2によって建物1,200万円と借地権800万円に区分され、それぞれの時価との差額について、低廉受贈益が課税されることになりますか。

【答】 土地と建物又は借地権と建物を一括して取得したときは、時価の比率によって取得価額をあん分するのも一つの方法です。また、時価よりも低い価額で資産を譲り受けたときは、通常、時価との差額について受贈益が認定され課税されます。（法22②）

ところが、譲渡資産のうちの借地権については、借地権の対価として相当の額を支払うことに代えて相当の地代を支払うときは、その借地権の設定により土地を使用させる取引は正常な取引条件でされたものとされ、借地権の時価とその譲受価額との差額についての低廉受贈益に対する課税は行われません。御質問の場合は、社長からの譲受価額2,000万円を時価の比率によって建物と借地権にあん分せず、建物の時価1,500万円を先取りして残りの500万円を借地権の譲受価額とし、時価1,000万円の借地権を取得するに当たって権利金を500万円しか支払わないとき、低廉受贈益が認定課税されないための相当の地代の額はいくらになるのかを計算して、社長に当該地代を支払うこととすれば、低廉受贈益に対する課税の問題は生じません。

この場合の相当の地代の年額の算式は、次のとおりです。（基通13-1-2、相当の地代通達）

$$\left\{ \left(\begin{array}{c} \text{土 地 の} \\ \text{更地価額} \end{array} \right) - \left(\begin{array}{c} \text{収受した権利金の額又は} \\ \text{特別の経済的な利益の額} \end{array} \right) \right\} \times 6\%$$

この算式のうち、「土地の更地価額」は、その借地権の設定の時における当該土地の更地としての通常の取引価額をいいますが、課税上弊害がない限り、当該土地につきその近傍類地の公示価格等から合理的に算定した価額又

（954）

第21章　借地権に関する取扱い

は財産評価基本通達の例により計算した価額若しくは当該価額の過去３年間の平均額（以下、財産評価基本通達による評価額といいます。）によることができるとされています。このため、「収受した権利金の額又は特別の経済的な利益の額」も、次の算式によってそのレベルに直して計算します。（基通13-1-2（注）１、相当の地代通達、【問21-1】参照）

$$\text{その権利金又は特別}_{\text{の経済的な利益の額}} \times \frac{\text{当該土地の財産評価基本通達による評価額}}{\text{当該土地の更地としての通常の取引価額}}$$

御質問の場合、土地の更地価額が1,500万円（財産評価基本通達による評価額1,200万円）としますと、相当の地代の額は次のとおりになります。

$$\left(\underset{\substack{\text{更地の財産評価基本}\\\text{通達による評価額}}}{1,200\text{万円}} - \underset{\substack{\text{収 受 し た}\\\text{権利金の額}}}{500\text{万円}} \times \underset{\text{更地価額}}{\frac{1,200\text{万円}}{1,500\text{万円}}} \right) \times 6\% = 48\text{万円}$$

したがって、社長との間で、上記のとおりの売買価額及び地代の額を定めた契約書を作成すべきです。契約書に御質問にあるような時価あん分による金額を記載したり、契約書がない場合でも当該時価あん分した金額による会計処理をしますと、建物については300万円（1,500万円－1,200万円）の低廉受贈益が認定課税されますし、借地権についても地代の額の如何によっては、低廉受贈益が認定課税されることがおこり得ます。

　(注)　本問の場合、借地権の設定に当たって500万円の権利金が授受されていますので、「無償返還届出書」を提出する方法はとることはできません。（基通13-1-7かっこ書）

（955）

借地期間満了により更新料を支払ったときの処理

> **【問21-19】** 帳簿価額50万円の借地権の存続期間を更新するため、更新料100万円（更新時の借地権の価額は1,000万円）を支払いました。税務上どのように処理すればよろしいですか。

【答】 借地期間が満了しても借地借家法上借地権者には更新請求権が認められていますので、借地人は通常地主に対して更新料を支払って、借地権の存続期間を更新することができます。借地権の更新は、借地権の継続であり、従前の借地権の消滅と新たな借地権の設定ではありませんので、従前の借地権の帳簿価額を全額損金の額に算入し、代わりに相当の地代を支払わない場合の借地権の受贈益を認定するという取扱いはされません。従前の借地権の継続として、更新料の額を借地権の帳簿価額に加算しますが、従前の借地権の帳簿価額のうち、次の算式によって計算される金額を損金の額に算入します。（法政令139）

$$\text{更新直前における借地権の帳簿価額} \times \frac{\text{更新料の額}}{\text{更新時における当該借地権の価額}}$$

御質問の場合、従前の借地権の帳簿価額のうち、上記の算式によって損金の額に算入される金額は次のとおり5万円となり、更新後の借地権の帳簿価額は、50万円＋100万円－5万円＝145万円となります。

$$50\text{万円} \times \frac{100\text{万円}}{1,000\text{万円}} = 5\text{万円}$$

したがって、更新料の支払いに伴い、次の仕訳を行います。

借　地　権　　　　100万円／現　　　　金　100万円
借地権更新損失　　　5万円／借　地　権　　5万円

(注) 借地権の存する地域において更新料又は更改料を授受する取引上の慣行があることが明らかでないときは、借地権の設定等に係る契約の更新又は更改をする場合に更新料又は更改料の授受をしなくても、税務上問題は生じません。（基通13-1-13）

（956）

第21章　借地権に関する取扱い

木造建物を取り壊して堅固の建物に建て替えるときの承諾料

> 【問21-20】　借地上の木造の建物を取り壊して、鉄筋コンクリート
> 造の建物に建て替えたいと思います。地主に対して新たな借地権
> の設定対価相当額の権利金を支払わず、かつ、建替え後相当の地
> 代の支払もしない場合、借地権の受贈益が認定課税されますか。
> 　また、若干の借地条件変更承諾料を支払った場合、【問21-19】
> で説明された借地権の帳簿価額の一部損金算入の規定が適用され
> ますか。

【答】　御質問のように借地上の木造の建物を取り壊して鉄筋コンクリート造
の建物に建て替えるのは、借地契約内容の重要な変更ですので、地主の承諾
を要します。地主は、新しい建物の存続期間中土地の使用が制限され、借地
権者から建物買取請求権を行使された場合、木造の建物よりも買取価額が高
くなりますので、今後の不利益に対する対価として、借地権者に対して借地
条件変更承諾料を請求するのが通常です。

　この借地条件変更承諾料の金額は、借地条件変更時の事情によって異なる
と思います。すなわち、木造の建物が老朽化して滅失するのが近いような場
合は、滅失に伴う建物の再建築に地主の承諾を要しますので、新たに借地権
を設定する場合の権利金の額に近い金額が支払われます。しかし、取り壊す
建物が老朽化しておらず、今後かなりの期間の寿命があると見込まれる場合
は、借地契約期間が満了しても建物が存続する限り借地権者は更新を請求で
きますので、承諾料の金額は低くなるでしょう。後者の場合、その額は、堅
固の建物を所有する場合の借地権の価額と非堅固の建物を所有する場合の借
地権の価額の差額と考えることもできます。

　したがって、木造建物を堅固の建物に建て替えるに当たって、新たに借地
権を設定する場合に等しい権利金の支払がなく、かつ、建替え後相当の地代
の支払がなくても、借地権相当額の受贈益の認定課税は行われません。

　また、借地条件変更承諾料の性格は、借地期間が満了して更新するときに
支払う更新料と実質的に同じと考えられますので、借地権として資産に計上
しますが、【問21-19】で説明した方法によって、更新前の借地権の帳簿価額
の一部を損金算入することができます。

（957）

会社が所有地を定期借地権の設定によって賃貸する場合の税務問題

【問21-21】 会社が、その所有地を、定期借地権の設定によって賃貸する場合についてお尋ねします。

① 借地人から権利金、相当の地代のいずれをも受け取らなくても、普通借地権の場合のような権利金相当額を借地人に贈与したとする認定課税は行われないと考えてよろしいですか。

② 会社は、土地の帳簿価額の一部を、損金の額に算入することができますか。

③ 借地人から受け入れた敷金に係る特別の経済的な利益の額を、益金の額に算入すべきですか。

【答】 定期借地権には、一般の定期借地権（借地借家法22）、事業用定期借地権等（同法23）、建物譲渡特約付借地権（同法24）の３種類がありますが、いずれも借地契約の更新がなく、借地期間の満了によって借地権が消滅するという点で、普通借地権及び旧借地法における借地権と異なっています。

(注) 旧借地法は、平成４年８月１日借地借家法の施行により廃止されましたが、旧借地法の規定により生じた効力は、借地借家法施行後も妨げないとされています。（借地借家法附則４）

　この定期借地権の税務の取扱いは、相続等の場合の評価方法は財産評価基本通達に示されていますが、法人税での取扱いは示されていません。したがって、私見ですが、御質問の事項は次のとおりになると思います。

①について……定期借地権は、上記の３種類のいずれのものも契約期間の満了を以て借地契約が解消し、借地人は立退料等を受け取ることなく土地を地主に返還しなければなりませんので、借地契約時に普通借地権の場合のような土地の上地部分の譲渡対価の額に相当する権利金の授受は行われず、権利金の額がゼロという事例もあると思われます。すなわち、借地権の設定に当たって権利金を授受する取引上の慣行があるといえず、法人税法施行令第137条の規定が適用されませんので、権利金、相当の地代のいずれをも受け取らなくても、税務上問題は生じません。ただし、当該借地契約が会社役員間とか関係会社間で行われるときは、税務上取引内容が恣意的でないか追及することがありますので、念のために「無償返還届出書」を

（958）

第21章　借地権に関する取扱い

提出し、税務調査で問題になった場合、借地権の認定課税でなく差額地代の認定課税にとどめることができるようにしておくのがよいでしょう。

②について……土地の帳簿価額の一部損金算入は、借地権の設定による土地の価額の値下り額が借地権設定直前の土地の価額の$\frac{5}{10}$以上となる場合に適用されます。（法政令138①、【問21-11】の①参照）定期借地権は、普通借地権と異なり、その設定があっても土地の価額がその土地の上地部分の譲渡があったほどの値下りはしないでしょうから、土地の帳簿価額の一部損金算入をすることはできないでしょう。

③について……地主である会社が、借地権の設定に当たって預かる敷金についての特別の経済的な利益の益金算入も、②と同様に、借地権の設定による土地の価額の値下りが借地権設定直前の土地の価額の$\frac{5}{10}$以上となる場合に適用されます。（法政令138②、【問21-11】の②参照）したがって、定期借地権の場合は、この規定の適用もないと考えられます。

(注)　財産評価基本通達での定期借地権の目的となっている宅地の評価額は、原則として下記Ⅰの本文方式の算式で計算しますが（評基通25(2)本文）、定期借地権の評価額が非常に低い場合、本文方式による評価額は自用地としての価額に近くなりますので、Ⅱのただし書方式の算式で計算した額とのいずれか低い額によって評価することが認められています。（評基通25(2)ただし書）

Ⅰ　本文方式の算式

$$\begin{pmatrix} \text{自用地としての価額} \\ \text{（財産評価基本通} \\ \text{達による評価額）} \end{pmatrix} - \begin{matrix} \text{定期借地権の評価額} \\ \text{【問21-22】参照} \end{matrix}$$

Ⅱ　ただし書方式の算式

$$\begin{pmatrix} \text{自用地としての価額} \\ \text{（財産評価基本通} \\ \text{達による評価額）} \end{pmatrix} \times \begin{pmatrix} 1 - \begin{matrix} \text{定期借地権の残存期間に応} \\ \text{じての減額割合（下表）} \end{matrix} \end{pmatrix}$$

残存期間	減額割合
5年以下	100分の5
5年超10年以下	100分の10
10年超15年以下	100分の15
15年超	100分の20

なお、定期借地権のそれぞれの特色を表によって示しますと、次のとおりです。

区　　分	定期借地権			普通借地権	旧借地法における借地権
	一般の定期借地権	事業用定期借地権等	建物譲渡特約付借地権		
存続期間	50年以上	10年以上50年未満	30年以上	30年以上	堅固建物の場合30年以上、その他の建物の場合20年以上
利用目的	制限なし	事業用建物の所有に限る	制限なし	制限なし	制限なし
権利の内容　更新の請求	なし	**(注1)**	なし	法定更新	法定更新
権利の内容　建物の再建築による期間の延長	なし	**(注1)**	なし	あり	あり
権利の内容　建物買取請求権	なし	**(注1)**	あり	あり	あり
契約期間終了時の処理	借地人は建物を収去し更地にして地主に土地を返還する	上記の権利がなしの場合、借地人は建物を収去し更地にして地主に土地を返還する	借地人は相当の対価で建物を地主に譲渡し、地主が買取る	地主に正当な理由が認められない限り、存続期間が更新する	地主に正当な理由が認められない限り、存続期間が更新する
契約の方式	制約なし	公正証書に限る	制約なし	制約なし	制約なし

(注1) 事業用定期借地権等の存続期間が30年未満の場合は「なし」で、30年以上の場合は「あり」となりますが、特約で「なし」と定めることができます。

(注2) 借地借家法第2章第4節定期借地権等には、上記のほかに一時使用目的の借地権（同法25）が規定されていますが（【問21-10】の**(注)**参照）、記載を省略しています。

（960）

第21章　借地権に関する取扱い

会社が定期借地権者として土地を賃借する場合の税務問題

【問21-22】　会社が定期借地権者として土地を賃借する場合につい
てお尋ねします。
① 　地主に支払った権利金を、定期借地権の存続期間を償却期間と
して減価償却することができますか。
② 　地主に権利金、相当の地代のいずれをも支払わなくても、普通
借地権の場合のような借地権受贈益の認定課税は行われないと考
えてよろしいですか。
③ 　借地上に新築した建物の法定耐用年数が定期借地権の存続期間
よりも長い場合、定期借地権の存続期間を耐用年数として、当該
建物の償却をしてもよろしいですか。
④ 　将来借地期間の満了時に再度借地契約をして更新料を支払う場
合、借地権の帳簿価額はその一部を損金算入するのですか。

【答】　定期借地権に関する法人税の取扱いが示されていませんので、私見で
すが、御質問の事項は次のとおりになると思います。

①について……定期借地権は借地契約の更新がなく、契約期間の満了によっ
て借地権が消滅しますので、その設定時に借地人が地主に支払った権利金
は、契約期間の満了によって無価値になります。したがって、御質問にあ
るように定期借地権の存続期間を償却期間とする減価償却が認められるべ
きだと思いますが、減価償却資産の範囲を規定した法人税法施行令第13条
に定期借地権が掲げられていませんので、減価償却をすることはできませ
ん。(【問6-1】の①参照)

(注1)　税法は、上記のように定期借地権の減価償却を認めていませんが、企業
会計上は定期借地権を無形固定資産とし、契約期間を償却期間とする減価
償却をして、申告調整すべきでしょう。

(注2)　財産評価基本通達では、後記のように定期借地権の評価額は契約期間の
経過とともに逓減させることとし(評基通27-2)、定期借地権の設定に当
たって支払われる権利金は、その契約期間中の地代の一部の前払いという
考えがとられています。法人税においても、定期借地権を減価償却資産と
する改正が行われるべきでないかと思います。

(961)

②について……【問21-21】で説明したように、定期借地権はその設定に当たって権利金を授受する取引上の慣行があるとはいえず、法人税法施行令第137条の規定が適用されませんので、権利金、相当の地代のいずれをも支払わなくても、借地権受贈益の認定課税は行われません。ただし、借地契約が会社役員間とか関係会社間で行われるときは、【問21-21】の①に記載したように、念のために「無償返還届出書」を提出しておくのがよいでしょう。

③について……定期借地権が建物譲渡特約付借地権のときは、契約期間満了時に借地上の建物を地主に相当の対価で譲渡します。しかし、一般の定期借地権又は事業用借地権のときは、建物を収去し更地にして土地を地主に返還しなければなりませんので、借地上の建物の使用可能期間は、最大限当該定期借地権の契約期間となります。ただし、当該建物の減価償却計算は、法定耐用年数によって行わなければなりません。この場合、法人税法施行令第57条の規定による耐用年数の短縮の承認申請ができるのかどうかですが、同条及び法人税法施行規則第16条に列記された当該申請のできる事由のいずれにも該当しませんので、承認申請をすることはできません。

④について……契約期間の満了によって定期借地権は効力を失いますので、再契約されても定期借地権の更新でなく、新たな借地権の設定となります。したがって、消滅した定期借地権の帳簿価額はその一部でなく、全額を損金算入することになります。

(注) 財産評価基本通達での定期借地権の評価額の計算は、下記の①を原則法としますが、課税上弊害がない限り、簡便法として②の算式により計算した金額とすることが認められています。(評基通27-2)

① 定期借地権者である会社に帰属する経済的利益及びその存続期間を基として評定した価額によります。この場合の経済的利益とは、適正地代と支払地代の乖離、すなわち会社が適正地代に比べて低い地代で借地できるという差額地代ですから、この差額地代の定期借地権の残存期間年数に応じる複利年金現価が、原則法による評価額になります。

② 簡便法の算式は次のとおりです。

（962）

第21章　借地権に関する取扱い

$$
\begin{pmatrix}
\text{その定期借地権等の} \\
\text{目的となっている宅} \\
\text{地の課税時期におけ} \\
\text{る自用地としての価} \\
\text{額} \\
\left(
\begin{array}{l}
\text{財産評価基本通} \\
\text{達による評価額}
\end{array}
\right)
\end{pmatrix}
\times
\dfrac{
\begin{array}{c}
\text{定期借地権等の設定} \\
\text{の時における借地権} \\
\text{者に帰属する経済的} \\
\text{利益の総額}
\end{array}
}{
\begin{array}{c}
\text{定期借地権等の設定} \\
\text{の時におけるその宅} \\
\text{地の通常の取引価額}
\end{array}
}
\times
\dfrac{
\begin{array}{c}
\text{課税時期におけるそ} \\
\text{の定期借地権等の残} \\
\text{存期間年数に応ずる} \\
\text{複利年金現価率}
\end{array}
}{
\begin{array}{c}
\text{定期借地権等の設定} \\
\text{期間年数に応ずる基} \\
\text{準年利率による複利} \\
\text{年金現価率}
\end{array}
}
$$

（定期借地権設定の時における自用地としての価額に対する定期借地権の割合）　（残存期間に応ずる複利年金現価の逓減率）

　この算式の「定期借地権等の設定の時における借地権者に帰属する経済的利益の総額」は、次のイ〜ハの合計額とされています。（評基通27−3）

イ　定期借地権等の設定に際し、借地権者から借地権設定者に権利金等の支払又は財産の提供がある場合……当該権利金等の額又は財産の価額に相当する金額

ロ　定期借地権等の設定に際し、借地権者から借地権設定者に保証金等の預託があり、その保証金等に基準年利率未満の約定利率による利息の支払があるとき又は無利息のとき……当該保証金等に係る経済的利益の額

ハ　定期借地権等の設定に際し、実質的に贈与を受けたと認められる差額地代の額がある場合……差額地代の額の定期借地権等の設定期間年数に応じる基準年利率による複利年金現価

　令和5年7月から令和6年6月までの基準年利率は、下表のとおりです。

○基準年利率

(単位：%)

区分	年数又は期間	令和5年7月	8月	9月	10月	11月	12月	令和6年1月	2月	3月	4月	5月	6月
短期	1年	0.01	0.01	0.01	0.01	0.05	0.01	0.01	0.01	0.10	0.10	0.25	0.25
	2年												
中期	3年	0.05	0.10	0.10	0.25	0.50	0.25	0.10	0.25	0.25	0.25	0.50	0.50
	4年												
	5年												
	6年												
長期	7年以上	0.50	0.75	0.75	1.00	1.00	1.00	1.00	1.00	1.00	1.00	1.00	1.50

(注)　課税時期の属する月の年数又は期間に応ずる基準年利率を用います。

第22章　同族会社に関する取扱い

第1節　同族会社の判定

同族会社の意義とその判定に当たっての特殊の関係のある個人及び法人

> 【問22-1】　同族会社とはどのような会社ですか。その判定に当た
> っての特殊の関係のある個人及び法人とは、どのような個人及び
> 法人ですか。

【答】　同族会社は、「会社（投資法人を含む。）の株主等（その会社が自己の
株式（投資口を含む。）又は出資を有する場合のその会社を除く。）の3人以
下並びにこれらと政令（法政令4①～④）で定める特殊の関係のある個人及
び法人がその会社の発行済株式又は出資（その会社が有する自己の株式又は
出資を除く。）の総数又は総額の50％を超える数又は金額の株式又は出資を
有する場合その他政令（法政令4⑤）で定める場合におけるその会社をいう」
と規定されています。（法2十）

　上記の特殊の関係のある個人及び法人は、次のとおりです。

(1) 特殊の関係のある個人（法政令4①）……次の①～⑤に掲げる者です。

　① 株主等の親族……親族とは、㋑六親等内の血族、㋺配偶者、㋩三親等
　内の姻族をいいます。（民法725）

　② 株主等と婚姻の届出をしていないが事実上婚姻関係と同様の事情にあ
　る者……いわゆる内縁の夫又は内縁の妻です。

　③ 株主等（個人である株主等に限ります。）の使用人

　④ ①～③以外の者で株主等（個人である株主等に限ります。）から受け
　る金銭その他の資産によって生計を維持しているもの……当該株主等か
　ら給付を受ける金銭その他の財産又は給付を受けた金銭その他の財産の
　運用によって生ずる収入を、日常生活の資の主要部分としている者をい
　います。（基通1-3-3）

　⑤ ②～④に掲げる者と生計を一にするこれらの者の親族

（964）

第22章　同族会社に関する取扱い

(注) 「生計を一にする」とは、有無相助けて日常生活の資を共通にしていることを
いいますので、必ずしも同居していることを必要としません。（基通1-3-4）
　このように範囲は相当広いのですが、例えば社長の友人とか会社の従業
員は、通常社長と特殊の関係にある個人には該当しません。
　特殊の関係のある個人を下記の例（発行済株式5,000株のすべてに議決権

があります。）で説明しますと、CはA
にとって4親等の姻族ですから親族でな
く、Aを中心にした場合は、A、B、D
の3人が特殊の関係のある個人となり、
その持株の合計は1,700株になりますが、
Bを中心にした場合は、B、A、Cの3
人が特殊の関係のある個人となり、その
持株の合計は2,000株になります。この判
定をする場合、個人として最も持株割合

株主の内訳	
A：代表取締役	1,000株
B：Aの妻	500株
C：Bの従弟	500株
D：Aの従弟	200株
その他従業員など	2,800株
合計　発行済株式数	5,000株

の多いものから順に特殊の関係のある個人を抽出するのでなく、株主間で
種々のグループを作ったうえで、最も持株の合計の多いものを第1順位と
しますので（第2順位以下のグループでは、先順位のグループに入った株
主を除きます。）、この例では第1順位のグループは、Bを中心にしたもの
になります。（基通1-3-5）

(2)　特殊の関係のある法人（法政令4②③④）……次の①～③に掲げる会社
です。この場合の法人は会社に限られますので、会社以外の法人は株主等
との関係が次の①～③に該当する場合でも、特殊の関係のある法人に該当
しません。

①　同族会社であるかどうかを判定しようとする会社（投資法人を含みま
す。）の株主等（当該会社が自己の株式（投資口を含みます。）又は出資
を有する場合の当該会社を除きます。以下「判定会社株主等」といいま
す。）の1人（個人である判定会社株主等については、その1人及びこ
れと上記(1)の特殊の関係のある個人。次の図Ⅰで甲）が他の会社を支
配している場合における当該他の会社（図ⅠでA会社）（法政令4②一）

②　判定会社株主等の1人（図Ⅰで甲）及びこれと①に掲げる会社（図Ⅰ
でA会社）が他の会社を支配している場合における当該他の会社（図Ⅰ

（965）

でB会社)(法政令4②二)

③ 判定会社株主等の1人(図Ⅰで甲)及びこれと①と②に掲げる会社(図ⅠでA会社及びB会社)が他の会社を支配している場合における当該他の会社(図ⅠでC会社)(法政令4②三)

(注) 上記の①～③にある「他の会社を支配している場合」とは、【問22-2】で説明する持株割合、所定の議決権割合又は持分会社における社員数割合のいずれかが、50%を超える場合をいいます。(法政令4③)

なお、同一の個人又は法人(人格のない社団等を含みます。)(図Ⅱで乙)との間に、上記①～③に記載した特殊の関係のある2以上の会社(図ⅡでD会社、E会社)が、判定会社株主等である場合には、その2以上の会社は、相互に特殊の関係のある会社であるものとみなします。(法政令4④)

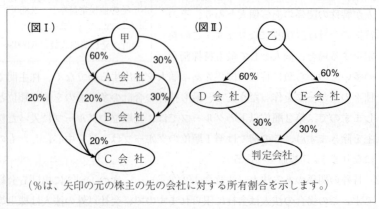

(図Ⅰで、甲、A会社、B会社、C会社は、特殊の関係のある個人と法人となります。また、図Ⅱでは、乙は判定会社株主等でありませんが、D会社とE会社は特殊の関係のある会社とみなされます。)

同族会社の判定に当たっての上位3順位の同族関係者による会社の支配

【問22-2】 同族会社の判定に当たり、会社の上位3順位の同族関係者が他の会社を支配している場合とは、どのような場合ですか。

【答】 同族会社の判定に当たり、会社の株主等の3人以下並びにこれらと特殊の関係のある個人及び法人(以下「上位3順位の同族関係者」といいま

第22章　同族会社に関する取扱い

す。）が他の会社を支配している場合とは、次のいずれかに該当する場合を
いいます。

① 株式又は出資の数又は金額による場合（法政令４③一）……上位３順位
の同族関係者が、他の会社の発行済株式又は出資（その有する自己の株式
又は出資を除きます。）の総数又は総額の50％を超える数又は金額の株式
又は出資を有する場合

② 議決権の数による場合（法政令４③二）……上位３順位の同族関係者が、
他の会社の次に掲げる議決権のいずれかにつき、その総数（当該議決権を
行使することができない株主等が有する議決権の数を除きます。）の50％
を超える数を有する場合

イ 事業の全部若しくは重要な部分の譲渡、解散、継続、合併、分割、株
式交換、株式移転又は現物出資に関する決議に係る議決権

ロ 役員の選任及び解任に関する決議に係る議決権

ハ 役員の報酬、賞与その他の職務執行の対価として会社が供与する財産
上の利益に関する事項についての決議に係る議決権

ニ 剰余金の配当又は利益の配当に関する決議に係る議決権

(注１) 会社法第108条第１項は、「株式会社は、次に掲げる事項について異なる定
めをした内容の異なる２以上の種類の株式を発行することができる。」と規
定し、その第３号に、「株主総会において議決権を行使することができる事
項」を掲げています。

また、下記の株式は、会社法により議決権を有しないと規定されています。

イ 自己株式（会社法308②）

ロ 相互保有株式（会社法308①本文かっこ書）

ハ 単元未満株式（会社法308①ただし書）

なお、端株は会社法で廃止されましたが、会社法の施行に伴う関係法律の
整備等に関する法律第86条において、旧株式会社の端株についてはなお従前
の例によると規定されていますので、議決権を有しません。

(注２) 会社法第２条は、「子会社」及び「親会社」を、次のとおり規定しています。

子会社……会社がその総株主の議決権の過半数を有する株式会社その他の当
該会社がその経営を支配している法人、すなわち会社が他の会社等の財務
及び事業の方針の決定を支配している場合における当該他の会社等（会社
法２三、会社規則３①）

親会社……株式会社を子会社とする会社その他の当該株式会社の経営を支配
している法人、すなわち会社等が当該株式会社の財務及び事業の方針の決
定を支配している場合における当該会社等（会社法2四、会社規則3②）
税法において同族会社に該当するかどうかは、会社の上位3順位の同族
関係者で判定するという違いがありますが、議決権の過半数という点は、
会社法における親子会社の判定と同じです。
③　社員の数による場合（法政令4③三）……持分会社（合名会社、合資会
社又は合同会社）の上位3順位の同族関係者が、その社員（当該会社が業務
を執行する社員を定めた場合は、業務を執行する社員）の総数の半数を超え
る数を占める場合

同一の内容の議決権を行使することに同意している者がある場合

> 【問22-3】　同族会社に該当するかどうかの判定を議決権の数によ
> って行う場合、個人又は法人との間で同一の議決権を行使するこ
> とに同意している者がある場合の取扱いが税法に規定されている
> とのことですが、その内容を説明してください。

【答】　御質問にある税法の規定は、法人税法施行令第4条第6項で、その内
容は次のとおりです。
①　個人又は法人との間で当該個人又は法人の意思と同一の内容の議決権を
行使することに同意している者がある場合には、当該者が有する議決権は、
当該個人又は法人が有する議決権とみなします。
②　当該個人又は法人は、当該議決権に係る会社の株主等でない場合でも、
当該議決権に係る会社の株主等であるものとみなします。
　上記①の「同一の内容の議決権を行使することに同意している者」に当た
るかどうかは、契約、合意等により、個人又は法人との間で当該個人又は法
人の意思と同一の内容の議決権を行使することに同意している事実があるか
どうかにより、判定します。（基通1-3-7）例えば、株式を相互に持ち合
っていて、議決権の行使についてお互いの意に沿うように行使する旨の合意
があるときとか、当該個人又は法人に対して継続的に白紙委任状を提出して
いるときは、この事実があるものと考えられます。

（968）

第22章　同族会社に関する取扱い

　この場合、単に過去の株主総会等において同一内容の議決権行使をしてき
た事実があることや、当該個人又は法人と出資、人事・雇用関係、資金、技
術、取引において緊密な関係があることのみをもっては、当該個人又は法人
の意思と同一の内容の議決権を行使することに同意している者とはなりませ
ん。(同通達(注))

　なお、個人又は法人が上記②により、当該議決権に係る会社の株主等であ
るものとみなされても、同族会社であるかどうかの判定を議決権の数で行う
場合限りのことですので、当該判定を株式又は出資の数又は金額で行う場合
には、株主等とみなされません。(基通1-3-8)

(注)　財務諸表等規則では、親会社、子会社の判定に当たり、他の会社等の意思決
　　　定機関を支配しているかどうかについては、次の者が所有している議決権は自己
　　　の計算において所有している議決権と合算して行うこととされています。(財
　　　表規則8④三)

　　　　イ　自己と出資、人事、資金、技術、取引等において緊密な関係があること
　　　　　　により自己の意思と同一の内容の議決権を行使すると認められる者
　　　　ロ　自己の意思と同一の内容の議決権を行使することに同意している者
　　　法人税基本通達の「同一の内容の議決権を行使することに同意している者」
　　　には、上記のロに該当する者は含まれますがイに該当する者は含まれず、同族
　　　会社に該当するかどうかの判定に当たってのいわゆる「シンパ株主等」の範囲は、
　　　財務諸表等規則が規定しているものと比べて、狭くなっています。

特定同族会社、同族会社、非同族会社の区分

> **【問22-4】**　法人税申告書の別表一の同非区分及び別表二の「判定
> 結果⑱」に、「特定同族会社、同族会社、非同族会社」が掲げら
> れていますが、会社をこれらのものに区分する方法を教えてくだ
> さい。

【答】　法人税法での同族会社は、「会社の上位3順位の株主等とその同族関
係者によって支配されている会社」ですが(【問22-2】参照)、特定同族会社
は、「被支配会社であることについての判定の基礎となった株主等のうちに
被支配会社でない法人がある場合には、当該法人をその判定の基礎となる株

(969)

主等から除外して判定するものとした場合においても被支配会社となるもの（事業年度終了の時における資本金の額又は出資金の額が１億円以下であるものについては、法人税法第66条第５項第２号から第５号までに掲げるものに限ります。）」です。（法67①⑧）（詳細は【問22-9】参照）

別表一の同非区分及び別表二の「判定結果18」は、普通法人のうちの会社が、特定同族会社（特別税率の適用される同族会社）、同族会社（特定同族会社でない同族会社）、非同族会社のいずれに該当するかを、マークする欄です。

このマークに当たり、次の事項に注意してください。

① 同族会社は、会社であることを要しますので、同族会社となることがある普通法人は、株式会社（特例有限会社を含みます。）、合名会社、合資会社又は合同会社であるものに限られます。普通法人であっても会社でない法人は、出資者の３人以下並びにこれらと特殊の関係のある個人及び法人の所有割合が50％を超える場合でも、同族会社にはなりません。

② 中小同族会社（事業年度終了の時における資本金の額又は出資金の額が１億円以下で、かつ、法人税法第66条第５項第２号から第５号までに掲げるものに該当しない同族会社）は、特定同族会社から除外されますので（法67①かっこ書、⑧）、別表二の11～17欄において特定同族会社の判定をする必要がなく、これらの会社が同族会社に該当するときは、すべて同族会社（特定同族会社でない同族会社）にマークすることになります。

以上によって、普通法人を分類しますと下記のとおりになり、別表一の同非区分、別表二の判定結果の欄は、⬜の区分を記載することになります。

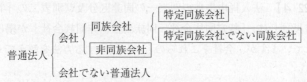

特定同族会社でない同族会社における使用人兼務役員

> 【問22-5】 当社は同族会社ですが、特定同族会社ではありません。同族会社の役員は平取締役であっても使用人兼務役員になれない場合があるそうですが、この規定は、当社のような特定同族会社でない会社には関係がないと考えてよろしいですか。

【答】 特定同族会社でない同族会社には、法人税法第67条の特定同族会社の特別税率の規定は適用されませんが、同族会社に関するその他の規定は適用されますので、同族会社の役員に関する下記の④及び回の規定は適用されます。【問22-4】の②に掲げた中小同族会社（事業年度終了の時における資本金の額又は出資金の額が１億円以下で、かつ、法人税法第66条第５項第２号から第５号までに掲げるものに該当しない同族会社）は、特定同族会社になりませんが、下記の④及び回の規定は適用されますので、御注意ください。後記する株式公開会社の子会社にみられるような、事業年度終了の時における資本金の額が１億円を超えている同族会社だが特定同族会社には該当しないという会社でも、同じです。

④ 法人税法施行令第７条第２号の同族会社のみなし役員に関する規定（【問９-10】参照）

回 法人税法施行令第71条第１項第５号の同族会社の使用人兼務役員に関する規定（【問９-５】参照）

　貴社は、特定同族会社ではありませんが同族会社ですので、上記の回の規定が適用され、貴社の平取締役は同人の属する株主グループ及び同人夫妻とその支配会社の所有割合によって、使用人兼務役員になれない場合が生じます。

　ところで、貴社の第１順位の株主等とその同族関係者が被支配会社でない法人で、その所有割合が50％を超えているときは、当該法人を除いて判定しますと被支配会社になりませんので、貴社は特定同族会社でない同族会社になります。特定同族会社でない同族会社であっても、上記の回の規定が適用されますが、貴社の平取締役は第１順位の株主グループに属しませんので、使用人としての職制上の地位を有し、かつ、常時使用人としての職務に従事しておれば、使用人兼務役員になることができます。株式公開会社の子会社

（971）

は、親会社（第１順位の株主）である株式公開会社が通常被支配会社であり
ませんので、当該子会社の平取締役は、これに該当します。

　しかし、被支配会社でない法人の所有割合が低くて50％を超えていない場
合は、平取締役の属する株主グループの持株割合や、平取締役夫妻とその支
配会社の所有割合まで拡大して、【問９-５】で説明する要件を充たすかどう
かを検討しなければ、使用人兼務役員になり得るかどうかはわかりません。
下記のような株主構成で発行済株式の全部に議決権がある会社は、事業年度
終了の時における資本金の額が１億円超であっても特定同族会社でない同族
会社になりますが、当該会社の平取締役がＢグループに属している場合、Ａ、
Ｂつまり第１、第２順位の株主グループの持株割合を合計してはじめて50％
を超え、かつ、Ｂグループの持株割合は20％で10％を超えていますので、当
該平取締役夫妻とその支配会社の持株割合が５％を超えていれば、同人は使
用人兼務役員になることはできません。

株主の内訳	
Ａ：被支配会社でない法人	1,000株
Ｂ：第２順位株主グループ	600株
Ｃ：第３順位株主グループ	400株
その他の株主	1,000株
合計　発行済株式数	3,000株

同族会社に該当するかどうかの判定に当たっての自己の株式又は出資及び名義株

【問22-６】　同族会社の判定に当たって自己の株式又は出資及び名
　義株とは、それぞれどのように取り扱われますか。

【答】　(1)　自己の株式又は出資

　同族会社に該当するかどうかの判定に当たっての持株割合、特定の議決権
の保有割合ともに、その算定の対象とする会社の発行済株式又は出資の所有
者である株主等から、「その会社が自己の株式又は出資を有する場合のその
会社」すなわち自己の株式又は出資の所有者であるその発行会社を除くと規

（972）

定されています。（法２十前段かっこ書、法政令４⑤前段かっこ書）

さらに、会社の株主等の３人以下並びにこれらと特殊の関係のある個人及び法人が有するその会社の発行済株式又は出資から、持株割合については「その会社が有する自己の株式又は出資」すなわち自己の株式又は出資を除くと規定され（法２十後段かっこ書）、議決権の保有割合については、法人税法施行令第４条第３項第２号イ〜ニに掲げる議決権（その内容は【問22-2】②に記載しています。）のいずれかについて、「当該議決権を行使することができない株主等が有する当該議決権の数」を除くと規定されています。（法政令４⑤中段かっこ書）

これからわかるように、会社の有する自己の株式又は出資の割合が大きくても、同族会社の判定に当たって自社を上位３順位の株主等に含めることはしません。これとの関係で、持株割合で判定する場合、分母の発行済株式の総数又は出資金の額からも、自己の株式又は出資を除きます。議決権の保有割合の場合は、自己株式は議決権を有しませんので（会社法308②）、保有割合の算定に当たり、自己株式は除かれていることになります。

特定同族会社に該当するかどうかの判定に当たっての被支配会社の判定についても、同じです。（法67②、【問22-9】参照）

なお、自己株式は、会社の貸借対照表においても、純資産の部の株主資本に控除項目として記載されます。（会社計規76②）

(2) 名義株

同族会社に該当するかどうかの判定の基礎となる株主等は、原則として株主名簿、社員名簿又は定款に記載又は記録されている株主等によりますが、その株主等が単なる名義人であって、当該株主等以外の者が実際の権利者である場合には、その実際の権利者を株主等とします。（基通１-３-２）これは、収益についての帰属関係を規定した実質所得者課税の原則（法11、所法12）によるものです。

(注) 財務諸表等規則では、子会社の判定に当たって議決権のある株式等の所有の名義が役員その他当該会社以外の者となっていても、当該株式等の取得のための資金関係、当該株式等に係る配当その他の損益の帰属関係等を検討し、当該会社が自己の計算において議決権を所有しているか否かについて判断することが必要であるとされています。（財表規則ガイドライン８-４）

同族会社に該当するかどうかの判定に当たっての従業員持株会

【問22-7】 同族会社に該当するかどうかの判定に当たって、従業員持株会は同会を1人の株主として判定するのか、同会の会員それぞれを1人の株主として判定するのか、いずれでしょうか。

【答】 民法上の組合では、各組合員の出資その他の組合財産は、総組合員の共有に属しますので（民法668）、従業員組合の財産である貴社の株式は、総組合員の共有になります。

　共有の場合、各共有者は、共有物の全部について、その持分に応じた使用をすることができます。（民法249）株主権は所有権でありませんので、準共有となりますが、準共有についても民法第249条の規定が準用されますので（民法264）、従業員持株会の会員はその共有物である貴社の株式について、それぞれの持分（持株数又は議決権）に応じて株主権を行使することができます。

　また、会社法第106条は、「株式が2以上の者の共有に属するときは、共有者は、当該株式についての権利を行使する者1人を定め、株式会社に対し、その者の氏名又は名称を通知しなければ、当該株式についての権利を行使することができない。」と規定していますが、これは会社の便宜のために、権利行使者を選任すべき旨を定めたものです。したがって、会社法においても、各共有者それぞれが株主であることを認めていることになります。

　以上により、配当金も会社からいったん権利行使者である従業員持株会の会長に支払われますが、会員の持分に応じて分配され、所得税法上も各会員の配当所得の収入金額とされます。また、株主総会での議決権も、権利行使者として選任された会長が不統一行使をすることができ、会社はこれを拒むことはできません。したがって、持株会の所有割合が50％超の場合でも、持株会会員の議決権の不統一行使によって剰余金の分配としての配当をする決議がおこり得ますので、従業員持株会を1人の株主として、特定同族会社に該当するという判定をすることにはなりません。

（974）

第22章　同族会社に関する取扱い

第2節　特定同族会社の特別税率制度等

特定同族会社の課税留保金額に特別税率が適用される理由

【問22-8】　特定同族会社の課税留保金額に特別税率が適用される
のは、なぜでしょうか。特定同族会社に対して、なぜこのような
資本の蓄積に反する課税が行われているのですか。

【答】　配当を行いますと株主に配当所得として所得税が課されますが、上場
株式等の配当以外の配当については、少額配当（1銘柄につき年10万円以下
の配当）を除き、総合課税となり累進税率で課税されます。したがって、多
額の配当を受け取ると大きな税負担が生じます。同族会社は少数の者の意思
により会社の意思決定ができますので、株主の所得税の課税を避けるために
配当を行わない（又は、少額の配当しか行わない）ことが可能です。そこで、
社内に利益留保した場合、累進税率による所得税の課税の代替として、留保
金に対して課税することとしているものです。

　なお、この制度は、もともと同族会社すべてが対象でしたが、平成18年と
平成19年の税法改正により、現行の特定同族会社のみが対象になりました。

特別税率が適用される特定同族会社

【問22-9】　留保金額に対して特別税率が適用される特定同族会社
とは、どのような会社ですか。

【答】　特定同族会社とは、被支配会社で、被支配会社であることについての
判定の基礎となった株主等のうちに被支配会社でない法人がある場合には、
当該法人をその判定の基礎となる株主等から除外して判定するものとした場
合においても被支配会社となるもの（資本金の額又は出資金の額が1億円以
下であるものについては、法人税法第66条第5項第2号から第5号までに掲
げるものに限ります。）です。（法67①）なお、特定同族会社に該当するかど
うかの判定は、事業年度終了の時の現況によります。（法67⑧）

　いいかえれば、被支配会社であることについての判定の基礎となった株主
等から被支配会社でない法人（例えば株式公開会社）を除くと被支配会社に

（975）

ならない会社以外の会社、すなわち被支配会社や個人株主によって支配されている会社は、事業年度終了の時における資本金の額又は出資金の額が1億円を超える場合及び1億円以下でも法人税法第66条第5項第2号又は第3号に掲げる場合、特定同族会社になります。

　(注)　法人税法第66条第5項第2号に掲げる会社は、大法人（④資本金の額又は出資金の額が5億円以上の法人、⑩相互会社又は外国相互会社、⑧法人課税信託の受託者である法人）との間に当該大法人による完全支配関係がある会社、同条同項第3号に掲げる会社は、複数の大法人による完全支配関係がある会社です。したがって、例えば事業年度終了の時における資本金等の額が1億円以下であっても、資本金の額が5億円以上の被支配会社である会社の完全子会社は、特定同族会社になります。

　被支配会社とは、会社（投資法人を含みます。）の株主等（その会社が自己の株式又は出資を有する場合のその会社を除きます。）の1人並びにこれと特殊の関係のある個人及び法人（以下「同族関係者」といいます。）が、次の④、⑩又は⑧のいずれかに該当する場合におけるその会社です。（法67②、法政令139の7⑤）

④　その会社の発行済株式又は出資（その会社が有する自己の株式又は出資を除きます。）の総数又は総額の50％を超える数又は金額の株式又は出資を有する場合

⑩　その会社の議決権（【問22-2】の②議決権の数による場合に記載したイ〜ニの議決権）のいずれかにつき、その総数（当該議決権を行使することができない株主等が有する当該議決権の数を除きます。）の50％を超える数を有する場合

⑧　その会社が持分会社である場合その社員（その会社が業務を執行する社員を定めた場合は、業務を執行する社員）の総数の半数を超える数を占める場合

　上記の法人税法第67条第1項の規定にある「被支配会社であることについての判定の基礎となる株主等のうちに被支配会社でない法人がある場合には、その法人を判定の基礎となる株主等から除外しても被支配会社となるもの」の意味ですが、会社の株主等の1人とその同族関係者の有する発行済株式若しくは出資の割合又は議決権の割合（以下「所有割合」といいます。）が50

（976）

第22章　同族会社に関する取扱い

％を超える場合、他の株主等とその同族関係者の所有割合が50％を超えることはありません。しかし、上記のⓘとⓗとで判定の基礎となる株主等が異なる場合、「被支配会社であって、被支配会社であることについての判定の基礎となる株主等のうちに被支配会社でない法人がある場合に、当該法人を判定の基礎となる株主等から除外しても被支配会社となる場合」がおこり得ます。

事　例		総　数	株主等とその同族関係者	
			甲（被支配株主でない法人）	乙（その他）
Ⅰ	発行済株式	1,000	650	350
	議　決　権	750	400	350
Ⅱ	発行済株式	1,000	600	400
	議　決　権	750	350	400

　上記の事例の会社では、株主等とその同族関係者が甲（被支配株主でない法人）と乙（その他）の２者であって、発行済株式1,000のうち議決権のない株式250はすべて甲が所有しています。事例Ⅰでは、判定の基礎となる株主等から甲を除きますと、乙はその発行済株式の所有割合、議決権の所有割合ともに50％を超えないため、この会社は特定同族会社になりません。しかし、事例Ⅱでは、判定の基礎となる株主等から甲を除いても、乙の議決権の所有割合が50％を超えるため、この会社は特定同族会社になります。

被支配会社でない法人の孫会社は特定同族会社でない同族会社か特定同族会社か

【問22-10】　Ａ社は、被支配会社でない法人を判定基礎株主とすることによって被支配会社となる会社です。このＡ社を判定の基礎となる株主等とすることによって被支配会社となるＢ社、さらにＢ社を判定基礎株主とすることによって被支配会社となるＣ社は、特定同族会社でない同族会社、特定同族会社のいずれに該当しますか。なお、Ｂ社、Ｃ社とも事業年度終了の時の資本金の額は、１億円を超えています。

【答】　法人税基本通達16-1-1は、Ａ社のような被支配会社でない法人を被

（977）

支配会社であるかどうかの判定の基礎となる株主等に選定したことによって
被支配会社となる場合のその被支配会社を「被支配会社でない法人の子会
社」というとした上で、当該「被支配会社でない法人の子会社」を被支配会
社であるかどうかの判定の基礎となる株主等に選定したために被支配会社と
なる場合のその被支配会社であるＢ社のような会社（「被支配会社でない法
人の孫会社」といいます。）、当該「被支配会社でない法人の孫会社」を被支
配会社であるかどうかの判定の基礎となる株主等に選定したために被支配会
社となる場合のその被支配会社であるＣ社のような会社等、被支配会社でな
い法人の直接又は間接の被支配会社は、すべて「被支配会社でない法人」に
含まれるとしています。

【問22-9】で説明したように、特定同族会社は、被支配会社であることの
判定の基礎となる株主等のうちに「被支配会社でない法人」があった場合、
当該法人を判定の基礎となる株主等から除外しても被支配会社となるもので
すので、Ｂ社、Ｃ社ともに同族会社ですが、特定同族会社でない同族会社に該
当します。

(注) Ｃ社の申告書別表二の「判定基準となる株主等の株式数等の明細」を記載する
場合、同族会社の判定に当たっての所有割合を所有株式数で行うときはＢ社の
所有する株式の数を⑲欄に、議決権の数で行うときはＢ社の所有する議決権の
数を⑳欄に、それぞれ記入します。

（978）

第22章 同族会社に関する取扱い

株式を持ち合っている会社が特定同族会社に該当するのかどうかの判定

【問22-11】 次の図のように株式(相互保有株式に該当するものを除いて、議決権のない株式はありません。)の持合いをしている甲社及び乙社(いずれも事業年度終了の時の資本金の額が1億円を超えています。)は、それぞれ特定同族会社でない同族会社、特定同族会社のいずれに該当しますか。

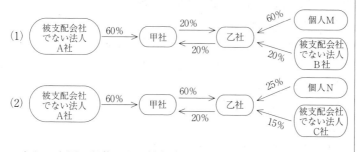

なお、上図に記載のない株主は、いずれも零細株主です。また、A社、個人M、個人Nは、お互いに同族関係者でありません。

【答】 (1)、(2)いずれの場合においても、甲社、乙社とも、上位3順位の株主等の持株割合の合計が50%を超えますので、同族会社に該当します。

被支配会社である法人が他の法人と相互に株式又は出資を持ち合っており、当該他の法人を当該法人の被支配会社の判定の基礎となる株主等に含めて判定する場合において、次の①と②のいずれにも該当するときは、当該法人(事業年度終了の時における資本金の額又は出資金の額が1億円以下の法人は、法人税法第66条第5項第2号から第5号までに掲げる法人に限ります。)は特定同族会社となり、特定同族会社の特別税率の規定が適用されます。(基通16-1-3)

① 当該法人が、当該他の法人以外の法人で「被支配会社でない法人」に該当するものを被支配会社の判定の基礎となる株主等から除外して判定した場合において、被支配会社となること。

② 当該他の法人が当該法人以外の法人で「被支配会社でない法人」に該当するものを被支配会社の判定の基礎となる株主等から除外して判定した場合において、被支配会社となること。

(979)

御質問の場合は、次のとおりになります。

甲社……(1)、(2)いずれの場合においても、持合いの相手の法人である乙社以外の法人で「被支配会社でない法人」であるA社を判定の基礎となる株主等から除外して判定しますと、被支配会社になりません。すなわち、①に該当しませんので、②に該当するかどうかをみるまでもなく、特定同族会社でない同族会社となり、特定同族会社の特別税率の規定は適用されません。

乙社……(1)の場合は、持合いの相手である甲社以外の法人で「被支配会社でない法人」であるB社を判定の基礎となる株主等から除外しても、個人Mの被支配会社となり、①に該当します。甲社は、上記により「被支配会社でない法人」に該当しますが、その持株比率が20％で判定の基礎となる株主等から除外しても、乙社は個人Mの被支配会社となり、②にも該当します。したがって乙社は特定同族会社に該当し、特定同族会社の特別税率の規定が適用されます。

(2)の場合は、持合いの相手である甲社以外の法人で「被支配会社でない法人」であるC社を判定の基礎となる株主等から除外しても、甲社の被支配会社となり、①に該当します。しかし、甲社は上記により「被支配会社でない法人」に該当するため判定の基礎となる株主等から除外しますと、乙社は被支配会社にならず、②に該当しません。したがって乙社は特定同族会社に該当せず、特定同族会社の特別税率の規定は適用されません。

第22章　同族会社に関する取扱い

会社法の規定に違反する配当をした場合の留保金額の計算

【問22-12】　会社法第461条第１項の規定に違反して行った剰余金の
配当のうち違法配当部分の金額は、同族会社の留保金額に対する
特別税率の適用に当たり、留保金額に加えなければなりませんか。

【答】　会社法第461条第１項の規定に違反する剰余金の配当を決議したとき
は、分配可能額を超える部分についての配当の決議は無効であり、株主はそ
の部分について配当金支払請求権がありません。この場合、当該決議そのも
のが無効になるのでなく、剰余金の配当額のうちの分配可能額を超える部分
の金額は、繰越利益剰余金として留保する旨の決議がされたと解すべきです。
会社法第462条第１項において「株式会社が第461条第１項の規定に反して配
当をしたときは、当該配当を受けた株主は、違法配当を行った業務執行者と
連帯して、違法配当部分の金額を当該株式会社に対して支払う義務を負う。」
と規定しているからで、当該違法配当部分の支払が仮に行われても、株主に
対する仮払金にすぎません。

　しかし、税法は、当該違法配当の決議が取り消されない限り、株主が受領
したという事実に着目して、配当が行われたものとして税法の諸規定を適用
します。したがって、特定同族会社に対する特別税率の計算に当たり、違法
配当部分の金額を留保金額に加える必要はありません。なお、当該金額に対
する配当金に係る所得税の源泉徴収は必要となります。

　会社法上の違法配当が行われても、現実に債権者等からの訴えによって取
り消される事例が少ないという事実に着目しての取扱いと考えられます。

（981）

同族会社の行為又は計算の否認

> **【問22-13】** 法人税法第132条に、同族会社等の行為又は計算の否認
> 規定が設けられていますが、同族会社のどのような行為又は計算
> に対してこの規定が適用されるのか、具体例で教えてください。

【答】 法人税法第132条に、次のとおり同族会社等の行為又は計算の否認規定が設けられていますが、この規定は、【問22-12】までに説明してきた特定同族会社の特別税率制度と異なり、すべての同族会社に適用されます。

「税務署長は、次に掲げる法人に係る法人税につき更正又は決定をする場合において、その法人の行為又は計算で、これを容認した場合には法人税の負担を不当に減少させる結果となると認められるものがあるときは、その行為又は計算にかかわらず、税務署長の認めるところにより、その法人に係る法人税の課税標準若しくは欠損金額又は法人税の額を計算することができる。

一　内国法人である同族会社

二　（同族会社に関係のない法人ですので、省略します。）

2　前項の場合において、内国法人が同族会社に該当するかどうかの判定は、同項に規定する行為又は計算の事実のあった時の現況によるものとする。」

この規定によって否認される同族会社の行為又は計算の否認の具体例として、どのようなものがあるのかですが、事例として最も多いと考えられる会社と役員の間の取引で役員に経済的利益を供与するものについては、同族会社と役員の間の取引に限定せず、法人のすべてと役員の間の取引について役員給与とする旨の取扱いが法人税基本通達9-2-9に示されています。（【問9-41】参照）役員に対する貸付金の返済を役員が所有する資産で会社にとっての不要のもので受けるような取引（【問9-45】参照）は、同族会社でしか想定し得ないため、上記の通達に掲げられていませんが、そのような行為は同族会社でない法人が行っても、否認されると思われます。

また、法人間での無利息貸付けとか債権の一部放棄などの経済的利益の供与は、親子会社間のような同族会社の間又はいずれか一方が同族会社である会社の間で行われることが多いでしょう。法人税法第37条第7項の法人が行う経済的な利益の贈与又は無償の供与を寄附金とする規定は、このような会

（982）

第22章　同族会社に関する取扱い

社の間の取引に厳しく適用されるでしょうが、同族会社の間又はいずれか一方が同族会社である会社の間で行われる取引のみに限定して適用されるものではありません。

　(注)　同族会社の行為又は計算の否認の規定は、法人間の取引の場合、両者ともが同族会社でなく、例えば非同族会社である親会社と同族会社であるその子会社との間で行われる取引のような取引当事者の一方が同族会社である取引についても適用されます。

　したがって、同族会社のみが否認される行為又は計算の事例は多くありませんが、下記①のように同族会社等の行為又は計算の否認規定の適用によって国が勝訴した事件、下記②〜④のように同族会社の取引について課税を厳格にしている法令又は通達があり、下記⑤のように地方税法での同族会社の行為又は計算の否認規定の適用が予想される取引もあります。

①　同族会社の代表者が関係会社に株式の取得資金として多額の無利息貸付けをしたことについて、当該代表者に融資先の関係会社から収受すべき利息相当額を雑所得として所轄税務署長が認定課税した事件について、第1審東京地裁（平成7年4月25日）、控訴審東京高裁（平成11年5月31日）、上告審最高裁（平成16年7月20日）判決のすべてで、国が勝訴しています。

②　同族会社の役員が当該会社から受け取る貸付金の利子や動産、営業権その他の資産の貸付料に係る雑所得の金額、不動産の賃貸料に係る不動産所得の金額が年20万円以下の場合、当該役員が当該会社から受け取る給与の収入金額が年2,000万円以下で他に所得がないときでも、確定申告をしなければならないと規定されています。（所法121①ただし書、所政令262の2）

③　同族会社の役員が当該会社に対して資産を譲渡した場合、その譲渡価額が時価の$\frac{1}{2}$以上のときでも、税務署長は、時価で譲渡したものとみなして譲渡所得の計算をすることができるものとされています。（所基通59-3）

④　役員の分掌変更等の場合の退職給与の取扱いのうち、取締役が監査役になった場合のものは、同族会社の役員で使用人兼務役員になり得ない者（【問9-5】参照）は適用されないとされています。（基通9-2-32(2)）

⑤　事業の外形標準課税が適用される親会社からその適用のない子会社へ出向している者をその退職の直前に出向から転籍に切り換えて、親会社から子会社へ退職給与分担金を支払い、同人に対する退職給与は子会社が親会

（983）

社での在職期間を含めた額を支給することとして、親会社の事業税の課税標準である付加価値額のなかの報酬給与額を故意に減少させた場合、否認されると思われます。

ただし、個人事業者が節税を意図して法人成りした場合、同族会社等の行為又は計算の否認規定によって法人成りという行為を否認し、その後も当該個人の事業所得として所得税の課税を継続できるのかどうかについては、否定されています。この点から類推して、例えば法人事業税の外形標準課税制度の適用を回避するため、資本金1億円超の同族会社が無償減資によって事業年度終了の日までに資本金を1億円以下にするような行為も、同族会社等の行為又は計算の否認規定によって当該減資を否認することはできないと解されます。

（注1） 同族会社等の行為又は計算の否認規定は、所得税法、相続税法及び地方税法にも、次表のように前記の法人税法第132条の用語を変えて規定されています。

法人税法第132条	所得税法第157条	相続税法第64条	地方税法第72条の43
法人税の負担	その株主等である居住者又はこれと特殊の関係のある居住者の所得税の負担	その株主若しくは社員又はその親族その他これらと特別の関係のある者の相続税又は贈与税の負担	事業税の負担
法人税の課税標準若しくは欠損金額又は法人税の額	その居住者の確定申告書又は損失申告書に記載されている金額	相続税又は贈与税の課税価格	事業税の課税標準額又は事業税額

（注2） 法人税法には、その他の行為又は計算の否認規定が、次のとおり設けられています。

 イ　組織再編成に係る行為又は計算の否認（法132の2）

 ロ　通算法人に係る行為又は計算の否認（法132の3）

第23章　グループ法人税制、企業組織再編税制

第1節　グループ法人税制

100％グループ法人税制が設けられている理由とその項目ごとの適用対象法人等

> 【問23-1】　100％グループ法人税制が設けられている理由を教えてください。また、この税制の個々の項目ごとの適用対象法人、完全支配関係に関する制限は、どのように規定されていますか。

【答】　(1) 100％グループ法人税制が設けられている理由……この法人税制が創設された平成22年度に国税庁により作成された「法人税関係法令の改正の概要」の「Ⅰ　資本に関する取引等に関する改正」の冒頭に、次のとおり記載されています。

　「1990年代以降、企業統治のあり方の変化に対応し、組織再編制度、連結会計制度、新会社法など企業の組織形態に関する法制度が整備され、これに対応して、法人税法においても、平成13年（2001年）度以降、組織再編税制や連結納税制度などが整備されてきました。

　これら企業グループを対象とした法制度や会計制度が定着しつつある中、さらに持株会社制のような法人の組織形態の多様化に対応するとともに、課税の中立性や公平性等を確保する必要が生じてきたことから、平成22年度の税制改正において、資本に関係する取引等に係る税制の見直しが行われました。」

　個別からグループ重視への法制度、税制及び企業会計制度の改正は、下表のとおりです。（経団連経済基盤本部が2009年12月21日に公表した、「22年度税制改正参考資料—グループ法人税制、資本取引等—」に掲載されていた表に、若干の補充、削除をしています。）

（985）

	法制度	税制	企業会計制度
1997年	純粋持株会社解禁		連結中心の会計制度
1999年	株式交換制度・株式移転制度の導入	株式交換税制・株式移転税制（租税特別措置法）の創設	
2001年	会社分割制度の創設	企業組織再編税制の創設	
2002年	商法における連結計算書類の導入	連結納税制度の創設	
2006年	会社法施行	組織再編税制の改正（株式交換税制・株式移転税制の法人税法への統合）	企業結合・事業分離会計の整備
2009年			企業結合・事業分離会計の改正（持分プーリング法の廃止）
2010年		100％グループ法人税制の創設	上場会社の連結財務諸表にIFRS（国際的な会計基準）の任意適用開始
2020年		グループ通算制度の創設	

　グループ法人税制として、平成14年（2002年）に創設された連結納税制度は、連結法人間の所得の損益通算が可能という企業グループにとって税制上メリットのあるものですが、連結納税の開始、加入時における一定の資産についての評価損益の計上のようなデメリットもあり、任意適用であることから、普及率は高くありませんでした。

　企業グループ税制を強力に推進するため、平成22年度に創設された100％グループ法人税制は、強制適用とされ、グループ内の法人間の所得の損益通算はできませんが、完全支配関係のある法人からの受贈益の額を全額益金不算入とするなど、100％グループという拡大した法人税制のなかで、連結納税制度が普及しなかった事由の見直しも行われています。

　令和２年度の税制改正で、グループ通算制度が創設され、令和４年４月１日以後に開始する事業年度は、連結納税制度は廃止され、グループ通算制度が適用されることになります。グループ通算制度は、グループ内での損益通算を可能とする連結納税制度の基本的な枠組みを維持しつつ、簡素化等を図ったものです。

（986）

（2）100％グループ法人税制の個々の項目ごとの適用対象法人等……次の表のとおりです。

適用される取引等	適用対象法人	適用される取引の相手先	完全支配関係についての制限	本書での説明箇所
I 100％グループ内の法人間の資産の譲渡取引等（譲渡損益の繰延べ）（法61の11）	資産の譲渡法人（内国法人（普通法人又は協同組合等に限ります。））	資産の譲受人（完全支配関係のある他の内国法人（普通法人又は協同組合等に限ります。））	制限ありません。	【問23-6】〜【問23-9】
II 100％グループ内の法人間の寄附　① 100％グループ内の法人間の寄附金の損金不算入（法37②）	寄附を行った法人（内国法人）	寄附を受けた法人（完全支配関係のある他の内国法人）	法人による完全支配関係に限られます。	【問23-10】
② 100％グループ内の法人間の受贈益の益金不算入（法25の2）	寄附を受けた法人（内国法人）	寄附を行った法人（完全支配関係のある他の内国法人）		【問23-12】
III 100％グループ内の法人間の資本関連取引　① 100％グループ内の法人間の現物分配（適格現物分配による資産の簿価譲渡）（法2二十二の五の二、十二の十五、62の5③）	現物分配法人（公益法人等及び人格のない社団等を除きます。）	被現物分配法人（完全支配関係のある他の内国法人（普通法人又は協同組合等に限ります。））	制限ありません。	【問23-13】〜【問23-21】
② 100％グループ内の法人からの受取配当等の益金不算入（負債利子控除をせず全額益金不算入）（法23①⑤）	配当を受けた法人（内国法人）	配当等を行った法人（配当等の額の計算期間を通じて完全支配関係がある他の内国法人（公益法人等及び人格のない社団等を除きます。））	制限ありません。	【問3-9】
③ 100％グループ内の法人の株式の発行法人への譲渡に係る損益（譲渡損益の非計上）（法61の2⑰）	株式の譲渡法人（内国法人）	株式の発行法人（完全支配関係がある他の内国法人）	制限ありません。	【問23-14】【問24-7】
IV 法66⑤二に掲げられた法人による完全支配関係がある中小企業向け特例措置　下記の特例措置を適用しないこと　イ 所得金額のうち年800万円以下の金額に対する軽減税率　ロ 特定同族会社の特別税率の不適用　ハ 貸倒引当金制度　ニ 貸倒引当金の法定繰入率の適用　ホ 交際費等の損金不算入制度の定額控除制度　ヘ 欠損金の繰越控除制度の不適用　ト 欠損金の繰戻しによる還付制度	下記の法人による完全支配関係がある普通法人　a 資本金の額又は出資金の額が5億円以上である法人　b 相互会社又は外国相互会社　c 法人課税信託の受託法人	取引し相手はありません。	適用対象法人の欄に掲げた法人による完全支配関係に限られます。	【問23-15】

（987）

支配関係、完全支配関係の意義とその相違

> **【問23-2】** 100%グループ法人税制は、完全支配関係がある法人間の取引について適用されますが、法人税法の規定する完全支配関係とは、どのようなものですか。支配関係との違いも教えてください。

【答】 支配関係、完全支配関係の意義は、法人税法第２条（定義）に、それぞれ次のとおり定められています。

(1) 支配関係（法２十二の七の五）……一の者が法人の発行済株式等の総数若しくは総額の50％を超える数若しくは金額の株数若しくは出資を直接若しくは間接に有する関係として政令（法政令４の２①）で定める関係（以下「当事者間の支配関係」という。）又は一の者との間に当事者間の支配関係がある法人相互の関係をいう。

(2) 完全支配関係（法２十二の七の六）……一の者が法人の発行済株式等の全部を直接若しくは間接に有する関係として政令（法政令４の２②）で定める関係（以下「当事者間の完全支配関係」という。）又は一の者との間に当事者間の完全支配の関係がある法人相互の関係をいう。

(1)と(2)の違いは、アンダーラインを付した箇所で、(1)支配関係での「発行済株式等の50％超」が、(2)完全支配関係では「発行済株式等の全部」となっています。(1)の「50％超」には、(2)の「全部」すなわち100％が含まれますので、(1)の「支配関係」は〔図１〕のように(2)の「完全支配関係」を包含する「完全支配関係」の上位概念です。

〔図１〕

（注１） 一の者とは、一の法人又は個人をいいますが、個人の場合は、その者及び法政令４①に定める特殊の関係のある個人（【問22-1】参照）が含まれます。

（注２） 一の者と法人との間に、当該一の者による「支配関係」又は「完全支配関係」があるかどうかは、当該法人の株主名簿、社員名簿又は定款に記載又は記録されている株主等により判定しますが、その株主等が単なる名義人であって、当該株主等以外の者が実際の権利者である場合には、その実際の権利者が保有するものとして判定します。（基通１-３の２-１）

(**注3**) 法人の発行済株式等は、法人の発行済株式若しくは出資（当該法人が発行する自己の株式又は出資を除きます。）をいいます。（法２十二の七の五かっこ書）

　100％グループ法人税制は、御質問にあるように完全支配関係がある法人間の取引に適用されますので、前ページの〔**図１**〕の斜線の部分の関係にある法人間の取引だけがこの税制の適用対象です。一方、企業組織再編税制（この章の第２節）では、企業グループ内での適格合併、適格分割及び適格現物出資それぞれの意義において、①完全支配関係にある法人間のもののほかに、②支配関係にある法人間のもの（①に該当するものを除きます。）が加えられており、〔**図２**〕のように、完全支配関係と支配関係は、概念上別個のものとされています。

直接完全支配関係とみなし直接完全支配関係

【**問23-3**】　法人税法施行令第４条の２第２項に、「直接完全支配関係」のほかに「みなし直接完全支配関係」があると定められていますが、それぞれの内容を説明してください。

【**答**】　法人税法施行令第４条の２第２項は、表現の仕方を変えますと次のとおりです。

「<u>直接完全支配関係</u>とは、一の者が法人の発行済株式等の全部を保有する場合における当該一の者と当該法人との関係をいい、<u>みなし直接完全支配関係</u>とは、次のイ又はロに掲げる者が他の法人の発行済株式等の全部を保有する場合におけるイ又はロの一の者と当該他の者との関係をいう。
イ　一の者及びこれとの間に直接完全支配関係がある一若しくは二以上の法人
ロ　一の者との間に直接完全支配関係がある一若しくは二以上の法人」

　上記のイ又はロの法人が他の法人の発行済株式等の全部を保有する事例を図で示しますと、次のとおりです。

〔図1〕イの法人が保有する事例　　〔図2〕ロの法人が保有する事例

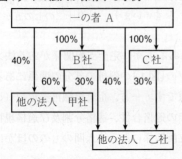
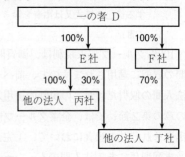

　〔図1〕（イの法人が保有する事例）の場合、一の者A及びこれとの間に直接完全支配関係があるB法人（イの法人）とで、他の法人甲社の発行済株式等の全部を保有しますので、一の者Aと甲社は直接完全支配関係があるものとみなされます。一の者A及びこれとの間に直接完全支配関係があるB社とC社の2社（イの法人）が、発行済株式等の全部を保有する他の法人乙社についても、同じです。

　〔図2〕（ロの法人が保有する事例）の場合、一の者Dとの間に直接完全支配関係があるE社（ロの法人）が、他の法人丙社の発行済株式等の全部を保有しますので、一の者Dと丙社は直接完全支配関係があるものとみなされます。一の者Dとの間に直接完全支配関係があるE社とF社の2社（ロの法人）が、発行済株式等の全部を保有する他の法人丁社についても、同じです。

完全支配関係の判定に当たって除外することができるもの

> 【問23-4】　一定の従業員持株会などの株式保有割合が5％未満の場合、完全支配関係の判定に当たって除外することができると定められていますが、その内容を説明してください。

【答】　完全支配関係とは、一の者が法人の発行済株式等の全部を直接又は間接に保有する関係ですが（法2十二の七の六、【問23-2】参照）、この規定での発行済株式等は「発行済株式（自己株式を除きます。）の総数のうちに次に掲げる株式の数を合計した数の占める割合が5％未満の場合の当該株式を除く。」とされています。（法政令4の2②かっこ書）

（990）

第23章　グループ法人税制、企業組織再編税制

(1) 従業員持株会の所有株式……当該法人の使用人が組合員となっている民法第667条第１項に規定する組合契約（当該法人の発行する株式を取得することを主たる目的とするものに限ります。）による組合（組合員となる者が当該使用人に限られているものに限ります。）の当該主たる目的に従って取得された当該法人の株式

　民法上の組合に該当するいわゆる証券会社方式による従業員持株会の所有株式は原則としてこれに該当しますが、人格のない社団等に該当するいわゆる信託銀行方式による従業員持株会の所有株式は、これに該当しません。（基通１-３の２-３）また、従業員持株会の構成員である「当該法人の使用人」には、使用人兼務役員（法34⑥、【問９-５】参照）は含まれません。（基通１-３の２-４）

(2) 新株予約権行使による所有株式……会社法第238条第２項の決議（同法第239条第１項の決議による委任に基づく同項に規定する募集事項の決定及び同法第240条第１項の規定による取締役会の決議を含みます。）により法人の役員又は使用人（当該役員又は使用人であった者及び当該者の相続人を含みます。以下「役員等」といいます。）に付与された新株予約権（次に掲げる権利を含みます。）の行使によって取得された当該法人の株式（当該役員等が有するものに限ります。）

① 　平成13年法律第79号による改正前の商法第210条ノ２第２項の決議により当該法人の役員等に付与された同項第３号に規定する権利

② 　平成13年法律第128号による改正前の商法第280条ノ19第２項の決議により当該法人の役員等に付与された同項に規定する新株の引受権

③ 　平成17年法律第87号による改正前の商法第280条ノ21第１項の決議により当該法人の役員等に付与された新株予約権

（991）

完全支配関係を有することとなった日の意義

> 【問23-5】 100％グループ税制において、完全支配関係の有無の判
> 定に当たり、一の者が法人の株式を購入することにより当該法人
> に対する完全支配関係を有することとなる場合、完全支配関係を
> 有することとなった日は、当該株式の購入に係る契約が成立した
> 日、当該株式の引渡しの日等のうち、どの日をいうのでしょうか。

【答】 100％グループ税制は、完全支配関係がある法人間の取引について適用されますので、取引のあった日における完全支配関係の有無は、【問23-1】の(2)の表に掲げたこの税制の個々の項目が適用されるのかどうかについての重要なポイントです。

御質問にある一の者が法人の株式を購入することにより当該法人に対する完全支配関係を有することとなる場合、完全支配関係を有することとなった日は、当該株式の購入に係る契約が成立した日ではなく、当該株式の株主権が行使できる状態になった日、すなわち、当該法人の発行済株式等のすべての引渡しが行われた日となります。これとは逆に、株式の譲渡により完全支配関係を有しないこととなる場合は、株主権の行使ができない状態になる株式の引渡しの日が、完全支配関係を有しないこととなった日となります。

法人税基本通達1-3の2-2には、完全支配関係を有することとなった原因別に、その有することとなった日、すなわち、株主権を行使できることとなった日が、次のとおり示されています。

① 株式の購入　当該株式の引渡しのあった日

② 新たな法人の設立　当該法人の設立後最初の事業年度開始の日

③ 法人税基本通達1-4-1（組織再編成の日）に規定する組織再編成
　同通達で定める組織再編成の日

なお、上記の①の場合、当該株式を譲渡した法人における当該株式の譲渡損益の計上時期は、原則として、当該株式の譲渡に係る契約の成立した日となります。（基通1-3の2-2（注）、【問5-9】参照）

(注)　「支配関係を有することとなった日」の判定も、上記に準じて行います。

(992)

第23章　グループ法人税制、企業組織再編税制

100％グループ内の法人間での譲渡損益調整資産の譲渡損益の繰延べ

> 【問23-6】　100％グループ内の法人間で譲渡損益調整資産の譲渡取引があった場合、その譲渡損益を繰延べるという規定が設けられていますが、その内容を説明してください。

【答】　御質問にある100％グループ法人間での譲渡損益調整資産の譲渡取引に係る譲渡損益の繰延べは、法人税法第61条の11に規定されており、その内容は次のとおりです。

内国法人（普通法人又は協同組合等に限ります。）がその有する譲渡損益調整資産を当該内国法人との間に完全支配関係がある他の内国法人（普通法人又は協同組合等に限ります。）に譲渡した場合には、当該譲渡損益調整資産に係る譲渡利益額又は譲渡損失額に相当する金額は、その譲渡した事業年度の所得の金額の計算上、損金の額又は益金の額に算入します。（法61の11①）譲渡利益額は損金の額に、譲渡損失額は益金の額に算入されますので、当該譲渡損益調整資産の譲渡損益は繰延べられることになります。

この繰延べた譲渡損益は、当該譲渡損益調整資産を譲り受けた当該他の内国法人（以下「譲受法人」といいます。）において当該譲渡損益調整資産の譲渡、償却、評価換え、貸倒れ、除却その他の政令（法政令122の12④）で定める事由が生じた場合、当該譲渡損益調整資産を譲渡した法人（以下「譲渡法人」といいます。）において、それぞれの事由の区分に応じた金額を、益金の額又は損金の額に算入します。（法61の11②、法政令122の12④）

上記の規定の中にある用語等の意義は、次のとおりです。

(1) 譲渡損益調整資産とは、固定資産、土地（土地の上に存する権利を含み、固定資産に該当するものを除きます。）、有価証券、金銭債権及び繰延資産で次に掲げるもの以外のものをいいます。（法61の11①、法政令122の12①、法規則27の13の2、27の15①）

イ　売買目的有価証券（【問5-1】参照）

ロ　譲受法人において売買目的有価証券とされる有価証券

ハ　その譲渡の直前の帳簿価額（その譲渡した資産を下記の区分に応じた単位に区分した後のそれぞれの資産の帳簿価額）が1,000万円に満たない資産

（993）

資産の区分		区分する単位
① 金銭債権		一の債務者ごと
②減価償却資産	建物	一棟ごと（マンション等にあって住戸等ごと）
	機械及び装置	一の生産設備又は一台若しくは一基ごと（通常一組又は一式をもって取引の単位とされるものは、一組又は一式ごと）
	その他の減価償却資産	上記「建物」又は「機械及び装置」に準じて区分した単位ごと
③ 棚卸資産に該当する土地等		一筆ごと（一体として事業の用に供される一団の土地等は、その一団の土地等ごと）
④ 有価証券		その銘柄の異なるごと
⑤ 資金決済に関する法律第2条第14項に規定する暗号資産		その種類の異なるごと
⑥ その他の資産		通常の取引の単位ごと

(2) 譲渡利益額とは、その譲渡に係る対価の額が原価の額を超える場合におけるその超える部分の金額をいいます。

(3) 譲渡損失額とは、その譲渡に係る原価の額が対価の額を超える場合におけるその超える部分の金額をいいます。

(4) 法人税法施行令第122条の12第4項で定める事由と、「その事由が生じた日の属する譲受法人の事業年度終了の日」の属する譲渡法人の事業年度において、益金の額又は損金の額に算入する金額を表示しますと、次のとおりです。

法政令122の12④で定める事由	益金の額又は損金の額に算入する金額
① 次のイ～ハに掲げる事由 イ 譲渡損益調整資産の譲渡、貸倒れ、除却、その他これらに類する事由（下記に掲げる事由を除きます。） ロ 譲渡損益調整資産の適格分割型分割による分割承継法人への移転 ハ 普通法人又は協同組合等である譲受法人が公益法人等に該当することとなったこと	譲渡利益額又は譲渡損失額に相当する金額

第23章　グループ法人税制、企業組織再編税制

②　譲渡損益調整資産が譲受法人において、 　イ　法25②に規定する評価換えによりその帳簿価額を増額され、その増額された部分の金額が益金の額に算入されたこと 　ロ　法25③に規定する資産に該当し、当該譲渡損益調整資産の同項に規定する評価益の額として政令（法政令24の2⑤）で定める金額が益金の額に算入されたこと	譲渡利益額又は譲渡損失額に相当する金額
③　譲渡損益調整資産が譲受法人において減価償却資産に該当し、その償却費が損金の額に算入されたこと	譲渡利益額又は譲渡損失額に相当する金額 × $\dfrac{\text{損金の額に算入された償却費の額}}{\text{譲渡損益調整資産の取得価額}}$
④　譲渡損益調整資産が譲受法人において繰延資産に該当し、その償却費が損金の額に算入されたこと	譲渡利益額又は譲渡損失額に相当する金額 × $\dfrac{\text{損金の額に算入された償却費の額}}{\text{譲渡損益調整資産の額}}$
⑤　譲渡損益調整資産が譲受法人において、 　イ　法33②に規定する評価換えによりその帳簿価額を減額され、当該譲渡損益調整資産の同項に規定する差額に達するまでの金額が損金の額に算入されたこと 　ロ　法33③に規定する評価換えによりその帳簿価額を減額され、その減額された部分の金額が損金の額に算入されたこと 　ハ　法33④に規定する資産に該当し、当該譲渡損益調整資産の同項に規定する評価損の額として政令（法政令68の2④）で定める金額が損金の額に算入されたこと	譲渡利益額又は譲渡損失額に相当する金額
⑥　有価証券である譲渡損益調整資産と銘柄を同じくする有価証券（売買目的有価証券を除きます。）の譲渡（譲受法人が取得した当該銘柄を同じくする有価証券である譲渡損益調整資産の数に達するまでの譲渡に限ります。）	譲渡利益額又は譲渡損失額に相当する金額のうちその譲渡をした数に対応する部分の金額

（995）

⑦ 譲渡損益調整資産が譲受法人において法政令119の14に規定する償還有価証券に該当し、当該譲渡損益調整資産につき法政令139の2①に規定する調整差益又は調整差損が益金の額又は損金の額に算入されたこと	譲渡利益額又は譲渡損失額に相当する金額	$\times$ 譲渡法人の当該事業年度の日数 / 譲渡法人の当該事業年度開始の日から当該償還有価証券の償還日までの期間の日数
⑧ 譲渡損益調整資産が譲受法人において法64の11①に規定する時価評価資産、法64の11②に規定する株式若しくは出資、法64の12①に規定する時価評価資産、法64の12②に規定する株式若しくは出資又は法64の13①に規定する時価評価資産に該当し、当該譲渡損益調整資産につきこれらの規定に規定する評価益の額又は評価損の額が益金の額又は損金の額に算入されたこと	譲渡利益額又は譲渡損失額に相当する金額	

　なお、上記の制度について、譲渡損益調整資産の譲渡法人及び譲受法人は、下記の場合それぞれに掲げる事項を相手方に通知しなければならないとされています。

① 譲渡法人から譲受法人へ譲渡損益調整資産の譲渡があったとき

イ 譲渡法人から譲受法人へ（法政令122の12⑰）……譲受法人に譲渡した資産が譲渡損益調整資産である旨（減価償却資産又は繰延資産について簡便法（【問23-8】の(注)参照）の適用を受けようとする場合には、その旨を含みます。）

ロ 譲受法人から譲渡法人へ（法政令122の12⑱）……下記a及びbの事項

　a 通知を受けた資産が、譲受法人において売買目的有価証券に該当する場合…その旨（上記(1)ロにより、譲渡損益調整資産に該当しないこととなるためです。）

　b 通知を受けた資産が減価償却資産又は繰延資産であり、譲渡法人において簡便法の適用を受けようとする旨の通知を受けたとき……当該減価償却資産について適用する耐用年数又は当該繰延資産の支出の効果の及ぶ期間

② 譲受法人において譲渡損益調整資産につき上記(4)の表に掲げる事由が生じたとき（法政令122の12⑲）……その旨（当該事由が(4)に掲げた表の③又は④に該当する場合は、損金の額に算入された償却費の額を含みま

（996）

第23章　グループ法人税制、企業組織再編税制

す。）及びその生じた日

　この通知の方法は、法令等においてその方法や手続（様式など）が定められていませんので、譲渡法人と譲受法人の間で任意の方法で行うことになります。

　また、法令で定められた通知内容を盛り込んだ通知書の書式の例が「平成22年度税制改正に係る法人税質疑応答事例（グループ法人税制関係）」（平成22年8月10日、国税庁法人課税課審理室）の問13に示されています。

譲渡損益調整資産の譲渡損益の申告調整方法と譲受法人での取得価額

> **【問23-7】**　100％グループ内の法人で、譲渡損益調整資産を譲渡したときの譲渡損益の申告調整方法を教えてください。譲受法人での当該資産の取得価額は、譲渡法人の譲渡直前の帳簿価額を引継ぐのですか。

【答】　100％グループ内法人間での譲渡損益調整資産の譲渡について、譲渡損益が繰延べられるといいますと、譲渡法人において譲渡対価の額を当該資産の譲渡原価の額と同額にして譲渡損益を計上する会計処理を行わず、譲受法人での当該資産の取得価額は、適格合併や適格分割での合併法人等での移転受入れ資産の取得価額に準じて、譲渡法人の譲渡直前の帳簿価額を引継ぐように考えがちです。

　しかし、法人税法第61条の11第1項は、「譲渡法人がその有する譲渡損益調整資産を譲受法人に譲渡した場合、当該譲渡に係る譲渡利益額又は譲渡損失額に相当する金額は、その譲渡した事業年度の所得の金額の計算上、損金の額又は益金の額に算入する。」と規定していますので、譲渡法人では譲渡利益額又は譲渡損失額を計上する会計処理を行い、この処理によって計上した譲渡利益額の損金算入又は譲渡損失額の益金算入を、申告調整で行うことになります。

　したがって、譲受法人での譲渡損益調整資産の取得価額は、譲渡法人からの譲受け金額、すなわち当該資産が譲渡された時の価額（時価）となります。

〔事例1〕

　A社は、完全支配関係があるB社に、帳簿価額70百万円の建物（譲渡損益

（997）

調整資産である減価償却資産）を、その時価50百万円で譲渡しました。この譲渡取引に係るＡ社及びＢ社の会計処理は、次のとおりです。

Ａ社	預金	50百万円	／	建物	70百万円
	建物譲渡損	20百万円	／		
Ｂ社	建物	50百万円	／	預金	50百万円

　Ａ社では、建物譲渡損（譲渡損失額）20百万円を益金算入して繰延べなければなりませんので、次のとおり申告調整をします。

　　別表四……譲渡損益調整額（建物）20百万円を、加算（留保）します。

　　別表五(一)のＩ……区分欄を「譲渡損益調整資産（建物)」として、③欄と④欄にそれぞれ20百万円を記入します。

　　Ｂ社において申告調整すべき事項はありません。

〔事例２〕

　Ｃ社は、完全支配関係があるＤ社に、時価40百万円の土地（譲渡損益調整資産）を、その帳簿価額25百万円で譲渡しました。この譲渡取引に係るＣ社及びＤ社の会計処理は下記(1)のとおりですが、税務では時価40百万円で譲渡したものとして、Ｃ社及びＤ社でそれぞれ下記(2)のとおりの処理をすることになります。

(1) 会計処理

| Ｃ社 | 預金 | 25百万円 | ／ | 土地 | 25百万円 |
| Ｄ社 | 土地 | 25百万円 | ／ | 預金 | 25百万円 |

(2) 税務での処理

| Ｃ社 | 預金 | 25百万円 | ／ | 土地 | 25百万円 |
| | 寄附金 | 15百万円 | ／ | 土地譲渡益 | 15百万円 |

　寄附金15百万円は、完全支配関係があるＤ社に支出した寄附金の額として損金不算入となり、土地譲渡益（譲渡利益額）15百万円は損金算入して繰延べますので、次のとおりの申告調整をします。

　　別表四……寄附金の額15百万円を㉗欄で加算（社外流出）し、譲渡損益調整額（土地）15百万円を、減算（留保）します。

　　別表五(一)のＩ……区分欄を「譲渡損益調整資産（土地)」として、③欄と④欄にそれぞれ△15百万円を記入します。

（998）

第23章　グループ法人税制、企業組織再編税制

D社	土地	40百万円	預金	25百万円
		/	受贈益	15百万円

　受贈益15百万円は、会計処理していませんので、別表四で益金算入する申告調整をしますが、完全支配関係があるC社からの受贈益の額のため益金不算入となり下記のとおり別表四の⑯欄で減算します。

別表四……「受贈益計上もれ」15百万円を加算（留保）し、受贈益の額15百万円を⑯欄で減算（社外流出）します。

別表五(一)のⅠ……別表四で加算（留保）した「受贈益計上もれ」15百万円は、譲り受けた土地の税務での受入額40百万円と会計処理での受入額25百万円の差額ですので、区分欄を「土地」として、③欄と④欄にそれぞれ15百万円を記入します。

減価償却資産である譲渡損益調整資産について譲受法人において償却費が計上された場合の譲渡法人での申告調整方法

> 【問23-8】　【問23-7】の〔事例1〕にある建物50百万円について、譲受法人B社において5百万円の減価償却費が計上され損金算入された場合、譲渡法人A社は、その別表五(一)のⅠに記載している「譲渡損益調整資産（建物）20百万円」について、どのような申告調整をするのですか。

【答】　譲渡法人において繰延べた譲渡損益調整資産に係る譲渡損益は、譲受法人において償却が生じた場合、【問23-6】の(4)に掲げた表の③にあるとおり、下記の金額を益金の額又は損金の額に計上します。（法61の11②、法政令122の12④三）

㋑　譲渡利益額を損金算入した額が、譲渡損益調整額として別表五(一)のⅠで利益積立金額にマイナス記載されているとき

$$譲渡利益額 \times \frac{損金の額に算入された償却費の額}{譲渡損益調整資産の取得価額}$$

を益金の額に算入します。

㋺　譲渡損失額を益金算入した額が、譲渡損益調整額として別表五(一)のⅠで利益積立金額にプラス記載されているとき

（999）

$$\text{譲渡損失額} \times \frac{\text{損金の額に算入された償却費の額}}{\text{譲渡損益調整資産の取得価額}}$$

を損金の額に算入します。

【問23-7】の〔事例1〕は、譲渡損益調整資産である建物について、譲渡法人A社で計上した譲渡損失額20百万円が、同社の別表五(一)のIで「譲渡損益調整資産（建物）」として、利益積立金額にプラス記載されていますので、上記の②により、下記の金額を損金の額に算入します。

$$\underset{\text{（譲渡損失額）}}{20百万円} \times \frac{\underset{\text{（損金の額に算入された償却費の額）}}{5百万円}}{\underset{\text{（譲渡損益調整資産の取得価額）}}{50百万円}} = 2百万円$$

譲渡法人A社の申告調整方法は、次のとおりです。

別表四……譲渡損益調整額（建物）2百万円を、減算（留保）します。

別表五(一)のI……「譲渡損益調整資産（建物）」として①欄に記入されている20百万円のうち2百万円を②欄に記入し、④欄の金額を18百万円（20百万円－2百万円）とします。

これにより、当該譲渡損益調整資産（建物）の譲渡直前における譲渡法人A社での帳簿価額70百万円について、A社で減算調整した金額2百万円と譲受法人B社で計上した償却費5百万円の合計額7百万円が、減価償却費として損金算入され、その償却後の金額63百万円は、譲渡法人A社において18百万円が別表五(一)のIの④欄に、譲受法人B社において45百万円が会計帳簿に、それぞれ計上されることになります。

なお、上記の㋑及び㋺に掲げた算式による益金算入額又は損金算入額に代えて、簡便法として下記の算式により計算した金額を益金算入額又は損金算入額とすることができます。（法政令122の12⑥）ただし、その適用に当たっては、譲渡損益調整資産の譲渡の日の属する事業年度の確定申告書に、その計算に関する明細を記載しなければなりません。（法政令122の12⑧）

$$\begin{array}{l}\text{譲渡利益額又は}\\\text{譲渡損失額に相}\\\text{当する金額}\end{array} \times \frac{\begin{array}{l}\text{譲渡法人の当該事業年度開始の日からその終了}\\\text{の日までの期間（譲渡損益調整資産の譲渡の日}\\\text{の前日までの期間を除きます。）の月数}\end{array}}{\begin{array}{l}\text{譲受法人が譲渡損益調整資産について}\\\text{適用する耐用年数}\end{array} \times 12}$$

(注)　【問23-6】の(4)に掲げた表の④にある「譲渡損益調整資産が譲受法人において繰延資産に該当し、その償却費が損金の額に算入されたこと」を法政令

第23章　グループ法人税制、企業組織再編税制

122の12④で定める事由とする場合の益金算入額又は損金算入額についても、下記の簡便法の算式により計算した金額とすることができます。

$$
\begin{array}{l}
\text{譲渡利益額又は} \\
\text{譲渡損失額に相} \\
\text{当する金額}
\end{array} \times
\frac{\text{譲渡法人の当該事業年度開始の日からその終了の日までの期間（譲渡損益調整資産の譲渡の日の前日までの期間を除きます。）の月数}}{\text{繰延資産となった費用の支出の効果の及ぶ期間の月数}}
$$

譲受法人が譲渡損益調整資産を100％グループ内の別の法人に譲渡した場合

> 【問23-9】　【問23-7】の〔事例2〕にある土地を、譲受法人D社が100％グループ内の別の法人E社に譲渡したときは、当該土地はグループ内の法人に留まります。このような場合は、譲渡法人C社で繰延べられている当該土地の譲渡損益は、残したままにしておくのですか。

【答】　譲渡法人C社において繰延べられた譲渡損益調整資産である土地に係る譲渡損益は、譲受法人D社において当該譲渡損益調整資産について譲渡、償却等政令（法政令122の12④）で定める事由が生じた場合、それぞれの事由の区分に応じた金額を益金の額又は損金の額に算入する（戻し入れる）こととされています。（法61の11②）

　この場合の「譲渡」から、完全支配関係のある別の法人への譲渡が除かれていませんので、御質問のように100％グループ内の別の法人に譲渡され、当該土地が当該グループ内に留まる場合でも、譲渡法人において繰延べられた譲渡損益は益金の額又は損金の額に算入して戻し入れることになります。

　一方、当該譲渡損益調整資産である土地について、前回の譲渡での譲受法人D社は、今回の譲渡ではグループ内の法人E社への譲渡法人となり、E社が譲受法人となります。したがって、今回の譲渡についてD社で計上した当該土地に係る譲渡利益額又は譲渡損失額が、D社の譲渡した事業年度の所得の計算上損金の額又は益金の額に算入され、当該土地の譲渡損益が繰延べられることになります。

（1001）

〔事例〕

【問23-7】に掲げた〔事例2〕の譲渡（以下「前回の譲渡」といいます。）で、C社からD社へ譲渡された土地を、前回の譲渡での譲受法人D社が、完全支配関係があるE社に会計上の帳簿価額25百万円で譲渡（以下「今回の譲渡」といいます。）しました。この土地の時価は、前回の譲渡のときは40百万円でしたが、E社への譲渡時には36百万円に下落しています。

今回の譲渡取引に係るD社及びE社の会計処理は下記(1)のとおりですが、税務では時価36百万円で譲渡したものとして、D社及びE社でそれぞれ下記(2)のとおりの処理をすることになります。

(1) 会計処理

D社	預金	25百万円	/	土地	25百万円
E社	土地	25百万円	/	預金	25百万円

(2) 税務での処理

D社	預金	25百万円	/	土地	40百万円
	寄附金	11百万円	/		
	土地譲渡損	4百万円	/		

寄附金11百万円は、完全支配関係があるE社に時価36百万円の土地を25百万円で譲渡したことによるもので、この寄附金の額11百万円は損金不算入になります。土地譲渡損（譲渡損失額）4百万円は、税務上の帳簿価額40百万円の土地を、時価36百万円（譲渡代金25百万円と寄附金11百万円の合計額）で譲渡したことによるもので、益金の額に算入して繰延べます。一方、前回の譲渡で「受贈益計上もれ」として加算（留保）した土地15百万円は、E社への譲渡により、上記税務での処理の土地40百万円に含まれてなくなりますので、土地譲渡による認容損として損金の額に算入します。

以上により、D社の申告調整は、次のとおりになります。

別表四……寄附金の額11百万円を27欄で加算（社外流出）し、譲渡損益調整額（土地）4百万円を加算（留保）します。一方、前回の譲渡で「受贈益計上もれ」として加算（留保）した土地15百万円が今回の譲渡により認容損として減算（留保）されますので、申告調整による所得の金額の増減はなく、今回の譲渡での土地譲渡損（譲渡損失額）4百万円が繰延べられることになります。

（1002）

別表五(一)のⅠ……「土地」として①欄に記入されている15百万円は、当
　　該土地をE社に譲渡しましたので、②欄に記入して、④欄の金額を０と
　　します。これとは別に、区分欄を「譲渡損益調整資産（土地)」として、
　　③欄と④欄にそれぞれ４百万円を記入します。

E社	土地	36百万円	預金	25百万円
			受贈益	11百万円

　受贈益11百万円は、会計処理していませんので、別表四で益金算入する
申告調整をしますが、完全支配関係のあるD社からの受贈益の額のため益
金不算入となり、下記のとおり別表四の⑯欄で減算します。

別表四……「受贈益計上もれ」11百万円を加算（留保）し、受贈益の額11
　　百万円を⑯欄で減算（社外流出）します。

別表五(一)のⅠ……別表四で加算（留保）した「受贈益計上もれ」11百万
　　円は、譲り受けた土地の税務での受入額36百万円と会計処理での受入額
　　25百万円の差額ですので、区分欄を「土地」として、③欄と④欄にそれ
　　ぞれ11百万円を記入します。

　なお、前回の譲渡での譲渡法人C社において、損金の額に算入して繰延べ
られた譲渡利益額15百万円は、今回の譲渡によって益金の額に算入して戻し
入れますので、C社では次のとおりの申告調整をします。

別表四……譲渡損益調整（土地）戻入額15百万円を、加算（留保）します。

別表五(一)のⅠ……「譲渡損益調整資産（土地)」として①欄に記入され
　　ている△15百万円を②欄に記入し、④欄の金額を０とします。

(注)　100％グループ内の法人間での譲渡損益調整資産の譲渡損益の繰延べ制度が、
　　　時価の低落した資産をグループ内の別の法人に譲渡することによって、当該資
　　　産がグループ内に留まっているにもかかわらずその譲渡損を損金算入するとい
　　　う節税対策を封じるためのものであるとしますと、本問の説明からもわかるよ
　　　うに、現行の制度は中途半端です。上記の事例とは逆のケースですが、甲社が、
　　　その有する時価25百万円、帳簿価額40百万円の土地を、グループ内の乙社に25
　　　百万円で譲渡し、その譲渡損失15百万円が税務上繰延べられていても、乙社が
　　　グループ内の丙社に転売しますと、甲社で繰延べられた譲渡損失15百万円の損
　　　金算入ができることになります。立法論として、検討されるべき問題でしょう。

（1003）

100％グループ内の法人間で授受される寄附の損金不算入及び益金不算入

> **【問23-10】** 100％グループ内の法人間の寄附は、寄附を行った法人
> において全額損金不算入、寄附を受けた法人において全額益金不
> 算入とされていますが、詳しく説明してください。

【答】 Ⅰ　100％グループ内の法人間の寄附について、下記の(1)と(2)の規
定が設けられています。

(1) 完全支配関係がある法人の間の寄附金の損金不算入（法37②）……内国
法人が各事業年度において当該内国法人との間に法人による完全支配関係
がある他の内国法人に対して支出した寄附金の額（下記(2)の規定を適用
しないとした場合に、当該他の内国法人において益金の額に算入される受
贈益の額に対応するものに限ります。）は、当該内国法人の各事業年度の
所得の金額の計算上、損金の額に算入されません。（【問12-1】④参照）

(2) 完全支配関係がある法人の間の受贈益の益金不算入（法25の2①）……
内国法人が各事業年度において当該内国法人との間に法人による完全支配
関係がある他の内国法人から受けた受贈益の額（上記(1)の規定を適用し
ないとした場合に当該他の法人において損金の額に算入される寄附金の額
に対応するものに限ります。）は、当該内国法人の各事業年度の所得の金
額の計算上、益金の額に算入されません。

(注)　この受贈益の額は、寄附金、拠出金、見舞金その他いずれの名義をもってさ
れるかを問わず、内国法人が金銭その他の資産又は経済的な利益の贈与又は無
償の供与（広告宣伝及び見本品の費用その他これらに類する費用並びに交際費、
接待費及び福利厚生費とされるべきものを除きます。）を受けた場合における
当該金銭の額若しくは金銭以外の資産のその贈与の時における価額又は当該経
済的な利益のその供与の時における価額によるものとされます。（法25の2②）

　　また、内国法人が資産の譲渡又は経済的な利益の供与を受けた場合において、
その譲渡又は供与の対価の額が当該資産のその譲渡の時における価額又は当該
経済的な利益のその供与の時における価額に比して低いときは、当該対価の額
と当該価額との差額のうち実質的に贈与又は無償の供与を受けたと認められる
金額は、受贈益の額に含まれます。（法25の2③）

Ⅱ　法人による完全支配関係について、上記の(1)及び(2)の規定にアンダ

ーラインを付したように、100％グループ法人税制のうち100％グループ内の法人間の寄附に関する規定は、法人による完全支配関係がある法人間での寄附に限って適用されます。（法25の2①かっこ書、37②かっこ書）簡単な例でいえば、上記の(1)及び(2)の規定は、図ⅠのＡ法人とＢ法人の間の寄附には適用されますが、図ⅡのＣ法人とＤ法人の間の寄附には適用されません。

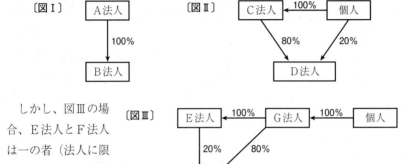

　しかし、図Ⅲの場合、Ｅ法人とＦ法人は一の者（法人に限ります。）Ｇ法人による完全支配関係がありますので、たとえＥ法人とＦ法人の発行済株式等の全部を一の者であるＧ法人を通じて個人が間接に保有することによる完全支配関係があるときであっても、Ｅ法人とＦ法人の間の寄附には、上記の(1)及び(2)の規定が適用されます。（基通9－4－2の5）

　Ⅱ　下記の①及び②の場合には、Ⅰの(1)の規定及び(2)の規定は適用されません。
①　法人税法基本通達9－4－1又は9－4－2により寄附金に該当しないとき
　……法人による完全支配関係がある他の内国法人に対して行った損失負担又は債務放棄等の経済的利益の供与であっても、その経済的利益の額が法人税基本通達9－4－1又は9－4－2により寄附金の額に該当しないときには、当該経済的利益の額を寄附金として損金不算入とするⅠの(1)の規定（法37②）、当該他の内国法人において供与された経済的利益の額を受贈益として益金不算入とするⅠの(2)の規定（法25の2①）は、いずれも適用がありません。（基通4－2－5、【問12－5】、【問12－6】参照）
②　いずれか一方の法人が公益法人等で、寄附又は受贈が収益事業に係るも

のでない場合……法人による完全支配関係がある法人間の寄附金又は受贈益であっても、いずれか一方の法人が公益法人等であって、寄附金の額又は受贈益の額が収益事業に属するもの以外の事業に属するものとして区分経理されているときには、相手方の法人において、Ⅰの(1)又は(2)の規定が適用されません。具体的に説明しますと、次のとおりです。

イ　寄附をする側の法人が公益法人等のとき……右の図において、公益法人等から普通法人に支出する寄附金が収益事業以外の事業の属する資産のうちからのものであるときは、当該寄附金の額について法人税法第37条の規定の適用がありませんので、受贈する普通法人では、Ⅰの(2)の規定（法25の2①）が適用される受贈益となりません。（基通4-2-4）

ロ　受贈する側の法人が公益法人等のとき……右の図において、公益法人等が普通法人から受入れる受贈益の額が、公益法人等で収益事業以外の事業に属するものとして区分経理されているときは、当該受贈益の額について法人税法第22条第2項の規定の適用がありませんので、寄附（贈与）をする普通法人では、Ⅰの(1)が適用される寄附金となりません。（基通9-4-2の6）

寄附金の損金不算入、受贈益の益金不算入をするための申告調整の方法とその会計処理

> 【問23-11】　100％グループ内の法人間の寄附によって、寄附を行った法人での寄附金の額の損金不算入、寄附を受けた法人での受贈益の益金不算入は、別表四にどのように記載をして申告調整をするのですか。また、この申告調整額を明らかにするための会計処理として、必要なものを教えてください。

【答】　御質問の前段にある損金不算入又は益金不算入とするための申告調整の方法は、次のとおりです。

(1)　完全支配関係がある法人の間の寄附金の損金不算入の額は、別表十四

第23章　グループ法人税制、企業組織再編税制

(二)寄附金の損金算入に関する明細書の「完全支配関係がある法人に対する寄附金額⑤」欄に記入します。この金額をこの明細書の㉓欄に移記して損金不算入額「計㉔」の計算に加え、その金額を別表四の「寄附金の損金不算入額㉗」欄に移記して、所得の金額の計算に当たり損金不算入とします。

(2) 完全支配関係がある法人の間の受贈益の益金不算入の額は、別表四の「受贈益の益金不算入額⑯」欄に記入し、所得の金額の計算に当たり益金不算入とします。

この場合の会計処理ですが、法人の間での寄附金の授受には、下記のように会計処理が行われるものと、行われないものとがあります。

① 会計処理が行われるものの例………親会社が完全子会社に対して行った債権放棄の損失が寄附金に該当するとき、

　親会社　　　　債権放棄損失（寄附金）／ 債権
　完全子会社　　債務 ／ 債務免除益（受贈益）

　この場合、親会社で損金不算入となる寄附金の別表四での加算調整、完全子会社で益金不算入となる別表四での減算調整とも、処分欄の記載が留保②でなく社外流出③となりますので、親会社では寄附金の額について利益積立金額が減少し、完全子会社では受贈益の額について利益積立金額が増加します。

② 会計処理が行われないものの例……親会社が完全子会社に対して行った貸付金の利息の免除額が寄附金に該当するとき、会計処理をしますと下記のとおりになりますが、親会社、子会社とも借方の費用又は損失と貸方の収益が同額ですので、このような会計処理は通常行いません。

　親会社　　　　受取利息免除損（寄附金）　／ 受取利息
　完全子会社　　支払利息 ／ 支払利息免除益（受贈益）

　この場合は、親会社、完全子会社とも、利益積立金額の増減は生じません。

　税務では、益金不算入として申告減算する完全子会社の受贈益の額を明確にするため、「支払利息の額を損金算入するとともに、同額を益金の額に算入する両建て処理を行った上で、この受贈益の額が益金不算入とされることになります。基通4-2-6（受贈益の額に該当する経済的利益の供与）では、このことを留意的に明らかにしています。」という国税庁の解説（平成22年

（1007）

6月30日、「法人税基本通達等の一部改正について」の前文の3）があります。しかし、基通4-2-6には、このような両建て経理を必要とするという文言はみられません。

　以下は私見ですが、税務上重要なのは、親会社で損金不算入、完全子会社で益金不算入として申告調整した金額がどのように算定されたのか、上記の場合ならば貸付金利息の免除額の算定に当たっての元本、利率、期間の適正性だと思います。したがって、損金不算入とする法人で別表十四（二）の⑤の欄、益金不算入とする法人で別表四の⑯の欄に記載した金額について、完全支配関係がある相手方の法人名、記載した金額の算定方法等の明細書を申告書に添付させることとし、会計処理として通常行わない両建て処理は要件としないこととすべきでないかと思います。

親法人が有する子法人の株式等に寄附修正事由が生じた場合

> 【問23-12】　100％グループ内の法人間の寄附によって、子法人が益金不算入となる受贈益の額を受けた場合又は損金不算入となる寄附金の額を支出した場合、親法人の利益積立金額及びその有する当該子法人の株式等の帳簿価額に加算すべき金額が生ずるとのことですが、その内容を説明してください。

【答】　法人が有する当該法人との間に完全支配関係がある法人（以下「子法人」といいます。）の株式又は出資について、次のイ又はロに掲げる事由（寄附修正事由）が生ずる場合には、下記の算式により計算した金額を、利益積立金額及びその寄附修正事由が生じた時の直前の子法人の株式又は出資の帳簿価額に加算することとされています。（法政令9七、119の3⑨）

イ　子法人が他の内国法人から法人税法第25条の2第1項の規定（【問23-10】のⅠの(2)参照）の適用がある受贈益の額を受けたこと

ロ　子法人が他の内国法人に対して法人税法第37条第2項の規定（【問23-10】のⅠの(1)参照）の適用がある寄附金の額を支出したこと

$$\left(\begin{array}{l}\text{子法人が受けた法25}\\\text{の2①の規定の適用}\times\text{持分割合}\\\text{がある受贈益の額}\end{array}\right)-\left(\begin{array}{l}\text{子法人が支出した法}\\\text{37②の規定の適用が}\times\text{持分割合}\\\text{ある寄附金の額}\end{array}\right)$$

第23章　グループ法人税制、企業組織再編税制

　上記の算式中の持分割合は、当該子法人の寄附修正事由が生じた時の直前の発行済株式又は出資（当該子法人が有する自己の株式又は出資を除きます。）の総数又は総額のうちに、当該法人が当該直前に有する当該子法人の株式又は出資の数又は金額の占める割合です。

　要するに、子会社において益金不算入となる受贈益の額が生じたときは、当該子会社の株式の価値が増加しますので、税務上　子会社株式／利益積立金額　という取引があったとし、逆に子会社において損金不算入となる寄附金の額が生じたときは、当該子会社の株式の価値が減少しますので、税務上
　　利益積立金額／子会社株式　という取引があったとするわけです。

〔事例１〕

　甲社がその完全支配関係がある乙社に出向している使用人の給与1,000千円を負担した場合、乙社は甲社から法人税法第25条の２第１項の規定の適用のある受贈益を受けたことになり、寄附金修正事由が生じます。この場合の甲社と乙社の税務での処理は、それぞれ次のとおりになります。

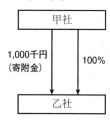

　　　甲社　寄附金　　1,000千円　／　給与負担金収入　1,000千円
　完全子会社乙社への寄附のため、別表四の㊧欄で加算して損金不算入とします。

　　　　　　乙社株式　1,000千円　／　利益積立金額　1,000千円
　甲社からの受贈により、乙社の株式の価値が1,000千円増加しますので、別表五(一)Ⅰに区分欄を「乙社株式」として③欄と④欄にそれぞれ1,000千円を記入します。

　　　乙社　給与　　1,000千円　／　受贈益　1,000千円
　完全親会社甲社からの受贈のため、別表四の⑯欄で減算して、益金不算入とします。

〔事例２〕

　右図のような100％グループ法人間において、B社がC社に寄附金の額100千円を支出した場合、A社はその子会社であるB社とC社、B社はその子会社であるC社において寄附修正事由が生じますので、

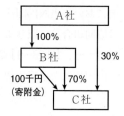

それぞれ次のとおりの税務上の処理をします。

　　A社の処理　利益積立金額　100千円　／　B社株式　　　　100千円

　　　　　　　　C社株式　　　30千円　／　利益積立金額　　　30千円

　別表五(一)Ⅰの記載……区分欄を「B社株式」として③欄と④欄にそれぞ
　れ△100千円を記入し、「C社株式」として③欄と④欄にそれぞれ30千円
　を記入します。

　これによりA社では、利益積立金額が70千円減少します。

　　B社の処理　　　　C社株式　70千円　／　利益積立金額　　70千円

　別表五(一)Ⅰの記載……区分欄を「C社株式」として③欄と④欄にそれぞ
　れ70千円を記入します。

　これによりB社では利益積立金額が70千円増加しますが、C社に寄附金
100千円を支出したことにより利益積立金額が100千円減少しますので、上記
の税務上の処理との合計での利益積立金額の減少額は、100千円－70千円＝
30千円となります。一方、C社はB社からの受贈によって利益積立金額が
100千円増加します。これにより、グループ内の会社の利益積立金額の増減は、
A社△70千円　B社△30千円　C社＋100千円　となり、合計０となります。

(注)　上記の事例①の甲社、事例②のA社及びB社の別表五(一)Ⅰに記載した金額
　は、別表四の留保②欄に記載されていないものですので、【問27-2】に記載し
　た別表四と別表五(一)のⅠの突合わせ検算について、除外項目となります。

適格現物分配による資産の移転をした場合の税務での処理方法

> **【問23-13】**　適格現物分配すなわち100％グループ内の法人間のみで
> の現物分配によって、当該法人間での資産の移転があった場合、
> 100％グループ法人税制では、どのように処理するのですか。

【答】　内国法人が行う現物分配のうち、被現物分配法人がその現物分配の直
前において当該内国法人との間に完全支配関係がある内国法人（普通法人又
は協同組合等に限ります。）のみであるものが、適格現物分配です。（法２十
二の十五、【問23-21】参照）

　内国法人が適格現物分配により被現物分配法人にその有する資産の移転を
したときは、当該移転をした資産の当該適格現物分配の直前の帳簿価額によ

（1010）

り譲渡をしたものとされます。(法62の5③)

なお、その適格現物分配が残余財産の全部の分配である場合には、その残余財産の確定の日の翌日においてその残余財産の確定の時の帳簿価額による譲渡をしたものとされます。(法62の5③かっこ書、法政令123の6②)

この場合、被現物分配法人の資産の取得価額は、当該帳簿価額に相当する金額とし(法政令123の6①)、被現物分配法人が適格現物分配により資産の移転を受けたことにより生ずる収益の額は、各事業年度の所得の金額の計算上益金の額に算入せず、当該帳簿価額に相当する金額を利益積立金額に加算します。(法62の5④、法政令9四)

また、みなし配当の計算における払戻財産の価額は、適格現物分配に係る資産については、払戻法人のその交付の直前における当該資産の帳簿価額に相当する金額とされ(法24①かっこ書)、適格現物出資等により移転した減価償却資産の期中損金経理額の損金算入規定の対象に適格現物分配により移転した減価償却資産が含められるなど、適格現物分配について他の適格組織再編成に準じた措置が講じられています。(法31②ほか)

100％グループ内での資産の移転について、譲渡損益調整資産の譲渡(【問23-6】)の場合は、譲渡法人において譲渡損益の繰延べが行われ、譲受法人が当該資産を時価で受入れる処理をします。(法61の11①) 適格現物分配が行われる最も多いケースは、現物分配法人が完全支配関係のある子会社、被現物分配法人がその親会社で、剰余金の分配により金銭以外の資産が交付される場合ですが(【問23-21】参照)、譲渡損益調整資産の譲渡と異なり、現物分配法人は上記のように資産を帳簿価額で譲渡し、被現物分配法人は当該資産を時価でなく当該帳簿価額で受入れることになります。

〔事例〕

100％グループ法人の構成を〔図Ⅰ〕から〔図Ⅱ〕のかたちに変更するため、B社(A社の子会社)はその保有するC社(B社の子会社で、A社の孫会社)の株式の全部100を、剰余金の分配によりA社へ交付しました。

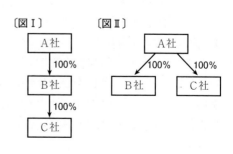

この場合のＡ社、Ｂ社それぞれの会計処理は、次のとおりになります。

(注) 現物分配として法人がその株主等に金銭以外の資産を交付する事由のなかに、剰余金の分配が掲げられています。(法２十二の五の二イ、【問23-21】参照)

Ａ社(被現物分配法人)　Ｃ社株式　　　　　100 ／ 受取配当金　　　　100

Ｂ社(現物分配法人)　　繰越利益剰余金　100 ／ Ｃ社株式　　　　　100

Ａ社では、適格現物分配によりＣ社株式の移転を受けたことにより生ずる収益の額は、益金の額に算入されません。別表四での「適格現物分配に係る益金不算入額⑰」の減算調整は、処分欄を「※社外流出」としていますので、移転を受けたＣ社株式100（Ｂ社における移転の直前の帳簿価額相当額）について、利益積立金額が増加することになります。

Ｂ社では、Ｃ社株式の移転に伴う譲渡損益は生じませんが、利益積立金額である繰越利益剰余金100が減少します。この減少は、別表四の留保②欄に記載されていませんので、【問27-２】に記載した別表四と別表五(一)のⅠの突合わせ検算において、除外項目となります。

100％グループ内の法人の株式をその発行法人へ譲渡した場合

> **【問23-14】** 法人が所有する100％グループ内の法人の発行した株式を、その発行法人に譲渡した場合、100％グループ法人税制では、どのように処理することになるのですか。

【答】 内国法人が、所有株式（当該内国法人が所有していた株式）を発行した他の内国法人で当該内国法人との間に完全支配関係があるものから、みなし配当の額が生ずる基因となる事由（みなし配当事由）により金銭その他の資産としてその交付を受けた場合（当該他の内国法人の資本の払戻し若しくは解散による残余財産の一部の分配又は口数の定めがない出資についての出資の払戻しである場合は、その交付を受けた時において当該所有株式を有する場合に限ります。）又は当該事由により当該他の内国法人の株式を有しないこととなった場合（残余財産の分配を受けないことが確定した場合を含みます。）には、その株式の譲渡対価の額は譲渡原価の額に相当する金額とされ、当該事由により生ずる株式の譲渡損益を計上しないこととされています。(法61の2⑰)

(1012)

第23章　グループ法人税制、企業組織再編税制

(注)　みなし配当事由とは、当該他の内国法人の非適格の合併、自己株式の取得など、法24①各号に掲げるみなし配当の基因となる事由をいいます。ただし、法61の２②の規定の適用がある合併及び同④に規定する金銭等不交付分割型分配を除きます。

　この場合の譲渡益相当額又は譲渡損相当額は、当該内国法人の資本金等の額に加算又は減算することとされています。（法政令8①二十二）これについて、当該他の内国法人が種類株式発行法人の場合には、資本金等の額に加算又は減算する金額は、発行済株式の時価総額に占める各種類株式の時価の割合により按分することとされています。（法政令8⑥）

(注)　上記のとおり、子会社の解散による残余財産の分配が確定した場合、子会社株式消却損の損金算入は認められませんが、子会社の欠損金を引き継ぐことができます。【問24-5】～【問24-7】を参照してください。

大法人による完全支配関係がある普通法人に対する中小企業向け特例措置の不適用

> **【問23-15】**　大法人による完全支配関係がある普通法人は、事業年度終了の時の資本金の額又は出資金の額が1億円以下であっても、中小企業向け特例措置の適用ができないとのことですが、その内容を説明してください。

【答】　御質問にある「中小企業向け特例措置不適用」の概要は、次のとおりです。

(1)　適用される法人……事業年度終了の時における資本金の額若しくは出資金の額が1億円以下である普通法人若しくは資本又は出資を有しない普通法人で、次の①及び②の法人です。

①　法人税法第66条第5項第2号に掲げられた普通法人……大法人（下記イ～ハの法人です。以下同じ）との間に当該大法人による完全支配関係がある普通法人（法66⑤二）

　イ　資本金の額又は出資金の額が5億円以上である法人

　ロ　相互会社及び外国相互会社（法政令139の6）

　ハ　法人課税信託の受託者である法人

（1013）

② 普通法人との間に完全支配関係があるすべての大法人が有する株式及び出資の全部を当該すべての大法人のうちいずれか一の法人が有するものとみなした場合に、当該いずれか一の法人と当該普通法人との間に当該いずれか一の法人による完全支配関係があることとなるときの当該普通法人（上記①の法人を除きます。）（法66⑤三）

(注) ①の法人は、単一の大法人による完全支配関係がある普通法人ですが、②の法人は複数の大法人による完全支配関係がある普通法人です。

(2) 不適用となる中小企業向けの特例措置……下記イ～トの特例措置です。
　イ　各事業年度の所得の金額のうち年800万円以下の金額の税率を23.2％から15％に引き下げるという軽減税率の適用（【問26-1】参照）
　ロ　特定同族会社の課税留保金額に対する特別税率の不適用（【問22-9】参照）
　ハ　貸倒引当金制度（【問20-5】参照）
　ニ　貸倒引当金の法定繰入率の適用（【問20-23】参照）
　ホ　交際費等の年800万円の定額控除限度額（【問13-1】参照）
　ヘ　青色申告書を提出した事業年度の欠損金等の繰越控除の制限がないこと（【問24-2】参照）
　ト　欠損金繰戻しによる還付制度の適用があること（【問24-8】参照）

(3) 留意事項……本問で説明する「中小企業向け特例措置の不適用」に関して、次の二つの取扱いが示されています。
　① 大法人による完全支配関係（基通16-5-1）……法人税法第66条第5項第2号イに規定する「資本金の額又は出資金の額が5億円以上である法人（以下「大法人」といいます。）による完全支配関係とは、大法人が普通法人の発行済株式等の全部を直接又は間接に保有する関係をいいますので、例えば、右図のように中小法人である普通法人の発行済株式等の全部を直接に保有する法人（以下「親法人」といいます。）が大法人でない法人であり、かつ、当該普通法人の発行済株式等の全部を当該親法人を通じて間接に保有する法人が大法人である場合のように、当該普通法人の発行済株式等の全部を直接又

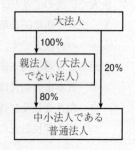

(1014)

は間接に保有する者のいずれかに大法人が含まれている場合には、当該普通法人と当該大法人との間に大法人による完全支配関係があることになります。

② 資本金の額等の円換算（基通16−5−2）……普通法人が法人税法第66条第5項第2号に掲げる法人に該当するかどうかを判定する場合において、右図のように当該普通法人との間に完全支配関係がある法人が外国法人であるときは、当該外国法人が「資本金の額又は出資金の額が5億円以上である法人」に該当するかどうかは、当該普通法人の事業年度終了の時における当該外国法人の資本金の額又は出資金の額について、当該事業年度終了の日のT.T.M.により換算した円換算額により判定します。

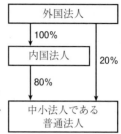

第2節　企業組織再編税制

合併又は分割により合併法人等へ資産及び負債を移転させたときの被合併法人等の処理方法

> **【問23-16】**　合併又は分割によって、被合併法人又は分割法人が合併法人又は分割承継法人へ資産及び負債を移転させた場合、原則として移転時の価額による譲渡があったものとして所得の金額を計算するとのことですが、帳簿価額で移転する処理をしたときは、どのように申告調整をするのですか。

【答】　合併又は分割によって、被合併法人又は分割法人（以下「被合併法人等」といいます。）が合併法人又は分割承継法人（以下「合併法人等」といいます。）へその有する資産又は負債を移転させたときは、当該合併又は分割の時の価額により譲渡したものとして所得の金額を計算します。（法62①前段）

　合併により合併法人に移転をした資産及び負債の当該移転による譲渡に係る譲渡利益額又は譲渡損失額は、当該合併に係る最後事業年度（被合併法人の合併の日の前日の属する事業年度）において、益金の額又は損金の額に算入します。（法62②）

　ただし、合併又は分割が適格合併（【問23-18】参照）又は適格分割（【問23-19】参照）の場合は、最後事業年度又は分割前事業年度終了の時の帳簿価額により合併法人等への引継ぎをしたものとして、被合併法人等の所得の金額を計算しますので、譲渡損益は繰延べられることになります。（【問23-17】参照）

　なお、合併の場合の最後事業年度の期間は、その事業年度開始の日から合併の日の前日までの期間です。（法14①二）

　(注)　例えば3月31日決算の法人が令和7年4月1日を合併の日として解散した場合、最後事業年度は令和6年4月1日から合併の日の前日である令和7年3月31日までの期間となります。この場合、最後事業年度を合併の日までの期間としますと、令和7年4月1日、1日だけの事業年度が生じますので、これを避けるために合併の日の前日までの期間としています。

（1016）

第23章　グループ法人税制、企業組織再編税制

　分割の場合は、みなし事業年度の規定がありませんので、分割承継法人へ移転させた資産及び負債の譲渡利益額又は譲渡損失額は、分割の日の属する事業年度において益金の額又は損金の額に算入されます。

　御質問のように、合併又は分割によって被合併法人等が合併法人等へ帳簿価額で資産及び負債を移転させたときは、この移転に係る譲渡利益額又は譲渡損失額は、最後事業年度又は分割の日の属する事業年度の所得の金額を計算した後に、別表四の「非適格合併又は残余財産の全部分配等による移転資産等の譲渡利益額又は譲渡損失額㊳」の欄で、譲渡利益額の場合はプラス、譲渡損失額の場合はマイナスの記載をして申告調整します。この譲渡利益額又は譲渡損失額は、寄附金の損金算入限度額の算定基礎となる所得金額に算入されず（法政令73②八）、また、特定同族会社の特別税率が課せられる留保金額からも除かれますので（法67③一かっこ書）、別表四の㊳欄は仮計㉖欄よりも後に、処分を社外流出として設けられています。

適格組織再編成（1）——移転する資産等の譲渡損益の繰延べ

> 【問23-17】　企業組織再編税制では、組織再編成が適格組織再編成に該当するときは、組織再編成により移転する資産等の譲渡損益の計上の繰延べが認められるとのことですが、適格組織再編成の種類ごとに説明してください。

【答】　企業組織再編成により被合併法人等から合併法人等に資産及び負債が移転するときは、【問23-16】で合併又は分割による移転の場合について説明したように、原則として当該資産及び負債の移転時の価額により、移転前の法人から移転後の法人への譲渡があったこととします。しかし、企業組織再編成が適格組織再編成に該当するときは、次に記載するように移転時における帳簿価額による引継ぎがあったものとし、移転に係る譲渡損益相当額は、引継ぎを受けた法人が当該移転を受けた資産等を将来譲渡等するときに認識することとして、その益金又は損金算入の時期を繰り延べることとされています。

　適格組織再編成には、㋑適格合併、㋺適格分割、㋩適格現物出資、㋥適格現物分配、㋭適格株式分配、㋬適格株式交換等及び㋣適格株式移転があり、

（1017）

適格分割にはさらに適格分割型分割と適格分社型分割とがあります。このうち、組織再編成により資産等の移転が生ずるのは⑦〜⑤であり、それぞれについての資産等の移転による譲渡損益の計上の繰延べは、次のとおり行われます。

① 適格合併の場合……内国法人が適格合併により合併法人にその有する資産及び負債の移転をしたときは、被合併法人の当該適格合併に係る最後事業年度終了の時の帳簿価額（当該適格合併に基因して法令119の3⑤に規定する通算終了事由が生ずる場合には、簿価純資産不足額相当額を加算し、簿価純資産超過額相当額を減算した金額（法政令123の3①））による引継ぎをしたものとされ（法62の2①）、合併法人は被合併法人から資産及び負債を、当該帳簿価額により引継ぎを受けたものとされます。（法政令123の3③）

② 適格分割型分割の場合……内国法人が適格分割型分割により分割承継法人にその有する資産又は負債の移転をしたときは、分割法人の当該適格分割型分割の直前の帳簿価額による引継ぎをしたものとされ（法62の2②）、分割承継法人は分割法人から資産及び負債を、当該帳簿価額により引継ぎを受けたものとされます。（法政令123の3③）この場合、分割法人が分割承継法人から交付を受けた当該分割承継法人又は当該分割承継親法人の株式の当該交付の時の価額は、当該適格分割型分割により移転をした資産及び負債の帳簿価額を基礎として計算される純資産価額に相当する金額とされます。（法62の2③、法政令123の3②）

③ 適格分社型分割の場合……内国法人が適格分社型分割により分割承継法人にその有する資産又は負債の移転をしたときは、分割法人の当該適格分社型分割の直前の帳簿価額による譲渡をしたものとされ（法62の3①）、分割承継法人における当該移転を受けた資産及び負債の取得価額は、当該帳簿価額に相当する金額（その取得のために要した費用がある場合には、その費用の額を加算した金額）とされます。（法政令123の4）

④ 適格現物出資の場合……内国法人が適格現物出資により被現物出資法人にその有する資産の移転をし、又はこれと併せてその有する負債の移転をしたときは、現物出資法人の当該適格現物出資の直前の帳簿価額による譲渡をしたものとされ（法62の4①）、被現物出資法人における当該移転を受

（1018）

けた資産及び負債の取得価額は、当該帳簿価額に相当する金額（その取得のために要した費用がある場合には、その費用の額を加算した金額とし、当該資産又は負債が当該現物出資法人である公益法人等又は人格のない社団等の収益事業以外の事業に属する資産又は負債であった場合には、当該移転を受けた資産及び負債の価額として当該被現物出資法人の帳簿価額に記載される金額）とされます。（法政令123の5）

⑤　適格現物分配又は適格株式分配の場合……内国法人が適格現物分配又は適格株式分配により被現物分配法人その他の株主等にその有する資産を移転したときは、被現物分配法人その他の株主等に当該移転をした資産の当該適格現物分配又は適格株式分配の直前の帳簿価額（当該適格現物分配が残余財産の全部の分配である場合には、その残余財産の確定の時の帳簿価額）による譲渡をしたものとされます。（法62の5③）また、適格現物分配での被現物分配法人における当該資産の取得価額は、当該帳簿価額に相当する金額とされます。（法政令123の6①）被現物分配法人が適格現物分配により資産の移転を受けたことにより生ずる収益の額は、益金の額に算入されません。（法62の5④）なお、残余財産の全部を分配する適格現物分配は、当該残余財産の確定の日の翌日に行われたものとします。（法政令123の6②）

　また、合併の場合には、被合併法人について事業年度開始の日から合併の日の前日までの期間をみなし事業年度とする規定が設けられていますが（法14①二）、分割、現物出資及び現物分配にはみなし事業年度が設けられていません。このため、上記の②適格分割型分割、③適格分社型分割、④適格現物出資及び⑤適格現物分配（以下「適格分割等」といいます。）により資産及び負債を分割承継法人等に移転するときは、「期中損金経理額」のうち、適格分割等の日の前日の日を事業年度終了の日とした場合に損金の額に算入される金額（例えば減価償却資産の場合、期中損金経理額である減価償却費のうちの償却限度額）までの損金算入が認められています。（法31②ほか）この規定の適用を受けるためには、適格分割等の日以後2月以内に期中損金経理額その他を記載した書類を、納税地の所轄税務署長に提出しなければなりません。（法31③ほか）

（1019）

適格組織再編成(2)──適格合併の意義

> **【問23-18】** 税法上適格合併とされるのは、どのような要件を満たす合併ですか。

【答】 適格合併とは、次の(1)の①若しくは②又は(2)のいずれかに該当する合併で、被合併法人の株主等に、合併法人又は合併親法人のうちいずれか一の法人の株式又は出資以外の資産(当該株主等に対する剰余金の配当等として交付される金銭その他の資産、合併に反対する株主等にその買取請求に基づく対価として交付される金銭その他の資産及び合併の直前において合併法人が被合併法人の発行済株式又は出資の総数又は総額の3分の2以上に相当する数又は金額の株式又は出資を有する場合に合併法人以外の株主等に交付される金銭その他の資産を除きます。)が交付されないものをいいます。(法二十二の八)

- **(注1)** 剰余金の配当等とは、株式又は出資に係る剰余金の配当、利益の配当又は剰余金の分配をいいます。(法二十二の八かっこ書)
- **(注2)** 会社法は、消滅会社の株主に存続会社の株式に代えて、金銭その他の財産を交付することを認めています。(会社法749①二ホ)

(1) 企業グループ内の合併

① 完全支配関係がある法人間の合併……被合併法人と合併法人との間に、次のイ又はロのいずれかの関係がある場合の合併(法二十二の八イ、法政令4の3②)

- イ (当事者間の完全支配関係) 被合併法人と合併法人(当該合併が新設合併の場合には、当該被合併法人と他の被合併法人)との間に、当事者間の完全支配関係(当該合併が無対価合併の場合には、合併法人が被合併法人の発行済株式等の全部を保有する関係に限ります。)がある場合における当該完全支配関係(下記ロの関係に該当するものを除きます。)
- **(注1)** 完全支配関係の意義は、【問23-2】に記載しています。
- **(注2)** 無対価合併とは、被合併法人の株主等に合併法人の株式その他の資産が交付されない合併をいいます。(法政令4の3②一かっこ書)
- ロ (同一の者による完全支配関係) 合併前に被合併法人と合併法人との間に同一の者による完全支配関係(当該合併が無対価合併の場合には、

第23章　グループ法人税制、企業組織再編税制

下記ａ又はｂの関係がある場合の当該完全支配関係に限ります。）があり、かつ、当該合併後に当該同一の者と当該合併に係る合併法人との間に当該同一の者による完全支配関係が継続すること（合併後に合併法人を被合併法人又は完全子法人とする適格合併又は適格株式分配を行うことが見込まれている場合には、合併の時から適格合併又は適格株式分配の直前の時まで完全支配関係が継続すること）が見込まれている場合における被合併法人と合併法人との間の関係

ａ　合併法人が被合併法人の発行済株式等の全部を保有する関係

ｂ　被合併法人及び合併法人の株主等（被合併法人及び合併法人を除きます。）のすべてについて次の(i)と(ii)が等しい場合の被合併法人と合併法人との間の関係

(i)　被合併法人の発行済株式等（合併法人が保有する被合併法人の株式等を除きます。）の総数等のうち、その者が保有する被合併法人の株式の数等が占める割合

(ii)　合併法人の発行済株式等（被合併法人が保有する合併法人の株式等を除きます。）の総数等のうち、その者が保有する合併法人の株式の数等が占める割合

② 支配関係がある法人間の合併……被合併法人と合併法人（当該合併が新設合併の場合には、当該被合併法人と他の被合併法人）との間に次のイ又はロのいずれかの関係（上記①の関係に該当するものを除きます。）がある場合の合併のうち、下記のａ及びｂに掲げる要件のすべてに該当するもの（法２十二の八ロ、法政令４の３③）

イ（当事者間の支配関係）　被合併法人と合併法人（当該合併が新設合併の場合には、当該被合併法人と他の被合併法人）との間に、いずれか一方の法人による支配関係（当該合併が無対価合併の場合には、上記①ロのｂの関係がある場合の当該支配関係に限ります。）がある場合における当該支配関係（下記ロの関係に該当するものを除きます。）

ロ（同一の者による支配関係）　合併前に被合併法人と合併法人との間に同一の者による支配関係があり、かつ、合併後に、合併法人との間にその同一の者による支配関係が継続すること（合併後に合併法人を被合併法人とする適格合併を行うことが見込まれている場合には、合併の時か

（1021）

ら適格合併の直前の時まで支配関係が継続すること）が見込まれている
場合の被合併法人と合併法人との間の関係

(注) 支配関係の意義は【問23-2】に記載しています。

 a （従業者相当数の引継要件）　被合併法人の当該合併の直前の従業者の
うち、その総数のおおむね80％以上に相当する数の者が、当該合併後に
当該合併に係る合併法人の業務（この業務は合併により移転した業務に
限りません。（基通1-4-9）また、合併法人との間に完全支配関係が
ある法人の業務を含みますし、合併後に行われる適格合併により、その
被合併法人の合併前に行う主要な事業がその適格合併に係る合併法人に
移転することが見込まれている場合、その合併法人及びその法人との間
に完全支配関係がある法人の業務を含みます。）に従事することが見込
まれていること

 b （事業の継続要件）　被合併法人の当該合併前に行う主要な事業が、当該
合併後に当該合併に係る合併法人（合併法人との間に完全支配関係があ
る法人を含みます。また、合併後に行われる適格合併により、その被合
併法人の合併前に行う主要な事業がその適格合併に係る合併法人に移転
することが見込まれている場合、その合併法人及びその法人との間に完
全支配関係がある法人を含みます。）において引き続き行われることが
見込まれていること

(2) 共同事業を行うための合併

 上記の(1)企業グループ内の合併以外の合併（無対価合併にあっては、上記
(1)の①ロのbに掲げる関係があるもの又は当該無対価合併に係る被合併法人
の全て若しくは合併法人が資本若しくは出資を有しないものに限ります。）の
うち、次のa～eに掲げる要件（当該合併の直前に合併に係る被合併法人の
すべてについて他の者との間に当該他の者による支配関係がない場合又は当
該合併に係る合併法人が資本又は出資を有しない法人である場合には、a～
dに掲げる要件）の全てに該当するもの（法2十二の八ハ、法政令4の3④）

 a （事業の相互関連性要件）　被合併法人の被合併事業（被合併法人の当
該合併前に行う主要な事業のうちのいずれかの事業をいいます。以下同
じ。）と合併法人の合併事業（当該合併法人の合併前に行う事業のうち
のいずれかの事業をいい、当該合併が新設合併の場合には、他の被合併

（1022）

第23章　グループ法人税制、企業組織再編税制

法人の被合併事業をいいます。以下同じ。）とが相互に関連するもので
あること

　(注)　どのような要件を満たす場合に被合併事業と合併事業とが相互に関連する
　　　ものに該当するかについて、法人税法施行規則第３条第１項及び第２項に、
　　　詳細に規定されています。

b　（事業規模等の類似性要件）　被合併法人の被合併事業と合併法人の合
併事業（被合併事業と関連する事業に限ります。）のそれぞれの売上金額、
従業者の数、資本金の額若しくは出資金の額若しくはこれらに準ずるも
のの規模の割合がおおむね５倍を超えないこと、又は当該合併前の被合
併法人の特定役員のいずれかと当該合併法人（当該合併が新設合併の場
合には、他の被合併法人）の特定役員のいずれかとが当該合併後に当該
合併に係る合併法人の特定役員となることが見込まれていること

　(注1)　「これらに準ずるものの規模」とは、例えば、金融機関における預金
　　　量等、客観的・外形的にその事業の規模を表すものと認められる指標
　　　をいい、事業の規模がおおむね５倍を超えないかどうかは、いずれか一
　　　の指標が要件を満たすかどうかにより判定します。（基通１−４−６）

　(注2)　特定役員とは、社長、副社長、代表取締役、代表執行役、専務取締役
　　　若しくは常務取締役又はこれらに準ずる者で、法人の経営に従事して
　　　いる者をいいます。（法政令４の３④二かっこ書）この場合の「これら
　　　に準ずる者」とは、役員又は役員以外の者で、社長、副社長、代表取
　　　締役、代表執行役、専務取締役又は常務取締役と同等に法人の経営の
　　　中枢に参画している者をいいます。（基通１−４−７）

c　（従業者相当数の引継要件）　被合併法人の合併直前の従業者のうち、
その総数のおおむね80％以上に相当する数の者が当該合併後に当該合併
に係る合併法人の業務（この業務は合併により移転した業務に限りませ
ん。（基通１−４−９）また、合併法人との間に完全支配関係がある法人
の業務を含みますし、合併後に行われる適格合併により被合併事業がそ
の適格合併に係る合併法人に移転することが見込まれている場合は、そ
の適格合併に係る合併法人及びその法人との間に完全支配関係がある法
人の業務を含みます。）に従事することが見込まれていること

d　（事業の継続要件）　被合併法人の被合併事業（当該合併に係る合併法
人の合併事業と関連するものに限ります。）が当該合併後に当該合併法

（1023）

人（合併法人との間に完全支配関係がある法人を含みます。また、合併
後に行われる適格合併により被合併事業がその適格合併に係る合併法人
に移転することが見込まれている場合は、その適格合併に係る合併法人
及びその法人との間に完全支配関係がある法人を含みます。）において
引き続き行われることが見込まれていること

e （株式の継続保有要件） 合併により交付される合併法人又は合併親法
人のうちいずれか一の法人の株式（議決権のないものを除きます。）で
あって支配株主に交付されるもの（無対価合併の場合は一定の算式で計
算した数の株式）の全部が支配株主により継続して保有されることが見
込まれていること

適格組織再編成(3)──適格分割の意義

【問23-19】 会社分割のなかで、税法上適格分割とされるのは、ど
のような要件を満たすものですか。

【答】 税法上適格分割とは、次の(1)の①若しくは②、(2)又は(3)のいずれ
かに該当する分割で、分割対価資産として分割承継法人又は分割承継親法人
のうちいずれか一の法人の株式以外の資産が交付されないもの（当該株式が
交付される分割型分割の場合は、当該株式が分割法人の発行済株式等の総数
又は総額のうちに占める当該分割法人の各株主等の有する当該分割法人の株
式の数（出資については、金額）の割合に応じて交付されるものに限りま
す。）をいいます。（法２十二の十一）

(注) 分割承継親法人とは、分割承継法人との間に当該分割承継法人の発行済株式
等の全部を直接又は間接に保有する関係として政令（法政令４の３⑤）に定め
る関係がある法人をいいます。（法２十二の十一かっこ書）

(1) 企業グループ内の分割

① 完全支配関係がある法人間の分割……分割法人と分割承継法人との間に、
いずれか一方の法人による完全支配関係その他次のイ又はロのいずれかの
関係がある場合の分割（法２十二の十一イ、法政令４の３⑥）

イ （当事者間の完全支配関係） 分割前（単独新設分割の場合は、分割後）
に分割法人と分割承継法人（複数新設分割の場合は、分割法人と他の分

（1024）

第23章　グループ法人税制、企業組織再編税制

割法人）との間にいずれか一方の法人による完全支配関係がある分割の
次に掲げる区分に応じ、それぞれ次に定める関係

(注)　「新設分割」とは、法人を設立する分割をいいます。また、「単独新設分割」
とは、一の法人のみが分割法人となるものをいい、「複数新設分割」とは、
新設分割で単独新設分割に該当しないものをいいます。

ⓐ　新設分割以外の分割型分割（法62の6①に規定する分割を除きま
す。）のうち、分割前に分割法人と分割継承法人との間に分割継承法
人による完全支配関係（無対価分割である場合は、分割継承法人が分
割法人の発行済株式等の全部を保有する関係に限ります。）があるも
の……その完全支配関係

ⓑ　新設分割以外の分割（ⓐを除きます。）のうち、分割前に分割法人
と分割承継法人との間にいずれか一方の法人による完全支配関係（無
対価分割の場合は、分割法人が分割承継法人の発行済株式等の全部を
保有する関係に限ります。）があるもの……分割後に分割法人と分割
継承法人との間にいずれか一方の法人による完全支配関係が継続する
こと（分割後に他方の法人を被合併法人又は完全子法人とする適格合
併又は適格株式分配を行うことが見込まれている場合には、分割の時
から適格合併又は適格株式分配の直前の時まで完全支配関係が継続す
ること）が見込まれている場合における分割法人と分割承継法人との
間の関係

ⓒ　単独新設分割のうち、分割後に分割法人と分割承継法人との間に分
割法人による完全支配関係があるもの……分割後に完全支配関係が継
続すること（分割後に分割承継法人を被合併法人又は完全子法人とす
る適格合併又は適格株式分配を行うことが見込まれている場合には、
分割の時から適格合併又は株式分配の直前の時まで完全支配関係が継
続すること）が見込まれている場合における分割法人と分割承継法人
との間の関係

ⓓ　複数新設分割のうち、分割前に分割法人と他の分割法人との間にい
ずれか一方の法人による完全支配関係があるもの……次に掲げる場合
の区分に応じ、それぞれ次に定める要件に該当することが見込まれて
いる場合における分割法人及び他の分割法人と分割承継法人との間の

（1025）

関係

(ⅰ) 他方の法人が法62の6②一に掲げる法人である場合……分割後に
いずれか一方の法人と分割承継法人との間にいずれか一方の法人に
よる完全支配関係が継続すること（分割後に分割承継法人を被合併
法人又は完全子法人とする適格合併又は適格株式分配を行うことが
見込まれている場合には、分割の時から適格合併又は適格株式分配
の直前の時まで完全支配関係が継続すること）

(ⅱ) (ⅰ)以外の場合……分割後に他方の法人と分割承継法人との間にい
ずれか一方の法人による完全支配関係が継続すること（分割後に他
方の法人又は分割承継法人を被合併法人又は完全子法人とする適格
合併又は適格株式分配を行うことが見込まれている場合には、分割
の時から適格合併又は適格株式分配の直前の時まで完全支配関係が
継続すること）

ロ（同一の者による完全支配関係） 分割前（単独新設分割の場合は、分
割後）に分割法人と分割継承法人（複数新設分割の場合は、分割法人と
他の分割法人）との間に同一の者による完全支配関係がある分割の次に
掲げる区分に応じ、それぞれ次に定める関係

ⓐ 新設分割以外の分割型分割（法62の6①に規定する分割を除きま
す。）のうち、分割法人と分割継承法人との間に同一の者による完全
支配関係（無対価分割である場合は、次の(ⅰ)又は(ⅱ)に掲げる関係があ
る場合における完全支配関係に限ります。）があるもの……分割後に
同一の者と分割承継法人との間に同一の者による完全支配関係が継続
すること（分割後に分割承継法人を被合併法人又は完全子法人とする
適格合併又は適格株式分配を行うことが見込まれている場合は、分割
の時から適格合併又は適格株式分配の直前の時まで完全支配関係が継
続すること）が見込まれている場合における分割法人と分割承継法人
との間の関係

(ⅰ) 分割承継法人が分割法人の発行済株式等の全部を保有する関係

(ⅱ) 分割法人の株主等（分割法人及び分割承継法人を除きます。）及
び分割承継法人の株主等（分割承継法人を除きます。）のすべてに
ついて次のⓘとⓡが等しい場合の分割法人と分割承継法人との間の

（1026）

第23章　グループ法人税制、企業組織再編税制

関係

 ㋑　分割法人の発行済株式等（分割承継法人が保有する分割法人の株式等を除きます。）の総数等のうち、その者が保有する分割法人の株式の数等が占める割合

 ㋺　分割承継法人の発行済株式等の総数等のうち、その者が保有する分割承継法人の株式の数等が占める割合

ⓑ　新設分割以外の分割（ⓐを除きます。）のうち、分割前に分割法人と分割承継法人との間に同一の者による完全支配関係（無対価分割の場合は、分割法人が分割承継法人の発行済株式等の全部を保有する関係がある場合に限ります。）があるもの……分割後に分割法人と分割承継法人との間に同一の者による完全支配関係が継続すること（分割後に分割法人又は分割承継法人を被合併法人又は完全子法人とする適格合併又は適格株式分配を行うことが見込まれている場合は、分割の時から適格合併又は適格株式分配の直前の時まで完全支配関係が継続すること）が見込まれている場合における分割法人と分割承継法人との間の関係

ⓒ　単独新設分割のうち、分割後に分割法人と分割承継法人との間に同一の者による完全支配関係があるもの……次に掲げる場合の区分に応じ、それぞれ次に定める要件に該当することが見込まれている場合における分割法人と分割承継法人との間の関係

 (i)　単独新設分割が分割型分割（法62の6①に規定する分割を除きます。）に該当する場合……分割後に同一の者と分割承継法人との間に同一の者による完全支配関係が継続すること（分割後に分割承継法人を被合併法人又は完全子法人とする適格合併又は適格株式分配を行うことが見込まれている場合には、分割の時から適格合併又は適格株式分配の直前の時まで完全支配関係が継続すること）

 (ii)　(i)以外の場合……分割後に分割法人と分割承継法人との間に同一の者による完全支配関係が継続すること（分割後に分割法人又は分割承継法人を被合併法人又は完全子法人とする適格合併又は適格株式分配を行うことが見込まれている場合には、分割の時から適格合併又は適格株式分配の直前の時まで完全支配関係が継続すること）

ⓓ　複数新設分割のうち、分割前に分割法人と他の分割法人との間に同一の者による完全支配関係があるもの……分割後に分割法人及び他の分割法人（法62の6②一に掲げる法人を除きます。）並びに分割承継法人と同一の者との間に同一の者による完全支配関係が継続すること（分割後に分割法人、他の分割法人又は分割承継法人を被合併法人又は完全子法人とする適格合併又は適格株式分配を行うことが見込まれている場合には、分割の時から適格合併又は適格株式分配の直前の時まで完全支配関係が継続すること）が見込まれている場合における分割法人及び他の分割法人と分割承継法人との間の関係

②　支配関係がある法人間の分割……分割法人と分割承継法人との間に、いずれか一方の法人による支配関係その他次のイ又はロのいずれかの関係（上記①の関係に該当するものを除きます。）がある場合の分割のうち、下記のa～cのすべての要件に該当するもの（法2十二の十一ロ、法政令4の3⑦）

イ（当事者間の支配関係）　分割前（単独新設分割の場合は、分割後）に分割法人と分割継承法人（複数新設分割の場合は、分割法人と他の分割法人）との間にいずれか一方の法人による支配関係がある分割の次に掲げる区分に応じ、それぞれ次に定める関係

　ⓐ　新設分割以外の分割型分割（法62の6①に規定する分割を除きます。）のうち、分割前に分割法人と分割継承法人との間に分割継承法人による支配関係（分割が無対価分割である場合は、上記①ロの（同一の者による完全支配関係）ⓐ(ii)に掲げる関係がある場合の支配関係に限ります。）があるもの……その支配関係

　ⓑ　新設分割以外の分割（ⓐを除きます。）のうち、分割前に分割法人と分割承継法人との間にいずれか一方の法人による支配関係（無対価分割の場合は、分割法人が分割承継法人の発行済株式等の全部を保有する関係がある場合の支配関係に限ります。）があるもの……分割後に分割法人と分割継承法人との間にいずれか一方の法人による支配関係が継続すること（分割後に他方の法人を被合併法人とする適格合併を行うことが見込まれている場合には、分割の時から適格合併の直前の時まで支配関係が継続すること）が見込まれている場合における分

第23章　グループ法人税制、企業組織再編税制

割法人と分割承継法人との間の関係

ⓒ　単独新設分割のうち、分割後に分割法人と分割承継法人との間に分割法人による支配関係があるもの……分割後に支配関係が継続すること（分割後に分割承継法人を被合併法人とする適格合併を行うことが見込まれている場合には、分割の時から適格合併の直前の時まで支配関係が継続すること）が見込まれている場合における分割法人と分割承継法人との間の関係

ⓓ　複数新設分割のうち、分割前に分割法人と他の分割法人との間にいずれか一方の法人による支配関係があるもの……次に掲げる場合の区分に応じ、それぞれ次に定める要件に該当することが見込まれている場合における分割法人及び他の分割法人と分割承継法人との間の関係

(i)　他方の法人が法62の6②一に掲げる法人である場合……分割後にいずれか一方の法人と分割承継法人との間にいずれか一方の法人による支配関係が継続すること（分割後に分割承継法人を被合併法人とする適格合併を行うことが見込まれている場合には、分割の時から適格合併の直前の時まで支配関係が継続すること）

(ii)　(i)以外の場合……分割後に他方の法人と分割承継法人との間にいずれか一方の法人による支配関係が継続すること（分割後に他方の法人又は分割承継法人を被合併法人とする適格合併を行うことが見込まれている場合には、分割の時から適格合併の直前の時まで支配関係が継続すること）

ロ（同一の者による支配関係）　上記①ロのなかの「完全支配関係」を「支配関係」、「被合併法人又は完全子法人」を「被合併法人」と、「適格合併又は適格株式分配」を「適格合併」と読み替えた場合の関係

a（主要な資産及び負債の移転要件）　分割により分割事業（分割法人の分割前に行う事業のうち、分割承継法人において行われることとなるもの。以下同じ。）に係る主要な資産及び負債が、分割承継法人に移転していること

(注)　主要な資産及び負債であるかどうかは、分割法人が当該分割事業を行う上での当該資産及び負債の重要性のほか、当該資産及び負債の種類、規模、事業再編計画の内容等を総合的に勘案して判定します。（基通1-4-8）

（1029）

b （従業者相当数の引継要件）　分割の直前の分割事業に係る従業者のうち、その総数のおおむね80％以上に相当する数の者が当該分割後に分割承継法人の業務（この業務は分割事業に限りません。（基通１－４－９）また、分割承継法人との間に完全支配関係のある法人の業務を含みますし、分割後に行われる適格合併により分割事業が合併法人に移転することが見込まれている場合は、合併法人及びその法人との間に完全支配関係がある法人の業務を含みます。）に従事すること（分割法人の分割の直前の従業者が出向により分割承継法人の業務に従事する場合が含まれます。（基通１－４-10））が見込まれていること

c （事業の継続要件）　分割事業が分割後に分割承継法人（分割承継法人との間に完全支配関係がある法人を含みます。また、分割後に行われる適格合併により分割事業が合併法人に移転することが見込まれている場合は、合併法人及びその法人との間に完全支配関係がある法人を含みます。）において引き続き行われることが見込まれていること

(2) 共同事業を行うための分割

　(1)に該当する分割以外の分割（無対価分割の場合は、上記①ロの@(ii)の関係がある分割型分割、分割法人のすべてが資本若しくは出資を有しない法人である分割型分割、又は分割法人が分割承継法人の発行済株式等の全部を保有する関係がある分社型分割に限ります。）のうち、次のa～fに掲げる要件（当該分割が分割型分割であり、かつ、分割の直前に分割法人のすべてについて他の者との間に当該他の者による支配関係がないときは、a～eに掲げる要件）のすべてに該当するもの（法２十二の十一ハ、法政令４の３⑧）

a （事業の相互関連性要件）　分割法人の分割事業と分割承継法人の分割承継事業が相互に関連するものであること

　　(注)　どのような要件を満たす場合に分割事業と分割承継事業が相互に関連するものに該当するかについて、法人税法施行規則第３条第１項及び第２項に、詳細に規定されています。

b （事業規模等の類似性要件）　分割事業と分割承継事業（分割事業と関連する事業に限ります。）のそれぞれの売上金額、従業者の数若しくはこれらに準ずるものの規模の割合がおおむね５倍を超えないこと、又は当該分割前の分割法人の役員等のいずれかと分割承継法人の特定役員

（1030）

第23章　グループ法人税制、企業組織再編税制

（当該分割が複数新設分割の場合には、他の分割法人の役員等）のいずれかとが当該分割後に分割承継法人の特定役員となることが見込まれていること

　　(注)　【問23-18】の(2) b（事業規模等の類似性要件）の**(注)**を参照してください。

　　　　なお、役員等とは、役員及び特定役員（【問23-18】の(2) b（**注2**）参照）に掲げるこれらに準ずる者で、法人の経営に従事している者をいいます。

c （主要な資産及び負債の移転要件）　分割法人の分割事業に係る主要な資産及び負債が分割承継法人に移転すること

　　(注)　上記(1)②a（主要な資産及び負債の移転要件）の**(注)**を参照してください。

d （従業者相当数の引継要件）　分割法人の当該分割の直前の分割事業に係る従業者のうち、その総数のおおむね80％以上に相当する数の者が当該分割後に当該分割に係る分割承継法人の業務（この業務は分割事業に限りません。（基通1-4-9）また、分割承継法人との間に完全支配関係がある法人の業務を含みますし、分割後に行われる適格合併により分割事業が合併法人に移転することが見込まれている場合は、その合併法人及びその法人との間に完全支配関係がある法人の業務を含みます。）に従事すること（分割法人の分割直前の従業者が出向により分割承継法人の業務に従事する場合が含まれます。（基通1-4-10））が見込まれていること

e （事業の継続要件）　分割法人の分割事業（分割承継法人の分割承継事業と関連する事業に限ります。）が当該分割後に分割承継法人（分割承継法人との間に完全支配関係がある法人を含みます。また、分割後に行われる適格合併により分割事業が合併法人に移転することが見込まれている場合は、その合併法人及びその法人との間に完全支配関係がある法人を含みます。）において引き続き行われることが見込まれていること

f （株式の継続保有要件）　分割型分割の場合は、分割により交付される分割承継法人又は分割承継親法人のうちいずれか一の法人の株式であって支配株主に交付されるもの（無対価分割の場合は一定の算式で計算した数の株式）（以下「対価株式」といいます。）の全部が支配株主（分割後に行われる適格合併により、その対価株式が合併法人に移転することが見込まれる場合は、その合併法人を含みます。）により継続して保有

（1031）

されることが見込まれていること（分割後に分割承継法人を被合併法人
とする適格合併を行うことが見込まれている場合は、分割の時から適格
合併の直前の時まで対価株式の全部が支配株主により継続して保有され
ることが見込まれていること）

分社型分割の場合は、分割により交付される分割承継法人又は分割承
継親法人のうちいずれか一の法人の株式（無対価分割の場合は一定の算
式で計算した数の株式）の全部が分割法人（分割後に行われる適格合併
によりいずれか一の法人の株式の全部が合併法人に移転することが見込
まれている場合には、その合併法人を含みます。）により継続して保有
されることが見込まれていること（分割後に当該いずれか一の法人を被
合併法人とする適格合併を行うことが見込まれている場合は、分割の時
から適格合併の直前の時まで当該いずれか一の法人の株式の全部が分割
法人により継続して保有されることが見込まれていること）

(3) 分離独立（スピンオフ）のための分割

分割型分割で単独新設分割（法62の6①に規定する分割を除きます。）の
うち、分割法人の分割前に行う事業を分割承継法人で独立して行うための分
割として次のa〜eのすべての要件を満たしているもの（法2十二の十一ニ、
法政令4の3⑨）

a（非支配要件）　分割直前に分割法人と他の者（その者（その者が個人の
場合は、法政令4①に規定する特殊の関係のある者を含みます。）が締
結している民法第667条第1項に規定する組合契約その他の組合契約に
係る他の組合員を含みます。）との間に他の者による支配関係がなく、
かつ、分割後に分割承継法人と他の者との間に他の者による支配関係が
あることとなることが見込まれていないこと

b（役員等引継要件）　分割前の分割法人の役員等（分割法人の分割事業に
従事している重要な使用人を含みます。）のいずれかが分割後に分割承
継法人の特定役員となることが見込まれていること

c（主要資産・負債移転要件）　分割により分割事業に係る主要な資産及び
負債が分割承継法人に移転していること

d（従業者相当数の引継要件）　分割直前の分割事業に係る従業者のうちお
おむね80％以上に相当する数の者が分割承継法人の業務に従事すること

第23章　グループ法人税制、企業組織再編税制

が見込まれていること

e（事業継続要件）　分割法人の分割事業が分割後に分割承継法人で引き続き行われることが見込まれていること

適格組織再編成(4)——適格現物出資の意義

【問23-20】　税法上適格現物出資とされるのは、どのような要件を満たす現物出資ですか。

【答】　税法上適格現物出資とは、次の(1)の①若しくは②又は(2)のいずれかに該当する現物出資です。ただし、外国法人に国内不動産等、国内資産等又は無形資産等の移転を行うもの等一定のものは、適格現物出資から除かれます。（法２十二の十四、法政令４の３⑩⑪⑫）

（注）　令和６年９月30日以前に行われる現物出資については、適格現物出資から除外される範囲が異なります。（令６改所法等附則６）

(1)　企業グループ内の現物出資

①　完全支配関係にある法人間の現物出資……現物出資法人と被現物出資法人との間に、次のイ又はロのいずれかの関係がある場合の現物出資（法２十二の十四イ、法政令４の３⑬）

イ（当事者間の完全支配関係）　現物出資前（単独新設現物出資の場合は、現物出資後）に、現物出資法人と被現物出資法人（複数新設現物出資の場合は、現物出資法人と他の現物出資法人）との間にいずれか一方の法人による完全支配関係がある現物出資の次に掲げる区分に応じ、それぞれ次に定める関係（下記ロに掲げる関係は除きます。）

（注）　単独新設現物出資とは、新設現物出資（法人を設立する現物出資）で一つの法人のみが現物出資法人となるものをいい、複数新設現物出資とは、新設現物出資で、複数の法人が現物出資法人となるものをいいます。

ⓐ　新設現物出資以外の現物出資のうち、現物出資前に現物出資法人と被現物出資法人との間にいずれか一方の法人による完全支配関係があるもの……現物出資後に、現物出資法人と被現物出資法人との間のいずれか一方の法人による完全支配関係が継続すること（現物出資後にいずれか一方の法人を被合併法人又は完全子法人とする適格合併又は

（1033）

適格株式分配を行うことが見込まれている場合には、現物出資の時から適格合併又は適格株式分配の直前の時まで完全支配関係が継続すること）が見込まれている場合における現物出資法人と被現物出資法人との間の関係

ⓑ　単独新設現物出資のうち、現物出資後に現物出資法人と被現物出資法人との間に現物出資法人による完全支配関係があるもの……現物出資後に完全支配関係が継続すること（現物出資後に被現物出資法人を被合併法人又は完全子法人とする適格合併又は適格株式分配を行うことが見込まれている場合には、現物出資の時から適格合併又は適格株式分配の直前の時まで完全支配関係が継続すること）が見込まれている場合における現物出資法人と被現物出資法人との間の関係

ⓒ　複数新設現物出資のうち、現物出資前に現物出資法人と他の現物出資法人との間にいずれか一方の法人による完全支配関係があるもの……現物出資後に他方の法人と被現物出資法人との間にいずれか一方の法人による完全支配関係が継続すること（現物出資後に他方の法人又は被現物出資法人を被合併法人又は完全子法人とする適格合併又は適格株式分配を行うことが見込まれている場合には、現物出資の時から適格合併又は適格株式分配の直前の時まで完全支配関係が継続すること）が見込まれている場合における現物出資法人及び他の現物出資法人と被現物出資法人との間の関係

ロ（同一の者による完全支配関係）　現物出資前（単独新設現物出資の場合は、現物出資後）に、現物出資法人と被現物出資法人（複数新設現物出資の場合は、現物出資法人と他の現物出資法人）との間に同一の者による完全支配関係がある現物出資の次に掲げる区分に応じ、それぞれ次に定める関係

ⓐ　新設現物出資以外の現物出資のうち、現物出資前に現物出資法人と被現物出資法人との間に同一の者による完全支配関係があるもの……現物出資後に、現物出資法人と被現物出資法人との間に同一の者による完全支配関係が継続すること（現物出資後に現物出資法人又は被現物出資法人を被合併法人又は完全子法人とする適格合併又は適格株式分配を行うことが見込まれている場合には、現物出資の時から適格合

第23章　グループ法人税制、企業組織再編税制

併又は適格株式分配の直前の時まで完全支配関係が継続すること）が
見込まれている場合における現物出資法人と被現物出資法人との間の
関係

　ⓑ　単独新設現物出資のうち、現物出資後に現物出資法人と被現物出資
法人との間に同一の者による完全支配関係があるもの……現物出資後
に完全支配関係が継続すること（現物出資後に現物出資法人又は被現
物出資法人を被合併法人又は完全子法人とする適格合併又は適格株式
分配を行うことが見込まれている場合には、現物出資の時から適格合
併又は適格株式分配の直前の時まで完全支配関係が継続すること）が
見込まれている場合における現物出資法人と被現物出資法人との間の
関係

　ⓒ　複数新設現物出資のうち、現物出資前に現物出資法人と他の現物出
資法人との間に同一の者による完全支配関係があるもの……現物出資
後に現物出資法人、他の現物出資法人及び被現物出資法人と同一の者
との間に同一の者による完全支配関係が継続すること（現物出資後に
現物出資法人、他の現物出資法人又は被現物出資法人を被合併法人又
は完全子法人とする適格合併又は適格株式分配を行うことが見込まれ
ている場合には、現物出資の時から適格合併又は適格株式分配の直前
の時まで完全支配関係が継続すること）が見込まれている場合におけ
る現物出資法人及び他の現物出資法人と被現物出資法人との間の関係

②　支配関係がある法人間の現物出資……現物出資法人と被現物出資法人の
間に次のイ又はロのいずれかの関係（上記①の関係に該当するものを除き
ます。）がある場合の現物出資のうち、ａ〜ｃのすべての要件に該当する
もの（法２十二の十四ロ、法政令４の３⑭）

　イ（当事者間の支配関係）　現物出資前（単独新設現物出資の場合は、現
物出資後）に、現物出資法人と被現物出資法人（複数新設現物出資の場
合は、現物出資法人と他の現物出資法人）との間にいずれか一方の法人
による支配関係がある現物出資の次に掲げる区分に応じ、それぞれ次に
定める関係（下記ロに掲げる関係は除きます。）

　　ⓐ　新設現物出資以外の現物出資のうち、現物出資前に現物出資法人と
被現物出資法人との間にいずれか一方の法人による支配関係があるも

（1035）

の……現物出資後に、現物出資法人と被現物出資法人との間にいずれ
か一方の法人による支配関係が継続すること（現物出資後にいずれか
一方の法人を被合併法人とする適格合併を行うことが見込まれている
場合には、現物出資の時から適格合併の直前の時まで支配関係が継続
すること）が見込まれている場合における現物出資法人と被現物出資
法人との間の関係

ⓑ 単独新設現物出資のうち、現物出資後に現物出資法人と被現物出資
法人との間に現物出資法人による支配関係があるもの……現物出資後
に支配関係が継続すること（現物出資後に被現物出資法人を被合併法
人とする適格合併を行うことが見込まれている場合には、現物出資の
時から適格合併の直前の時まで支配関係が継続すること）が見込まれ
ている場合における現物出資法人と被現物出資法人との間の関係

ⓒ 複数新設現物出資のうち、現物出資前に現物出資法人と他の現物出
資法人との間にいずれか一方の法人による支配関係があるもの……現
物出資後に他方の法人と被現物出資法人との間にいずれか一方の法人
による支配関係が継続すること（現物出資後に他方の法人又は被現物
出資法人を被合併法人とする適格合併を行うことが見込まれている場
合には、現物出資の時から適格合併の直前の時まで支配関係が継続す
ること）が見込まれている場合における現物出資法人及び他の現物出
資法人と被現物出資法人との間の関係

ロ（同一の者による支配関係） 上記①ロのなかの「完全支配関係」を「支
配関係」、「被合併法人又は完全子法人」を「被合併法人」、「適格合併又
は適格株式分配」を「適格合併」と読み替えた場合の関係

a（主要な資産及び負債の移転要件） 当該現物出資により現物出資事業
（現物出資法人の現物出資前に行う事業のうち、被現物出資法人におい
て行われることとなるものをいいます。以下同じ。）に係る主要な資産
及び負債が当該被現物出資法人に移転していること

　(注) 【問23-19】の(1)②a（主要な資産及び負債の移転要件）の(注)を参照し
てください。

b（従業者相当数の引継要件） 当該現物出資の直前の現物出資事業に係
る従業者のうち、その総数のおおむね80％以上に相当する数の者が当該

（1036）

第23章　グループ法人税制、企業組織再編税制

現物出資後に被現物出資法人の業務（この業務は現物出資により移転した事業に限りません。（基通1-4-9）また、被現物出資法人との間に完全支配関係がある法人の業務を含みますし、現物出資後に行われる適格合併により現物出資事業が合併法人に移転することが見込まれている場合には、その合併法人及びその法人との間に完全支配関係がある法人の業務を含みます。）に従事すること（現物出資法人の現物出資直前の従業者が出向により被現物出資法人の業務に従事する場合が含まれます。（基通1-4-10））が見込まれていること

c　（事業の継続要件）　当該現物出資に係る現物出資事業が現物出資後に被現物出資法人（被現物出資法人との間に完全支配関係がある法人を含みます。また、現物出資後に行われる適格合併により現物出資事業が合併法人に移転することが見込まれている場合には、その合併法人及びその法人との間に完全支配関係がある法人を含みます。）において引き続き行われることが見込まれていること

(2) 共同事業を行うための現物出資

(1)以外の現物出資で、次のa～fに掲げる要件をすべて満たすもの（法2十二の十四ハ、法政令4の3⑮）

a　（事業の相互関連性要件）　現物出資法人の現物出資事業と被現物出資法人の被現物出資事業が相互に関連するものであること

> **(注)**　どのような要件を満たす場合に現物出資事業と被現物出資事業とが相互に関連するものに該当するかについて、法人税法施行規則第3条第1項及び第2項に、詳細に規定されています。

b　（事業規模等の類似性要件）　現物出資事業と被現物出資事業（現物出資事業と関連する事業に限ります。）のそれぞれの売上金額、従業者の数若しくはこれらに準ずるものの規模の割合がおおむね5倍を超えないこと、又は現物出資法人の役員等のいずれかと被現物出資法人の特定役員（当該現物出資が複数現物出資の場合には、他の現物出資法人の役員等）のいずれかとが当該現物出資後に被現物出資法人の特定役員となることが見込まれていること

> **(注)**　【問23-18】の(2)b及び【問23-19】の(2)b（事業規模等の類似性要件）の**(注)**を参照してください。

(1037)

c （主要な資産及び負債の移転要件）　現物出資法人の現物出資事業に係
る主要な資産及び負債が被現物出資法人に移転していること

　　(注)　【問23-19】の(1)②a（主要な資産及び負債の移転要件）の(注)を参照し
　　てください。

d （従業者相当数の引継要件）　現物出資法人の当該現物出資の直前の現
物出資事業に係る従業者のうち、その総数のおおむね80％以上に相当す
る数の者が当該現物出資後に当該現物出資に係る被現物出資法人の業務
（この業務は現物出資により移転した事業に限りません。（基通１－４－
９）また、被現物出資法人との間に完全支配関係がある法人の業務を含
みますし、現物出資後に行われる適格合併により現物出資事業が合併法
人に移転することが見込まれている場合には、その合併法人及びその法
人との間に完全支配関係がある法人の業務を含みます。）に従事するこ
と（現物出資法人の現物出資直前の従業者が出向により被現物出資法人
の業務に従事する場合が含まれます。（基通１－４-10））が見込まれてい
ること

e （事業の継続要件）　現物出資法人の現物出資事業（被現物出資法人の
被現物出資事業と関連する事業に限ります。）が当該現物出資後に被現
物出資法人（被現物出資法人との間に完全支配関係がある法人を含みま
す。また、現物出資後に行われる適格合併により現物出資事業が合併法
人に移転することが見込まれている場合には、その合併法人及びその法
人との間に完全支配関係がある法人を含みます。）において引き続き行
われることが見込まれていること

f 　現物出資により交付される被現物出資法人の株式の全部が現物出資法
人（現物出資後に行われる適格合併によりその株式の全部が合併法人に
移転することが見込まれている場合には、その合併法人を含みます。）
により継続して保有されることが見込まれていること（現物出資後に被
現物出資法人を被合併法人とする適格合併を行うことが見込まれている
場合には、現物出資の時から適格合併の直前の時まで株式の全部が現物
出資法人により継続して保有されることが見込まれていること）

（1038）

第23章　グループ法人税制、企業組織再編税制

適格組織再編成(5)──適格現物分配の意義

【問23-21】　法人税法第2条十二の十五に規定されている適格現物
　　分配とはどのようなものなのか、説明してください。

【答】　「現物分配」とは、法人（公益法人等及び人格のない社団等を除きま
す。）がその株主等に対し、当該法人の次に掲げる事由により、金銭以外の
資産の交付をすることをいいます。（法2十二の五の二かっこ書）
　イ　剰余金の配当（株式又は出資に係るものに限るものとし、分割型分割
　　によるものを除きます。）若しくは利益の配当（分割型分割によるもの
　　を除きます。）又は剰余金の分配（出資に係るものに限ります。）
　ロ　解散による残余財産の分配
　ハ　法人税法第24条第1項第5号から第7号までにみなし配当が生ずる事
　　由として掲げられている事由、すなわち、ⓐ自己の株式又は出資の取得
　　（金融商品取引所の開設する市場における購入による取得等を除きま
　　す。）、ⓑ出資の消却、出資の払戻し、社員その他法人の出資者の退社又
　　は脱退による持分の払戻し等、ⓒ組織変更（組織変更に際して当該組織
　　変更をした法人の株式又は出資以外の資産を交付したものに限ります。）
　　次に、「適格現物分配」とは、内国法人を現物分配法人とする現物分配の
うち、その現物分配により資産の移転を受ける者が、その現物分配の直前に
おいて当該内国法人との間に完全支配関係がある内国法人（普通法人又は協
同組合等に限ります。）のみであるものをいいます。（法2十二の十五）適格
現物分配には、【問23-18】から【問23-20】までに説明した適格合併、適格分割、
適格現物出資に付せられている類いの要件は、付けられていません。
　　上記の規定にある「現物分配法人」とは、現物分配によりその有する資産
の移転を行った法人をいいます。（法2十二の五の二）これに対して、現物
分配により現物分配法人から資産の移転を受けた法人を、「被現物分配法人」
といいます。（法2十二の五の三）
　　適格現物分配の最も多い事例は、前記した完全支配関係にある子会社から
その親会社への資産の譲渡が剰余金の分配で行われる場合ですが、親会社が
完全子会社の解散により残余財産の分配を金銭以外の資産で受ける場合もそ
の事例です。また、次ページの図のような100％グループ法人内の株式の保

（1039）

有関係では、A社とC社の間又はB社とC社の間の完全支配関係は外国法人P社によるものとなっています。このグループ内で、C社からA社又はB社への現物分配が行われた場合、それぞれの間の完全支配関係は

外国法人P社によるものであっても、現物分配法人C社、被現物分配法人A社又はB社ともに内国法人ですので、この現物分配は適格現物分配に該当します。

適格組織再編成(6)――適格株式分配の意義

【問23-22】 法人税法第2条十二の十五の三に規定されている適格株式分配とはどのようなものか、説明してください。

【答】 適格株式分配は、平成29年度の税法改正で設けられた規定で、現物分配のうち、完全子法人株式を分配するもので一定の条件を満たすものを「株式分配」とし、株式分配のうち、事業の分離独立（スピンオフ）のために一定の条件を満たすものを「適格株式分配」としています。

「株式分配」とは、現物分配（剰余金の配当又は利益の配当に限ります。）のうち、現物分配の直前において発行済株式等の全部を保有されていた法人（完全子法人）の株式等の全部が移転するものをいいます。なお、現物分配を受ける者が、現物分配の直前において現物分配法人との間に完全支配関係がある者のみである場合は除きます。（法2十二の十五の二）次に、「適格株式分配」とは、完全子法人株式のみが移転する株式分配のうち、完全子法人と現物分配法人が独立して事業を行うための株式分配として、次のイ～ニのすべての要件を満たしているものをいいます。なお、株式分配による株式の交付が、各株主等の株式の所有割合又は出資の割合に応じて行われるものに限ります。（法2十二の十五の三、法政令4の3⑯）

イ（非支配要件） 株式分配の直前に現物分配法人と他の者（その者（その者が個人の場合は、法政令4①に規定する特殊の関係のある者を含みます。）が締結している民法第667条第1項に規定する組合契約その他の組合契約に係る他の組合員を含みます。）との間に他の者による支配関

第23章　グループ法人税制、企業組織再編税制

係がなく、かつ、株式分配後に完全子法人と他の者との間に他の者による支配関係があることとなることが見込まれていないこと

ロ（役員等引継要件）　株式分配前の完全子法人の特定役員のすべてがその株式分配に伴って退任するものではないこと

（注）　「特定役員」の意味は、【問23-18】の(2)bの(注2)を参照してください。

ハ（従業者相当数の引継要件）　完全子法人の株式分配の直前の従業者のうちおおむね80％以上に相当する数の者がその完全子法人の業務に引き続き従事することが見込まれていること

ニ（事業継続要件）　完全子法人の株式分配前の主要な事業がその完全子法人で引き続き行われることが見込まれていること

（1041）

適格組織再編成(7)──適格株式交換と適格株式移転

> **【問23-23】** 税法上適格株式交換又は適格株式移転とされるのは、どのような要件を満たすものですか。非適格株式交換又は非適格株式移転の場合、税務ではどのような問題が生じ、どのような処理をすることになりますか。

【答】 税法上適格株式交換とは、下記の表の「適格株式交換」の欄のいずれかに該当する株式交換で、株式交換完全子法人の株主に株式交換完全親法人又は株式交換完全支配親法人のうちいずれか一の法人の株式以外の資産(当該株主に対する剰余金の配当として交付される金銭その他の資産、及び株式交換に反対する当該株主に対するその買取請求に基づく対価として交付される金銭その他の資産、株式交換の直前に株式交換完全親法人が株式交換完全子法人の発行済株式(株式交換完全子法人が有する自己株式を除きます。)の総数の3分の2以上に相当する数の株式を有する場合における株式交換完全親法人以外の株主に交付される金銭その他の資産等、一定のものを除きます。)が交付されないものをいいます。(法2十二の十七)

(**注1**) 法人税法の規定上、株式交換は、全部取得条項付種類株式の端数処理、株式併合の端数処理等と併せて「株式交換等」と定義されています。また、そのうち適格要件を満たすものは「適格株式交換等」と定義されています。

(**注2**) 株式交換完全支配親法人とは、株式交換の直前に当該株式交換に係る株式交換完全親法人と当該株式交換完全親法人以外の法人との間に当該法人による直接又は間接の完全支配関係(以下「直前完全支配関係」といいます。)があり、かつ、当該株式交換後に当該株式交換完全親法人と当該法人(以下「親法人」といいます。)との間に当該親法人による完全支配関係が継続することが見込まれている場合における当該直前完全支配関係がある法人をいいます。(法2十二の十七かっこ書、法政令4の3⑰)

次に、税法上適格株式移転とは、下記の表の「適格株式移転」の欄のいずれかに該当する株式移転で、株式移転完全子法人の株主に株式移転完全親法人の株式以外の資産(株式移転に反対する当該株主に対するその買取請求に基づく対価として交付される金銭その他の資産を除きます。)が交付されないものをいいます。(法2十二の十八)

(1042)

第23章　グループ法人税制、企業組織再編税制

	企業グループ内の株式交換等		共同事業を行うための株式交換等
	完全支配関係がある法人間の株式交換等	支配関係がある法人間の株式交換等	
適格株式交換	株式交換前に株式交換完全子法人と株式交換完全親法人との間に ①株式交換完全親法人による完全支配関係（無対価株式交換である場合の完全支配関係を除きます。）があり、かつ、株式交換後に株式交換完全子法人と株式交換完全親法人との間に株式交換完全親法人による完全支配関係が継続することが見込まれている株式交換 ②同一の者による完全支配関係（無対価株式交換である場合は、株主均等割合保有関係がある場合に限ります。）があり、かつ、株式交換後に株式交換完全子法人と株式交換完全親法人との間に同一の者による完全支配関係が継続することが見込まれている株式交換 （法２十二の十七イ、法政令４の３⑱）	株式交換前に株式交換完全子法人と株式交換完全親法人との間に ①いずれか一方の法人による支配関係（無対価株式交換である場合は、株主均等割合保有関係がある場合に限ります。）があり、かつ、株式交換後に当該株式交換完全子法人と株式交換完全親法人との間にいずれか一方の法人による支配関係が継続することが見込まれている株式交換で、以下のａ及びｂの要件を満たすもの ②同一の者による支配関係（無対価株式交換である場合は、株主均等割合保有関係がある場合に限ります。）があり、かつ、株式交換後に当該株式交換完全子法人と株式交換完全親法人との間に同一の者による支配関係が継続することが見込まれている株式交換で、次のａ及びｂの要件を満たすもの （法２十二の十七ロ、法政令４の３⑲） ａ．従業者相当数の引継要件 ｂ．事業の継続要件	次のａ～ｆ（株式交換の直前に株式交換完全子法人と他の者との間に他の者による支配関係がない場合はａ～ｅ）のすべての要件を満たす株式交換（法２十二の十七ハ、法政令４の３⑳） ａ．事業の相互関連性要件 ｂ．事業規模等の類似性要件 ｃ．従業者相当数の引継要件 ｄ．事業の継続要件 ｅ．株式交換完全親法人による完全支配関係の継続要件 ｆ．支配株主による株式の継続保有要件
適格株式移転	株式移転前に株式移転完全子法人と他の株式移転完全子法人との間に同一の者による完全支配関係があり、かつ、株式移転後に株式移転完全親法人	株式移転前に株式移転完全子法人と他の株式移転完全子法人との間に ①いずれか一方の法人による支配関係があり、かつ、株式移転後に当	次のａ～ｆ（株式移転の直前に株式移転完全子法人のすべてについて他の者との間に他の者による支配関係がない場合はａ～ｅ）のすべての要件を満

（1043）

と株式移転完全子法人及び他の株式移転完全子法人との間に同一の者による完全支配関係が継続することが見込まれる株式移転（法２十二の十八イ、法政令４の３㉑） １の法人のみが株式移転子法人となる株式移転で、株式移転後に株式移転完全親法人と株式移転完全子法人との間に株式移転完全親法人による完全支配関係が継続することが見込まれている株式移転（法２十二の十八イ、法政令４の３㉒）	該株式移転完全子法人と他の株式移転完全子法人との間に当該株式移転に係る株式移転完全親法人による支配関係が継続することが見込まれている株式移転で、以下のa及びbの要件を満たすもの ②同一の者による支配関係があり、かつ、株式移転後に当該株式移転に係る株式移転完全親法人と株式移転完全子法人及び他の株式移転完全子法人との間に同一の者による支配関係が継続することが見込まれている株式移転で、次のa及びbの要件を満たすもの （法２十二の十八ロ、法政令４の３㉓） a．従業者相当数の引継要件 b．事業の継続要件	たす株式移転（法２十二の十八ハ、法政令４の３㉔） a．事業の相互関連性要件 b．事業規模等の類似性要件 c．従業者相当数の引継要件 d．事業の継続要件 e．株式移転完全親法人による完全支配関係の継続要件 f．支配株主による株式の継続保有要件

　次に、株式交換又は株式移転が非適格株式交換又は非適格株式移転の場合ですが、株式交換又は株式移転では、合併、分割等と異なり、法人間での資産の移転がありませんので、適格要件を満たさない場合に課税問題が生ずるのは、「内国法人が自己を株式交換等完全子法人又は株式移転完全子法人とする非適格株式交換等を行った場合、当該内国法人が当該非適格株式交換等の直前の時において有する時価評価資産の評価益の額又は評価損の額は、当該非適格株式交換等の日の属する事業年度の所得の金額の計算上、益金の額又は損金の額に算入する」という規定（法62の９）です。

　(注)　非適格株式交換等とは、株式交換等又は株式移転で、適格株式交換等及び適格株式移転並びに株式交換又は株式移転の直前に当該内国法人と当該株式交換に係る株式交換完全親法人又は当該株式移転に係る他の株式移転完全子法人との間に完全支配関係があった場合における当該株式交換及び株式移転に該当しないものをいいます。（法62の９①かっこ書）

第23章　グループ法人税制、企業組織再編税制

　この規定の適用対象になる時価評価資産は、下記イ～ホの資産（帳簿価額
が1,000万円未満の資産、及び資産の価額とその帳簿価額との差額がその内
国法人の資本金等の額の$\frac{1}{2}$相当額又は1,000万円のいずれか少ない金額に満
たないものを除きます。（法政令123の11①四、五））です。（法62の9①）

イ　固定資産（非適格株式交換等の日の属する事業年度開始の日前5年以内
　　に開始した各事業年度等において一定の圧縮記帳の規定の適用を受けた減
　　価償却資産を除きます。（法政令123の11①一））

ロ　土地（土地の上に存する権利を含み、固定資産に該当するものを除きます。）

ハ　有価証券（売買目的有価証券、償還有価証券並びに清算中の法人、解散
　　をすることが見込まれている法人及び完全支配関係がある内国法人との間
　　で適格合併を行うことが見込まれている法人の株式又は出資を除きます。
　　（法政令123の11①二、三、六））

ニ　金銭債権

ホ　繰延資産

適格合併をした場合の税務処理の事例

> 【問23-24】　当社（A社）は、完全子会社B社を吸収合併しました。
> 　　B社の合併直前の資産の合計額は500、負債の合計額は200で、
> 純資産額は300、純資産の部の内訳は、資本金100、資本剰余金（資
> 本準備金）50、利益剰余金150ですが、申告加算調整してきた諸
> 否認金が100と、これを将来減算一時差異として計上した繰延税
> 金資産が35（上記の資産の合計額500のなかに計上されていま
> す。）があります。また、当社が合併直前に所有していたB社の
> 株式の帳簿価額は130ですが、B社株式の取得時に低廉譲受益と
> して申告加算した金額が10あり、税務上のB社株式の帳簿価額は、
> 140となっています。（単位は百万円）
> 　　この合併に係る当社の会計処理と税務での処理は、どのように
> なるのか教えてください。

【答】　御質問にある合併は、完全支配関係のある子会社の吸収合併ですので、
税法上適格合併に該当します。（法2十二の八イ）したがって、貴社は、被

（1045）

合併法人Ｂ社の当該適格合併に係る最後事業年度終了の時の帳簿価額により、Ｂ社の資産及び負債の引継ぎを受けたものとされます。（法62の２①、法政令123の３）

　適格合併の場合、会計上もＢ社の資産及び負債を帳簿価額で引き継ぎますので、この引継ぎに係る貴社の会計処理は、次のとおりになります。

資　　産	500	負　　債	200
		子会社株式（Ｂ社株式）	130
		特別利益	170

　上記の仕訳で、合併差益170を特別利益に計上しているのは、「企業結合会計基準及び事業分離等会計基準に関する適用指針」（以下本問で「適用指針」と略します。）のⅥ共通支配下取引等の会計処理、5 親会社が子会社を吸収合併する場合の会計処理、(1)個別財務諸表上の会計処理、206　親会社（吸収合併存続会社）の会計処理の(2)①株主資本の取扱いに示された「親会社は、子会社から受入れた資産と負債の差額のうち親会社持分相当額については、親会社が合併直前に保有していた子会社株式（抱合株式）の帳簿価額との差額を、特別損益に計上する。」という指針によるものです。

　本問の場合は、吸収合併されるＢ社は合併会社Ａ社の完全子会社で、少数株主がいませんので、貴社が子会社から受入れた資産500と負債200の差額300の全額が親会社持分であり、その金額から貴社が合併直前に保有していたＢ社の株式130を差引いた170を、特別利益に計上することになります。

　なお、親会社持分相当額と子会社株式との差額を利益剰余金に直接計上せず、損益に計上した上で利益剰余金を増減させることとした理由は、適用指針の検討の経緯のなかの438に、次のとおり述べられています。

① 　抱合せ株式消滅差額が差益の場合は投資額を上回る回収額を表し、逆に差損の場合は投資額を下回る回収額を表すことになるので、合併を契機に、このような子会社を通じた事業投資の成果を親会社の個別損益計算書に反映させることが適当と考えられること。

② 　抱合せ株式消滅差額が差益の場合には、子会社から配当金を受取った後に合併した場合と、また，差損の場合には、子会社投資に係る評価損を計上した後に合併した場合と組織再編の経済的実態が同じと考えられるので、それらの取引と同様の結果が得られるとおり会計処理をすることが望まし

（1046）

第23章　グループ法人税制、企業組織再編税制

いと考えられること。

③　利益剰余金の増減は、原則として当期純利益に反映されたもののみから構成されることが適当と考えられること。

(注)　完全子会社間での合併のような場合は、「吸収合併存続会社は吸収合併消滅会社の合併期日の前日の適正な帳簿価額による株主資本の額を払込資本（資本金又は資本剰余金）として処理する。増加すべき払込資本の内訳項目（資本金、資本準備金又はその他資本剰余金）は、会社法の規定に基づき決定する。」とされています。（適用指針185(1)①）このような場合は、合併会社の被合併会社に対する投資がありませんので、上記の①にあるような「合併を機に被合併会社を通じた事業の投資の成果を合併会社の個別損益計算に反映させるという考えは、採り得ないわけです。

　次に税務での処理ですが、適格合併によって貴社（合併法人）が資本金等の額を増加させる額は下記(1)の額、利益積立金額を増加させる額は下記(2)の額となります。

(1)　資本金等の額を増加させる額（法政令8①五）

　　　　　……下記⑦－⑩の額　150－140＝10

　⑦　被合併法人の資本金等の額　100（資本金）＋50（資本剰余金）＝150

　⑩　合併法人が有していた抱合株式（被合併法人の株式の合併の直前の帳簿価額）　130（会計帳簿上の額）＋10（申告加算額）＝140

(2)　利益積立金額を増加させる額（法政令9二）

　　　　　……下記⑧－（⑤＋㋭＋㋬）の額　565－（200＋10＋140）＝215

　⑧　移転する資産の帳簿価額

　　500（会計帳簿上の額）＋100（申告加算否認金）－35（繰延税金資産）＝565

　⑤　移転する負債の帳簿価額　会計帳簿どおり　　　　　　　　　200

　㋭　法政令8①五の額（上記(1)の額）　　　　　　　　　　　　　10

　㋬　抱合株式の合併直前の帳簿価額（上記⑩の額）　　　　　　140

　貴社は、この合併の日の属する事業年度において、合併に関する事項として、次のとおりの申告調整をします。

(1)　別表四……B社の資産及び負債を引継ぐ会計処理で、合併差益170を特別利益に計上していますが、資本等取引に係るもので益金の額に算入されませんので、減算調整（処分は留保）をします。特別利益に計上した170は、

（1047）

別表五(一)の I の「繰越損益金㉕」の③欄に記載されますが、別表四での減算調整に伴う②欄の記載をしませんので、合併による利益積立金額の増加額（上記の(2)）の1項目として残ることになります。

(2) 別表五(一)の I 及び II……それぞれ、次のとおりの記載をします。

利益積立金額及び資本金等の額の計算に関する明細書		事業年度	： ：	法人名	A 社	

I 利益積立金額の計算に関する明細書

区　分		期首現在利益積立金額 ①	当 期 の 増 減 減 ②	当 期 の 増 減 増 ③	差引翌期首現在利益積立金額 ①-②+③ ④
利 益 準 備 金	1	円	円	円	円
積 立 金	2				
子会社（B社）株式	3	10	※ 10		
諸 否 認 金	4			※ 100	
繰延税金資産	5			※ △35	
資本金等の額	6			※ △10	△10

繰越損益金（損は赤）	25			※ 170	
納 税 充 当 金	26				
未納法人税等	未納法人税及び未納地方法人税（附帯税を除く。）	27	△	△	中間 △ 確定 △	△
	未払通算税効果額（附帯税の額に係る部分の金額を除く。）	28			中間 確定	
	未納道府県民税（均等割額を含む。）	29	△	△	中間 △ 確定 △	△
	未納市町村民税（均等割額を含む。）	30	△	△	中間 △ 確定 △	△
差 引 合 計 額	31				

II 資本金等の額の計算に関する明細書

区　分		期首現在資本金等の額 ①	当 期 の 増 減 減 ②	当 期 の 増 減 増 ③	差引翌期首現在資本金等の額 ①-②+③ ④
資本金又は出資金	32	円	円	円	円
資 本 準 備 金	33				
利 益 積 立 金 額	34			◉ 10	10
	35				
差 引 合 計 額	36				

　　※が合併による利益積立金額の増加額215（増③の※印の差引合計額225と減②の※印の10の差額）、●が合併による資本金等の額の純増額10です。

　　(注)　※合併による利益積立金額の増加額215は、別表四の㊾の留保の額と関係しませんので、【問27-2】に記載した別表四と別表五(一)の突合わせ検算について、除外項目になります。

　　合併による引継仕訳では、合併差益170を全額特別利益（利益積立金額）

（1048）

第23章　グループ法人税制、企業組織再編税制

とし、資本金等の額を増加させていませんので、別表五(一)のⅡの区分欄を「利益積立金額」として、その「増③」に10を記載します。別表五(一)のⅠの区分欄を「資本金等の額」として、その「増③」に△10を記載したのは、これに対応するもので、翌事業年度以後もそのまま残ります。

合併による利益積立金額の増加額215と別表五(一)のⅠの「繰越損益金25」に記載された合併差益170の差額45の内訳は、下記の表の左欄のとおりであり、その別表五(一)のⅠでの記載箇所は同表の右欄のとおりです。

差額45の内訳		別表五(一)Ⅰでの記載箇所	
被合併会社の合併直前の諸否認金	100	諸否認金の「増③」	100
被合併会社の合併直前の繰延税金資産	△35	繰延税金資産の「増③」	△35
抱合株式（B社株式）の否認額の認容	△10	子会社株式の「減②」	10
資本等取引による増加額150と抱合株式の消却額140の差額	△10	資本金等の額の「増③」	△10

適格分割をした場合の税務処理の事例

【問23-25】　当社（A社）は、完全子会社であるB社を分割承継法人として、当社のX事業部門の資産及び負債を吸収分割により移転させる予定です。

当社の分割直前の税務上の貸借対照表は右記のとおりであり、このうちB社に移転する資産は1,000（分割時の価額1,150）、負債は500です。この会社分割により、B社は資本金を100増加させることとしています。

分割直前の税務上の貸借対照表

資産	2,000	負債	1,000
		資本金等の額	700
		利益積立金	300
計	2,000	計	2,000

当社の株主は甲社及び乙社の2社で、それぞれ50%ずつ株式を保有していますが、当該株式の帳簿価額は甲社では400、乙社では900となっています。（単位は百万円）

この分割が適格分割型分割又は適格分社型分割である場合、分割会社（A社）、分割承継会社（B社）及び分割会社の株主である甲社と乙社の税務上の処理は、それぞれどのようになりますか。

【答】　御質問にある会社分割は、完全支配関係がある法人間の分割ですので、

（1049）

適格分割に該当しますが（法２十二の十一イ）、分割承継会社（Ｂ社）が分割により発行する株式の交付を分割会社（Ａ社）の株主（甲社及び乙社）が受けるときは、適格分割型分割となり、分割会社であるＡ社が受けるときは、適格分社型分割となります。

　適格分割ですので、会社分割により分割承継法人（Ｂ社）に移転する資産の分割会社（Ａ社）での譲渡益150（分割時の価額1,150と帳簿価額1,000の差額）の計上、分割承継会社での当該資産の分割時の価額1,150での受入れは、いずれも不要です。また、適格分割型分割の場合、分割法人の株主（甲社及び乙社）における分割会社株式の譲渡による損益も生じません。

　適格分割型分割の場合と適格分社型分割の場合についての仕訳（税務での仕訳）を対比して記載しますと、次のとおりです。

		適格分割型分割の場合	適格分社型分割の場合
分割法人 （Ａ社）		負　債　　500／資　産1,000 資本金等の額　350 利益積立金額　150	負　債　　500／資　産 1,000 Ｂ社株式　500／
分割承継法人 （Ｂ社）		資産1,000／負　債　　500 　　　　　　資本金等の額　350 　　　　　　利益積立金額　150	資産1,000／負　債　　500 　　　　　　資本金等の額　500
分割法人の株主	（甲社）	Ｂ社株式　200／Ａ社株式　200	Ｂ社の株式が交付されませんので、仕訳はありません。
	（乙社）	Ｂ社株式　450／Ａ社株式　450	

(1) 適格分割型分割の場合

① 　分割法人（Ａ社）……減少させる資本金等の額及び利益積立金額は、次のとおりです。

　イ　資本金等の額を減少させる額（法政令８①十五）

$$700\left(\begin{smallmatrix}\text{分割の直前の}\\\text{資本金等の額}\end{smallmatrix}\right) \times \frac{\text{分割の直前の}1,000\left(\begin{smallmatrix}\text{移転資産の}\\\text{帳簿価額}\end{smallmatrix}\right) - 500\left(\begin{smallmatrix}\text{移転負債の}\\\text{帳簿価額}\end{smallmatrix}\right)}{\begin{smallmatrix}\text{分割の日の属する事業年度の前事業年度終了の時の}\\2,000\text{（資産の帳簿価額）} - 1,000\text{（負債の帳簿価額）}\end{smallmatrix}} = 350$$

　　(注)　上記の算式の乗数の割合に小数点以下３位未満の端数があるときは、これを切り上げます。（法政令８①十五かっこ書）

　ロ　利益積立金額を減少させる額（法政令９十）

　　500（上記イの算式の乗数の分子の額）－350（上記のイの額）＝150

② 分割承継法人（B社）……適格分割型分割により、分割法人A社から、資産及び負債を分割前事業年度終了の時の帳簿価額により引継ぎを受けたものとします。（法62の2②、法政令123の3③）この引継ぎにより分割承継法人B社が増加させる資本金等の額、利益積立金額は、次のとおりです。

イ 資本金等の額を増加させる額（法政令8①六）

　　　　　　　　　　　　　　　　　……下記a＋b－c　350

　　a　B社が増加させる資本金の額　　　　　　　　　　100

　　b　分割法人の資本金等の額を減少させた金額に相当する額

　　　（①のイの額）　　　　　　　　　　　　　　　　350

　　c　分割型分割により増加した資本金の額　　　　　　100

　　(注)　上記のうちaは、法政令8①の冒頭の「法人の資本金の額」に規定され、bとcは、同項六に規定されています。

ロ 利益積立金額を増加させる額（法政令9三）

　　　　　　　　　　　　　　　　　……下記のd－（e＋f）の額　150

　　d　分割法人から移転を受けた資産の分割直前の帳簿価額　1,000

　　e　分割法人から移転を受けた負債の分割直前の帳簿価額　500

　　f　この適格分割型分割により増加した資本金等の額

　　　（上記イの額）　　　　　　　　　　　　　　　　350

③ 分割法人の株主（甲社及び乙社）……分割型分割（金銭等不交付分割型分割に限ります。）により交付を受けた分割承継法人の株式の取得価額は、当該分割型分割が適格分割か非適格分割かに関係なく、次のとおりになります。（法政令119①六、119の8①、23①二）

$$\text{分割法人の株式の分割の直前の帳簿価額} \times \frac{\begin{pmatrix}\text{移転資産の}\\\text{帳簿価額}\end{pmatrix} - \begin{pmatrix}\text{移転負債の}\\\text{帳簿価額}\end{pmatrix}}{\begin{array}{c}\text{分割の日の属する事業年度の前事業年度終了の時の}\\(\text{資産の帳簿価額}) - (\text{負債の帳簿価額})\end{array}}$$

（みなし配当の金額、当該分割承継法人の株式の交付を受けるために要した費用がある場合には、これらの金額を加算します。）

これにより、分割法人の株式（A社株式）の帳簿価額のうち下記の金額を、分割型分割により交付される分割承継法人の株式（B社株式）へ振り替えることになります。なお、上記の算式の乗数は、甲社、乙社とも、$\frac{1,000-500}{2,000-1,000}=\frac{500}{1,000}$となります。

・甲社の場合 　$400\left(\begin{array}{l}\text{A社の株式の分割の}\\\text{直前の帳簿価額}\end{array}\right)\times\dfrac{500}{1,000}=200$

・乙社の場合 　$900\left(\begin{array}{l}\text{A社の株式の分割の}\\\text{直前の帳簿価額}\end{array}\right)\times\dfrac{500}{1,000}=450$

(2) 適格分社型分割の場合

① 分割法人（A社）……適格分社型分割により分割承継法人に移転した純資産の適格分社型分割の直前の帳簿価額500により、分割承継法人から同社の株式（B社株式）の交付を受けたものとします。（法62の3②、法政令119①七、123の4）

② 分割承継法人（B社）……適格分社型分割により分割法人A社から資産及び負債を分割法人における適格分社型分割の直前の帳簿価額により取得したものとします。（法62の3①、法政令123の4）この取得により分割承継法人が増加させる資本金等の額は、次のa＋（b－c）－d＝500です。（法政令8①七）

　　a　B社が増加させる資本金の額　100

　　b　分割法人A社の分割の直前の移転資産の帳簿価額　1,000

　　c　分割法人A社の分割の直前の移転負債の帳簿価額　500

　　d　分社型分割により増加した資本金等の額　100

　　(注)　上記のうちaは、法政令8①の冒頭の「法人の資本金の額」に規定され、b、c及びdは、同項七に規定されています。

（1052）

第23章　グループ法人税制、企業組織再編税制

非適格分割をした場合の税務処理の事例

> **【問23-26】**【問23-25】の会社分割で、分割承継会社Ｂ社が分割会社
> 　　Ａ社の完全子会社でなく、この会社分割が非適格分割型分割又は
> 　　非適格分社型分割であった場合、分割会社、分割承継会社及び分
> 　　割会社の株主の税務での処理は、それぞれどのようになりますか。

【答】　非適格分割の場合は、【問23-25】の適格分割の場合と異なり、分割承
継法人に移転する資産の分割法人における譲渡損益の計上、分割承継法人に
おける時価による受入れが必要です。

　非適格分割型分割と非適格分社型分割についての仕訳を対比して記載しま
すと、次のとおりです。

	非適格分割型分割の場合	非適格分社型分割の場合
分割法人 （Ａ社）	負　　債　500　／　資　　産1,000 資本金等の額　350　　　譲　渡　益　150 利益積立金　300	負　　債　500　／　資　　産1,000 Ｂ社株式　650　　　譲　渡　益　150
分割承継法人 （Ｂ社）	資産1,150　／　負　　債　　500 　　　　　　　資本金等の額　650	資産1,150　／　負　　債　　500 　　　　　　　資本金等の額　650
分割法人の株主 （甲社）	Ｂ社株式　200　／　Ａ社株式　200	Ｂ社の株式が交付されませんの で、仕訳はありません。
（乙社）	Ｂ社株式　450　／　Ａ社株式　450	

(1) 非適格分割型分割の場合

① 　分割法人（Ａ社）……分割承継法人に分割の時の価額により資産及び負
　債を譲渡したことによる譲渡益150（資産の時価1,150とその帳簿価額1,000
　の差額）は、分割前事業年度において益金の額に算入されます。（法62①）

　　分割法人の株主への分割承継法人の株式の交付に当たり、減少させる資
本金等の額及び利益積立金額は、次のとおりです。

　イ　資本金等の額を減少させる額（法政令8①十五）

　【問23-25】の(1)適格分割型分割の場合の①分割法人（Ａ社）のイに記載
　した350です。

　ロ　利益積立金額を減少させる額（法政令9九）……下記ａ－ｂの額
　300です。

　　ａ　分割法人が分割法人の株主等（甲社及び乙社）に交付した株式（金

（1053）

銭以外の資産）の価額　650

　　b　上記イの額　350

② 分割承継法人（B社）……非適格分割型分割により、分割法人A社から、資産及び負債を分割の時の価額により引継ぎを受けたものとします。（法62①）この引継ぎにより分割承継法人が増加させる資本金等の額は、次のa＋b－c＝650です。（法政令8①六）

　　a　B社が増加させる資本金の額　100

　　b　非適格分割型分割により移転を受けた資産の分割の日の価額　650

　　c　非適格分割型分割により増加した資本金の額　100

　　(注)　上記のうちaは、法政令8①の冒頭の「法人の資本金の額」に規定され、bとcは同項六に規定されています。

③ 分割法人の株主（甲社及び乙社）……分割法人の株式（A社株式）の一部を譲渡して分割承継法人の株式（B社株式）を取得したことになりますが、分割型分割により分割承継法人の株式以外の資産（利益の配当として交付された金銭その他の資産を除きます。）が交付されなかったときは、【問23-25】の(1)③に記載した分割法人の株主の場合と同じになります。

(2) 非適格分社型分割の場合

① 分割法人（A社）……非適格分社型分割により分割承継法人に移転した純資産の分割の時の価額650により、分割承継法人から同社の株式（B社株式）の交付を受けたものとします。（法62①）

② 分割承継法人（B社）……(1)非適格分割型分割の②分割承継法人に記載した処理と同じです。ただし、当該処理について記載した「（法政令8①六）」は、「（法政令8①七）」となります。

(1054)

第23章　グループ法人税制、企業組織再編税制

完全子会社を分割会社としその親会社を分割承継会社とする無対価分割の事例

【問23-27】　当社（A社）は完全子会社B社を分割会社として、そのY事業部門の資産及び負債を吸収分割により受入れする予定です。

分割直前のB社の税務上の貸借対照表は右記のとおりであり、分割によって当社には資産が200、負債110が移転しますが、

分割直前の税務上の貸借対照表

資　　　産	1,000	負　　　債	700
		資本金等の額	200
		利益積立金額	100
計	1,000	計	1,000

子会社に親会社の株式を交付することができませんので、株式の交付をしない無対価分割とすることとしています。当社の所有するB社株式の帳簿価額は、200です。（単位：百万円）

(1) 当社及びB社の会計処理は、どのようにすべきですか。

(2) 税務上適格分割として取り扱われますか。当社及びB社での法人税申告書の記載方法についても教えてください。

【答】　親子会社間での会社分割は、親会社を分割会社、子会社を分割承継会社として行われる場合が多く、税法が適格分割の筆頭に掲げている「完全支配関係がある法人間の分割」は、これを前提にしたものとなっています。御質問の事例はこれと逆のケースですが、分割会社である完全子会社B社に対して分割承継会社である親会社A社の株式を吸収型再編対価として交付することができませんので、無対価分割となります。

(注)　会社計算規則では、第2編、第3章、第4節、第2款「吸収分割」の第38条第2項に規定されています。

(1) 貴社及びB社の会計処理は、次のとおりになります。

貴社（分割承継会社）　資　　　産	200	負　　　債	110
		子会社(B社)株式	60
		特　別　利　益	30

貴社がB社より移転受入れする純資産の額90に対応するB社株式の帳簿価

（1055）

額60を減額し、その差額の30を特別利益（その他利益剰余金）とします。

$$200（B社株式の帳簿価額）\times \frac{90（移転受入れする純資産額）}{300（B社の純資産額）}=60$$

差額の30を特別利益とするのは、分割承継によりB社株式に対する投資の成果の一部が実現したという考えによるもので、【問23-24】で説明した親会社が完全子会社を吸収合併する場合の考えと同じです。

B社（分割会社）	負　　　債	110	資　　　産	200
	繰越利益剰余金	90		

資本取引ですが、資本金の減少手続をとりませんので、純資産の減少額90は、繰越利益剰余金の減少とします。剰余金の処分に該当しますので、これを承認する株主総会の決議が必要です。（会社法452）

(2) 税務での処理は、次のとおりになります。

① 適格分割として取扱われるのか……御質問のように分割承継会社（貴社）が分割会社（B社）の発行済株式等の全部を所有する関係がある場合は、完全支配関係がある法人間の分割として（【問23-19】(1)①参照）、無対価分割でも適格分割に該当するとされています。

② 貴社及びB社での法人税申告書の記載方法

貴社及びB社の税務での処理を仕訳で示しますと、次のとおりになります。

貴社（分割承継会社）	資　　　産	200	負　　　債	110
			資本金等の額	60
			利益積立金額	30

B社（分割会社）	負　　　債	110	資　　　産	200
	資本金等の額	60		
	利益積立金額	30		

B社から貴社へ引継ぐ利益積立金額30は、下記イ－（ロ＋ハ）の額です。（法政令9十）

イ　分割により分割承継会社（貴社）に移転した資産の帳簿価額　200

ロ　分割により分割承継会社（貴社）に移転した負債の帳簿価額　110

ハ　分割により分割会社（B社）が資本金等の額を減少させる額　60

（1056）

第23章　グループ法人税制、企業組織再編税制

　Ｂ社から貴社が引継ぐ資本金等の額は、上記のハの額60で、下記により計算した金額です。（法政令8①十五）

$$200\binom{\text{分割直前の}}{\text{資本金等の額}}\times\frac{200\,（上記のイの額）-110\,（上記のロの額）}{\substack{\text{分割の日の属する事業年度の前事業年度終了の日の}\\1,000\,（資産の帳簿価額）-700\,（負債の帳簿価額）}}=60$$

　(注)　上記の算式の乗数の割合に小数点以下3位未満の端数があるときは、これを切り上げます。

　この場合の法人税申告書の記載方法ですが、貴社が分割承継に当たって計上した特別利益30は、資本等取引に係るもので益金の額に算入されませんので、別表四で「分割承継により計上した特別利益」として減算（留保）します。そして、貴社及びＢ社の別表五(一)には、そのＩ及びⅡの③欄に、それぞれ次のとおりの記載をします。

	貴社（分割承継会社）	Ｂ社（分割会社）
Ｉ　（利益積立金額）	子会社株式　※　60 資本金等の額　※△60 繰越損益金　※　30	資本金等の額　※　60 繰越損益金　※△90
	差　引　計　※　30	差　引　計　※△30
Ⅱ　（資本金等の額）	利益積立金額　　　60	利益積立金額　　△60

　Ｉ（利益積立金額）の各項目に※を付したのは、会社分割による増減で、【問27-2】に記載した別表四と別表五(一)のＩの関係の検証に当たり、突合の算式の対象外となることを示すためのものです。貴社は、上記のように分割承継により計上した特別利益30を別表四で減算（留保）して留保利益から削除していますので、分割承継による利益積立金額30の増加は、別表四の留保利益（52の②の額）とは関係のないものとなります。

適格分社型分割により退職給付引当金を分割承継法人へ引き継いだ場合

> **【問23-28】** 退職給付会計基準によって退職給付引当金を計上して
> います。当社の完全子会社を分割承継法人として、当社の事業の
> 一部を適格分社型分割するに当たり、当該子会社に移転する従業
> 員に係る退職給付引当金を同社に引き継がせることになりました。
> 当社及び当該子会社での分割に伴う別表五(一)の記載はどのよう
> になりますか。
>
> 分社型分割の場合、利益積立金額の分割承継法人への引継ぎは
> できないとのことですが、子会社に引き継がせる退職給付引当金
> は利益積立金額のため、税務上子会社が引き継ぐことができない
> となりますと、将来子会社で退職給与の支払い等のためにこれを
> 取り崩しても、損金の額に算入されないことになるのですか。

【答】 適格分社型分割の場合、分割承継法人における移転による受入れ資産
の帳簿価額と受入れ負債の帳簿価額の差額から当該分社型分割により増加し
た資本金の額を減額した金額は、税務では分割承継会社の資本金等の額とす
ると規定されています。(法政令8①七、【問23-25】(2)②参照)) このため、
御質問の後段にあるように、分割法人の利益積立金額が適格分社型分割によ
って分割承継法人に引き継がれても、利益積立金額とならず、資本金等の額
となります。

御質問にある退職給付引当金は、貴社で税務上利益積立金額となっていま
す。その一部を適格分社型分割によって分割承継法人である子会社が引き継
いだ場合、当該子会社でそのまま資本金等の額となり、将来子会社で退職給
与の支払い等のために取崩しをしても、申告減算して損金の額に算入するこ
とができないことになるのでないかという点ですが、前記の法人税法施行令
第8条第1項第7号の規定は、子会社では合計額において貴社の利益積立金
額の引継ぎができないということであり、その個々のものの引継ぎができな
いということではありません。

事例によって説明します。

貴社から子会社へ適格分社型分割により移転する資産の帳簿価額が1,000、
退職給付引当金を除く負債の帳簿価額が500、退職給付引当金が200で、子会

(1058)

第23章　グループ法人税制、企業組織再編税制

社ではこの分割により、資本金の額を200増額させるものとします。

　この適格分社型分割について、貴社と子会社それぞれの会計処理と税務での仕訳を対比して示しますと、次のとおりになります。

	会 計 処 理	税務での仕訳
分割法人 （貴社）	負　債　500／資産　1,000 退職給付引当金 200 子会社株式 300	負　債　500／資産　1,000 子会社株式　500／
分割承継 法人（子 会社）	資産　1,000／負　債　500 ／退職給付引当金 200 ／資本金 200 ／資本準備金 100	資産　1,000／負　債　500 ／資本金等の額 500

　分割の日の属する事業年度に、貴社と子会社は別表五(一)に分割に関する事項として次のとおりの記載をして、分割による分割法人から分割承継法人への移動によるものであることを明らかにするため、※印を付します。

(1)　貴　社（分割法人）

　「Ⅰ　利益積立金額の計算に関する明細書」に、次のとおり記載します。

利益積立金額及び資本金等の額の計算に関する明細書		事業年度	・・	法人名	貴　社 （分割法人）		別表五(一)
Ⅰ　利益積立金額の計算に関する明細書							
区　　分		期首現在 利益積立金額 ①	当　期　の　増　減		差引翌期首現在 利益積立金額 ①−②+③ ④		
			減 ②	増 ③			
利益準備金	1						
積立金	2						
子会社株式	3			200	200		
退職給付引当金	4	××××		△ 200	×××		

　子会社株式200は、税務上子会社株式として計上すべき額500と会計処理での子会社株式の計上額300の差額で、将来当該子会社株式を譲渡したときに、申告減算調整することができます。

　退職給付引当金△200は、分割承継法人である子会社への移転により会計処理で取り崩したもので、税務では利益積立金額です。利益積立金額は、上記の子会社株式の200と退職給付引当金の△200により合計額で増減せず、別表四での加算又は減算の記載は、いずれも不要です。

（1059）

(2) 子会社（分割承継法人）

「Ⅰ　利益積立金額の計算に関する明細書」と「Ⅱ　資本金等の額の計算に関する明細書」に、次のとおり記載します。

| 利益積立金額及び資本金等の額の計算に関する明細書 | | 事業年度 | ：　：
：　： | 法人名 | 子会社
（分割承継法人） | | 別表五
(一) |

Ⅰ　利益積立金額の計算に関する明細書

区　　　分		期首現在 利益積立金額 ①	当期の増減		差引翌期首現在 利益積立金額 ①-②+③ ④
			減 ②	増 ③	
利 益 準 備 金	1				
積　立　金	2				
退職給付引当金	3			200	××××
資本金等の額	4			△200	△200

Ⅱ　資本金等の額の計算に関する明細書

区　　　分		期首現在 資本金等の額 ①	当期の増減		差引翌期首現在 資本金等の額 ①-②+③ ④
			減 ②	増 ③	
資本金又は出資金	32			200	200
資 本 準 備 金	33			100	100
利益積立金額	34			200	200
	35				
差 引 合 計 額	36			500	500

Ⅱに記載する利益積立金額200は、税務で計上すべき資本金等の額500と会計処理で計上した資本金200及び資本準備金100の差額で、税務上会計帳簿に記載されない資本金等の額が200あることを明らかにするため、資本金等の額の明細書に記載するものです。会計処理では、この200を退職給付引当金という利益積立金額で計上していますので、区分欄は「利益積立金額」と記載します。Ⅰに記載する資本金等の額△200は、これと逆のものを、利益積立金額の明細書に記載するものです。Ⅱに記載する利益積立金額200とⅠに記載する資本金等の額△200は、分割によって子会社が計上する「簿価純資産－増加資本金」の金額の税務での金額500と会計処理での金額300の差額200の内訳ですので、翌事業年度以後も、別表五(一)にそのまま残ります。

Ⅰに記載する退職給付引当金200は、子会社において会計処理で計上した退職給付引当金200が、税務では利益積立金額であることによるもので、子会社で退職給与の支払い等をするために当該引当金を取り崩したときに、

（1060）

第23章　グループ法人税制、企業組織再編税制

申告減算調整をすることができます。

　子会社では、利益積立金額の分割による引継額は、上記別表五(一)の記載からもわかるように、合計額では退職給付引当金200、資本金等の額△200で0となりますが、分割承継後に退職給与の支払いのための取崩し等によって申告減算することができる退職給付引当金200と、そのまま残る資本金等の額の△200とに分れるわけです。

適格分割型分割により退職給付引当金を分割承継法人へ引き継いだ場合

> 【問23-29】　【問23-28】の場合ですが、当社の完全子会社A社の事業の一部を完全子会社B社へ適格分割型分割によって移転するに当たり、A社からB社へ移転する従業員に係る退職給付引当金を引き継がせるときは、A社、B社での分割に伴う別表五(一)の記載は、どのようになりますか。

【答】　適格分割型分割の場合、分割承継法人において、資本金等の額を増加させる額（法政令8①六）及び利益積立金額を増加させる額（法政令9三）は、【問23-25】の(1)②に記載しているとおりです。

　御質問にある退職給付引当金は、分割法人A社で税務上利益積立金額となっていますので、分割承継法人B社へ引き継がれる額は、その額に下記の割合を乗じた額になります。この割合は、【問23-25】の(1)①分割法人について、イ資本金等の額を減少させる額（法政令8①十五）を計算する算式の乗数の割合です。

$$\frac{分割の直前における（移転資産の帳簿価額）-（移転負債の帳簿価額）}{\begin{array}{l}分割の日の属する事業年度の\\前事業年度終了の時の\end{array}（資産の帳簿価額）-（負債の帳簿価額）}$$

　したがって、【問23-28】の適格分社型分割の場合のように、分割承継法人へ引継がれた退職給付引当金が、分割承継法人において資本金等の額になるのでないかという疑義は生じません。

　事例によって説明します。

　事業年度開始の日を分割の日とする適

分割直前の貸借対照表

資　　産	2,000	負　　債	1,000
		退職給付引当金	400
		資本金	200
		利益剰余金	400
計	2,000	計	2,000

（1061）

格分割型分割の直前のA社（分割法人）の貸借対照表が上記のとおりで、分割によりB社（分割承継法人）に資産が1,000、負債が500、退職給付引当金が200移転し、B社は資本金を100増額させるものとします。この場合における上記の割合は、$\dfrac{1,000-500}{2,000-1,000}=\dfrac{500}{1,000}$ になります。

　(注)　退職給付引当金は利益積立金額ですので、負債に含めていません。

　この適格分割型分割について、A社、B社それぞれの会計処理と税務での仕訳を対比して示しますと、次のとおりです。

	会　計　処　理	税務での仕訳
分割法人 （A社）	負　　　債　500　資　　　産　1,000 退職給付引当金　200 繰越利益剰余金　300	負　　　債　500　資　　　産　1,000 資本金等の額　100 利益積立金　400
分割承継 法人 （B社）	資　　　産　1,000　負　　　債　500 退職給付引当金　200 資　本　金　100 繰越利益剰余金　200	資　　　産　1,000　負　　　債　500 資　本　金　100 利益積立金　400

　分割の日の属する事業年度にA社とB社は、別表五(一)に分割に関する事項として次のとおりの記載をして、分割による分割法人から分割承継法人への移動によるものであることを明らかにするため、※印を付します。

(1) A社（分割法人）

　「Ⅰ　利益積立金額の計算に関する明細書」と「Ⅱ　資本金等の額の計算に関する明細書」に、次のとおり記載します。

利益積立金額及び資本金等の額の計算に関する明細書		事業 年度	・　・	法人名	A社 （分割法人）		別表 五 (一)
Ⅰ　利益積立金額の計算に関する明細書							
区　　　分		期首現在 利益積立金額 ①	当　期　の　増　減			差引翌期首現在 利益積立金額 ①-②+③ ④	
			減 ②		増 ③		
利　益　準　備　金	1						
積　立　金	2						
退職給付引当金	3	×××××		※	△200	×××	
資本金等の額	4			※	100	100	
繰越損益金（損は赤）	25	×××××		※	△300	×××	
納　税　充　当　金	26						

（1062）

第23章　グループ法人税制、企業組織再編税制

Ⅱ　資本金等の額の計算に関する明細書

区　　　分		期首現在資本金等の額 ①	当期の増減 減 ②	当期の増減 増 ③	差引翌期首現在資本金等の額 ①－②＋③ ④
資 本 金 又 は 出 資 金	32				
資 本 準 備 金	33				
利益積立金額	34			※　△100	△100
	35				
差 引 合 計 額	36				

　なお、税務での仕訳で利益積立金額を減額させている400は、分割直前の利益積立金額800（利益剰余金400と退職給付引当金400の合計額）に、前記の割合 $\frac{500}{1,000}$ を乗じた額です。

　B社に移転する純資産の帳簿価額500と上記により利益積立金額を減少させる400の差額100は、税務上資本金等の額を減少させて調整します。

(2)　B社（分割承継法人）

　「Ⅰ　利益積立金額の計算に関する明細書」に、次のとおり記載します。

利益積立金額及び資本金等の額の計算に関する明細書		事業年度	：　：	法人名	B社（分割承継法人）		別表五(一)
Ⅰ　利益積立金額の計算に関する明細書							
区　　　分		期首現在利益積立金額 ①	当期の増減 減 ②	当期の増減 増 ③	差引翌期首現在利益積立金額 ①－②＋③ ④		
利 益 準 備 金	1						
積 立 金	2						
退職給付引当金	3			※　200	×××		
繰 越 損 益 金 (損 は 赤)	25		※　200		×××		
納 税 充 当 金	26						

　以上により、A社で利益積立金額となっている退職給付引当金200は、そのままB社へ引き継がれることになります。

（1063）

第24章　欠損金の繰越しと繰戻し

欠損金等の繰越損金算入制度

> **【問24-1】**　法人の各事業年度開始の日前10年以内に開始した事業年度において生じた欠損金の繰越制度について、税法の規定の概略を説明してください。

【答】　法人税法第57条と第58条に、概略次のとおり規定されています。

① 法人税法57①⑪……内国法人の各事業年度開始の日前10年以内に開始した事業年度において生じた欠損金額で、当該事業年度の前事業年度までに繰越欠損金の損金算入又は欠損金の繰戻しによる還付の計算の基礎となっていない金額は、当該事業年度の所得の金額を限度として、損金の額に算入する。この規定は、欠損金額の生じた事業年度に確定申告書を提出し、かつ、その後連続して確定申告書を提出している場合であって、欠損金額の生じた事業年度に係る帳簿書類を整理し、納税地に10年間保存している場合に限り、適用する。（法57⑩、法規則26の3①）

　(注)　帳簿書類の保存期間は7年間とされていますが（【問1-21】参照）、欠損金の繰越損金算入制度の適用を受けるためには、7年間を経過しても、その欠損金が生じた事業年度の帳簿書類を保存しておく必要があります。

② 法人税法58①……内国法人の各事業年度開始の日前10年以前に開始した事業年度のうち青色申告書を提出する事業年度でない事業年度において生じた欠損金額に係る法57①の規定の適用については、その欠損金額のうち、棚卸資産、固定資産又は繰延資産のうち他の者の有する固定資産を利用するために支出されたもの（法政令114）について震災、風水害、火災等の災害**(注1)**により生じた損失の額**(注2)**を超える部分の金額はないものとする。

　(注1)　災害には、冷害、雪害、干害、落雷、噴火その他の自然現象の異変による災害及び鉱害、火薬類の爆発その他の人為による異常な災害並びに害虫、害獣その他の生物による異常な災害を含みます。（法政令115）

（1064）

第24章　欠損金の繰越しと繰戻し

(注2)　災害により生じた損失の額は、棚卸資産、固定資産又は繰延資産（他の者
の有する固定資産を利用するために支出されたもの）について生じた次に掲
げる損失の額（保険金、損害賠償金その他これらに類するものにより補填さ
れるものを除きます。）の合計額とします。(法政令116)

　(1)　災害により資産が滅失し、若しくは損壊したこと又は災害による価値の
減少に伴い資産の帳簿価額を減額したことによる損失の額（滅失、損壊又
は価値の減少による資産の取壊し又は除去の費用その他の付随費用に係る
損失の額を含みます。）

　(2)　災害により資産が損壊し、又は価値が減少した場合その他災害により資
産を事業の用に供することが困難となった場合において、その災害のやん
だ日の翌日から１年を経過した日（大規模な災害の場合その他やむを得な
い事情がある場合には、３年を経過した日）の前日までに支出する次に掲
げる費用その他これらに類する費用に係る損失の額

　　イ　災害により生じた土砂その他の障害物を除去するための費用

　　ロ　資産の原状回復のための修繕費

　　ハ　資産の損壊又は価値の減少を防止するための費用

　(3)　災害により資産につき現に被害が生じ、又はまさに被害が生ずるおそれ
があると見込まれる場合において、被害の拡大又は発生を防止するため緊
急に必要な措置を講ずるための費用に係る損失

　つまり、青色申告書を提出した事業年度に生じた欠損金額は全額が繰越控
除の対象になりますが、青色申告書を提出していない事業年度に生じた欠損
金額については、災害により生じた一定の欠損金額のみが繰越控除の対象に
なるということです。

(注)　平成30年３月31日以前に開始した事業年度において生じた欠損金額は、繰越
期間が９年です。(平27改所法等附則27①、平27改法規則附則２①)

中小法人等以外の法人での繰越控除額の削減

> **【問24-2】**　**【問24-1】**に記載した欠損金の繰越制度について、中小
> 法人等以外の法人での繰越控除額の削減の概要を説明してくださ
> い。

【答】　欠損金の繰越控除制度での控除限度額は、中小法人等以外の法人につ

（1065）

いては、当事業年度の繰越控除前の所得の金額の50％に相当する金額とされています。（法57①ただし書、⑪）

(注) 中小法人等とは、事業年度終了の時において次に掲げる法人に該当するものをいいます。（法57⑪一）

イ　普通法人（投資法人、特定目的会社及び受託法人を除きます。）のうち、資本金の額若しくは出資金の額が１億円以下であるもの又は資本若しくは出資を有しないもの。ただし、次の法人に該当するものを除きます。

(イ) 大法人（次のａからｃに掲げる法人）との間に当該大法人による完全支配関係がある普通法人

ａ　資本金の額又は出資金の額が５億円以上である法人

ｂ　保険業法に規定する相互会社及び外国相互会社

ｃ　法人課税信託の受託法人

(ロ) 普通法人との間に完全支配関係があるすべての大法人が有する株式及び出資の全部を、当該すべての大法人のうちいずれか一の法人が有するものとみなした場合において、当該いずれか一の法人と当該普通法人との間に当該いずれか一の法人による完全支配関係があることとなるときの当該普通法人

(ハ) 相互会社及び外国相互会社

ロ　公益法人等又は協同組合等

ハ　人格のない社団等

㋑	青色欠損金繰越額	1,000（千円）
㋺	欠損金控除前所得金額	600
㋩	㋺のうち損金算入することができる額	(600×50%) 300
㊁	㋩の額を損金算入した後の所得金額　㋺－㋩	300
㋭	翌期へ繰り越す青色欠損金　㋑－㋩	700

中小法人等以外の法人において、例えば、欠損金の繰越額が1,000千円（右記の表の㋑の額）あって、当事業年度（令和６年４月１日から令和７年３月31日まで）の繰越欠損金控除前の所得の金額（繰越欠損金控除前所得金額）が600千円（上記の表の㋺の額）生じた場合、欠損金控除前所得金額600千円の50％相当額である300千円（上記の表の㋩の額）が損金算入限度額となりますので、当該額を損金の額に算入した後の所得の金額が300千円（上記の表の㊁の額）残ることになり、この300千円について法人税額が生じます。なお、翌期へ繰り越す青色欠損金は700千円（1,000千円－300千円）（上記の表の㋭の額）

第24章　欠損金の繰越しと繰戻し

となります。

(注)　中小法人等に該当しない法人でも、再建中の法人（更生手続開始の決定があった法人等、一定の法人）や新設法人については、一定期間、繰越控除額の削減の対象外とされ、欠損金の繰越額を全額控除できます。（法57⑪二、三）なお、新設法人に関する取扱いについては、【問24-3】を参照してください。

新設法人の繰越欠損金の損金算入の特例

> **【問24-3】**　当社は今年設立した中小法人等に該当しない株式会社（資本金2億円）で、設立当初は事業が軌道に乗らず、多額の欠損金が生じる見込みです。新設法人には繰越欠損金の損金算入について特例があるとのことですが、その内容を説明してください。

【答】　欠損金の繰越制度で、中小法人等以外の法人は、控除限度額がその事業年度の欠損金控除前の所得の金額の50％相当額とされています。ただし、中小法人等以外の法人であっても、法人の設立日から同日以後7年を経過する日までの期間内の日の属する事業年度では、欠損金の繰越控除限度額が欠損金控除前の所得の金額となります。（法57⑪三）

この特例の対象となる法人は、普通法人に限られ、次の法人は除かれます。（法57⑪三、一イ）

① 　大法人との間に当該大法人による完全支配関係がある法人（資本金5億円以上の会社の100％子会社等）等、【問24-2】**(注)**のイの(イ)又は(ロ)に掲げる法人

② 　株式移転完全親法人

③ 　投資法人、特定目的会社、法人課税信託の受託者である法人

なお、法人に次のいずれかの事由が生じた場合には、その事由が生じた日のうち最も早い日以後に終了する事業年度から、この特例は適用されません。（法57⑪三かっこ書き、法政令113の2⑦）

イ 　その法人が発行する株式が金融商品取引所等に上場されたこと

ロ 　その法人が発行する株式が店頭売買有価証券登録原簿に登録されたこと

(注)　その法人が合併法人等である場合、次の日を設立日として、7年を経過する日の起算日とします。（法政令113の2⑤一～三）

（1067）

① 合併法人……合併法人と被合併法人の設立日のうち最も早い日
② 分割承継法人（その分割により分割法人が行っていた事業の移転を受け、かつ、その事業を引き続き行うものに限ります。）……分割承継法人と分割法人（その分割によりその事業を移転するものに限ります。）の設立日のうち最も早い日
③ 被現物出資法人（その現物出資により現物出資法人が行っていた事業の移転を受け、かつ、その事業を引き続き行うものに限ります。）……被現物出資法人と現物出資法人（その現物出資によりその事業を移転するものに限ります。）の設立日のうち最も早い日

繰越欠損金の損金算入の具体的方法

> **【問24-4】** 3月31日決算の会社です。令和6年3月期は所得金額が1,000千円ありましたが、令和7年3月期は欠損金額が4,000千円生じました。この欠損金額について繰越欠損金の損金算入制度を利用したいのですが、その方法を具体的に教えてください。

【答】 繰越欠損金の損金算入制度は、内国法人の各事業年度開始の日前9年又は10年以内に開始した事業年度において生じた欠損金額で、当該事業年度の前事業年度までに繰越欠損金の損金算入又は欠損金の繰戻しによる還付の対象にされなかった金額を、当該事業年度の所得の金額（中小法人等に該当しない法人は所得の金額の50％相当額）を限度として、当該各事業年度の所得の金額の計算上損金の額に算入するという制度です。（法57①）

御質問の場合、貴社が中小法人等（普通法人の場合は、事業年度終了の時における資本金の額又は出資金の額が1億円以下で、かつ、法人税法第66条第5項第2号又は第3号に掲げるものに該当しないもの）の場合、法人税法第80条第1項の規定（欠損金の繰戻しによる還付）の不適用措置（措法66の12）の対象法人から除外されていますので（【問24-8】参照）、令和7年3月期の欠損金額4,000千円のうち1,000千円は、令和6年3月期の所得金額1,000千円に対する法人税の額の還付の請求に充て、残りの3,000千円について、上記の法人税法第57条第1項の規定の適用を受けることにすべきです。

欠損金の繰越期間は最長10年間ですので、この規定の適用を受けることに

（1068）

第24章　欠損金の繰越しと繰戻し

なる令和７年３月期に生じた欠損金3,000千円は、事業年度の変更がない限り、令和８年３月期から令和17年３月期までの10年間に生ずる3,000千円までの繰越欠損金控除前の所得の金額から控除されます。例えば、令和８年３月期に2,000千円、令和９年３月期に2,500千円の繰越欠損金控除前の所得の金額が生じた場合は、令和８年３月期の所得の金額は、2,000千円から繰越欠損金3,000千円のうちの2,000千円を損金の額に算入して０とし、令和９年３月期の所得の金額は、2,500千円から繰越欠損金3,000千円のうち前事業年度までに損金の額に算入されなかった1,000千円を損金の額に算入して、1,500千円とします。

このように、翌事業年度以後に生じた所得の金額から繰越欠損金を控除しますが、控除しきれない繰越欠損金の額は、さらにその次の事業年度の所得の金額から控除します。事業年度の変更がない場合、令和７年３月期が当該事業年度開始の日前10年以内に開始した事業年度となるのは、令和17年３月期（令和７年３月期の開始の日である令和６年４月１日は、令和17年３月期の開始の日である令和16年４月１日の前日である令和16年３月31日から前10年以内の日です。）までですので、この繰越欠損金の控除は、原則として10年後に打切りになります。

しかし、翌事業年度以後に事業年度の変更（定款等に定める会計期間の変更）をしますと、繰越欠損金が翌事業年度以後10年間の所得の金額から控除されないことが起こりますので、御注意ください。例えば、御質問の場合、翌事業年度に事業年度終了の日を12月31日とする事業年度の変更をしますと、令和７年３月期が当該事業年度開始の日前10年以内に開始した事業年度となるのは令和16年12月期となり、令和７年３月期に生じた欠損金3,000千円をその後に生じた所得の金額から控除することができる期間は、令和７年３月から令和16年12月までの９年９か月となります。

なお、この制度は、欠損金の生じた事業年度について青色申告書である確定申告書を提出し、かつ、その後において連続して確定申告書（青色申告書であることを要しません。）を提出している場合であって、欠損金額の生じた事業年度に係る帳簿書類を整理し、10年間納税地に保存している場合に限り適用すると規定されています。（法57⑩、法規則26の３①）

また、申告書別表七(一)「欠損金の損金算入等に関する明細書」を記載し

（1069）

て確定申告書に添付するとともに、別表一の「欠損金等の当期控除額26」「翌期へ繰り越す欠損金額27」の欄に、該当する金額を記載することが必要です。

被合併法人等から合併法人等への未処理欠損金額の引継ぎ

> **【問24-5】** 税法上被合併法人等から合併法人等への未処理欠損金額の引継ぎは、どのような場合に認められるのか、説明してください。

【答】 内国法人を合併法人とする適格合併が行われた場合、当該適格合併に係る被合併法人の未処理欠損金額は、所定の要件を満たす場合、当該適格合併に係る合併法人へ引き継ぎ、合併法人において、合併事業年度前の各事業年度に生じた欠損金額とみなすこととされています。また、内国法人との間に完全支配関係がある他の内国法人で、当該内国法人が発行済株式若しくは出資の全部若しくは一部を有するものの残余財産が確定した場合にも、当該他の内国法人の未処理欠損金額を当該内国法人が引き継ぎ、残余財産引継ぎ前の各事業年度に生じた欠損金額とみなすこととされています。（法57②）

　上記の規定の適用対象となるものを「適格合併等」、適格合併等をされる法人を「被合併法人等」、未処理欠損金額を引継ぐ法人を「合併法人等」として、この規定の適用要件を記載しますと、次のとおりです。

1　被合併法人等において、適格合併等の日前10年以内に開始した各事業年度（以下「前10年内事業年度」といいます。）において欠損金額が生じ、当該事業年度について確定申告書を提出し、かつ、その後の各事業年度において確定申告書を提出していること。（法57②、法政令112①）

2　被合併法人等において、1に記載した事業年度に生じた欠損金額（被合併法人等において損金算入されたもの及び繰戻し還付の対象となったものを除きます。）であること。

　引継ぎが認められた被合併法人等の未処理欠損金額は、当該未処理欠損金額の生じた前10年内事業年度開始の日の属する合併法人等の各事業年度で生じた欠損金額とみなされますので（法57②）、申告書別表七(一)付表一「適格組織再編成等が行われた場合の調整後の控除未済欠損金額の計算に関する明細書」を記載し、この明細書の「調整後の控除未済欠損金額3」を別表七

（1070）

第24章　欠損金の繰越しと繰戻し

（一）の「控除未済欠損金額③」の欄に記載します。

　なお、合併法人等が最近設立された法人である場合、その最も古い事業年度の開始の日が、被合併法人等の合併等事業年度開始の日前10年以内に開始した事業年度で未処理欠損金額が生じた事業年度のうち最も古い事業年度の開始の日よりも後であることがあり得ます。その場合は、被合併法人等の欠損発生事業年度に対応する事業年度を合併法人等の事業年度とみなして、その間に生じた被合併法人等の未処理欠損金額の引継ぎをすることができます。（法政令112②）

　ただし、適格合併等に係る被合併法人等の未処理欠損金額でも、【問24-6】で説明するように、合併法人等への引継ぎが制限されるものがありますので、御注意ください。

(注)　平成30年３月31日以前に開始した事業年度において生じた欠損金額については、本文の「10年」が「９年」となります。（平27改所法等附則27①）

被合併法人等から合併法人等への引継ぎが制限される未処理欠損金額等

> 【問24-6】　適格合併等が行われた場合でも、被合併法人等から合併法人等への引継ぎが制限される未処理欠損金額等があるとのことですが、これについて説明してください。

【答】　適格合併等の場合には、被合併法人等から合併法人等への未処理欠損金額の引継ぎが認められていますが（法57②、【問24-5】参照）、未処理欠損金額のある法人を買収して課税回避が行われるのを防止するため、次のような制限が設けられています。

(1) 合併法人等へ引き継がれる被合併法人等の未処理欠損金額についての制限

　適格合併に係る被合併法人の未処理欠損金額又は残余財産が確定した他の内国法人の未処理欠損金額には、①当該適格合併が共同で事業を行うための合併として政令（法政令112③）で定めるものに該当する場合、又は②当該被合併法人と内国法人との間に、当該内国法人の適格合併の日の属する事業年度開始の日の５年前の日若しくは残余財産の確定の日の翌日の属する事業年度開始の日の５年前の日、当該被合併法人等の設立の日若しくは当該内国法人の設立の日のうち最も遅い日から継続して支配関係がある場合として政

（1071）

令（法政令112④）で定める場合のいずれにも該当しない場合には、下記イ及びロに掲げる欠損金額を含まないものとされています。（法57③）

イ　被合併法人等の支配関係事業年度（当該被合併法人等が当該内国法人との間に最後に支配関係を有することとなった日の属する事業年度）前の各事業年度で前10年内事業年度に該当する事業年度において、被合併法人等において生じた欠損金額

ロ　被合併法人等の支配関係事業年度以後の各事業年度で前10年内事業年度に該当する事業年度において生じた未処理欠損金額のうち、特定資産譲渡等損失額（法62の7②）に相当する金額から成る部分の金額として政令（法政令112⑤）で定める金額

　これは、未処理欠損金額のある法人を買収して、当該法人を被合併法人等とすることにより、その未処理欠損金額を引き継いで合併法人等の課税を不当に回避するのを防止するためのものです。

　なお、上記の①にある「共同で事業を行うための合併」に該当するのは、次のイ〜ニのすべての要件に該当するもの又はイ及びホのいずれの要件にも該当するものとされています。（法政令112③）

イ　事業の関連性に関する要件……被合併法人の被合併事業と合併法人の合併事業とが相互に関連するものであること

ロ　事業の相対的な規模に関する要件……被合併事業と合併事業（被合併事業と関連する事業に限ります。）のそれぞれの売上金額、従業員の数、被合併法人と合併法人のそれぞれの資本金の額若しくは出資金の額又はこれらに準ずるものの規模の割合がおおむね5倍を超えないこと

ハ　被合併事業の同等規模継続に関する要件……被合併事業が被合併法人が合併法人の間に最後に支配関係を有することとなった時から適格合併の直前の時まで継続して行われており、かつ、その間における当該被合併事業の規模の割合がおおむね2倍を超えないこと

ニ　合併事業の同等規模継続に関する要件……合併事業についても、ハと同様の要件を満たすこと

ホ　特定役員に関する要件……被合併法人の適格合併の前における特定役員（社長、副社長、代表取締役、代表執行役、専務取締役若しくは常務取締役又はこれらに準ずる者で、法人の経営に従事している者）である者のい

（1072）

第24章　欠損金の繰越しと繰戻し

ずれかの者と、合併法人の適格合併の前における特定役員である者のいずれかの者とが、適格合併の後に合併法人の特定役員となることが見込まれていること

(2) 合併法人等における繰越欠損金額についての制限

　内国法人と支配関係法人（当該内国法人との間に支配関係がある法人）との間で、当該内国法人を合併法人、分割承継法人、被現物出資法人又は被現物分配法人とする適格合併若しくは適格合併に該当しない合併で完全支配関係がある法人間の取引の損益の規定（法61の11①）の適用があるもの、適格分割、適格現物出資又は適格現物分配（以下(2)において「適格組織再編成等」といいます。）が行われた場合において、当該適格組織再編成等が共同で事業を行うための適格組織再編成等として政令（法政令112⑩）で定めるものに該当しないときは、次に掲げる欠損金額は、当該法人の当該組織再編成事業年度以後の事業年度においてないものとされます。（法57④）

イ　当該内国法人の支配関係事業年度（当該内国法人と当該支配関係法人との間に最後に支配関係があることとなった事業年度）前の各事業年度で前10年内事業年度に該当する各事業年度において生じた欠損金額

ロ　当該内国法人の支配関係事業年度以後の各事業年度で前10年内事業年度に該当する各事業年度において生じた欠損金額のうち、特定資産譲渡等損失額（法62の7②）に相当する金額から成る部分の金額として政令（法政令112⑪）で定める金額

　これは、繰越欠損金のある法人を買収して当該法人を合併法人等とする逆さ合併の方法で、課税を不当に回避するのを防止するためのものです。

（注1）　欠損金の繰越期間は10年とされていますが、上記(1)にある「特定資本関係が〜事業年度開始の日の5年前の日以後に生じている場合」のような一定の資本関係の判定に関するものは、「5年」とされています。

（注2）　平成30年3月31日以前に開始した事業年度において生じた欠損金額については、本文の「10年」が「9年」となります。（平27改所法等附則27①）

(1073)

完全支配関係がある他の内国法人の残余財産が確定した場合の未処理欠損金額の引継ぎ

> **【問24-7】** 法人税法第57条第2項に規定されている他の法人の未処理欠損金額の引継ぎに規定されている「完全支配関係がある他の法人の残余財産が確定した場合」について、この規定が設けられている理由と、その内容を説明してください。

【答】 (1) 未処理欠損金額の引継ぎのできる場合に、完全支配関係がある他の法人の残余財産が確定した場合が規定されている理由……以下のとおりと考えられます。

100％グループ法人税制において、100％グループ内法人の株式の発行法人への譲渡に係る損益について当該株式の譲渡対価の額は譲渡原価の額に相当する金額とされ、譲渡損益を計上しないこととされています。(法61の2⑰、【問23-14】参照)この場合の譲渡は、みなし配当事由(法24①各号に掲げる事由)によるものとされていますので、解散による残余財産の分配(法24①四)はこの規定が適用される譲渡に該当し、残余財産の分配を受けないことが確定した場合もこれに含むとされています。したがって、完全子会社の残余財産が0でその分配がない場合、当該子会社の株式の帳簿価額(取得原価)が「子会社株式消却額」に計上されるにもかかわらず、税務上この損失の損金算入は認められません。

一方、資本金等の額の算定に当たって減算する項目に、「㋑みなし配当金額＋㋺上記の規定(法61の2⑰)により譲渡原価とされる額－㋩残余財産分配額」が規定されています。(法政令8①二十二)完全子会社の残余財産が0でその分配がない場合、㋑と㋩の額が0ですので、㋺の額すなわち当該子会社の株式の帳簿価額は、親会社の資本金等の額を減算させることになるわけです。

第24章　欠損金の繰越しと繰戻し

〔事例〕　A社（親会社）の保有する子会社株式の帳簿価額が100百万円の完全子会社B社において、その残余財産の額が0と確定した場合、その確定の日を含む事業年度のA社の法人税申告書では、別表四において「損金不算入となる子会社株式消却額100百万円」を加算（処分は留保）し、別表五㈠には下記のとおりの記載をすることになります。

利益積立金額及び資本金等の額の計算に関する明細書		事業年度	：　：	法人名		別表五㈠
I　利益積立金額の計算に関する明細書						
区　　　分		期首現在利益積立金額	当　期　の　増　減		差引翌期首現在利益積立金額①−②+③	
		①	減②	増③	④	
利　益　準　備　金	1	円	円	円	円	
積　立　金	2					
資本金等の額	3			100,000,000	100,000,000	
II　資本金等の額の計算に関する明細書						
区　　　分		期首現在資本金等の額	当　期　の　増　減		差引翌期首現在資本金等の額①−②+③	
		①	減②	増③		
資本金又は出資金	32	円	円	円	円	
資　本　準　備　金	33					
利益積立金額	34			△100,000,000	△100,000,000	
	35					
差　引　合　計　額	36					

　これは、100％グループ法人税制において、グループ内の法人間の資本取引について、グループ内法人を一体のものとみる考えによるものです。この考えによれば、完全子法人の残余財産が確定した時に残っている未処理欠損金額は、その親会社へ引継ぐことになり、金額は異なりますが「子会社株式消却損」の損金不算入との代替が行われることになります。

(2)　残余財産確定の場合の未処理欠損金額の引継ぎの規定の内容……【問24-5】及び【問24-6】に適用要件等として記載した事項以外に、この規定の内容として説明すべき事項は次のとおりです。

①　未処理欠損金額の引継ぎの対象となるのは、内国法人との間に完全支配関係がある他の内国法人の残余財産が確定した場合に限られます。この完全支配関係は、株主等である内国法人による完全支配関係又は他の者との間に他の者による完全支配関係がある法人相互の関係に限られますので、会社法第135条第2項の規定によって子会社が親会社の株式を一時的に所

（1075）

有している状態の下で、親会社が解散してその残余財産が確定する場合が
あっても、親会社の未処理欠損金額を株主等である子会社が引き継ぐこと
はできません。

② 残余財産が確定した他の内国法人に株主等が2以上ある場合には、下記
の算式により計算した金額を、株主等である内国法人それぞれの引継ぐ未
処理欠損金額とします。（法57②かっこ書）

$$
残余財産が確定し \atop 残余財産が確定した他の内国法人の \atop 未処理欠損金額 \times \frac{株主等である内国法人の有する当該他の内国法人の株式又は出資の数又は金額}{当該他の内国法人の発行済株式又は出資（自己株式又は出資を除きます。）の総数又は総額}
$$

欠損金繰戻し還付の規定の適用の有無

> 【問24-8】 中小法人等に該当する会社（租税特別措置法第66条の
> 12の規定が適用されず、法人の欠損金の繰戻しによる還付制度が
> 適用される会社）ですが、令和7年3月期に4,000千円の欠損金
> 額が生じました。前事業年度の所得金額及び法人税額（所得税額
> 等控除前）は次のとおりですが、欠損金の繰戻しによる還付を受
> けることができますか。
>
> 　前事業年度（令和6年3月期）の所得金額10,000千円／法人税
> 　額1,664千円

【答】 青色申告法人の所得が欠損となった場合、法人税法には、【問24-4】
で説明した繰越欠損金の損金算入制度と、本問で説明する欠損金の繰戻しに
よる還付制度が規定されています。

　この欠損金の繰戻し還付制度は、青色申告書である確定申告書を提出する
内国法人の事業年度に欠損金額が生じた場合、当該欠損金額に係る事業年度
（「欠損事業年度」といいます。）開始の日前1年以内に開始したいずれかの
事業年度（「還付所得事業年度」といいます。）の所得の金額に対する法人税
の額について、次の算式によって計算した金額に相当する法人税の還付を請
求することができるというものです。（法80①）

$$
欠損金の繰戻し \atop による還付金額 = 還付所得事業年度の所得税 \atop 額等控除前の法人税の額 \times \frac{欠損事業年度の欠損金額}{還付所得事業年度の所得の金額}
$$

（1076）

第24章　欠損金の繰越しと繰戻し

　この制度は、還付所得事業年度から欠損事業年度の前事業年度までの各事業年度について連続して青色申告書である確定申告書を提出しており、欠損事業年度の青色申告書である確定申告書（期限後申告書を除きます。）をその提出期限までに提出した場合に限り、適用されます。（法80③）

　しかし、この制度は、下記の法人以外の法人については、解散等特定の事実（【問24-10】参照）が生じた事業年度の欠損金額を除いて、法人の平成4年4月1日から令和8年3月31日までの間に終了する各事業年度において生じた欠損金額については、適用されません。（措法66の12①）

① 　中小法人等……普通法人のうち、事業年度終了の時における資本金の額又は出資金の額が1億円以下で、かつ、法人税法第66条第5項第2号又は第3号に掲げるもの（㋑資本金の額又は出資金の額が5億円以上の法人、㋺相互会社又は外国相互会社又は㋩法人課税信託の受託法人による完全支配関係がある法人）に該当しないもの又は資本又は出資を有しないもの（保険業法に規定する保険会社及び外国相互会社を除きます。）

② 　公益法人等又は協同組合等

③ 　法人税法以外の法律により公益法人等とみなされているもの（【問12-1】①ロの(注2)に列記した法人）

④ 　人格のない社団等

　御質問の場合は、上記①の中小法人等に該当する会社ですので、還付所得事業年度（令和6年3月期）の所得の金額10,000千円に対する法人税額1,664千円のうち、下記の金額の還付を請求することができます。

$$\underset{\substack{\left(\text{還付所得事業年度の所得税}\atop \text{額等控除前の法人税の額}\right)}}{1,664千円} \times \frac{4,000千円（欠損事業年度の欠損金額）}{10,000千円（還付所得事業年度の所得の金額）} = 665.6千円$$

　この場合、令和7年3月期（欠損事業年度）の欠損金額が令和6年3月期（還付所得事業年度）の所得の金額10,000千円を超えるときは、上記の算式の乗数の分子の額は、分母の額と同額として計算しますので、

$$1,664千円 \times \frac{10,000千円}{10,000千円} = 1,664千円$$ が還付を請求することができる金額となり、欠損事業年度の欠損金額のうち繰戻し請求の対象にならなかった金額は、【問24-4】で説明した繰越欠損金の損金算入制度の適用を受けることになります。

（1077）

なお、欠損金の繰戻しの還付の請求するときは、「欠損金の繰戻しによる
還付請求書」に必要事項を記載して、納税地の所轄税務署長に提出しなけれ
ばなりません。（法80⑨）税務署長は、還付請求書を提出した法人に対して
法人税を還付する場合、還付所得事業年度の確定地方法人税があるときは、
法人税の還付金の額の10.3％相当額を法人税に併せて還付することとされて
います。（地法法23①）

> **(注)**　平成30年3月31日以前に開始した事業年度において生じた欠損金額について
> は、上記の「前10年」は「前9年」と、「10年間」は「9年間」となります。（地
> 法53⑤、72の23④、321の8⑤、平27改地法等附則1九の二、7④、9②、16⑤）

法人税で欠損金の繰戻し還付を受けたときの事業税と住民税

> **【問24-9】**　法人税で欠損金の繰戻し還付の適用を受けた場合、事
> 業税と住民税はどのように取り扱われますか。法人税と同様に還
> 付の制度があるのでしょうか。

【答】　欠損金の繰戻しによる還付が受けられるのは、法人税及び地方法人税
であり、住民税、事業税及び特別法人事業税にはこの制度は設けられていま
せん。

　事業税及び特別法人事業税については、「欠損金額等及び災害損失金の控
除明細書（第六号様式別表九）」の「控除未済欠損金額等又は控除未済災害
損失金③」に欠損事業年度の欠損金額をそのまま記載して、前10年以内の繰
越欠損金の控除の対象とします。

　住民税については、「控除対象還付法人税額又は控除対象個別帰属還付税
額の控除明細書（道府県民税は第六号様式別表二の五、市町村民税は第二十
号様式別表二の五）の「控除対象還付法人税額又は控除対象個別帰属還付税
額①」に欠損金の繰戻し還付により還付された法人税額を記載して、翌事業
年度以後原則として10年間に生ずる法人税の額から控除し、住民税の法人税
割の課税標準となる法人税の額を計算することになります。

（1078）

第24章　欠損金の繰越しと繰戻し

解散をした場合の欠損金繰戻し還付の特例

> 【問24-10】　3月31日決算の資本金12億円の会社です。令和5年3月期は所得金額が15,000千円を計上することができ、法人税額3,480千円を納付しました。令和6年3月期は欠損金額18,000千円となり、欠損金繰戻し還付制度の適用停止期間中のためにその還付の請求をすることができないまま、業況が回復せず、令和6年10月31日に解散しました。債務の弁済資金として還付税金がほしいのですが、このような場合、欠損金の繰戻し還付についての特例はないのでしょうか。

【答】　法人について解散等の特定の事実（後記するイ～ホの事実）が生じたときは、当該事実が生じた日前1年以内に終了したいずれかの事業年度又は同日の属する事業年度において生じた欠損金額（法人税法第57条の規定（【問24-4】参照）により損金算入されたものを除きます。）について、当該事実の生じた日以後1年以内に欠損金繰戻しの還付請求ができるという、特例が設けられています。ただし、還付所得事業年度から欠損事業年度までの各事業年度について、連続して青色申告書である確定申告書を提出していることが必要です。（法80④）

　貴社の場合、中小法人等に該当しないため**(注)**、令和6年3月期は欠損金繰戻し還付制度の適用停止期間中ですので、たとえその直前事業年度である令和5年3月期に所得の金額及び法人税の額があっても、欠損金の繰戻し還付の請求をすることはできませんが、清算中に終了する事業年度及び解散等の特定の事実（後記するイ～ホの事実）が生じて上記の特例が適用される事業年度には、この欠損金の繰戻し還付制度の適用停止措置は適用されません。（措法66の12①ただし書）

　したがって、解散日の令和6年10月31日前1年以内に終了した事業年度である令和6年3月期を欠損事業年度、令和5年3月期を還付所得事業年度とする欠損金繰戻しの還付請求書を、解散の日以後1年以内に提出することができます。令和6年3月期を欠損事業年度として還付請求することができる金額は、次のとおりです。

（1079）

$$3{,}480 千円 \times \frac{15{,}000 千円}{15{,}000 千円} = 3{,}480 千円$$

　前記の解散等の特定の事実は、次のとおりです。（イ～ハは法80④、ニ、ホは法政令156①）

イ　解散（適格合併による解散を除きます。）

ロ　事業の全部の譲渡

ハ　更生手続の開始

　　(注)　この場合の「更生手続の開始」とは、更生手続の開始の申立て（会社更生法第234条等に規定する更生手続開始の申立てを棄却する決定があった場合のその申立てを除きます。）があったことをいいます。（基通17-2-5）

ニ　事業の全部の相当期間の休止又は重要部分の譲渡で、これらの事実が生じたことにより、当該事実が生じた日前1年以内に終了したいずれかの事業年度又は同日の属する事業年度において生じた欠損金額について欠損金の繰越しの規定(法57①)の適用を受けることが困難となると認められるもの

ホ　再生手続開始の決定

　なお、解散等の事実が生じた日前1年以内に終了したいずれかの事業年度又は同日の属する事業年度を欠損事業年度とする欠損金繰戻し還付請求書の提出期限は、当該事実の生じた日以後1年以内とされています。（法80④）したがって、還付所得事業年度について後日更正又は修正申告によって法人税額が増加したときは、この提出期限内であれば、還付額の増額を請求することができます。御質問の場合、仮に令和7年10月31日までに還付所得事業年度である令和5年3月期の所得金額が更正等によって20,000千円に増え、法人税額が4,640千円になりますと、還付請求金額の合計額は次のとおり4,176千円になりますので、当初の還付請求金額3,480千円との差額696千円について、還付額の増額を請求することができます。

$$4{,}640 千円 \times \frac{18{,}000 千円}{20{,}000 千円} = 4{,}176 千円$$

第24章　欠損金の繰越しと繰戻し

繰越欠損金の控除を受けるための決算操作は認められるか

【問24-11】　当事業年度で繰越期間が終わる法人税法第57条第1項の欠損金がありますが、当事業年度の所得の金額が少なく、繰越欠損金の大部分の額が打切りになりそうです。当事業年度の減価償却費の計上や引当金の繰入れをとりやめ、貸倒損失や固定資産廃棄損の計上を翌事業年度以後へ繰り延べて所得の金額を増加させ、打切りとなる金額を少なくしたいのですが、このような操作は認められるのでしょうか。

【答】　繰越欠損金として損金算入されるのは、原則としてその事業年度開始の日前10年以内に開始した事業年度において生じた欠損金額に限られます。（【問24-1】、【問24-4】参照）したがって、繰越欠損金が多額のときは、御質問のように損金算入できる期間が経過してもなお控除しきれない金額が残り、期間切れになる金額は永久に損金算入される機会が失われることになります。

　そこで、この期間切れの金額を少なくするため、御質問のように期間切れとなる事業年度の所得の金額をできるだけ多くしたい、それも減価償却費のようにその後の事業年度において損金の額に算入されるものとか、引当金繰入額のようにその後の事業年度において益金算入しなければならないものの計上をとりやめて操作したいという考えがでてきます。

　税法の規定だけからいえば、減価償却費の計上や引当金の繰入れのように税法が損金経理をすることを条件に損金の額に算入すると規定しているものは、明らかに利益操作のためのものでも、その計上又は繰入れを行わない処理はそのまま認められます。この場合、税法には、損金経理をしていないものについて損金算入を認定する規定がありません。ただし、減価償却費を計上しないのは、会社法及び会計処理の基準に反しますし、必要な引当金の計上をしないのも、会計処理の基準に反します。

　一方、貸倒損失とか固定資産廃棄損の計上の繰延べは、その事実が生じているにもかかわらずその経理処理をしないのですから、それが課税を免れるためのものであるときは、税務では積極的に損金算入を認定して、期限切れとなる繰越欠損金の額を多くすることが行われるでしょう。貸倒損失につい

（1081）

て、法人税基本通達9-6-2が「回収できないことが明らかになった事業年度において損金経理することができる」と示しているのは、この趣旨も含めてのことと考えられます。(【問15-8】参照)

　御質問は、貸倒損失や固定資産廃棄損の計上を欠損金の繰越控除期間が終了する事業年度後の事業年度に繰延べたいとのことですが、当該繰越控除期間が終了する事業年度に税務においてこれらの損金算入が認定されますと、その後の事業年度において貸倒損失や固定資産廃棄損の計上をしても、損金の額に算入されないことになります。この場合、上記のような損金算入の認定をする代わりに、貸倒損失や固定資産廃棄損の計上をした事業年度においてこれらに係る損失額を所得の金額に加算(処分はその他社外流出とします。)して、損金の額に算入しない取扱いがされることもあるようです。

特定同族会社の特別税率の制度等と欠損金の繰越し繰戻しの関係等

> 【問24-12】　①　法人税法第57条の繰越欠損金の損金算入規定の適用によって、当事業年度の所得の金額に対する法人税が課税されない場合でも、特定同族会社の特別税率に係る法人税が課税されることがありますか。
> 　②　法人税法第80条の規定による欠損金の繰戻しによる還付を受ける場合、還付所得事業年度に特定同族会社の特別税率に係る法人税の課税又は使途秘匿金がある場合の法人税の追加課税が行われている場合には、これらの税金も還付の対象になりますか。

【答】　①について……法人税法第57条の繰越欠損金の損金算入の規定は、各事業年度の所得の金額を計算するに当たっての規定であり、特定同族会社の特別税率に係る法人税を計算する場合の各事業年度の留保金額の計算には関係しません。

　まず、留保金額は、各事業年度ごとに計算しますので、過年度のマイナスの留保金額をその後の事業年度のプラスの留保金額と通算することはできません。いいかえれば、マイナスの留保金額は、過年度の利益積立金額で補てんされたと考えます。現実に、欠損金を過年度に生じた利益剰余金で補てん

(1082)

第24章　欠損金の繰越しと繰戻し

すれば、税務上の繰越欠損金が残っていても、その後の事業年度では剰余金の配当をして、留保金額に対する課税を回避することができるわけです。このため、繰越欠損金損金算入の規定の適用によって所得金額がゼロになっても、留保金額が生ずることがあり得ます。その場合、所得の金額に対する法人税や住民税がありませんので、留保金額に対する課税の行われない税引前当期純利益の金額は、もっと低くなります。

(注)　マイナスの留保金額を補てんした過去の利益積立金額に特定同族会社の特別税率の適用が行われていた場合、その後の事業年度に生ずる留保金額に対する特別税率の適用とで重複課税になるのでないかという問題は、立法論として検討されるべきものです。

　②について……法人税法第80条の欠損金の繰戻しは、還付所得事業年度の所得の金額に対する法人税の額がその対象とされています。

　各事業年度の所得の金額に対する法人税の額には、法令上、特定同族会社の特別税率に係る法人税の額、土地譲渡益に対する特別の法人税の額及び使途秘匿金がある場合の追加法人税の額として加算された金額も含まれます。（法67①、措法62①、62の3①、63①）

　しかし、繰戻しの対象になる法人税の額は、租税特別措置法第62条第1項（使途秘匿金の支出がある場合の課税の特例）、同法第62条の3第1項（土地の譲渡等がある場合の特別税率）、同法第63条第1項（短期所有に係る土地の譲渡等がある場合の特別税率）の規定により加算された金額を控除した額と規定されていますので、これらの規定により加算された法人税額は、欠損金繰戻しの対象になりません。（措政令38⑤、38の4㊺、38の5㉖）

　一方、特定同族会社の特別税率に係る法人税にはこのような規定がありませんので、欠損金繰戻しの対象とすることができます。

(注)　土地の譲渡等がある場合の特別税率（措法62の3①）及び短期所有に係る土地の譲渡等がある場合の特別税率（措法63①）は、平成10年1月1日から令和8年3月31日までの譲渡等については適用停止となっています。（措法62の3⑮、63⑧）

（1083）

特定株主等によって支配された欠損等法人の欠損金の繰越しの不適用について

> 【問24-13】 「特定株主等によって支配された欠損等法人の欠損金の繰越しの不適用」の規定について、その概略を説明してください。

【答】 欠損金等を有する法人を買収して課税回避が行われるのを防止するため、法人税法に次の二つの規定が設けられています。

(1) 法人税法第57条の2の「特定株主等によって支配された欠損等法人の欠損金の繰越しの不適用」の規定（御質問にある規定です。）

(2) 法人税法第60条の3の「特定株主等によって支配された欠損等法人の資産の譲渡等損失額の損金不算入」の規定（【問24-14】でその概略を説明します。）

　(1)の規定は、内国法人で、他の者との間に当該他の者による特定支配関係（当該他の者が法人の発行済株式又は出資（自己の株式又は出資を除きます。）の総数又は総額の50％を超える数又は金額の株式又は出資を直接又は間接に保有する関係その他の政令（法政令113の3①）で定める関係）を有することとなった日（以下「支配日」といいます。）の属する事業年度（以下「特定支配事業年度」といいます。）において、当該特定支配事業年度前の各事業年度において生じた欠損金額又は評価損資産を有するもの（以下「欠損等法人」といいます。）が、当該支配日以後5年を経過した日の前日までに一定の事由に該当する場合には、その該当することとなった日の属する事業年度（以下「適用事業年度」といいます。）以後の各事業年度においては、当該適用事業年度前の各事業年度において生じた欠損金額については、法人税法第57条第1項の規定は適用しないというものです。（法57の2①）

　　(注) 「評価損資産」とは、その法人が特定支配事業年度開始の日において有する下記の資産で、同日における価額がその帳簿価額に満たないものをいいますが、その満たない金額がその法人の資本金等の額の$\frac{1}{2}$相当額と1,000万円とのいずれか少ない金額に満たないものを除きます。（法政令113の3⑥、法規則26の5①）

　　　　㋑固定資産、㋺土地（土地の上に存する権利を含み、固定資産に該当するものを除きます。）、㋩有価証券（売買目的有価証券及び償還有価証券を除きます。）、

(1084)

第24章　欠損金の繰越しと繰戻し

（二）金銭債権、（ホ）繰延資産、（ヘ）法政令122の12⑭に規定する調整勘定の金額に係る資産及び（ト）非適格合併等対価額が非適格法人等から移転を受けた資産及び負債の時価純資産価額を超える場合の当該資産

この規定の適用の対象となる一定の事由は、次のとおりです。（法57の2①）

①　欠損等法人が支配日の直前において事業を営んでいない場合（清算中の場合を含みます。）において、当該支配日以後に事業を開始すること（清算中の欠損等法人が継続することを含みます。）

②　欠損等法人が支配日の直前において営む事業（以下「旧事業」といいます。）のすべてを支配日以後に廃止し、又は廃止することが見込まれている場合において、当該旧事業の当該支配日の直前における事業規模のおおむね5倍を超える資金の借入れ又は出資による金銭その他の資産の受入れ（合併又は分割による資産の受入れを含みます。以下「資金借入れ等」といいます。）を行うこと

③　他の者又はその者の関連者（法政令113の3⑮で定める関係のある者）が、当該他の者及びその関連者以外の者から欠損等法人に対する特定債権（法政令113の3⑯で定める債権）を取得している場合において、当該欠損等法人が旧事業の当該支配日の直前における事業規模のおおむね5倍を超える資金借入れ等を行うこと

④　①若しくは②の場合又は③の特定債権が取得されている場合において、欠損等法人が自己を被合併法人とする適格合併を行い、又は欠損等法人（他の法人との間に当該他の法人による完全支配関係があるものに限ります。）の残余財産が確定すること

⑤　欠損等法人が特定支配関係を有することとなったことに基因して、欠損等法人の支配日の直前の役員のすべてが退任（業務を執行しないものとなることを含みます。）をし、かつ、当該支配日の直前において当該欠損等法人の業務に従事する使用人（以下「旧使用人」といいます。）の総数のおおむね20％以上に相当する数の者が当該欠損等法人の使用人でなくなった場合において、当該欠損等法人の非従事事業（当該旧使用人が当該支配日以後その業務に実質的に従事しない事業をいいます。）の事業規模が旧事業の当該支配日の直前における事業規模のおおむね5倍を超えることとなること

（1085）

欠損等法人が有する法人税法第57条第1項に規定する繰越欠損金を利用して利益のある事業の所得の金額を減らそうとする場合は、上記の①、②のように欠損等法人が廃業又は廃業見込みの状態にあり、②、③のように新事業の開始に当たり旧事業の規模に比べて多額の資金借入れ等を行い、③～⑤のように特定支配関係を有することとなった者に経営権をとられる事態になるのが通常です。上記のような事由が生じているときは、課税回避を目的にした企業買収として、その後の事業年度における欠損等法人の繰越欠損金の損金算入はできないことになります。

第24章　欠損金の繰越しと繰戻し

特定株主等によって支配された欠損等法人の資産の譲渡等損失額の損金不算入について

> 【問24-14】「特定株主等によって支配された欠損等法人の資産の譲渡等損失額の損金不算入」の規定について、その概略を説明してください。

【答】　御質問にある規定は、欠損等法人（【問24-13】の欠損等法人と同じです。）の適用期間において生ずる特定資産の譲渡、評価換え、貸倒れ、除却その他これらに類する事由（以下「譲渡等特定事由」といいます。）による損失の額（譲渡等特定事由が生じた日の属する事業年度の適用期間において生ずる特定資産の譲渡又は評価換えによる利益の額がある場合には、当該利益の額を控除した金額）は、損金の額に算入しないというものです。（法60の3①）

　この規定が適用される期間（適用期間）は、欠損等法人の適用事業年度開始の日から同日以後3年を経過する日（その経過する日が支配日以後5年を経過する日後となる場合は、同日）までの期間です。（法60の3①）

　また、この規定の適用対象となる特定資産は、欠損等法人が支配日の属する事業年度開始の日において有し、又は一定の適格分割等により移転を受けた資産ですが、その支配日の属する事業年度開始の日又は適格分割等の日における価額とその帳簿価額との差額がその支配日の属する事業年度開始の日又は適格分割等の日における欠損等法人の資本金等の額の$\frac{1}{2}$相当額と1,000万円とのいずれか少ない金額に満たないものを除きます。（法政令118の3①）

　特定資産は、欠損等法人が支配日の属する事業年度開始の日に有していた含み損のある資産ですので、適用期間内に譲渡等をして損失の額が生じた場合にその損金算入を認めますと、欠損等法人の有する繰越欠損金の損金算入を認めるのに等しくなります。この規定により、含み損のある資産を抱えた欠損等法人を買収して課税回避を行うことは、できないことになります。

（1087）

会社更生等により債権者から債務免除を受けた場合等の税法の規定

> **【問24-15】** 法人税法第59条の「会社更生等による債務免除等があった場合の欠損金の損金算入」の規定について説明してください。債権者会議の決定により債権者から受けた債務免除益や役員等から受けた金銭その他の資産の受贈益が益金不算入となるのですか。

【答】 法人税法第59条は、内国法人について下記(1)の①から⑥までに掲げる事実があり、これに伴って下記(2)の@から@に掲げる債務免除益、金銭又は資産の受贈益等が生じたときは、後記するⅠ又はⅡの場合についてそれぞれに記載する金額を、損金の額に算入すると規定しています。

(1) 法人税法第59条の規定が適用される事実と、当該事実に係る債権（①は法59①、法政令116の3、②～⑥は法59②③、法政令117の3）

① 更生手続開始の決定があった場合……会社更生法第2条第8項に規定する更生債権並びに金融機関等の更生手続の特例等に関する法律第4条第8項及び第169条第8項に規定する更生債権

② 再生手続開始の決定があった場合……民事再生法第84条に規定する再生債権

③ 特別清算開始の命令があった場合……その特別清算開始前の原因に基づいて生じた債権

④ 破産手続開始の決定があった場合……破産法第2条第5項に規定する破産債権

⑤ 法人税法施行令第24条の2第1項に規定する事実（再生計画認可の決定があったことに準ずる事実）……当該事実の発生前の原因に基づいて生じた債権

⑥ ②から④までに掲げる事実に準ずる事実があった場合……当該事実の発生前の原因に基づいて生じた債権

この⑥の事実とは、次に掲げる事実をいいます。（基通12-3-1）

(i) ②から⑤までに掲げる事実以外において、法律の定める手続による資産の整理があったこと。

(ii) 主務官庁の指示に基づき再建整備のための一連の手続を織り込んだ一定の計画を作成し、これに従って行う資産の整理があったこと。

（1088）

第24章　欠損金の繰越しと繰戻し

(iii) (i)及び(ii)以外の資産の整理で、例えば、親子会社間において親会社が子会社に対して有する債権を単に免除するというようなものでなく、債務の免除等が多数の債権者によって協議の上決められる等その決定について恣意性がなく、かつ、その決定に合理性があると認められる資産の整理があったこと。

(2) (1)の事実に伴って生じた債務免除益、金銭又は資産の受贈益等（法59①②③）

ⓐ　(1)の事実があった時に、その内国法人に対しそれぞれに掲げる当該事実に係る債権を有する者から当該債権につき債務の免除を受けた場合（当該債権が債務の免除以外の事由により消滅した場合でその消滅した債務に係る利益の額が生ずるときを含みます。）……その債務の免除を受けた金額（当該利益の額を含みます。）（法59①一、②一、③一）

ⓑ　(1)の事実があったことに伴い、その内国法人の役員等から金銭その他の資産の贈与を受けた場合……その贈与を受けた金銭の額及び金銭以外の資産の価額（法59①二、②二、③二）

ⓒ　(1)の①の事実があったことに伴い、法人税法第25条第2項に規定する評価換えをした場合……同項の規定により益金の額に算入される金額（同法第33条第3項の規定により損金の額に算入される金額がある場合には、当該益金の額に算入される金額から当該損金の額に算入される金額を控除した金額）（法59①三）

ⓓ　(1)の②～⑥の事実があったことに伴い、法人税法第25条第3項又は第33条第4項の規定の適用を受ける場合……第25条第3項の規定により益金の額に算入される金額から第33条第4項の規定により損金の額に算入される金額を減算した金額（法59②三）

　上記(1)の①から⑥までに掲げる事実があり、これに伴って上記(2)のⓐからⓓに掲げる債務免除益等が生じたときに、当該事実の生じた日の属する事業年度（適用年度）の所得の金額の計算上損金の額に算入する金額は、次のⅠ、Ⅱ又はⅢのとおりです。

Ⅰ　上記(1)の①に掲げる事実があった場合（法59①、法政令116の2、116の3）……下記ⓘ、ⓗの金額のうち少ない金額を損金の額に算入します。

Ⅱ　上記(1)の②から⑥までに掲げる事実があった場合で、(2)のⓒの評価換

(1089)

えをしている場合（法59②、法政令117）……下記㋑、㋩、㊁の金額のうち最も少ない金額を損金の額に算入します。

Ⅲ　上記(1)の②から⑥までに掲げる事実があった場合で、Ⅱ以外の場合（法59③、法政令117の４）……下記㋺、㋩、㋭のうち最も少ない額を損金の額に算入します。

㋑　適用年度終了の時における前事業年度以前の事業年度から繰り越された欠損金額の合計額

㋺　$\left(\begin{array}{l}\text{適用年度終了の時にお}\\\text{ける前事業年度以前の}\\\text{事業年度から繰り越さ}\\\text{れた欠損金額の合計額}\end{array}\right)-\left(\begin{array}{l}\text{法人税法第57条第１項の}\\\text{規定により適用年度の所}\\\text{得の金額の計算上損金算}\\\text{入される欠損金額}\end{array}\right)$

　　上記㋑の金額及び㋺の算式の左項の金額は、当該事業年度の確定申告書に添付する別表五(一)のⅠに期首利益積立金額の合計額として記載されるべき金額で、当該金額がマイナスである場合の当該金額によります。（基通12－3－2）

㋩　(2)の@から@までのそれぞれに掲げる金額の合計額。すなわち(1)の事実に伴って生じた債務免除益、金銭又は資産の受贈益等の合計額

㊁　適用年度の所得金額（法人税法第57条第１項の規定による繰越欠損金の損金算入前の金額）

㋭　適用年度の所得金額（法人税法第57条第１項の規定による繰越欠損金の損金算入後の金額）

　　御質問の後段ですが、債権者会議の決定が恣意性のない合理的なものであれば、上記(1)の⑥の(ⅲ)の事実に該当しますので、法人税法第59条第３項の規定の適用を受けることができます。この場合、法人税法第59条第１項、第２項及び第３項は、債務免除益等を益金不算入とするのでなく、債務免除益等を通常どおり益金の額に算入したうえで、前記のⅠ、Ⅱ又はⅢの場合にそれぞれに記載する金額を損金の額に算入することとしています。債務免除益等の金額は上記の㋩の金額ですので、Ⅰの場合は㋑の金額が㋩の金額よりも大きい場合、Ⅱの場合は㋑及び㊁の金額がいずれも㋩の金額よりも大きい場合、Ⅲの場合は㋺及び㋭の金額がいずれも㋩の金額よりも大きい場合に、結果的に債務免除益等が益金不算入になったのと同じことになります。

第24章　欠損金の繰越しと繰戻し

資産整理に伴い債務免除等を受けた場合の損金算入の事例

> 【問24-16】　中小法人等に該当する会社ですが、業績不振のため債権者会議を開いていただき、債権者から債権の一部を切り捨てていただいて再建を図ろうと思っています。経営者が退いて主たる債権者の管理下に入ることを条件に協力が得られる見込みですが、法人税法第59条の規定はどのように適用されるのか、事例で説明してください。

【答】　御質問の場合は、【問24-15】の(1)の⑥の(iii)の事実に該当しますので、【問24-15】に掲げた㋺、㋩、㋭の金額のうちの最も少ない金額を損金算入することができることになります。これについて法人税法第59条第3項は、「㋺の金額のうち㋩の金額の合計額（㋩の金額の合計額がこの項の規定を適用しないものとして計算した場合における当該適用年度の所得の金額《㋭の金額》を超える場合には、その超える部分の金額を控除した金額）に達するまでの金額は、当該適用年度の所得の金額の計算上損金の額に算入する。」と規定しています。

　　㋺、㋩、㋭のそれぞれの金額が損金算入されることとなる事例を示しますと、次の表Ⅰのとおりです。

（表Ⅰ）　　　　　　　　　　　　　　　　　　　　　　　　　　　（単位：万円）

	A	B	C
①　当期の申告書別表五㈠の期首現在利益積立金額のマイナス金額	2,000	2,300	3,500
②　当期損金算入できる繰越欠損金	1,400	300	1,500
③　債務免除益の額	700	1,200	800
④　当期の繰越欠損金損金算入前の所得の金額（別表四「差引計」㊴の①）	2,500	1,000	2,700
【問24-15】の㋺　前期繰越損失の金額　①－②	600	2,000	2,000
【問24-15】の㋩　債務免除益等の金額　③	700	1,200	800
【問24-15】の㋭　当期の所得の金額　④－②	1,100	700	1,200
⑤　債務免除等があった場合の損金算入額（㋺、㋩、㋭のうち最も少ない金額）	㋺　600	㋭　700	㋩　800

（1091）

いずれも繰越欠損金の繰越控除期間の経過による損金算入の打切り等によって、表Ⅰでの①の金額が同表の②の金額よりも大きく、前期繰越損失の金額がありながら、そのままでは債務免除益（表Ⅰの③）によって生じた当期の所得の金額（表Ⅰの④）に課税される事例です。

御質問にある法人税法第59条第3項の規定に従って計算しますと、次の表Ⅱのとおりになります。

（表Ⅱ） （単位：万円）

	A	B	C
【問24-15】の㋺の金額	600	2,000	2,000
【問24-15】の㋩の金額	700	1,200	800
【問24-15】の㋭の金額	1,100	700	1,200
㋩の金額　＞㋭の金額となる場合	×	○	×
上記に該当する場合、㋩−（㋩−㋭）の金額	—	700	—
㋺の額のうち㋩又は上欄の金額までの金額（表Ⅰの⑤の金額）	600	700	800

Aの場合は㋺前期繰越損失の金額まで、Bの場合は㋭当期の所得の金額（繰越欠損金損金算入後の額）まで損金の額に算入されますが、Cの場合は㋩債務免除益の額全額が損金の額に算入されます。

これにより、債務免除等があった場合の損金算入額（法59）を減額した後の所得金額は、それぞれ次の表Ⅲのとおりになります。

（表Ⅲ） （単位：万円）

	A	B	C
当期の繰越欠損金損金算入前の所得の金額（表Ⅰの④）	2,500	1,000	2,700
当期損金算入できる繰越欠損金（法57）（表Ⅰの②）	1,400	300	1,500
債務免除等があった場合の損金算入額（法59）（表Ⅰの⑤）	600	700	800
差引所得金額　（表Ⅰの④−②−⑤）	500	0	400

A、B、Cそれぞれの事例について別表七（四）「民事再生等評価換えが行われる場合以外の再生等欠損金の損金算入及び解散の場合の欠損金の損金算入に関する明細書」を記載しますと、次のとおりです。

第24章　欠損金の繰越しと繰戻し

(注)　別表七(四)に「適用年度終了の時における資本金等の額⑥」の欄が設けられていますが、法人税法第59条第4項の規定の適用を受ける場合（【問28-5】参照）にのみ記載する欄です。

（Aの事例）

民事再生等評価換えが行われる場合以外の再生等欠損金の損金算入及び解散の場合の欠損金の損金算入に関する明細書			事業年度	・　・ ・　・	法人名		別表七(四)
債務免除等による利益の内訳	債務の免除を受けた金額	1	円 7,000,000	所得金額差引計 (別表四「43の①」)－(別表七(一)「4の計」)	9	円 11,000,000	
	私財提供を受けた金銭の額	2					
	私財提供を受けた金銭以外の資産の価額	3		当　期　控　除　額 ((4)、(8)と(9)のうち少ない金額)	10	6,000,000	
	計 (1)＋(2)＋(3)	4	7,000,000				
欠損金額等の計算	適用年度終了の時における前期以前の事業年度から繰り越された欠損金額	5	20,000,000	調整前の欠損金の翌期繰越額 (13の計)	11	6,000,000	
	適用年度終了の時における資本金等の額 （別表五(一)「36の④」） （プラスの場合は0）	6	△				
	欠損金の当期控除額 (別表七(一)「4の計」)又は((別表七(二)「3」の当期分以外の計」＋(別表七(二)「8」の当期分以外の計」)	7	14,000,000	欠損金額からないものとする金額 ((10)と(11)のうち少ない金額)	12	6,000,000	
	差引欠損金額 (5)－(6)－(7)	8	6,000,000				

（1093）

（Bの事例）

民事再生等評価換えが行われる場合以外の再生等欠損金の損金算入及び解散の場合の欠損金の損金算入に関する明細書　事業年度　・・　法人名　別表七(四)

			円				円
債務免除等による利益の内訳	債務の免除を受けた金額	1	12,000,000	所得金額差引計 (別表四「43の①」)－(別表七(一)「4の計」)		9	7,000,000
	私財提供を受けた金銭の額	2					
	私財提供を受けた金銭以外の資産の価額	3		当期控除額 ((4)、(8)と(9)のうち少ない金額)		10	7,000,000
	計 (1)＋(2)＋(3)	4	12,000,000				
欠損金額等の計算	適用年度終了の時における前期以前の事業年度から繰り越された欠損金額	5	23,000,000	調整前の欠損金の翌期繰越額 (13の計)		11	20,000,000
	適用年度終了の時における資本金等の額 (別表五(一)「36の④」) (プラスの場合は0)	6	△				
	欠損金の当期控除額 (別表七(一)「4の計」)又は((別表七(二)「9」の当期分以外の計」＋(別表七(二)「6」の当期分以外の計))	7	3,000,000	欠損金額からないものとする金額 ((10)と(11)のうち少ない金額)		12	7,000,000
	差引欠損金額 (5)－(6)－(7)	8	20,000,000				

（Cの事例）

民事再生等評価換えが行われる場合以外の再生等欠損金の損金算入及び解散の場合の欠損金の損金算入に関する明細書　事業年度　・・　法人名　別表七(四)

			円				円
債務免除等による利益の内訳	債務の免除を受けた金額	1	8,000,000	所得金額差引計 (別表四「43の①」)－(別表七(一)「4の計」)		9	12,000,000
	私財提供を受けた金銭の額	2					
	私財提供を受けた金銭以外の資産の価額	3		当期控除額 ((4)、(8)と(9)のうち少ない金額)		10	8,000,000
	計 (1)＋(2)＋(3)	4	8,000,000				
欠損金額等の計算	適用年度終了の時における前期以前の事業年度から繰り越された欠損金額	5	35,000,000	調整前の欠損金の翌期繰越額 (13の計)		11	20,000,000
	適用年度終了の時における資本金等の額 (別表五(一)「36の④」) (プラスの場合は0)	6	△				
	欠損金の当期控除額 (別表七(一)「4の計」)又は((別表七(二)「9」の当期分以外の計」＋(別表七(二)「6」の当期分以外の計))	7	15,000,000	欠損金額からないものとする金額 ((10)と(11)のうち少ない金額)		12	8,000,000
	差引欠損金額 (5)－(6)－(7)	8	20,000,000				

（1094）

第25章　税 額 控 除

第1節　所得税額の控除

法人が所得税の納税義務者となる場合

【問25-1】　法人が所得税の納税義務者となるのは、どのような場合ですか。また法人が納めた所得税は、法人の所得の金額の計算及び法人税額の計算に当たって、どのように取り扱われますか。

【答】　内国法人は、国内において次表の11項目のものの支払を受ける場合、それぞれ次表の税率で所得税が源泉徴収されます。（所法5③、7①四）また、平成25年1月1日から令和19年12月31日までの間は、所得税額の2.1％の復興特別所得税も源泉徴収されます。（復興財源確保法8①、9②、10四、26、27）

	項　　目	税率	根拠法令
①	所得税法の利子所得に該当する利子等	15%	所法174一、175一、措法3の3②、6①
②	所得税法の配当所得に該当する配当等	20% （注1）	所法174二、175二 措法8の2③、8の3②、9の3
	上場株式等の配当、証券投資信託（国外証券投資信託を含みます。）の収益の分配	15%	
③	定期積金に係る契約に基づく給付補塡金	15%	所法174三、四、175一
④	抵当証券の利息	15%	所法174五、175一
⑤	金貯蓄投資口座の利益	15%	所法174六、175一
⑥	外貨建預貯金の為替差益	15%	所法174七、175一
⑦	一時払いの保険契約又はこれに類する共済に係る契約で保険期間等が5年以下のもの及び保険期間等が5年超で保険期間等の初日から5年以内に解約されたものに基づく差益	15%	所法174八、175一
⑧	匿名組合契約に基づく利益の分配	20%	所法174九、175二
⑨	馬主が受ける競馬の賞金	（注2）	所法174十、175三
⑩	懸賞金付預貯金等の懸賞金等	15%	措法41の9②

（1095）

⑪	割引債の償還差益	18％	措法41の12②

(**注1**)　上場株式等の配当等で、大口株主等（配当等の支払に係る基準日に発行済
株式の総数の３％以上を有する個人等）以外の者に支払われるもの、公募証
券投資信託（公社債投資信託を除きます。）の収益の分配等一定のものに対
する所得税の源泉徴収税率は15％とされています。（措法９の３）なお、道
府県民税の配当割の税率５％（地法71の28）は、上記の配当等の支払を受け
る個人にのみ適用され（地法24①六）、法人には適用されません。

(**注2**)　⑨の課税標準及び税率は次のとおりです。（所法175三、所政令298①、
299）

　　　　〔支払金額−（支払金額×20％＋60万円）〕×10％

(**注3**)　東京湾横断道路建設事業者又は民間都市開発推進機構がそれぞれの特別措
置法の規定による認可を受けて発行する債券のうち割引債に該当するものに
ついては、⑪の税率は16％となります。（措法41の12①かっこ書、②、③）
なお、平成28年１月１日以後に発行される公社債（預金保険法に規定する長
期信用銀行債等一定のものを除きます。）の償還差益については、一般社団
法人、一般財団法人、人格のない社団等その他一定の法人については15％の
税率で源泉徴収されますが、その他の法人については源泉徴収の対象となり
ません。（措法41の12の２①②）

　上記によって内国法人が源泉徴収された所得税は、法人税の前払いとして、
当該事業年度の法人税の額から控除し（法68①、措法３の３⑤、６③、８の
３⑤、９の２④、41の９④、41の12④）、控除しきれない金額は、当該法人
の当該事業年度の確定申告に基づいて還付することとされています。（法74
①三、78①）これらの規定の適用を受ける所得税の額は、当該事業年度の所
得の金額の計算上損金の額に算入されません。（法40）

　なお、源泉徴収された所得税について、この税額控除の規定の適用を受け
るかどうかは法人の任意です。税額控除の規定の適用を受けないときは、上
記の法人税法第40条の規定が適用されませんので、所得税の額は損金の額に
算入されますが、適用を受けた方が、所得税額×（１−法人税率）だけ税額
が少なくなって、法人にとって有利です。

第25章　税額控除

所得税額控除計算における元本所有期間のあん分計算

【問25-2】　12月31日決算の会社です。令和6年2月に、甲社（3月31日を決算日とする上場会社）の株式4万株を購入し、令和6年6月に令和6年3月31日を支払基準日とする剰余金の配当を254,055円（配当額300,000円から所得税45,000円及び復興特別所得税945円を控除した額）受け取りました。甲社は、令和5年6月に令和5年3月期の期末配当（支払基準日：令和5年3月31日）をした後、この配当をするまで剰余金の配当をしていません。令和6年12月期の配当に係る所得税額控除計算での元本所有期間のあん分計算の仕方を教えてください。

【答】　法人から受ける剰余金の配当、利益の配当、剰余金の分配、金銭の分配、資産の流動化に関する法律第115条第1項に規定する金銭の分配又は集団投資信託（合同運用信託、公社債投資信託、特定公社債等運用投資信託以外の公社債等運用投資信託を除きます。）の収益の分配及び割引債券の償還差益に対する所得税及び復興特別所得税についての税額控除額の計算は、元本を所有していた期間に対応するものについて行うこととされています。（法政令140の2①、措政令26の11①、復興特別法人税に関する政令5①④）

（注）　【問25-1】に記載した法人が支払を受けるに当たって所得税が源泉徴収される11項目のうち、元本所有期間のあん分計算の対象になるのは、②の配当等及び証券投資信託の収益の分配並びに⑪の割引債の償還差益です。したがって、①及び③〜⑩の項目について源泉徴収された所得税は、元本所有期間のあん分計算は不要です。

　元本所有期間のあん分計算方法には、下記①の個別法と②の銘柄別簡便法の二つがありますが、この二つの方法の選択は、所得税の額に係る利子配当等の元本を、株式及び出資と集団投資信託の受益権に区分し、さらにその元本を利子配当等の計算期間が1年を超えるものと1年以下のものとに区分して行います。したがって、例えばX株式は個別法、Y株式は銘柄別簡便法というように、株式の銘柄によって異なる方法を選択することはできません。

（1097）

① 個別法の算式（法政令140の2②）

$$\frac{\text{元本所有期間に対}}{\text{応する所得税の額}} = \frac{\text{配当等に対}}{\text{る所得税の額}} \times \frac{\text{元本所有}}{\text{期間割合}}$$

$$\frac{\text{元本所有}}{\text{期間割合}} = \frac{\text{分母の月数のうち元本所有期間の月数}}{\text{配当等の計算の基礎となった期間の月数}} \left[\begin{array}{l}\text{小数点以下3位未}\\\text{満の端数切上げ}\end{array}\right]$$

（月数は、暦に従って計算し、1月未満の端数が生じたときは、これを1月とします。（法政令140の2⑥本文））

　この算式の乗数の分母の「配当等の計算の基礎となった期間の月数」は、配当等が剰余金の分配又は金銭の分配（以下「剰余金配当等」といいます。）の場合、当該剰余金配当等の直前にその支払法人から受けた剰余金配当等の基準日等の翌日（計算の基礎となった期間の起算日）から当該剰余金配当等の基準日等までの期間の月数です。この計算の基礎となった期間の起算日は、下記の場合、それぞれに記載のとおりとします。

イ　同日が当該剰余金配当等の基準日等から起算して1年前の日以前の日である場合又は当該剰余金配当等が当該1年前の日以前に設立された法人からその設立の日以後最初に支払われる剰余金配当等である場合……当該1年前の日の翌日

ロ　当該剰余金配当等がその基準日等以前1年以内に設立された法人からその設立後最初に支払われる剰余金配当等である場合……その設立の日

ハ　当該剰余金配当等がその元本である株式等を発行した法人からその基準日等以前1年以内に取得した株式等につきその取得の日以後最初に支払われる剰余金配当等である場合……その取得の日

(注)　「基準日等」の意味は【問3-10】を参照してください。

　また、この月数は、株式移転により設立された株式移転完全親法人が当該株式移転に係る株式移転完全子法人からその設立の日後最初に支払われる剰余金の配当については、当該株式移転後の初回配当の計算の基礎となった期間の開始の日から設立の日の前日までその元本をすべて所有していたものとみなして計算した月数とします。

　御質問の場合についてこの計算をしますと、次のとおりになります。なお、復興特別法人税の課税事業年度終了後の各事業年度では、復興特別所得税額を所得税額とみなして、所得税額の控除を受けることができるものとされていますから（復興財源確保法33②）、両方を合算して税額控除額

（1098）

第25章　税額控除

を計算し、その額を法人税額から控除します。

$$45,945円 \times \frac{2 \left(\begin{array}{l}\text{分母の月数のうちの元本所有の月数=2月から3月まで}\end{array}\right)}{12 \left(\begin{array}{l}\text{甲社の令和5年4月1日から}\\\text{令和6年3月31日までの月数}\end{array}\right)} \left(\begin{array}{l}\text{小数点以下}\\\text{3位未満の}\\\text{端数切上げ}\end{array}\right)$$

$$= 45,945円 \times 0.167 = 7,672円$$

　この計算は、同一銘柄のものでも、元本所有期間の月数の異なるものごとに行わなければなりません。

②　銘柄別簡便法の算式（法政令140の2③）

　　上記①の計算手数を簡略化するため、次のとおりの元本所有期間あん分の簡便計算が認められています。

$$\begin{array}{l}\text{元本所有期間に対}\\\text{応する所得税の額}\end{array} = \begin{array}{l}\text{その銘柄に係る配当等}\\\text{に対する所得税の額}\end{array} \times \begin{array}{l}\text{簡便計算による}\\\text{元本所有割合}\end{array}$$

$$\begin{array}{l}\text{簡便計算による}\\\text{元本所有割合}\end{array} = \frac{A + (B - A) \times \dfrac{1}{2}}{B} \left[\begin{array}{l}\text{小数点以下3位未}\\\text{満の端数切上げ}\end{array}\right]$$

　　A：配当等の計算の基礎となった期間の開始の時（株式移転後最初に受ける配当に係る所得税の額を計算する場合は、株式移転完全親法人の株式移転による設立の時）に所有していた元本の数（公債及び社債については額面金額とし、口数の定めがない出資については金額とします。以下同じ。）

　　B：配当等の計算の基礎となった期間の終了の時に所有していた元本の数

　　A＞Bのときは、所得税の全額が税額控除されます。

　　御質問の場合、甲社の令和6年3月期の剰余金の配当の計算の基礎となった期間の開始の時である令和5年4月1日には、貴社は甲社の株式を所有していませんので、銘柄別簡便法による所得税額控除額は次のとおりになります。

$$45,945円 \times \frac{0 + (40,000 - 0) \times \dfrac{1}{2}}{40,000} \left(\begin{array}{l}\text{小数点以下3位未}\\\text{満の端数切上げ}\end{array}\right) = 45,945円 \times 0.500 = 22,972円$$

(注)　個別法、銘柄別簡便法のいずれについても、適格合併、適格分割、適格現物出資、適格現物分配、特別の法律に基づく承継により、配当等の元本の移転を受けた場合は、それぞれ被合併法人、分割法人、現物出資法人、現物分

（1099）

配法人、当該承継に係る被承継法人のその元本の所有期間を自己の所有期間とみなして計算します。

銘柄別簡便法の算式のAの「配当等の計算の基礎となった期間の開始の時に所有していた元本の数」は、上記による配当等の元本の移転を受けた場合は、それぞれ移転前の法人のその元本所有期間を自己の所有期間とみなして計算します。これに伴い、移転を受けた法人でのA「配当等の計算の基礎となった期間の開始の時に所有していた元本の数」は、次のとおりになります。（法政令140の2④）

$$
\text{移転を受けた法人におけるA} + \text{移転前の法人におけるA} \times \frac{\text{分母のうち移転を受けた法人に移転した元本の数}}{\text{移転前の法人が適格分割等の直前に所有していた元本の数}}
$$

なお、適格合併の場合は、上記の算式は、合併法人におけるA＋被合併法人におけるA、となります。

また、移転前の法人でのA「配当等の計算の基礎となった期間の開始の時に所有していた元本の数」は、次の算式のとおりになります。（法政令140の2⑤）

$$
\text{移転前の法人におけるA} \times \left(1 - \frac{\text{分母のうち移転を受けた法人に移転した元本の数}}{\text{移転前の法人が適格分割等の直前に所有していた元本の数}} \right)
$$

（1100）

第25章　税額控除

未収預金利息に対する所得税の税額控除

【問25-3】　事業年度終了の日までに利払期が到来していない定期預金について、経過利息相当額を未収利息に計上した場合、未収利息の額に係る所得税額の税額控除は、未収利息を計上した事業年度に行うことができますか。それともこの利息を受け取る翌事業年度以後に行うことになりますか。

【答】　未収利子及び配当に係る所得税額は、未収計上した事業年度において所得税額の控除の規定（法68①）を適用することが認められていますが（基通16-2-2）、利子については当該事業年度終了の日までにその利払期が到来しているもの、配当についてはその支払のために通常要する期間内に支払を受けることが見込まれるものに限り適用されます。（同通達かっこ書）すなわち、預金利息に対する所得税額の税額控除は、利払期の到来する事業年度において適用されますので、利払期が到来していない定期預金について経過利子相当額を未収計上しても、未収計上した事業年度においては、当該経過利子相当額に係る所得税額について税額控除の規定は適用されません。

　定期預金の預入日から満期日までの利息の額が100,000円（所得税額等が15,315円）で、決算日現在での経過利子相当額が40,000円の場合、経過利子相当額を未収計上するときの仕訳は、次のとおりです。

　　（未収計上する事業年度）

未　収　入　金	40,000円	／	受取利息	40,000円

　　（翌事業年度に利息を受け取ったとき）

預　　　　　金	84,685円	／	未収入金	40,000円
法人税、住民税及び事業税	15,315円		受取利息	60,000円

（1101）

人格のない社団等の受け取る預金利息に係る所得税の税額控除

> **【問25-4】** 当協会は人格のない社団ですが、収益事業を営んでいませんので、法人税等が課税されていません。しかし、当協会が受け取る預金利息については、一般の法人と同様に15％の所得税及び0.315％（15％×2.1％）の復興特別所得税が差し引かれています。法人税等の課税されない当協会には、この所得税等が還付されるべきだと思いますが、どのような手続をとればよいのですか。

【答】 人格のない社団等は、法人とみなして所得税法の規定が適用されますので（所法４）、収益事業を営むか否かに関係なく、御質問のようにその受取る預金利息に対して15％の所得税と0.315％の復興特別所得税が徴収されます。

　一方、人格のない社団等は、各事業年度の所得のうち収益事業から生じた所得のみに法人税が課されます。（法６）したがって、預金利息が、収益事業の付随行為、すなわち収益事業の運営のために通常必要と認められる預金として区分経理されているものの運用益の場合は、収益事業から生じた所得の金額の計算上益金の額に算入されるとともに、所得税額及び復興特別所得税額についての税額控除の規定が適用されます。

　しかし、御質問の場合は、収益事業を営んでいないため所得に対する法人税が課税されず、所得税額控除をする法人税額等がありません。いいかえれば、法人税額等を計算した結果ゼロになったのではなく、法人税額等そのものがありませんので、所得税額控除の規定も適用されません。（法68②）したがって、貴協会の場合は、預金利息に対して15％の所得税及び0.315％の復興特別所得税が徴収されて、これに関する課税関係が終了することになります。

　なお、公益法人等の場合は、人格のない社団と同様に収益事業以外の事業から生じた所得には法人税等が課税されませんが、一般財団法人及び一般社団法人を除いて所得税法別表第一の公共法人等として預金利子等に対する所得税の徴収が行われませんので、このような問題は生じません。

第25章　税額控除

第2節　外国税額の控除

外国で課せられた法人税の税額控除制度とその控除限度額の計算

> 【問25-5】　外国にある法人から受領したロイヤルティにその所在
> 　国の法令により課された源泉税は、外国税額控除の適用が受けら
> 　れるそうですが、その金額はどのように計算するのですか。

【答】　内国法人が海外支店等において納付した外国法人税や、外国から受領
する利子、配当、ロイヤルティ等に対して当該国の法令により課された外国
法人税については、これらの国外所得に対する外国法人税として、外国税額
控除の規定が適用されます。(法69①)

　内国法人の国外所得については、その所得の発生国で外国法人税が課税さ
れますが、わが国の法人税法は、内国法人に対して、国内所得か国外所得か
を問わず、全世界の所得に対して法人税を課税するとしているため (法5)、
そのままでは国外所得にはその発生国とわが国とで二重課税されることにな
ります。この国際的な二重課税を排除するのが、外国税額の控除制度です。

　税額控除の対象となる外国法人税は、外国の法令に基づき外国又はその地
方公共団体により法人の所得を課税標準として課される税で (法政令141①)、
次に掲げる税を含みます。(法政令141②)

①　超過利潤税その他法人の所得の特定の部分を課税標準として課される税

②　法人の所得又はその特定の部分を課税標準として課される税の附加税

③　法人の所得を課税標準として課される税と同一の税目に属する税で、法
　人の特定の所得につき、徴税上の便宜のため、所得に代えて収入金額その
　他これに準ずるものを課税標準として課されるもの

　(注)　利子、配当、ロイヤルティなどの収入金額を課税標準にして源泉徴収され
　　　る税は、これに該当します。

④　法人の特定の所得につき、所得を課税標準とする税に代え、法人の収入
　金額その他これに準ずるものを課税標準として課される税

⑤　自国内最低課税額に係る税

　(注)　外国又はその地方公共団体により課される税でも、④税を納付する者が、
　　　当該税の納付後、任意にその金額の全部又は一部の還付を請求することがで

(1103)

きる税、㋥税の納付が猶予される期間を、その税を納付することとなる者が任意に定めることができる税、㋬複数の税率の中から税の納付をすることとなる者と外国若しくはその地方公共団体又はこれらの者により税率の合意をする権限を付与された者との合意により税率が決定された税（当該複数の税率のうち最も低い税率を上回る部分に限ります。）及び㋥国際最低課税額に対する法人税に相当する税、㋬特定多国籍企業グループ等に属する構成会社等に課される税及び㋬外国法人税に附帯して課される附帯税に相当する税その他これに類する税は、外国法人税に含まれないものとされています。（法政令141③）

　一方、外国法人税の額のうち、下記のような所得に対する負担割合が高率のものは、税額控除の対象となる外国税額から除外することとされています。（法69①かっこ書）

イ　内国法人が納付することとなる外国法人税の額のうち、当該外国法人税を課す国又は地域において、当該外国法人税の課税標準とされる金額に35％を乗じて計算した金額を超える部分の金額（法政令142の2①）

ロ　「利子等の収入比率の高い法人」の利子等の収入を課税標準として源泉徴収の方法により課される外国法人税のうち、「直近3事業年度」の「平均所得率」（下記の表の左欄）に応じて、下表の右欄に掲げる金額（法政令142の2②）

　　これは、「平均所得率」が低いにもかかわらず、「利子等の収入比率の高い法人」は、利子等の収入を課税標準として課される外国法人税のうち税率の高い部分の金額は、税額控除の対象にしないという趣旨のものです。

平均所得率	外国法人税のうち税額控除の対象にしない金額
10％以下	利子等の収入の10％を超える部分の金額
10％超20％以下	利子等の収入の15％を超える部分の金額
20％超	なし

（注1）　平均所得率は、金融業、生命保険業、損害保険業を主として営む内国法人の場合、下記の比率です。（法政令142の2②一、二、三、法規則29①②）

$$\frac{納付事業年度及び前2年事業年度の調整所得金額の合計額}{納付事業年度及び前2年事業年度の総収入金額の合計額}$$

（注2）　金融業、生命保険業、損害保険業以外の事業を主として営む内国法人の場合、「利子等の収入比率の高い法人」は、下記の比率が20％以上の法人

（1104）

に限られますので、この比率が20％未満の法人には、ロの規定の適用はありません。（法政令142の2②四かっこ書、法規則29③）

$$\frac{\text{納付事業年度及び前2年内事業年度の利子等の収入金額の合計額}}{\text{納付事業年度及び前2年内事業年度の利子等の収入金額の合計額}+\text{納付事業年度及び前2年内事業年度の売上総利益の合計額}}$$

また、この法人がロの規定の適用を受ける場合の「平均所得率」は、下記の比率です。（法政令142の2②四、法規則29④）

$$\frac{\text{納付事業年度及び前2年事業年度の調整所得金額の合計額}}{\text{納付事業年度及び前2年事業年度の総収入金額の合計額}-\text{納付事業年度及び前2年事業年度の売上総原価の額の合計額}}$$

（注3） 上記**（注1）**及び**（注2）**に記載した平均所得率の算式の分子の「調整所得金額」とは、法政令142の2④に列記されている受取配当等の益金不算入（法23）等の規定を適用しないで計算した場合の所得の金額に、損金経理をした外国法人税の額を加算した金額です。（法政令142の2④）

次に、法人税からの外国税額控除を受けることができる金額は、上記の控除対象となる外国法人税額（控除対象外国法人税の額）の全額でなく、次の算式によって計算される「控除限度額」までの金額です。（法政令142①）

$$\text{当該事業年度の所得の金額に対する法人税の額} \times \frac{\text{当該事業年度の調整国外所得金額}}{\text{当該事業年度の所得金額}}$$

この算式での「当該事業年度の調整国外所得金額」とは、国外所得金額から外国法人税が課されない国外源泉所得に係る所得の金額を控除した金額で、当該事業年度の所得金額の90％に相当する金額を限度とします。（法政令142③）

なお、外国法人税のうち、当該事業年度に法人税から控除されない金額は、当該事業年度の地方法人税及び法人住民税から控除され、さらに前事業年度から繰り越してきた控除余裕額がある場合は当該額から控除されます。それでもなお控除しきれない金額は、控除限度超過額として、その後3年以内に控除限度額に余裕ができたときに控除されます。（法69③、法政令145①、【問25-6】、【問25-7】参照）

外国税額控除の控除余裕額と控除限度超過額の繰越し

> **【問25-6】** 当社の外国支店は前事業年度は黒字でしたが、当事業年度は赤字になりました。外国支店の前事業年度の所得に対する外国法人税は、当事業年度に納税申告書を提出して納付義務が確定しますが、当事業年度は国外所得金額がマイナスのため、外国法人税額があるにもかかわらず、控除限度額がゼロになります。前事業年度の国外所得金額によって計算できれば、当該所得金額がプラスのため控除限度額が生ずるのですが、調整する方法はないのでしょうか。

【答】 外国法人税についての外国税額控除は、外国法人税についての納税義務が確定する事業年度に行いますので、御質問のような申告納税方式による外国法人税については、納税申告書提出の日（更正又は決定による外国法人税については更正又は決定の通知のあった日）の属する事業年度に、外国税額控除が行われます。したがって、その事業年度は、通常国外所得の発生した事業年度の翌事業年度となります。

このように、国外所得の発生する事業年度とこれに対する外国法人税額の発生する事業年度は、必ずしも合致しません。（外国から受け取る利子、配当、ロイヤルティに対する源泉税のように、両者が通常合致するものもあります。）このため、外国税額控除については、控除余裕額又は控除限度超過額について、３年間の繰越制度が設けられています。

控除余裕額とは、控除限度額の方が控除対象外国法人税の額よりも多いときのその差額で、この金額は翌事業年度以後に繰り越して、その後３年以内に控除対象外国法人税の額がその事業年度の控除限度額を超過したとき、すなわち控除限度超過額が生じたときに、控除限度額に追加して使用することができます。一方、控除限度超過額とは、控除対象外国法人税の額の方が控除限度額よりも多いときのその差額で、この場合は当該差額相当額の控除対象外国法人税の額が控除できずに残りますが、この金額も翌事業年度以後に繰り越して、その後３年以内に控除余裕額が生じたときに追加して控除することができます。（法69②③）

　(注) 法人が適格合併等（適格合併、適格分割、又は適格現物出資）により被合併

第25章　税額控除

　　法人等（被合併法人、分割法人又は現物出資法人）から事業の全部又は一部の
　　移転を受けた場合は、当該事業年度開始の日前３年以内に終了した被合併法人
　　等の各事業年度の控除限度額又は控除対象外国法人税の額のうち、その移転さ
　　れた事業に係る所得に基因し、かつ、合併法人等に引き継がれるべきものとし
　　て計算される金額は、当該法人の前３年以内の各事業年度の控除限度額又は控
　　除対象外国法人税の額に含まれるものとされます。(法69⑨)

　御質問の場合は、当事業年度は外国支店が赤字で国外所得金額がマイナス
のため、控除限度額がゼロですので、当事業年度に納付義務の確定した控除
対象外国法人税の額の全額が控除限度超過額となります。しかし、前事業年
度は外国支店が黒字で国外所得金額があり、控除限度額が生じていましたの
で、前事業年度の控除限度額が控除対象外国法人税額よりも多くて控除余裕
額が生じていたときは、当該控除余裕額が当事業年度に繰り越されており、
当事業年度に納付義務の確定した控除対象外国法人税の額について、当該額
を限度として、税額控除の適用を受けることができます。

　一方、前事業年度から繰り越してきた控除余裕額がないときは、当事業年
度の控除限度超過額は翌事業年度以降３年間繰り越すことができますので、
翌事業年度以後に控除余裕額が生じたときに、その段階で税額控除の適用を
受けることができます。

(注)　外国税額の繰越控除限度超過額について、翌事業年度以後に確実に生ずると
　　見込まれる控除余裕額によって税額控除が見込まれるときは、税効果会計では
　　当該見込まれる額を繰延税金資産に計上します。(【問27-21】参照)

外国税額控除の控除余裕額と控除限度超過額の繰越しの計算例

> **【問25-7】**　外国税額控除の控除余裕額又は控除限度超過額の前事
> 業年度からの繰越額を、当事業年度に生じた控除限度超過額又は
> 控除余裕額に充当する場合、当該繰越額の発生事業年度による充
> 当の順序はどのようになりますか。また、法人税と地方税につい
> ての控除の順序はどのようになりますか。事例で説明してくださ
> い。

【答】　税法では、前３年内事業年度（当該事業年度開始の日前３年以内に開

（1107）

始した各事業年度）に生じて当事業年度に繰り越されてきた控除余裕額を「繰越控除限度額」、控除限度超過額を「繰越控除対象外国法人税額」というとしています。（法69②③）

御質問にある充当の順序は、次のとおりです。

① 「繰越控除限度額」がある場合……当事業年度の控除対象外国法人税の額はまず当事業年度の控除限度額に充当し、次いで繰越控除限度額のうち最も古い事業年度のものから順に、かつ、同一事業年度のものについては法人税、道府県民税（都民税を含みます。）、市町村民税の順に充当します。（法69②、法政令144①）なお、地方法人税は繰越控除限度額として繰越しできません。

② 「繰越控除対象外国法人税額」がある場合……当事業年度の控除限度額から当事業年度の控除対象外国法人税の額を控除した残りの余裕額について、繰越控除対象外国法人税額のうち最も古い事業年度のものから順に充当します。（法69③、法政令145①）

〔事例Ⅰ〕（繰越控除限度額がある場合）

(表　1)		法人税	地方法人税	道府県民税	市町村民税	合　計	当事業年度控除額 （当事業年度における外国法人税額）	翌事業年度への繰越額
繰越控除限度額	令4／3期	⑤108.8	–	⑥13	⑦31.3	153.1	153.1	0
	令5／3期	⑧205	–	2	11.6	218.6	46.9	171.7
	令6／3期	100	–	1	6	107	0	107
	計	413.8	–	16	48.9	478.7 ㋩	200 ㋥	278.7 ㋬
当事業年度（令7／3期）控除限度額		①513	② 52	③ 5	④ 30	600	600 ㋺	0
合　　計		926.8	52	21	78.9	1,078.7	800 ㋑	278.7

(表　2)	法人税	道府県民税	市町村民税	計
令5／3期	158.1	2	11.6	171.7
令6／3期	100	1	6	107
計	258.1	3	17.6	278.7

当事業年度（令和7／3期）の控除対象外国法人税の額が800（表1の㋑）、控除限度額が600（表1の㋺）の場合、控除限度超過額が800－600＝200（表

（1108）

第25章　税額控除

１の（ハ）生じます。繰越控除限度額が478.7（表１の（ニ））ありますので、当事業年度の控除限度超過額200がこれに充当され、差引278.7（表１の（ホ））が繰越控除限度額として翌事業年度へ繰り越されます。当事業年度の控除対象外国法人税の額800を充当する順序は、○印内の数字のとおりですので、翌事業年度への繰越控除限度額278.7の内訳は、表２のとおりになります。

〔事例Ⅱ〕　（繰越控除対象外国法人税額がある場合）

（表　３）		合　計	当事業年度控除額 (当事業年度における控除限度額)	翌事業年度 への繰越額	
繰越控除対象外国法人税額	令４／３期	400	400	0	
	令５／３期	400	238.4	161.6	（ヘ）
	令６／３期	200	0	200	（ト）
	計	1,000（ニ）	638.4　（ハ）	361.6	（ホ）
当事業年度(令7／3期)外国法人税額		300	300　（イ）	0	
合　　　計		1,300	938.4　（ロ）	361.6	

　当事業年度（令和７／３期）の控除対象外国法人税の額が300（表３の（イ））、当事業年度の控除限度額が合計938.4（表３の（ロ）、内訳は法人税800、地方法人税80、道府県民税８、市町村民税50.4）の場合、当事業年度に控除余裕額が938.4－300＝638.4（表３の（ハ））生じます。繰越控除対象外国法人税額が1,000（表３の（ニ））ありますので、当事業年度の控除余裕額638.4がこれに充当され、差引361.6（表３の（ホ））が繰越控除対象外国法人税額として翌事業年度へ繰り越されます。当事業年度の控除限度額938.4は、まず当事業年度の控除対象外国法人税の額300の控除に充当され、残りの余裕額638.4は、令和４年３月期から順に繰越控除対象外国法人税額の控除に充当されますので、翌事業年度へ繰り越される控除対象外国法人税361.6の内訳は、令和５年３月期の161.6（表３の（ヘ））と令和６年３月期の200（表３の（ト））になります。

（1109）

外国税額控除制度における地方税の取扱い

【問25-8】　外国税額控除制度における地方税の取扱いですが、
① 外国の地方税も税額控除の適用対象とすることができますか。
② わが国の地方税からも税額控除をすることができますか。

【答】　①について……外国税額控除の適用対象となる外国法人税は、外国の法令に基づき外国又はその地方公共団体により法人の所得を課税標準として課される税です。（法政令141①）法人の所得を課税標準として課される税であるならば、外国の地方税も税額控除の適用対象とすることができます。

②について……国税（法人税及び地方法人税）からだけでなく、道府県民税（都民税を含みます。以下同じ。）及び市町村民税の法人税割額からも、外国税額の控除をすることができます。（法人税については法69①、地方法人税については地法法12①、道府県民税については地法53㊳、市町村民税については地法321の8㊳）この場合、法人税、地方法人税、道府県民税、市町村民税の順にそれぞれの税額から控除します。

また、地方税からの控除限度額は、法人税の控除限度額に、法人税割の標準税率を乗じて計算される金額で、その算式は次のとおりです。

〈道府県民税からの控除限度額〉

　　法人税の控除限度額×1％（地政令9の7⑥）

〈市町村民税からの控除限度額〉

　　法人税の控除限度額×6％（地政令48の13⑦）

ただし、上記の算式にある法人税割の標準税率は、法人の事業所が標準税率を超えている道府県又は市町村にある場合、法人の選択によって当該超過する税率によって計算することができます。2以上の道府県又は市町村に事業所がある場合は、上記の算式にある法人税の控除限度額を従業員の数によって関係道府県又は市町村にあん分し、それぞれの道府県又は市町村ごとの税率によって計算します。（地政令9の7⑥ただし書、48の13⑦ただし書）

第25章　税額控除

みなし外国税額控除制度（タックス・スペアリング・クレジット制度）

> **【問25-9】**　外国税額控除のなかにあるみなし外国税額控除制度と
> は、どのような制度ですか。

【答】　御質問の制度は、租税条約によるみなし納付外国税額控除制度であり、【問25-5】で説明した外国税額控除制度の一部として適用されます。

　みなし外国税額控除制度は、開発途上国との租税条約で定められており、令和6年4月1日現在、ザンビア、スリランカ、タイ、中国、バングラデシュ、ブラジルの6か国との条約でこの制度を導入しています。

　開発途上国には、経済開発を促進するため、先進国からの特定産業への投資などについて租税減免措置を講じている国があります。開発途上国へ進出した法人が、当該国で生じた所得についてこの減免措置の適用を受けても、わが国で外国法人税額を少なくしたまま外国税額控除制度が適用されますと、開発途上国での租税減免額はそのままわが国での納税額の増加となり、開発途上国が租税減免措置を講じた効果がなくなります。このため、開発途上国における租税減免額は実際に納付したものとみなして、わが国で外国税額控除の適用をするのがみなし納付外国税額控除制度です。この場合のみなし納付外国法人税額は、租税減免措置が適用されないと仮定した場合に外国で実際に納付すべき税額と実際に納付している税額との差額です。

（1111）

第3節　租税特別措置法の規定による税額控除制度

試験研究を行った場合の法人税額の特別控除制度の構成内容及びその特例と、1事業年度に2以上の特別控除制度の適用を受ける場合の規定

> 【問25-10】　租税特別措置法第42条の4に規定されている試験研究を行った場合の法人税額の特別控除制度の構成内容を説明してください。また、同法第42条の13に1事業年度に2以上の特別控除制度の適用を受ける場合の規定が設けられていますが、どのようなものですか。

【答】　Ⅰ　試験研究を行った場合の法人税額の特別控除制度（措法42の4）の構成内容……下記(1)～(3)の3制度で構成されています。

(1) 一般試験研究費に係る法人税額の特別控除制度（措法42の4①、【問25-11】で説明します。）

(2) 中小企業者等が試験研究を行った場合の法人税額の特別控除制度（措法42の4④、【問25-12】で説明します。）

(3) 特別試験研究費に係る法人税額の特別控除制度（措法42の4⑦、【問25-13】で説明します。）

　(2)の制度は、(1)の制度に代えての中小企業者等に対する特例制度です。

　(3)の制度は、特別試験研究費がある場合、(1)又は(2)とは別枠で特別控除額を認めるものです。

Ⅱ　1事業年度に2以上の特別控除制度の適用を受ける場合の規定（措法42の13）……法人が1事業年度において2以上の法人税額の特別控除制度の適用を受けることができる場合には、これらの特別控除制度による控除税額の合計額のうち、当該事業年度の法人税額の90％相当額を超える部分の金額は、繰越税額控除限度超過額として繰越控除することができます。この場合の繰越控除限度超過額は、適用を受ける複数の法人税の特別控除制度に係るもののうち、控除可能期間が最も長いものから順次成るものとします。（措法42の13①）

　(注)　租税特別措置法第3章の規定により税額を軽減される法人税関係特別措置に係るものは、「租税特別措置の適用額明細書」を法人税申告書に添付する

(1112)

第25章　税額控除

ことが必要です。(租特透明化法3①) 本節及び次節に掲げる税額控除制度は、すべてその対象になりますが、法人税申告書への添付がなかった場合又は虚偽がある明細書の添付があった場合でも、誤りのない明細書の提出があったときは、故意の不添付又は虚偽記載をしたと認められる場合を除き、法人税関係特別措置を適用するというゆう恕規定があります。(租特透明化法3③、【問27-27】参照)

一般試験研究費に係る法人税額の特別控除制度の概要

> 【問25-11】　一般試験研究費に係る法人税額の特別控除制度の概要を説明してください。

【答】　御質問の制度は、【問25-10】のⅠの(1)の制度で、試験研究費の総額に所定の割合を乗じた金額を税額控除する制度ですが、試験研究費の増加割合の高い法人の税額控除割合を多くして、研究開発活動に対するインセンティブを促進する制度とされています。この制度の概要は、以下のとおりです。

適用法人は、青色申告書を提出する法人（人格のない社団等を含みます。）です。適用期限は定められていませんが、解散（合併による解散を除きます。）の日を含む事業年度及び清算中の各事業年度には適用されません。

なお、中小企業者等以外の法人については、雇用者の給与の増加又は一定額の設備投資がない場合、この特別控除が適用されません。この制限については、【問25-14】を参照してください。

この制度による法人税額の特別控除額（令和5年4月1日から令和8年3月31日までの間に開始する事業年度に適用されるもの）は、次の①の「税額控除限度額」と②の「税額基準額」のうち少ない方の金額です。なお、適用事業年度とは、この特例の適用を受ける事業年度をいいます。

① 　税額控除限度額＝試験研究費の額**(注1)**×税額控除割合（措法42の4①②）

「税額控除割合」は増減試験研究費割合**(注2)**に応じて、次のとおりです。

(1) 　増減試験研究費割合が12％を超える場合

　　……11.5％＋（増減試験研究費割合－12％）×0.375

　　　（小数点以下3位未満の端数切捨て。14％を上限とします。）

(1113)

(2)　増減試験研究費割合が12%以下の場合

　　……11.5%－（12%－増減試験研究費割合）×0.25

　　　（小数点以下３位未満の端数切捨て。１％を下限とします。）

(3)　適用事業年度が設立事業年度である場合又は比較試験研究費の額(**注2**)が０である場合……8.5%

　なお、適用事業年度の試験研究費割合(**注3**)が10%を超える場合、上記で計算した税額控除割合に、次の割合を加算します。（加算後の上限を14%とします。）

　　上記で計算した税額控除割合×控除割増率

控除割増率は、次の算式で計算します。

　　控除割増率＝（試験研究費割合－10%）×0.5（10%を上限とします。）

②　税額基準額＝適用事業年度の所得に対する調整前法人税額×25%（措法42の4①）

　　「調整前法人税額」とは、特定同族会社の特別税率、使途秘匿金がある場合の課税の特例、各種税額控除の規定及び附帯税の規定を適用しないで計算した金額で（措法42の4⑲二）、別表一の②の金額です。

　　なお、次の(1)～(4)に該当する場合、それぞれの金額を加算します。(1)と(2)、(1)と(3)又は(1)と(4)の両方に該当する場合は両方の金額の合計額が、(2)と(4)の両方に該当する場合はいずれか高い方の額が、加算額になります。（措法42の4③）

(**注**)　(3)の場合は、金額がマイナスになりますから、税額基準額が減額されることになります。

(1)　設立後10年以内の法人（資本金が５億円以上である法人の100%子会社等、法人税法第66条第５項第２号又は第３号に掲げる法人及び株式移転完全親法人を除きます。）で、適用事業年度終了の時において翌期繰越欠損金額がある場合……適用事業年度の所得に対する調整前法人税額×15%

(2)　増減試験研究費割合(**注2**)が４％を超える場合……適用事業年度の所得に対する調整前法人税額×（増減試験研究費割合－４％）×0.625（下線部は小数点以下３位未満の端数切捨て。５％を上限とします。）

(3)　増減試験研究費割合(**注2**)が０に満たない場合のその満たない部分

の割合が４％を超える場合（（4）の場合を除きます。）……適用事業年度の所得に対する調整前法人税額×｛０％－（その満たない部分の割合－４％）×0.625｝（下線部は小数点以下３位未満の端数切捨て。５％を上限とします。）

(4) 適用事業年度の試験研究費割合(注３)が10％を超える場合……適用事業年度の所得に対する調整前法人税額×（試験研究費割合－10％）×２（下線部は小数点以下３位未満の端数切捨て。10％を上限とします。）

(注１) 試験研究費の額のうち特別試験研究費の額に該当するものがある場合、特別試験研究費の額に該当するものをこの制度の試験研究費の額に含めなかったときは、その特別試験研究費の額について特別試験研究費に係る法人税額の特別控除制度の適用が受けられます。（措法42の４⑦）

(注２) 「増減試験研究費割合」は次の算式で計算します。（措法42の４⑲三）なお、「比較試験研究費の額」とは、適用事業年度開始の日前３年以内に開始した各事業年度の試験研究費の額の合計額を、その３年以内に開始した各事業年度の数で除した金額をいいます。（措法42の４⑲五）

増減試験研究費割合＝$\dfrac{\text{適用事業年度の試験研究費の額－比較試験研究費の額}}{\text{比較試験研究費の額}}$

(注３) 「試験研究費割合」は次の算式で計算します。（措法42の４⑲六、十三、措政令27の４㉖㉗）

試験研究費割合＝適用事業年度の試験研究費の額÷平均売上金額

算式の「平均売上金額」は、適用事業年度及びその事業年度開始の日前３年以内に開始した各事業年度の売上金額の平均額ですので、１年決算の法人の場合、適用事業年度を含む最近４事業年度の売上高の平均額となります。

(注４) 令和８年４月１日以後に開始する事業年度については、上記の①の「税額控除限度額」及び②の「税額基準額」は次のとおりの金額となります。（措法42の４①③、令６改所法等附則39①）

① 税額控除限度額

(1) 増減試験研究費割合が０以上である場合……11.5％－（12％－増減試験研究費割合）×0.25（小数点以下３位未満の端数切捨て。上限は10％）

(2) 増減試験研究費割合が０に満たない場合……8.5％－（その満たない部分の割合×適用事業年度に応じた割合）（小数点以下３位未満の端数切捨て。０に満たないときは０）

適用事業年度に応じた割合は以下のとおりです。

（1115）

ロ　令和８年４月１日から令和11年３月31日までの間に開始する事業年度……$\frac{8.5}{30}$

　ロ　令和11年４月１日から令和13年３月31日までの間に開始する事業年度……$\frac{8.5}{27.5}$

　ハ　令和13年４月１日以後に開始する事業年度……$\frac{8.5}{25}$

　(3)　適用事業年度が設立事業年度である場合又は比較試験研究費の額が０である場合……8.5%

②　税額基準額

　(1)　(2)以外の場合…適用事業年度の所得に対する調整前法人税額×25%

　(2)　設立後10年以内の法人（資本金が５億円以上である法人の100%子会社等、法人税法第66条第５項第２号又は第３号に掲げる法人及び株式移転完全親法人を除きます。）で、適用事業年度終了の時において翌期繰越欠損金額がある場合……適用事業年度の所得に対する調整前法人税額×40%

中小企業者等が試験研究を行った場合の法人税額の特別控除制度の概要

【問25-12】　中小企業者等が試験研究を行った場合の法人税額の特別控除制度の概要を説明してください。

【答】　試験研究費の総額に係る法人税額の特別控除制度は、中小企業者等だけでなく青色申告書を提出する法人のすべてに適用されますが、中小企業者等には、さらに【問25-10】のⅠの(2)に掲げた「中小企業者等が試験研究を行った場合の法人税額の特別控除制度」（措法42の４④）が設けられています。中小企業者等は、この制度を選択する方が有利であり、法人住民税の法人税割額の課税標準の算定においても、試験研究費の総額に係る法人税額の税額控除額は減額することができませんが、この制度による法人税額の税額控除額は減額することができるというメリットがあります。

　この制度の概要は、以下のとおりです。

　適用法人は、中小企業者等で青色申告書を提出する法人です。適用期限は定められていませんが、試験研究費の総額に係る特別控除制度の適用を受ける事業年度、解散（合併による解散を除きます。）の日を含む事業年度及び清算中の各事業年度には適用されません。

第25章　税額控除

（**注1**）　中小企業者等の範囲は、【問1-25】を参照してください。なお、中小企業者に該当するかどうかは、事業年度終了の時の現況によって判定します。（措通42の4⑶-1⑴）

（**注2**）　中小企業者のうち適用除外事業者に該当するものは、この制度の適用が受けられません。（措法42の4④、⑲八）適用除外事業者については、【問1-27】を参照してください。

この制度による法人税額の特別控除額（令和5年4月1日から令和8年3月31日までの間に開始する事業年度に適用されるもの）は、次の①の「税額控除限度額」と②の「税額基準額」のうち少ない方の金額です。なお、適用事業年度とは、この特例の適用を受ける事業年度をいいます。

①　税額控除限度額＝試験研究費の額×12％（措法42の4④⑤）

次の⑴～⑶に該当する場合、それぞれの割合を加算します。（割合の小数点以下3位未満の端数切捨て。加算後の上限を17％とします。）（措法42の4⑤）

⑴　適用事業年度の増減試験研究費割合**(注1)**が12％を超える場合（設立事業年度、比較試験研究費の額**(注1)**が0である事業年度及び試験研究費割合**(注1)**が10％を超える事業年度を除きます。）……（増減試験研究費割合−12％）×0.375

⑵　適用事業年度の試験研究費割合**(注1)**が10％を超える場合（設立事業年度及び比較試験研究費の額が0である事業年度のいずれにも該当しない事業年度で、増減試験研究費割合が12％を超える事業年度を除きます。）……12％×控除割増率。

控除割増率＝（試験研究費割合−10％）×0.5（10％を上限とします。）

⑶　上記の⑴及び⑵のいずれにも該当する場合（設立事業年度及び比較試験研究費の額が0である事業年度を除きます。）……⑴の割合＋⑴の割合×控除割増率＋⑵の割合。控除割増率は⑵に記載のとおり。

②　税額基準額＝適用事業年度の所得に対する調整前法人税額**(注1)**×25％（措法42の4④）

次の⑴又は⑵に該当する場合、それぞれの金額を加算します。（措法42の4⑥）

⑴　適用事業年度の増減試験研究費割合が12％を超える場合（設立事業

（1117）

年度及び比較試験研究費の額が０の事業年度を除きます。）……適用事業年度の所得に対する調整前法人税額×10％

(2)　適用事業年度の試験研究費割合が10％を超える場合（上記(1)に該当する場合を除きます。）……適用事業年度の所得に対する調整前法人税額×（試験研究費割合－10％）×２（下線部は小数点以下３位未満の端数切捨て。10％を上限とします。）

(注１)　「増減試験研究費割合」、「比較試験研究費の額」、「試験研究費割合」、「調整前法人税額」の意味は、【問25-11】を参照してください。

(注２)　試験研究費の額のうち特別試験研究費の額に該当するものがある場合、特別試験研究費の額に該当するものをこの制度の試験研究費の額に含めなかったときは、その特別試験研究費の額について特別試験研究費に係る法人税額の特別控除の適用が受けられます。（措法42の４⑦）

特別試験研究費の額がある場合の法人税額の特別控除制度の概要

> 【問25-13】　特別試験研究費の額がある場合は、【問25-11】及び【問25-12】で説明のあった法人税額の特別控除制度とは別枠で、税額控除が認められるとのことですが、その概要を説明してください。

【答】　御質問にある特例は、【問25-10】のⅠの(3)の制度で、租税特別措置法第42条の４第７項に規定されており、特別試験研究費がある場合、その額の20％、25％又は30％相当額を法人税額から控除するというものです。なお、中小企業等以外の法人については、雇用者の給与の増加又は一定額の設備投資がない場合、この特別控除が適用されません。この制限については、【問25-14】を参照してください。

　この制度の概要は以下のとおりです。

　特別試験研究費の額とは、試験研究費の額のうち、国の試験研究機関、大学その他の者と共同して行う試験研究、国の試験研究機関、大学その他の者に委託する試験研究、中小企業者からその有する知的財産権の設定又は許諾を受けて行う試験研究、その用途に係る対象者が少数である医薬品に関する試験研究、高度専門知識等を有する者に対して人件費を支出して行う試験研究その他政令（措政令27の４㉔）に定める試験研究に係る試験研究費の額と

(1118)

第25章　税額控除

して、政令（措政令27の4㉕）で定めるものをいいます。（措法42の4⑲十）なお、【問25-11】及び【問25-12】の特別控除を受ける試験研究費の額は除きます。（措法42の4⑦）

適用法人は、青色申告書を提出する法人（人格のない社団等を含みます。）です。適用期限は定められていませんが、解散（合併による解散を除きます。）の日を含む事業年度及び清算中の各事業年度には適用されません。

この制度による法人税の特別控除額は、次のイの「特別研究税額控除限度額」とロの「税額基準額」のいずれか少ない額です。（措法42の4⑦、措政令27の4③）

イ　特別研究税額控除限度額

次の1から3の合計額です。

1　国の試験研究機関又は大学等と共同して行う試験研究で一定のもの、国の試験研究機関又は大学等に委託する試験研究で一定のもの

特別試験研究費の額×30%

2　特定新事業開拓事業者や成果活用促進事業者と共同して行う試験研究又は特定新事業開拓事業者や成果活用促進事業者に委託する試験研究で一定のもの

特別試験研究費の額×25%

3　その他のもの

特別試験研究費の額×20%

ロ　税額基準額

適用事業年度の所得に対する調整前法人税額×10%

(注)　「調整前法人税額」は、【問25-11】の②に記載しています。

(1119)

中小企業者等以外の法人に対する特別控除の適用制限

> **【問25-14】** 当社は、中小企業者等に該当しない法人です。雇用者の給与の増加又は一定額の設備投資がない場合、試験研究費に係る法人税額の特別控除制度が適用されないと聞きましたが、その内容を教えてください。また、他の特別控除制度についても、同様の取扱いがされるのでしょうか。

【答】 中小企業者等以外の法人が、平成30年4月1日から令和9年3月31日までの間に開始する各事業年度において、次の①又は②のいずれにも該当しない場合、一定の税額控除の規定は適用されないこととされています。なお、その事業年度の所得の金額が前事業年度の所得の金額以下の場合は、①及び②の両方に該当しなくても、税額控除の規定の適用が受けられます。一定の税額控除とは、次の(a)～(f)です。(措法42の13⑤、令6改所法等附則38)

(a) 一般試験研究費に係る法人税額の特別控除(措法42の4①)

(b) 特別試験研究費に係る法人税額の特別控除(措法42の4⑦)

(c) 地域経済牽引事業の促進区域内において特定事業用機械等を取得した場合の法人税額の特別控除(措法42の11の2②)

(d) 認定特定高度情報通信技術活用設備を取得した場合の法人税額の特別控除(措法42の12の6②)

(e) 情報技術事業適応設備を取得した場合等の法人税額の特別控除(措法42の12の7④⑤)

(f) 生産工程効率化等設備を取得した場合の法人税額の特別控除(措法42の12の7⑥)

(注1) この規定とは別に、産業競争力基盤強化商品生産用資産を取得した場合の特別控除の適用について同様の要件が定められています。(【問25-30】参照)

(注2) 適用除外事業者(【問1-27】参照)は上記の中小企業者等に含みません。(措法42の13⑤かっこ書き)

(注3) 上記の所得の金額は、欠損金の繰越控除(法57、59)の適用前の金額によります。(措政令27の13⑥、⑬一、二)また、その事業年度と前事業年度の月数が一致しない場合等には、一定の調整を行います。(措政令27の13⑥)

第25章　税額控除

① 雇用者給与等の要件

(1)　以下のイとロの両方に該当する法人……次の分数式の割合が１％以上
であること

$$\frac{継続雇用者給与等支給額－継続雇用者比較給与等支給額}{継続雇用者比較給与等支給額}$$

イ　次の(a)又は(b)に該当する。**(注１)**

(a)　事業年度終了の時において、資本金の額又は出資金の額が10億円
以上であり、かつ、常時使用する従業員の数**(注２)**が1,000人以上で
ある。

(b)　事業年度終了の時において、常時使用する従業員の数**(注２)**が
2,000人を超えている。

ロ　前事業年度の所得の金額**(注３)**が０を超える場合、又は、その事業年
度が設立事業年度若しくは合併等事業年度である。

(注１)　令和６年３月31日以前に開始する事業年度は、(b)の要件はありません。

(注２)　常時使用する従業員の数は、常用であるか日々雇い入れるものであるか
を問わず、事務所又は事業所に常時就労している職員、工員等（役員を除
きます。）の総数によって判定します。なお、繁忙期に数か月程度の期間
その労務に従事する者を使用するときは、その者の数を含めます。（措通
42の13-３）

(注３)　所得の金額は、前ページの**(注３)**の所得の金額と同じです。（措政令27
の13③、⑥二、⑬一）

(2)　(1)以外の法人……継続雇用者給与等支給額が継続雇用者比較給与等支
給額を超えること

上記の「継続雇用者給与等支給額」及び「継続雇用者比較給与等支給額」
の意義は、給与等の支給額が増加した場合の法人税額の特別控除制度での定
義と同じですので（措法42の13⑤）、【問25-22】を参照してください。

② 設備投資額の要件

その事業年度の国内設備投資額がその事業年度の償却費総額の30％を超え
ることが要件です。なお、令和６年４月１日以後に開始する事業年度につい
ては、上記①の(1)に該当する法人は、その事業年度の国内設備投資額がその
事業年度の償却費総額の40％を超えることが要件となります。

(1121)

国内設備投資額とは、法人がその事業年度に取得等をした国内資産で、その事業年度終了の日において有するものの取得価額の合計額をいいます。取得等とは、取得、製作又は建設をいい、合併、分割、贈与、交換、現物出資、現物分配又は代物弁済による取得は除きます。また、国内資産とは、国内にある法人の事業の用に供される減価償却資産をいいます。（措法42の13⑤二イ、措政令27の13④⑤）

　償却費総額とは、償却費として損金経理した金額の合計額をいいます。つまり、会計上の金額です。なお、損金経理の方法又は剰余金の処分により積立金として積み立てる方法により特別償却準備金として積み立てた金額を含みます。（措法42の13⑤二ロ）

(注)　法31④により損金経理した額に含むとされる額（過年度の償却超過額）は、償却費総額に含みません。（措法42の13⑤二ロ）

　なお、償却費として損金経理した金額には、基通7-5-1（償却費として損金経理をした金額の意義）及び基通7-5-2（申告調整による償却費の損金算入）の取扱いにより償却費として損金経理した金額に該当する金額が含まれます。ただし、法人が継続して、これらの金額を償却費として損金経理した金額に含めないこととして計算している場合には、国内設備投資額の計算でも、資産に係るこれらの金額に相当する金額を含めないこととしている限り、この計算が認められます。（措通42の13-10）

(注)　基通7-5-1は、償却費として損金経理した金額には、損金経理した次のような金額も含まれるとする取扱いです。

　(1)　減価償却資産の取得価額に算入すべき付随費用の額のうち原価外処理した金額

　(2)　修繕費として経理した金額のうち資本的支出に該当し損金の額に算入されなかった金額

　(3)　減価償却資産について計上した除却損又は評価損（減損損失を含みます。）の金額のうち損金の額に算入されなかった金額

第25章　税額控除

税額控除の対象となる試験研究費の額

> 【問25-15】　試験研究を行った場合の法人税額の特別控除制度で、対象となる試験研究費の額にはどのようなものが含まれますか。また、比較試験研究費の額等の計算では、前事業年度以前の試験研究費の額が必要になりますが、税法改正により試験研究費の額の範囲が変更された場合は、再計算が必要になるのでしょうか。

【答】　令和5年4月1日以後に開始する事業年度では、次の①～③の額が試験研究費の額となります。なお、その費用に充てるため他の者から支払を受けた金額があるときは、その金額を控除します。（措法42の4⑲一、措政令27の4⑤～⑦、措規則20①②）

(注1)　令和5年3月31日以前に開始する事業年度は、試験研究費の範囲が異なります。また、令和3年3月31日以前に開始する事業年度も、試験研究費の範囲が異なります。

(注2)　令和7年4月1日以後に開始する事業年度については、その法人の国外事業所等を通じて行う事業に係る費用の額は試験研究費の額から除かれます。（令6改所法等附則39③）

①　製品の製造又は技術の改良、考案若しくは発明に係る試験研究（新たな知見を得るため又は利用可能な知見の新たな応用を考案するために行うものに限ります。）の費用（売上原価等に該当するものを除きます。）で、研究開発費として損金経理した額のうち、所得の金額の計算上損金の額に算入されるもののうち次の額

(1)　その試験研究を行うために要する原材料費、人件費（専門的知識をもって試験研究の業務に専ら従事する者に係るものに限ります。）及び経費の額

(2)　他の者に委託して試験研究を行う法人のその試験研究のために委託を受けた者に対して支払う費用の額

(3)　技術研究組合法第9条第1項の規定により賦課される費用の額

②　対価を得て提供する新たな役務の開発を目的として次の(イ)～(ハ)のすべてが行われる場合の試験研究（その役務の開発を目的として、(イ)(a)の方法によって情報を収集し、又は(イ)(a)に掲げる情報を取得する場合には、その収

(1123)

集又は取得を含みます。）の費用（売上原価等に該当するものを除きます。）
で、研究開発費として損金経理した額のうち、所得の金額の計算上損金の
額に算入されるもののうち以下の(1)又は(2)の額

(イ) 次の(a)又は(b)の情報について、一定の法則を発見するために、情報解析
専門家により情報解析機能を有するソフトウエアを用いて行われる分析

　(a)　大量の情報を収集する機能を有し、その機能の全部若しくは主要な
部分が自動化されている機器又は技術を用いる方法によって収集され
た情報

　(b)　(a)のほか、その法人が有する情報で、その法則の発見が十分見込ま
れる量のもの

(ロ) (イ)の分析により発見された法則を利用した役務の設計

(ハ) (ロ)の設計に係る法則が予測と結果とが一致することの蓋然性が高いも
のであること等妥当であると認められるものであること及びその法則を
利用した役務がその目的に照らして適当であると認められるものである
ことの確認

(1)　試験研究を行うために要する原材料費、人件費（専門的知識をもっ
て上記(イ)の業務に専ら従事する情報解析専門家に係るものに限りま
す。）及び経費（外注費については、これらの原材料費及び人件費相当
部分並びにその試験研究を行うために要する経費相当部分（外注費相
当部分を除きます。）に限ります。）の額

(2)　他の者に委託して試験研究を行う法人のその試験研究のために委託
を受けた者に対して支払う費用（上記(1)に規定する原材料費、人件費
及び経費に相当する部分に限ります。）の額

③　①又は②に掲げる費用の額で研究開発費として損金経理した金額のうち、
棚卸資産若しくは固定資産（事業供用時に①又は②の試験研究用に使用さ
れるものを除きます。）の取得に要した金額とされるべき費用の額、又は
繰延資産（①又は②の試験研究のために支出した費用に係るものを除きま
す。）となる費用の額

(注1)　上記①の試験研究とは、事物、機能、現象などについて新たな知見を得る
ため又は利用可能な知見の新たな応用を考案するために行う創造的で体系的
な調査、収集、分析その他の活動のうち自然科学に係るものをいい、新製品

（1124）

第25章　税額控除

の製造又は新技術の改良、考案若しくは発明に係るものに限らず、現に生産中の製品の製造又は既存の技術の改良、考案若しくは発明に係るものも含まれます。（措通42の4(1)-1）

（注2）　①又は②に該当する費用でも、その費用が③の固定資産の取得価額又は繰延資産の額に含まれる場合は、その固定資産又は繰延資産の償却費、除却損及び譲渡損失は試験研究費の額に含まれません。（措法42の4⑲一イ(1)かっこ書）

（注3）　「研究開発費として損金経理」した金額には、研究開発費の科目で経理処理を行っていない金額でも、財務諸表の注記において研究開発費の総額に含まれていることが明らかなものが含まれます。（措通42の4(1)-3）

（注4）　上記③は、会計上研究開発費として費用処理したが、税務上はソフトウエア等の資産（非試験研究用資産に限ります。）の取得価額となる金額を、税務上は損金の額に算入されていませんが、特別控除の対象となる試験研究費の額に含めるものです。

　次に、税法改正で試験研究費の額の範囲が変更された場合ですが、比較年度の試験研究費の額についても改正後の規定により計算することとされています。（措通42の4(2)-6）したがって、比較試験研究費の額の算定のためには、前事業年度以前の試験研究費の額の再計算が必要になります。

試験研究に該当しないもの

> **【問25-16】**　**【問25-15】**の①の試験研究に該当するかどうかの判断に当たり、参考とすべきものがあればお教えください。

【答】　会社が支出した費用が試験研究費に該当するかどうかの判断に当たって迷われることもあると思います。これに関して、租税特別措置法関係通達で試験研究に含まれないものの例が挙げられ、その趣旨説明が公表されています。この概要は以下のとおりです。

　租税特別措置法第42条の4第19項第1号イ(1)に規定する試験研究（**【問25-15】**の①の試験研究です。）には、例えば、次に掲げる活動は含まれません。（措基通42の4(1)-2、各項目の……以下の補足は「令和3年6月25日付課法2-21ほか1課共同『法人税基本通達等の一部改正について』（法令解釈通達）の趣旨説明」より一部のみ記載）

（1125）

(1) 人文科学及び社会科学に係る活動

(2) リバースエンジニアリング（既に実用化されている製品又は技術の構造や仕組み等に係る情報を自社の製品又は技術にそのまま活用することのみを目的をして、その情報を解析することをいいます。）その他の単なる模倣を目的とする活動……例えば、特許侵害がないかのみを確認するために行うリバースエンジニアリングは試験研究性がありません。

(3) 事務員による事務処理手順の変更若しくは簡素化又は部署編成の変更……無駄となった事務を止めるなどの事務処理手順の変更若しくは簡素化又は部署編成を例えばフラット化する若しくは事業部制を採用するなどの変更については、試験研究性はありませんが、技術の開発過程で、自社を実験場として技術の試行を行った場合に、人が今までに担ってきた作業の代替（短縮、省人力化）をするような業務改善にも資する技術の開発を行った場合については、試験研究性があります。

(4) 既存のマーケティング手法若しくは販売手法の導入等の販売技術若しくは販売方法の改良又は販路の開拓……顧客のインターネットアクセスを解析し、その顧客に最適な商品を提案するためのアルゴリズムの開発を行い、これを特定のソフトウエアとして実装すれば製品の開発に係る試験研究となり、自社内のプロセスの中に実装する場合は技術に係る試験研究となり得ます。

(5) 性能向上を目的としないことが明らかな開発業務の一部として行うデザインの考案

(6) (5)により考案されたデザインに基づき行う設計又は試作

(7) 製品に特定の表示をするための許可申請のために行うデータ集積等の臨床実験……臨床実験でも、新たな知見を得るため又は利用可能な知見の新たな応用を考案するために行う活動は、試験研究になり得ます。

(8) 完成品の販売のために行うマーケティング調査又は消費者アンケートの収集……製品の開発に当たって、適切な設置場所はどこか、そのために必要な装置、実用化すべき技術は何かといった調査は、応用研究となり得ます。

(9) 既存の財務分析又は在庫管理の方法の導入 ┐

(10) 既存製品の品質管理、完成品の製品検査、環境管理 ┘……職員が手作

第25章　税額控除

業で各所からデータを収集し、分析を行っている作業について、収集すべきデータを特定し、自動で収集するアルゴリズムの開発を行い、これを特定のソフトウエアや自動ロボットとして実装する場合は製品の開発に係る試験研究となり、自社内のプロセスの中に実装する場合は技術の改良に係る試験研究になり得ます。

(11) 生産調整のために行う機械設備の移転又は製造ラインの配置転換……熟練工が経験的に行っている作業について、例えば温度、力加減等をパラメーター化し、作業を自動化するためのアルゴリズムやロボットの開発を行った場合、他社に販売すれば製品の開発に係る試験研究となり、成果を自社で活用すれば技術の改良に係る試験研究となり得ます。

(12) 生産方法、量産方法が技術的に確立している製品を量産化するための試作

(13) 特許の出願及び訴訟に関する事務手続

(14) 地質、海洋又は天体等の調査又は探査に係る一般的な情報の収集

(15) 製品マスター完成後の市場販売目的のソフトウエアに係るプログラムの機能上の障害の除去等の機能維持に係る活動

(16) ソフトウエア開発に係るシステム運用管理、ユーザードキュメントの作成、ユーザーサポート及びソフトウェアと明確に区分されるコンテンツの制作

試験研究費について国庫補助金を受けた場合の処理方法

【問25-17】　当社の前事業年度以前の研究開発について国庫補助金交付の申請をしていたところ、申請が認められ近く補助金が交付されることになりました。この補助金は雑収入として処理しますが、税額控除の計算の対象となる試験研究費の額から控除しなくてもよろしいですか。もし、控除しなければならないとした場合、前事業年度以前の試験研究費の額を修正することになるのですか。

【答】　税額控除の計算の対象になる試験研究費の額の計算上、その試験研究費に充てるため他の者から支払を受ける金額がある場合は、その受入額を試験研究費の額から控除することとされており（措法42の4⑲一）、他の者か

(1127)

ら支払を受ける金額には次のものを含みます。(措通42の4(2)-1)

イ　国等からの試験研究費の額に係る費用に充てるため交付を受けた補助
　　金の額

ロ　国立研究開発法人科学技術振興機構と締結した新技術開発委託契約に
　　定めるところにより、同機構から返済義務の免除を受けた開発費の額
　　(当該免除とともに金銭の支払をした場合には支払った金銭を控除した
　　金額)から引渡した物件の帳簿価額を控除した金額

ハ　委託研究費の額

　したがって、研究開発について交付を受けた国庫補助金を、御質問のよう
に雑収入として処理されている場合であっても、税額控除の計算の対象とな
る試験研究費の額から控除しなければなりません。

　次に、御質問の国庫補助金は、前事業年度以前に支出して費用処理した試
験研究費に対応するものであるため、前事業年度以前の試験研究費の額を減
額修正することになるのかという点ですが、そのような個別のひもつき関係
を考慮する必要はありません。試験研究費の額は、事業年度単位で損金の額
に算入される試験研究費等によってその計算をしますので、他の者から支払
を受ける金額も、事業年度単位で益金の額に算入される金額を織り込めばよ
いのです。当該国庫補助金は、当事業年度に受け入れることが確定して益金
の額に算入されるのですから、当事業年度の試験研究費から控除します。

試験研究費の税額控除での人件費、減価償却費、固定資産除却損等の取扱い

> 【問25-18】　次の費用の額は試験研究を行った場合の税額控除の規
> 　定の適用に当たって、試験研究費の額に含まれますか。
> ①　研究所の事務職員等の人件費
> ②　試験研究用資産の減価償却費
> ③　試験研究用固定資産の除却損又は譲渡損

【答】　①について……人件費は、専門的知識をもって試験研究の業務に専ら
従事する者に係るものに限られますので(措政令27の4⑤一かっこ書、⑦一
かっこ書)、たとえ研究所等に専属する者に係るものであっても、例えば事
務職員、守衛、運転手等のように試験研究に直接従事していない者に係るも

(1128)

第25章　税額控除

のは、試験研究費の額に含まれません。(措通42の4(2)-3)

　②について……法人が自ら行う製品の製造若しくは技術の改良、考案若しくは発明に係る試験研究又は対価を得て提供する新たな役務の開発を目的として行われる一定の試験研究の用に供する減価償却資産に係る減価償却費の額は、試験研究費の額に含まれます。この減価償却費には、当該資産に係る特別償却費も含まれますが、当該特別償却を準備金方式で計上している場合の特別償却準備金積立額は含まれません。(措通42の4(2)-4)

　③について……試験研究用固定資産の除却損又は譲渡損の額のうち、災害、研究項目の廃止等に基づき臨時的、偶発的に発生するものは試験研究費の額に含まれませんが、試験研究の継続過程において通常行われる取替更新に基づくものは、試験研究費の額に含まれます。(措通42の4(2)-5)

(注)　②の減価償却費や③の除却損又は譲渡損のうち、【問25-15】の③により試験研究費の額とされた固定資産に係るものは、試験研究費の額に含みません。(措法42の4⑲一イ(1)かっこ書)

中小企業者等が機械等を取得した場合の特別償却又は法人税額の特別控除制度の概要

> **【問25-19】**　「中小企業者等が機械等を取得した場合の特別償却又は法人税額の特別控除」制度の概要を説明してください。

【答】　御質問の制度の概要は次のとおりです。(措法42の6①②)

①　適用法人、適用期間……青色申告法人で中小企業者等(適用除外事業者を除きます。また、下記④に記載している特定機械装置等を取得した場合の法人税額の特別控除制度については特定中小企業者等のみが適用されます。)が、平成10年6月1日から令和7年3月31日までの期間内に、③に掲げる「特定機械装置等」(製作の後事業の用に供されたことのないものに限ります。)を取得し又は製作して、これを国内にある当該中小企業者等の②に掲げる指定事業の用に供した場合、その指定事業の用に供した日を含む事業年度(解散(合併による解散を除きます。)の日を含む事業年度及び清算中の各事業年度を除きます。)において適用されます。ただし、内航海運業法第2条第2項第2号に掲げる事業を営む法人(措政令27の6

(1129)

⑥）以外の法人が貸付けの用に供した場合は、適用がありません。

(注１)　中小企業者等の範囲は【問１-25】を、適用除外事業者については【問
　　　　　１-27】を、それぞれ参照してください。

(注２)　特定中小企業者等とは、中小企業者等のうち資本金の額又は出資金の額が
　　　　　3,000万円以下の法人、農業協同組合等及び商店街振興組合をいいます。（措
　　　　　法42の６②、措政令27の６⑧）

②　指定事業……製造業、建設業、農業、林業、漁業、水産養殖業、鉱業、
　卸売業、道路貨物運送業、倉庫業、港湾運送業、ガス業、小売業、料理店
　業その他の飲食店業（料亭、バー、キャバレー、ナイトクラブその他これ
　らに類する事業にあっては、生活衛生同業組合の組合員が行うものに限り
　ます。）、一般旅客自動車運送業、海洋運輸業及び沿海運輸業、内航船舶貸
　渡業、旅行業、こん包業、郵便業、通信業、損害保険代理業、不動産業並
　びにサービス業（映画業以外の娯楽業を除きます。）（措法42の６①、措政
　令27の６⑥、措規則20の３⑧）

③　特定機械装置等

イ　機械及び装置（措法42の６①一）で、１台又は１基（通常１組又は１
　式をもって取引の単位とされるものは、１組又は１式とします。以下同
　じ。）の取得価額が160万円以上のもの（措政令27の６④一）

　　なお、コインランドリー業**(注１)**（主要な事業**(注２)**であるものを除き
　ます。）の用に供する資産で、その管理のおおむね全部を他の者に委託
　するものを除きます。（措法42の６①一かっこ書、措政令27の６①）

　(注１)　コインランドリー業は、洗濯機、乾燥機その他の洗濯に必要な設備（共
　　　　　同洗濯設備として病院、寄宿舎その他の施設内に設置されているものを
　　　　　除きます。）を設け、これを公衆に利用させる事業と規定されています。
　　　　　（措規則20の３①）

　(注２)　次の①又は②の事業は、主要な事業に該当します。（措規則20の３②）

　　　①　継続的に中小企業者等の経営資源を活用して行い、又は行うことが
　　　　見込まれる事業。ここでの経営資源とは、事業の用に供される不動産、
　　　　事業に関する従業者の有する技能又は知識（租税に関するものを除き
　　　　ます。）その他これらに準ずるものをいいます。

　　　②　中小企業者等が行う主要な事業に付随して行う事業
　　　　例えば、自己の所有する店舗、事務所等の一画を活用して、コインラ

（1130）

第25章　税 額 控 除

　ンドリーを利用させる役務を提供する行為は、上記の①に該当し、公衆
　浴場を営む中小企業者等がその利用客に対して、コインランドリーを利
　用させる役務を提供する行為は、上記の②に該当します。(措通42の6
　－1の3)

ロ　工具のうち、測定工具及び検査工具（電気又は電子を利用するものを
　含みます。)（措法42の6①二、措規則20の3③）で、1台又は1基の取
　得価額が120万円以上のもの（その事業年度において新たに取得又は製
　作をして指定事業の用に供した1台又は1基の取得価額が30万円以上の
　ものの取得価額の合計額が120万円以上である場合のその工具を含みま
　す。)（措政令27の6④二）

ハ　ソフトウエアのうち、電子計算機に対する指令であって一の結果を得
　ることができるように組み合わされたもの（これに関連するシステム仕
　様書その他の書類を含み（措法42の6①三、措政令27の6②、措規則20
　の3④）、複写して販売するための原本、開発研究(注1)の用に供され
　るもの、サーバー用オペレーティングシステム、サーバー用仮想化ソフ
　トウエア、非認証データベース管理ソフトウエア又は当該非認証データ
　ベース管理ソフトウエアに係るデータベースを構成する情報を加工する
　機能を有するソフトウエア、連携ソフトウエア及び不正アクセス防御ソ
　フトウエアを除きます。(措政令27の6②、措規則20の3⑤))であって、
　一のソフトウエアの取得価額が70万円以上のもの（その事業年度におい
　て新たに取得又は製作をして指定事業の用に供したもの(注2)の取得価
　額の合計額が70万円以上である場合のそのソフトウエアを含みます。)
　(措政令27の6④三）

　(注1)　開発研究とは、新たな製品の製造若しくは新たな技術の発明又は現に
　　　企業化されている技術の著しい改良を目的として特別に行われる試験研
　　　究をいいます。

　(注2)　法人税法施行令第133条（少額の減価償却資産の取得価額の損金算入）
　　　又は同第133条の2（一括償却資産の損金算入）の規定の適用を受けるも
　　　のを除きます。なお、租税特別措置法第67条の5（中小企業者等の少額
　　　減価償却資産の取得価額の損金算入の特例）の適用を受けた資産につい
　　　ては、損金算入された金額は資産の取得価額に算入しないこととされて
　　　いますので（措法67の5④）、この規定の適用から除かれます。

(1131)

ニ　車両及び運搬具のうち、貨物の運送の用に供される普通自動車で、車両総重量が3.5トン以上のもの（措法42の6①四、措規則20の3⑥）

ホ　船舶で、内航海運業法第2条第2項第1号及び第2号に規定する内航海運業の用に供されるもの（措法42の6①五、措政令27の6③）

　　なお、総トン数が500トン以上の船舶については、次の事項を国土交通大臣に届け出たことを、この特例を受けようとする事業年度の確定申告書等にその届出があった旨を証する書類の写しを添付することにより明らかにされた船舶に限ります。（措政令27の6③、措規則20の3⑦）

①　その船舶に用いられた指定装置等（環境への負荷の低減に資するものとして国土交通大臣が指定する装置）の内容

②　指定装置等（その船舶に用いることができないものを除きます。）のうち、その船舶に用いられていないものがある場合には、その理由及びその指定装置等の代わりに用いられた装置の内容

④　特別償却と法人税額の特別控除……特定機械装置等を適用期間内に取得又は製作して②に掲げる指定事業の用に供したときには、取得価額（③のホの船舶は取得価額の75％（措政令27の6⑦））の30％に相当する金額を特別償却限度額とする特別償却制度が適用されます。（措法42の6①）

　　特定中小企業者等は、特別償却との選択で、法人税額の特別控除を適用することができます。法人税額の特別控除額は次の(1)と(2)のうち少ない方の金額です。（措法42の6②）　なお、(1)の金額が(2)の金額を超過する場合は、その超過額の1年間の繰越制度が設けられています。（措法42の6③④）

(1)　特定機械装置等の取得価額（③のホの船舶は取得価額の75％（措政令27の6⑦））×7％

(2)　調整前法人税額×20％**（注1、2）**

　　なお、所有権移転外リース取引により取得した特定機械装置等については、特別償却制度は適用されません。（措法42の6⑤、措政令27の6⑨）

（注1）　調整前法人税額とは、特定同族会社の特別税率、使途秘匿金がある場合の課税の特例、各種税額控除の規定及び附帯税の規定を適用しないで計算した金額で（措法42の4⑲二）、法人税申告書別表一の②の金額です。

（注2）　中小企業者等が特定経営力向上設備等を取得した場合の法人税額の特別控除（措法42の12の4②、【問25-21】）の適用を受ける場合は、その控除額との合計で調整前法人税額の20％が限度になります。

（1132）

第25章　税額控除

事業年度の中途で中小企業者等や特定中小企業者等に該当しなくなった場合

> 【問25-20】　中小企業者等が機械等を取得した場合の特別償却の対象となる資産を取得して事業の用に供した時点では資本金の額が１億円以下でしたが、その後増資により事業年度末の資本金の額が１億円を超えることとなり、中小企業者等に該当しなくなった場合、特別償却の適用は受けられるでしょうか。また、資本金の額が3,000万円以下の法人が、期中の増資により事業年度末での資本金の額が3,000万円を超え、特定中小企業者等に該当しなくなった場合はどうですか。

【答】　中小企業者等が特定機械装置等を取得又は製作をして事業の用に供した場合、特別償却の適用が受けられますが（【問25-19】）、法人が事業年度の中途において中小企業者等に該当しないこととなった場合でも、その該当しないこととなった日前に取得又は製作をして指定事業の用に供した特定機械装置等については、特別償却の適用があります。この場合、取得価額の合計額で特別償却の適用の可否が判定されるものについては、中小企業者等に該当していた期間内に取得又は製作をした資産の取得価額の合計額で判定します。（措通42の６－１）御質問の場合は、中小企業者等に該当していたときに、特別償却の対象となる資産を取得して事業の用に供したのですから、その資産については特別償却の適用が受けられます。

　次に、中小企業者等が特定機械装置等を取得した場合、特定中小企業者等に該当するときは、特別償却との選択で法人税額の特別控除の適用が受けられますが（【問25-19】）、これについても、上記と同様、事業年度末に特定中小企業者等に該当しない場合でも、特定中小企業者等に該当していたときに、法人税額の特別控除の対象となる資産を取得して指定事業の用に供したときは、その資産について法人税額の特別控除が受けられます。（措通42の６－１（注））

（1133）

中小企業者等が特定経営力向上設備等を取得した場合の特別償却又は法人税額の特別控除制度の概要

> 【問25-21】 「中小企業者等が特定経営力向上設備等を取得した場合の特別償却又は法人税額の特別控除」の制度について、その概要を説明してください。

【答】　この制度は、青色申告書を提出する中小企業者等が、平成29年4月1日から令和7年3月31日までの間に、一定の条件を満たす特定経営力向上設備等を取得等して、国内の指定事業の用に供した場合、事業の用に供した日を含む事業年度において、特別償却又は法人税額の特別控除の選択適用が認められるものです。（措法42の12の4）その概要は以下のとおりです。

① 適用法人……中小企業者等（適用除外事業者を除きます。）で、青色申告書を提出する法人のうち、中小企業等経営強化法第17条第1項の認定を受けた同法第2条第6項に規定する特定事業者等（措法42の12の4①）です。

　(注)　中小企業者等の範囲は【問1-25】を、適用除外事業者については【問1-27】を、それぞれ参照してください。

② 適用資産……生産等設備を構成する機械及び装置、工具、器具及び備品、建物附属設備並びに一定のソフトウエアのうち、中小企業等経営強化法施行規則第16条第2項に規定する経営力向上に著しく資する設備等で、その中小企業者等の中小企業等経営強化法の認定に係る経営力向上計画に記載されたものに限り、取得価額が一定額以上のものです（これを「特定経営力向上設備等」といいます。）。対象となる設備は、製作又は建設の後事業の用に供されたことのないもの（新品）に限られます。（措法42の12の4①、措規則20の9①）

　なお、中小企業等経営強化法施行規則第16条第2項で、コインランドリー業（洗濯機、乾燥機その他の洗濯に必要な設備（共同洗濯設備として病院、寄宿舎その他の施設内に設置されているものを除きます。）を設け、これを公衆に利用させる事業をいいます。）又は暗号資産マイニング業（主要な事業であるものを除きます。）の用に供する設備等で、その管理のおおむね全部を他の者に委託するものについては、適用資産から除外されて

(1134)

います。

(注) 中小企業庁のホームページに、中小企業等経営強化法による経営力向上計画に関する手続等が掲載されています。

③ 指定事業……②の資産を国内にある中小企業者等の営む指定事業の用に供した場合に適用されます。指定事業は、中小企業者等が機械等を取得した場合の特別償却等の指定事業（措法42の６①、措政令27の６⑥、措規則20の３⑧）と同じです。（措法42の12の４①）中小企業者等が機械等を取得した場合の指定事業については、【問25-19】の②を参照してください。

④ 特別償却と法人税額の特別控除

イ　特別償却……本制度での特別償却限度額は、以下の算式で計算した金額です。（措法42の12の４①）したがって、普通償却限度額と特別償却限度額の合計で取得価額の全額を償却（いわゆる即時償却）できます。

　　特別償却限度額＝特定経営力向上設備等の取得価額－普通償却限度額

ロ　法人税額の特別控除……特別控除額は、次の(a)と(b)のいずれか少ない方の金額です。（措法42の12の４②）なお、(a)の金額が(b)の金額より多い場合、その超過額は１年間繰越し、一定の条件を満たせば、翌年度の法人税額から控除できます。（措法42の12の４③④）

(a)　特定経営力向上設備等の取得価額×７％（一定の法人**(注1)**は10％）

(b)　調整前法人税額×20％**(注２、３)**

　　なお、所有権移転外リース取引により取得した特定経営力向上設備等については、特別償却制度は適用されません。（措法42の12の４⑤）

(注1) 一定の法人とは、資本金の額又は出資金の額が3,000万円以下の法人、農業協同組合等及び商店街振興組合をいいます。（措政令27の12の４③）

(注2) 調整前法人税額とは、特定同族会社の特別税率、使途秘匿金がある場合の課税の特例、各種税額控除の規定及び附帯税の規定を適用しないで計算した金額で（措法42の４⑲二）、法人税申告書別表一の②の金額です。

(注3) 中小企業者等が機械等を取得した場合の法人税額の特別控除（措法42の６②、【問25-19】）の適用を受ける場合は、その控除額との合計で調整前法人税額の20％が限度になります。

（1135）

給与等の支給額が増加した場合の法人税額の特別控除制度

> 【問25-22】 給与等の支給額が増えた場合、法人税額の特別控除が
> 受けられるとのことですが、この制度の内容を説明してください。

【答】 雇用者に支払う給与等が増加した場合、一定の条件を満たすと、増加した給与の一定割合の税額控除が受けられます。この制度には、全法人向けの特例（企業の規模を問わず適用が受けられるもの）と特定法人（中堅企業向け）の特例及び中小企業者等向けの特例があり、ここでは、全法人向けの特例について説明します。特定法人（中堅企業向け）の特例については【問25-23】で、中小企業者等向けの特例については【問25-24】で、それぞれ説明しています。また、一定規模の会社は、一定の要件を満たす場合に限り、この特例の適用が受けられます。これについては【問25-25】で説明しています。

青色申告書を提出する法人が、令和4年4月1日から令和9年3月31日までの間に開始する事業年度（設立事業年度、合併以外での解散の日を含む事業年度及び清算中の事業年度を除きます。）において、国内雇用者に対して給与等を支給する場合、一定の要件を満たしているときは、以下のとおり、法人税額の特別控除が受けられます。

1 令和6年4月1日から令和9年3月31日の間に開始する事業年度

次の①の「税額控除限度額」と②の「税額基準額」のうち少ない方の金額が特別控除額となります。（措法42の12の5①）

① 税額控除限度額＝控除対象雇用者給与等支給増加額×下表で示した税額控除割合

② 税額基準額＝適用年度の所得に対する調整前法人税額×20％

税額控除割合は、継続雇用者給与等支給増加割合、教育訓練費の要件、子育てとの両立支援・女性活躍支援の要件に応じて、次の表のとおりです。

継続雇用者給与等支給増加割合	税額控除割合	税額控除割合の上乗せ	
		教育訓練費の要件を満たす場合	子育てとの両立支援・女性活躍支援の要件を満たす場合
3％以上	10％	＋5％	＋5％
4％以上	15％	＋5％	＋5％
5％以上	20％	＋5％	＋5％
7％以上	25％	＋5％	＋5％

（1136）

第25章　税額控除

　税額控除割合の上乗せは、両方の要件を満たしている場合、10％になります。例えば、継続雇用者給与等支給増加割合が５％で、税額控除割合の上乗せの両方の要件を満たしている場合は、税額控除割合は、30％（20％＋５％＋５％）となります。

（注１）　「地方活力向上地域等において雇用者の数が増加した場合の法人税額の特別控除」（措法42の12）と重複適用する場合は、①の控除対象雇用者給与等支給増加額から一定の金額を控除します。（措法42の12の５①、措政令27の12の５③）

（注２）　「調整前法人税額」とは、特定同族会社の特別税率、使途秘匿金がある場合の課税の特例、各種税額控除の規定及び附帯税の規定を適用しないで計算した金額で（措法42の４⑲二）、法人税申告書別表一の②の金額です。

　上記の各用語等の意義は以下のとおりです。なお、適用年度とは、この特例の適用を受ける事業年度をいいます。

(1)　給与等……所得税法第28条第１項に規定する給与等をいいます。（措法42の12の５⑤三）

(2)　国内雇用者……法人の使用人のうち、労働基準法に規定する賃金台帳に記載された者をいい、役員の特殊関係者及び使用人兼務役員は除きます。（措法42の12の５⑤二、措政令27の12の５⑤⑥）

(3)　控除対象雇用者給与等支給増加額……次の(イ)と(ロ)のうち少ない方の金額です。（措法42の12の５⑤六）

　(イ)　雇用者給与等支給額から比較雇用者給与等支給額を控除した金額。雇用者給与等支給額の意義は(4)で、比較雇用者給与等支給額の意義は(5)で、それぞれ説明しています。

　(ロ)　調整雇用者給与等支給増加額。調整雇用者給与等支給増加額とは、調整雇用者給与等支給額（(4)の金額から雇用安定助成金額を控除した金額）から比較調整雇用者給与等支給額（(5)の金額から雇用安定助成金額を控除した金額）を控除した金額をいいます。

(4)　雇用者給与等支給額……適用年度の所得の金額の計算上損金の額に算入される国内雇用者に対する給与等の支給額をいいます。なお、その給与等に充てるため他の者から支払を受ける金額がある場合は、その支払を受ける金額を控除した金額としますが、雇用安定助成金額及

（1137）

び役務の提供の対価として支払を受ける金額は控除しません。(措法42
の12の5⑤九)

(5)　比較雇用者給与等支給額……前事業年度の所得の金額の計算上損金
の額に算入される国内雇用者に対する給与等の支給額(適用年度と前
事業年度の月数が異なる場合は、一定の調整をした金額)をいいます。
なお、その給与等に充てるため他の者から支払を受ける金額がある場
合は、その支払を受ける金額を控除した金額としますが、雇用安定助
成金額及び役務の提供の対価として支払を受ける金額は控除しません。
(措法42の12の5⑤十一、措政令27の12の5⑱)

(6)　雇用安定助成金額……国又は地方公共団体から受ける雇用保険法第
62条第1項第1号に掲げる事業として支給が行われる助成金その他こ
れに類するものの額をいいます。(措法42の12の5⑤六イ) **(注2)**

(7)　継続雇用者給与等支給増加割合……以下の算式で計算した割合です。
(措法42の12の5①)なお、継続雇用者給与等支給額の意義は(9)で、継
続雇用者比較給与等支給額の意義は(10)で、それぞれ説明しています。

$$\frac{継続雇用者給与等支給額 - 継続雇用者比較給与等支給額}{継続雇用者比較給与等支給額}$$

(8)　継続雇用者……適用年度とその前事業年度の期間内の各月分の給与
等の支給を受けた国内雇用者で、雇用保険の一般被保険者である者を
いい、高年齢者等の雇用の安定等に関する法律に規定する継続雇用制
度の対象となっている者を除きます。なお、適用年度と前事業年度の
月数が異なるときは、一定の者になります。(措法42の12の5⑤四、措
政令27の12の5⑦)

(9)　継続雇用者給与等支給額……適用年度の所得の金額の計算上損金の
額に算入される継続雇用者に対する給与等の支給額をいいます。なお、
その給与等に充てるため他の者から支払を受ける金額がある場合には、
その支払を受ける金額を控除した金額としますが、雇用安定助成金額
及び役務の提供の対価として支払を受ける金額は控除しません。(措法
42の12の5⑤四、措政令27の12の5⑧)

(10)　継続雇用者比較給与等支給額……前事業年度の所得の金額の計算上
損金の額に算入される継続雇用者に対する給与等の支給額をいいます。

(1138)

第25章　税額控除

なお、その給与等に充てるため他の者から支払を受ける金額がある場合は、その支払を受ける金額を控除した金額としますが、雇用安定助成金額及び役務の提供の対価として支払を受ける金額は控除しません。適用年度と前事業年度で月数が異なるときは、一定の調整を行います。（措法42の12の5⑤五、措政令27の12の5⑨）

(11) 教育訓練費の要件……上表での教育訓練費の要件を満たす場合とは、次のイとロの両方の要件を満たしている場合をいいます。（措法42の12の5①二）なお、教育訓練費の意義は(12)で、比較教育訓練費の額の意義は(13)で、それぞれ説明しています。

イ　$\dfrac{\text{適用事業年度の教育訓練費の額}-\text{比較教育訓練費の額}}{\text{比較教育訓練費の額}} \geqq 10\%$

ロ　$\dfrac{\text{適用事業年度の教育訓練費の額}}{\text{雇用者給与等支給額}} \geqq 0.05\%$

(注)　比較教育訓練費の額が０である場合、適用事業年度の教育訓練費の額があれば、イの要件を満たすものとされます。（措政令27の12の5㉖）

(12) 教育訓練費……法人が国内雇用者の職務に必要な技術又は知識を習得させ、又は向上させるために支出する一定の費用**(注4)**をいいます。（措法42の12の5⑤七）

(13) 比較教育訓練費の額……適用年度開始の日前１年以内に開始した各事業年度の所得の金額の計算上損金の額に算入される教育訓練費の額をいいます。その事業年度と適用年度で月数が異なるときは一定の調整を行います。（措法42の12の5⑤八）

(14) 子育てとの両立支援・女性活躍支援の要件……上表での子育てとの両立支援・女性活躍支援の要件を満たす場合とは、適用事業年度終了の時において、その法人が次のイ又はロのいずれかに該当している場合をいいます。（措法42の12の5①三）つまり、「プラチナくるみん」（「プラチナくるみんプラス」を含みます。）又は「プラチナえるぼし」の認定を受けている場合です。

イ　次世代育成支援対策推進法第15条の３第１項に規定する特例認定一般事業主

ロ　女性の職業生活における活躍の推進に関する法律第13条第１項に

（1139）

規定する特例認定一般事業主

（注1） 上記(4)、(5)、(9)及び(10)で給与等から控除する他の者から支払を受ける金額（条文上は「補塡額」といいます。）には、補助金等（補助金、助成金、給付金又は負担金その他これらに類する性質を有するものをいい、国又は地方公共団体から受ける雇用保険法第62条第1項第1号に掲げる事業として支給が行われる助成金その他これに類するものを除きます。）のうち次に掲げるものの交付額が該当します。（措通42の12の5-2）

(1)　補助金等の要綱、要領又は契約において、その補助金等の交付の趣旨又は目的が交付を受ける法人の給与等の支給額に係る負担を軽減させることであることが明らかにされているもの

(2)　(1)に掲げるもののほか、補助金等の交付額の算定方法が給与等の支給実績又は支給単価（雇用契約において時間、日、月、年ごとにあらかじめ決められている給与等の支給額をいいます。）を基礎として定められているもの

(3)　法人の使用人が他の法人に出向した場合に、出向者に対する給与を出向元法人が支給することとしているときに、出向元法人が出向先法人から支払を受けた出向先法人の負担すべき給与相当額（いわゆる給与負担金の額です。）

（注2） 雇用安定助成金額には、次のものが該当します。（措通42の12の5-2の2）

(1)　雇用調整助成金、産業雇用安定助成金又は緊急雇用安定助成金の額

(2)　(1)に上乗せして支給される助成金の額その他の(1)に準じて地方公共団体から支給される助成金の額

（注3） 出向先法人が支出する給与負担金の額は、その出向先法人の国内に所在する事業所につき作成された賃金台帳にその出向者を記載しているときは、給与等の支給額に含まれます。（措通42の12の5-3）

（注4） 教育訓練費に含まれる費用は次のものです。（措政令27の12の5⑩、措規則20の10⑤～⑦）

(1)　法人が国内雇用者に対して教育、訓練、研修、講習その他これらに類するもの（以下「教育訓練等」といいます。）を自ら行う場合……その教育訓練等のために講師又は指導者（その法人の役員又は使用人である者を除きます。）に対して支払う報酬等一定の費用。その教育訓練等のための施設、設備その他の資産の賃借料その他これに類する一定の費用

(2)　法人から委託を受けた他の者が教育訓練等を行う場合……その教育訓

（1140）

第25章　税額控除

　　練等のために他の者に対して支払う費用

　（3）　法人が国内雇用者を他の者が行う教育訓練等に参加させる場合……他
　　の者に対して支払う授業料や受講料等、教育訓練の対価として支払う費
　　用

2　令和4年4月1日から令和6年3月31日の間に開始する事業年度

　次の①の「税額控除限度額」と②の「税額基準額」のうち少ない方の金額
が特別控除額となります。（旧措法42の12の5①）

①　税額控除限度額＝控除対象雇用者給与等支給増加額×下表で示した税額
　控除割合

②　税額基準額＝適用年度の所得に対する調整前法人税額×20%

　税額控除割合は、継続雇用者給与等支給増加割合及び教育訓練費の要件に
応じて、次の表のとおりです。

継続雇用者給与等支給増加割合	税額控除割合	税額控除割合の上乗せ
		教育訓練費の要件を満たす場合
3%以上	15%	＋5%
4%以上	25%	＋5%

　教育訓練費の要件は次のとおりです。

$$\frac{適用事業年度の教育訓練費の額 - 比較教育訓練費の額}{比較教育訓練費の額} \geqq 20\%$$

　各用語の意義は、上記1に記載のとおりです。ただし、(4)雇用者給与等
支給額、(5)比較雇用者給与等支給額、(9)継続雇用者給与等支給額、(10)継
続雇用者比較給与等支給額の文中の「雇用安定助成金額及び役務の提供の対
価として支払を受ける金額は控除しません。」は「雇用安定助成金額は控除
しません。」とします。（旧措法42の12の5③四、五、九、十）

（1141）

給与等の支給額が増加した場合の法人税額の特別控除制度（従業員が2,000人以下の法人の特例）

> **【問25-23】** 【問25-22】の法人税額の特別控除制度について、従業員が2,000人以下の法人には特例があるとのことですが、その内容を説明してください。

【答】 御質問の特例は、令和6年度の税法改正で創設された特定法人に対する特例です。特定法人とは、常時使用する従業員の数が2,000人以下の法人をいいます。ただし、その法人及びその法人との間に支配関係がある他の法人の常時使用する従業員の数の合計が10,000人を超える場合は、特定法人にはなりません。（措法42の15の5⑤十）したがって、その会社の従業員が2,000人以下であっても、子会社（孫会社を含みます。）を含めると従業員の合計が10,000人を超える場合、その会社は特定法人ではありません。

　(注)　常時使用する従業員の数は、常用であるか日々雇い入れるものであるかを問わず、事務所又は事業所に常時就労している職員、工員等（役員を除きます。）の総数によって判定します。なお、繁忙期に数か月程度の期間その労務に従事する者を使用するときは、その者の数を含めます。（措通42の12の5-1）

　この特例では、青色申告書を提出する法人が、令和6年4月1日から令和9年3月31日までの間に開始する事業年度（【問25-22】の特例を受ける事業年度、設立事業年度、合併以外での解散の日を含む事業年度及び清算中の事業年度を除きます。）において、国内雇用者に対して給与等を支給する場合、その事業年度終了の時に特定法人に該当すれば、一定の要件を満たしているときは、以下のとおり、法人税額の特別控除が受けられます。（措法42の12の5②）

　特別控除額は、次の①の「税額控除限度額」と②の「税額基準額」のうち少ない方の金額です。（措法42の12の5②）なお、「控除対象雇用者給与等支給増加額」の意義は、【問25-22】を参照してください。

① 　税額控除限度額＝控除対象雇用者給与等支給増加額×下表で示した税額控除割合

② 　税額基準額＝適用年度の所得に対する調整前法人税額×20％

　税額控除割合は、継続雇用者給与等支給増加割合、教育訓練費の要件、子

（1142）

第25章　税額控除

育てとの両立支援・女性活躍支援の要件に応じて、次の表のとおりです。

継続雇用者給与等支給増加割合	税額控除割合	税額控除割合の上乗せ	
		教育訓練費の要件を満たす場合	子育てとの両立支援・女性活躍支援の要件を満たす場合
3％以上	10％	＋5％	＋5％
4％以上	25％	＋5％	＋5％

　税額控除割合の上乗せは、両方の要件を満たしている場合、10％になります。例えば、継続雇用者給与等支給増加割合が4％で、税額控除割合の上乗せの両方の要件を満たしている場合は、税額控除割合は、35％（25％＋5％＋5％）となります。

（注1）　「地方活力向上地域等において雇用者の数が増加した場合の法人税額の特別控除」（措法42の12）と重複適用する場合は、①の控除対象雇用者給与等支給増加額から一定の金額を控除します。（措法42の12の5②、措政令27の12の5④）

（注2）　「調整前法人税額」とは、特定同族会社の特別税率、使途秘匿金がある場合の課税の特例、各種税額控除の規定及び附帯税の規定を適用しないで計算した金額で（措法42の4⑲二）、法人税申告書別表一の②の金額です。

　上表での「継続雇用者給与等支給増加割合」の意義は、【問25-22】を参照してください。

　上表での教育訓練費の要件を満たす場合とは、次のイとロの両方の要件を満たしている場合をいいます。（措法42の12の5②二）なお、「教育訓練費」、「比較教育訓練費の額」及び「雇用者給与等支給額」の意義は、【問25-22】を参照してください。

イ　$\dfrac{\text{適用事業年度の教育訓練費の額} - \text{比較教育訓練費の額}}{\text{比較教育訓練費の額}} \geq 10\%$

ロ　$\dfrac{\text{適用事業年度の教育訓練費の額}}{\text{雇用者給与等支給額}} \geq 0.05\%$

（注）　比較教育訓練費の額が0である場合、適用事業年度の教育訓練費の額があれば、イの要件を満たすものとされます。（措政令27の12の5㉖）

　上表での子育てとの両立支援・女性活躍支援の要件を満たす場合とは、その法人が次のイ～ハのいずれかの要件に該当している場合をいいます。（措法42の12の5②三）つまり、「プラチナくるみん」（「プラチナくるみんプラス」

（1143）

を含みます。）、「えるぼし（３段階目）」、「プラチナえるぼし」のいずれかの認定を受けている場合です。

　イ　適用事業年度終了の時において、次世代育成支援対策推進法第15条の３第１項に規定する特例認定一般事業主に該当すること

　ロ　適用事業年度において、女性の職業生活における活躍の推進に関する法律第９条の認定を受けたこと（同法第４条の女性労働者に対する職業生活に関する機会の提供及び同条の雇用環境の整備の状況が特に良好な場合として措規則20の10①で定める場合に限ります。）

　ハ　適用事業年度終了の時において、女性の職業生活における活躍の推進に関する法律第13条第1項に規定する特例認定一般事業主に該当すること

（1144）

第25章　税額控除

給与等の支給額が増加した場合の法人税額の特別控除制度（中小企業者等の特例）

> **【問25-24】**　【問25-22】の法人税額の特別控除制度について、中小企業者等の特例の内容を説明してください。

【答】　【問25-22】で御説明した給与等の支給額が増加した場合の法人税額の特別控除制度には、中小企業者等の特例があります。これについて以下で説明します。

　青色申告書を提出する中小企業者等が、平成30年4月1日から令和9年3月31日までの間に開始する事業年度（【問25-22】又は【問25-23】の特例の適用を受ける事業年度、設立事業年度、合併以外での解散の日を含む事業年度及び清算中の事業年度を除きます。）において、国内雇用者に対して給与等を支給する場合、一定の要件を満たしているときは、以下のとおり、法人税額の特別控除が受けられます。（措法42の12の5③）

> **(注)**　中小企業者等の範囲は、【問1-25】を参照してください。なお、中小企業者等に該当する法人でも、適用除外事業者にはこの特例は適用されません。適用除外事業者については、【問1-27】を参照してください。

1　令和6年4月1日から令和9年3月31日の間に開始する事業年度

　次の①の「税額控除限度額」と②の「税額基準額」のうち少ない方の金額が特別控除額となります。（措法42の12の5③）　なお、「控除対象雇用者給与等支給増加額」の意義は、【問25-22】を参照してください。

① 　税額控除限度額＝控除対象雇用者給与等支給増加額×下表で示した税額控除割合

② 　税額基準額＝適用年度の所得に対する調整前法人税額×20%

　税額控除割合は、雇用者給与等支給増加割合、教育訓練費に関する要件、子育てとの両立支援・女性活躍支援の要件に応じて、次の表のとおりです。

雇用者給与等支給増加割合	税額控除割合	税額控除割合の上乗せ	
		教育訓練費の要件を満たす場合	子育てとの両立支援・女性活躍支援の要件を満たす場合
1.5%以上	15%	＋10%	＋5%
2.5%以上	30%	＋10%	＋5%

（1145）

税額控除割合の上乗せは、両方の要件を満たしている場合、15％になります。例えば、雇用者給与等支給増加割合が2.5％で、税額控除割合の上乗せの両方の要件を満たしている場合は、税額控除割合は、45％（30％＋10％＋5％）となります。

（注1）　「地方活力向上地域等において雇用者の数が増加した場合の法人税額の特別控除」（措法42の12）と重複適用する場合は、①の控除対象雇用者給与等支給増加額から一定の金額を控除します。（措法42の12の5③、措政令27の12の5④）

（注2）　「調整前法人税額」とは、特定同族会社の特別税率、使途秘匿金がある場合の課税の特例、各種税額控除の規定及び附帯税の規定を適用しないで計算した金額で（措法42の4⑲二）、法人税申告書別表一の②の金額です。

　上表での雇用者給与等支給増加割合は、次の算式で計算します。なお、「雇用者給与等支給額」及び「比較雇用者給与等支給額」の意義は、【問25-22】を参照してください。

$$\frac{\text{雇用者給与等支給額} - \text{比較雇用者給与等支給額}}{\text{比較雇用者給与等支給額}}$$

　上表での教育訓練費の要件を満たす場合とは、次のイとロの両方の要件を満たしている場合をいいます。（措法42の12の5③二）なお、「教育訓練費」及び「比較教育訓練費の額」の意義は、【問25-22】を参照してください。

イ　$\dfrac{\text{適用事業年度の教育訓練費の額} - \text{比較教育訓練費の額}}{\text{比較教育訓練費の額}} \geq 5\％$

ロ　$\dfrac{\text{適用事業年度の教育訓練費の額}}{\text{雇用者給与等支給額}} \geq 0.05\％$

（注）　比較教育訓練費の額が0である場合、適用事業年度の教育訓練費の額があれば、イの要件を満たすものとされます。（措政令27の12の5㉖）

　上表での子育てとの両立支援・女性活躍支援の要件を満たす場合とは、その法人が次のイ～ニのいずれかの要件に該当している場合をいいます。（措法42の12の5③三）つまり、「くるみん」（「くるみんプラス」を含みます。）、「プラチナくるみん」（「プラチナくるみんプラス」を含みます。）、「えるぼし（2段階目）」、「えるぼし（3段階目）」、「プラチナえるぼし」のいずれかの認定を受けている場合です。

（1146）

第25章　税額控除

イ　適用事業年度において、次世代育成支援対策推進法第13条の認定を受けたこと（同法第２条に規定する次世代支援対策の実施の状況が良好な場合として措規則20の10②で定める一定の場合に限ります。）

ロ　適用事業年度終了の時において、次世代育成支援対策推進法第15条の３第１項に規定する特例認定一般事業主に該当すること

ハ　適用事業年度において、女性の職業生活における活躍の推進に関する法律第９条の認定を受けたこと（同法第４条の女性労働者に対する職業生活に関する機の提供及び同条の雇用環境の整備の状況が良好な場合として措規則20の10③で定める場合に限ります。）

ニ　適用事業年度終了の時において、女性の職業生活における活躍の推進に関する法律第13条第１項に規定する特例認定一般事業主に該当すること

（繰越税額控除制度）

上記の①の税額控除限度額が②の税額基準額を上回るため、その事業年度の法人税額から税額控除限度額の全額が控除できなかった場合、一定の条件を満たせば、その控除できなかった金額を次期以後最長５年間繰り越して、法人税額から控除することができます。その内容は以下のとおりです。

青色申告書を提出する中小企業者等の各事業年度（合併以外での解散の日を含む事業年度及び清算中の事業年度を除きます。）において、雇用者給与等支給額が比較雇用者給与等支給額を上回る場合、繰越税額控除限度超過額を有するときは、その事業年度の所得に対する調整前法人税額から、繰越税額控除限度超過額相当額を控除します。（措法42の12の５④）繰越税額控除限度超過額とは、その事業年度開始の日前５年以内に開始した各事業年度（その事業年度まで連続して青色申告書を提出している場合の各事業年度に限ります。）での税額控除限度額のうち法人税額から控除できなかった金額（すでに前事業年度以前にこの規定により法人税額から控除した金額は除きます。）です。（措法42の12の５⑤十二）なお、各事業年度の法人税額から控除する金額は、その事業年度の所得に対する調整前法人税額の20％（その事業年度に給与等の支給額が増加した場合の法人税額の特別控除の規定により税額控除される金額がある場合は、その金額を控除した残額）を限度とします。（措法42の12の５④）

（1147）

2 令和4年4月1日から令和6年3月31日までに開始する事業年度

次の①の「税額控除限度額」と②の「税額基準額」のうち少ない方の金額が特別控除額となります。(旧措法42の12の5②)

① 税額控除限度額＝控除対象雇用者給与等支給増加額×下表で示した税額控除割合

② 税額基準額＝適用年度の所得に対する調整前法人税額×20%

税額控除割合は、雇用者給与等支給増加割合及び教育訓練費の要件に応じて、次の表のとおりです。

雇用者給与等支給 増加割合	税額控除割合	税額控除割合の上乗せ
		教育訓練費の要件を満たす場合
1.5%以上	15%	＋10%
2.5%以上	30%	＋10%

教育訓練費の要件は次のとおりです

$$\frac{適用事業年度の教育訓練費の額－比較教育訓練費の額}{比較教育訓練費の額} \geqq 10\%$$

用語の意義は、上記1及び【問25-22】のとおりです。ただし、【問25-22】の(4)雇用者給与等支給額、(5)比較雇用者給与等支給額の文中の「雇用安定助成金額及び役務の提供の対価として支払を受ける金額は控除しません。」は「雇用安定助成金額は控除しません。」とします。(旧措法42の12の5③九、十)

給与等の支給額が増加した場合の法人税額の特別控除制度（一定規模の会社の適用要件の特例）

> 【問25-25】 一定規模の会社の場合、給与等の支給額が増加した場合の法人税額の特別控除の適用を受けるには、特別な要件があるとのことですが、その内容を説明してください。

【答】 次のイ又はロのいずれかに該当する法人が、給与等の支給額が増加した場合の法人税額の特別控除の適用を受ける場合、以下の①及び②の両方の要件を満たすことが必要です。(措法42の12の5①、措政令27の12の5①②)
イ 事業年度終了の時の資本金の額又は出資金の額が10億円以上であり、か

(1148)

つ、常時使用する従業員の数が1,000人以上である法人

ロ　事業年度終了の時において常時使用する従業員の数が2,000人を超える
　法人

　　(注1)　上記ロは、令和6年4月1日以後に開始する事業年度に適用されます。(令
　　　　6改所法等附則38)

　　(注2)　常時使用する従業員の数は、常用であるか日々雇い入れるものであるかを
　　　　問わず、事務所又は事業所に常時就労している職員、工員等（役員を除きま
　　　　す。）の総数によって判定します。なお、繁忙期に数か月程度の期間その労
　　　　務に従事する者を使用するときは、その者の数を含めます。(措通42の12の5-
　　　　1)

①　給与等の支給額の引上げ方針、下請中小企業振興法第2条第4項に規定
　する下請事業者その他の取引先との適切な関係の構築の方針その他の事業
　上の関係者との関係の構築の方針に関する事項として厚生労働大臣、経済
　産業大臣及び国土交通大臣が定める事項（マルチステークホルダー方針）
　を、インターネットを利用する方法で公表すること

②　確定申告書等に、マルチステークホルダー方針を公表していることにつ
　いて届出があった旨を経済産業大臣が証する書類の写しを添付すること

　　上記の要件を満たす手続としては、マルチステークホルダー方針を会社の
　ホームページで公表して、その旨を経済産業省に届出を行い、同省から通知
　書の発行を受け、それを確定申告書に添付することになりますが、マルチス
　テークホルダー方針の公表及び届出に関する手続については、経済産業省の
　ホームページで説明されていますので、参考にしてください。

（1149）

国際戦略総合特別区域において機械等を取得した場合の特別償却又は法人税額の特別控除制度の概要

> **【問25-26】**「国際戦略総合特別区域において機械等を取得した場合の特別償却又は法人税額の特別控除」の制度について、その概要を説明してください。

【答】 御質問の制度の概要は、次のとおりです。(措法42の11)

① 指定法人、指定期間等……青色申告書を提出する法人で、総合特別区域法第26条第1項に規定する指定法人に該当するものが、指定期間(同法の施行日から令和8年3月31日までの期間)内に、同法第2条第1項に規定する国際戦略総合特別区域内において、特定国際戦略事業(当該特別区域に係る同法第15条第1項に規定する認定国際戦略総合特別区域計画に定められた同項に規定する事業)の用に供する特定機械装置等(指定法人事業実施計画に記載された機械及び装置並びに器具及び備品(開発研究用として、措政令27の11①、措規則20の6②で定めるもの)又は建物及びその附属設備並びに構築物で政令(措政令27の11②)で定める規模のもの)でその製作等の後事業の用に供されたことのないものを取得し又は製作若しくは建設し、これを当該特別区域内において当該指定法人の当該戦略事業の用に供した場合(貸付けの用に供した場合を除きます。)、当該事業の用に供した日を含む事業年度(解散(合併による解散を除きます。)の日を含む事業年度及び清算中の各事業年度を除きます。以下「供用年度」といいます。)において適用されます。(措法42の11①)ただし、国家戦略特別区域において機械等を取得した場合の特別償却等又は法人税額の特別控除の制度の適用を受ける事業年度は、本制度は適用できません。(措法42の11④)

② 特別償却制度……①に記載したこの制度の適用される事業年度の特定機械装置等の償却限度額は、その設備等の普通償却限度額と特別償却限度額の合計となります。この特別償却限度額は、次のとおりです。(措法42の11①)

(1) 令和6年4月1日から令和8年3月31日までの間に取得、製作又は建設したもの(令和6年3月31日以前に受けた指定に係る指定法人事業実

(1150)

施計画に同日において記載されているものを除きます。）……機械及び装置、器具及び備品は取得価額の30％、建物、建物附属設備、構築物は取得価額の15％

(2) (1)以外のもの……機械及び装置、器具及び備品は取得価額の34％、建物、建物附属設備、構築物は取得価額の17％

なお、所有権移転外リース取引により取得した設備等については、特別償却制度は適用されません。（措法42の11③）

③ 法人税額の特別控除制度……上記②の特別償却制度の適用を受けないときは、以下に示した金額の税額控除制度（事業の用に供した事業年度の所得に対する調整前法人税額の20％に相当する金額を限度とします。）の適用が受けられます。（措法42の11②）

(注)　「調整前法人税額」は、【問25-11】の②を参照してください。

(1) 令和６年４月１日から令和８年３月31日までの間に取得、製作又は建設したもの（令和６年３月31日以前に受けた指定に係る指定法人事業実施計画に同日において記載されているものを除きます。）……機械及び装置、器具及び備品は取得価額の８％、建物、建物附属設備、構築物は取得価額の４％

(2) (1)以外のもの……機械及び装置、器具及び備品は取得価額の10％、建物、建物附属設備、構築物は取得価額の５％

(注)　令和６年３月31日以前に取得した資産についても、特別償却又は法人税額の特別控除が適用されますが、特別償却割合及び特別控除割合が上記と異なります。（旧措法42の11、令６改所法等附則40）

認定特定高度情報通信技術活用設備を取得した場合の特別償却又は法人税額の特別控除制度の概要

> **【問25-27】**「認定特定高度情報通信技術活用設備を取得した場合の特別償却又は法人税額の特別控除制度」について、その概要を説明してください。

【答】　御質問の制度は、特定高度情報通信技術活用システムの開発供給及び導入の促進に関する法律（以下「５G法」といいます。）の認定導入事業者

である法人が、同法の施行日（令和2年8月31日）から令和7年3月31日までの間に、一定の設備を取得し、事業の用に供した場合に適用が受けられるものです。（措法42の12の6）その概要は以下のとおりです。

① 適用法人……青色申告書を提出する法人で、5G法第26条に規定する認定導入事業者です。（措法42の12の6①）なお、中小企業者等以外の法人については、雇用者の給与の増加又は一定額の設備投資がない場合、法人税額の特別控除の適用は受けられません。（措法42の13⑤）この制限については、【問25-14】を参照してください。

② 適用資産……5G法第10条第2項に規定する認定導入計画に記載された機械及び装置、器具及び備品、建物附属設備並びに構築物（製作又は建設の後事業の用に供されたことのないものに限ります。）で、次の要件を満たしていることについて、主務大臣の確認を受けたものです（以下「認定特定高度情報通信技術活用設備」といいます。）。（措法42の12の6①、措政令27の12の6）

　1　5G法第26条に規定する認定導入計画に従って実施される特定高度情報通信技術活用システムの導入の用に供するために取得又は製作若しくは建設をしたものであること

　2　5G法第2条第1項第1号に掲げる特定高度情報通信技術活用システムを構成する上で重要な役割を果たす一定のものに該当すること

　　なお、上記の設備を所有権移転外リース取引で取得した場合には、特別償却の適用は受けられません。（措法42の12の6③）

③ 特別償却と法人税額の特別控除

　イ　特別償却……本制度での特別償却限度額は、以下の算式で計算した金額です。（措法42の12の6①）

　　特別償却限度額＝認定特定高度情報通信技術活用設備の取得価額×30%

　ロ　法人税額の特別控除……特別控除額は、次の(a)と(b)のいずれか少ない方の金額です。（措法42の12の6②）

　(a)　認定特定高度情報通信技術活用設備の取得価額×控除割合(注1)

　(b)　適用年度の所得に対する調整前法人税額×20%

(注1)　控除割合は次のとおりです。なお、条件不利地域とは、離島、辺地、半島、過疎地等、措法42の12の6②で規定された一定の地域をいいます。

（1152）

第25章　税額控除

(1)　特定基地局用認定設備

・令和４年３月31日以前に事業供用……15％

・令和４年４月１日〜令和５年３月31日に事業供用……９％（条件不利地域は15％）

・令和５年４月１日〜令和６年３月31日に事業供用……５％（条件不利地域は９％）

・令和６年４月１日〜令和７年３月31日に事業供用……３％

(2)　特定基地局用認定設備以外

・令和４年３月31日以前に事業供用……15％

・令和４年４月１日〜令和５年３月31日に事業供用……15％

・令和５年４月１日〜令和６年３月31日に事業供用……９％

・令和６年４月１日〜令和７年３月31日に事業供用……３％

（注２）　「調整前法人税額」は、【問25-11】の②を参照してください。

情報技術事業適応設備を取得した場合等の特別償却又は法人税額の特別控除制度の概要（DX投資促進税制）

> **【問25-28】**　デジタルトランスフォーメーション（DX）を進めるための投資を行った場合、特別償却又は税額控除が受けられるとのことですが、その制度の概要を説明してください。

【答】　御質問の制度は、産業競争力強化法に規定する認定事業適応事業者が、産業競争力強化法等の一部を改正する等の法律の施行日（令和３年８月２日）から令和７年３月31日までの期間に、一定の設備の取得等又は繰延資産となる支出を行い、その設備を事業の用（貸付用を除きます。）に供したときは、事業の用に供した事業年度に適用を受けられるものです。（措法42の12の７①②④⑤）その概要は以下のとおりです。

（注）　合併以外の解散の日を含む事業年度及び清算中の各事業年度は適用できません。（措法42の12の７①）

①　適用法人……青色申告書を提出する法人で、産業競争力強化法第21条の35第１項に規定する認定事業適応事業者です。（措法42の12の７①）なお、中小企業者等以外の法人については、雇用者の給与の増加又は一定額の設備投資がない場合、法人税額の特別控除の適用は受けられません。（措法

（1153）

42の13⑤）この制限については、【問25-14】を参照してください。

② 適用資産……次の(1)及び(2)の資産です。なお、「情報技術事業対応」とは、産業競争力強化法第21条の23第2項に規定する認定事業適応計画に従って実施される同法第21条の35第1項に規定する情報技術事業適応をいいます。（措法42の12の7①②④⑤）

(1) 情報技術事業適応設備

　情報技術事業適応の用に供するために取得等したソフトウエア、ソフトウエア（(2)のソフトウエアも含みます。）とともに情報技術事業適応の用に供する機械及び装置並びに器具及び備品（製作後事業の用に供されたことがないものに限り、産業試験研究の用に供される一定のものを除きます。）

(2) 事業適応繰延資産

　情報技術事業適応を実施するために利用するソフトウエアの利用に係る費用を支出した場合、その支出した費用に係る繰延資産

③ 特別償却

特別償却限度額は次のとおりです。（措法42の12の7①②）

(1) 情報技術事業適応設備の取得価額及び事業適応繰延資産の額の合計額（以下「対象資産合計額」といいます。）が300億円以下の場合

$$特別償却限度額 = \begin{array}{c} 情報技術事業適応設備の取得価額 \\ 又は事業適応繰延資産の額 \end{array} \times 30\%$$

(2) 対象資産合計額が300億円を超える場合

$$特別償却限度額 = 300億円 \times \frac{\begin{array}{c}情報技術事業適応設備の取得価額\\又は事業適応繰延資産の額\end{array}}{対象資産合計額} \times 30\%$$

(注) 所有権移転外リース取引により取得した資産には適用されません。（措法42の12の7⑬）

④ 法人税額の特別控除

法人税額の特別控除額は次のとおりですが、この制度による特別控除額と生産工程効率化等設備を取得した場合の特別控除額（【問25-29】参照）との合計で、適用年度の所得に対する調整前法人税額の20％が上限になります。（措法42の12の7④⑤）なお、この制度による特別控除と産業競争力基盤強

（1154）

第25章　税額控除

化商品生産用資産を取得した場合の法人税額の特別控除の両方の適用を受ける場合は、【問25-30】の**(注5)**を参照してください。

(注)　「調整前法人税額」は、【問25-11】の②を参照してください。

（1）　対象資産合計が300億円以下の場合

$$特別控除額 = \frac{情報技術事業適応設備の取得価額}{又は事業適応繰延資産の額} \times 3\,\%\,又は\,5\,\%\,(注)$$

（2）　対象資産合計額が300億円を超える場合

$$特別控除額 = 300億円 \times \frac{\begin{array}{c}情報技術事業適応設備の取得価額\\又は事業適応繰延資産の額\end{array}}{対象資産合計額} \times 3\,\%\,又は\,5\,\%\,(注)$$

(注)　情報技術事業適応のうち産業競争力強化法第2条第1項に規定する産業競争力の強化に著しく資するものとして経済産業大臣が定める基準に適合するものであることについて主務大臣の確認を受けたものの用に供する情報技術事業適応設備に該当する場合、又はその確認を受けた情報技術事業適応を実施するために利用するソフトウエアの利用に係る費用に係る事業適応繰延資産に該当する場合、5％になります。（措政令27の12の7②）

生産工程効率化等設備を取得した場合の特別償却又は法人税額の特別控除制度の概要（カーボンニュートラルに向けた投資促進税制）

> **【問25-29】**　カーボンニュートラルに向けた投資を促進するための特別償却又は税額控除の制度があるとのことですが、その制度の概要を説明してください。

【答】　御質問の制度は、産業競争力強化法等の一部を改正する等の法律の施行日（令和3年8月2日）から令和8年3月31日までの間にされた産業競争力強化法の事業適応計画の認定に係るエネルギー利用環境負荷低減事業適応事業者が、一定の設備等を取得等し、その設備を事業の用（貸付用を除きます。）に供したときは、事業の用に供した事業年度に適用を受けられるものです。（措法42の12の7③⑥）　その概要は以下のとおりです。

(注)　合併以外の解散の日を含む事業年度及び清算中の各事業年度は適用できません。（措法42の12の7③）

①　適用法人……青色申告書を提出する法人で、認定エネルギー利用環境負

（1155）

荷低減事業適応事業者に該当するものです。認定エネルギー利用環境負荷低減事業適応事業者とは、産業競争力強化法第21条の23第1項に規定する認定事業適応事業者のうち、認定エネルギー利用環境負荷低減事業適応計画（同条第2項に規定する認定事業適応計画のうち、同法第21条の20第2項第2号に規定するエネルギー利用環境負荷低減事業適応に関するものをいいます。）にその認定エネルギー利用環境負荷低減事業適応計画に従って行う同号に規定するエネルギー利用環境負荷低減事業適応のための措置として生産工程効率化等設備を導入する旨の記載のあるものをいいます。

　（措法42の12の7③）なお、中小企業者等以外の法人については、雇用者の給与の増加又は一定額の設備投資がない場合、法人税額の特別控除の適用は受けられません。（措法42の13⑤）この制限については、【問25-14】を参照してください。

②　適用資産……①の計画に記載された生産工程効率化等設備で、①の認定の日から同日以後3年を経過する日までの間に取得、製作又は建設をし、事業の用に供したもの（対象法人が取得、製作又は建設した資産で、製作又は建設後、事業の用に供されたことのないものに限ります。）（措法42の12の7③⑥）

(注)　情報技術事業適応設備を取得した場合等の特別償却又は法人税額の特別控除（【問25-28】）の適用を受けないものに限ります。

③　特別償却

特別償却限度額は次のとおりです。（措法42の12の7③）

(1)　生産工程効率化等設備の取得価額の合計額が500億円以下の場合

特別償却限度額＝生産工程効率化等設備の取得価額×50％

(2)　生産工程効率化等設備の取得価額の合計額が500億円を超える場合

$$特別償却限度額＝500億円×\frac{生産工程効率化等設備の取得価額}{生産工程効率化等設備の取得価額の合計額}×50\%$$

(注)　所有権移転外リース取引により取得した資産には適用されません。（措法42の12の7⑬）

④　法人税額の特別控除

法人税額の特別控除額は次のとおりですが、この制度による特別控除額と情報技術事業適応設備を取得した場合等の特別控除額（【問25-28】参照）と

（1156）

第25章　税額控除

の合計で、適用年度の所得に対する調整前法人税額の20%が上限になります。（措法42の12の7⑥）なお、この制度による特別控除と産業競争力基盤強化商品生産用資産を取得した場合の法人税額の特別控除の両方の適用を受ける場合は、【問25-30】の**(注5)**を参照してください。

(注)　「調整前法人税額」は、【問25-11】の②を参照してください。

(1)　生産工程効率化等設備の取得価額の合計額が500億円以下の場合

　　特別控除額＝生産工程効率化等設備の取得価額×下表で示した税額控除割合

(2)　生産工程効率化等設備の取得価額の合計額が500億円を超える場合

$$特別控除額＝500億円×\frac{生産工程効率化等設備の取得価額}{生産工程効率化等設備の取得価額の合計額}×\begin{array}{c}下表で示した\\税額控除割合\end{array}$$

税額控除割合は次のとおりです。

要　　　件	税額控除割合
①　中小企業者**(注)**（適用除外事業者**(注)**を除きます。以下この表で同じ）が事業の用に供した生産工程効率化等設備のうち、エネルギーの利用による環境への負荷の低減に著しく資するものとして経済産業大臣が定める基準に適合するもの（措政令27の12の7③）	14%
②　中小企業者が事業の用に供した生産工程効率化等設備のうち、①以外のもの	10%
③　中小企業者以外の法人が事業の用に供した生産工程効率化等設備のうち、エネルギーの利用による環境への負荷の低減に特に著しく資するものとして経済産業大臣が定める基準に適合するもの（措政令27の12の7③）	10%
④　その他のもの	5%

(注)　中小企業者の範囲は【問1-25】を、適用除外事業者については【問1-27】をそれぞれ参照してください。

なお、令和6年3月31日以前に生産工程効率化等設備等を取得した場合は、適用対象資産や税額控除割合が異なります。（旧措法42の12の7③⑥、令6改所法等附則45①）

（1157）

産業競争力基盤強化商品生産用資産を取得した場合の法人税額の特別控除制度の概要

> 【問25-30】 半導体や電気自動車等の生産設備を取得した場合に税額控除が受けられる制度があるとのことですが、その概要を説明してください。

【答】 御質問の制度は、令和6年度の税法改正で創設された産業競争力基盤強化商品生産用資産を取得した場合の法人税額の特別控除制度で、その概要は以下のとおりです。（措法42の12の7 ⑦⑩）

① 対象法人……青色申告書を提出する法人で、新たな事業の創出及び産業への投資を促進するための産業競争力強化法等の一部を改正する法律の施行日（令和6年9月2日）から令和9年3月31日までの間にされた産業競争力強化法の事業適応計画の認定に係る同法の認定事業適応事業者です。

② 適用事業年度……認定エネルギー利用環境負荷低減事業適応計画に記載された産業競争力基盤強化商品の生産をするための設備の新増設において、製作又は建設の後事業の用に供されたことのない機械その他の減価償却資産（産業競争力基盤強化商品生産用資産）の取得等をし、国内の事業の用に供した場合、その事業の用に供した日から認定の日以後10年以内の日を含む各事業年度です。

　なお、その事業年度が設立事業年度又は合併等事業年度に該当しない場合は、この特例の適用を受けるためには、次のイ～ハのいずれかの要件を満たす必要があります。（措法42の12の7 ⑱）

イ　その事業年度の所得の金額が前事業年度の所得の金額以下であること

ロ　次の分数式の割合が1％以上であること

$$\frac{継続雇用者給与等支給額 - 継続雇用者比較給与等支給額}{継続雇用者比較給与等支給額}$$

ハ　その事業年度の国内設備投資額がその事業年度の償却費総額の40％を超えていること

　「継続雇用者給与等支給額」、「国内設備投資額」等の意義については、【問25-14】及び【問25-22】を参照してください。

(注) 合併以外の解散の日を含む事業年度及び清算中の事業年度は適用できません。

第25章　税額控除

③　法人税額の特別控除額……次の(1)の「税額控除限度額」と(2)の「税額基準額」のうち少ない方の金額が特別控除額となります。

(1)　税額控除限度額＝次のイとロのうちいずれか少ない金額の合計額

　　イ　産業競争力基盤強化商品の種類に応じた単位当たり税額控除額(**注1**)×その事業年度に販売されたものとして一定の方法により証明された数量×一定割合(**注2**)

　　ロ　産業競争力基盤強化商品生産用資産及び産業競争力基盤強化商品を生産するために直接又は間接に使用する減価償却資産に対して投資した金額の合計額である一定の金額(**注3**)

(2)　税額基準額＝適用年度の所得に対する調整前法人税額(**注4**)×20％又は40％(**注5**)

　　(**注1**)　半導体、自動車、鉄鋼、基礎化学品、燃料の区分ごと、また、資産の仕様等ごとに単位当たりの税額控除額が定められています。(措政令27の12の7④⑤)

　　(**注2**)　産業競争力基盤強化商品生産用資産を事業の用に供した日（供用日）に基づく期間に応じて下表の割合です。

期　　　　間	割合
供用日以後7年を経過する日までの期間	100％
供用日以後7年を経過する日の翌日から供用日以後8年を経過する日までの期間	75％
供用日以後8年を経過する日の翌日から供用日以後9年を経過する日までの期間	50％
供用日以後9年を経過する日の翌日以後の期間	25％

　　(**注3**)　その事業年度の前の各事業年度においてこの特別控除の適用により税額控除の対象となった金額等一定の金額を除きます。

　　(**注4**)　「調整前法人税額」は、【問25-11】の②を参照してください。

　　(**注5**)　産業競争力基盤強化商品が半導体の場合は20％、半導体以外の場合は40％です。なお、情報技術事業適応設備を取得した場合等の法人税額の特別控除（【問25-28】）及び生産工程効率化等設備を取得した場合の法人税額の特別控除（【問25-29】）の適用を受ける場合は、これらの特別控除額との合計で20％又は40％が限度となります。

なお、(1)の税額控除限度額が(2)の税額基準額を上回るため、その事業年

(1159)

度に税額控除できなかった金額は、最長４年間（半導体に係るものは３年間）繰り越して、翌事業年度以後の法人税額から控除することができます。（措法72の12の7⑧⑨⑪⑫）

第25章　税額控除

第4節　仮装経理に対する減額更正に伴う税額控除

仮装経理に対する減額更正及び法人税額の還付

> **【問25-31】**　不況のため当事業年度の業績が赤字になりましたが、金融機関に対する配慮等から架空売上を計上して表面上黒字決算にしました。税務申告について、次の事項をお尋ねします。
> (1) 架空売上は事実に反したものですから、申告減算してもよろしいですか。
> (2) いったん仮装経理に基づく申告と納税を済ませたあとで更正の請求をしますと、どのように取り扱われますか。

【答】　御質問のような仮装経理は、会社法上も適法でなく、企業会計の基準にも反するものです。税法もこれを受けて、厳しい規定を設けています。

(1)について……税法は事実に基づいて課税するのが原則ですので、事実に反した処理による所得金額の計算は申告調整が要求されます。御質問のような架空売上は、原則的には課税対象としませんので、法人が確定申告書において申告減算した場合は、これが認められます。

(2)について……仮装経理に基づく申告と納税をするのは、業務上納税証明が必要な場合でしょうが、仮装利益を申告減算調整しないで所得の金額を過大に申告しますと、法人がたとえ更正の請求をしても、その後の確定決算で修正経理を行い、それに基づく確定申告書を提出するまでは、税務署長は仮装経理による過大申告について、減額更正をしないことができると規定されています。（法129①）　そして、更正をした場合においても、当該法人に下記の事実が生じたとき等を除き、税務署長は仮装経理に係る法人税額（「仮装経理法人税額」といいます。）を還付せず（法135①）、更正の日の属する事業年度開始の日前1年以内に開始する各事業年度の所得に対する法人税の額（附帯税の額を除きます。）のうち当該更正の日の前日において確定している金額に達するまでの金額を還付し（法135②）、残額は当該更正の日以後に終了する各事業年度の所得に対する法人税の額から、控除することとされています。（法70）　そして、更正の日の属する事業年度開始の日から5年を経過する日の属する事業年度の確定申告書の提出期限が到来したときに、控

（1161）

除しきれなかった仮装経理法人税額は還付されます。（法135③）

　なお、上記の5年を経過する前に、次のイ～ニの事実が生じた場合は、仮装経理法人税額を還付することとされています。（法135③かっこ書）

　イ　残余財産が確定したこと

　ロ　適格合併を除く合併により解散をしたこと

　ハ　破産手続開始の決定による解散をしたこと

　ニ　普通法人又は協同組合等が公益法人等に該当することになったこと

　また、次のホ～リの事実が生じた場合には、その事実が生じた日以後1年以内に、納税地の所轄税務署長に対し、仮装経理法人税額の還付を請求することができます。（法135④、法政令175②）

　ホ　更生手続開始の決定があったこと

　ヘ　再生手続開始の決定があったこと

　ト　特別清算開始の決定があったこと

　チ　法人税法施行令第24条の2第1項（再生計画認可の決定に準ずる事実
　　　等）に規定する事実

　リ　法令の規定による整理手続によらない負債の整理に関する計画の決定
　　　又は契約の締結で、下記a又はbがあったこと（チに掲げるものを除き
　　　ます。）（法規則60の2①）

　　a　債権者集会の協議決定で合理的な基準により債務者の負債整理を定
　　　めているもの

　　b　行政機関、金融機関その他第三者のあっせんによる当事者間の協議
　　　によるaに準ずる内容の契約の締結

第25章　税額控除

仮装経理の更正に伴う税額控除の計算例

> 【問25-32】　３月31日決算の資本金50,000千円の法人です。下記の
> 場合、仮装経理によって過大に納付した法人税の還付及び税額控
> 除は、どのようになりますか。なお、令和７年３月期までに、【問
> 25-31】の(2)のイ～リの事実は生じていません。
> 〈令和６年３月期〉　架空売上10,000千円を計上して所得金額を
> 12,000千円としました。法人税額は2,128千円（8,000千円×15％＋
> 4,000千円×23.2％）です。
> 〈令和７年３月期〉　前事業年度に計上した架空売上10,000千円の
> 減額修正経理を行い、所得金額が3,000千円となりました。法人
> 税額は450千円（3,000千円×15％）です。

【答】　令和６年３月期の架空売上10,000千円についての減額更正は、架空売
上げを減額修正経理した令和７年３月期の確定申告書の提出後に行われます。
【問25-31】で御説明したように、仮装経理に係る法人税額については、更正
の日の属する事業年度開始の日前１年以内に開始する各事業年度の所得に対
する法人税の額のうち更正の日の前日において確定している金額に達するま
での金額が還付されます。（法135②）御質問の場合、更正の日の属する事業
年度は令和８年３月期ですので、その開始の日前１年以内に開始する事業年
度は令和７年３月期です。

　次に、減額更正の結果、令和６年３月期の所得金額は2,000千円になり、
法人税額は、300千円（2,000千円×15％）になりますので、仮装経理による
法人税の過大納付額は、1,828千円（2,128千円－300千円）となります。一方、
法人が架空売上の減額修正経理をした令和７年３月期の所得金額は、令和６
年３月期の減額更正のハネ返りによって10,000千円増加して13,000千円（法
人税額は2,360千円（8,000千円×15％＋5,000千円×23.2％））となりますが、
この増額は令和６年３月期の減額更正のあとで行われますので、減額更正の
日の前日において確定している令和７年３月期の法人税の額は、御質問にあ
る450千円だけです。つまり仮装経理による令和６年３月期の法人税の過大
納付額1,828千円のうち、令和７年３月期の確定申告に係る法人税相当額450
千円は還付されますが、残りの1,378千円は、令和８年３月期以降の法人税
の額から順次控除されます。一方、令和７年３月期については、前記の減額更

（1163）

正のハネ返りによる増差税額が1,910千円（2,360千円−450千円）生ずるわけです。

表にまとめますと、次のとおりです。（単位：千円）

	仮装経理の				法人税額の差額
	修正前		修正後		
	所得金額	法人税額	所得金額	法人税額	
令6／3期	12,000	2,128	2,000	300	㋑△1,828
令7／3期	3,000	㋺ 450	13,000	2,360	1,910
計	15,000	2,578	15,000	㋩2,660	82

㋑の△1,828千円のうち㋺の450千円は令和7年3月期（減額修正をした事業年度）に還付されますが、残りの1,378千円は令和8年3月期以後の法人税の額から順次控除されます。仮装経理修正後の令和6年3月期と令和7年3月期の法人税額の合計額は㋩の2,660千円ですが、令和6年3月期の法人税額として1,678千円（2,128千円−450千円）、令和7年3月期の法人税額として2,360千円、合計4,038千円が納付され、差引1,378千円（4,038千円−2,660千円）は、令和8年3月期以後の法人税額から順次控除されます。

ただし、この場合、令和7年3月期に減額修正経理した10,000千円が後日所得の金額に加算されるのを見越してその確定申告で加算調整すれば、後日増額更正を受けることもなく、残りの1,378千円も還付されます。利益操作は好ましくありませんが、御質問のような事例が生じたときは、法人税額の還付が先延ばしにならないように、対策をとるべきでしょう。

（1164）

第26章　税額の計算

各事業年度の所得の金額に対する法人税の税率

> 【問26-1】　法人の各事業年度の所得の金額に対する法人税の税率
> は、どのように定められていますか。

【答】　法人税は、(1)各事業年度の所得に対する法人税、(2)退職年金積立金
に対する法人税及び(3)清算所得に対する法人税（平成22年9月30日以前に
解散した法人に適用されます。）（(2)と(3)は【問26-3】でそれぞれの税率を
説明しています。）の三つと、それぞれについての附帯税に大別することが
できます。

　　(注)　平成22年度の税法改正で清算所得課税が廃止され、内国法人である普通法人
　　　　又は協同組合等に対しては、解散後も各事業年度の所得に対する法人税を課す
　　　　こととされました。（法5）平成22年10月1日以後に解散する法人の各事業
　　　　年度の所得に対する法人税について適用されますので（平22改所法等附10②）、
　　　　同日前に解散した法人の清算所得には、上記(3)の清算所得に対する法人税が
　　　　課されます。

　上記の(1)の「各事業年度の所得に対する法人税」には、現在、㋑各事業
年度の所得の金額に対する法人税のほか、㋺特定同族会社の特別の税率の規
定による法人税及び㋬使途秘匿金の支出額に対する法人税がありますが、㋑
の各事業年度の所得の金額に対する法人税の税率を、法人の種類ごとに区分
して表示しますと、次ページのとおりです。（㋺と㋬の税率は、【問26-2】で
説明します。）

（1165）

法人の種類		平成30年４月１日から令和７年３月31日までに開始する事業年度の税率
普通法人（特定の医療法人を除きます。）、一般社団法人等又は人格のない社団等	普通法人のうち中小法人等以外の法人、相互会社（法66①）	23.2%
	普通法人のうち中小法人等、一般社団法人等又は人格のない社団等 — 年800万円以下の金額（法66②、措法42の３の２）	15%（**注４**）
	年800万円超の金額（法66①②）	23.2%
公益法人等（一般社団法人等を除きます。）又は協同組合等**（注３）**	年800万円以下の金額（法66③、措法42の３の２）	15%
	年800万円超の金額（法66③）	19%
特定の医療法人	年800万円以下の金額（措法67の２、42の３の２）	15%
	年800万円超の金額（措法67の２）	19%

（注１） 措法42の３の２の規定により年800万円以下の金額に対する税率が15％となるのは次の法人で、このうち①の法人が中小法人等です。

① 普通法人のうち、各事業年度終了の時の資本金の額若しくは出資金の額が１億円以下であるもの又は資本若しくは出資を有しないもの。ただし、ⓐ保険業法に規定する相互会社及び外国相互会社、ⓑ大法人（ⓘ資本金の額又は出資金の額が５億円以上の法人、ⓡ上記ⓐの法人及びⓗ法人課税信託の受託法人）との間に当該大法人による完全支配関係がある普通法人、ⓒ完全支配関係がある複数の大法人に株式及び出資の全部を所有されている法人、ⓓ投資法人、ⓔ特定目的会社及びⓕ法人課税信託の受託法人を除きます。

② 一般社団法人等（法人税法別表第二に掲げる一般社団法人、一般財団法人、公益社団法人及び公益財団法人）

③ 人格のない社団等

第26章　税額の計算

④　公益法人等とみなされている法人（【問12-1】の①ロの(**注2**)に掲げた法人税法施行規則第22条の４に定める法人）

⑤　公益法人等（法人税法別表第二に掲げる法人（法２六）のうち、上記の②及び④を除いたもの）

⑥　協同組合等（法人税法別表第三に掲げる法人（法２七））

⑦　特定の医療法人（措法67の２①の規定による承認を受けた法人）

(**注2**)　事業年度が１年未満の場合、年800万円は800万円×$\dfrac{\text{事業年度の月数}}{12}$とし、分子の月数は暦に従って計算し、１月未満の端数は１月とします。（法66④⑫）この金額に1,000円未満の端数があるときは、これを切り捨てますが、この端数の金額が当該事業年度の所得金額の1,000円未満の端数の金額よりも多いときは、切り上げます。（基通16-4-1）

(**注3**)　特定の協同組合等（特定の地区又は地域に係る協同組合等で、物品供給事業に係る収入金額の総収入金額に占める割合が50％を超え、事業年度終了の時における組合員その他の構成員の数が50万人以上であり、かつ、当該事業年度における物品供給事業のうち店舗で行われるものの収入金額が年1,000億円以上のもの）の所得の金額のうち年10億円を超える部分の金額の税率は、22％となります。（措法68、措政令39の34）

(**注4**)　適用除外事業者（【問1-27】参照）に該当する場合は、19％になります。（措法42の３の２①）

（1167）

特定同族会社の特別税率及び使途秘匿金の支出額に対する法人税率

> **【問26-2】** 事業年度の所得に対する法人税率のうち、【問26-1】で
> (1)の回として記載された特定同族会社の特別税率と、(1)の㈥と
> して記載された使途秘匿金の支出額に対する法人税の税率は、ど
> のように規定されていますか。

【答】 (1) 特定同族会社の特別税率の規定による法人税は、特定同族会社の
各事業年度の留保金額が留保控除額を超える場合、その超える部分の留保
金額を下記の表の左欄のとおりに区分し、それぞれの金額に下記の表の右
欄の税率を乗じて計算した金額の合計額を、【問26-1】の各事業年度の所
得の金額に対する法人税の額に、加算するというものです。(法67①)

年 3,000万円以下の金額	10%
年 3,000万円を超え年 1 億円以下の金額	15%
年 1 億円を超える金額	20%

(2) 使途秘匿金の支出額に対する法人税は、法人が平成 6 年 4 月 1 日以後に
使途秘匿金の支出をした場合、当該支出の額に40%を乗じて計算した金額
の法人税を、【問26-1】の各事業年度の所得の金額に対する法人税の額又
は【問26-3】で説明する清算所得に対する法人税の額に、加算するという
ものです。(措法62)

(注) 土地又は短期所有に係る土地の譲渡等をした場合、その所有期間に応じて譲
渡利益金額に下記a又はbの税率を乗じた額を各事業年度の所得に対する法人
税の額に加算するという土地譲渡益に対する特別の法人税の制度は、平成10年
1 月 1 日から令和 8 年 3 月31日までの譲渡等について、適用停止となっていま
す。(措法62の 3 ⑮、63⑧)

  a 土地の譲渡等がある場合（ b の適用があるものを除きます。）……5 %
  （措法62の 3 ）

  b 短期所有に係る土地の譲渡等がある場合……10%（措法63）

(1168)

第26章　税額の計算

退職年金積立金に対する法人税と清算所得に対する法人税の課税標準及び税率

> **【問26-3】**　法人税のうち、【問26-1】の冒頭に記載された(2)退職年金積立金に対する法人税と(3)清算所得に対する法人税の課税標準及び税率は、どのように規定されていますか。

【答】　(1)　退職年金積立金に対する法人税……この法人税の額は、退職年金業務等を行う法人に対して各事業年度の退職年金等積立金の額を課税標準として（法7、83）、1％の税率を乗じて計算される金額です。（法87）ただし、平成11年4月1日から令和8年3月31日までの間に開始する各事業年度の退職年金積立金等については、この課税は行わないとされています。（措法68の5）

(2)　清算所得に対する法人税……【問26-1】の冒頭の**(注)**に記載しているように、平成22年度の税法改正で清算所得課税が廃止され、平成22年10月1日以後に解散する内国法人である普通法人又は協同組合等は、解散後も各事業年度の所得に対する法人税が課されることとされました。（法5）これに伴い、清算所得に対する法人税の額は、平成22年9月30日以前に解散した普通法人又は協同組合等に対して、その清算所得の金額（残余財産の額から解散の時における資本金等の額と利益積立金額の合計額を控除した金額）を課税標準として（平22改正前法92①、92①）、次の表の税率を乗じて計算した金額となります。（平22改正前法99、平22改所法等附10②、改法（昭63法律第109号）附20、平10改法附2）

法人の区分 ＼ 解散の日	昭62.4.1〜平元.3.31	平元.4.1〜平2.3.31	平2.4.1〜平10.3.31	平10.4.1〜平11.3.31	平11.4.1〜平22.9.30
協 同 組 合 等	24.8%	24.8%	24.8%	23.1%	20.5%
普 通 法 人	37%	35.2%	33%	30.7%	27.1%

(注1)　清算所得に対する法人税の税率は、解散の時の税率が適用されますので、昭和62年3月31日以前に解散した法人については、次の税率が適用されます。（昭42改法附2、昭49改法附②、昭56改法附②）

（1169）

解散の日 法人の区分	昭49.5.1 〜昭56.3.31	昭56.4.1 〜昭59.3.31	昭59.4.1 〜昭60.3.31	昭60.4.1 〜昭62.3.31
協同組合等	21%	23%	23.9%	25.8%
普通法人	35%	37%	38.1%	38.1%

(注2)　上記の清算所得に対する法人税に、清算中の事業年度における土地譲渡益に対する特別の法人税及び使途秘匿金の支出額に係る法人税が加算されます。

確定申告書の提出期限の延長の承認を受けている場合の利子税（Ⅰ）

> 【問26-4】　当社は、法人税法第75条の2の規定による確定申告書の提出期限の延長の承認を受けていますが、この場合利子税はどのように計算するのですか。

【答】　会計監査人の監査を受けなければならないこと等の理由により決算の確定が遅れることが常況となる法人については、確定申告書の提出期限の延長の特例が設けられています。（法75の2①、【問27-16】参照）しかし、法人税の納付については基本的に特例扱いをしませんので、確定申告書の提出期限が延長された期間の日数に応じて利子税が課せられます。

　この利子税の割合は、原則はその日数に応じて年7.3％と定められていますが（法75⑦、75の2⑧）、租税特別措置法に、次の二つの特例が設けられています。

① 各年の利子税特例基準割合が7.3％未満の場合の特例（措法93①②）……各年の利子税特例基準割合（平均貸付割合（各年の前々年の9月から前年の8月までの各月における短期貸付けの平均利率（当該各月において銀行が新たに行った貸付け（貸付期間が1年未満のものに限ります。）に係る利率の平均をいいます。）の合計を12で除して計算した割合として各年の前年の11月30日までに財務大臣が告示する割合をいいます。）に年0.5％の割合を加算した割合をいいます。）が年7.3％の割合に満たない場合には、その年中の利子税の割合は、当該利子税特例基準割合とされています。

② 基準割引率が年5.5％を超えて定められる日からその後年5.5％以下に定められる日の前日までの期間の特例（措法66の3、措政令39の11）……各

第26章 税額の計算

事業年度終了の日の翌日から2月を経過した日の前日（その日が日曜日、国民の祝日その他一般の休日又は土曜日若しくは12月29日から同月31日までの日に当たるときは、これらの日の翌日とし、この日を「申告基準日」といいます。）における基準割引率が年5.5％を超えて定められている場合は、次の算式によって利子税の割合を求めることとされています。

$$7.3\% + 0.73\% \times \frac{\text{申告基準日における基準割引率} - 5.5\%}{0.25\%}$$

(注) この算式によって計算する利子税の割合は、最高年12.775％、最低年7.3％までとされています。利子税の割合が年12.775％となるのは、次の計算のように基準割引率が年7.375％のときですので、基準割引率がこの割合以上のときは、利子税の割合は最高の12.775％になります。

$$7.3\% + 0.73\% \times \frac{7.375\% - 5.5\%}{0.25\%} = 12.775\%$$

この場合、確定申告書提出期限の延長期間中に基準割引率が変わっても、利子税の割合は申告基準日における基準割引率でその延長された期間を通じて計算します。

令和6年については、上記①の特例により、利子税の割合は年0.9％です。なお、基準割引率は、現在0.5％で5.5％以下ですので、②の特例は適用されていません。

確定申告書の提出前であっても、事業年度終了後2月以内に納付税額を計算して納付すれば、利子税の納付は不要です。

(注) 災害その他やむを得ない理由により決算が確定しないため、税務署長に申請して確定申告書の提出期限の延長を受けたとき（【問27-18】参照）の利子税は、上記のうち②の特例は適用されませんので、年7.3％を超えることはありません。しかし、①の特例は適用されますので、令和6年中の利子税の割合は年0.9％となります。（法75①⑦、措法66の3、93①）

（1171）

確定申告書の提出期限の延長の承認を受けている場合の利子税（Ⅱ）

> **【問26-5】** 法人税法第75条の2の規定により確定申告書の提出期限の1月間の延長の承認を受けている場合、後日修正申告又は更正によって納付する法人税についても、1月分は利子税、1月を超える分は延滞税が課せられることになりますか。

【答】 法人税法第75条の2の規定により確定申告書の提出期限の1月間の延長の承認を受けている場合、事業年度終了後2月以内に税額を計算して見込納付をしないときは確定申告による納付税額について、見込納付額が確定申告による納付税額よりも少ないときはその差額について、それぞれ利子税が課せられます。

本問の利子税は、延長された確定申告書の提出期限までに納付される法人税についてだけでなく、その後に納付される法人税についても課されます。したがって、御質問のように、後日修正申告又は更正によって納付する法人税についても、1月分は利子税、1月を超える分は延滞税という区分計算をします。

例えば、令和6年3月末日決算に係る法人税について、令和6年11月29日に修正申告をして200万円の法人税を納付する場合、【問26-4】に記載した①の特例により令和6年中の利子税の割合は年0.9％となり、延滞税の割合は年2.4％（【問26-7】参照）となりますので、利子税と延滞税はそれぞれ次のとおりになります。

(注) 法定納期限である令和6年5月31日の基準割引率は年5.5％以下ですので、【問26-4】に記載した②の特例の適用はありません。

利子税　$2,000,000円 \times 0.9\% \times \dfrac{31}{365} = 1,500円$（百円未満の端数切捨て）

延滞税　$2,000,000円 \times 2.4\% \times \dfrac{151}{365} = 19,800円$（百円未満の端数切捨て）

(注) 令和6年6月30日が休日ですので、利子税は7月1日までの日数で計算しています。

確定申告書の提出期限の延長の承認を受けていない場合は、182日間の全部について延滞税が次のとおり課せられます。

延滞税　$2,000,000円 \times 2.4\% \times \dfrac{182}{365} = 23,900円$（百円未満の端数切捨て）

利子税と延滞税では所得の金額等の計算に当たり、次のような相違が生じ

第26章　税額の計算

ます。

①　利子税は損金の額に算入されますが、延滞税は損金の額に算入されません。

②　外形標準課税制度が適用される法人事業税で附加価値割額の課税標準を算定するに当たり、純支払利子を計算する支払利子の額に利子税は含まれますが、延滞税は含まれません。

(注) 利子税及び延滞税の税額の端数計算の方法は、【問26-6】に記載しています。

国税・地方税の課税標準及びその確定金額の端数計算

> **【問26-6】**　法人税・地方法人税と事業税などの地方税の課税標準とその確定金額について、端数計算はどのようにするのでしょうか。

【答】　法人税などの国税の課税標準とその確定金額（税額）の端数計算は、国税通則法第118条及び同第119条に次のとおり規定されています。

	課　税　標　準	確　定　金　額
国税（課税標準については印紙税と附帯税、確定金額についてはこれらと自動車重量税を除きます。）	1,000円未満の端数切捨て（全額が1,000円未満のときは全額切捨て）（国通法118①）	100円未満の端数切捨て（全額が100円未満のときは全額切捨て）（国通法119①）
附　帯　税	10,000円未満の端数切捨て（全額が10,000円未満のときは全額切捨て）（国通法118③）	100円未満の端数切捨て（全額が1,000円未満《加算税は5,000円未満》のときは全額切捨て）（国通法119④）

(注1)　所得税法の源泉徴収の規定により徴収する所得税（年末調整に係るもの及び退職所得に係るものを除きます。）の課税標準は、1円未満の端数切捨てと規定されています。（国通法118②、国通令40①）

(注2)　上記の所得税と年末調整に係る不足額について徴収する所得税の確定金額は、1円未満の端数切捨てと規定されています。（国通法119②、国通令40②）

(注3)　国税の確定金額を、2以上の納付期限を定め、一定の金額に分割して納付することとされている場合、その納付の期限ごとの分割金額に1,000円未満の端数があるときは、その端数金額は、すべて最初の納付の期限に係る分割金

（1173）

額に合算するものとされています。（国通法119③）

　次に、地方税の課税標準と税額の端数計算は、地方税法第20条の4の2に次のとおり規定されており、基本的に国税と同じですが、延滞金又は加算金については、課税標準の端数切捨て及び税額の不徴収限度額が国税の附帯税についてのものよりも低く定められています。

	課　税　標　準	確　定　金　額
地　　方　　税	1,000円未満の端数切捨て（全額が1,000円未満のときは全額切捨て）（地法20の4の2①）	100円未満の端数切捨て（全額が100円未満のときは全額切捨て）（地法20の4の2③）
延滞金又は加算金	1,000円未満の端数切捨て（全額が2,000円未満のときは全額切捨て）（地法20の4の2②）	100円未満の端数切捨て（全額が1,000円未満のときは全額切捨て）（地法20の4の2⑤）

　(注)　地方税の確定金額を、2以上の納期限を定め、一定の金額に分割して納付することとされている場合、各納期限ごとの分割税額に1,000円未満の端数があるとき又はその全額が1,000円未満のときは、その端数金額又は全額は、すべて最初の納期限に係る分割税額に合算するものとされています。（地法20の4の2⑥）

延滞税の計算方法

> **【問26-7】**　法人税を法定納期限までに完納しなかったときに課税される延滞税は、どのように計算しますか。

【答】　法人税についての延滞税は、㋑期限内申告書を提出したが、納付すべき法人税をその法定納期限までに完納しないとき又は㋺期限後申告書若しくは修正申告書を提出し、又は更正若しくは決定を受けた場合において納付すべき法人税があるときに課されます。（国通法60①一、二）その金額は、法定納期限の翌日からその法人税を完納する日までの期間の日数に応じ、その未納の税額に年14.6％（納期限の翌日から2月を経過する日までの期間については年7.3％）の割合を乗じて計算した金額です。（国通法60②）

　(注)　法定納期限とは、国税に関する法律の規定により国税を納付すべき期限をいいますので（国通法2八）、法人税の確定申告の場合は各事業年度の終了の日の翌日から2月後の日です。（法74①、77）納期限は期限内申告書に記載した

（1174）

第26章　税額の計算

税額については法定納期限ですが（国通法35①）、期限後申告書又は修正申告書に記載した税額については当該申告書を提出した日、更正通知書又は決定通知書に記載された税額については当該更正通知書又は決定通知書が発せられた日の翌日から起算して1月を経過する日です。（国通法35②）

ただし、各年の延滞税特例基準割合**(注)**が年7.3％未満のときは、上記の年14.6％の割合については、延滞税特例基準割合に年7.3％の割合を加算した割合とし、年7.3％の割合については、延滞税特例基準割合に年1％の割合を加算した割合（当該加算した割合が年7.3％の割合を超える場合には、年7.3％の割合）とされています。（措法94①）令和6年については、延滞税特例基準割合が1.4％ですので、上記14.6％の割合は8.7％に、7.3％の割合は2.4％に、それぞれなります。

(注)　延滞税特例基準割合とは、平均貸付割合（【問26-4】の①参照）に年1％の割合を加算した割合をいいます。（措法94①）

なお、法人税法に定める確定申告書の提出期限の延長制度（法75又は法75の2）の適用を受けた場合利子税が課されますので、重複を避けるため、利子税の額の計算の基礎となる期間は延滞税の計算期間に算入されません。（国通法64②）

また、修正申告書の提出又は更正によって生じた増差税額については、その修正申告書の提出又は更正が、偽りその他不正の行為によって法人税を免れ、又は法人税の還付を受けた法人に対してされたものでない場合、延滞税の計算期間から次の期間が除かれます。（国通法61①）

(1)　申告又は更正に係る法人税について期限内申告書が提出されている場合において、その法定申告期限から1年を経過する日後に修正申告書が提出され、又は更正通知書が発せられたとき……その法定申告期限から1年を経過する日の翌日から当該修正申告書が提出され、又は当該更正通知書が発せられた日までの期間

(2)　申告又は更正に係る法人税について期限後申告書が提出されている場合において、その期限後申告書の提出があった日の翌日から1年を経過する日後に修正申告書が提出され又は更正通知書が発せられたとき……その期限後申告書の提出があった日の翌日から起算して1年を経過する日の翌日から当該修正申告書が提出され、又は当該更正通知書が発せられた日までの期間

（1175）

このような規定が設けられているのは、法人税に係る更正は、偽りその他不正の行為があった場合を除いて法定申告期限から５年を経過した日まですることができ（国通法70①）、修正申告書の提出は、国税の徴収権の消滅時効が法定納期限から５年と定められていますので（国通法72）、その日まですることができますが、更正や修正申告書の提出が遅くなりますと、延滞税の額が多額になることがあるからです。

　例えば、令和４年12月31日を事業年度終了の日とする事業年度の法人税確定申告書を期限内に提出していた法人が、この申告について令和６年６月28日に更正を受け、更生による増差税額を令和６年12月24日に納付した場合、延滞税の計算期間及び増差税額に乗じる割合は次のとおりになります。

①　延滞税の計算期間……Ａ＋Ｂで１年と179日

　Ａ　法定納期限（令和5.2.28）の翌日から１年を経過する日（令和6.2.28）までの期間……１年

　Ｂ　更正の通知書が発せられた日（令和6.6.28）の翌日から法人税を納付した日（令和6.12.24）までの期間……179日

②　延滞税の計算期間のうち、㋑年7.3％又は租税特別措置法第94条第１項の特例による割合と㋺年14.6％又は租税特別措置法第94条第１項の特例による割合を乗じて計算される期間の区分

　①に記載した延滞税の計算期間のうち、Ａの１年は㋑により延滞税の割合が計算されます。Ｂの179日間は、更正通知書が発せられた日の翌日（令和6.6.29）から、同日から起算して１月を経過する日（令和6.7.28）が更正による増差税額の納期限ですので（国通法35②二）、更にその翌日（令和6.7.29）から２月を経過する日（令和6.9.28）までの92日間が㋑による延滞税の割合が適用される期間、その翌日（令和6.9.29）から法人税を納付した日（令和6.12.24）までの87日間が上記㋺による延滞税の割合が適用される期間となります。

　なお、修正申告書の提出又は納付すべき税額を増加させる更正（以下「増額更正」といいます。）があった場合、その申告又は増額更正に係る法人税について期限内申告書又は期限後申告書（以下「期限内申告書等」といいます。）が提出されており、かつ、期限内申告書等の提出により納付すべき税額を減少させる更正（以下「減額更正」といいます。）があった後にその修

（1176）

第26章　税額の計算

正申告書の提出又は増額更正があったときは、その修正申告書の提出又は増額更正により納付すべき法人税（期限内申告書等に係る税額に達する部分までの法人税に限ります。）については、次の(1)及び(2)の期間を控除して、延滞税の計算をします。ただし、偽りその他不正の行為によって法人税を免れ又は法人税の還付を受けた法人により修正申告書が提出された場合又はそのような法人に対して更正がなされた場合は、(1)の期間に限られます。（国通法61②）

(1) 期限内申告書等の提出により納付すべき税額の納付があった日（その日が法定納期限前である場合には、法定納期限）の翌日から減額更正に係る更正通知書が発せられた日までの期間

(2) 減額更正に係る更正通知書が発せられた日（その減額更正が更正の請求に基づく更正である場合には、同日の翌日から起算して1年を経過する日）の翌日から修正申告書が提出され、又は増額更正に係る更正通知書が発せられた日までの期間

過少申告加算税が課税される場合とその税額

> 【問26-8】　法人税についての加算税には、過少申告加算税、無申告加算税、重加算税がありますが、過少申告加算税はどのような場合に課税され、税額はどのように計算されるのですか。

【答】　【問26-7】までに説明した延滞税、利子税と、加算税を総称して附帯税といいます。国税通則法では第6章に規定されていますが、その第2節に加算税として、過少申告加算税（国通法65）、無申告加算税（同66）、不納付加算税（同67）、重加算税（同68）の四つが規定されています。このうち、不納付加算税は、源泉徴収による国税がその法定納期限までに完納されなかった場合に課されるもので、法人税に係る加算税ではありません。したがって、法人税に係る加算税は、過少申告加算税、無申告加算税、重加算税の三つです。

　御質問にある過少申告加算税は、期限内申告書が提出されている法人税について修正申告書の提出又は更正があった場合、次に掲げる金額が課されるものです。

(1177)

(1) 増差税額に対して10％を乗じて計算した金額。（国通法65①）なお、修正申告書の提出が、調査があったことにより更正があるべきことを予知してされたものでないときは、10％が５％になります。（国通法65①かっこ書）

(2) 増差税額（その修正申告又は更正前に当該修正申告又は更正に係る法人税について修正申告書の提出又は更正があったときは、その法人税に係る累積増差税額を加算した金額）が当該法人税に係る期限内申告税額に相当する金額と50万円とのいずれか多い金額を超えるときは、(1)の金額に、当該超える部分に相当する税額に５％の割合を乗じて計算した金額を加算した金額（国通法65②）

（計算例）

調査により更正があることを予知して修正申告書を提出したケースで、期限内申告税額が100万円の場合、④増差税額が70万円のときは、70万円×10％＝７万円が過少申告加算税となりますが、⑩増差税額が120万円のときは、120万円×10％＝12万円と（120万円－100万円）×５％＝１万円の合計額13万円（100万円×10％＋（120万円－100万円）×15％＝10万円＋３万円という計算をすることもできます。）が過少申告加算税となります。

ただし、以下の税額については、過少申告加算税は課されません。（国通法65⑤）

(1) 増差税額の計算の基礎となった事実のうちに、修正申告又は更正前の税額の計算の基礎とされていなかったことについて正当な理由があると認められるものがある場合、正当な理由があると認められる事実に基づく税額

(2) 修正申告又は更正前にその修正申告又は更正に係る法人税について期限内申告書の提出により納付すべき税額を減少させる更正があった場合、期限内申告書に係る税額に達するまでの税額

また、修正申告書の提出が、その申告に係る法人税について調査があったことにより更正があるべきことを予知してされたものでない場合で、調査通知がある前に行われたときは、当該修正申告による増差税額に対して過少申告加算税は課されません。（国通法65⑥）

（注1） 調査通知後に修正申告した場合、過少申告加算税が課せられます。詳細は【問26-9】を参照してください。

第26章　税額の計算

（注２） 電子帳簿保存法上の一定の要件を満たす電子帳簿（優良な電子帳簿）に記録された事項に関して生じる申告もれについては、過少申告加算税の割合が５％軽減されます。（電子帳簿保存法８④）

（注３） 令和６年１月１日以後に法定申告期限が到来する法人税及び地方法人税については、税務調査で税務職員から売上げに関する調査に必要な帳簿の提示等を求められた際に、帳簿の提示等をしない場合や帳簿の記載等に不備（記載もれ）がある場合、過少申告加算税の割合が、５％又は10％加重されます。（国通法65④、国通規11の２①②③④、令４改所法等附則20②）

「法人税の過少申告加算税及び無申告加算税の取扱いについて（事務運営指針）」（平12.7.3課法２-９、最終改正令５.6.23）の「第１　過少申告加算税の取扱い」に、過少申告加算税の賦課に関する取扱い基準が次のとおり示されています。

① 過少申告の場合における正当な理由があると認められる事実

納税者の責めに帰すべき事由のない次のような事実です。

a 税法の解釈に関し、申告書提出後新たに法令解釈が明確化されたため、その法令解釈と法人の解釈とが異なることとなった場合において、その法人の解釈について相当の理由があると認められるもの。

　（注） 税法の不知若しくは誤解又は事実誤認に基づくものは、これに当たりません。

b 調査により引当金等の損金不算入額が法人の計算額より減少したことに伴い、その減少した金額を認容した場合に、翌事業年度においていわゆる洗替計算による引当金等の益金算入額が過少となるためこれを税務計算上否認（いわゆるかえり否認）したもの。

② 修正申告書の提出が、更正があるべきことを予知してされたと認められる場合

その法人に対する臨場調査、取引先の反面調査又はその法人の申告書の内容を検討した上での非違事項の指摘等により、当該法人が調査のあったことを了知したと認められた後に修正申告書が提出された場合は、原則として「更正があるべきことを予知してされたもの」に該当します。

　（注） 臨場のための日時の連絡を行った段階で修正申告書が提出された場合は、原則として「更正があるべきことを予知してされたもの」に該当しません。

（1179）

税務調査の通知後に修正申告した場合の過少申告加算税

【問26-9】 税務署から税務調査の通知があったため、調査対象事業年度の申告内容を見直していたところ、誤りが発見されましたので、税務調査の前に修正申告をしようと思います。この場合でも、過少申告加算税は課せられるでしょうか。

【答】 以前は、調査があったことにより更正があることを予知して修正申告したのでない場合には、過少申告加算税は課せられませんでしたので、税務調査の通知後、調査前に修正申告書を提出すれば、過少申告加算税の対象となりませんでした。しかし、この規定を利用して、税務調査の通知後に多額の修正申告を行うことにより、過少申告加算税の賦課を回避する例があったことから、平成28年度の税法改正により、調査通知（調査に関する一定の事項の通知）以後に修正申告書が提出された場合、過少申告加算税の対象とすることとされました。（国通法65①かっこ書、⑥）

調査通知とは、次の①～③の通知をいいます。（国通法65⑥、国通令27④）

① 実地の調査を行う旨

② 調査の対象となる税目

③ 調査の対象となる期間

なお、この通知は、納税者が税務代理人（税理士又は税理士法人）に対して行うことに同意している場合、その代理人への通知を含みます。（国通令27⑤）

調査通知以後に、修正申告書を提出した場合で、かつ、調査による更正を予知したものでないときは、修正申告で納付すべき税額の5％（期限内申告税額と50万円のいずれか多い額を超える部分は10％）の過少申告加算税が課せられます。（国通法65①②⑥）

（1180）

第26章　税額の計算

無申告加算税の税額とこの加算税が課されない場合

> 【問26-10】　無申告加算税の税額はどのように計算されるのですか。
> 期限内申告書の提出がなくても、この加算税が課されないのはど
> のような場合ですか。

【答】　無申告加算税は、①期限後申告書の提出又は決定があった場合、②期限後申告書の提出又は決定があった後に修正申告書の提出又は更正があった場合に課されるもので、その税額は、当該申告、更正又は決定により納付すべき税額に次の割合を乗じて計算した額です。なお、納付すべき税額（修正申告書の提出又は更正があったときは、その法人税に係る累積納付税額を加算した金額）が50万円を超える場合は、その超える部分の金額については5％が上乗せされます。（国通法66①②⑧）

ケース	割　合
①調査通知の前に期限後申告書又は修正申告書を提出し、かつ、調査による更正又は決定を予知したものでない場合	5％
②調査通知以後に期限後申告書又は修正申告書を提出し、かつ、調査による更正又は決定を予知したものでない場合	10％
③上記以外の場合	15％

（計算例）

上表③のケースで、納付すべき税額が㋑40万円のときは、40万円×15％＝6万円が無申告加算税となりますが、㋺60万円のときは、60万円×15％＝9万円と（60万円－50万円）×5％＝0.5万円の合計額9.5万円（50万円×15％＋（60万円－50万円）×20％＝7.5万円＋2万円という計算をすることもできます。）が無申告加算税となります。

なお、次の①又は②に該当するときは、無申告加算税の割合は10％上乗せされます。（国通法66⑥）

①　期限後申告書若しくは期限後申告又は決定があった後の修正申告書の提出（調査による更正又は決定を予知してされたものに限ります。）又は更正若しくは決定があった日の前日から起算して5年前の日までの間に、法人税・地方法人税について無申告加算税（期限後申告書又は修正申告書の

（1181）

提出が、調査による更正又は決定を予知してされたものでない場合に課された
ものを除きます。）又は重加算税を課せられたことがあること

② 期限後申告書若しくは期限後申告又は決定があった後の修正申告書の提
出（調査による更正又は決定を予知してされたものでない場合に、調査通
知がある前に行われたものを除きます。）又は更正若しくは決定に係る事
業年度の前事業年度又は前々事業年度の法人税・地方法人税について無申
告加算税又は無申告による重加算税を課されていること（令和6年1月1
日以後に法定申告期限が到来する法人税及び地方法人税に適用）（令5改
所法等附則23③）

(注1) 令和6年1月1日以後に法定申告期限が到来する法人税及び地方法人税に
ついては、上記の表の②と③のケースで、納付すべき税額が300万円を超え
る場合、300万円を超える金額に対して無申告加算税を10%上乗せします。（国
通法66③、令5改所法等附則23③）

(注2) 令和6年1月1日以後に法定申告期限が到来する法人税及び地方法人税に
ついては、税務調査で税務職員から売上げに関する調査に必要な帳簿の提示
等を求められた際に、帳簿の提示等をしない場合や帳簿の記載等に不備（記
載もれ）がある場合、無申告加算税の割合が、5%又は10%加重されます。（国
通法66⑤、国通規11の2①②⑤⑥、令4改所法等附則20②）

【問26-8】に記載した事務運営指針の「第2　無申告加算税の取扱い」に、
無申告加算税の賦課に関する取扱い基準が次のとおり示されています。

① 期限内申告書の提出がなかったことについて正当な理由があると認めら
れる事実があるときは、無申告加算税は課されません。災害、交通・通信
の途絶その他期限内に申告書を提出しなかったことについて真にやむを得
ない事由があると認められたときは、正当な理由があるものとして取り扱
われます。

② 期限後申告書の提出が決定又は更正があるべきことを予知してされたと
認められる場合は、【問26-8】に記載した事務運営指針の「第1　過少申
告加算税の取扱い」の②の取扱いが準用されます。

また、法人に期限内申告書を提出する意思があったと認められ、かつ、法
定申告期限後速やかに期限後申告書を提出している場合にまで、たまたま法
定申告期限内に申告書を提出しなかったという理由で行政制裁である無申告

（1182）

第26章　税額の計算

加算税を課すのは、誠実な納税者の適正な申告意欲をそぐおそれがあります
ので、下記④及び回のいずれにも該当することによって期限内申告書を提出
する意思があったと認められるものであり、かつ、当該期限後申告書の提出
が法定申告期限から１月を経過する日までに行われたものである場合は、無
申告加算税は課されないこととされています。（国通法66⑨、国通令27の２）

④　期限後申告書の提出があった日の前日から起算して５年前の日までの間
　　に、期限後申告書の提出又は決定を受けたことにより無申告加算税又は重
　　加算税を課されたことがなく、かつ、この規定（国通法66⑨）の適用を受
　　けていないこと。

回　期限後申告書に係る納付すべき税額の全額が法定納期限までに納付され
　　ていた場合、又は当該税額の全額に相当する金銭が当該法定納期限までに
　　国税通則法第34条の３第１項の規定による委託に基づき納付受託者に交付
　　されていた場合、若しくは同項の規定により納付受託者が委託を受けてい
　　た場合。

　（注）　国税通則法第34条の３は、いわゆるコンビニ納付及びクレジットカードに
　　　　よる納付の制度の規定です。

**重加算税の税額とこの加算税が課されることとなる事実の全部又は一部の
隠蔽又は仮装**

> 【問26-11】　重加算税の税額はどのように計算しますか。また、こ
> れが課されることとなる事実の全部又は一部の隠蔽又は仮装とは、
> どのようなものをいうのですか。

【答】　【問26-8】で説明した過少申告加算税は、納税者の意図に関わりなく、
増差税額の計算の基礎となった事実について過少申告をすることに正当な理
由がなければ課されますが、法人が事実の全部又は一部を隠蔽し、又は仮装
し、その隠蔽し、又は仮装したところに基づいて申告書を提出していたとき
は、過少申告加算税に代えて、増差税額に35％の割合を乗じて計算した金額
に相当する重加算税が課されます。（国通法68①）　さらに、【問26-10】で説明
した無申告加算税は、正当な理由がなく期限内申告書の提出がなかった場合
に課されますが、法人が法人税の課税標準又は税額の計算の基礎となるべき

（1183）

事実の全部又は一部を隠蔽し、又は仮装し、その隠蔽し、又は仮装したところに基づき法定申告期限までに申告書を提出せず、又は法定申告期限後に申告書を提出していたときは、無申告加算税に代えて、期限後申告書の提出又は決定による税額に40％の割合を乗じて計算した金額に相当する重加算税が課されます。（国通法68②）

(注1)　過少申告加算税について【問26-8】の(2)で説明した5％の割合が加算される部分があるとき、又は無申告加算税について【問26-10】の表の上のなお書に記載した5％の割合が加算される部分があるときは、重加算税は、まずこれらの部分の過少申告加算税又は無申告加算税に代えて課されます。（国通令27の3）

(注2)　電子帳簿保存を行っており、スキャナ保存データや電子取引データの記録に仮装隠蔽があった場合、重加算税の割合は10％加重されます。（電子帳簿保存法8⑤）

　なお、重加算税が課せられる場合、過去5年以内に無申告加算税又は重加算税を課されているときは、重加算税の割合が10％上乗せされます。（国通法68④一）また、令和6年1月1日以後に法定申告期限が到来する法人税及び地方法人税については、重加算税の対象となった事業年度の前事業年度又は前々事業年度の法人税・地方法人税について無申告加算税又は無申告による重加算税を課された法人について、重加算税を10％加重します。（国通法68④二、令5改所法等附則23③）

　具体的にどのような事実が隠蔽又は仮装に該当するのかについては、「法人税の重加算税の取扱いについて（事務運営指針）」（平12.7.3課法2-8、最終改正令5.6.23）に、次のとおり示されています。

①　いわゆる二重帳簿を作成していること。

②　次に掲げる事実があること。

　　a　帳簿、原始記録、証ひょう書類、貸借対照表、損益計算書、勘定科目内訳明細書、棚卸表その他決算に関係のある書類（以下「帳簿書類」といいます。）を、破棄又は隠匿していること。

　　b　帳簿書類の改ざん（偽造及び変造を含みます。以下同じ。）、帳簿書類への虚偽記載、相手方との通謀による証ひょう書類の作成、帳簿書類の意図的な集計違算その他の方法により仮装の経理を行っていること。

第26章　税額の計算

　　c　帳簿書類の作成又は帳簿書類への記載をせず、売上げその他の収入
　　　（営業外の収入を含みます。）の脱ろう又は棚卸資産の除外をしている
　　　こと。
③　特定の損金算入又は税額控除の要件とされる証明書その他の書類を改ざ
　んし、又は虚偽の申請に基づき当該書類の交付を受けていること。
④　簿外資産（確定した決算の資料となった帳簿の資産勘定に計上されてい
　ない資産）に係る利息収入、賃貸料収入等の果実を計上していないこと。
⑤　簿外資金（確定した決算の基礎となった帳簿に計上していない収入金又
　は当該帳簿に費用を過大又は架空に計上することにより当該帳簿から除外
　した資金）をもって役員給与その他の費用を支出していること。
⑥　同族会社であるにもかかわらず、その判定の基礎となる株主等の所有株
　式等を架空の者又は単なる名義人に分割する等により非同族会社としてい
　ること。
　また、使途不明金の支出金に係る否認金については、次のような事実が不
正事実に該当するとされています。
①　帳簿書類の破棄、隠匿、改ざん等があること。
②　取引の慣行、取引の形態等から勘案して通常その支出金の属する勘定科
　目として計上すべき勘定科目に計上されていないこと。
　なお、次のような場合で、当該行為が相手方との通謀又は証ひょう書類等
の破棄、隠匿若しくは改ざんによるもの等でないときは、帳簿書類の隠匿、
虚偽記載等に該当しません。
①　売上げ等の収入の計上を繰り延べている場合において、その売上げ等の
　収入が翌事業年度の収益に計上されていることが確認されたとき。
②　経費（原価に算入される費用を含みます。）の繰上計上をしている場合
　において、その経費が翌事業年度に支出されたことが確認されたとき。
③　棚卸資産の評価換えにより過少計上をしている場合。
④　確定した決算の基礎となった帳簿に、交際費等又は寄附金のように損金
　算入について制限のある費用を単に他の費用科目に計上している場合。

（1185）

事業年度中に事業所を新設した場合の地方税の分割方法

> 【問26-12】 大阪に本社及び大阪営業所を同じビルに設け、東京と
> 名古屋に営業所を1か所ずつ設けている卸売業を営む会社で、事
> 業年度は4月1日から翌年3月31日までです。名古屋営業所は、
> 令和6年10月に新設したのですが、令和7年3月期の確定申告に
> 当たって、地方税の分割はどのように計算するのですか。

【答】 2以上の都道府県あるいは市町村に事業所を有する法人の事業税若し
くは住民税は、事業税の課税標準である所得金額、収入金額（外形標準課税
が適用される場合は、付加価値額、資本等の金額、所得金額）若しくは住民
税の課税標準である法人税額を、一定の基準によってそれぞれの都道府県等
に分割し、この分割後の金額を課税標準として、各都道府県等ごとの税額を
計算して申告納付することとされています。この場合の分割の基準は、次の
とおりです。

　事業税……事業の種類により、下記の表の右欄のとおりです。（地法72の
48③④）

事業の種類	分割基準
製　造　業	事務所又は事業所（以下「事業所等」といいます。）の従業者の数。ただし、資本金の額又は出資金の額が1億円以上の法人の工場の従業者の数は、その数にその数（その数が奇数のときは、その数＋1）の$\frac{1}{2}$を加えた数とします。
電気供給業	事業の区分に応じて、事業所等の数、事業所等の従業者の数、発電所に接続する電線路の電力の容量、事業所等の固定資産で発電所の用に供するものの価額、事業所等の固定資産の価額
ガス供給業・倉庫業	事業所等の固定資産の価額
鉄道事業・軌道事業	軌道の延長キロメートル数
その他の事業	課税標準の$\frac{1}{2}$：事業所等の数 課税標準の$\frac{1}{2}$：事業所等の従業者の数

　法人が上記の表の左欄の事業を併せて行う場合は、主たる事業の分割基準
によります。（地法72の48⑧）　なお、主たる事業の判定に当たっては、それ

(1186)

第26章　税額の計算

ぞれの事業のうち、売上金額の最も大きいものを主たる事業とし、これによりがたい場合には、従業員の配置、施設の状況等により企業活動の実態を総合的に判断することとされています。（県通3-9の11）

　上記の表の右欄の従業員の数、電線路の電力の容量、固定資産の価額及び軌道の延長キロメートル数は、事業年度終了の日現在における数値とし、事業所等の数は、事業年度に属する各月の末日現在におけるその数値を合計した数値とします。（地法72の48④）「その他の事業」には、卸売業、小売業、建設業、サービス業等が該当します。

　住民税……分割基準は、法人税額の課税標準の算定期間の末日における従業者の数です。（地法57②、321の13②）

（注）　事業税及び住民税の課税標準額を従業員の数で分割する場合、①課税標準額を分割基準の合計数値で除した額を求め、②この額に分割基準の各都道府県等ごとの数値を乗じて計算しますが、①の額を求めるに当たって小数点以下の数値があるときは、その小数点以下の数値のうち分割基準の総数のけた数に1を加えた数に相当する数の位以下の部分の金額を切り捨てます。

　　例えば、従業者数がA県3人、B県3人、合計6人という法人が、課税標準額500,000円を従業者の数によってA県とB県に分割する場合、A県、B県とも①の額は500,000円÷6＝83,333.3円（小数点以下2（1（分割基準の総数のけた数）＋1）位以下切捨て）となりますので、②の額は83,333.3円×3＝249,999.9円となり、1,000円未満の端数を切り捨てて（【問26-6】参照）249,000円ずつとします。500,000円×$\frac{3}{6}$として250,000円ずつとしません。

　貴社の場合、令和6年10月に名古屋営業所を新設されましたので、令和7年3月期の事業税及び住民税の分割基準は、次のとおりになります。

(1)　事業税の分割基準のうち、事業所等の数に係るもの（地法72の48④二）

　　令和7年3月期中全期間事業所等を有していた大阪府と東京都はそれぞれ12、令和6年10月に事業所等を新設した愛知県は6で、その合計30、したがって大阪府と東京都は$\frac{12}{30}$ずつ、愛知県は$\frac{6}{30}$となります。

(2)　事業税の分割基準のうちの(1)以外のもの及び住民税の分割基準である事業所等の従業者の数に係るもの

　　事業年度の中途に事業所等を新設又は廃止した場合、その事業所等の従業員の数は、次のイ～ハのそれぞれに掲げる数（その数に1人未満の端数

（1187）

を生じたときは、これを１人とします。）とします。（地法57③、72の48⑤、321の13③）

イ　期中に事業所等を新設した場合

$$\left(\begin{array}{l}\text{事業年度末日現}\\\text{在の従業者の数}\end{array}\right) \times \frac{\text{事業所等が新設された日から事業年度終了の日までの月数}}{\text{事業年度の月数}}$$

ロ　期中に事業所等を廃止した場合

$$\left(\begin{array}{l}\text{廃止の日の属する月の直前の}\\\text{月の末日現在の従業者の数}\end{array}\right) \times \frac{\text{廃止事業所等が当該事業年度中に所在していた月数}}{\text{事業年度の月数}}$$

ハ　期中に従業者の数に著しい変動があった場合（著しい変動とは、ある事業所等の期中の各月末日の従業者数について、最大の数が最小の数の２倍を超える場合をいいます。（地政令９の９の６、35、48の16））

$$\frac{\text{事業年度の各月の末日現在の従業者数の合計}}{\text{事業年度の月数}}$$

(注)　イ～ハの月数は暦に従って計算し、１月未満の端数が生じたときは、これを１月とします。（地法57④、72の48⑥、321の13④）

　御質問の場合は、期中に新設された名古屋の事業所について、イの計算をすることになります。

　なお、分割には関係ありませんが、名古屋の事業所に係る住民税の均等割額は、次の算式によって計算します。

$$\text{均等割の年額} \times \frac{\text{事業所を有していた月数}}{12}$$

　この場合の月数は暦に従って計算し、１月未満のときは１月とし、１月未満の端数を生じたときは切り捨てます。（地法52③、312④）いいかえますと、２月未満までは１月とし、２月以上の場合は１月未満の端数を切り捨てるわけです。

第27章　申告書の作成等

減価償却費や引当金繰入額等の申告減算調整が認められない理由

> 【問27-1】　税法は、減価償却費や引当金の繰入額について損金経理することを要求し、圧縮記帳や租税特別措置法上の準備金について決算の確定の日までに剰余金の処分により積立金として積み立てることを要求しています。損金経理額や剰余金の処分による積立額が損金算入限度額未満の場合、その差額について申告減算調整を認めてもよいように思いますが、これを認めないのはなぜでしょうか。

【答】　御質問にあるように、税法は減価償却費、引当金の繰入額等について、損金経理することを要求し、剰余金の処分による積み立てが認められている圧縮積立金や準備金についても、繰越利益剰余金からの振替えにより積み立てた金額を限度として、別表四で減算調整することができると規定しています。税法がこのように減価償却費、引当金繰入額等として損益計算書に計上された金額、若しくは繰越利益剰余金からの振替えによる積立として株主資本等変動計算書に記載された金額を限度として、損金の額に算入すると規定しているのは、次の理由によるものです。

現在のわが国の税制は、法人擬制説に立脚しているため、内国法人の支払配当金が受け取った側で課税されないように、受取人が個人の場合には所得税法に配当控除、法人の場合には法人税法に内国法人からの受取配当等の益金不算入の規定が設けられています。配当を受け取る側で、このように税の軽減が行われますので、剰余金の配当をする側では、その配当は法人税が課税済みの所得からのものでなければなりません。配当を受け取る側で、配当を支払う法人ごとに法人税が課税済みの所得からのものなのかどうかをみて益金不算入規定等の適用の可否を判断するのは実務的に困難ですので、配当をする側で法人税が課税済みの所得からのものであることが必要になります。

仮に、減価償却費、引当金の繰入額や圧縮積立金、準備金の積立額について、損益計算書に計上された金額若しくは株主資本等変動計算書に記載され

(1189)

た金額に関係なく損金算入限度額までの申告減算調整による損金算入を認めますと、例えば、100万円の利益を計上して50万円剰余金の配当をした法人が申告書で100万円の減算調整をして所得金額をゼロとした場合、法人税の課税なしに50万円剰余金の配当が行われたことになります。

　減価償却費のうちの普通償却費について、損金経理が条件とされるため、実態を超える減価償却費を計上したり、税法の規定に追従しすぎることにより、企業会計の基準に反するのではないかと批判されることがあります。また、圧縮記帳や準備金の積み立ては、損金経理又は繰越利益剰余金からの振替えによる積み立てという条件を付けなくてもよいのでないかという意見もありますが、剰余金の配当は通常繰越利益剰余金の減少として行われますので、圧縮積立金又は準備金の積み立てによって繰越利益剰余金を減少させますと、当該積み立てに係る損金算入額からの剰余金の配当はおこり得ません。このため、税制上は繰越利益剰余金からの振替えで積み立てた金額を限度として、申告減算を認める方式が必要になります。

　税法が確定決算主義を放棄し、減価償却費、引当金の繰入額等について損金算入限度額までの申告減算調整を認めることとすれば、上記の逆基準性の問題は消滅するでしょうが、それには税制が法人擬制説への立脚から離脱することが必要でしょう。

申告書別表四と別表五(一)のⅠの突合せ検算方法

> **【問27-2】**　法人税申告書の別表四と別表五(一)のⅠの二つの表は、相互に関係があるようですが、その突合せ方法を教えてください。

【答】　法人税申告書の別表四（所得の金額の計算に関する明細書）は、法人の確定決算に計上された利益（株式会社の場合、会社法第435条第2項の損益計算書に計上された当期純利益）に税法の規定に基づく加算調整及び減算調整を行って、課税所得金額を計算する明細書で、税務上の損益計算書といわれています。一方、別表五(一)（利益積立金額及び資本金等の額の計算に関する明細書）は、税法上の利益積立金額（法2十八）及び資本金等の額（法2十六）の期首及び期末の状況とその期中の増減を記載する明細書で、税務上の貸借対照表といわれています。

（1190）

第27章　申告書の作成等

　複式簿記の場合、残高試算表から貸借対照表と損益計算書が作成されてそれぞれの当期利益が合致するように、別表四と別表五(一)にも相互に関連があり、その関連のしかたを理解すると、この２表の突合せ方法がわかります。

　別表五(一)のⅠに記載される税務上の利益積立金額は、法人が各事業年度の所得の金額から留保してきた金額の累計額です。ただし、当該事業年度以前の法人税、地方法人税（附帯税を除きます。）、道府県民税及び市町村民税（都民税及びこれらの税に係る均等割を含みます。）のうち、当該事業年度末における未納付の金額を控除します。（法政令９①一カ）したがって、法人の所得の金額のうち、剰余金の配当とか交際費等や寄附金の損金算入限度超過額のように社外に流出するものは、別表五(一)のⅠに関係がなく、別表四の「留保②」欄に記載される金額だけが、別表五(一)のⅠに関係します。

　次に、利益積立金額を計算する場合、当事業年度の所得の金額等を課税標準として納付すべき法人税、地方法人税及び住民税の金額を控除しますので、そのうちの確定申告に係る税額の納付は翌事業年度になりますが、当事業年度末の利益積立金額の計算に当たって控除します。このため、翌事業年度に当該税額を納付したときには、損金不算入の租税公課（法38①）であるため別表四で加算しますが、当該納付税額を社外流出としますと、当事業年度末と翌事業年度の納付時とで二度利益積立金額の計算に当たって減額することになりますので、納付した事業年度における別表四での加算は、留保欄に記載します。

　実務では、次のⅠ～Ⅳについて、Ⅰ＋Ⅱ＋Ⅲ＝Ⅳ（Ⅲは負数《利益積立金額としてマイナス項目》ですので減算します。）となるかどうかの検算をします。
Ⅰ　別表五(一)のⅠ「期首現在利益積立金額①」の「差引合計額31」
Ⅱ　別表四「留保②」の「所得金額又は欠損金額52」
Ⅲ　別表五(一)のⅠ「当期の増減の増③」の「未納法人税及び未納地方法人税27」、「未納道府県民税29」、「未納市町村民税30」それぞれの「中間」の欄と「確定」の欄の合計額
Ⅳ　別表五(一)のⅠ「差引翌期首現在利益積立金額④」の「差引合計額31」
　相互の関係を図示しますと、下記の図のとおりになります。この図で、別表五(一)のⅠの「期首現在利益積立金額」①を税務上の期首貸借対照表、「差引翌期首現在利益積立金額」④を税務上の期末貸借対照表としていますが、

（1191）

この貸借対照表は、貸借対照表の純資産の部の利益剰余金の部に係るものを税務ベースで計算して記載したものです。したがって、そのなかには、貸借対照表に計上されている利益準備金、任意積立金、繰越利益剰余金等と、貸借対照表に計上されていない償却超過額とか引当金繰入限度超過額のような税務上の剰余金（利益積立金額のプラス項目）及び繰越利益剰余金からの振替えで積み立てた圧縮積立金や租税特別措置法上の準備金等の認容額のような税務上の欠損金（利益積立金額のマイナス項目）が記載されます。

別表 四

区　分	総額①	処分	
		留保②	社外流出③
当期利益又は当期欠損の額　1			
所得金額又は欠損金額　52			

確定決算での利益（株式会社の場合会社法第435条第2項の損益計算書上の当期純利益又は当期純損失）←利益

確定決算での利益から課税所得金額を算出するための加算及び減算（税務上の損益計算書）

別表 五(一)

I　利益積立金額の計算に関する明細書

区　分	期首①	当期の増減		期末④
		減②	増③	
	税務上の期首貸借対照表			税務上の期末貸借対照表
未納法人税及び未納地方法人税　27				
未納道府県民税　29				
未納市町村民税　30				
差引合計額　31				

の欄は別表四と別表五(一)のⅠで相互に合致するところです。

の欄は期中に増加した法人税、地方法人税並びに道府県民税、市町村民税の納付すべき金額です。

が、利益積立金額の期中増減額です。

（1192）

第27章　申告書の作成等

別表五(一)のⅠとⅡに正負が逆の金額が記載される取引（Ⅰ）——繰越利益剰余金のマイナスを消すために資本準備金を取崩した場合

> 【問27-3】　繰越利益剰余金のマイナスを消すために、剰余金の処
> 分で資本準備金を取崩しますと、別表五(一)のⅠに「資本金等の
> 額」、そのⅡに「利益積立金額」が正負が逆で絶対値が同じ金額
> を記載すべきことになると聞いています。具体的にどういうこと
> なのか、説明してください。

【答】　別表五(一)のⅠは、利益積立金額（法人の所得の金額で留保している
ものとして政令（法政令9）で定める金額（法2十八））の期中増減の明細
書であり、そのⅡは、資本金等の額（法人が株主等から出資を受けた金額と
して政令（法政令8）で定める金額（法2十六））の期中増減の明細書です。

　法人の利益剰余金に係るものは通常利益積立金額として、資本金及び資本
剰余金に係るものは通常資本金等の額として、それぞれ税務処理されますの
で、会計処理と税務処理の間に齟齬が生ずることはありません。しかし、取
引のなかにはこの齟齬が生ずるものがあり、別表五(一)のⅠの区分欄に「資
本金等の額」、そのⅡの区分欄に「利益積立金額」とそれぞれ記載して、そ
の③欄と④欄に、正と負が逆で絶対値が同じ金額を記載すべきことになるも
のがあります。御質問にある繰越利益剰余金のマイナスを消すために、剰余
金の処分で資本準備金を取崩す取引は、その典型的な事例です。

〔事例〕

　繰越利益剰余金が△8,000千円となりましたが、任意積立金その他利益剰
余金、利益準備金がいずれもなく、資本剰余金として資本準備金が20,000千
円あるだけです。繰越利益剰余金のマイナスを消すため、株主総会に「資本
準備金のうち10,000千円を減少させ、繰越利益剰余金を同額増加させる」と
いう剰余金の処分の議案を提出して承認を受け、　資本準備金10,000千円／
繰越利益剰余金10,000千円　という会計処理を行いました。

　これにより、会計帳簿上資本準備金（税務上資本金等の額）が10,000千円
減少し、繰越利益剰余金（税務上利益積立金額）が同額増加しますが、この
剰余金の処分が行われても、税務上資本金等の額、利益積立金額に変動は生
じません。会計処理と税務のこの違いを調整するため、別表五(一)に、下記

(1193)

のとおりの記載をします。なお、この事例の会社の資本金は50,000千円で、この剰余金の処分が行われた事業年度中変わらなかったものとしています。

| 利益積立金額及び資本金等の額の計算に関する明細書 | | 事業年度 | ・　・
・　・ | 法人名 | | 別表五(一) |

I　利益積立金額の計算に関する明細書

区　　分		期首現在 利益積立金額 ①	当期の増減		差引翌期首現在 利益積立金額 ①－②＋③ ④
			減 ②	増 ③	
利益準備金	1	円	円	円	円
積立金	2				
資本金等の額	3			△10,000,000	※△10,000,000
	4				
繰越損益金（損は赤）	25	△8,000,000		10,000,000	2,000,000
納税充当金	26				
未納法人税等（各事業年度の所得に対するものに限る。） 未納法人税及び未納地方法人税（附帯税を除く。）	27	△	△	中間△ 確定△	△
未払通算税効果額（附帯税の額に係る部分の金額を除く。）	28			中間 確定	
未納道府県民税（均等割額を含む。）	29	△	△	中間△ 確定△	△
未納市町村民税（均等割額を含む。）	30	△	△	中間△ 確定△	△
差引合計額	31				

II　資本金等の額の計算に関する明細書

区　　分		期首現在 資本金等の額 ①	当期の増減		差引翌期首現在 資本金等の額 ①－②＋③ ④
			減 ②	増 ③	
資本金又は出資金	32	50,000,000 円	円	円	50,000,000 円
資本準備金	33	20,000,000		△10,000,000	10,000,000
利益積立金額	34			10,000,000	※10,000,000
	35				
差引合計額	36	70,000,000		0	70,000,000

　この事例に掲げた項目だけでの利益積立金額の合計額は△8,000千円、資本金等の額の合計額は70,000千円で、別表五(一)に上記のとおり記載すれば、利益積立金額、資本金等の額のいずれにもこの剰余金の処分による変動は生じないわけです。※印の金額は、正と負の異なる絶対値が同じ金額で、以後これに類する取引がなければ、この金額が残り続けることになります。

（1194）

第27章　申告書の作成等

別表五(一)の I と II に正負が逆の金額が記載される取引（II）——利益準備金の資本組入れをした場合

> **【問27-4】**　会社法第448条第1項第2号の規定による準備金の資本組入れとして利益準備金の資本組入れをした場合、又は同法450条第1項の規定による剰余金の資本組入れとして繰越利益剰余金の資本組入れをした場合、別表五(一)に、【問27-3】に準じた記載をすべきことになるようですが、具体的に説明してください。

【答】　株式会社は、株主総会の決議によって、準備金の額を減少させてその全部又は一部を資本金とすることができます。（会社法448①二）また、株主総会の決議によって、剰余金の額を減少して、資本金の額を増加することができます。（会社法450①②）

　会社法の準備金には資本準備金と利益準備金とがありますが、税法上は、その源泉が資本等取引に基づくものか否かによって、資本金等の額であるものと利益積立金額であるものとに区分されます。資本準備金は、株式会社の設立又は株式の発行に際して株主となる者が払込み又は給付をした財産の額のうち、その$\frac{1}{2}$以下の金額を資本金として計上しないこととした金額ですので（会社法445①〜③）、資本金等の額の一部になります。一方、利益準備金は、株式会社が剰余金の配当をする場合、配当をする日における準備金の額（資本準備金＋利益準備金の額）が基準資本金額（資本金の額×$\frac{1}{4}$の額）未満であるときに、「準備金計上限度額（基準資本金額－準備金の額）」と「剰余金の配当額のうちの配当財産の帳簿価額の総額等（会社法第446条第6号に掲げる額）×$\frac{1}{10}$の額」のいずれか少ない金額に利益剰余金配当割合を乗じた額を積み立てるものですので（会社計規22②）、利益積立金額の一部になります。

　しかし、税法では、「準備金（会社法第445条第4項に規定する準備金とされていますので、資本準備金、利益準備金のいずれかを問いません。）の額若しくは剰余金の額を減少して資本金の額若しくは出資金の額を増加した場合のその増加した金額は、資本金等の額の計算に当たって減算する。」と規定されています。（法2二十六、法政令8①十三）

　このため、会社法第448条第1項第2号の規定による準備金の資本組入れ

（1195）

又は同法第450条第１項の規定による剰余金の資本組入れが行われた場合、資本組入れされるのが資本準備金のように税法上資本金等の額に該当するものなのか、利益準備金や利益剰余金のように税法上利益積立金額に該当するものなのかによって、別表五(一)の記載方法は次のように異なります。

(1) 資本金等の額に該当するものの場合……会社法では資本準備金から資本金への振替えが行われますが、税法では資本金等の額のなかでの異動があるだけですので、別表五(一)のⅡに、次の事例のように記載をすればよいのです。

〔事例〕 資本準備金200百万円のうち50百万円を資本金に組入れ、資本金400百万円を450百万円にした場合（その他の資本金等の額はありません。）

Ⅱ 資本金等の額の計算に関する明細書

区　　分		期首現在 資本金等の額 ①	当　期　の　増　減		差引翌期首現在 資本金等の額 ①－②＋③
			減 ②	増 ③	④
資 本 金 又 は 出 資 金	32	400,000,000円	円	50,000,000円	450,000,000円
資 本 準 備 金	33	200,000,000	50,000,000		150,000,000
	34				
	35				
差 引 合 計 額	36	600,000,000	50,000,000	50,000,000	600,000,000

(2) 利益積立金額に該当するものの場合……会社法では利益準備金又は繰越利益剰余金から資本金への振替えが行われますが、税法では振替えた金額は振替え後においても利益積立金額ですので、振替えによって増加した資本金の額相当額の資本金等の額を減少させ、利益積立金額のままとします。このため、別表五(一)のⅠにおいて資本組入れ額相当額につき「利益準備金１」（利益準備金の資本組入れの場合）又は「繰越損益金25」（利益剰余金の資本組入れの場合）を②欄に記載して減額させて、会計帳簿上の利益準備金又は繰越利益剰余金の減少額と合致させますが、新たに「資本金等の額」の区分欄を設けて同額を③欄に記載し、別表五(一)のⅡに「利益積立金額」の区分欄を設けて、同額を③欄にマイナスで記載するとともに、「資本金又は出資金32」の③欄に同額をプラスで記載して、会計帳簿上の資本金の増加額と合致させます。これによって、利益積立金額である利益準備金又は繰越利益剰余金の資本組入れが行われても、利益積立金額、資本金等の額ともに合計額では増減しない記載

（1196）

が、別表五(一)で行われることになります。

〔事例〕　利益準備金70百万円のうち30百万円を資本金に組入れ資本金300
百万円を330百万円にした場合（その他の資本金等の額はありません。）

利益積立金額及び資本金等の額の計算に関する明細書		事業年度	・　・		法人名		

I　利益積立金額の計算に関する明細書

区　　分		期首現在利益積立金額 ①	当　期　の　増　減		差引翌期首現在利益積立金額 ①−②+③ ④
			減 ②	増 ③	
利　益　準　備　金	1	70,000,000円	30,000,000円	円	40,000,000円
積　　立　　金	2				
資本金等の額	3			30,000,000	30,000,000

II　資本金等の額の計算に関する明細書

区　　分		期首現在資本金等の額 ①	当　期　の　増　減		差引翌期首現在資本金等の額 ①−②+③ ④
			減 ②	増 ③	
資本金又は出資金	32	300,000,000円	円	30,000,000円	330,000,000円
資　本　準　備　金	33				
利益積立金額	34			△30,000,000	△30,000,000
	35				
差　引　合　計　額	36	300,000,000		0	300,000,000

(注)　剰余金にもその他資本剰余金とその他利益剰余金があり（会社法446、会社計規149、150）、剰余金の額を減少させて資本金の額とした場合、減少させた剰余金が税法上資本金等の額に該当するもの（その他資本剰余金は通常資本金等の額に該当します。）なのか、利益積立金額に該当するもの（その他利益剰余金は通常利益積立金額に該当します。）なのかによって、上記の(1)と(2)に記載したのと同様の別表五(一)での記載をすべきことになります。

なお、上記の利益積立金額の資本組入れ額に係るみなし配当課税は行われませんので、利益積立金額（法二十八）の算定に当たり減算項目とされている剰余金の配当（法政令9八）には、この資本組入れ額は含まれません。このため、利益準備金がその資本組入れによって資本金へ振り替えられても、上記のように税法上の利益積立金額の額は減少しません。

税法上、利益積立金額を減少させないのならば、資本金の額も増加させないこととすべきでしょうが、貸借対照表上の資本金の額と税法上の資本金の額が異なりますと、税法上資本金額基準により算定又は判定すべき事項について混乱が生じます。このため、資本金の額を増加させる代わりに、資本金

（1197）

以外の資本金等の額を減少させることとしているわけです。

(注) 別表五(一)のⅠとⅡに正負が逆の金額が記載される取引の事例を、【問27-3】と本問に掲げましたが、この種の取引として、本書に次の事例を掲げていますので、御参照ください。

① 自己株式の買受けをした場合（【問3-1】）

② 剰余金の額を減少して資本金を増加させた場合（【問5-33】）

③ 適格合併に当たり合併差益を特別利益に計上したが、そのなかに被合併会社の資本金等の額が含まれていた場合（【問23-24】）

④ 適格分社型分割によって分割承継法人が退職給付引当金を引継いだ場合（【問23-28】）

消費生活協同組合の組合事業に関する知識の向上のための費用等の積立て

> 【問27-5】　消費生活協同組合ですが、消費生活協同組合法第51条の4第4項に「組合は、毎事業年度の剰余金の$\frac{1}{20}$以上を翌事業年度に繰り越さなければならない。」と規定され、同条第5項に「前項の規定により繰り越した剰余金は、第10条第1項第5号の事業（組合員及び組合従業員の組合事業に関する知識の向上を図る事業）の費用に充てるものとする。（以下、略）」と規定されています。剰余金の処分では、これに係る積立てをどのように行い、翌事業年度にその目的のために使用した場合、会計上及び税法上どのように処理するのでしょうか。

【答】　消費生活協同組合法第51条の4第4項は、「毎事業年度の剰余金の$\frac{1}{20}$以上を翌事業年度に繰り越さなければならない。」と規定しているだけで、特定の積立金として積み立てなければならないと規定していません。いいかえれば、剰余金処分で組合員に対する「出資配当金」とか、次問で説明する「利用分量割戻金」を計上する前に、同条第5項に掲げられている事業の費用に充てるため剰余金の$\frac{1}{20}$以上を留保すべき旨を規定しているわけです。

このため、消費生活協同組合法施行規則第105条（剰余金処分案の区分）に定められている「剰余金処分案」には、上記の費用に充てるための繰越金が特定の積立金として掲げられておらず、同規則第116条（剰余金処分案に

(1198)

関する注記）において、「次期繰越剰余金に含まれている消費生活協同組合法第51条の４第４項に規定する繰越金の額」を注記すると規定されています。

　このように、御質問にある費用の留保は、次期繰越剰余金のなかで行われますので、翌事業年度に当該費用の支出があっても、損益計算書、剰余金処分案のいずれにも特別の処理科目が計上されませんし、税務上の申告調整も行う必要はありません。

消費生活協同組合の「利用分量割戻金」

> 【問27-6】　消費生活協同組合の利用分量割戻しについてですが、
> ①　事業別の剰余金を超えて行う利用分量割戻しは違法ですか。
> ②　事業別に割戻しを行う場合、施設によって割戻しを行うところと行わないところがあってもよろしいですか。
> ③　剰余金処分で「利用分量割戻金」を積み立てた場合、どのように申告調整して損金算入しますか。
> ④　「利用分量割戻金」は、どのような場合に益金算入しなければなりませんか。また、その場合の申告調整は、どのように行いますか。
> ⑤　「利用分量割戻金」の会計処理は、どのようにすればよろしいですか。

【答】　①について……消費生活協同組合の利用分量割戻しは、事業別にその率を定めることができます。（消費生活協同組合法52③）　この場合の事業の種類は、同法第10条第１項に供給事業、利用事業、共済事業、医療事業、福祉事業等８種類が掲げられています。

　この利用分量割戻しは、組合員への供給高等の値引きを剰余金の発生状況をみて剰余金処分で行うもので、下記③で説明するように、税法では「割戻積立金」を積み立てた事業年度の損金の額に算入されます。しかし、剰余金のなかには、組合員に対する供給等以外の取引、例えば固定資産の売却により生じたものがあり、そのような剰余金による利用分量割戻しは、組合員への供給高等の値引きといえません。税務では損金算入の認められる「組合員その他の構成員が当該事業年度においてその協同組合等の事業を利用した分

(1199)

量に応じて分配する金額」（法60の2一）に該当せず、組合員に対する出資配当とされ（基通14-2-1）、損金不算入となります。

　なお、剰余金を事業別に算定し、利用分量割戻額を事業別にそれぞれについての剰余金の金額以下とすべきかですが、事業別の剰余金を超えて利用分量割戻しをするのは消費生活協同組合法上も問題であり、上記の通達の趣旨からみて、税務でも認められないものと思われます。

　②について……同じ事業であっても施設ごとに損益管理をしている場合は、施設別に一事業としてもよいと思います。施設ごとの剰余の額によって割戻率が変わるのは当然だからです。したがって、領収書によって確認できた利用分量の総額が、事業総額の50％以上になったかどうかも、施設ごとに判定します。（消費生活協同組合法施行規則207⑦参照）

　③について……協同組合等が、各事業年度において支出する利用分量割戻金及び事業従事割戻金は当該事業年度の所得の金額の計算上損金の額に算入されますが（法60の2）、消費生活協同組合及び消費生活協同組合連合会が、消費生活協同組合法施行規則第207条第8項（利用分量割戻金の積立）の規定により積み立てた利用分量割戻金（以下「割戻積立金」といいます。）は、当該割戻積立金が各組合員別に計算されているといないとにかかわらず、その積み立てた事業年度の損金の額に算入されます。（基通14-2-5）剰余金処分で積み立てた場合は、当該積立額を別表四で「当期利益又は当期欠損の額①」の「処分」の社外流出「その他」の欄に記入し、かつ、「減算」の総額と社外流出欄（※印を付します。）に記入します。したがって、別表五(一)のⅠには関係しません。これによって割戻積立金は、剰余金処分で積み立てても、損金経理で未払計上して損金算入した場合と同じ結果になります。

　④について……割戻積立金は、割戻積立金を積み立てている消費生活協同組合等が次に掲げる場合に該当することとなった場合に、それぞれに掲げる金額に相当する金額を、その該当することとなった日の属する事業年度の益金の額に算入します。（基通14-2-6）

(1) 消費生活協同組合法施行規則第207条第9項（割戻しの期限）の規定による割戻積立金の取崩しを行わずに利用分量割戻しを行った場合……その利用分量割戻しをした金額

(2) 割戻積立金を利用分量割戻しの支出以外の目的で取り崩した場合……そ

の取り崩した金額

(3) 割戻積立金を積み立てた事業年度終了の日の翌日から2年を経過した日の前日において当該割戻積立金残額がある場合……その割戻積立金残額

なお、割戻積立金は、上記③で説明したように、申告書上積立て時に損金経理によって未払計上したのと同じ結果になる処理をしていますので、上記によって取り崩したときは、そのまま収益勘定に計上されて益金算入され、申告調整は不要です。

⑤について……割戻積立金は、剰余金処分で積み立てても、税務上、企業会計上ともにその性格は未払割戻金となります。したがって、貸借対照表では負債の部に未払割戻金として計上すべきですし、また、その取崩しによる処理は、次のとおりになります。

〈目的どおりの使用をしたとき〉　未払割戻金／現　　金

〈目的外に使用したとき〉　　　　未払割戻金／雑収入（債務免除益）

中間配当とこれに伴う利益準備金積立額の申告書での記載方法

【問27-7】　1年決算法人が、中間配当を1,000万円、これに伴う利益準備金の積立てを100万円行ったとき、確定申告書の別表四、五(一)のⅠにはどのように記載しますか。

【答】　中間配当を1,000万円、これに伴う利益準備金の積立てを100万円行ったときの仕訳は、次のとおりになります。

　　　繰越利益剰余金　　1,100万円　／未払配当金　　　1,000万円
　　　　　　　　　　　　　　　　／利益準備金　　　　100万円

　　この取引は、株主資本等変動計算書の株主資本、利益剰余金の欄に、繰越利益剰余金の減少1,100万円（剰余金の配当として1,000万円、剰余金の配当に伴う利益準備金の積み立てとして100万円）と、利益準備金の増加100万円として記載されます。

　　会社法では、中間配当は第454条第5項に規定されていますが、剰余金の配当全般について、「その総額は、当該行為がその効力を生ずる日における分配可能額を超えてはならない。」と規定されており（会社法461①八）、分配可能額は、（剰余金の額）－{(自己株式の帳簿価額)＋(最終事業年度の末日後に自己株式を処分した場合における当該自己株式の対価の額)＋（法務省令（会社計規158）で定める各勘定科目に計上した額の合計額)}と規定されています。（会社法461②）

　　この算式中の「剰余金の額」は、最終事業年度末日の剰余金の額に、その後の剰余金の額の増減（自己株式処分差損益、減資又は準備金の減少に伴う増加額、自己株式の消却に伴い消却原資に充てられた減少額、剰余金の配当による減少額）を調整した金額ですが、調整をするその後の剰余金の額の増減には、損益の発生による増減は含まれませんので、基本的に前期から繰越した剰余金を分配可能額として中間配当が行われることになります。

　　このように中間配当は、会社法上当期純利益からの分配でなく前期から繰越した剰余金からの分配ですが、法人税申告書では、御質問の場合中間配当額1,000万円は、別表四の「当期利益又は当期欠損の額①」の「社外流出③」の「配当」の欄に記載します。これは、当該事業年度中に中間配当をすることが取締役会で決議されたからで、税法は当期純利益からの配当として申告

（1202）

第27章　申告書の作成等

書の記載をするわけです。

　一方、利益準備金積立額100万円は、株主資本等変動計算書において繰越利益剰余金から利益準備金への振替え記載が行われていますので、別表五（一）のⅠで「繰越損益金㉕」の②欄と「利益準備金①」の③欄に記載します。この場合、「繰越損益金㉕」はその①欄全額が②欄に記載されますので、特に記載を要するのは利益準備金積立額100万円の③欄への記載だけです。この利益準備金積立額は、税法上、利益積立金額のなかでの振替えですので、別表四での記載は不要です。

還付される所得税額を未収入金に計上したときの申告調整方法

> **【問27-8】**　利子配当等の支払を受けるに当たって課された所得税額が40万円ありますが、当事業年度の法人税額が当該所得税額の控除を受ける前で15万円しかないため、差引25万円が当事業年度の確定申告により翌事業年度に還付されます。
>
> ①　この25万円を、当事業年度末の貸借対照表の流動資産に未収還付税金として計上する処理は適正ですか。
>
> ②　未収還付税金として流動資産に計上した場合及び翌事業年度還付されたときの申告調整は、どのようにするのですか。

【答】　所得税法の規定によって、法人が利子配当等の支払を受けるに当たって課された所得税額は、法人税の前払いですので、当該事業年度の所得に対する法人税の額から控除し（法68①）、控除しきれない金額は、当該金額を確定申告書に記載することによって還付されます。（法74①三、78①）

　①について……確定申告によって翌事業年度に納付する当該事業年度の所得の金額等に係る税額は、貸借対照表の流動負債に未払法人税等として計上しますので、それとは逆に、確定申告書に記載することにより翌事業年度に還付される税額を未収還付税金として流動資産に計上する処理は適正です。

　②について……翌事業年度に還付される所得税額25万円を未収還付税金として流動資産に計上した場合、当該資産計上額は税法では資産性のないものとして、利益積立金額の計算に当たり減額します。したがって、区分欄を「未収還付所得税額」として別表四で25万円を減算（処分は留保）し、別表五（一）

(1203)

のⅠの③欄と④欄にマイナスで25万円を記入します。一方、税額控除又は還
付を受けることとなる所得税額は損金の額に算入されませんので（法40）、
当該所得税額と当該事業年度において税額控除を受ける所得税額との合計額
40万円を別表六（一）の所要欄に記載して別表四の「法人税額から控除される
所得税額㉙」欄で加算し、別表一の「所得税の額⑯」と「計⑱」に40万円、「控
除した金額⑲」と「控除税額⑫」に15万円、「控除しきれなかった金額⑳」
と「所得税額等の還付金額㉑」に25万円を記入します。

　次に、翌事業年度に還付を受けたときは、　現預金25万円／未収還付税金
25万円　の会計処理をしますが、当事業年度の別表五（一）のⅠの④欄にマイ
ナスで記入した未収還付税金25万円がなくなりますので、「未収還付所得税
額」25万円を別表四で加算（処分は留保）し、別表五（一）のⅠの①欄に記入
された「未収還付所得税」△25万円を②欄で消去します。このように還付さ
れた所得税額25万円を別表四で加算（処分は留保）して利益積立金額に加え
たうえで、別表四の「所得税額等及び欠損金の繰戻しによる還付金額等⑲」
欄（処分は※印社外流出）に記載して減算し、益金不算入とする調整をします。

確定申告で還付される中間申告の税額を未収入金に計上したときの申告調整方法

> 【問27-9】　確定申告書の作成により算出した当事業年度の法人
> 税・地方法人税、住民税及び事業税・特別法人事業税の額よりも、
> 中間申告で納付した税額の方が多いため、確定申告によって還付
> されるその差額を未収還付税金に計上した場合、どのように申告
> 調整するのですか。この税額が還付される翌事業年度の申告調整
> 方法も、教えてください。

【答】　①未収還付税金に計上した事業年度の申告調整方法……【問27-8】で
説明したように、未収還付税金は税法上資産性のないものとして利益積立金
額の計算に当たり減算しますので、区分欄を「未収還付法人税等」として別
表四で減算（処分は留保）し、別表五（一）のⅠの③欄と④欄にマイナスで記
入します。このうち、法人税、地方法人税、道府県民税及び市町村民税の還
付額は、それぞれ別表五（一）のⅠの下記の欄に記入（マイナスの符号の付さ

（1204）

れた欄にマイナスで記入しますので、プラスの額を記入することになります。）しますが、事業税及び特別法人事業税の還付額はこの記入をしません。

　法人税及び地方法人税の還付額……「未納法人税及び未納地方法人税27」の③の「確定」の欄と④欄

　道府県民税の還付額……「未納道府県民税29」の③の「確定」の欄と④欄

　市町村民税の還付額……「未納市町村民税30」の③の「確定」の欄と④欄

　中間申告で納付した法人税及び地方法人税は別表四の「損金経理をした法人税及び地方法人税2」で、住民税は別表四の「損金経理をした道府県民税及び市町村民税3」で加算していますので、法人税、道府県民税及び市町村民税の還付額が「未収還付法人税等」に含まれて別表四で減算されても、損金算入されていないことになります。事業税及び特別法人事業税は、中間申告での納付額が損金算入されますので、そのうちの「未収還付法人税等」に計上した金額の別表四での減算は、そのままでよいことになります。

　(注)　申告納税方式による租税公課の損金算入時期は、債務確定基準によって、当該申告書が提出された日の属する事業年度となりますので（基通9-5-1(1)）、中間申告に係る事業税及び特別法人事業税は、未収還付法人税等として経理していても、税務では中間申告書の提出によって債務が確定しており、申告減算（処分は留保）して損金の額に算入することができます。

　②　翌事業年度にこの税額が還付されたときの申告調整方法……翌事業年度還付された税額を、現預金／未収還付税金　の会計処理をして受入れることにより、未収還付税金が消滅しますので、「未収還付法人税等」を別表四で加算（処分は留保）し、別表五(一)のⅠの①欄にマイナスで記入されている金額を②欄に記入して消去します。そして、法人税及び住民税の還付額は、その合計額を別表四の「法人税等の中間納付額及び過誤納に係る還付金額18」に記入して減算（処分は留保）します。これにより、法人税及び住民税の還付額は、益金不算入となり、別表五(一)のⅠの「未納法人税及び未納地方法人税27」、「未納道府県民税29」及び「未納市町村民税30」それぞれの①欄の△符号欄にマイナスの金額として実質プラスで記入されている金額がその②欄で消去される金額と、上記の別表四の18欄で減算（留保）される金額とが、対応することになります。

　しかし、事業税及び特別法人事業税の還付額については、このような記入

（1205）

をしませんので、「未収還付法人税等」のなかに含めて別表四で加算されたままとなり、還付された事業年度において益金算入されることになります。

仮払税金として経理した中間申告の税金

> 【問27-10】 中間申告で納付した法人税・地方法人税、住民税及び事業税・特別法人事業税を全額仮払税金として経理しました。当事業年度に係る税額の全額を未払法人税等に計上しましたので、中間申告納付額については仮払税金との両建てになっていますが、この処理は適正ですか。また、確定申告書では、どのように記載して調整しますか。

【答】 中間申告で納付した税金のうち、期末貸借対照表に資産として計上するのが適正な金額は、【問27-9】に記載した確定申告の結果中間申告の税額の一部又は全部が還付される場合の還付税額に相当する金額です。確定申告で中間申告の税額を差し引いてなお納付すべき税額があるにもかかわらず、還付されない中間申告の税額を仮払税金として資産に計上するのは、返済される見込みのない資産の計上であり、適正でありません。また、御質問のように仮払税金を含めた金額で負債の部に未払法人税等を計上する処理は、資産、負債の両建てによって総資産の額を過大に表示するもので、適正でありません。

御質問のような処理をされたときの申告調整方法ですが、仮払税金は税法上資産性のないものとして、利益積立金額の計算に当たり減額します。したがって、別表四で減算（処分は留保）し、別表五(一)のⅠでは、③欄と④欄にそれぞれマイナスで記入し、そのうちの「法人税、地方法人税及び住民税に係るもの」と「事業税及び特別法人事業税に係るもの」について、それぞれ以下のとおりの申告調整をします。

(1) 法人税、地方法人税及び住民税に係るもの……別表四「加算」欄の「損金経理をした法人税及び地方法人税②」と「損金経理をした道府県民税及び市町村民税③」の欄でそれぞれ加算（処分は留保）し、別表五(一)のⅠでは、「未納法人税及び未納地方法人税㉗」、「未納道府県民税㉙」及び「未納市町村民税㉚」の③の「中間」の欄と②欄に記入します。別表五(一)の

（1206）

第27章　申告書の作成等

Ⅰの27、29及び30の欄はマイナス符号がついていますので、その②欄の記入額はマイナスの減でプラスになり、別表四の2欄及び3欄の「留保②」に記入した額と対応します。

　翌事業年度には、仮払税金と未払法人税等を相殺して仮払税金をゼロにする会計処理をしますので、別表五（一）のⅠでは、仮払税金を②欄にマイナスで記入して翌々事業年度への繰越額をゼロとし、別表四で同額を加算（処分は留保）します。一方、未払法人税等の相殺額については、別表五（一）のⅠの「納税充当金26」の②欄に記入し、別表四では、「納税充当金から支出した事業税等の金額13」の欄で減算（処分は留保）します。

> **(注)**　法人税及び住民税の未納付額は、貸借対照表上負債の部に「未払法人税等」という勘定科目で計上しますが、別表五（一）のⅠでは「納税充当金26」の欄に記入します。

(2) 事業税及び特別法人事業税に係るもの……当事業年度は、仮払税金として計上した金額を別表四で減算するだけで、(1)の法人税、地方法人税及び住民税に係るもののような加算調整は不要です。翌事業年度に仮払事業税等と未払事業税等を相殺したときの申告調整方法は、(1)で仮払税金と未払法人税等の相殺について説明したのと同じです。

> **(注)**　中間申告に係る事業税及び特別法人事業税は、事業年度末に仮払税金として経理されていても、中間申告書が提出された日の属する事業年度に損金算入されます。（基通9-5-1(1)）

> 〔事例〕　中間申告の法人税及び地方法人税が200,000円、府民税が20,000円、市民税が49,600円、事業税及び特別法人事業税が56,000円で、全額仮払税金に計上した場合の別表四、五(一)のⅠの記載方法は、次のとおりです。

(1207)

所得の金額の計算に関する明細書（簡易様式）

| 事業年度 | ・ ・
・ ・ | 法人名 | |

別表四（簡易様式）

区　　分		総　　額	処　　　　　分		
			留　保	社　外　流　出	
		①	②	③	
当期利益又は当期欠損の額	1	円	円	配　当	円
				その他	
加	損金経理をした法人税及び地方法人税(附帯税を除く。)	2	200,000	200,000		
	損金経理をした道府県民税及び市町村民税	3	69,600	69,600		
	損金経理をした納税充当金	4				
	損金経理をした附帯税(利子税を除く。)、加算金、延滞金(延納分を除く。)及び過怠税	5			その他	
	減価償却の償却超過額	6				
	役員給与の損金不算入額	7			その他	
	交際費等の損金不算入額	8			その他	
	通算法人に係る加算額(別表四付表「5」)	9			外※	
減	減価償却超過額の当期認容額	12				
	納税充当金から支出した事業税等の金額	13				
	受取配当等の益金不算入額(別表八(一)「5」)	14			※	
	外国子会社から受ける剰余金の配当等の益金不算入額(別表八(二)「26」)	15			※	
	受贈益の益金不算入額	16			※	
	適格現物分配に係る益金不算入額	17			※	
	法人税等の中間納付額及び過誤納に係る還付金額	18				
	所得税額等及び欠損金の繰戻しによる還付金額等	19			※	
	通算法人に係る減算額(別表四付表「10」)	20			※	
	仮払税金	21	269,600	269,600		
	仮払事業税等		56,000	56,000		

利益積立金額及び資本金等の額の計算に関する明細書

| 事業年度 | ・ ・
・ ・ | 法人名 | |

別表五（一）

I　利益積立金額の計算に関する明細書

区　　分		期首現在利益積立金額	当　期　の　増　減		差引翌期首現在利益積立金額①-②+③
			減	増	
		①	②	③	④
利　益　準　備　金	1	円	円	円	円
積　立　金	2				
仮払税金	3			△ 269,600	△ 269,600
仮払事業税等	4			△ 56,000	△ 56,000

未納法人税等	未納法人税及び未納地方法人税(附帯税を除く。)	27	△	△ 200,000	中間	△ 200,000	△
					確定	△	
	未払通算税効果額(附帯税の額に係る部分の金額を除く。)	28			中間		
					確定		
	未納道府県民税(均等割額を含む。)	29	△	△ 20,000	中間	△ 20,000	△
					確定	△	
	未納市町村民税(均等割額を含む。)	30	△	△ 49,600	中間	△ 49,600	△
					確定	△	
差　引　合　計　額		31					

（1208）

第27章　申告書の作成等

以上のように、中間申告の税金を仮払税金として資産に計上しますと、複雑な申告調整を要します。最初に述べたように、確定申告によってその一部又は全部が還付される場合を除いて中間申告の税金は仮払税金とせず、法人税、住民税及び事業税として、税引前当期純利益の次に計上するのが正しい処理です。

法人税を手形で納付委託したときの申告書の書き方

【問27-11】　資金繰りが苦しいため、中間申告に係る法人税を手形で納付委託しました。事業年度終了の日において、まだ当該手形のうちの未決済のものが残っています。手形を振り出したとき、法人税等／支払手形、という仕訳をしましたが、申告書では現金納付をした場合に準じた調整をすればよいのですか。

【答】　手形での税金の納付委託は、取立ての委任にすぎず、手形が決済されるまで納税したことになりません。当該税金の領収証書も、手形が決済されたときに発行されます。このため、事業年度終了の日現在未決済の手形で納付委託中の法人税については、納付済みの法人税の場合に準じた申告調整をすることはできません。

(注)　法人税を現預金で納付して、　法人税等／現預金　という仕訳をしたときは、別表四「損金経理をした法人税及び地方法人税[2]」で加算し、別表五(一)は「未納法人税及び未納地方法人税[27]」の②欄にマイナスの減として記載します。

御質問の場合は、事業年度終了の日現在未決済の手形で納付委託中の法人税の額を別表四で加算（処分は留保）し、別表五(一)のⅠの③欄と④欄に記載します。別表四及び別表五(一)のⅠの区分欄は、「納付委託税金未決済分」と記載すればよいでしょう。翌事業年度以後この手形が決済されたときに、「納付委託未決済分」を別表四で減算（処分は留保）し、別表五(一)のⅠで②欄に記載したうえで、上記の(注)に記した法人税を現金納付して損金経理した場合に準じた申告調整をします。

(1209)

法人税額の還付を受けたときの申告調整方法

> **【問27-12】** 法人税額の還付を受けたとき、現金／法人税等という仕訳をして受け入れました。別表四では「法人税等の中間納付額及び過誤納に係る還付金額⑱」と「所得税額等及び欠損金の繰戻しによる還付金額等⑲」のいずれに記入して減算するのですか。

【答】 還付を受ける法人税には、大別して次の三つがあります。還付を受けた法人税が、このうちのどれに該当するかによって、申告書別表四の⑱、⑲のいずれの欄に記入するのかが異なります。

① 所得税額（【問27-8】参照）、外国税額

② 中間申告に係る納付税額

③ 欠損金の繰戻しによる還付税額（【問24-8】参照）

　上記のうち、②は、「法人税等の中間納付額及び過誤納に係る還付金額⑱」の欄（処分は留保）に記入し、①と③は、「所得税額等及び欠損金の繰戻しによる還付金額等⑲」の欄（処分は社外流出）に記入します。これは、還付を受ける事業年度の前事業年度すなわち還付請求をする確定申告に係る事業年度終了の日において、これらの還付法人税額が利益積立金額に加わっているのかどうかによって、還付を受けた事業年度の申告書での処理方法が異なるからです。

　②の中間申告に係る納付税額は、還付請求をする確定申告書では、還付請求する法人税等の額を別表五(一)のⅠの㉗、㉙及び㉚の③の「確定」の欄と④欄にプラスで記入します。つまり、前事業年度末において利益積立金額に加えていますので、還付を受けた事業年度に記入する別表四の「減算」欄は処分欄が留保である⑱とし、別表五(一)のⅠでは①欄と②欄に記入します。いいかえますと、還付を受けたとき　現預金／法人税等　という仕訳をしたままでは、貸方の「法人税等」が損益計算書科目で再度利益積立金額に加わりますので、別表四の総額欄で益金不算入とするための減額をするに当たり、処分欄を留保とします。

　一方、①と③は、還付の請求をするかどうかが法人の任意とされています。すなわち、①の所得税等は、法人の所得の金額の計算上損金の額に算入しないで税額控除の規定の適用を受けるか、損金の額に算入して税額控除の規定

(1210)

第27章　申告書の作成等

の適用を受けないかを選択することができ、③の欠損金の繰戻しによる還付
も、欠損金を繰り戻すか繰り越すかを選択することができます。このように、
確定申告書を提出するまでこれらの税額について還付を請求するのかどうか
が決まりませんので、前事業年度末の利益積立金額に加えません。このため、
還付を受けた事業年度において、別表四で益金不算入とするための減算をし
ますが、⑲欄に記入してその処分を社外流出のマイナスすなわち社外流入と
し、利益積立金額に加えたままとします。

(注)　欠損金の繰戻しによる還付制度（法80）は、①事業年度終了の時の資本金の
　　　額若しくは出資金の額が１億円以下の普通法人で、かつ、法人税法第66条第５
　　　項第２号又は第３号に掲げるものに該当しない法人、②公益法人等又は協同組
　　　合等、③法人税法以外の法律の規定によって公益法人とみなされているもの及
　　　び④人格のない社団等には適用されますが、その他の法人については、令和８
　　　年３月31日までの間に終了する各事業年度に生じた欠損金額に対して、適用停
　　　止の措置がとられています。（措法66の12、【問24-８】参照）

　なお、法人税額の還付に併せて計算される還付加算金は、還付税金に対す
る利子で全額益金算入されますので、別表四で減算することはできません。

更正を受けた事業年度の翌事業年度の申告書の作成に当たり注意すべき事項

> 【問27-13】　前事業年度の法人税の確定申告について、税務調査に
> より更正を受けました。更正を受けた事項の事後処理はどのよう
> にすればよろしいですか。決算上の修正事項と申告書での調整事
> 項とに分けて説明してください。

【答】　更正通知書に記載される更正事項は、社外流出項目すなわち交際費等
の限度超過額の否認とか損金不算入となる役員給与の否認のように、後日損
金の額に算入されないものと、留保項目すなわち減価償却費の償却限度超過
額とか引当金・準備金の繰入額の限度超過額のように、後日損金の額に算入
されるものとに区分することができます。留保項目の否認額は、更正通知書
に併せて記載されている「翌期首現在利益積立金額」に記載されています。

　留保項目は、さらに長期留保項目と単年度留保項目に区分することができ
ます。具体的には、減価償却超過額（減価償却の計算や耐用年数の適用誤り

（1211）

による否認額、資本的支出とすべきものを修繕費とした場合の否認額、消耗品費等として処理した減価償却資産の取得価額の否認額等）、積立限度超過額について毎事業年度に洗い替える方式をとっていない準備金についての否認額、簿外資産として否認された貸付金等の債権や、実在しない負債として否認された借入金等の債務などが、長期留保項目に該当します。これらの項目は、更正のあった日の属する事業年度の決算において修正仕訳による受入れをしますと、当該事業年度の別表四で全額を減算（処分は留保）し、別表五(一)のⅠの②欄に記入して消去することができます。しかし、税務更正の結果による会計帳簿の修正をしないときは、全額を減算することはできず、例えば、減価償却超過額は、そのうちの以後の事業年度における償却限度額相当額を毎期申告減算していくことになります。（【問6-17】参照）

これに対して、棚卸資産の否認額は、翌事業年度に払出されて売上原価等になるか、翌事業年度末に在庫として残るかですので、翌事業年度末の棚卸資産の計上額を誤らなければ、修正仕訳をして受け入れる必要はありません。また、貸倒引当金及び返品調整引当金の繰入限度超過額は毎事業年度の洗替えによって消滅しますし、計上時期のズレとして否認された売掛金、未払費用などは翌事業年度の会計処理で訂正されますので、修正仕訳は不要です。これらが単年度留保項目で、翌事業年度に否認額の全額を別表四で減算（処分は留保）し、別表五(一)のⅠの②欄に記入して消去することができます。

なお、更正を受けた事業年度に係る事業税及び特別法人事業税は、更正のあった日から１月以内に修正申告をしますと、過少申告加算金が課されませんので（地法72の46①）、更正内容に不服がなければ、早急に修正申告をするのが有利です。

また、更正通知書を事業年度終了の日の直前に受け取ったため、同日までに更正に係る法人税又は地方税を納付していない場合は、次の事項に注意してください。

① 前事業年度の事業税及び特別法人事業税の修正申告による増加額は、当事業年度において損金の額に算入されます。（基通９-５-２、【問11-３】参照）損金経理により未払事業税等に計上する方法、申告減算する方法のいずれも認められます。

② 別表五(一)のⅠの期首現在利益積立金額は、更正通知書に記載された

（1212）

第27章　申告書の作成等

「翌期首現在利益積立金額」のとおり記載しますが、このなかの未納法人税、未納住民税には更正、修正による増加額が含まれており、事業年度末までに未納付の場合には、この増加額が期末の利益積立金額(別表五(一)のⅠの「差引翌期首現在利益積立金額④」)のなかに引き続き残ります。

(注)　更正通知書に記載された「翌期首現在利益積立金額」のうちの未納道府県民税と未納市町村民税は、更正後の法人税額に係る法人税割額が標準税率で計算されているため、実際に更正に基づく修正申告をした場合の税額と合致しないことがあります。翌事業年度の確定申告をするときに、当該額を住民税の修正申告後の実際の税額に訂正してください。

前事業年度の確定法人税額に基づく中間申告と仮決算をした場合の中間申告

> **【問27-14】**　事業年度が１年の会社ですが、前事業年度よりも当事業年度の業績が低下すると見込まれる場合、中間申告の法人税額はどのように計算するのですか。

【答】　事業年度が６月を超える普通法人（清算中のものを除きます。）は、その事業年度（下記⑦又は⑩の事業年度を除きます。）開始の日以後６月を経過した日から２月以内に、中間申告書を提出しなければなりません。（法71①）　なお、公益法人等、協同組合等及び人格のない社団等は、事業年度が６月を超える場合でも、中間申告書を提出する必要はありません。

⑦　新たに設立された普通法人のうち適格合併（被合併法人のすべてが収益事業を行っていない公益法人等であるものを除きます。）により設立されたもの以外のものの設立後最初の事業年度

⑩　収益事業を行っていない公益法人等が普通法人に該当することとなった場合のその該当することとなった日の属する事業年度

　中間申告書は、下記①の前事業年度の確定法人税額に基づいて納付税額を算定する中間申告書が基本ですが、これに代えて下記②の仮決算をした場合の中間申告書を作成して提出し、当該申告書に記載した税額を納付することもできます。

①　中間申告書として基本のもの（一般に「予定申告書」といいます。）

(1213)

……納付税額は次のとおりです。（法71①）

$$\text{前事業年度の} \times \frac{6}{\text{前事業年度の月数（1月未満の端数切上げ）}}$$

　この算式によって算出した納付税額が10万円以下又はゼロの場合は、中間申告書の提出を要しませんので（法71①ただし書）、この中間申告書、後記する②仮決算による中間申告書のいずれについても提出は不要です。

　前事業年度の確定法人税額は、当該事業年度開始の日以後6月を経過した日の前日までに確定した金額です。例えば、3月31日を事業年度終了の日とする法人ですと、中間申告書の提出期限は11月30日ですが、9月30日現在で確定している前事業年度の確定法人税額です。したがって、確定申告書を提出した後9月30日までに修正申告又は更正によって前事業年度の法人税額が変わった場合は、変更後の法人税額が前事業年度の確定法人税額となります。また、当該法人税額は、所得税額等の税額控除後の金額で、特定同族会社の特別税率の規定により課税された特別の法人税を含みますが、使途秘匿金の支出額に対する40％の追加法人税は含みません。（措政令38⑤）

　なお、中間申告書を提出期限までに提出しなかったときは、提出期限にこの①の中間申告書の提出があったものとみなされます。したがって、中間申告については、期限後申告は生じません。（法73）

②　仮決算をした場合の中間申告書……①の中間申告書での納付税額は、前事業年度の法人税額に基づきその6月分を月数あん分して計算した金額ですので、当事業年度の所得金額が前事業年度よりも減少すると見込まれるときは、過大な税額を中間申告により納付すべきことになります。そのようなときは、法人が事業年度開始の日以後6月の期間を一事業年度とみなして、当該期間に係る課税標準である所得の金額又は欠損金額を計算し、中間申告書を作成して提出することができます。（法72①）なお、受託法人（法人課税信託の受託者で、当該信託に係る信託財産が帰属する者として法人税法の適用を受ける法人）には、この規定は適用されません。

　ただし、上記①の算式によって算出した納付税額が10万円以下又はゼロとなる場合（法71①ただし書の規定により中間申告書を提出することを要しない場合）、又は当事業年度開始の日以後6月の期間を一事業年度とみ

（1214）

第27章　申告書の作成等

なして計算した法人税の額が上記①の算式によって算出した納付税額を超える場合（法72①二に掲げる金額が法71①一に掲げる金額を超える場合）は、この限りでないとされています。（法72①ただし書）したがって、②の仮決算をした場合の中間申告書の税額＞①の中間申告書の税額　となる②の中間申告書を提出することはできません。

(注)　この法72①ただし書の規定は、仮決算をした場合の中間申告書による納付税額を多額にし、確定申告によってそのうちの相当部分の金額の還付を受け、多額の還付加算金を収受する行為を排除するために設けられた規定です。

　仮決算であっても、棚卸資産の評価、減価償却計算、引当金の計算などは通常の決算どおりに行い、貸借対照表、損益計算書その他の添付書類、法人税申告書の別表も必要なものはすべて作成して提出しなければなりません。この場合、損金経理を要するものは、株主又は出資者に報告する当該期間に係る決算書及びその作成の基礎となった帳簿に、費用又は損失として記載しなければなりません。（基通１−７−１）

　なお、当該期間の所得の金額に係る法人税の額の計算に当たり、特定同族会社の特別税率の規定（法67）及び仮装経理に基づく過大申告の場合の更正に伴う法人税額の控除の規定（法70）の適用はありませんが（法72①二かっこ書）①の中間申告書とは逆に、使途秘匿金の支出額に対する40％の追加法人税の規定（措法62）は適用されます。

地方税の中間申告税額の計算方法

> **【問27-15】**　住民税や事業税及び特別法人事業税の中間申告額は、どのように計算するのですか。

【答】　法人税について中間申告書を提出しなければならないときは、地方税についても中間申告書を提出しなければなりません。仮決算による中間申告書を提出するときは、確定申告書を提出するときと同じ方法で税額の計算をしますが、前事業年度の確定税額に基づく中間申告書を提出するときは、次のとおり税額の計算をします。

①　事業税（地法72の26①）及び特別法人事業税

$$（前事業年度の確定税額）\times \frac{6}{前事業年度の月数}$$

（1215）

月数の計算、前事業年度の税額の確定の日などは、法人税の場合と同じであり、法人税法第71条第1項ただし書の規定により法人税の中間申告書の提出を要しない法人（【問27-14】参照）は、法人事業税の中間申告書の提出も不要です。（地法72の26⑧）分割法人は、各都道府県ごとに確定している前事業年度の税額によって、上記の計算をします。

② 住民税（地法53①、321の8①、地政令8の6①、48の10）

$$
（前事業年度の法人税割額）\times\frac{6}{前事業年度の月数}+\left[\begin{array}{c}均等割\\の年額\end{array}\right]\times\frac{6}{12}
$$

月数の計算、前事業年度の法人税割額の確定の日などは、①事業税に記載したのと同じです。

小会社の確定申告書提出期限の延長

> 【問27-16】 当社（3月31日決算）は会計監査人設置会社でないのですが、定款で定時株主総会は毎年6月に開催すると規定しています。法人税法第75条の2の規定による確定申告書の提出期限の延長を申請した場合、承認されるでしょうか。

【答】 会社法上会計監査人を置かなければならない株式会社は、監査等委員会設置会社、指名委員会等設置会社と大会社ですが（会社法327⑤、328）、その他の株式会社も定款の定めによって、会計監査人を置くことができます。（会社法326②）貴社は、会計監査人を必置機関とする前者の会社でなく、任意機関とする後者の会社ですが、定款に会計監査人を置く旨の定めをされていないわけです。

一方、会社法は、基準日を定めて、その日に株主名簿に記載又は記録されている株主（以下「基準日株主」といいます。）を権利行使者と定めることができると規定していますが、その場合、基準日株主が行使できる権利は、基準日から3か月以内に行使するものに限るとされています。（会社法124①②）定時株主総会で権利行使者となる株主の基準日は、一般的に、事業年度末日ですので、定時株主総会での権利は、事業年度末日から3か月以内に行使できるものでなければなりません。逆にいえば、基準日を定めたときは、定時株主総会は事業年度末日後3か月以内に開催すればよいことになります。

第27章　申告書の作成等

　以上により、貴社のような会計監査人設置会社でない会社でも、定款で定時株主総会の開催日を事業年度末日後3か月以内の日までと定めることができます。そのような定めをしますと、事業年度末日後2か月以内に定時株主総会を開催することができなくなり、法人税法第75条の2第1項に規定されている「定款等の定めにより、各事業年度終了の日の翌日から2月以内に当該各事業年度の決算についての定時株主総会が招集されない常況にあると認められる場合」に該当しますので、確定申告書の提出期限の延長を申請することができます。この提出期限の延長が認められる期間は、原則として1月間ですが、保険会社のように保険業法第11条の規定によって事業年度終了後4か月以内に株主総会を開催することが認められている法人や、会計監査人設置会社で、定款の定めにより定時株主総会を事業年度終了後3か月を超えてから開催している法人（【問27-17】参照）は、別途税務署長が指定する月数まで、期間を延長することが認められます。

　なお、確定申告書の提出期限の延長の承認を受けないで、事業年度終了の日の翌日から2月以内に確定申告書を提出しないときは、無申告加算税が課されますので、御注意ください。

株主総会の開催日が決算日後3月を超える場合の確定申告書提出期限の延長

> 【問27-17】　当社は3月31日決算の上場会社で、会社法上の大会社に該当する会社です。現在は毎年6月下旬に株主総会を開催していますが、株主総会での株主との対話を充実させるため、準備期間を十分確保して、株主総会を7月に開催することを検討しています。株主総会の開催が7月になった場合、法人税等の確定申告書の提出期限はどうなるのでしょうか。

【答】　上場会社の定時株主総会の開催日は、決算日から3か月目の後半（3月31日決算会社ですと、6月下旬）に集中していますが、株主総会での株主との対話を充実するためには、企業情報の開示資料の作成その他の作業に時間を要することや、現状では株主にとって議案を検討する期間が短すぎることから、決算日から3か月を超えてからの定時株主総会の開催を検討する会

（1217）

社もあるようです。会社法では、基準日を定めて、その日に株主名簿に記載又は記録されている株主（以下「基準日株主」といいます。）を権利行使者と定めることができるとし、その場合、基準日株主が行使できる権利は、基準日から3か月以内に行使するものに限るとされています。（会社法124①②）3月31日決算の貴社の場合、定款で、定時株主総会の議決権の基準日を4月30日と定めた場合は、定時株主総会を7月中に開催することができます。なお、この場合、決算日現在の株主とその決算期の定時株主総会で議決権を行使できる株主が異なることとなります。

　法人税法では、確定申告書の提出期限を事業年度終了の日の翌日から2月以内としていますが（法74①）、定款等の定めにより、その事業年度以後の各事業年度終了の日の翌日から2月以内に各事業年度の決算についての定時株主総会が招集されない常況にあると認められる場合は、所轄税務署長は、その法人の申請に基づき、確定申告書の提出期限を1月延長できるものとされています。（法75の2①）　そして、その法人が会計監査人を置いている場合で、かつ、定款等の定めによりその事業年度以後の各事業年度終了の日の翌日から3月以内に各事業年度の決算についての定時株主総会が招集されない常況にあると認められる場合、税務署長は、定款等の定めの内容を勘案して4月を超えない範囲内で税務署長が指定する月数の期間、確定申告書の提出期限を延長することができるものとされています。（法75の2①一）　したがって、最長期間の延長が認められますと、事業年度終了の日の翌日から6月以内が確定申告書の提出期限となります。

　貴社の場合、定款変更により定時株主総会の招集が7月となったときは、「定款等の定めによりその事業年度以後の各事業年度終了の日の翌日から3月以内に各事業年度の決算についての定時株主総会が招集されない常況にあると認められる場合」に該当しますので、申請により、確定申告書の提出期限は7月末までに延長されます。申請の期限は、提出期限の延長を受けようとする申告書に係る事業年度終了の日です。（法75の2③）

　なお、事業税についても、上記と同様の規定（上記の場合、申請により確定申告書の提出期限の延長を認める規定）が設けられています。（地法72の25③）

第27章　申告書の作成等

法令違反の嫌疑により帳簿書類を押収された場合の確定申告期限の延長

【問27-18】　当社は３月31日決算の会社で、法人税法第75条の２の規定による確定申告書の提出期限の延長の特例を受けています。５月20日に法令違反の嫌疑により捜査機関に帳簿書類を押収されました。このため、確定申告書の提出期限である６月30日までに決算書を作成して定時総会で承認を受けることが困難になりましたが、提出期限を延長してもらうことができますか。

【答】　災害その他やむを得ない理由により決算が確定しないため、法人税の確定申告書をその提出期限までに提出できないと認められる場合には、事業年度終了の日の翌日から45日以内に納税地の所轄税務署長に申請して、提出期限の延長の承認を受けることができます。（法75①②）この場合の「災害その他やむを得ない理由」には、御質問にある法令違反の嫌疑等による帳簿書類の押収も含まれると解されます。

　ところが、御質問の場合、５月20日に帳簿書類を押収されたとのことですので、その日には事業年度終了の日の翌日から45日が経過しています。この場合、上記法人税法第75条の適用を受けるのに代えて、これと選択適用の認められている国税通則法第11条「災害等による期限の延長」の規定の適用を受けるのも一つの方法です。

　国税通則法第11条による申告、申請等の期限の延長の方法には、災害が広範囲にわたったため国税庁長官が地域及び期日等を指定して延長を認める地域指定（国通令３①）及び災害等のやむを得ない理由による場合の国税庁長官による対象者の範囲や延長する期日の指定（国通令３②）と、その理由を書面に記載した法人の申請によって認める個別指定（国通令３③④）とがありますが、御質問の場合は後者の申請をすることになります。

　しかし、前記の法人税法第75条の規定の適用に関して、事業年度終了の日から45日を経過した日後災害その他やむを得ない理由が発生した場合においても、同条の規定に準じた取扱いをする旨が法人税基本通達17－１－１に示されています。御質問の場合は、この取扱いによることができると考えられますので、国税通則法第11条の規定でなく、法人税法第75条の規定の適用が受けられるでしょう。この場合、災害その他やむを得ない理由の発生後直ちに確

（1219）

定申告書の提出期限延長の申請書を提出しなければなりません。当該申請書には、次の事項を記載しなければなりませんので、②の「指定を受けようとする期日」については、担当弁護士等の所見を聞いて、判断することが必要です。

① 確定申告書の提出期限までに決算が確定しない理由（法75②）
② 指定を受けようとする期日（同上）
③ 申請をする法人の名称、納税地及び法人番号（法規則36）
④ 代表者の氏名（同上）
⑤ 当該申告書に係る事業年度終了の日（同上）
⑥ 指定を受けようとする期日までその提出期限の延長を必要とする理由（同上）
⑦ その他参考となるべき事項（同上）

税効果会計を適用したときの申告調整方法

> 【問27-19】　税効果会計の適用によって、貸借対照表に計上される繰延税金資産又は繰延税金負債は、どのような方法で申告調整すればよいのですか。

【答】　税効果会計とは、貸借対照表に計上されている資産及び負債の金額と課税所得の計算の結果算定された資産及び負債の金額との間に差異（これを「一時差異」といいます。）がある場合、当該差異に係る法人税等の金額を適切に期間配分することにより、税引前当期純利益の金額と法人税等の金額を合理的に対応させるための会計処理です。（財表規則8の11かっこ書）

　一時差異には、将来減算一時差異と将来加算一時差異とがあります。

・将来減算一時差異……減価償却費、繰延資産の償却費、貸倒引当金等の引当金繰入額等の損金算入限度超過額、損金不算入となる棚卸資産等に係る評価損等のように、会計上の費用又は損失計上時期が税務での損金算入時期よりも先行するものです。（税効果会計基準注解注2参照）

・将来加算一時差異……繰越利益剰余金からの振替えによって積み立てる圧縮積立金、租税特別措置法上の諸準備金、法人税基本通達5-3-9による貸方原価差額調整額（【問4-36】参照）のように、会計上費用又は損失に計上していないにもかかわらず税務上損金算入され、翌事業年度以後に益金算入されるものです。（税効果会計基準注解注3参照）

（1220）

第27章　申告書の作成等

　将来減算一時差異は、将来その金額が損金算入される事業年度に、「当該一時差異の金額×法定実効税率」相当額の法人税等の額が減少しますので、将来減算一時差異を有する事業年度末に、（借方）繰延税金資産／（貸方）法人税等調整額、の仕訳をして、貸借対照表の資産の部に「繰延税金資産」を計上し、損金算入された事業年度に、この逆の仕訳をします。

　一方、将来加算一時差異は、将来その額が益金算入される事業年度に、「当該一時差異の金額×法定実効税率」相当額の法人税等の額が増加しますので、将来加算一時差異を有する事業年度末に、（借方）法人税等調整額／（貸方）繰延税金負債、の仕訳をして、貸借対照表の負債の部に「繰延税金負債」を計上し、益金算入された事業年度に、この逆の仕訳をします。

　これらの処理によって貸借対照表に計上される繰延税金資産又は繰延税金負債は、いずれも税務では資産性又は負債性のないものです。したがって、利益積立金額の計算に当たり、繰延税金資産はマイナス項目、繰延税金負債はプラス項目となりますので、この点を念頭において、別表四と別表五（一）のⅠで申告調整します。

　いいかえれば、繰延税金資産は中間申告税額等の還付額について計上する未収還付税金に、繰延税金負債は確定申告による要納付額について計上する未払法人税等に、税務上の性格が類似しているといえます。しかし、翌事業年度以後に未収還付税金は還付税金の受入れというキャッシュ・フロー・インにより、未払法人税等は税金の納付というキャッシュ・フロー・アウトによって決済されるのに対して、繰延税金資産、繰延税金負債は翌事業年度以後に納付税額の減少又は増加という効果は生じますが、直接のキャッシュ・フローによって決済されるものでないという違いがあります。

（1221）

繰延税金資産についての申告調整の事例（Ⅰ）

> **【問27-20】** X1期に棚卸資産評価損100万円を計上しましたが、税
> 務上は損金不算入となりました。X2期にこのうちの80万円を処
> 分して当該額だけ損金算入した場合、X1期とX2期における①税
> 効果会計の適用に当たっての仕訳と、②申告調整方法は、どのよ
> うになりますか。なお、法定実効税率は、X1期末は35％でしたが、
> X2期末には税法改正によって30％になりました。

【答】　(1)　X1期の処理方法は、次のとおりです。

①　税効果会計の適用に当たっての仕訳……棚卸資産評価損（将来減算一時
　差異）の額100万円にX1期末の法定実効税率35％を乗じた額35万円につい
　て、（借方）繰延税金資産35万円／（貸方）法人税等調整額35万円の仕訳
　をします。

②　申告調整方法……法人税等調整額の貸方計上額35万円を別表四で減算
　（処分は留保）し、別表五(一)のⅠで繰延税金資産35万円を③欄と④欄に
　マイナスで記入します。

(2)　X2期の処理方法は、次のとおりです。

①　税効果会計の適用に当たっての仕訳……棚卸資産評価損（将来減算一時
　差異）の額は、X1期計上額100万円のうち80万円が当該棚卸資産の一部の
　処分によって損金算入されたことにより20万円となりますので、これに
　X2期末の法定実効税率30％を乗じた額６万円がX2期末での繰延税金資産
　の額になります。これにより、X1期末に計上した繰延税金資産35万円と
　この６万円との差額29万円について、（借方）法人税等調整額29万円／（貸
　方）繰延税金資産29万円　の仕訳をします。

　　この29万円を分析すると、次のイの28万円とロの１万円の合計額になり
　ます。

イ　将来減算一時差異の減少によるもの……80万円×0.35＝28万円

ロ　法定実効税率の変更によるもの……20万円×（0.35－0.3）＝１万円

　　なお、税効果会計基準は、「繰延法」でなく「資産負債法」を採ってい
　ますので、将来減算一時差異に係る繰延税金資産及び将来加算一時差異に
　係る繰延税金負債の金額は、繰延税金資産の回収又は繰延税金負債の支払

（1222）

が行われると見込まれる事業年度の税率により計算します。このため、税法改正によって税率が変更されたとき（翌事業年度以後に適用される税法改正案等によって将来税率の変更が行われることが確実になったときを含みます。）は、繰延税金資産及び繰延税金負債の金額は、変更後の税率によって計算し直します。また、本問のような将来減算一時差異について繰延税金資産を計上するためには、それが解消される事業年度に課税所得が発生し、当該事業年度において申告減算による税効果（税額の減少）が生ずるという繰延税金資産の回収可能性があることが必要です。

(注) 税効果会計基準では採られていませんが、「繰延法」によるときは、X2期末に80万円（X2期における将来減算一時差異の減少額）×0.3（X2期末の法定実効税率）＝24万円について、（借方）法人税等調整額24万円／（貸方）繰延税金資産24万円　の処理をしますので、X2期末の繰延税金資産の額は35万円－24万円＝11万円となり、将来減算一時差異の額20万円に対して合理的に対応しない金額になります。しかし、X2期の法人税等調整額は、「資産負債法」の場合の29万円でなく、当該期に申告減算される80万円に当該期末の法定実効税率30％を乗じた額である24万円となります。

② 申告調整方法……法人税等調整額の借方計上額29万円を別表四で加算（処分は留保）し、別表五(一)のⅠには下記のとおり記入します。なお、将来減算一時差異である棚卸資産評価損についても、下記の別表五(一)のⅠにあわせて記入しています。

Ⅰ　利益積立金額の計算に関する明細書			
区　　　　分	期　首　現　在 利 益 積 立 金 額	当　期　の　増　減		差引翌期首現在 利 益 積 立 金 額 ①－②＋③
		減	増	
	①	②	③	④
利　益　準　備　金　1	円	円	円	円
積　立　金　2				
棚卸資産評価損　3	1,000,000	800,000		200,000
繰延税金資産　4	△ 350,000	△ 290,000		△ 60,000

（1223）

繰延税金資産についての申告調整の事例（Ⅱ）

> **【問27-21】** 税効果会計では、税法上の繰越欠損金と外国税額の繰
> 越控除限度超過額も将来減算一時差異に準ずるものとして繰延税
> 金資産を計上する場合があるとのことですが、次の事例について
> 税効果会計を適用する場合の仕訳と申告調整方法は、それぞれど
> のようになりますか。
>
> (1) 欠損金額がX1期に800万円、X2期に200万円生じました。い
>   ずれもその繰越期間内に課税所得が発生し、法人税法第57条第
>   1項の規定の適用を受けることができると見込まれます。なお、
>   法定実効税率はX1期末は35％でしたが、X2期末には税法改正
>   によって30％になりました。
>
> (2) 外国税額の繰越控除限度超過額がX1期に90万円生じました。
>   その繰越期間内に生ずる控除余裕額によって、税額控除の適用
>   が受けられる見込みでいたところ、X2期に控除余裕額が35万
>   円生じ、同額の税額控除の適用を受けました。

【答】 (1) 税法上の繰越欠損金について、翌事業年度以後に法人税法第57条
第1項の規定（【問24-4】参照）の適用が受けられる見込みの場合、翌事業
年度以後発生する所得金額に対する法人税等の額が減少しますので、税効果
会計では、当該繰越欠損金に法定実効税率を乗じた金額について、繰延税金
資産を計上します。

　御質問の場合は、次のとおりになります。

	税効果会計の仕訳	申告調整方法
X1期	繰延税金資産　280万円 ／法人税等調整額　280万円	法人税等調整額280万円を別表四で減算（処分は留保）し、繰延税金資産280万円を別表五(一)のⅠの③と④にマイナスで記入します。
X2期	繰延税金資産　20万円 ／法人税等調整額　20万円	法人税等調整額20万円を別表四で減算（処分は留保）し、別表五(一)のⅠは次のとおり記入します。

(1224)

第27章　申告書の作成等

I　利益積立金額の計算に関する明細書				
区　　分	期 首 現 在 利 益 積 立 金 額 ①	当 期 の 増 減		差 引 翌 期 首 現 在 利 益 積 立 金 額 ①-②+③ ④
		減 ②	増 ③	
繰 延 税 金 資 産　　3	△ 2,800,000		△ 200,000	△ 3,000,000

(注1)　X1期の仕訳の金額280万円は、欠損金額800万円に当該期末の法定実効税率35％を乗じた金額です。

(注2)　X2期の仕訳の金額20万円は、当該事業年度末の欠損金額の合計額1,000万円に法定実効税率30％を乗じた金額300万円と、直前事業年度（X1期）末の繰延税金資産の額280万円の差額で、分析すると次のイの60万円とロの40万円の差額になります。

　イ　欠損金額の増加による増加額　　200万円×0.3＝60万円

　ロ　法定実効税率の変更による減少額　　800万円×（0.35－0.3）＝40万円

(2) 外国税額の繰越控除限度超過額について、繰越期間内に生ずる控除余裕額によって税額控除の適用が受けられる見込みの場合、将来の法人税等の額が減少しますので、税効果会計では当該繰越控除限度超過額を繰延税金資産に計上します。

　この場合、所得税額について還付又は税額控除を受ける場合に準じて未収入金に計上する方法も考えられますが、所得税額は必ず還付又は税額控除が受けられますが、外国税額の繰越控除限度超過額は、繰越期間内に控除余裕額が生じなければ税額控除の適用を受けることができず、回収可能性の判断が必要です。このため、税効果会計の一環として処理し、税額控除の適用が受けられると見込まれる金額だけを、繰延税金資産に計上します。

　御質問の場合は、次のとおりになります。

	税効果会計の仕訳	申告調整方法
X1期	繰延税金資産　90万円 　／法人税等調整額　90万円	法人税等調整額90万円を別表四で減算（処分は留保）し、繰延税金資産90万円を別表五㈠のⅠの③と④にマイナスで記入します。
X2期	法人税等調整額　35万円 　／繰延税金資産　35万円	法人税等調整額35万円を別表四で加算（処分は留保）し、別表五㈠のⅠは次のとおり記入します。

（1225）

I 利益積立金額の計算に関する明細書				
区　　　分	期　首　現　在 利 益 積 立 金 額 ①	当　期　の　増　減		差引翌期首現在 利 益 積 立 金 額 ①-②+③ ④
		減 ②	増 ③	
繰延税金資産　3	△　900,000	△　350,000		△　550,000

(注)　この場合は、税額控除の額が税効果会計の対象ですので、繰越控除限度超過
　　　額が繰延税金資産の額となります。したがって法定実効税率を乗ずることがな
　　　く、法定実効税率の変動に伴う調整は生じません。

租税特別措置法上の準備金等の繰延税金負債相当額を差し引いての積立て

【問27-22】　税効果会計を適用する場合、繰越利益剰余金からの振
替えによる圧縮積立金や租税特別措置法上の諸準備金（以下「準
備金等」といいます。）の積立額は、これらに係る繰延税金負債
の額を差し引いた額とするとのことですが、税法は準備金等とし
て積み立てることを条件に損金算入を認めていると思います。上
記のような方法では、繰延税金負債相当額として差し引いた金額
は、損金の額に算入することができなくなるのではありませんか。

【答】　税効果会計を適用する場合の諸準備金等の積立額について、税効果会
計基準は「租税特別措置法上の諸準備金等が資本の部に計上されている場合
には、当該諸準備金等に係る繰延税金負債を、当該準備金等から控除して計
上するものとする。」（同基準前文四３）と定めており、企業会計基準適用指
針第28号「税効果会計に係る会計基準の適用指針」の第15項にも、「諸準備
金等の積立額は、繰延税金負債の計上額を控除した額となる。」と同様の指
針が示されています。

　この方法によった場合、繰越利益剰余金からの振替えによる諸準備金の積
立額が積立限度額よりも繰延税金負債相当額だけ少なくなり、御質問のよう
な税法上の疑問が生じます。しかし、上記の適用指針は日本公認会計士協会
の公表していた実務指針を平成30年２月に改正したもので、そのもととなっ
た「個別財務諸表における税効果会計に関する実務指針」は日本公認会計士
協会が国税庁等関係各方面との意見調整を経て公表したものです。また、当
該実務指針はその第46項「税務申告上の取扱い」において、「税効果相当額

(1226)

第27章　申告書の作成等

を控除した純額により諸準備金等が純資産の部に計上されることになるが、その場合には、税務上の諸準備金等の積立額を明らかにするために、当該諸準備金等の額とこれに関連する繰延税金負債額の種類別の明細表を作成し、財務諸表とともに法人税申告書に添付することが必要となる。当該明細表には税務上の諸準備金等の種類別の増減が明らかになるよう当該諸準備金等の繰入額及び取崩高並びにこれらに係る繰延税金負債の額を記載する。」とし、別紙として「積立金方式による諸準備金等の種類別の明細表」を掲げていました。

　これに関して、国税庁の質疑応答事例「税効果会計を適用している法人が租税特別措置法上の諸準備金等を剰余金の処分により積み立てた場合における損金算入額（法人税申告書に「明細表」を添付する場合)」で、上記の取扱いどおりの手続をすれば、御質問にある税法上の問題は生じない旨の回答をしています。

　諸準備金等について損金算入される金額は、積立限度額に対して剰余金の処分（繰越利益剰余金からの振替え）で積み立てた金額と繰延税金負債として負債の部に計上した金額の合計額となり、上記の明細表はこの内訳を示すものです。

(注)　「積立金方式による諸準備金等の種類別の明細表」の様式は、上記の質疑応答事例又は「個別財務諸表における税効果会計に関する実務指針」を御覧ください。なお、【問27-23】及び【問27-24】に記載する事例の解説のなかで、当該明細書の一部を事例の金額等を記入して掲げています。

繰延税金負債についての申告調整の事例

> 【問27-23】 X1期に特別償却準備金の積立限度額が700万円生じま
> したので、租税特別措置法第52条の3第1項かっこ書に規定され
> ている剰余金の処分による積立金の積み立てを行い、損金の額に
> 算入しました。X2期にこの積立金のうち100万円を剰余金の処分
> で取り崩して益金の額に算入しますが、X1期とX2期における、
> ①税効果会計の適用に当たっての仕訳と②申告調整方法は、どの
> ようになりますか。なお、法定実効税率は、X1期末は35％でし
> たが、X2期末には税法改正によって30％になりました。

【答】 剰余金の処分で積み立てられる圧縮積立金や租税特別措置法上の準備
金（以下「準備金等」といいます。）の損金算入額は、税効果会計では将来
加算一時差異であり、これに法定実効税率を乗じた金額について、繰延税金
負債が計上されます。この場合、税効果会計適用のもとで剰余金の処分（繰
越利益剰余金からの振替え）で積み立てられ株主資本等変動計算書に記載さ
れる金額は、【問27-22】で説明したように、準備金等の額から、これに係る
繰延税金負債の額を差し引いた金額になります。

(1) X1期の処理方法は、次のとおりです。

① 税効果会計の適用に当たっての仕訳……特別償却準備金の積立限度額
（将来加算一時差異となる額）700万円のうち、繰越利益剰余金からの振
替えで積み立てる金額は700万円に65％（1－0.35（X1期末の法定実効税
率））を乗じた455万円であり、法定実効税率35％を乗じた245万円は繰延
税金負債とします。したがって、仕訳は次のとおりになります。

| 繰越利益剰余金 | 455万円 | ／特別償却準備金 | 455万円 |
| 法人税等調整額 | 245万円 | ／繰延税金負債 | 245万円 |

② 申告調整方法……法人税等調整額245万円を別表四で加算（処分は留保）
し、繰延税金負債245万円を別表五(一)のⅠの③欄と④欄にプラスで記入
します。繰越利益剰余金からの振替えにより積み立てる特別償却準備金
455万円は、別表五(一)のⅠの③欄と④欄にプラスで記入します。そして、
245万円と455万円の合計額700万円が損金算入されますので、「特別償却準
備金認容」として別表四で減算（処分は留保）し、別表五(一)のⅠの③欄

(1228)

と④欄にマイナスで記入します。これによる別表五(一)のⅠの記載は、次のとおりになります。

Ⅰ　利益積立金額の計算に関する明細書				
区　　　分	期首現在利益積立金額	当期の増減		差引翌期首現在利益積立金額①-②+③
		減	増	
	①	②	③	④
特別償却準備金 3			4,550,000	4,550,000
繰延税金負債 4			2,450,000	2,450,000
特別償却準備金認容 5			△7,000,000	△7,000,000

　　また、「積立金方式による諸準備金等の種類別の明細表」を次ページから次々ページの表1のとおり記載して、確定申告書に添付しなければなりません。

(2)　X2期の処理方法は、次のとおりです。

①　税効果会計の適用に当たっての仕訳……特別償却準備金（将来加算一時差異）の額は、剰余金の処分での100万円取崩し後で700万円－100万円＝600万円になりますので、特別償却準備金を取崩して繰越利益剰余金に振替える金額は、この600万円に70％（1－0.3（X2期末の法定実効税率））を乗じた額420万円とX1末の積立額455万円の差額35万円となります。X2期末の繰延税金負債の額は、600万円に当該期末の法定実効税率30％を乗じた額180万円となり、X1末に計上した繰延税金負債245万円との差額65万円を減少させます。したがって、仕訳は次のとおりになります。

　　　特別償却準備金　　　　35万円／繰越利益剰余金　　　35万円
　　　繰延税金負債　　　　　65万円／法人税等調整額　　　65万円

(注)　特別償却準備金の取崩額35万円を分析すると、次のイの70万円とロの35万円の差額になります。

　イ　将来加算一時差異の減少による減少額……100万円×（1－0.3）＝70万円
　ロ　法定実効税率の変更による増加額
　　　　　　　　……700万円×｛（1－0.3）－（1－0.35）｝＝35万円

　　また、繰延税金負債の減少額65万円を分析すると、次のイの30万円とロの35万円の合計額になります。

　イ　将来加算一時差異の減少による減少額……100万円×0.3＝30万円
　ロ　法定実効税率の変更による減少額……700万円×（0.35－0.3）＝35万円

（1229）

〔表1〕

類　別 （適用法令）	科　目	期首残高			税率変更による調整額		
		X0年4月1日 現在 繰延税金負債	X0年4月1日現在 準備金等	一時差異	法人税等調整額による調整額	X1年3月期 準備金等調整額	税率変更後 一時差異
○○特別償却額 （租税特別措置法第○条第○項第○号）	繰延税金負債						
	特別償却準備金						
合　計							

〔表2〕

類　別 （適用法令）	科　目	期首残高			税率変更による調整額		
		X1年4月1日 現在 繰延税金負債	X1年4月1日現在 準備金等	一時差異	法人税等調整額による調整額	X2年3月期 準備金等調整額	税率変更後 一時差異
○○特別償却額 （租税特別措置法第○条第○項第○号）	繰延税金負債	2,450,000		2,450,000	△350,000		2,100,000
	特別償却準備金		4,550,000	4,550,000		350,000	4,900,000
合　計		2,450,000	4,550,000	7,000,000	△350,000	350,000	7,000,000

②　申告調整方法……法人税等調整額65万円を別表四で減算（処分は留保）し、繰延税金負債65万円を別表五(一)のⅠの②欄にプラスで記入します。剰余金の処分で取り崩して繰越利益剰余金へ振替える特別償却準備金35万円は、別表五(一)のⅠの②欄にプラスで記入します。そして、この合計額100万円が益金算入されますので、「特別償却準備金認容」として別表四で加算（処分は留保）し、別表五(一)のⅠの②欄にマイナスで記入します。これによる別表五(一)のⅠの記載は、次のとおりになります。

Ⅰ　利益積立金額の計算に関する明細書				
区　分	期首現在 利益積立金額 ①	当期の増減		差引翌期首現在 利益積立金額 ①−②+③ ④
		減 ②	増 ③	
特別償却準備金　3	4,550,000	350,000		4,200,000
繰延税金負債　4	2,450,000	650,000		1,800,000
特別償却準備金認容　5	△7,000,000	△1,000,000		△6,000,000

〔表1つづき〕

繰入額			取崩高			期末残高		
法人税等調整額による調整額	X1年3月期準備金等調整額	一時差異増加額	法人税等調整額による調整額	X1年3月期準備金等調整額	一時差異減少額	X1年3月31日現在繰延税金負債	X1年3月期準備金等	一時差異
2,450,000		2,450,000				2,450,000		2,450,000
	4,550,000	4,550,000					4,550,000	4,550,000
2,450,000	4,550,000	7,000,000				2,450,000	4,550,000	7,000,000

〔表2つづき〕

繰入額			取崩高			期末残高		
法人税等調整額による調整額	X2年3月期準備金等調整額	一時差異増加額	法人税等調整額による調整額	X2年3月期準備金等調整額	一時差異減少額	X2年3月31日現在繰延税金負債	X2年3月期準備金等	一時差異
			300,000		300,000	1,800,000		1,800,000
				700,000	700,000		4,200,000	4,200,000
			300,000	700,000	1,000,000	1,800,000	4,200,000	6,000,000

　また、「積立金方式による諸準備金等の種類別の明細表」を1230ページから1231ページの表2のとおり記載して、確定申告書に添付しなければなりません。

過年度遡及会計基準の概要

【問27-24】　過年度遡及会計基準について、その概要を説明してください。会計方針の変更があった場合以外に、この基準による会計処理が必要になるのは、どのような場合ですか。

【答】　「会計上の変更及び誤謬の訂正に関する会計基準（過年度遡及会計基準）」の概要等は以下のとおりです。

(1) 遡及適用をするものとしないものの区分

この基準により、会計上の変更及び過去の誤謬の訂正について、遡及処理をするものとしないものが、次のとおり区分されています。

区　分		会計上の原則的な取扱い
会計上の変更	会計方針の変更	遡及処理する（遡及適用する）
	表示方法の変更	遡及処理する（財務諸表の組替えをする）
	会計上の見積りの変更	遡及処理しない
過去の誤謬の訂正		遡及処理する（修正再表示する）

(注)　会計方針の変更を会計上の見積りの変更と区分することが困難な場合は、会計上の見積りの変更と同様に取扱い、遡及処理をしません。固定資産の償却方法は会計方針に該当しますが、その変更は会計上の見積りの変更と同様に取扱い、遡及をしないとされています。（過年度遡及会計基準（以下「基準」と略します。）19、20）

(2) 遡及適用及び修正再表示の具体的方法と税務申告への影響

会計方針を変更したときの「遡及適用」とは、新たな会計方針を過去の財務諸表に遡って適用していたかのように会計処理することをいい（基準4(9)）、過去の誤謬の訂正をしたときの「修正再表示」とは、過去の財務諸表における誤謬の訂正を財務諸表に反映させることをいいます。（基準4(11)）「遡及処理」とは、遡及適用、財務諸表の組替え又は修正再表示により、過去の財務諸表を遡及的に処理すること（基準27）ですが、表示する財務諸表のうち最も古い期間の期首の資産、負債及び純資産の額に反映することとされています。（基準7）

会社法上の計算書類は当期のみの開示とされていますので、上記の「表示する財務諸表のうち最も古い期間」は、当期となります。このため、遡及適用及び修正再表示を行いますと、資産、負債又は純資産の同一の科目について前期の計算書類の計上額と当期の計算書類の期首繰越額とが不一致となるものが生じますので、当期の法人税申告書の別表五(一)の「期首現在利益積立金額①」の記載に当たり、前期の同表の「差引翌期首現在利益積立金額④」の記載額との間で、それぞれの「差引合計額㉛」は変わりませんが、個別項目の金額に異動が生ずるものが生じます。

（1232）

第27章　申告書の作成等

　当事業年度に会計方針の変更をした場合の具体的な事例を、【問27-25】
と【問27-26】に記載しています。

会計方針の変更（棚卸資産の評価方法の変更）をした事業年度の会計処理と税務申告書の作成方法

> 【問27-25】　棚卸資産の評価基準を原価基準から低価基準に変更し
> た場合（評価方法は総平均法で変更していません。）、過年度遡及
> 会計基準による会計処理、当期の計算書類での表示方法及び税務
> 申告書の作成方法は、どのようになりますか。具体例で教えてく
> ださい。なお、棚卸資産の評価方法を原価法から低価法に変更す
> る変更承認申告書（法政令30②）は適法に税務署長に提出し、当
> 期末までに承認を受けています。また当社は、税効果会計（法定
> 実効税率30％）を適用しています。

【答】　(1)　会計処理と計算書類での記載方法

　前期末の棚卸資産の残高（原価基準による評価額）は1,000でしたが、
低価基準での評価額は900であったとしますと、過年度遡及会計基準によ
って、当期首の棚卸資産前期繰越高は900とすることになります。前期の
棚卸資産の残高1,000との差額は、この会計基準適用前は前期損益修正損
（特別損失）としてきましたが、適用後は繰越利益剰余金を減少させるこ
とになりました。この棚卸資産の評価差額100は、税効果会計での将来減
算一時差異になりますので、法定実効税率を乗じた30を繰延税金資産に計
上します。これにより、当期の期首に下記Ⓐの仕訳をします。

Ⓐ　繰越利益剰余金　70／棚卸資産　100
　　繰延税金資産　　　30／

　繰越利益剰余金の減少額70は、損益計算書でなく株主資本等変動計算書
に記載して、前期から繰越した繰越利益剰余金（800であったとします。）
を減少させます。当期純利益が2,000で、他に繰越利益剰余金の増減項目
がなかったとしますと、当期の株主資本等変動計算書の繰越利益剰余金の
部分は、次のとおりになります。

（1233）

株主資本等変動計算書（抜粋）

繰越利益剰余金

当期首残高	800
会計方針変更による変動額	△ 70
遡及基準適用後当期首残高	730
当期変動額	
当期純利益	2,000
当期変動額　計	2,000
当期末残高	2,730

(注) 協同組合等のような株主資本等変動計算書を作成しない法人の場合は、過年度遡及会計基準の適用により繰越利益剰余金を増減させた金額は、損益計算書の当期剰余金（当期損失金）の次に下記のように記載して、当該基準の適用による増減額であることを明らかにします。

当期剰余金（当期損失金）

当期首繰越剰余金（当期首繰越損失金）

過年度××××計上額

当期末処分剰余金（当期末処理損失金）

　(注)　過年度××××計上額は、過年度遡及会計基準適用による変動額です。

繰延税金資産30は、当期末に法人税等調整額へ振替えます。

Ⓑ　法人税等調整額　30　／　繰延税金資産　30

(2) 税務申告書の作成方法

① 別表四で調整する事項

イ　加算する事項……上記Ⓑの仕訳は、税務では行われない仕訳ですので、法人税等調整額を加算（留保）します。

ロ　減算する事項……期首棚卸資産を100減少させ900としたことにより、損益計算書の売上原価が100減少しますが、期首棚卸資産の税務上の帳簿価額は会計方針変更前の1,000ですので、税務上の売上原価は損益計算書の売上原価よりも100多いことになります。これにより、売上原価（過年度遡及）100を減算（留保）します。

以上により、当期の別表四は、他に調整すべき事項がないとした場合、次のとおりになります。

(1234)

第27章　申告書の作成等

区　分		総　額	留　保	社外流出
当期利益又は当期欠損の額		2,000	2,000	
加算	法人税等調整額	30	30	
減算	売上原価（過年度遡及）	100	100	
所得金額又は欠損金額		1,930	1,930	

②　別表五(一) I の記載方法

　　別表五(一) I の「繰越損益金[25]」は、繰越利益剰余金の会計帳簿の金額のとおりにしますので、その①欄の金額は上記Ⓐの仕訳をした後の金額730（800－70）となります。①欄の「差引合計額[31]」は、前期の④欄の「差引合計額[31]」と同額にしなければなりませんので、[25]欄の減少額70に対応して、Ⓐの仕訳で減少させた棚卸資産100をプラスで、Ⓐの仕訳で計上した繰延税金資産30は税務上資産でありませんのでマイナスで①欄に記載します。これにより①欄の「差引合計額[31]」は、△30＋100－70＝0で、変動しないことになります。

　　棚卸資産100は当期中に売上原価となり、繰延税金資産30はⒷの仕訳で法人税等調整額へ振替えられてなくなりますので、いずれも当期中の増減の減②欄に記載して消去します。棚卸資産100の消去額は、別表四の売上原価100の減算額と対応し、繰延税金資産△30の消去額は、別表四の法人税等調整額30の加算額と対応します。「繰越損益金[25]」には、株主資本等変動計算書に記載したとおりの繰越利益剰余金の異動を記載します。（実際は、①欄の730を②欄に記載し、④欄に記載される2,730（繰越利益剰余金の当期末残高）を③欄に記載します。）

　　別表五(一) I は次のとおりになり、差引合計額の当期増加額2,730－800＝1,930は、別表四の留保の最下欄の金額と合致します。

（1235）

利益積立金額及び資本金等の額の計算に
関する明細書

| 事業
年度 | ・・ | 法人名 | |

別表五(一)

Ⅰ　利益積立金額の計算に関する明細書

区　　分		期首現在 利益積立金額 ①	当　期　の　増　減		差引翌期首現在 利益積立金額 ①−②+③ ④
			減 ②	増 ③	
利　益　準　備　金	1	円	円	円	円
積　立　金	2				
棚卸資産	3	100	100		
繰延税金資産	4	△ 30	△ 30		
	5				

| 繰越損益金（損は赤） | 25 | 730 | | 2,000 | 2,730 |
| 納　税　充　当　金 | 26 | | | | |

未納法人税等	未納法人税及び 未納地方法人税 （附帯税を除く。）	27	△	△	中間 △ 確定 △	△
	未払通算税効果額 （附帯税の額に係る部分の金額を除く。）	28			中間 確定	
	未納道府県民税 （均等割額を含む。）	29	△	△	中間 △ 確定 △	△
	未納市町村民税 （均等割額を含む。）	30	△	△	中間 △ 確定 △	△
差　引　合　計　額	31	800	70	2,000	2,730

第27章　申告書の作成等

税効果会計の適用初年度の処理と申告書の記載方法

> 【問27-26】　税効果会計を初めて適用する場合、過年度遡及会計基準の適用による会計処理及び税務申告書の作成方法は、どのようになりますか。

【答】　税効果会計の初めての適用が会計方針の変更に該当する場合、過年度遡及会計基準により、変更後の会計方針を過去の期間に遡及適用し、遡及適用による前期以前の累積的影響額を当期の期首残高に反映する会計処理（影響を受ける資産又は負債及び純資産の部の繰越利益剰余金に反映する会計処理）をすることになります。（【問27-24】参照）

　税効果会計の適用初年度の直前事業年度に仮に税効果会計が適用されていた場合、当該事業年度末の貸借対照表において下記の会計処理が行われていたわけです。

① 　直前事業年度末における「将来減算一時差異×法定実効税率」の額を繰延税金資産」として資産に計上し、「将来加算一時差異×法定実効税率」を繰延税金負債として負債に計上する会計処理。

② 　直前事業年度末の貸借対照表に計上されている圧縮積立金及び租税特別措置法上の準備金（以下「準備金等」といいます。）は、法定実効税率を乗じた額を繰延税金負債に振替え、「準備金等×（１－法定実効税率)」の額を減少させる会計処理。

　この会計処理を行わずに作成された前事業年度の計算書類によって別表五（一）の④欄の金額が記載されており、当事業年度の別表五（一）の①欄は、この会計処理を行った場合の会計帳簿の金額によって記載されますので、差引合計額は変わりませんが、その記載内容は変わることになります。

〔事例〕　適用初年度である当期の期首と期末における将来減算一時差異と将来加算一時差異（以下「一時差異」といいます。）及びその期中の異動状況は、次表のとおりでした。なお、適用初年度末の法定実効税率は、30％です。（単位：千円）また、前期末における繰越利益剰余金の額は300千円でした。

（1237）

	期　首		期　中		期　末	
	将来減算一時差異	将来加算一時差異	減	増	将来減算一時差異	将来加算一時差異
棚卸資産評価減	1,000		300	200	900	
減価償却超過額	1,000		200	500	1,300	
一括償却資産償却超過額	100		50	150	200	
賞与引当金	500		500	600	600	
退職給付引当金	200			300	500	
役員退職慰労引当金	500			100	600	
未払事業税	100		100	1,000	1,000	
特別償却準備金認容額		700	※100			600
圧縮積立金認容額		500				500
合　　計	3,400	1,200	◎1,050	2,850	5,100	1,100
合計の差引額	＋2,200		＋1,800		＋4,000	

(注) 特別償却準備金認容額は将来加算一時差異ですので、その期中減（※印）は△100とし、期中減の合計（◎印）は1,050としています。

類　別（適用法令）	科　目	期首残高			期首残高の調整額		
		X0年4月1日現在繰延税金負債	X0年4月1日現在準備金等	一時差異	過年度税効果調整額	税効果会計適用に伴う取崩額	調整後一時差異
○○特別償却額（租税特別措置法第○条第○項○号）	繰延税金負債				210,000		210,000
	特別償却準備金	700,000	700,000			△210,000	490,000
合　　計		700,000	700,000		210,000	△210,000	700,000
固定資産圧縮記帳額（租税特別措置法第○条第○項第○号）	繰延税金負債				150,000		150,000
	圧縮積立金	500,000	500,000			△150,000	350,000
合　　計		500,000	500,000		150,000	△150,000	500,000

第27章　申告書の作成等

(1) 繰延税金資産及び繰延税金負債の期中の異動状況は、次のとおりです。

	期　首	期　中	期　末
イ　繰延税金資産	1,020（3,400×0.3）	＋510	1,530（5,100×0.3）
ロ　繰延税金負債	360（1,200×0.3）	△ 30	330（1,100×0.3）
ハ　繰延税金資産のB/S計上額（イ－ロ）	660	＋540	1,200

　　繰延税金資産と繰延税金負債は、B/S表示に当たって相殺しますので、B/Sには繰延税金資産として（ハ）の金額が計上されます。

(2) 当期が税効果会計の適用初年度になることによって、前期末300千円であった繰越利益剰余金は、①繰延税金資産の計上によって660千円増加し、②特別償却準備金210千円（700千円×0.3）と圧縮積立金150千円（500千円×0.3）の減少によって360千円増加しますので、1,320千円（300千円＋660千円＋360千円）となります。

　　これが過年度遡及会計基準の適用による当期の期首の資産、負債及び繰越利益剰余金への影響額であり、仕訳で示しますと次のとおりです。（この仕訳は前期末に行われるべきものであり、当期首に行いません。）

① 　繰延税金資産　　　　　660　／　繰越利益剰余金　660

② 　特別償却準備金　　　　210　／　繰越利益剰余金　360

　　圧縮積立金　　　　　　150　／

繰入額			取崩高			期末残高		
法人税等調整額による調整額	X1年3月期準備金等調整額	一時差異増加額	法人税等調整額による調整額	X1年3月期準備金等調整額	一時差異増加額	X1年3月31日現在繰延税金負債	X1年3月期準備金等	一時差異
			30,000		30,000	180,000		180,000
				70,000	70,000		420,000	420,000
			30,000	70,000	100,000	180,000	420,000	600,000
						150,000		150,000
							350,000	350,000
						150,000	350,000	500,000

(3) 事例に掲げた項目について、当期中に行う仕訳は、次のとおりです。

① 繰延税金資産540／法人税等調整額540（(1)の表の㈥の期中増）

② 特別償却準備金70／繰越利益剰余金70

（特別償却準備金の認容額は100千円減少していますが、特別償却準備金の期首の額はその税効果相当額を差し引いた額としましたので、繰越利益剰余金へ振り替える額は、100千円×（1－0.3）＝70千円となります。）

①と②による繰越利益剰余金の増加額は、610千円（540千円＋70千円）となります。

(4) 事例に掲げた項目について、前期の別表五(一) I の④欄と当期の別表五(一) I の①欄、当期におけるその異動の内容を記載しますと次表（単位：千円）のとおりになり、項目の記載内容は変わりますが、前期の別表五(一) I の④欄と当期の別表五(一) I の①欄の合計は合致し、税効果会計の適用を始めても、利益積立金額の合計額は変わらないことがわかります。

区　分（項目）	前期	当　期			
	④	①	②	③	④
棚卸資産評価減	1,000	1,000	300	200	900
減価償却超過額	1,000	1,000	200	500	1,300
一括償却資産償却超過額	100	100	50	150	200
賞与引当金	500	500	500	600	600
退職給付引当金	200	200		300	500
役員退職慰労引当金	500	500		100	600
特別償却準備金	700	490	70		420
特別償却準備金認容額	△700	△700	△100		△600
圧縮積立金	500	350			350
圧縮積立金認容額	△500	△500			△500
繰延税金資産		△660		△540	△1,200
繰越損益金㉕	300	1,320		610	1,930
納税充当金㉖のうちの未払事業税	100	100	100	1,000	1,000
合　計	3,700	3,700	1,120	2,920	5,500

（1240）

第27章　申告書の作成等

（注１）　別表五（一）Ⅰの繰越損益金㉕は、①の額を②に記載し、③には④の額を記載しますが、上記の表は説明との関係をわかりやすくするため、（3）に記載した繰越利益剰余金の増加額610を③欄に記載しています。

（注２）　「未払事業税」は、通常未払法人税及び未払住民税との合計額で「納税充当金㉖」欄に記載します。この「納税充当金㉖」欄の記載額のうち、将来減算一時差異となるのは、翌事業年度に納付したときに損金算入される未払事業税だけですので、税効果会計ではこの金額を区分して把握しておく必要があります。

(5)「積立金方式による諸準備金等の種類別の明細表」は、適用初年度の場合「税率変更による調整額（法人税等調整額による調整額、第　期準備金等調整額、税率変更後一時差異）」の欄を「期首残高の調整額（過年度税効果調整額、税効果会計適用に伴う取崩額、調整後一時差異）」とし、事例の場合は、1238ページ及び1239ページのように記載します。

租税特別措置の適用額明細書の作成と提出

> **【問27-27】**　「租税特別措置の適用状況の透明化等に関する法律」についてその創設の趣旨とこの法律による制度の概要を説明してください。

【答】　租税特別措置の適用状況の透明化等に関する法律（以下「租特透明化法」といいます。）は、租税特別措置に関し、適用の実態を把握するための調査とその結果の国会への報告等の措置を定めることによって、適用の状況の透明化を図るとともに、適宜、適切な見直しを推進し、国民が納得できる公明で透明性の高い税制の確立に寄与することを目的として、平成22年３月31日に公布され、同年４月１日から施行された法律です。

　この法律の第３条第１項は、「法人税申告書を提出する法人で、法人税関係特別措置の適用を受けようとするものは、「適用額明細書」を法人税申告書に添付しなければならない。」と定めています。

　法人税関係特別措置とは、租税特別措置法第３章「法人税法の特例」に規定されたもののうち、内国税を軽減し、若しくは免除し、若しくは還付する措置又はこれらの税に係る納税義務、課税標準若しくは税額の計算、申告書

（1241）

の提出期限若しくは徴収に係る法律の特例ですので（租特透明化法２①一、二）、特別償却限度額を損金算入する特例（直接簿価減額方式か準備金方式かを問いません。）、中小企業者等の法人税率の特例、試験研究を行った場合等の法人税額の特別控除、給与等の支給額が増加した場合の法人税額の特別控除、中小企業者等の貸倒引当金の特例、収用等に伴い代替資産を取得した場合等の課税の特例、中小企業者等の少額減価償却資産の取得価額の特例など、すべて法人税関係特別措置に該当します。

　租税特例措置の適用額明細書の様式は、本問の末尾に掲げるとおりですが、この明細書を法人税申告書に添付せず、又は虚偽の記載をしたものを添付して法人税申告書を提出した場合は、その法人税申告書に係る事業年度において、適用を受けようとする法人税関係特別措置の適用はないものとされます。（租特透明化法３②）

　税務署長は、適用額明細書の添付がなかった場合又は虚偽がある適用額明細書の提出があった場合でも、誤りのない適用額明細書の提出があったときは、当該適用額明細書に係る法人税関係特別措置を適用することができるとされていますが、故意に適用額明細書を添付せず、又は虚偽の記載をした適用額明細書を添付して法人税申告書を提出したと認められるときは、この宥恕規定は適用されません。（租特透明化法３③）

　租税特別措置法の規定の適用を受けて法人税額又は所得の金額を軽減させようとする場合は、法人税申告書にこの適用額明細書を添付する必要があることに留意し、万一添付もれ又は適用額の記載誤り等があったときは、速やかにその提出又は誤りのない適用額明細書の提出をすることが必要です。

第27章　申告書の作成等

別記様式

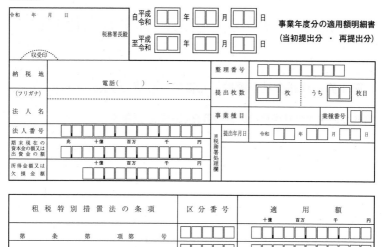

（注１）　「事業種目」、「業種番号」は、法人の属する業種について、この明細書の記載要領の２に掲げられている表の78種類のなかの該当するものを記載します。

（注２）　「区分番号」は法人が適用を受ける租税特別措置法の条項の区分に応じて、この明細書の記載要領の４に掲げられた番号を、「適用額」は条項の区分ごとに記載要領の４に掲げられている法人税申告書別表の番号の欄に記載されている金額を記載します。

第28章　解散した法人に対する課税方法

第1節　株式会社が解散した後の会社法の手続

解散した株式会社の解散の日の翌日以後の事業年度

> **【問28-1】** 法人が事業年度の中途で解散した場合の事業年度の特例が法人税法第14条第1項第1号に定められていますが、株式会社が事業年度の中途で解散した場合、解散の日の翌日から始まる最初の事業年度は、その日から定款に定めている事業年度の終了の日となるのですか。

【答】 法人税法第14条第1項第1号は、内国法人が事業年度の中途において解散（合併による解散を除く。）をした場合、事業年度は解散の日に終了し、次の事業年度は解散の日の翌日から開始する旨を規定しています。このため、解散の日の翌日から2月後の日（法人税法第75条の2の規定による確定申告書提出期限延長の承認を受けている場合は延長された提出期限の日）を申告期限として、解散事業年度（事業を営んだ最終の事業年度）の確定申告をしなければなりません。なお、解散の日とは、株主総会その他これに準ずる総会等の決議において解散の日を定めたときはその定めた日、定めなかったときは解散の決議の日、解散事由の発生により解散した場合は当該事由発生の日をいいます。（基通1-2-4）

(注) 法人に破産手続の開始決定があった場合は、その破産手続開始決定の日が解散の日となります。

次に、御質問にある解散の日の翌日から始まる最初の事業年度ですが、事業年度の意義を規定した法人税法第13条第1項は、「事業年度とは、法人の財産及び損益の計算の単位となる期間で、法令で定めるもの又は法人の定款等に定めがあるものをいい、（以下、省略）」と定めています。この法令には、下記の会社法第494条第1項の規定が含まれます。

会社法第494条第1項 清算株式会社は、法務省令で定めるところにより、

(1244)

第28章　解散した法人に対する課税方法

各清算事務年度（第475条各号（清算の開始原因）に掲げる場合に該当することとなった日の翌日又はその後毎年その日に応当する日（応当する日がない場合にあっては、その前日）から始まる各１年の期間をいう。）に係る貸借対照表及び事務報告並びにこれらの附属明細書を作成しなければならない。

このため、株式会社が解散等（会社法第475条各号（下記）に掲げる場合をいいます。）をした場合における清算中の事業年度は、当該株式会社が定款で定めた事業年度にかかわらず、会社法第494条第１項に規定する清算事務年度になります。（基通１-２-９）したがって、株式会社が事業年度の中途で解散した場合、清算中の最初の事業年度は、解散の日の翌日から始まる１年の期間となります。例えば、３月31日決算の会社が11月30日に解散した場合、清算中の最初の事業年度は12月１日から翌年11月30日までの１年間です。

　　会社法第475条　株式会社は、次に掲げる場合には、この章（会社法第９章　清算）の定めるところにより、清算をしなければならない。
一　解散した場合（第471条第４号に掲げる事由（合併）によって解散した場合及び破産手続開始の決定により解散した場合であって当該破産手続が終了していない場合を除く。）
二　設立の無効の訴えに係る請求を認容する判決が確定した場合
三　株式移転の無効の訴えに係る請求を認容する判決が確定した場合

ただし、上記の会社法第494条の規定は、株式会社（特例有限会社を含みます。（会社法施行に伴う整備法２））についての規定であり、株式会社でも破産手続開始の決定により解散した場合は、この規定の適用はありません。したがって、持分会社が事業年度の中途で解散した場合及び株式会社が破産手続開始の決定により解散した場合における清算期間の最初の事業年度は、解散の日の翌日から定款に定められた事業年度の終了の日までとなります。
　(注)　一般社団法人又は一般財団法人が一般社団法人及び一般財団法人に関する法第206条各号（清算の開始原因）に該当する解散をした場合における清算中の事業年度についても、定款で定めた事業年度にかかわらず、同法第227条第１項（貸借対照表等の作成及び保存）に規定する清算事務事業年度になります。（基通１-２-９）

（1245）

株式会社の解散事業年度の決算と株主総会の承認の要否

> 【問28-2】 株式会社の場合、解散事業年度の決算について、臨時
> 株主総会を開催してその承認を受けなければなりませんか。

【答】 法人が事業年度の途中で解散した場合、税法上その事業年度開始の日
から解散の日までの期間と、解散の日の翌日からその事業年度終了の日まで
の期間をそれぞれ当該法人の事業年度とするのは、法人の所得の金額を、解
散の日以前のいわゆる解散事業年度のものとその後のものとに区分する必要
があるからです。法人税の確定申告は、確定した決算（株主総会、社員総会
その他これらに準ずる機関によって承認を受けた決算）に基づいて行わなけ
ればなりませんが（法74①）、解散事業年度の決算については、株主総会で
の承認を要するという規定が会社法にありません。したがって、臨時株主総
会の開催は不要です。

　会社法第492条には、次のとおり規定されます。

会社法第492条

① 清算人（清算人会設置会社にあっては、代表清算人又は代表清算人以外の
　清算人で清算人会の決議により当該会社の業務を執行する清算人として選定
　されたもの（同法489⑦））は、その就任後遅滞なく、清算株式会社の財産の
　現況を調査し、法務省令で定めるところにより、清算の開始原因に該当する
　こととなった日における財産目録及び貸借対照表（以下「財産目録等」とい
　う。）を作成しなければならない。

② 清算人会設置会社においては、財産目録等は、清算人会の承認を受けなけ
　ればならない。

③ 清算人は、財産目録等（前項の規定の適用がある場合にあっては、同項の
　承認を受けたもの）を株主総会に提出し、又は提供し、その承認を受けなけ
　ればならない。

　上記の規定の第3項の株主総会に提出する財産目録等のなかの貸借対照表
は、予測換価価値による財産評価額に基づいて作成されるもので、通常の事
業年度において作成される貸借対照表のように当該財産評価前の帳簿価額か
ら算出された財産評価額によって作成されるものでなく、また、損益計算書
及び株主資本等変動計算書の作成、提出及び承認は必要とされていません。

（1246）

第28章　解散した法人に対する課税方法

解散事業年度の所得の金額の計算には、このような予測換価価値による財産の評価額の増減を織り込むことはできませんので、会社法第492条の規定による貸借対照表とは別に、税法では会計帳簿から作成した貸借対照表、損益計算書及び株主資本等変動計算書の作成が必要になりますが、この貸借対照表、損益計算書及び株主資本等変動計算書は、会社法に規定がありませんので、株主総会の承認は不要です。

最後事業年度の確定申告書の提出と株主総会での清算事務報告書承認との関係

> 【問28-3】　最後事業年度の清算確定申告書は、原則として残余財産が確定した日の翌日から1月以内に提出しなければならないとされていますが、当該事業年度の決算は、会社法第507条第3項に規定されている株主総会において承認を受けることになるのですか。

【答】　清算中の内国法人についてその残余財産が確定した場合には、当該残余財産の確定の日の属する事業年度すなわち当該法人の最後事業年度の確定申告書の提出期限は、残余財産確定の日の翌日から1月以内（当該翌日から1月以内に残余財産の最後の分配又は引渡しが行われる場合には、その行われる日の前日まで）と規定されています。（法74②）残余財産の最後の分配又は引渡しの後には、納税資金が残りませんので、上記のかっこ書の規定によって残余財産の最後の分配又は引渡し前に最後事業年度の確定申告書を提出するときは、当該申告書の提出期限までに当該申告書に記載した法人税を納付しなければなりません。（法77）

　御質問にある会社法第507条第3項に規定されている株主総会（以下「清算事務終了報告総会」といいます。）は、清算株式会社が清算事務終了後遅滞なく、法務省令（会社規則150）の定めにより作成した決算報告を清算人が提出して、その承認を受けるためのものです。

会社法第507条

① 　清算株式会社は、清算事務が終了したときは、遅滞なく、法務省令で定めるところにより、清算報告を作成しなければならない。

（1247）

② 清算人会設置会社においては、決算報告は、清算人会の承認を得なければならない。

③ 清算人は、決算報告（前項の規定の適用がある場合にあっては、同項の承認を受けたもの）を株主総会に提出し、又は提供し、その承認を受けなければならない。

上記規定の第1項にある法務省令で定める決算報告には、残余財産の額（支払税額がある場合には、その税額及び当該税額を控除した後の財産の額）とその1株当たりの分配額を記載しなければなりませんので、第3項の規定にある株主総会は、残余財産の分配後に開催されます。

最後事業年度の確定申告書の提出と税金の納付も、清算事務終了報告総会で報告すべき清算事務に含まれますので、当該総会で承認された決算報告に基づいて最後事業年度の確定申告書を提出することにはなりません。いいかえれば、最後事業年度の確定申告には決算確定主義に準じた考えはなく、当該申告に係る決算に記載された残余財産の額は、上記の総会の決議によって確定するのでなく、追認されることになります。

第28章　解散した法人に対する課税方法

第2節　平成22年10月1日以後に解散した場合の課税

清算所得課税の廃止に伴う財産課税から所得課税への移行

> 【問28-4】　平成22年度税法改正で清算所得課税が廃止され、解散
> した法人に対する課税方法が財産課税から所得課税に変更されま
> したが、所得課税となりますと、残余財産がないのに法人税が課
> 税されることが生じないのでしょうか。

【答】　平成22年度の税法改正で、従来内国法人である普通法人又は協同組合
等が解散した場合、清算中に生じた各事業年度の所得には法人税を課税せず
（平22改正前法6）、清算所得に対して法人税を課する（同法5後段）とし
てきたのを、解散後も各事業年度の所得に対する法人税を課す（法5）こと
に改められました。この改正は、平成22年10月1日以後に解散若しくは破産
手続開始の決定が行われる法人の残余財産が確定する場合における当該法人
の各事業年度の所得に対する法人税について適用されますので、平成22年9
月30日までに解散若しくは破産手続の開始が行われた法人に対しては、従来
どおり清算所得課税が行われます。（平22改所法等附10②）

　清算所得に対する法人税の課税標準は、解散による清算所得の金額であり
（平22改正前法92①）、清算所得の金額は、「残余財産の価額 −（解散時の資
本金等の額＋解散時の利益積立金額）」（同法93①）ですので、清算中に資産
処分益、債務免除益等による所得が生じても、残余財産の価額を限度に課税
されます。このため、解散時に債務超過であった会社が清算中に債権者から
債務免除を受けて残余財産を0にして清算結了する場合には、この債務免除
益には課税されないことになるという清算中に生じた所得の金額でなく、残
余財産の金額を限度に課税する財産課税の方法でした。

　改正によって、解散後も各事業年度の所得に対する法人税を課すという所
得課税の方法に変わりますと、残余財産がなく納税資金がないにもかかわら
ず、清算中に債務免除を受けたこと等による所得が生ずることがあり得ます。
このため改正後の制度には、「解散した法人に残余財産がないと見込まれる
ときは、【問28-5】で説明する「期限切れ欠損金の損金算入」を認める。」と
いう法人税法第59条第4項の規定が設けられています。

（1249）

（注） 債務超過会社が債権者から債務免除を受け、残余財産を０として清算する場合、①会社が解散する前に債務免除を受けますと、上記「期限切れ欠損金の損金算入」に関する規定が適用されませんので、当該債務免除益を含めて計算した所得の金額が繰越欠損金の損金算入額を超えますと、課税所得が生じます。一方、②会社が解散した後に債務免除を受けますと、残余財産がないと見込まれるときには「期限切れ欠損金の損金算入」に係る規定が適用されますので、当該債務免除益には課税されません。

所得課税への移行に伴って行われる期限切れ欠損金の損金算入制度

> **【問28-5】** 平成22年10月１日以後に解散する法人に対する所得課税に当たり、適用される「期限切れ欠損金の損金算入制度」は、どのようなものですか。

【答】 【問28-4】で説明しましたように、平成22年10月１日以後に解散する普通法人又は協同組合等に対しては、解散後も各事業年度の所得に対する法人税が課されることになり（法５）、これに伴う通常所得課税の整備として、法人税法第59条第４項に、次のとおり「期限切れ欠損金の損金算入制度」の規定が設けられました。

　「内国法人が解散した場合において、残余財産がないと見込まれるときは、その清算中に終了する事業年度（以下「適用年度」という。）前の各事業年度において生じた欠損金額を基礎として政令（法政令117の５）で定めるところにより計算した金額に相当する金額は、「残余財産の確定の日の属する事業年度の事業税等（事業税及び特別法人事業税）の損金算入前の所得金額」を限度として、当該適用年度の所得の金額の計算上、損金の額に算入する。」

　上記の法人税法施行令第117条の５に定める金額が、「期限切れ欠損金額」といわれるもので、この金額は、「下記の㋑の金額から下記㋺の金額を控除した金額」とされています。

㋑　適用年度（清算中に終了する事業年度）終了の時における前事業年度以前の事業年度から繰り越された欠損金額の合計額（当該適用年度終了の時における資本金等の額が０以下である場合には、当該欠損金額の合計額から当該資本金等の額を減額した金額）

（1250）

第28章　解散した法人に対する課税方法

「前事業年度以前の事業年度から繰り越された欠損金額の合計額」は、当該事業年度の確定申告書に添付する法人税申告書別表五(一)のⅠに期首現在利益積立金額の合計額として記載されるべき金額で、当該金額がマイナスである場合の当該金額による。ただし、当該金額が申告書別表七(一)に控除未済欠損金額として記載されるべき金額未満の場合には、当該控除未済欠損金額として記載されるべき金額によるとされています。(基通12-3-2)

㋺　欠損金の繰越し（法57①）の規定により適用年度の所得の金額の計算上損金の額に算入される欠損金額

「期限切れ欠損金額」といいますと、過去の事業年度において期限切れとなった欠損金額の累計額で、過去に遡って調査する必要があるように思われますが、上記の㋑の金額から㋺の金額を控除した金額として計算することができる金額です。

この制度は、適用年度の確定申告書に別表七(四)の「解散の場合の欠損金の損金算入に関する明細書」の記載があり、かつ、残余財産がないと見込まれることを説明する書類（法規則26の6三）の添付がある場合に限り適用するとされています。(法59⑥) ただし、この記載又は書類の添付のない確定申告書の提出があった場合においても、その記載又は書類の添付がなかったことについて税務署長がやむを得ない事情があると認めるときは、この制度を適用することができるという、宥恕規定があります。(法59⑦)

別表七(四)の「解散の場合の欠損金の損金算入に関する明細書」は、その⑤欄から⑫欄（次ページに掲げています。）を記載し、その「当期控除額⑩」の金額を適用年度の別表四の「欠損金等の当期控除額44」の欄に上記の㋺の金額（別表七(一)の「当期控除額④」の計に記載される金額）に加えて記載して、損金の額に算入します。

〔事例〕

A社は債務超過で業績回復の見通しがないため、令和6年10月31日に解散し、その最後事業年度（令和6年11月1日から令和7年3月31日まで）において債権者から債務免除を受け、残余財産を0として清算結了しました。上記の㋑の金額について、最後事業年度の確定申告書に添付する別表五(一)の利益積立金額の31の①の金額は△50,000千円、資本金等の額の36の④の金額

（1251）

は10,000千円で、上記の㋺の金額（青色欠損金の当期控除額）は20,000千円であり、最後事業年度の事業税の損金算入前の所得金額（別表四43の①の金額）は、債務免除益42,000千円を受けたことにより、この金額から清算中の諸費用2,000千円を差引いた40,000千円となっています。この場合の別表七（四）の5欄から12欄までの記載は、下記のとおりになります。

(注) 「適用年度終了の時における資本金等の額6」は、法人税法第59条第4項の規定の適用を受ける場合についてのみ記載します。（同表の記載要領2）

民事再生等評価換えが行われる場合以外の再生等欠損金の損金算入及び解散の場合の欠損金の損金算入に関する明細書		事業年度	6・11・1 7・3・31	法人名	A 社	別表七（四）
債務免除等による利益の内訳	債務の免除を受けた金額 1	円		所得金額差引計 9 （別表四「43の①」）－（別表七（一）「4の計」）		円 20,000,000
	私財提供を受けた金銭の額 2					
	私財提供を受けた金銭以外の資産の価額 3			当 期 控 除 額 10 （注）（8）と（9）のうち少ない金額		20,000,000
	計 (1)＋(2)＋(3) 4					
欠損金額等の計算	適用年度終了の時における前期以前の事業年度から繰り越された欠損金額 5	50,000,000		調整前の欠損金の翌期繰越額 11 （13の計）		0
	適用年度終了の時における資本金等の額 6 （別表五(一)「36の④」）（プラスの場合は0）	△ 0				
	欠損金の当期控除額 7 （別表七(一)「4の計」）	20,000,000		欠損金額からないものとする金額 12 （（10）と（11）のうち少ない金額）		0
	差 引 欠 損 金 額 (5)－(6)－(7) 8	30,000,000				

別表四では、「差引計43」に40,000千円、「欠損金等の当期控除額44」に40,000千円（上記別表七（四）の720,000千円と1020,000千円の合計額）が記載されます。

（1252）

第28章　解散した法人に対する課税方法

期限切れ欠損金額の損金算入の要件である「残余財産がないと見込まれるとき」

> 【問28-6】　期限切れ欠損金額の損金算入を認めるための要件として、法人税法第59条第4項に「内国法人が解散した場合において、残余財産がないと見込まれるとき」が掲げられていますが、どのようにしてその判定をするのですか。残余財産が僅かな場合、期限切れ欠損金額の一部の損金算入が認められなければ、清算事業年度中の所得に対する税額の方が多くて、清算結了できないことが生じないでしょうか。

【答】　法人税法第59条第4項に規定する「残余財産がないと見込まれるとき」の判定について、法人税基本通達の12-3-7から12-3-9に、次のとおり示されています。

① 　基通12-3-7……「残余財産がないと見込まれる」かどうかの判定は、法人の清算中に終了する各事業年度終了の時の現況によります。前問の事例のように、解散事業年度の翌事業年度に清算結了するときは、この判定をする事業年度は最終事業年度だけですが、清算事務が数年間に及ぶときは、その間に到来する各事業年度終了の時に、この判定をすることになります。

② 　基通12-3-8……解散した法人が解散事業年度終了の時において債務超過の状態にあるときは、「残余財産がないと見込まれるとき」に該当するとされます。清算中に資産処分益や債務免除益が生じても、そのような法人が残余財産を残すことは通常ないと考えられるからでしょう。

③ 　基通12-3-9……「残余財産がないと見込まれることを説明する書類」には、例えば、法人の清算中に終了する各事業年度終了の時の実態貸借対照表（当該法人の有する資産及び負債の価額により作成される貸借対照表）が該当します。

　この実態貸借対照表を作成する場合における資産の価額は、当該事業年度終了の時における処分価額によりますが、当該法人の解散が事業譲渡等を前提としたもので、当該法人の資産が継続して他の法人の事業の用に供される見込みであるときには、当該資産が使用収益されるものとして当該

（1253）

事業年度終了の時において譲渡される場合に通常付される価額によります。

御質問の後段ですが、期限切れ欠損金額の損金算入は残余財産があると見込まれるかどうかによって、オール・オア・ナシングとされています。しかし、例えば解散事業年度終了の時に債務超過額100であった法人が、最後事業年度に含み益のあった資産を120で処分し、債務100を弁済して財産を20残した場合、この資産の処分益が80でその法人税等が25生じますと、その納税資金が不足し、清算結了ができないことがおこり得ます。このような場合、期限切れ欠損金額の一部の損金算入を認めるという手当てが、必要でないかと思われます。

残余財産確定事業年度の事業税等

> 【問28-7】 事業税及び特別法人事業税の損金算入時期は申告をした事業年度ですが、残余財産の確定した事業年度には翌事業年度がありませんから、申告をした事業年度に損金算入することができません。残余財産確定事業年度の事業税及び特別法人事業税はどのように取り扱われるのでしょうか。

【答】 申告納税方式の租税については、納税申告書が提出された日の属する事業年度に損金算入されますから（基通9-5-1）、事業税及び特別法人事業税も申告のあった事業年度の損金になります。残余財産の確定した事業年度の事業税及び特別法人事業税の申告書の提出は、その事業年度終了後に行いますから、御質問のように、損金算入できないのではないかとの疑問が生じます。これについては、法人税申告書別表四の所得の「合計34」に基づいて、通常の事業年度と同様に事業税及び特別法人事業税の税額を計算し、その税額を別表四の「残余財産の確定の日の属する事業年度に係る事業税及び特別法人事業税の損金算入額51」で所得金額から控除し、法人税の所得金額を計算することとされています。つまり、残余財産確定事業年度の事業税等は、その事業年度に損金算入されることとなります。

（1254）

第28章 解散した法人に対する課税方法

平成22年９月30日以前に解散した内国普通法人等に対する課税方法

> 【問28-8】 平成22年９月30日以前に解散した場合の課税方法について、その概要を説明してください。

【答】 平成22年９月30日以前に解散した内国普通法人等に適用される課税方法は以下のとおりです。なお、以下に記載する法令で「平22改正前」を付したものは、平成22年10月１日前に解散した内国普通法人等に、当該改正前のとおり適用される規定です。（平22所法等附10②）

解散した法人は、以後清算のために存続して清算事務を行いますが、平成22年９月30日以前に解散した内国普通法人等には清算中に生じた各事業年度の所得については法人税は課されず（平22改正前法６）、清算所得に対する法人税が課税されます。（平22改正前法５、92）

清算所得の金額は、下記の算式のとおりです。（平22改正前法93①）また、税率は【問26-3】の(2)に記載のとおりです。

$$\left(\begin{array}{c}残余財産\\の価額\end{array}\right) - \left(\begin{array}{c}解散の時におけ\\る資本金等の額\end{array} + \begin{array}{c}解散の時における\\利益積立金額等\end{array}\right)$$

要するに、清算所得に対する課税は、残余財産の価額のうち、解散の時における資本金等の額と利益積立金額（解散の時までに各事業年度の所得金額として課税された金額）には行われず、清算によって増加した純資産額に対して、残余財産の価額を限度として行われるわけです。その場合、下記の①の清算中の所得に係る予納申告及び②の残余財産の一部分配に係る予納申告での納付税額は、いずれも清算所得に対する法人税の予納税額ですので、清算確定申告における税額から控除されます。（平22改正前法104①四）

(注) 解散による清算所得の金額の計算及び税率は、解散の時の規定が適用されますので、清算確定申告及び下記②の残余財産分配等予納申告では、解散の時の税率を適用して、税額の計算をします。

清算所得に対する課税は上記のとおりですが、清算所得の金額は残余財産が確定するまで決まりませんし、解散から残余財産の確定まで長期間を要することがありますので、次の二つの場合について、清算所得に対する法人税の予納申告と納付が必要とされています。

（1255）

① 清算中の所得に係る予納申告（平22改正前法102）

　清算中の各事業年度（【問28-1】参照）の終了の日の翌日から2月以内（当該期間中に残余財産の最終の分配又は引渡しが行われる場合には、その行われる日の前日まで）に、当該事業年度の所得を解散をしていない内国普通法人等の各事業年度の所得とみなして計算した法人税の申告と納付を要します。

② 残余財産の一部分配等に係る予納申告（平22改正前法103）

　内国普通法人等が、その清算中に残余財産の一部の分配又は引渡しを行い、その分配又は引渡しをする残余財産の価額がその解散の時における資本金等の額及び利益積立金額（解散の時から当該残余財産の分配又は引渡しをしようとする時までに生じた利益積立金額がある場合には、当該利益積立金額を含めます。）の合計額（既に残余財産の一部の分配又は引渡しをしている場合には、その分配又は引渡しをした残余財産の価額に相当する金額を控除した金額）を超えるときは、残余財産の全部の分配又は引渡しをする場合を除き、分配又は引渡しの都度、その分配又は引渡しの日の前日までに、当該超過額を清算所得の金額とみなした法人税の申告と納付を要します。

　　(注)　残余財産の分配は、通常残余財産の確定後に行われますので、その確定前に一部の分配が行われるのは、稀なケースです。

■著者紹介──

森田　政夫 （もりた　まさお）

昭和 5 年	京都市生まれ
昭和30年	京都大学経済学部卒業
昭和33年	公認会計士第三次試験合格、公認会計士・税理士開業
昭和42年～49年	立命館大学講師
昭和49年12月～平成14年 6 月	監査法人誠和会計事務所代表社員
昭和52年～54年・昭和60年～平成11年	京都大学講師
昭和56年～58年	公認会計士第三次試験試験委員
昭和60年～62年	税理士試験試験委員
平成 5 年秋	黄綬褒章受章
平成 8 年～14年	同志社大学大学院講師
平成12年～14年	関西大学大学院講師
令和 5 年	逝去

著書に、「交際費・寄附金等の税務と会計」、「連結納税の実務Ｑ＆Ａ」、「固定資産・減価償却の税務と会計（共著）」、「会社役員間取引の税務（共著）」、「親子会社の税務と会計（共著）」、「預貯金・有価証券をめぐる会社税務（共著）」（以上清文社刊）、「更正・決定・修正申告と法人税務」、「棚卸資産」、「税理士のための税効果会計と法人税」、「税理士のための新会計基準と法人税」（以上中央経済社刊）ほか多数。

西尾　宇一郎 （にしお　ういちろう）

昭和30年	大阪市生まれ
昭和52年	同志社大学経済学部卒業
昭和57年	公認会計士第三次試験合格、公認会計士開業
昭和58年	税理士開業
平成11年 7 月～平成14年 6 月	監査法人誠和会計事務所代表社員
平成14年 7 月～平成16年 6 月	監査法人トーマツ代表社員
平成17年 4 月～令和 5 年 3 月	関西学院大学専門職大学院経営戦略研究科教授
平成29年～令和 4 年、令和 6 年	公認会計士試験試験委員
令和 5 年 4 月	関西学院大学名誉教授

著書等に、「固定資産・減価償却の税務と会計（共著）」、「会社役員間取引の税務（共著）」、「預貯金・有価証券をめぐる会社税務（共著）」（以上清文社刊）、「困ったときの土地・建物の税金便利事典」、「困ったときの相続・贈与の税金便利事典」、「困ったときの会社の税金便利事典」、「困ったときの経理実務便利事典（共著）」（以上こう書房刊）、「尼崎競艇場の研究（「地方行政」連載）」（時事通信社刊）ほか。

令和6年11月改訂 問答式 法人税事例選集

2024年11月29日　発行

著　者　　森田 政夫／西尾 宇一郎 ©

発行者　　小泉 定裕

発行所　　株式会社 清文社

東京都文京区小石川1丁目3−25（小石川大国ビル）
〒112-0002　電話 03(4332)1375　FAX 03(4332)1376
大阪市北区天神橋2丁目北2−6（大和南森町ビル）
〒530-0041　電話 06(6135)4050　FAX 06(6135)4059
URL https://www.skattsei.co.jp/

印刷：㈱広済堂ネクスト

■著作権法により無断複写複製は禁止されています。落丁本・乱丁本はお取り替えします。
■本書の内容に関するお問い合わせは編集部までFAX(06-6135-4056)又はメール（edit-w@skattsei.co.jp）で
お願いします。
＊本書の追録情報等は、当社ホームページ（https://www.skattsei.co.jp）をご覧ください。

ISBN978-4-433-70784-2